労働法

Labor and Employment Law

第5版

荒木尚志

ARAKI Takashi

有斐閣

第5版　はしがき

第4版を刊行して2年以上が経過した。2年前の2020年初頭に日本にも波及した新型コロナウイルス感染症の大流行により，雇用関係は大きな変化に見舞われた。なかなか普及しなかったテレワークを，多くの企業が否応なく導入することとなり，労働者はオンラインを活用した在宅就労等の新たな働き方を経験し，副業・兼業も拡大した。コロナ禍による休業は，非正規労働者や雇用類似就業者に対するセーフティネットの脆弱さを認識させることにもなった。働き方改革が進行する中で，労働法制はこれらの新たな課題にも対応を迫られている。

この2年間における法令の制定・改正としては，2020年の公益通報者保護法改正（公益通報者保護の拡充），労働者協同組合法の制定（労働者協同組合を法律上正面から認め法人格を付与し，組合員とは労働契約を締結すべきこと等を規定。2022年に特定労働者協同組合に関する再改正），2021年の育児介護休業法改正（いわゆる産後パパ育休制度の創設，育児休業の2回分割取得の許容，育児休業取得状況の公表義務化等の規制拡充），2021年から22年にかけて数回にわたる労災保険法の省令改正（労災保険の特別加入対象にフードデリバリー，芸能従事者やITフリーランス等を追加），2022年の雇用保険法改正（機動的対応を可能とする国庫繰入制度等），職業安定法改正（求人メディア等を募集情報等提供事業者として規制），女性活躍推進法の省令改正（男女賃金差異に関する情報公表），労働基準法の省令改正（いわゆるデジタル給与払いの許容）等がある。また，2020年には副業・兼業ガイドラインの大幅改定（2022年に再改定），2021年にはテレワークガイドラインの改定，フリーランスガイドラインの策定，脳・心臓疾患労災認定基準の改正等も行われた。

第5版では，こうした法令等の改正を反映すると共に，判例・学説における新たな展開をフォローし，また，現在展開中の雇用・労働政策についてもその方向性について言及するように努めた。その結果，全編にわたって相当の加筆修正を行うこととなった。本文中に加筆した以外に新たに項目を起こして論じた事項として，「性的少数者（LGBTQ）に対する人事上の措置の適法性」「妊娠・出産申出時の育児休業制度の個別の周知・意向確認措置と雇用環境整備」

「出生時育児休業（いわゆる「産後パパ育休」）制度の創設」（以上第５章），「コロナ禍における休業と休業手当・賃金」「退職金の複合的性格」（以上第６章），「監督権限・規制権限の不行使と国家賠償責任」（第 10 章），「諸外国における解雇規制」「使用者の労働・社会保険手続の不履行と損害賠償責任」（以上第 12 章），「有期契約期間中の試用期間設定」（第 13 章），「復職に向けたリハビリ勤務（試し出勤）」（第 15 章），「５年更新上限条項と５年無期転換ルールの潜脱？」「不利益な更新条件提示による更新不成立は使用者による雇止めか（変更解約告知類似の雇止め）」「『違いに応じた均衡のとれた処遇』の意味」「労働組合による労働者供給事業」「派遣先均等・均衡方式と日本の雇用システム」（以上第 18 章），「個別労働関係紛争を対象とする仲裁合意の効力」（第 19 章）「労働者協同組合」（第 20 章），「コロナ禍における雇用政策（令和２年～）」（第 25 章），「求人メディア等（募集情報等提供事業者）についての規制」（第 26 章）などがある。

今回の改訂に当たっては，東京大学大学院法学政治学研究科助教石黒駿氏に文献のアップデートや相互リファーの確認のみならず，内容についても数々の貴重な助言をいただいた。また，有斐閣編集部の藤本依子氏および笹倉武宏氏には，文字通り献身的なご尽力により刊行に漕ぎ着けていただいた。心より御礼を申し上げたい。

2022 年 11 月

荒 木 尚 志

初版　はしがき

本書は，労働契約法が2007年に制定され，新たな時代に入った労働法の全体像を提示する体系書を目指して執筆された。筆者は，2006年4月から2008年3月まで『法学教室』(有斐閣) に「新労働法講義」と題して24回の連載を行った。奇しくも労働契約法は，連載の最終回である2008年3月に施行された。当初は連載論文に労働契約法の内容を反映させて整える程度で済むと考えていたが，労働契約法の持つ重要性を認識するにつれ，また，連載中に行われた男女雇用機会均等法，パート労働法の大改正など，めざましく発展する労働法の姿に向き合うにつれ，労働法の体系全体を再検討する必要があるとの認識に至った。そこで，個別的労働関係法を労働保護法と (広義の) 労働契約法に二分して把握し直しただけではなく，対象も規範も規制手法もさらには紛争解決システムも多様化し複雑化しつつある労働法を，その特色と存在意義を再確認することから始めた。そして，労働者保護という原初的存在意義を支柱にしつつも，広範な機能を担う法領域へと発展した労働法の姿を描写することに努めた。結果として，法学教室の連載はその多くの部分について書き直すこととなり，分量としても連載の丸1年分に相当する量を新たに執筆することとなった。

本書では，新時代の労働法の理論的体系書を目指すとともに，労働法に関わっておられる実務家や政策担当者，労働法を学ぶ学生・法科大学院生，そして労働法に関心を持つ一般の読者の需要にも応えようと，あえて二兎も三兎も追ってみた。そうした欲張りな目標を達成すべく，いくつかの工夫を試みた。すなわち，第1に，労働法の骨格部分を本文で，発展的議論についてはインデントした小見出し項目で論ずることとした。第2に，授業で板書するように，理論や制度の関係を図示することで理解が容易になる場面では，図表を多用した。第3に，相互リファーを多用し，労働法全体の制度・理論の有機的関連を読者が自習しても修得できるようにした。第4に，裁判例の引用に当たっては，できるだけ事案の概要を簡潔に示して，当該理論がどのような場面で実際に使われているのかがわかるように努めた。第5に，日本の労働法の現状を客観的に把握し，今後の方向を考える上で有効な場面では，比較法的考察を踏まえた検討を行った。第6に，まだ十分に議論されていないが理論上あるいは実務上重要と思われる論点について，積極的に議論を展開し，また，今後の立法政策の方向についても若干言及した。これらの工夫については，改良すべき点も多々残されているであろう。読者諸賢のご批判を仰ぎ，改善を図っていきたい。

本書が先学の研究蓄積に多くを負っていることはいうまでもないが，とりわけ，恩師菅野和夫先生（中央労働委員会会長・東京大学名誉教授・学士院会員）には，これまでに賜った学恩に心より御礼申し上げたい。また，東京大学法学部と同法科大学院における学生諸君との議論，そして東京大学労働法研究会における毎週の判例研究会（労判）の議論から得た着想や教示は，本書に多大の影響を与えている。これらの貴重な機会に恵まれたことに感謝したい。

本書の刊行に際しては，東京大学グローバルCOE特任研究員富永晃一氏，東京大学助教池田悠氏，日本学術振興会特別研究員神吉知郁子氏，東京大学大学院博士課程成田史子氏，同金久保茂弁護士，東京大学法科大学院生石川茉莉氏に，文献・判例のチェックのみならず，内容に関して大変有益な指摘をしていただいた。また，有斐閣雑誌編集部の亀井聡氏および鈴木淳也氏には，本書の基となった法学教室の連載を熱い思いで支えていただいた。そして何より，同書籍編集部の笹倉武宏氏の緻密さと配慮に満ちた献身的作業なしには，本書の刊行はとうてい不可能であった。これらの方々の温かいサポートに対して，心より感謝申し上げる。

最後に，陰ながら執筆を応援してくれた家族（あかね・峻・玲）にも一言お礼を言いたい。

2009年7月

荒木尚志

＊カバー装画には，筆者の労働法研究者としての一つの礎を形成したルーヴァン大学（ベルギー）留学の想い出の詰まった版画を採用していただいた。

著者紹介

荒木 尚志（あらき たかし）

東京大学大学院法学政治学研究科教授・法学博士

1959 年　熊本県に生まれる

1983 年　東京大学法学部卒業

1985 年　東京大学大学院法学政治学研究科修士課程修了

1985 年　東京大学法学部助手

1988 年　東京大学法学部助教授

2001 年より現職

主要著書

労働時間の法的構造（有斐閣，1991 年）

雇用システムと労働条件変更法理（有斐閣，2001 年）

Labor and Employment Law in Japan (Japan Institute of Labor, 2002)

諸外国の労働契約法制（共編著，労働政策研究・研修機構，2006 年）

雇用社会の法と経済（共編著，有斐閣，2008 年）

Multinational Human Resource Management and the Law（共著，Edward Elgar, 2013）

詳説 労働契約法〔第 2 版〕（共著，弘文堂，2014 年）

有期雇用法制ベーシックス（編著，有斐閣，2014 年）

岩波講座 現代法の動態 3 社会変化と法（責任編集，岩波書店，2014 年）

ケースブック労働法〔第 4 版〕（共編著，有斐閣，2015 年）

解雇ルールと紛争解決――10 カ国の国際比較（共編著，労働政策研究・研修機構，2017 年）

主要目次

細 目 次

第1部　労働法総論

第2部 個別的労働関係法

第1編　労働保護法

第10章　安全衛生・労働災害——*271*

第2編　労働契約法

第 3 部　集団的労働関係法

第4部 労働市場法

凡　例

1　法令名・条文

法令名は，原則として有斐閣『六法全書』の略語・通称によった。なお，施行令，施行規則については，同略語に「令」「則」を付した。条文は原文どおりとした。ただし，数字はアラビア数字に改めた。

2　判例・命令等略語

大決	大審院決定
最	最高裁判所
最大判	最高裁判所大法廷判決
最大決	最高裁判所大法廷決定
高	高等裁判所
地	地方裁判所
支	支部
判	判決
決	決定

3　判例集・判例雑誌略語

金判	金融・商事判例
刑集	最高裁判所刑事判例集
裁時	裁判所時報
裁判集民事	最高裁判所裁判集　民事
知的裁	知的財産権関係民事・行政裁判例集
判時	判例時報
判タ	判例タイムズ
別冊中労時	別冊中央労働時報
民集	（大審院または最高裁判所）民事判例集
命令集	不当労働行為事件命令集
労経速	労働経済判例速報
労裁集	労働関係民事事件裁判集
労旬	労働法律旬報
労判	労働判例
労判ジャーナル	労働判例ジャーナル
労民集	労働関係民事裁判例集

4　告示・解釈例規略語

厚労告	厚生労働省告示
労告	労働省告示
基収	労働基準局長が疑義に答えて発する通達
基発	労働基準局長通達
雇児発	厚生労働省雇用均等・児童家庭局長通達
職発	職業安定局長通達

発基	労働基準局関係の事務次官通達
婦発	婦人局長通達

5　文献等略語

青木＝片岡・注解ⅠⅡ	青木宗也＝片岡曻編・労働基準法ⅠⅡ［注解法律学全集］（青林書院・Ⅰ1994年・Ⅱ1995年）
吾妻編・註解労基法	吾妻光俊編・註解労働基準法（青林書院新社・1960年）
荒木・雇用システム	荒木尚志・雇用システムと労働条件変更法理（有斐閣・2001年）
荒木編・社会変化と法	荒木尚志責任編集・現代法の動態3 社会変化と法（岩波書店・2014年）
荒木ほか・諸外国法制	荒木尚志＝山川隆一＝労働政策研究・研修機構編・諸外国の労働契約法制（労働政策研究・研修機構・2006年）
荒木ほか・労契法	荒木尚志＝菅野和夫＝山川隆一・詳説 労働契約法〔第2版〕（弘文堂・2014年）
荒木・労働時間	荒木尚志・労働時間の法的構造（有斐閣・1991年）
有泉・労基法	有泉亨・労働基準法［法律学全集］（有斐閣・1963年）
安西古稀	安西愈先生古稀記念論文集『経営と労働法務の理論と実務』（中央経済社・2009年）
石井	石井照久・新版労働法〔第3版〕（弘文堂・1973年）
石川・労組法	石川吉右衞門・労働組合法（有斐閣・1978年）
一問一答民法改正	筒井健夫＝村松秀樹編著・一問一答・民法（債権関係）改正（商事法務・2018年）
岩出	岩出誠・労働法実務大系〔第2版〕（民事法研究会・2019年）
大内・代表	大内伸哉・労働者代表法制に関する研究（有斐閣・2007年）
大内・変更法理	大内伸哉・労働条件変更法理の再構成（有斐閣・1999年）
学説史	籾井常喜編・戦後労働法学説史（労働旬報社・1996年）
片岡(1)(2)	片岡曻・村中孝史補訂・新版労働法(1)〔第4版〕,(2)〔第5版〕（有斐閣・(1)2007年・(2)2009年）
片岡ほか・新基準法論	片岡曻ほか・新労働基準法論（法律文化社・1982年）
鎌田・市場法	鎌田耕一・概説労働市場法〔第2版〕（三省堂・2021年）
鎌田＝諏訪・派遣法	鎌田耕一＝諏訪康雄編・労働者派遣法〔第2版〕（三省堂・2022年）
川口	川口美貴・労働法〔第6版〕（信山社・2022年）
久保＝浜田	久保敬治＝浜田冨士郎・労働法（ミネルヴァ書房・1993年）
毛塚古稀	毛塚勝利先生古稀記念論集『労働法理論 変革への模索』（信山社・2015年）
現代講座○巻	日本労働法学会編・現代労働法講座全15巻（総合労働研究所・1981年～1985年）
講座再生○巻	日本労働法学会編・講座労働法の再生全6巻（日本評論社・2017年）
講座21世紀○巻	日本労働法学会編・講座21世紀の労働法全8巻（有斐閣・2000年）
小西ほか	小西國友＝渡辺章＝中嶋士元也・労働関係法〔第5版〕（有斐閣・

	2007年）
佐々木ほか・類型別ⅠⅡ	佐々木宗啓＝清水響＝吉田徹＝佐久間健吉＝伊藤由紀子＝遠藤東路＝湯川克彦＝阿部雅彦編著・類型別 労働関係訴訟の実務〔改訂版〕ⅠⅡ（青林書院・2021年）
下井・労基法	下井隆史・労働基準法〔第5版〕（有斐閣・2019年）
下井・労使関係法	下井隆史・労使関係法（有斐閣・1995年）
社保百選（〇版）	別冊ジュリスト・社会保障判例百選（有斐閣・1977年・1991年・2000年・2008年・2016年）
白石	白石哲編著・労働関係訴訟の実務〔第2版〕（商事法務・2018年）
新基本法コメ・労基・労契法	西谷敏＝野田進＝和田肇＝奥田香子編・新基本法コンメンタール労働基準法・労働契約法〔第2版〕（日本評論社・2020年）
新基本法コメ・労組法	西谷敏＝道幸哲也＝中窪裕也編・新基本法コンメンタール労働組合法（日本評論社・2011年）
新講座〇巻	日本労働法学会編・新労働法講座全8巻（有斐閣・1966年～1967年）
審理ノート	山口幸雄＝三代川三千代＝難波孝一編・労働事件審理ノート〔第3版〕（判例タイムズ社・2011年）
菅野	菅野和夫・労働法〔第12版〕（弘文堂・2019年）
菅野古稀	菅野和夫先生古稀記念論集『労働法学の展望』（有斐閣・2013年）
菅野・雇用社会	菅野和夫・新・雇用社会の法〔補訂版〕（有斐閣・2004年）
戦後立法史	島田陽一＝菊池馨実＝竹内（奥野）寿編著・戦後労働立法史（旬報社・2018年）
争点	土田道夫＝山川隆一編・労働法の争点（ジュリスト増刊）（有斐閣・2014年）
大系〇巻	石井照久＝有泉亨編・労働法大系全5巻（有斐閣・1963年）
注釈時間法	東京大学労働法研究会・注釈労働時間法（有斐閣・1990年）
注釈労基法（上）（下）	東京大学労働法研究会・注釈労働基準法（上）（下）（有斐閣・2003年）
注釈労組法（上）（下）	東京大学労働法研究会・注釈労働組合法（上）（下）（有斐閣・（上）1980年・（下）1982年）
土田・概説	土田道夫・労働法概説〔第4版〕（弘文堂・2019年）
土田・契約法	土田道夫・労働契約法〔第2版〕（有斐閣・2016年）
土田編・債権法改正	土田道夫編＝債権法改正と雇用・労働契約に関する研究会著・債権法改正と労働法（商事法務・2012年）
土田・労務指揮権	土田道夫・労務指揮権の現代的展開（信山社・1999年）
寺本・労基法	寺本廣作・労働基準法解説（時事通信社・1948年）（日本立法資料全集別巻46〔信山社復刊・1998年〕）
道幸・基本構造	道幸哲也・不当労働行為法理の基本構造（北海道大学図書刊行会・2002年）
道幸・行政救済	道幸哲也・不当労働行為の行政救済法理（信山社・1998年）
道幸・誠実と公正	道幸哲也・労使関係法における誠実と公正（旬報社・2006年）
中窪・アメリカ	中窪裕也・アメリカ労働法〔第2版〕（弘文堂・2010年）
中窪＝野田・世界	中窪裕也＝野田進・労働法の世界〔第13版〕（有斐閣・2019年）

中嶋還暦	中嶋士元也先生還暦記念論集『労働関係法の現代的展開』(信山社・2004年)
西谷	西谷敏・労働法〔第3版〕(日本評論社・2020年)
西谷・基礎構造	西谷敏・労働法の基礎構造(法律文化社・2016年)
西谷古稀(上)(下)	西谷敏先生古稀記念論集『労働法と現代法の理論(上)(下)』(日本評論社・2013年)
西谷・個人と集団	西谷敏・労働法における個人と集団(有斐閣・1992年)
西谷・自己決定	西谷敏・規制が支える自己決定(法律文化社・2004年)
西谷・労組法	西谷敏・労働組合法〔第3版〕(有斐閣・2012年)
野川	野川忍・労働法(日本評論社・2018年)
野川・協約法	野川忍・労働協約法(弘文堂・2015年)
野川・労契法	野川忍・わかりやすい労働契約法〔第2版〕(商事法務・2012年)
野田・解雇	野田進・労働契約の変更と解雇(信山社・1997年)
濱口	濱口桂一郎・日本の労働法政策(労働政策研究・研修機構・2018年)
浜田・就業規則	浜田冨士郎・就業規則法の研究(有斐閣・1994年)
林＝山川・訴訟法	林豊＝山川隆一編・労働関係訴訟法(青林書院・2001年)
廣政・労基法	廣政順一・労働基準法――制定経緯とその展開(日本労務研究会・1979年)
文献研究	労働法文献研究会編・文献研究労働法学(総合労働研究所・1978年)
百選(◯版)	別冊ジュリスト・労働判例百選(有斐閣・1962年・1967年・1974年・1981年・1989年・1995年・2002年・2009年・2016年・2022年)
外尾・団体法	外尾健一・労働団体法(筑摩書房・1975年)
保原ほか・労災	保原喜志夫＝山口浩一郎＝西村健一郎編・労災保険・安全衛生のすべて(有斐閣・1998年)
水町	水町勇一郎・労働法〔第9版〕(有斐閣・2022年)
水町・詳解	水町勇一郎・詳解労働法〔第2版〕(東京大学出版会・2021年)
水町・集団	水町勇一郎・集団の再生(有斐閣・2005年)
盛・総論	盛誠吾・労働法総論・労使関係法(新世社・2000年)
安枝＝西村	安枝英訷＝西村健一郎・労働法〔第13版〕(有斐閣・2021年)
安枝＝西村・労基法	安枝英訷＝西村健一郎・労働基準法［現代法律学講座］(青林書院・1996年)
山川・雇用法	山川隆一・雇用関係法〔第4版〕(新世社・2008年)
山川・紛争処理法	山川隆一・労働紛争処理法(弘文堂・2012年)
山川＝渡辺・労働関係訴訟ⅠⅡⅢ	山川隆一＝渡辺弘編著・労働関係訴訟ⅠⅡⅢ(青林書院・2018年)
山口・労組法	山口浩一郎・労働組合法〔第2版〕(有斐閣・1996年)
労基局(上)(下)	厚生労働省労働基準局編・令和3年版労働基準法(上)(下)(労務行政・2022年)
労契研報告書	厚生労働省労働基準局『今後の労働契約法制の在り方に関する研究会報告書』(座長菅野和夫明治大学法科大学院教授〔当時〕, 2005

	年9月15日〔https://www.mhlw.go.jp/shingi/2005/09/s0915-4.html〕)
労政参事官室	厚生労働省労政担当参事官室編・労働組合法・労働関係調整法〔6訂新版〕(労務行政・2015年)
和田・契約	和田肇・労働契約の法理(有斐閣・1990年)
和田・人権	和田肇・人権保障と労働法(日本評論社・2008年)
渡辺章(上)(下)	渡辺章・労働法講義(上)(下)(信山社・(上)2009年・(下)2011年)
渡辺弘ⅠⅡ	渡辺弘・労働関係訴訟〔改訂版〕ⅠⅡ(青林書院・2021年)

6　雑誌略語

季労	季刊労働法
ジュリ	ジュリスト
曹時	法曹時報
中労時	中央労働時報
法協	法学協会雑誌
法教	法学教室
法時	法律時報
法セ	法学セミナー
労協	日本労働協会雑誌
労研	日本労働研究雑誌
労旬	労働法律旬報
労働	日本労働法学会誌

第1部　労働法総論

第1章　労働法の形成と展開

第1節　労働法とは

労働法とは，労働関係に登場する4つの行為者，すなわち，労働者，使用者（使用者団体），労働組合等の労働者代表組織，そして国家の相互関係を規整する法の総体である。

個別の労働者と使用者の契約関係を規律するのが「個別的労働関係法」と総称される分野であり，労働基準法や労働契約法等の多様な個別的労働関係法が制定されている。一方，使用者と労働組合の関係を規律する分野は「集団的労働関係法」と称され，代表的立法として，労働組合法，労働関係調整法等がある。国家は，個別的労働関係と集団的労働関係について種々の立法や政策を通じて関与しているほか，労働者と使用者の関係が成立する以前の求職者と求人者の外部労働市場における労働力取引を円滑にし，労働者の勤労権を実現するために，職業安定法，労働者派遣法，雇用保険法等の「労働市場法」と呼ばれる法規制を行っている。こうした労働に関わる法律関係全般を取り扱うのが労働法である。

2021年現在，働いている人，すなわち就業者約6667万人のうち，89％を超える5973万人が企業や個人事業主に雇用されている（総務省「令和3年労働力調査年報」）。この雇用されて働いている人たちが労働者である（統計上の「雇用者」とほぼ一致するが，労働力調査にいう雇用者には役員等の厳密には労働者とはいえない者も含まれている。いかなる人たちが労働者に当たるか〔労働者概念〕は，労働法の適用領域を画する重要な解釈問題であり，後に詳しく検討する→53頁）。労働法は，このように社会で働いている人の大多数を占める労働者に関わる法律関係を扱う。

次節で見るように，使用者と労働者を平等な市民として扱う近代市民法の下で生じた労働者の悲惨な状況を是正すべく，市民法原理を修正し労働者を保護する新たな法分野として登場したのが労働法である。しかし，今日の労働法の任務は，単に労働者保護のために市民法原理を修正することには留まらない。労働法は，多様な労働者間の利害を調整し，差別を排し，ワーク・ライフ・バランスの実現を可能とするなど，個々の労働者の幸福追求を支援する法としての側面，集団的組織的就労関係の特質に対応した企業法としての側面，労働者保護の必要に留意しつつ市場メカニズムを適切に機能させるための市場法としての側面等，古典的な労働者保護を超えて，労働関係に登場する様々な行為者間の適切な利害調整を図る複雑な法分野へと発展してきている。

第2節　労働法の形成と展開

Ⅰ　市民法原理の修正

近代市民法の下では，労働関係も対等の市民間の関係として，契約自由の原則，過失責任の原則，そして所有権絶対の原則（いわゆる近代民法の三大原則）によって規律されていた。しかし，現実には対等ではない労働者と使用者の関係を近代市民法原理に委ねた結果，世界各国で，とうてい是認し得ない労働者の悲惨な状況がもたらされた。そこで，こうした事態に対処するために，近代市民法原理を修正する新たな法分野として労働法が誕生することとなった。

1　契約自由の原則の修正

近代市民法における契約自由原則の下では，労働者と使用者の関係は，対等な市民間の契約関係の一つに過ぎない。したがって，その契約関係は当事者間の自由な合意に委ねられることとなる。産業革命により工場制機械生産が行われるようになると，大量の半熟練・非熟練労働者が出現することとなった。労働力が過剰な市場においては，労働者の交渉力は弱く，生きていくためにはいかなる劣悪な労働条件，労働環境であっても，その条件に同意して働かざるを得ない。そして，一旦合意した労働条件であれば，市民法上は対等な取引の結果としてそのままその効力が認められることとなる。その結果，各国で労働者が悲惨な状況に置かれることになり，とりわけ女性・年少者の酷使や健康破壊が社会問題化した。

使用者と労働者の間に存する交渉力の格差を無視して契約自由の原則を貫徹することの不当性が認識されるにつれて，各国で契約自由の原則を部分的に修正し，労働者の保護を図る次のような方策が採られることとなった。

(1)　労働保護法の制定

第1に，労働条件の最低基準を法律によって設定し，それを下回る合意の効力を認めず，最低基準に違反する労働条件で労働させることを罰則や行政監督を通じて禁止する労働保護法が制定されることとなった。その嚆矢がイギリスの1802年の「徒弟の健康および風紀に関する法律」に始まる工場立法による労働時間規制であり，当初は年少者のみを保護対象としたが，1833年に工場監督制度の導入，1844年に女子労働者の労働時間規制導入等の発展を見る。フランスでも1841年に年少者を対象とする労働時間規制が導入され，1874年に女子労働者規制や監督制度が導入されていく。ドイツでも1839年にプロイセンで児童の労働時間規制が定められ，1853年には監督制度が導入された。その後，1869年の営業法制定により，各ラントに存した労働保護法が統合される。アメリカにおいては，19世紀中葉から州レベルで労働時間規制立法が登場するが，当初は連邦憲法第14修正のデュープロセス条項によって保障された契約自由の侵害として違憲判決が下され，労働保護法の合憲性が確立するのは20世紀になってからであった。

(2)　労働組合の法認と団体交渉による労働条件設定

労使の交渉力の不均衡を是正するために伝統的労働法の採った第2の手法が，労働者の団結体である労働組合を認めて集合的取引を行わせることであった。労働組合によるストライキを背景とした集団的労働条件設定は，契約の自由に対する重大な制限を意味するため，当初は厳しく禁圧された。しかし，概ね以下のような展開をたどって禁圧から解放され，労働組合による労働条件設定制度が各国で根づいていく[1]。ただし，集団的労働関係はその国の伝統・文化を反映して多様であり，先進諸国でも現在どの段階にあるかは国によって様々であり，時代が下れば必ずⅰからⅴに至るというような単線的な発展段階をたどって展開しているわけではない。

ⅰ）禁圧　　まず，当初，労働条件を改善せよと使用者に迫り，劣悪な条件

---

1)　菅野815頁，注釈労組法（上）2頁以下，盛・総論14頁以下等。

では働かない，すなわち，ストライキに訴える労働者集団の行為は，契約の自由を不当に制限するものとして，民事上違法とされるのみならず，刑事上も処罰されるという禁圧の時代があった。例えば，フランスのル・シャプリエ法（1791年）は，労働組合の結成や活動を刑事罰を科して禁止していた。

ii）**放任**　労働組合の存在意義が社会的に認知されるようになると，団結自体を処罰するような団結禁止立法は廃止され，民事上も，契約自由に介入し，これに制限を加えるストライキ，ピケッティング等の行為に民事免責が与えられるようになる。これは，労働組合を禁圧政策から解放するものだが，しかし，国家が積極的に保護助成するわけではなく，放任するに留まる。イギリスはごく最近まで，このような集団的自由放任（collective laissez-faire）の立場を維持してきた。

iii）**承認**　20世紀に入ると，労働組合を他の市民団体と同様に放任し，国家が干渉しないという段階からさらに進んで，単なる言論・集会・結社の自由の枠内で捉えるのではなく，労働組合を結成する権利（団結権）を社会的基本権として国家が積極的に承認する例が現れる。1919年制定のドイツ・ワイマール憲法がその嚆矢であり，憲法上団結権を保障し，これを侵害する合意・措置を違法とした。また，使用者（使用者団体）と労働組合間で締結された労働協約に対して，制定法によって規範的効力という特殊な効力（労働契約がそれを下回ることができないような最低基準としての効力）を付与する等，労働組合の機能を国家がサポートするようになる。ドイツをはじめ多くの欧州諸国の集団的労働関係法は現在，この段階に位置づけられる。

iv）**助成**　さらに，労働組合の結成・運営について，国家が積極的に助成する法政策が採用される場合がある。典型例がアメリカの1935年の通称ワグナー法（Wagner Act，正式名称は全国労働関係法：National Labor Relations Act）で導入された不当労働行為制度である。そこでは，労働者の団結，団体交渉，団体行動の権利を保障し，これらの権利を侵害する使用者の行為を不当労働行為（unfair labor practice）として禁止し，その違反に対して，専門的行政委員会（全国労働関係局：National Labor Relations Board）が行政救済命令を発し得ることとされた。欧州では伝統的に団体交渉の実施については労使自治に委ね，国家は介入してこなかった[2)]のに対して，不当労働行為制度の下では，国家が積極的に団体交渉を助成する点に顕著な特徴がある。

日本の現行労組法はアメリカのワグナー法の影響を受けて，不当労働行為制度を採用しており，法政策の類型としてはここに属する。欧州でも例えば，フランスでは1982年のオルー法によって年1回の団体交渉義務を課すなど，団体交渉を国家が助成する例も現れてきている。

v）**再調整**　アメリカでは国家が積極的に労働組合を助成する法政策を採用した結果，労働組合が強大化し，その権限の濫用が問題視されるようになった。その結果，労使のバランス，および組合と個人労働者の関係の再調整・再規制がなされることとなった。すなわち，1947年の通称タフト・ハートレー法（Taft-Hartley Act，正式名称は労使関係法：Labor Management Relations Act）によって，組合による被用者の権利侵害や二次的圧力行為，団交拒否等が労働組合の不当労働行為として禁止され，クローズド・ショップ（→667頁）も禁止された。また，1950年代には組合幹部腐敗が明るみに出たことから，1959年の通称ランドラム・グリフィン法（Landrum-Griffin Act，正式名称は労使情報報告・公開法：Labor-Management Reporting and Disclosure Act）により，組合の内部運営の民主化，適正化のため，組合員の権利と民主的手続の保障，情報の公開，組合役員の報告義務，汚職の禁止等が定められた。

イギリスでも，サッチャー政権下で，二次的争議行為の違法化，クローズド・ショップの制限，組合員個人の権利の保障等の規制が導入された。

⑶　労働市場の規制

第3に，生身の人間と切り離せない労働力取引を扱う労働市場に対して，規制が導入された。すなわち，有料職業紹介事業や労働者募集業は労働力の市場マッチングを行う事業であるが，仕事を得る必要に迫られている求職者の窮状につけ込んだ不当に高額の料金徴収や中間搾取，情報の虚偽伝達・不当操作，差別的取扱い，さらには仲介業者による人身拘束，人身売買といった悪弊がはびこったため，19世紀の後半以降，民間による職業紹介は禁止し専ら国家がこれを行うべきとの考え方が各国で形成されていった。

1919年に設立された国際労働機関（International Labour Organization：ILO）で

2）もっとも，フランスでは1982年のオルー（Auroux）法以来，産別レベルでは5年ごと，企業レベルでは毎年の団体交渉義務が導入されている。詳しくは労働政策研究・研修機構『現代先進諸国の労働協約システム――フランスの企業別協約』労働政策研究報告書No. 178［細川良］（2015年）参照。

は，労働を通常の商品とみなすべきではないとの考え方（→16頁）に立ち，1919年の失業勧告（ILO 1号勧告）で，有料職業紹介所廃止（職業紹介の国家独占政策）を打ち出した。1933年の有料職業紹介所条約（ILO 34号条約）では，有料職業紹介所の3年内の廃止等が定められ，1949年にはやや内容を緩和しつつも，職業紹介の国家独占を原則とする96号条約が採択された。

しかし，ILOはその後，1997年の民間職業仲介事業所条約（ILO 181号条約）で職業紹介の国家独占原則を廃し，民間の有料職業紹介と国家の職業紹介の併存を認める立場に大きく方針を転換し，今日に至っている3)。

■国際労働法の展開　各国の労働法の展開には，国際的な労働法の動向が大きな影響を与えてきた。とりわけ，第一次世界大戦直後の1919年に，ヴェルサイユ条約に基づいて国際労働基準を設定する国際労働機関（ILO）が設立されたことは，画期的なことであった。

ILOは他の国際機関とは異なり，政府代表，使用者代表，労働者代表の三者構成を採っている。2019年3月現在の加盟国は187ヶ国である。ILOの重要な任務は国際労働基準に関する条約と勧告を採択し監督することである。条約は批准国に対して法的義務を課し，批准国はその実施のために採った措置について年次報告を義務づけられる。勧告は法的拘束力がなく，一定の行動指針を示すに留まるが，加盟国は現況報告を行う義務がある。

ILOの設定する国際労働基準は，狭義の労働条件基準には留まらず，団結権，団交権等の集団的労使関係事項，雇用保障や職業紹介等の労働市場に関わる事項，さらには社会保障にわたる事項も対象とし，採択条約数は現在190に上る。ILO条約・勧告は発展途上国にとっては目指すべき普遍的労働基準として国内法をリードする役割を担ってきた。なお，ILOは1998年に，「労働における基本原則及び権利に関するILO宣言」を採択し，すべての加盟国は，関係するILO条約を未批准であっても，次の基本的権利に関する原則（中核的労働基準），すなわち，(a)結社の自由および団体交渉権の効果的な承認（87号，98号条約），(b)あらゆる形態の強制労働の禁止（29号，105号条約），(c)児童労働の実効的な廃止（138号，182号条約），(d)雇用および職業における差別の排除（100号，111号条約［日本未批准］），(e)安全で健康的な職場環境（155号［日本未批准］，187号条約。2022年総会で中核的労働基準に追加され，2024年12月発効予定）を尊重し，促進し，実現する義務を負うべきものとしている。

EU（欧州連合）では，より高度な内容でかつ拘束力のあるEU立法（EU指令やEU規則）によって超国家レベルの規範設定を行っており，EU加盟国の労働法に多大の影響を与えている。そして1991年末のマーストリヒト条約以降，EUレベルの労使対話（European social dialogue）で合意した協定を，そのままEU指令に転換する（EU労働立法の内容を労使が合意して決定できる）ユニークなルートが開かれている4)。

---

3)　馬渡淳一郎「労働市場の法的機構」講座21世紀2巻43頁参照。

4)　濱口桂一郎『新・EUの労働法政策』1頁以下（2022年）等参照。

なお，1961年には，先進諸国によって構成されるOECD（経済協力開発機構 Organisation for Economic Co-operation and Development）が発足し，多国籍企業の遵守すべきガイドラインを設定したり，コーポレート・ガバナンス原則を設定する等，労働問題を含む国際的な企業活動に対して影響力を持つ活動を行っている。

2　過失責任主義の修正

過失責任主義の下では，労働者が労働災害にあっても不法行為責任を追及するには，使用者の過失，損害の発生，加害行為と損害発生との因果関係等を労働者が立証しなければならない。また，仮にこの立証に成功しても，特にイギリスでは，「寄与過失（contributory negligence）」の法理（被害者に過失があれば，加害者の過失に比べて軽微なものであっても加害者の不法行為責任は完全に阻却される法理）により損害賠償を得られなかった。

そこで，業務上発生した災害については使用者の過失の有無を問わずに使用者に補償責任を課する，無過失責任の労災補償制度が各国で整備されることとなった。また，使用者の補償責任を保険で担保する労災保険制度も整備されるに至っている。

Ⅱ　日本における労働法の展開

1　労働保護法の展開

日本でも，近代産業社会の展開に呼応して，労働保護法の展開が見られた。明治初期には，官業労働者について不十分ながら災害補償に関する一定の規制が誕生し，また，鉱山労働者について若干の萌芽的労働保護規制が見られた。その後，日清戦争を経て国内の産業が急速に発展するにつれて，労働問題も深刻度を増し，政府内では工場法制定を目指す動きが本格化した。しかし，1909（明治42）年に帝国議会に提出された工場法案は夜業禁止規定について猛烈な反対にあい法案撤回を余儀なくされるなど難航し，工場法が制定されたのは明治末の1911（明治44）年，法施行は女子・年少者の夜業禁止が主要産業たる紡績業に不利に作用することを懸念した反対運動のためさらに延期され，1916（大正5）年のことであった。

工場法は常時15人以上の職工を使用する工場および危険有害事業を行う工場を適用対象とし，最低入職年齢（12歳）を定めたほか，主として保護職工といわれた女子・年少者（15歳未満）に対して，最長労働時間（拘束12時間），深夜業禁止（午後10時～午前4時），休憩，休日（毎月2回），危険有害業務への就労禁止等の保護規制を導入した。また，行政官庁による工場監督制度も設けられた。1923（大正12）年には，工場法が改正され，適用範囲を10人以上使用の工場に拡大，保護年齢を15歳から16歳に引き上げ，深夜業禁止も午後10時～午前5時に拡張，産前産後の女子保護の導入等，保護内容が拡充された（施行は1926〔大正15〕年）。この工場法の経験は戦後の労働基準法の制定にも大いに活かされることとなる。

しかし，日本の労働保護法が成人男性をも対象として本格的展開を開始するのは，第二次世界大戦後のことであった。すなわち，1947（昭和22）年には，労働基準法が労働条件の最低基準を包括的に定める個別労働関係の基本法として制定され，同時に労働者災害補償保険法も制定された。その後，労基法から分離独立する形で，1959（昭和34）年に最低賃金法が，1972（昭和47）年に労働安全衛生法が制定され，発展を遂げていく。オイルショック後に企業倒産が続発し，労働者の賃金債権保全の必要が高まると，1976（昭和51）年には，賃金支払確保法が制定された。

1980年代以降になると，労働市場・社会経済の構造変化に対応して，労働者派遣法，男女雇用機会均等法，育児休業法，育児介護休業法等，新たな労働立法が相次いだ。同時に，労基法の内容を現代化するための大改正も1987年，1998年，2003年，2008年，2018年等に行われている。

2　集団的労働関係法の展開[5]

日本では，労働組合結成自体を全面的に禁止するような法律が制定されていたわけではないが，各種の治安立法を通じて，労働組合は当初，厳しく禁圧されることとなった。すなわち，日清戦争後の不況時に続発した労働運動，労働争議に対処するため，1900（明治33）年の治安警察法は，団結体に加入させるための暴行・脅迫・公然誹毀（ひき）や同盟罷業（ストライキ）の誘惑・煽動を刑事罰で禁止した。また，同年の行政執行法，1908（明治41）年の警察犯処罰令，1926（大正15）年の「暴力行為等処罰ニ関スル法律」も労働組合抑圧のために用いられた。

やがて，大正期に入ると，1919（大正8）年のILO第1回総会への労働者代

5）　詳細は荒木尚志「日本における集団的労働条件設定システムの形成と展開」日労研661号15頁（2015年）参照。

表派遣問題等を契機として，労働組合を法認し育成するのが国策上得策との判断から，労働組合法制定の気運が高まった。翌1920（大正9）年には，労働組合の保護を主眼とし取締りを最小限とする内務省案と，殖産興業の観点から組合取締りを主とする農商務省案という対照的な案がそれぞれ提出された。こうした政府内部の対立は解消に至らず，その後も，種々の組合法案が政府や政党によって策定されたが，終戦まで労働組合法が制定されることはなかった。

しかし，戦前の労働組合法案立案の経験・蓄積は，第二次世界大戦直後の1945（昭和20）年12月という早期の労働組合法（旧労組法）制定を可能とした。そして，1949年には旧労組法が大改正されて現行の労働組合法が制定された。現行の労働組合法は，上述のように，不当労働行為制度を通じて労働組合を助成する政策を採用しているが，アメリカのように再調整段階には至っていない。

労働組合法は長い間大きな改正を経ずに来たが，2004年には不当労働行為救済手続の迅速化・適正化のための大改正が行われた。

3　労働市場規制の展開

労働市場規制については，戦前から民間職業紹介事業の弊害の指摘はあったものの，1940年代の戦時体制まで，国家は政策介入に抑制的であった。戦時体制下では民間職業紹介が禁止され完全な国家統制がなされたが，これは労働者保護の目的に出たものではなかった。

戦後になると，1947（昭和22）年の職業安定法が労働者保護の視点から民間の有料職業紹介を原則禁止し，職業紹介の国家独占政策が採られる。また，同年，失業保険法が制定されて失業者に対する失業保険支給体制が整えられ，1949年には失業保険金の切れた失業者を失業対策事業に吸収する緊急失業対策法が制定された。

日本経済が成長を開始する昭和30年代になると，1958（昭和33）年に職業訓練法，駐留軍関係離職者等臨時措置法の制定，1959年に炭鉱離職者臨時措置法の制定，1960年には職安法改正による「広域職業紹介」導入，1966（昭和41）年の雇用対策法では，雇用対策基本計画の作成義務づけなど，受動的（消極的）市場政策から積極的市場政策への転換が見られるようになる。

1973（昭和48）年のオイルショック以降は，既発生の失業に対処するために外部市場に向けた事後的・救済的施策から，雇用を維持し失業を生じさせない内部市場に向けた事前的・予防的施策へと力点が移っていく。すなわち，1974

年には失業保険法が雇用保険法に改正され，同法により創設された雇用保険3事業の下で，「雇用調整給付（助成）金」等の各種助成金を用いた積極的市場政策が展開されていった。

1980年代半ばからは，労働市場の構造変化，就労形態の多様化に対応し，1985年に労働者派遣法が，1986年には中高年齢者雇用促進特別措置法が高年齢者雇用安定法に改正され，60歳定年制の努力義務等が定められた。

バブル崩壊後の1990年代になると，1996年および1999年の有料職業紹介対象事業の原則自由化，1999年の労働者派遣事業の原則自由化等，労働市場政策は大きく転換し，規制緩和による労働市場の活性化策が推し進められた。

しかし，2008年のリーマン・ショックに端を発する世界不況により，非正規労働者を中心に大規模な雇用調整が行われ，規制緩和路線を転換し，非正規労働者の保護を強化すべきとの反省が生じた。そして，民主党を中心とする新政権の下，2012年には，派遣労働者の保護を強化する派遣法改正，有期労働契約の無期転換等の規制を導入する労契法改正が行われ，その後の自公政権下でも，2014年のパート労働法改正，2015年の派遣法の抜本的改正等，非正規雇用についての新たな政策が展開された。非正規雇用に関しては，2018年の働き方改革の一環として，いわゆる同一労働同一賃金のスローガンの下に正規・非正規の格差是正規制が大きく展開した。

4　過失責任主義の修正

過失責任主義による処理が労働者に過酷な帰結をもたらす労働災害の補償については，1947（昭和22）年制定の労基法が業務上災害について使用者の無過失責任を定める労災補償制度を導入し，また，同年，その責任を担保するために労災保険法が制定されている。特に，労災保険法はその後，充実発展し，労基法による使用者自身の労災補償責任はほとんど問題とならないほどになっている（→278頁以下）。

Ⅲ　労働法学の展開と現代的課題

戦後誕生した労働法学[6]は，上述のような市民法原理の修正を図るという特殊性を強調して，従来の民法・刑法・行政法の理論とは全く別個独自の理論を

6）　労働法学の展開については，西谷敏「労働法学」労研621号62頁（2012年）。

形成する傾向が顕著であった[7]。

しかし，労働法は，その基本概念・法原理を民事法・刑事法・行政法等の伝統的法理論に基礎を置きつつ，それを一定範囲で修正・発展させてきたものである。例えば，労働契約については，民法の雇用契約に関する規制を前提に，労基法や労契法等の労働立法が特別規制を行っているという関係に立つ。労基法のように強行的規範を設定し，その実効性を罰則と行政監督制度によって担保している法律が，民事法・刑事法・行政法の原理に従って解釈適用されるべきことも当然である。したがって，労働法を，これらの国家の全法体系の中に位置づけ，いかなる点でどの程度これらの伝統的法理論が修正されているのかを，伝統的法理論との異同に留意しつつ，明らかにすることが労働法学の重要な任務となる。1980年代以降の労働法学は概ねこのような作業を精力的に展開してきたといってよい[8]。こうした作業を通じて明らかになってきた労働法は，単に労働者の保護のために市民法ルールを修正するには留まらない労働関係の特質に対応した独自の理論的発展を示すに至っている。

しかし，1990年代になると，日本経済全体の規制緩和政策の一環として，労働法制にも規制緩和の波が及ぶようになった。一部では，労働法による規制を撤廃して市民法による処理，ないし労働市場による調整に委ねるべきであるとの主張[9]も見られる。確かに，労働者像・就労形態が多様化し，均一かつ等質な労働者集団（交渉力に欠け，没個性的な単なる労働力の提供者として使用者の指揮命令に拘束されて就労する労働者）を念頭に置いた伝統的労働法モデルでは律しきれない，あるいは，律するのが妥当でない場面が生じてきている。しかし，これは規制の現代化ないし再規制（reregulation）を要請するものではあっても，規制の単純な撤廃（deregulation）を要請すると解するのは早計に過ぎる。とはいえ，このことも含めて，改めて労働法の存在意義を問い直す作業が要請されているといえよう。そこで，次章では，労働関係の特色とそれによって要請される労働法の存在意義を再検証する。

7）　戦後労働法学のこのような特徴については学説史11頁以下，同書全体および荒木尚志「労働法の現代的体系」講座再生1巻3頁を参照。

8）　その代表的な例が初版（1985年）以来版を重ねている菅野和夫教授の体系書『労働法』である。同書の労働法学における意義については下井隆史・労研513号34頁（2003年）参照。

9）　例えば，福井秀夫＝大竹文雄編『脱格差社会と雇用法制――法と経済学で考える』（2006年）はそのような主張を鮮明に打ち出している。

第2章　労働関係の特色・労働法の体系・労働条件規制システム

第1節　労働関係の特色と労働法

労働関係は，労働者と使用者の合意によって成立する契約関係であるが，他の契約関係にはない特色が見られる。その最大の特色が市場における経済的弱者としての労働者に関わるという点にあることはいうまでもない。しかし，労働関係には，そのほかにも継続的契約関係・組織的就労関係・多当事者関係等の特色が見られる。そして，今日の労働法は，経済的弱者たる労働者を保護するという任務に留まらず，こうした多様な労働関係の特色に対応した独特の法規制と法理論を発展させるに至っている。現在の労働法の発展した姿を理解するには，この労働関係の特色を踏まえた考察が必要となる。

Ⅰ　労働関係の特色

1　交渉力の不均衡

歴史的経験からも明らかなように，労働契約交渉において，使用者は通常，労働者より圧倒的に優越した立場に立ち，労働者は劣位にある。とりわけ使用者が法人の場合は組織対個人の関係になる。この労働者と使用者との交渉力の違いが，労働保護法による労働条件の最低基準の設定，すなわち，国家が介入して契約自由を制限し労働者保護を図ることを要請している。憲法27条2項が，勤労条件（労働条件）を法律で定めることとし，同条3項が児童の酷使を禁止しているのは，この要請に対応したものであり，実際に多くの労働保護立法が制定されている。また，憲法28条が労働者に労働三権という特殊な権利を保障したのも，労使の交渉力不均衡を前提に，労働者の交渉力を使用者と対等の立場に高めるためであった。換言すると，憲法は労働者と使用者の交渉力の不均衡を前提に労働者の保護を要請している。

もっとも，労働者の多様化が進展するにつれて，労働者の交渉力も多様化するし，また，各々の労働者の必要とする保護や労働条件基準も一概に論じにくくなってきている。また，団結権保障による交渉力の対等化という伝統的労働法のシナリオは，組合組織率が低下し（2021年の推定組織率は16.9％），大多数の労働者が組合に加入していない状況下では，十全に機能しているとはいい難い。交渉力格差の是正措置としていかなる方策が適切なのかの探求が現代的課題となっている。

2　人的関係

労働義務の履行は労務を提供する労働者という人格と切り離すことができない。これは，まず，労働人権法（→30頁以下）と呼ぶことのできる，労働関係における労働者の人格権尊重のための諸規制を要請する。ここでは憲法の人権規定との関連に留意すべきこととなる。

また，給付すべき債務が人が提供する労働力である点で，他の継続的契約関係とは異なる特質がある。経済学で議論されているように，労働力商品の特質として，貯蔵しておくことができず，労働者は生活のために日々労働力を売る必要に迫られるという状況が生ずる。そこで，求職者が良好な雇用機会を得られるように職業紹介システムの整備や，適職を探す間の生活を保障するための雇用保険制度等の整備が要請されることとなる。憲法27条1項の勤労権保障における労働市場整備の要請はこれらの問題に対応したものである。

さらに，具体的な労務提供の場面でも，労働時間規制や労働安全衛生法等の特別規制によって労務提供の担い手である労働者の健康や安全衛生の確保を図る規制，そして労働災害が発生した場合にはその補償の制度が要請される。これは憲法27条2項が要請する勤労（労働）条件規制の問題である。

こうした法規制の場面のみならず契約解釈の場面でも，人的関係という特質は，労働契約上，他の商品取引の際には問題とならないような「付随義務」を信義則上要請する（民1条2項参照）。例えば，使用者の労働者に対する「安全配慮義務」や労働者が使用者の利益を侵害しない「誠実義務」等がそうである。また，人的関係であることから，信義則が労働関係を規律する重要な指導理念となり，労働契約上の各種の権利義務の解釈に際して考慮されることとなる。信義則の労働関係における重要性は労契法3条4項でも確認され，安全配慮義務については同法5条で明文化されている。

さらに，人事管理の場面でも，人的関係は大いに問題となる。すなわち，労働力の質・価値は，同一の労働者の提供するものであっても，教育訓練によって変化し，また，本人の意欲，職場の雰囲気，使用者との関係等，人的要素によっても大きく変化する。しかも，その客観的価値の測定は困難である。1990年代以降，多くの企業で導入された成果主義賃金制度はこうした人的労働の特質に対する人事施策として導入されたものであるが，様々な問題点も指摘され，試行錯誤が続いている。

▩「労働は商品ではない」　1944年のいわゆる「フィラデルフィア宣言」（ILO憲章の付属文書である「国際労働機関の目的に関する宣言」）は，ILOの基礎となっている根本原則として「労働は商品ではない（labour is not a commodity）」ことを再確認している。「再確認」とされているのは，1919年のヴェルサイユ条約第13編427条で述べられていた「労働は単に商品または取引の目的物とみなされてはならない（labour should not be regarded merely as a commodity or article of commerce）」という原則を確認するものだったからである[1)]。したがって，ここでいう「商品（commodity）」とは，人格と切り離して取引可能な物品を指し，人間の提供する労働をそのような物品と同様に考えてはならない，という意味である。経済学では労働者の提供する労働は「労働力商品」と呼ばれ，その価格が市場メカニズムで決定されること，しかし労働力商品には特殊性があること等が論じられている。「労働は商品ではない」という宣言は，労働力の価格が市場によって決定されるメカニズムを否定するものではなく，むしろこれを前提に，労働力の担い手が人格を持った人間であることに着目し，適切な規制の必要性に注意を喚起するものである[2)]。

3　白地性（他人決定性）

労働契約は，「労働者が使用者に使用されて労働」する契約であり（労契6

1)　このフレーズは元々，アメリカ労働総同盟会長ゴンパーズの発案による1914年クレイトン法6条の「人間の労働は商品ではない」に由来するもので，アメリカではシャーマン法（競争法）の規制から労働法（特に労働組合法）を解放する含意があったことについて，荒木尚志「労働組合法上の労働者と独占禁止法上の事業者」渡辺章古稀記念『労働法が目指すべきもの』193頁（2011年）およびそこに掲記の文献参照。

2)　「労働は商品ではない」というフィラデルフィア宣言のより詳細な分析については石田眞「『労働は商品ではない』とはなにか――労働法の省察のために」労旬1663＝1664号6頁（2008年）。なお，石井5頁も参照。労働のモノとしての側面とヒトとしての側面に関するフランスの労働法学者アラン・シュピオの分析につき，大内伸哉・国家学会雑誌109巻7・8号765頁（1996年），矢野昌浩「労働法の規制緩和と労働者の法主体性――A. シュピオの所説から」早稲田法学75巻3号189頁（2000年），水町勇一郎『労働社会の変容と再生――フランス労働法制の歴史と理論』210頁以下（2001年）等参照。

条），使用者の指揮命令に服して労働を提供することがその本質をなす。古典的には労働契約は労働力の売買であり，労働力をどのように処分・利用するかは使用者が決定すべきこととされたが，契約理論の発展により，使用者も合意した範囲内でのみ労働力処分（指揮命令）が可能であるというように合意による一定の枠がはめられるようになる。しかし，労働義務の具体的内容をすべて契約で明定することは不可能であり（経済学でいう「契約の不完備性[3]」），その都度の指揮命令（業務命令）によって債務の内容を具体化することを認めざるを得ない。したがって，労働契約に白地性は避けられない。

このことは労働契約関係に他人（使用者）決定性という問題が常に内在すること（換言すれば，使用者に指揮命令権限が付与された契約関係が労働契約と評価されること），したがって，使用者の有する指揮命令権限行使の妥当性を吟味すべき要請が働くことを意味する。労契法3条5項が権利濫用禁止について明文の規定を置いているのも，労働関係には，使用者の一方的決定権が内在することを踏まえて，常に権利濫用の審査が要請されることを確認したものである。

4　継続的契約関係

労働契約は，単発の売買契約のような一回的契約関係ではなく，継続的契約関係である。しかも，一定の予告期間を置くことで自由に解雇ができた市民法の世界（民627条）とは異なり，判例法理により解雇権濫用法理が形成され，使用者による解雇権行使は厳しく制限されるようになった。そして，解雇権濫用法理は2003年には労働基準法に明文化され，2007年の労契法制定に伴い，同法16条として制定法上のルールとなっている。

このような継続的契約関係（関係的契約）では，民法学においても体系化されつつあるように[4]，契約関係の存続・継続に伴い契約内容の柔軟な調整が必然的に要請される。これが典型的に現れるのが労働条件変更の場面であり，一回的契約理論を前提にしては説明困難なルール，すなわち，就業規則の不利益変更が合理的であれば反対する労働者もこれに拘束されるという判例法理が形成され，今日では，労契法9条，10条で明文化されるに至っている（→416頁以下）。

---

3)　契約の不完備性については例えば三輪芳朗ほか編『会社法の経済学』10頁（1998年）参照。

4)　内田貴『契約の時代──日本社会と契約法』89頁以下（2000年），同「民営化（privatization）と契約──制度的契約論の試み（6・完）」ジュリ1311号145頁以下（2006年）。

また，継続的・長期的な関係が展開する労働関係には，それが人的関係であることと相まって，信義則の要請が強く働くこととなる。

5　集団的・組織的就労関係

労働者は他の多くの労働者とともに集団で就労し，企業組織の中で事業目的にかなうように配置され活用されるという組織性がある。このことから，他の契約関係では問題とならない集団的秩序・企業秩序の問題が生じる。例えば，企業秩序遵守義務といった観念が措定され，その違反について懲戒処分が可能と解されることになる。市民間の契約関係では，契約当事者に債務不履行があった場合，契約の解除や損害賠償請求は可能であるが，債権者が債務者を懲戒することは考えられない。懲戒処分の存在は労働関係の集団的・組織的就労関係を前提に理解可能となるものである。

集団的・組織的就労関係においては，個人の間の個別の取引では問題とならない統一的処理の必要や処遇の公平性といった観点が重要となり，それらが労働条件設定・変更，人事権の行使，懲戒処分等においても考慮され，労働法特有の法理を要請することとなる。

6　個人と集団の多当事者関係

労働関係では憲法28条，労働組合法によって労働組合という集団的な行為者が予定されている。労働組合は，個人では圧倒的に不利な立場にある労働者が団結し，争議権を背景に団体交渉を行うことによって労働者の交渉力を使用者と対等の立場に引き上げるために労働法が導入した労働関係のアクターである。

その結果，労働関係では，個別労働者と使用者の関係に留まらず，個別労働者と使用者と労働組合の三者の関係が問題となる[5]。しかも，労働組合は企業に複数存在することが少なくなく，また，複数の企業の労働者を組織する労働組合も存在する。その結果，多様な当事者間で複雑な交渉関係，法律問題が生じ得る。

労働法は既述のように，個別労働者の交渉力の弱さを所与の前提とし，個別

5）例えば，労働者と使用者の間の労働契約と，使用者と労働組合の締結する労働協約の効力関係（協約の規範的効力や有利原則の問題→698頁以下），あるいは，労働組合が組合員を除名処分にした場合に使用者が解雇義務を負うか（ユニオン・ショップ協定の効力→668頁以下）といった労働関係特有の法律問題が生ずる。

合意をそのまま信用しないことから出発している。その結果，交渉力の対等性を回復するには集団の力による必要があり，個人よりも集団の意思決定を優先する考え方を採ってきた。

しかし，個人と集団の関係については，労働者の価値観の多様化，就労形態の多様化，労働関係における差別禁止や自己決定権の尊重といった他の憲法上の価値の台頭等により，伝統的労働法における集団的意思の優先の位置づけについて再検討[6]が必要となってきている。また，労働者・就労形態・価値観の多様化は，労働組合とは異なる従業員代表制度の必要性に関する議論[7]も喚起している。

Ⅱ　労働関係の特色と労働法

上記1～3に示される経済的弱者としての労働者の保護のために労働法規制が必要であることは，次述するように憲法27条，28条によって憲法上確認されている。つまり，労働法の存在は憲法自体の要請といえる。しかし，4の継続的契約関係や5の集団的・組織的就労関係という特色から要請される事項は，労働関係内部の雇用保障と労働条件保障という2つの価値の調整原理に関するルール（さらにいえば，伝統的市民法が十分に認識せずにいたため，市民法に回帰しても適切に処理し得ない場面での新たな規制），あるいは企業という組織の必要に対応した労働関係に独自のルールであり，古典的市民法でも伝統的労働法でも捉えきれない側面を持つ。さらに，6における個人と集団の関係では，集団（団結）優先の伝統的労働法の再検討の契機を含む。

このように労働法は，憲法上その存在が要請され，また，継続的・集団的・組織的就労関係や，個別労使当事者のみならず集団的労使当事者という多当事者関係が問題となる点でも独特の法律関係が生ずる法分野である。したがって，その特色に適合的な法理論を必要とし，また，その特色に適合的な紛争処理システム（労働審判制度や労働委員会制度等）をも要請する独自性のある法分野とい

6)　この視点から労働法全体について鋭い問題提起を行った研究として西谷・個人と集団参照。

7)　学説の状況については，労働政策研究・研修機構編『労働条件決定システムの現状と方向性』234頁以下［内藤忍］（2007年），濱口桂一郎「従業員代表制の法政策」争点176頁。諸外国の状況を踏まえた総合的検討および提言として，労働政策研究・研修機構『様々な雇用形態にある者を含む労働者全体の意見集約のための集団的労使関係法制に関する研究会報告書』（座長：荒木尚志東京大学教授）（2013年）。

うことになる。

第2節　労働法の体系と憲法

I　労働法の体系

実体法としての労働法は，その規制対象領域に着目すると，個別労働者と使用者の関係を取り扱う「個別的労働関係法」(雇用関係法と呼ばれることもある)，労働組合と使用者の関係を取り扱う「集団的労働関係法」(労使関係法と呼ばれることもある)，そして求職者と求人者の関係をはじめ，労働市場における労働力需給関係を対象とする「労働市場法」(雇用保障法，雇用政策法と呼ばれることもある）の3分野に整理することができる8)。

本書も，このような理解に従うが，上述した労働関係の特色と，2007年に労契法が制定された意義を踏まえると，個別的労働関係法は，「労働保護法」と「(広義の）労働契約法」の2領域に分けて認識することができる。すなわち，個別的労働関係法は，前述の労働関係の特色**1**～**3**に示される労働者を経済的弱者と捉えてその保護を国家が担保する「労働保護法」と，労働者保護の必要性を踏まえつつ，**4**や**5**に示される労働関係の特殊性にも対応した民事規範からなる（刑事罰や行政監督という公法上の履行確保措置を有しない）「(広義の）労働契約法」の2つの領域から構成されていると解される。そして，労働保護法は，憲法の多様な人権規定にも対応した労働者の人権尊重のための諸規制である「労働人権法」と，憲法27条2項の「勤労条件に関する基準」に直接対応した最低労働基準を設定する「労働条件規制法」とからなると解される（**図表2-1**→30頁および41頁)。以下，憲法の規定との関係も含めて敷衍する。

▩労働紛争解決法制　1990年代末から労働紛争解決システムの整備が進み，2004年には労働審判法が制定されたことから，手続法としての労働法を労働紛争解決法として第4の分野と位置づける立場も有力になっている9)。こうした整理はもちろん可能であるが，実体法の効力とそのエンフォースメントに関わる履行確保手続・紛争解決手続は相互に関

8)　菅野1頁，土田・概説2頁，小西ほか3頁，片岡(1)9頁，西谷17頁等参照。

9)　例えば，菅野1頁は，労働法の体系としては3分野からなるものとし，同1057頁以下では実体法の3分野の編とは別個の編を設けて「労使紛争の解決手続」を論じている。水町45頁は労働紛争解決法を第4の分野と整理する（野川9-10頁も同旨)。

図表 2-1　労働法の体系

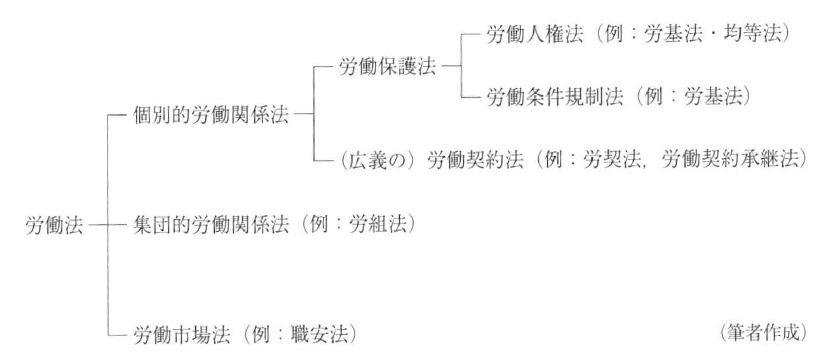

（筆者作成）

連させて考察する方が理解しやすい場面が少なくない（例えば不当労働行為制度と労働委員会による行政救済手続）。また，労働法ではソフトロー[10]（例えば努力義務を課し，行政が指針を示し啓蒙活動を行い，社会の規範意識の転換を促す施策）からハードロー（裁判所によってその権利実現が可能な規範を設定する規制）まで多様な規範を動員してその実効性を確保しようとしている点に特徴がある。こうした実体法とエンフォースメントの有機的関係の理解を容易にするため，本書では，労働紛争解決手続に関わる分野を実体法と切り離して別個に論ずることはせず，原則として実体法を論ずる中でエンフォースメントのメカニズムについても触れることとする。

▩公務員労働法　公務員については，その勤務関係について法令による規律が広範・詳細に及んでおり，また，集団的労働関係については，いわゆる労働三権について法律上特別の制限が課されるなど，特別の規制と法理論に服している。そのため，公務員労働法は，労使自治を根幹に据える通常の（民間の）労働法とは異なる独自の法体系を形成している。公務員労働法については，関係する箇所で言及するに留める。

Ⅱ　労働基本権

まず，憲法25条の生存権規定は，国家からの自由を保障する自由権的基本権と対比される福祉国家的基本権（社会権）[11]を定めたもので，一般に労働法の

10）労働法におけるソフトローとハードロー，および努力義務の機能については荒木尚志「労働立法における努力義務規定の機能――日本型ソフトロー・アプローチ？」中嶋還暦19頁。

11）ただし，後述するように，労働基本権には歴史的にも実際にも自由権的側面が内包されており，自由権との違いのみを強調するのは適切ではない（樋口陽一ほか『注釈日本国憲法（上巻）』566頁以下［中村睦男］〔1984年〕，西谷・労組法35頁等参照）。

根底に流れる理念であると解されている[12]。もっとも判例によると，憲法25条1項は，すべての国民が健康で文化的な最低限度の生活を営み得るように国政を運営すべきことを国の責務として宣言したに留まり，同規定から個々の国民の具体的権利を導き出すことはできないとされている[13]。憲法25条の要請は，労働関係については，憲法27条1項の勤労権保障，同条2項[14]，3項の勤労（労働）条件の法定義務，そして，憲法28条の労働三権保障において，より具体的に憲法上規定されている。

労働法を構成する3分野は，以下に見るとおり憲法27条および28条の労働基本権によって憲法上根拠づけられている。ただし，現在の労働法は，これら労働基本権規定以外の多様な憲法上の規定が関係する法領域へと発展していることにも留意すべきである（→30頁以下）[15]。

1　労働市場法と憲法27条1項

憲法27条1項は「すべて国民は，勤労の権利を有し，義務を負ふ」として，勤労の権利と勤労の義務を規定している。同条項によって，労働市場法の整備が要請されることとなる。

まず，「勤労の権利」の保障は，2つの政策義務を国家に課している。第1が，労働者が自己の能力と適性を活かした労働の機会を得られるように労働市場の体制を整える義務（労働市場整備義務）である。第2が，そのような労働機会を与えられない者に生活を保障する義務（失業援助義務）である。

これを受けて，労働市場の整備と失業援助に関わる諸種の「労働市場法」，すなわち，求職者（労働者）と求人者（使用者）の外部労働市場における労働力取引に関わる法規制を行う政策義務が国家に課され，憲法上根拠づけられることとなる。労働市場法のうち，労働市場整備義務に対応する法律として，労働施

12）　石井57頁，菅野27頁，中窪＝野田・世界4頁，水町・詳解99頁等参照。

13）　食糧管理法事件・最大判昭和23・9・29刑集2巻10号1235頁，朝日訴訟・最大判昭和42・5・24民集21巻5号1043頁，堀木訴訟・最大判昭和57・7・7民集36巻7号1235頁。学説では，いわゆる「プログラム規定説」ではなく「抽象的権利説」，すなわち，生存権を実現する立法がある場合，その内容を憲法25条を根拠にある程度コントロールすることは可能とする立場が支配的であるが，判例の位置づけについては見解の対立がある（藤井俊夫「憲法25条の法意」大石眞＝石川健治編『憲法の争点』174頁〔2008年〕，長谷部恭男『憲法』〔8版〕288頁〔2022年〕，松井茂記『日本国憲法』〔3版〕324頁〔2007年〕等参照）。

14）　労基法の労働条件の最低基準の設定に当たっても考慮されている（労基1条1項参照）。

15）　憲法の人権規定と労働法の関係についての労作として和田・人権がある。

策総合推進法，職業安定法，職業能力開発促進法，障害者雇用促進法，高年齢者雇用安定法等があり，失業援助義務に対応する法律として，雇用保険法がある。

他方，「勤労の義務」とは，強制労働は許されないので（労基5条参照），働く意欲のない者のために国が施策を講ずる必要はないことを示したものと解されている。これを受けて，雇用保険法上の失業給付受給には「求職活動を行つたこと」という要件が課され（雇保15条5項），生活保護法による保護も，利用し得る能力等の活用が要件とされている（生活保護4条1項）。

2　個別的労働関係法と憲法27条2項，3項

(1)　労働保護法の根拠規範

憲法27条2項は「賃金，就業時間，休息その他の勤労条件に関する基準は，法律でこれを定める」と規定し，労働条件について法律で基準を設定することを要請している。労働条件規制に関わる諸労働保護立法に憲法上の根拠を与えるものである。また，「児童は，これを酷使してはならない」とする同条3項も，同様である。

アメリカでは，19世紀から20世紀初頭にかけて，労働時間立法や最低賃金立法が憲法上保障された契約自由の侵害に当たるとして違憲判決を下されるという事態が生じた[16]。日本でも，労働保護立法は，憲法上保障された使用者の営業の自由（22条）や財産権（29条）の侵害として，違憲問題を生じ得る。しかし，憲法27条2項，3項は，そうした疑念を払拭し，労働保護立法が憲法上許容されるという明確な根拠を与えるものである[17]。本条項を受けて，労働者保護のために労働条件基準を設定する労働保護法が制定・展開されることとなる。

(2)　労働保護法と（広義の）労働契約法

従来は，個別労働者と使用者の関係を規律する個別的労働関係法はすべて，憲法27条2項ないし3項を根拠とするものと理解されてきた。しかし，労契

---

16)　J. Commons & J. Andrews, *Principles of Labor Legislation*, 74-82, 132-140 (4thed. 1936)，島田信義『市民法と労働法の接点』69頁以下（1965年），荒木・労働時間94頁以下，奥平康弘『憲法Ⅲ』265頁（1993年），中窪・アメリカ1頁以下等参照。

17)　なお，ドイツにおける議論を参考に，憲法27条2項に過剰禁止（過剰な私的自治の制限の禁止）とともに過少禁止（適切な労働条件基準法定を怠ることの禁止）を読み込み，立法者はこの両者の範囲内でのみ立法裁量を有し，過剰禁止のみならず過少禁止に該当する場合（規制緩和の行き過ぎ）も違憲となるとする見解として西谷・自己決定261頁以下がある。

法が制定された現在，個別的労働関係法は「労働保護法」と「(広義の)[18]労働契約法」[19]に分けて把握するのが適切である[20]。

憲法27条2項の「勤労条件に関する基準」の法定の要請は，直接には労基法が設定しているような最低労働基準の法定を想定したものである。最低労働基準の設定は，それを下回る労働条件を合意することを禁止し，この禁止の実効性を確保するために，刑事罰や行政監督という公法的手段を用いるのが当然とされてきた。このように最低労働条件を国家が公法的手段によって担保する個別的労働関係法は「労働保護法」と称することができる。労働保護法に属する法律としては，労基法，最低賃金法，労働安全衛生法，賃金支払確保法等がある。なお，男女雇用機会均等法や育児介護休業法の実体規制について罰則[21]の担保はないが，厚生労働大臣や都道府県労働局長による指導・勧告等の公法上の履行確保措置を予定している点で，労働保護法に属すると解される。なお，労働保護法は，さらに規制対象によって，労働条件規制法と労働人権法とに分けることができる（→41頁）。

「労働保護法」は，労働者保護のために契約の自由を国家が一部禁止するもので，国家による規制が前面に出る。これに対して，「(広義の) 労働契約法」は，労働契約当事者による契約自治を主軸に据え，これを労働者保護の理念や労働関係の特殊性を踏まえて規律する民事規範からなる。体系的には憲法27条2項の授権による[22]というより，民法の雇用に関する規定の特別法に位置づけられる。したがって，「(広義の) 労働契約法」では，国家（行政）がその履行を担保するのではなく，当事者が裁判所等の紛争処理機関を通じてその履行

18）　2007年に成立した制定法としての労働契約法（本書では制定法であることを示すために，しばしば「労契法」と表記する）と区別して，労働保護法と対比される，公法上の実効性確保措置を伴わない個別的労働関係法の総称として「(広義の) 労働契約法」という表現を用いる。

19）　ドイツでは公法上の実効性確保措置を備えた個別的労働関係法を「労働保護法（Arbeitsschutzrecht）」ないし「労働者保護法（Arbeitnehmerschutzrecht）」と呼び，そのような公法上の担保措置を欠き，純然たる民事法規から構成され，訴訟によってその実現を図るべき法令を「労働契約法（Arbeitsvertragsrecht）」と呼ぶ。

20）　同旨，土田・契約法2-3頁（ただし，土田教授は，本書のいう個別的労働関係法を「広義の労働契約法」と呼び，これが労働保護法と狭義の労働契約法から構成されるとする）。

21）　報告義務違反等に対しては罰則（過料）が設けられている（雇均33条，育介66条）。

22）　このような理解に立つものとして三井正信『現代雇用社会と労働契約法』15頁（2010年），和田肇ほか『労働法』(2版) 4頁［和田肇］(2019年)，浅倉むつ子ほか『労働法』(6版) 30頁（2020年），野川9頁等。

を確保することが予定されている。この労働契約法に属する法律としては，2007年制定の労働契約法，2000年制定の労働契約承継法がある。そして，労働契約に関して形成されている判例法理（労働契約法理）も，「（広義の）労働契約法」の一部を構成する。判例法理として確立した労働契約法理は，今後，労働契約法に盛り込まれることが予想される。また，民法の規定との整理統合も将来的な課題である[23]。

3　集団的労働関係法と憲法28条

憲法28条は「勤労者の団結する権利及び団体交渉その他の団体行動をする権利は，これを保障する」とし，団結権，団体交渉（団交）権，団体行動権のいわゆる「労働三権」を憲法上保障している。歴史的沿革を踏まえると，憲法28条からは以下の3つの法的効果が導かれると解されている[24]。

第1に，国家権力からの自由を保障した自由権的効果がある。過去において，団結自体，あるいは団体交渉，団体行動を刑事罰によって抑圧した経験に鑑み，労働三権を禁止・制限する立法あるいは行政措置を違憲とする自由権を設定している。また，団結禁止立法が存しなくとも，一般の刑法規定を適用して刑事責任が追及された歴史に鑑み，労働三権の正当な権利行使に対して，刑事上の責任を免除する免責的効果（違法性阻却の効果）を設定していると考えられる。労組法上の刑事免責（1条2項）の規定は，このような憲法規範を確認したものである。

第2に，憲法28条はワイマール憲法の系譜を受け，自由権を超えて，社会国家の理念とともに承認されてきた生存権的基本権としての性格を有する[25]。ここから，労働基本権を実質的に保障するための立法授権の効果が導かれ，私人の権利（使用者の権利）を制限するような行政命令を発する不当労働行為制度の創設も憲法上許容されることとなる。

第3に，憲法28条は，私人間の行為についても一定の効力を持つと解される。まず，憲法学および労働法の多数説は，私人間には直接適用されない（公

---

23)　詳細は荒木ほか・労契法252頁以下，山本豊編『新注釈民法⒁債権⑺』18頁以下［山川隆一］（2018年）参照。

24)　菅野33頁以下，西谷・労組法46頁以下，角田邦重「労働基本権の性格」同ほか編『労働法の争点』（3版）7頁（2004年）等参照。

25)　西谷・労組法39頁は，憲法25条の生存権より13条に基礎を置く自己決定権に，より密接な関係を持つとする。

序を介した間接適用しかない）人権規定[26]の中で，憲法28条は例外的に直接適用のある人権規定と位置づけてきた。すなわち，憲法28条は国家に対してのみならず，私人たる使用者に対しても労働三権を制限する行為を規制しているとする。このような理解はワイマール憲法が「団結の自由を制限しまたは妨害しようとするすべての合意および措置は違法である」として，私人間の行為をも無効とする立場であったことにならったものである。また，ストライキは労働契約上の労働義務の不履行であり，損害賠償責任を惹起するが，正当な争議行為については，その民事責任を免除するという民事免責の効果が憲法28条から直接導かれ，労組法8条の民事免責規定は創設的規定ではなく，憲法28条の確認規定と解されている[27]。

しかし労働法の有力説[28]は，民事免責については憲法28条自体から導かれるとしつつ，その他の場面については，わが国の体系に則して把握し直すと，憲法28条により労働者の労働三権を尊重すべき「公序」が設定されたものと理解すべきとし，民事免責以外については間接適用説を採っている。この立場に立つと，憲法28条によって設定された公序に反する法律行為は無効となり，事実行為も不法行為の違法性を備えることとなる。例えば，組合員であることを理由とした解雇は，直接適用説によれば憲法28条により違法無効となるが，間接適用説によれば憲法28条の設定する公序に反するものとして民法90条により違法無効となる。

ちなみに，判例[29]は，ユニオン・ショップ協定が労働者の組合選択の自由および他の労働組合の団結権を侵害する場合について，「民法90条の規定により，これを無効と解すべきである（憲法28条参照）」としており，間接適用説に依ったと解される判示を行っている。

26）　三菱樹脂事件・最大判昭和48・12・12民集27巻11号1536頁。ただし，近時の憲法学説では，ドイツの基本権保護義務説にならい，直接適用を認める見解も一部で有力に主張されている。君塚正臣「私人間における権利の保障」大石＝石川編・前掲注13・66頁参照。

27）　注釈労組法（上）492頁以下。

28）　石川・労組法15頁，菅野33頁以下（ちなみに石井74頁は，使用者との関係において労働三権の尊重を「強行法的な『公序』として要請している」とするが，「ただし，この点については……民法90条などの媒介を要すると説くものもある」と間接適用説と対比して論じており，直接適用説を支持する趣旨のようである）。なお，直接適用を否定する憲法学説として松井・前掲注13・563頁。

29）　三井倉庫港運事件・最一小判平成元・12・14民集43巻12号2051頁。

もっとも，労働三権の私人間効力については，労組法7条が団結権，団交権，団体行動権保障に反する使用者の行為を不当労働行為として禁止しているため，憲法28条の適用を論ずる実益は小さい。

以上のような効果を持つ憲法28条を根拠に，使用者（使用者団体）と労働組合の集団的労働関係を取り扱う分野である集団的労働関係法が展開することとなる。集団的労働関係法を規律する中核立法が労組法であり，その他に労働関係調整法やスト規制法（電気事業及び石炭鉱業における争議行為の方法の規制に関する法律）等が制定されている。

▩公務員の労働基本権の制限　戦後当初は，公務員も原則として労基法・労組法の適用対象とされていた。しかし，公共部門の労働運動の高まりを受けた占領政策の転換により，労働法の適用を原則排除する法改正が行われた[30]。現在の公務員の基本権制限の状況の概略は次の通りである（**図表2-2**）。

現行法は，非現業と現業・行政執行法人とでその取扱いを異にしており，現業公務員・行政執行法人職員については，争議行為は禁止するも，団交権・協約締結権を承認し，労組法の適用も特別規制のない限り認め，団体交渉システムが一定範囲で機能する政策を採用している。これに対して，非現業公務員については，争議行為を全面禁止するほか，交渉権自体は否定しないが[31]協約締結権を認めず，さらに，警察・海上保安庁・刑事施設・消防職員については団結権も認めないという労働基本権制限の政策を採用している[32]。

このような労働基本権の制限は，憲法が規定した自由権を侵害するものとして違憲ではないかが問題となる。特に公務員に争議行為を一律禁止する法制の合憲性をめぐっては最高裁判例も変遷した。昭和40年までの判例は，公務員は「全体の奉仕者」であること（憲15条）から，「公共の福祉」（同13条）のために奉仕すべき地位にあるとしてその労働基本権制限を合憲とする立場であった。しかし，全逓東京中郵事件大法廷判決[33]では，労働基本権制限の合憲性は，国民生活に重大な障害をもたらすおそれのあるものについて

30）1948年7月22日のマッカーサー書簡に基づき，同月31日に政令201号が公布され，暫定措置として公務員の団体交渉権が制限され，争議行為は禁止された。その後，同年12月にこの方針にしたがって国家公務員法改正がなされた。

31）もっとも，職員団体の交渉権は，不当労働行為制度によって労働委員会が団交命令を発することにより担保される民間におけるそれとは異なり，団交義務違反自体に対するサンクションも用意されていない（森園幸男ほか編『逐条国家公務員法』（全訂版）1157頁［西浩明＝幸清聡］〔2015年〕）。

32）このほか，特別職公務員である裁判所職員（裁判所職員臨時措置法で国家公務員法を準用），国会職員（国会職員法18条の2），自衛隊員（自衛64条）についても労働基本権の制限がある。

33）全逓東京中郵事件・最大判昭和41・10・26刑集20巻8号901頁。

図表 2-2　公務員の基本権制限

	警察・海上保安庁・刑事施設・消防職員	非現業公務員	現業公務員（行政執行法人・地方公営企業等）
団結権	×	○（職員団体制）	○
団体交渉権	×	△（協約締結権×）	○
争議権	×	×	×

（筆者作成）

必要最小限に留め，違反者に対する不利益は必要限度を超えず，制限に見合う代償措置が講じられているかを慎重に判断すべきとされ，東京都教組事件大法廷判決[34]では，違法性の強い争議行為の，違法性の強いあおり行為のみが処罰対象となるとする解釈（二重のしぼり論）が採られた。ところが，その後，最高裁は再度見解を一転させ，公務員は財政民主主義に表れた議会制民主主義の原則により，労使による勤務条件の共同決定を内容とする団体交渉権[35]ひいては争議権を憲法上当然には主張できないとし，労働基本権制限の代償措置の存在にも言及して，国家公務員法（非現業国家公務員）[36]，地方公務員法（非現業地方公務員）[37]，公共企業体等労働関係法（現業国家公務員・公共企業体職員）[38]，地方公営企業労働関係法（現業地方公務員・単純労務職員）[39]それぞれによる労働基本権制限について全面合憲とする判断を確立した。

現在の判例によると，公務員には，民間労働関係とは異なる次の3つの制約原理が働くと解されている。第1は，憲法15条の定める「民主的公務員法制の原理（全体の奉仕者性）」である。ここから，例えば，公務員の身分保障も，民間のように当該労働者保護が主目的なのではなく，公務の安定性・継続性，政治的中立性の確保のための要請というように，その目的にも違いが生じる[40]。第2は，内閣の権能を定めた憲法73条4号「法律

34）　東京都教組事件・最大判昭和44・4・2刑集23巻5号305頁。

35）　最高裁（名古屋中郵事件・最大判昭和52・5・4刑集31巻3号182頁）が，団体交渉につき「労使間に合意が成立しない限り政府はこれを国会に提出できない」ような内容の「労使による勤務条件の共同決定を内容とする団体交渉」と捉えている点については，ドイツの共同決定と異なる団体交渉の意義（→681頁）を正解していないのではないかという批判が強い（菅野和夫「『財政民主主義と団体交渉権』覚書」法学協会百周年記念論集2巻314頁〔1983年〕参照）。

36）　全農林警職法事件・最大判昭和48・4・25刑集27巻4号547頁。

37）　岩手県教組事件・最大判昭和51・5・21刑集30巻5号1178頁。

38）　名古屋中郵事件・前掲注35。

39）　北九州市交通局事件・最一小判昭和63・12・8民集42巻10号739頁および北九州市清掃事業局事件・最二小判昭和63・12・9民集42巻10号880頁。

40）　したがって，身分保障を成績主義と一体となって公務の中立性と能率制を実現するための

の定める基準に従ひ，官吏に関する事務を掌理すること」から要請される公務員の「勤務条件法定主義」である。この勤務条件法定主義は，民間の最低労働基準の法定とは異なり，民主的公務員法制の原理，法律による行政の要請と相まって，労使交渉による勤務条件設定を実際上排除する勤務条件詳細法定主義となっている。第3は，憲法83条「国の財政を処理する権限は，国会の議決に基いて，これを行使しなければならない」ことから要請される「財政民主主義」である。判例では，議会による財政コントロールの必要が，団体交渉による労働条件決定を認めることのできない重要な論拠とされている。

労使自治による労働条件設定を保障した憲法28条と，これを制約する憲法15条，73条4号，83条という対立する憲法価値の中で，いかなる勤務条件設定システムを採用するかはそれぞれの憲法価値を考慮した立法政策に委ねられている。代償措置を伴いつつ争議行為を全面禁止し，また，団体交渉権を制約する現行法は，裁判所によって違憲ではないとされているが，判例の合憲判断は，現行法が対立する憲法価値の中で採用された立法政策として憲法違反にまでは至っていない，という評価に過ぎないと解することは十分可能であろう。新たな立法政策を考える場合には，憲法28条が公務員にも労働基本権を保障していることと，憲法上のその制約要因が存在することの，より望ましい調和が議論されるべきである。

1985年から1987年にかけて三公社（電電公社，専売公社，国鉄）が民営化され，職員らは民間労働者同様労働三権を享受することとなった。2008年には国家公務員制度改革基本法が成立し，公務員制度全体の改革の基本方針を示すとともに，労働基本権に関しては，協約締結権を付与する職員範囲の拡大を，国民の理解を得て措置すべきものとした（12条）。その後，民主党政権下の2011年には，非現業国家公務員（警察・海上保安庁・刑事施設職員を除く）について，人事院・人事院勧告制度は廃止し，争議行為禁止・勤務条件詳細法定主義は維持しつつ協約締結権を認めるという内容の「国家公務員労働関係法案」が提出されたが，成立に至らなかった41)。

理念と解すると，公務の能率制に反する場合には公務員個人の身分保障は後衛に退くこととなるとも指摘されている。下井康史「公務員法と労働法の距離——公務員身分保障のあり方について」労研509号22頁以下（2002年）およびそこに掲記の文献参照。

41）　公務員の基本権制限についての議論の簡潔な概観として菅野和夫「公営企業体職員の争議権」芦部信喜ほか編『憲法判例百選Ⅱ』（4版）314頁（2000年），公務員法制の詳細な分析については，菅野和夫「公共部門労働法（1～3）」曹時35巻10号1859頁・11号2159頁・12号2411頁（1983年）が今なお基本文献である。そのほか近時の文献として，渡辺賢『公務員労働基本権の再構築』（2006年），道幸哲也「公務員労働法における団交・協約法制」季労221号78頁（2008年），下井康史「公務員の団体交渉権・協約締結権——制度設計における視点の模索」季労221号88頁（2008年），特集「公務における自律的労使関係」季労230号73頁以下（2010年）の諸論文，荒木尚志ほか「〔座談会〕転機を迎える国家公務員労働関係法制——国家公務員労働関係法案と自律的労使関係制度」ジュリ1435号8頁（2011年），新基本法コメ・労組法338頁以下［根本到］，シンポジウム「公務における『自律的労使関係制度』の確立の意義と課題」労働122号51頁以下（2013年）の諸論文，菅野820頁等参照。

Ⅲ　憲法の人権規定と労働人権法

憲法27条，28条のほかにも，18条の奴隷的拘束・苦役からの自由，19条の思想・良心の自由，22条の職業選択の自由等の人権規定は，労働関係における労働者の人格権保護に関して重要な意義を有する。労基法や職安法には憲法に対応した労働者の人格権保護のための規定が置かれているほか，契約解釈の場面でも，公序（民90条）を介して，重要な機能を果たすこととなる。

特に現代の労働法において注目されるのは，憲法27条や28条が想定する経済的弱者としての労働者に着目した法規制から，「個人としての労働者」の基本権の価値に着目した内容へと，さらに展開・発展してきていることである。これらの憲法規定を受けて展開されている労働法は「労働人権法」と呼ぶことができよう。

1　憲法13条（個人の尊重・幸福追求権）

憲法13条の規定する個人の尊重および幸福追求権は，労働法を貫く重要な指導的原理といえる。もとより，憲法13条の個人の尊重・幸福追求権，そして次述する14条の法の下の平等は，法秩序の基本原則であり，労働関係に特有の原理ではない。しかし，交渉力格差があり，他人決定性が付随し，継続的で集団的・組織的な就労関係の展開する労働関係において，労働者を個人として尊重する憲法13条の理念は重要な指導規範となる。

包括的基本権である憲法13条を根拠に，新たな人権が議論されているが，労働関係においても，プライバシーの保護，ワーク・ライフ・バランス，服装・身だしなみと企業秩序，私生活への企業のコントロールの可否等が問題となる。

2　憲法14条（平等原則）

憲法14条の規定する平等原則，すなわち，人種，信条，性別，社会的身分または門地による差別禁止（法の下の平等）は，労働関係では雇用平等法制の展開を要請し，労働法の重要な一分野を形成するに至っている。

戦後間もない日本の労働法の揺籃期には，労基法3条が憲法14条と呼応する形で，国籍，信条，または社会的身分による労働条件差別を禁止し，労基法4条は男女賃金差別を禁止した。そのため，平等原則も個別的労働関係に関する憲法27条2項の勤労基準の一つと位置づけられてきた。しかし，労基法3

条，4条の規制も今日では，労基法とは別個に発展している平等規制とともに，憲法14条の要請によるものと把握することができよう。

その後，労働者の多様化の進展に伴い，雇用平等法制はめざましい発展を示している。すなわち，男女雇用機会均等法の制定および改正によって男女雇用平等規制は飛躍的に発展した。また，2007年の改正パート労働法は，パート労働者と正社員の均等待遇を定め（短時労8条〔現短時有期9条〕），同年の改正雇用対策法は，年齢差別禁止規制を部分的ながら導入した（雇対10条〔現労働施策推進9条〕）。また，2006年採択の障害者権利条約批准のために，2011年の改正障害者基本法4条1項は「何人も，障害者に対して，障害を理由として，差別することその他の権利利益を侵害する行為をしてはならない」として障害者差別禁止の原則を謳い，2013年改正障害者雇用促進法は，障害者に対する差別禁止と合理的配慮の提供義務を定めるに至っている（→103頁以下，850頁以下）。

また，平等原則は個別的労働関係に留まらず，集団的労働関係法，労働市場法においても指導的理念となっている。すなわち，労組法7条1号は組合員の差別禁止を定め，また5条2項4号は「何人も，いかなる場合においても，人種，宗教，性別，門地又は身分によつて組合員たる資格を奪われないこと」を組合規約に定めるべきことを要求し，集団的労働関係法における平等原則の実施を要請している。また，職安法3条も，「何人も，人種，国籍，信条，性別，社会的身分，門地，従前の職業，労働組合の組合員であること等を理由として，職業紹介，職業指導等について，差別的取扱を受けることがない」と定め，労働市場法における平等原則を宣明する。

このように憲法14条の平等原則は，個別的労働関係法，集団的労働関係法，労働市場法の各領域を貫徹して実施されるべき基本的価値として，労働法の重要な指導理念となっている。

Ⅳ　使用者の営業の自由・財産権の保障と労働法

他方，憲法22条の営業の自由，憲法29条の財産権の保障といった経済的自由権の保障は，労働関係の他方当事者たる使用者の権利の尊重を要請する[42]。

42）　三菱樹脂事件・前掲注26は，企業者の経済活動について「憲法は……22条，29条等において，財産権の行使，営業その他広く経済活動の自由をも基本的人権として保障している」とする。

確かに，労働法は使用者の優越した交渉力がもたらす弊害に対して，劣位にある労働者を保護する法分野として誕生したものであり，憲法27条および28条は，使用者に保障されたこれらの経済的自由権を立法によって制限することを要請し，また，それを合憲ならしめる憲法上の基礎を提供するものである。しかし，使用者にも憲法上保障された経済活動の自由が存することが前提となっており，使用者の権利が否定されるわけではない。

従来，市民法理論の基盤でもある営業の自由や財産権の保障は，労働法による修正・侵食の対象に過ぎなかった。そして伝統的労働法は罰則・行政監督によって担保される「労働保護法」により，最低労働基準を設定することから出発した。しかし，現在では，民事規範のみからなる「(広義の) 労働契約法」が展開しつつある。これは，労働保護法が市民法ルールに一定の枠をはめる（契約自由を部分的に禁止する）態度を採ったのとは異なり，労働関係に適合的な新たな民事法ルールを創設するものといってもよい。労働法は，最低基準を公法的に遵守させるという狭い任務に留まらず，最低基準を上回るレベルにおいても，労使の利害を適切に調整するルールを設定するという，より広い任務を担うに至っている。

したがって，労働法は労働者と使用者の関係を，対立する憲法上の価値の中で，労働基本権保障が憲法上，特に規定されるに至ったという歴史的経緯を踏まえ，また，個人としての労働者の基本的人権への配慮を踏まえて，適切な調和を模索することを任務とする法分野ということができる[43]。

▩コーポレート・ガバナンスと労働法・従業員　上述のように労働法の任務は広範かつ豊富なものとなり，企業活動の人的要素に関わる側面を扱う企業法（ビジネス・ロー）という性格を有する。これをコーポレート・ガバナンスとの関係で整理すると次のようになる[44]。

第1に，労働保護法の労働条件基準をはじめ，労働法の設定する強行的規範は，企業が従業員を使用して活動するために遵守すべき最低限のルールを定めたものであり，コーポ

43）石井71頁も参照。

44）比較法的視点から見たコーポレート・ガバナンスと労働法の関係全般については，荒木尚志「日米独のコーポレート・ガバナンスと雇用・労使関係――比較法的視点から」稲上毅＝連合総合生活開発研究所編『現代日本のコーポレート・ガバナンス』209-268頁（2000年），Ronald Dore, *Stock Market Capitalism: Welfare Capitalism*, 182 (2000)，労働法の企業法としての側面やコーポレート・ガバナンスとの関係等について労働契約法の体系から検討した有益な文献として土田・契約法33頁以下。

レート・ガバナンスの要諦である法令遵守（コンプライアンス）の最も基本的な基準である。第2に，コーポレート・ガバナンスについては，株主価値を最大化することを是とするシェアホルダー・モデルと，株主以外の多様な利害関係者（とりわけ労働者）の利益をも考慮した企業運営を是とするステークホルダー・モデルをめぐって議論が交わされてきた。日本の従来のコーポレート・ガバナンスは，商法自身はシェアホルダー・モデルを前提としているにもかかわらず，実際の運用は，従業員利益を重視したステークホルダー・モデルであったとされるが45)，これを法的に支えてきたのが解雇権濫用法理であり，現在では労契法16条に明記されている（→341頁）。すなわち，労働者は企業の需給関係により自由に調整可能な財ではなく，むしろ，企業の重要なステークホルダー（利害関係者）たる地位を与えられるに至っていると解される。第3に，集団的労働関係法に登場する労働組合は，団体交渉や労使協議というプロセスを通じて，経営参加の機能を担っている。また，労基法における過半数代表との労使協定による労働条件基準の緩和手続，さらには，企業組織再編の際の過半数代表の関与等も，経営参加手続としての側面を有する。

このように，日本のコーポレート・ガバナンスにおいて労働関係は重要な位置を占めてきたといえる。しかし，ドイツの従業員価値を重視したステークホルダー・モデルが法制度によって担保されている46)のと比較すると，日本のそれは株式持合いや安定株主の存在，経営陣の内部昇進慣行，労使により自発的に実施されてきた労使協議等，「慣行に依存したステークホルダー・モデル」ともいうべきものであった47)。会社法では，社外取締役が過半数を占める委員会設置会社（現在では指名委員会等設置会社）の導入等，シェアホルダー・モデルを志向した制度整備が進行している中で，労働法における制度的対応の要否が重要な検討課題となっている。

第3節　労働条件規制システム

労働関係に登場するアクターとしては，労働者〔求職者〕，使用者（使用者団体）〔求人者〕，労働組合等の労働者代表組織，そして国家という4者がある。そ

45)　江頭憲治郎「コーポレート・ガバナンスを論ずる意義」商事法務1364号2頁（1994年），神田秀樹「企業法制の将来――欧米のコーポレート・ガバナンスから何を学ぶか」資本市場87号23頁，27頁（1992年）。こうしたガバナンスを従業員主権企業あるいは人本主義と特徴付ける経営学の議論として伊丹敬之『日本型コーポレート・ガバナンス』（2000年）。

46)　ドイツ・モデルは，共同決定法（Mitbestimmungsgesetz）等の規制する企業レベルの監査役会（Aufsichtsrat）における共同決定，および事業所組織法（Betriebsverfassungsgesetz）の規制する事業所レベルの事業所委員会（Betriebsrat）による共同決定という2つの共同決定制度，そして厳格な解雇制限法等の「法制度によって担保されたステークホルダー・モデル」である（荒木・前掲注44・229頁以下）。

47)　荒木尚志「コーポレート・ガバナンスと雇用・労働関係（上）（下）」商事法務1700号18頁，1701号38頁（2004年）。

図表 2-3　労働関係におけるアクターと労働条件規制システム

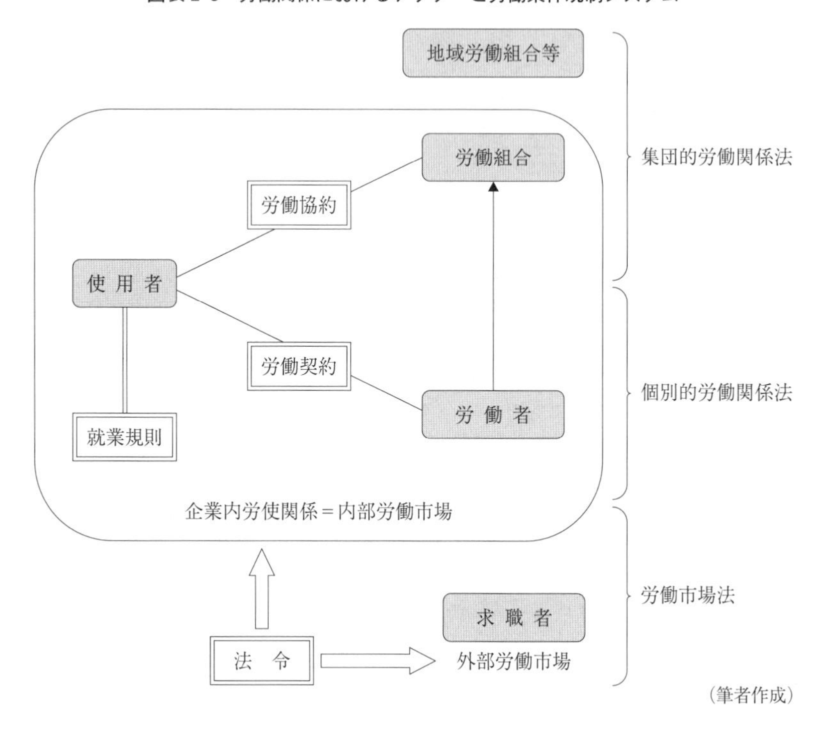

（筆者作成）

して，これらの相互関係を規律する法的ツールとしては，以下に説明するように，法令，労働協約，就業規則，労働契約がある。上述した労働法の体系を，労働条件規制システムの場面で，そこに登場するアクターと労働条件を規制する規範の関係で整理すると，上のようになる（**図表 2-3**）。労働法とは，労働関係に登場するこの4つのアクターの相互関係を規律する法の総体ということもできる。

1　法　令

労働条件の最低基準が法令によって設定されている場合，労働関係の当事者によって設定される規範（労働契約，就業規則，労働協約）によって，それを下回ることはできない。個別的労働関係法に属する多くの法令はこのような労働条件基準を強行的に設定している。中でも，最も重要なのは労基法である。

なお，法令の強行的に設定する最低基準を事業場の過半数代表と使用者との労使協定（事業場協定）によって下回ることが可能とされる場合があり，近時の労働関係法令ではこれが多用されるようになってきている。

「判例法理」は法律ではないが，労働関係においては労働者保護のための強行的規範として機能することもあり，その一部は労契法によって成文化された。しかし，なお判例法理のまま残されている重要なルールも少なくない（例えば，整理解雇法理，配転法理等）。

2　労働協約

使用者と労働組合との間で結ばれた労働条件や労使関係を規律する所定の様式を備えた書面による合意を労働協約という（労組14条）。労働協約の設定する労働条件規範は，労働組合の組合員の労働契約に対して規範的効力（労働契約内容を規律する効力）を有する（同16条）。

また，労働協約には使用者と労働組合間の契約としての効力（労働協約の債務的効力と呼ばれる）もあり，集団的労使関係ルール（例えば団体交渉の手続・ルール，組合事務所の貸与等の便宜供与等）を規律する規範となる。

▩労働協約と労使協定　労働法学においては，「労働協約」と「労使協定」とは異なる概念として区別するのが一般である。労使協定とは，使用者と，事業場の労働者の過半数を代表する組合（過半数代表組合），そのような組合が存しない場合は労働者の過半数を代表する労働者（過半数代表者）（本書では，この過半数代表組合と過半数代表者を指して「過半数代表」という）との間で結ばれる事業場協定を指す。労使協定は，労基法等の労働保護法の最低基準効を解除する効力および罰則を免れしめる効力である免罰効（例えば1日8時間という最長労働時間を超える時間外労働を許容し，罰則を免れる効果等）が認められる。しかし，労働協約とは異なり，労働契約自体を規律する私法上の効力（例えば時間外労働義務を発生させる効力）は認められない。

3　就業規則

就業規則は使用者が作成する職場規律や労働条件を定めた文書である（労基89条参照）。就業規則は，合意の対象となり，労働契約内容に取り込まれる，いわば①「契約のひな形」としての機能がある。さらに，就業規則には，制定法によって特に与えられた効力として，②最低基準効（就業規則の定める労働条件基準に達しない労働条件を定める労働契約部分を無効とし，就業規則の定める基準で労働契約を規律する効力，労契12条），③契約内容補充効（労働契約締結時に合理的な内容の就業規則が周知されていた場合，契約内容となる効力，労契7条），④契約内容変更効（就業規則の変更が合理的なものである場合，契約内容を変更する効力，労契10条），がある。②

は従前から労基法上定められていた効力であったが，③④は1968年の大法廷判決[48]以来の判例法の発展によって確立されたもので，2007年の労契法で明文化されるに至った（→400頁以下）。

4　労働契約

労働契約は使用者と労働者間の個別契約であり，労働者が使用者に使用されて労働し，使用者がこれに対して賃金を支払うことを合意することによって成立する（労契6条）。労働契約は書面によることは要求されていない諾成契約であり，口頭の合意でも，黙示の合意でも成立し得る。日本では個別の労働契約で労働条件を詳細に定めることは多くはなく，就業規則に統一的労働条件が定められ，これが労働者に周知されて労働契約内容となる場合が多い。

しかし，労働契約の内容は明示・黙示の合意によっても規律されることから，使用者と労働者間にいかなる合意が成立していたかという「解釈」も重要である。そのような解釈による契約内容の補充・確定に際して「労働契約」という法的ツールは重要な機能を果たすことになる。また，雇用管理の個別化，労働者の多様化の進展と相まって，実際に労働契約によって労働条件を定める例（例えば勤務地や職務内容を個別契約で特定する等）も増えてきており，法政策も労働契約における労働条件の明確化を図る方向に展開してきている。

■労使慣行　労使慣行とは，職場や労使間において，長期間，反復継続された取扱いをいう。労使慣行が法的に意味があるのは次の3つの場合である[49]。

第1に，労使慣行は契約内容となることによって法的拘束力を持ち得る。すなわち，当事者間に行為準則として意識されることにより黙示の合意の成立が認められたり，当事者が「慣習による意思を有しているもの」（民92条）と認められて労働契約の内容となり，法的効力を持つことがある。裁判例[50]は，労使慣行が労働契約内容となるための要件として，①同種の行為または事実が一定の範囲において長期間反復継続して行われたこと，②労使双方が明示的にこれによることを排除・排斥していないこと，③当該慣行が労使双方の規範意識（特に，使用者側においては，当該労働条件につき決定権・裁量権を有する者の

48)　秋北バス事件・最大判昭和43・12・25民集22巻13号3459頁。

49)　菅野167-168頁，荒木ほか・労契法101頁参照。

50)　商大八戸ノ里ドライビングスクール事件・大阪高判平成5・6・25労判679号32頁（最一小判平成7・3・9労判679号30頁で維持）。労使慣行について同旨を述べ，6ヶ月の一時金支給が契約内容となっていたとし，その不利益変更に就業規則変更類似の合理性を要求したものとして立命館（未払一時金）事件・京都地判平成24・3・29労判1053号38頁，③の要件を欠くとして退職功労金請求を否定したものとしてANA大阪空港事件・大阪高判平成27・9・29労判1126号18頁。なお，水町・詳解240頁は③を要件とすることに疑問を呈する。

規範意識）によって支えられていること，を要求している。

第2に，労働契約，労働協約，就業規則の解釈基準として，これらの規範と一体化することによって法的効力が認められる場合がある。

第3に，労使慣行が事実上の行為規範となっている場合，それに反する権利行使や事実行為につき，権利濫用の評価や不当労働行為としての評価を基礎づける作用がある。

なお，労使慣行は，就業規則の合理的変更によって破棄することが可能と解される（→451頁）。

5　効力の相互関係

これらの労働条件規範設定ツールの効力関係は，法令（強行規定）＞労働協約＞就業規則＞労働契約の序列となり，法令に反する労働協約，就業規則，労働契約は無効（法の一般原則，労基92条，13条参照）となる。労働協約に違反する就業規則・労働契約は無効であり（労基92条，労組16条），就業規則に違反する労働契約は無効となる（労契12条）。

しかし，こうした序列関係はこれらの規範の効力関係の一端，すなわち，ある法規範が別の法規範に違反する場合の効力関係を明らかにしたに過ぎない。そのほかに，例えば，労働協約より有利な個別労働契約は有効か（有利原則の問題→701頁以下），就業規則より有利な労働条件を設定する労働契約がある場合，当該労働条件を就業規則を変更することにより引き下げることができるか（就業規則の不利益変更の問題→412頁以下，435頁以下），といったことが理論上も実務上も重要な問題となる。

第2部　個別的労働関係法

第3章　個別的労働関係法総論

第1節　労働保護法と（広義の）労働契約法

個別的労働関係法は，労働保護法と（広義の）労働契約法とに大別して把握することができる。個別的労働関係，すなわち個々の労働者と使用者の労働契約関係においては，①法律の設定する最低労働条件に反しない枠内で，②個別労働者と使用者が，就業規則および労働契約によって，具体的労働契約内容を設定する[1)]。労働保護法は，主として①の領域を規律しており，その基本法が労働基準法である。そして，②に関するのが（広義の）労働契約法であり，その基本法として2007年に（狭義の）労働契約法（労契法）が制定された。

労働保護法は，最低労働基準を法定し，あるいは労働者の人権に関わる規範を設定し，その実効性を確保する手段として，刑事罰や行政監督・行政指導という公法的手段を用いる法規制である。その規制対象により，労働保護法は，さらに，「労働条件規制法」と「労働人権法」とに分類できる。

「労働条件規制法」は週40時間，1日8時間を超えて労働させてはならない（労基32条）等，労働条件の最低基準を規制するものである。これは憲法27条2項の労働条件法定の要請を直接的に実現するもので，その基準には強行的直律的効力（→69頁）が与えられる。労働基準法や最低賃金法等の労働保護法の多くの規制がこれに該当する。

これに対して，「労働人権法」は，憲法27条2項の直接要求する労働条件基準よりは広い労働者保護の理念，憲法の各種の人権規定（憲法13条の個人の尊重・幸福追求権，14条の平等原則，18条の奴隷的拘束・苦役からの自由，19条の思想・良心

1)　労働組合が登場する集団的労働関係では，②の場面で労働組合と使用者との間で締結される労働協約が労働関係を規律することとなる（→696頁以下）。

の自由，20条の信教の自由，21条の表現の自由，22条の職業選択の自由等）を受けて展開されるものである。労基法の1章「総則」および2章「労働契約」には，「労働憲章」とも呼ばれる労働者の人権保障規定が設けられている。そして，男女雇用機会均等法は憲法14条の平等原則を受けて労働関係における雇用平等を実現すべく制定された法律である。労働人権法の定める規範に反する行為は違法・無効となり得るが，その規範が労働条件の最低基準のように労働契約を直接規律することになるかどうかについては議論がある。労働人権法は，人権概念の拡大・発展により，罰則・行政監督を伴う純然たる労働保護法的規制によるものから，罰則を伴わず，行政指導を活用し，その規範の法的効力については裁判所の公序や不法行為の解釈に委ねるものまで多様なものとなっている。したがって，労働人権法は純然たる労働保護法（労働条件規制法）と（広義の）労働契約法の中間に位置するものというべきかもしれないが，労基法上の刑事罰・行政監督による人権保障規制の存在や，代表的労働人権法である男女雇用機会均等法が行政による履行確保を予定している点における（広義の）労働契約法との相違に着目し，本書では労働保護法の一部を構成するものと位置づけておく。

戦後直後に制定された労基法は，労働保護法のうち労働条件規制法と労働人権法の両者にわたって規制を行う包括的基本法である。また，その労働条件基準には強行的効力のみならず，直律的効力が付与されている点では，労働契約内容を規律する労働契約法としての機能も担っている。従来，労基法が個別的労働関係法の中核立法とされてきた所以である。

他方，（広義の）労働契約法は，労働保護法（労働条件規制法）の設定する枠内で，労使当事者の契約自治を基本として労働契約内容を規律する分野を対象とする。最低労働条件違反ではない合意や労働契約上の権利義務の効力を問題とする規制であるので，その規範は国家がその履行を担保するのではなく，当事者が裁判所等の紛争処理機関を通じてその実効性を確保することが予定されている。

第2節　労働保護法の基本法としての労働基準法

I　労働基準法の目的・基本理念

労働基準法は，1947（昭和22）年4月に公布され，同年9月1日（一部は11月1日）より施行された。労基法は，次のような基本理念の下に制定された個別的労働関係法の基本法である2)。第1に，憲法27条2項において契約自由の原則を修正し，法律で労働条件基準を定めるべきとされていることを踏まえ，新憲法の趣旨に合致した労働条件基準の設定が目指された。実際に，労基法は制定までの全過程を通じて，新憲法との整合性が強く意識された（例えば，人たるに値する生活を営むための労働条件に関する労基法1条と憲法25条の生存権，労基法3条，4条の平等規定と憲法14条の法の下の平等，労基法5条の強制労働の禁止と憲法18条の奴隷的拘束・苦役の禁止など）。第2に，戦前の封建的労使関係を排した民主的労働関係の実現が企図された。第3に，戦前，劣悪な労働条件の下に安価な製品を生産・輸出しているという「ソーシャル・ダンピング」の非難を浴びた経験に鑑み，国際水準を満たした労働条件の導入が基本理念の一つとされた。特に労働時間に関するILO 1号条約（1919年）等に相当の配慮を払い，当時としてはかなり高い水準の労働条件基準が導入された。

II　関係法令の分離独立と規制の再編

その後，労基法は数多くの改正を経験することとなるが，主な改正として次のようなものがある。

占領体制から脱した直後の1952（昭和27）年改正は労基法の実質的な意味での最初の改正であり，時間外・休日労働にのみ認められていた労使協定による最低基準効の解除が，貯蓄金管理，賃金の一部控除，年次有給休暇手当についても導入された。

次に，労基法に規定されていた最低賃金，労働安全衛生等の事項について，労基法から分離して単独法が制定され，詳細な規制が行われていく。すなわち，

2)　寺本・労基法138頁，労基局（上）18頁参照。なお，労基法の立法史の包括的研究成果として立法資料(1)~(3)上下，日本労働法学会『立法史料からみた労働基準法』労働95号（2000年），注釈労基法（上）1頁以下［野川忍］，戦後立法史103頁以下［中窪裕也］等がある。

1959（昭和34）年の最低賃金法制定により，最低賃金については同法の定めるところによることとされ（労基28条），労基法29条から31条は削除された。1972（昭和47）年には，労働安全衛生法が制定され，労働安全衛生については同法の定めに委ねられ（労基42条），労基法43条から55条が削除された。

また，分離独立したわけではないが，1960（昭和35）年，1965（昭和40）年の労災保険法の改正・充実により，労災補償規制の重点が労基法（8章「災害補償」）から労災保険法へと移行することとなる。

1985（昭和60）年には男女雇用機会均等法が制定され，男女差別に関しては賃金についてのみ規制していた（労基4条）状況から，男女の均等取扱い全般への規制へと発展していく。

労基法は，上記のような規定の分離独立のほかは，しばらく大きな改正を経ずに推移したが，1980年代後半からは規制内容の大幅な再編期に入る。まず，1985（昭和60）年の男女雇用機会均等法制定に際しては，労基法の女性保護規定の見直しが行われ，以後，均等法の平等法への純化とともに，母性保護規定の充実，女性労働者一般の保護の縮小・撤廃に向かうこととなる。1987（昭和62）年には，週48時間制を40時間制とし，変形労働時間制や裁量労働制を導入するなど，労働時間規制の大改正が行われる。1998（平成10）年には，さらに，労基法全体にわたって，有期契約の上限の見直し（例外的に3年上限を許容），退職事由証明書交付義務，企画業務型裁量労働制の導入，年休付与日数の引上げ，紛争解決援助の規定導入など，大幅な改正が行われた。さらに，2003（平成15）年改正では，有期契約の上限規制の原則1年から3年への引上げ（例外的に5年上限を許容），解雇権濫用法理の条文化（労基旧18条の2），企画業務型裁量労働についての規制緩和等が行われた。2008（平成20）年改正では，月60時間超の時間外労働の割増賃金率を50％に引き上げ（中小企業は適用猶予），時間単位の年休付与等が導入された。そして，2018（平成30）年には働き方改革の二本柱の一つとして，労基法上初めて時間外労働に絶対的上限を導入し，また，高度プロフェッショナル制度および年休の年5日付与義務を新設する等の大改革が行われた。

このように1985年以降の労基法改正は，労働市場の変化（少子高齢化による労働力構造の変化），労働者像の変化（個別化・多様化），使用者を取り巻く環境の変化（国際競争の激化）等，雇用関係を取り巻く政治経済社会の構造変化に対応した規制の現代化というべきものである。

また，2007年の労契法制定の際には，労基法に置かれた純然たる民事的効力に関する規定である18条の2（解雇権濫用法理）および93条（就業規則の強行的直律的効力）が労契法に移行され，労基法の労働保護法としての性格がより鮮明になった。

Ⅲ　労働保護法の基本法としての労働基準法

個別的労働関係を規律する立法の多くは，既述のように，労基法の条文が分離・発展したもの（最賃法，労安衛法）や，労基法の規制を前提にさらに展開・充実させたもの（均等法，賃金支払確保法，労災保険法）といってよい。したがって，これらの労働保護法においては，労基法の定義規定が引用される場合が少なくない。例えば，賃確法2条2項，最賃法2条1号，労安衛法2条2号はこれらの法律の適用を受ける労働者を労基法9条に定義された労働者としている。また，労災保険法，均等法のように労働者の定義を行っていない法律でも，法の目的・趣旨からそれらの法律にいう労働者は労基法上の労働者と同一と解されている。

これらの個別的労働関係法は，労基法と同様にその履行を刑事罰・行政監督により，あるいは，刑事罰の担保はなくとも，行政監督や行政指導によって確保することを予定している。その意味で，労基法は，労働保護法のまさに中核立法といえる。

なお，労基法は上述のように，その労働条件基準に強行的効力のみならず直律的効力を付与しており，労働契約内容を規律する民事的効力を有している。その意味では，労基法は労働契約法の機能をも担っている。その機能は極めて重要であるが，労働条件の最低基準に関する民事効に留まり，最低基準を上回る内容を定めた労働契約の効力については，（広義の）労働契約法に委ねられる。

第3節　労働基準法・労働契約法における労働契約と民法上の労務供給契約

労基法や労契法等，労働関係法規においては，民法上の「雇用」契約とは異なる「労働契約」という概念が用いられている。そこで，労働契約と雇用契約の異同，そして労働契約とその他の民法上の労務供給契約（委任・請負）との異同が問題となる。

I　労働契約と民法上の雇用，請負，委任

民法上は労務供給型の典型契約として雇用，請負，委任（さらに寄託）が掲げられている[3)]。これら3種の契約類型は，次のように区別されている（**図表3-1**参照）。

雇用は，契約の目的が「労働への従事」すなわち「労務」提供[4)]そのものであるのに対して，請負は労務の「成果」すなわち「仕事の完成」を目的とする点で区別される。例えば，雇用契約の場合，労働者は所定時間，労働に従事する，つまり使用者の指揮命令に従って労務を提供することで債務を果たしたことになるが，請負の場合は，目的たる仕事が完成しないと債務を果たしたことにならない。また，雇用の場合，本人が労務を給付しなければならないが（民625条2項），結果（仕事の完成）を目的とする請負の場合，請負人は他人・履行補助者を使用してもかまわない。

委任契約は，一方が他方に法律行為（準委任契約では事実行為）を行うことを委

図表3-1　雇用・請負・委任の区別

	請負	雇用	（準）委任
契約の目的	仕事の完成	労務供給自体	労務供給自体
労務供給の態様	労務供給者の裁量	使用者の指揮命令	労務供給者の裁量
典型例	大工	工場労働者	医師

（筆者作成）

3)　山本豊編『新注釈民法⒁債権⑺』1頁［山本豊］（2018年）参照。

4)　民法が2004年に現代語化されるまで，民法623条は「雇傭ハ当事者ノ一方カ相手方ニ対シテ労務ニ服スルコトヲ約シ相手方カ之ニ其報酬ヲ与フルコトヲ約スルニ因リテ其効力ヲ生ス」と規定しており，労務に服するとは，使用者の指揮命令に従って労務を供給することと解されていた。ただし，民法の起草者は，「労務ニ服スル」に指揮命令を受けるという意味を込めていなかったが，我妻栄『債権各論中巻二（民法講義 V_3）』540頁以下（1962年）が，「労務ニ服スル」と規定されているのを「労務自体の給付を目的とする結果として使用者に労務についての指揮命令権を生じ，その意味において従属関係を生ずること」を示す趣旨と説いて以来，これが今日の通説的な理解となった（土田編・債権法改正9頁［水町勇一郎］）。

託する契約である。雇用の場合，使用者の指揮命令に服して労務を給付するが，委任の場合，受任者が自らの裁量により労務を給付する点で区別される。

Ⅱ　労働契約と雇用契約

かつては，労働法が対等な私人間で結ばれた民法上の雇用契約と区別して「労働契約」を観念した理念の相違，規制手法の相違を強調する観点から，労働契約と雇用契約を峻別する議論が有力であった。しかし，そうした規制理念や規制手法の相違は，労働法が民法上の規制の特別法として位置づけられることの説明にはなるが，その対象となる法律関係までも峻別されることを必ずしも意味しない。雇用契約と労働契約の対象とする法律関係は一致するという学説も有力に主張されてきた[5)]。

労働契約と雇用契約がほぼ重なり合うことは疑いないが，契約類型として同一と見るかどうかは，民法上，雇用と請負・委任をどのように区別するかの議論に依存する[6)]（**図表3-2**）。例えば，診療行為にも従事する院長と病院経営者

図表3-2　労働契約と労務供給契約

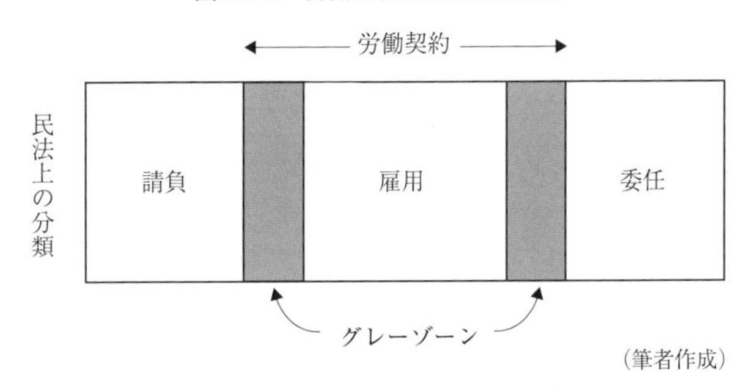

（筆者作成）

5)　労働契約と雇用契約の異同に関する議論については石田眞「労働契約論」学説史615頁以下，萬井隆令『労働契約締結の法理』3頁以下（1997年），村中孝史「労働契約概念について」『京都大学法学部創立百周年記念論文集第3巻』485頁（1999年），島田陽一「雇用類似の労務供給契約と労働法に関する覚書」西村健一郎ほか編『新時代の労働契約法理論』27頁（2003年），柳屋孝安『現代労働法と労働者概念』377頁以下・402頁以下（2005年），鎌田耕一「雇用・請負・委任と労働契約」横井芳弘ほか編『市民社会の変容と労働法』151頁（2005年），土田編・債権法改正10頁以下［水町勇一郎］，中窪裕也「労働契約の意義」争点36頁，西谷・基礎構造69頁以下等参照。

6)　注釈労基法（上）184頁［和田肇］参照。

の契約関係は，通常は委任契約とされているようであるが，労働法の観点からは，院長が病院経営者（使用者）の雇用管理上の指揮命令に服するか（例えば，勤怠把握の有無，職場秩序違反について懲戒処分可能か）等に照らして判断され[7)]，労働契約と評価されることがある。このように雇用管理上の広義の指揮命令に服する使用関係が認められるような契約は，民法上も「委任」ではなく「雇用」であるというのであれば[8)]，労働契約と雇用契約は一致することになる[9)]。民法学においても，雇用契約に該当するか否かは実態を踏まえた契約の性質決定を行うべきとの立場[10)]が一般化してきており，また，2004年に民法典が現代語化された際に，「労働者」の語が用いられたこと，そして以下に敷衍するように労契法6条が労働契約について規定するに至っていることをも考えると，労働契約と雇用契約は一致すると解してよいであろう。

従来，労基法上は労働契約の定義規定が存せず，労働者に該当するか否かをまず判断し，この者が締結した労務供給契約を労働契約とみなしてきた（さらには労働者性判断で「事業……に使用される者」の要件が付加されているため〔労基9条〕，そうした付加要件のない民法上の雇用契約との相違に関心が集まった）。しかし，今日では，2007年制定の労契法6条が，民法の雇用とほぼ同様の規定を置いて実質上労働契約を定義するに至っている。すなわち，民法623条は雇用契約を「当事者の一方が相手方に対して労働に従事することを約し，相手方がこれに対してその報酬を与えることを約する」契約と規定するが，労契法6条も同様に労働契約を「労働者が使用者に使用されて労働し，使用者がこれに対して賃金を支払うことについて……合意する」ことによって成立する契約と規定している。そうすると，契約類型としては雇用契約と労働契約は同一のものと解してよい。

---

7)　労務遂行自体については労働者の裁量に委ね，使用者が具体的指示をしない裁量労働に従事する者に対して，労基法は特別の労働時間規制（みなし時間制）を用意しているが，このような裁量的な働き方をする者も当然に労基法上の労働者と位置づけられている。これは，労務供給の態様とは別の側面（雇用管理の場面）で使用者の指揮命令に服していることに実質的根拠があると解される。

8)　中央林間病院事件・東京地判平成8・7・26労判699号22頁では，院長との契約が委任契約であるという経営者の主張が退けられ，雇用契約であるとされた。

9)　これに対して，民法上はやはり委任契約であって雇用契約ではない，あるいは，委任と雇用の混合形態たる非典型契約（**図表3-2**のグレーゾーン）と捉え，典型契約たる雇用ではないとするのであれば，労働契約と雇用契約は一致しないことになる。

10)　丸山絵美子「労働契約法と民法」季労221号60頁（2008年）は，「実質が雇用なら雇用契約であるというのは民法においても同様である」とする。

そして，後述するように，労契法上の労働者と労基法上の労働者は（事業の付加要件がある点を除き）同一の概念と解されるので，労基法および労契法上の労働契約，すなわち，個別的労働関係法上の労働契約と民法上の雇用契約は同一の契約類型と解してよい11)。

なお，労基法や労契法には民法には規定のない適用除外規定があるため，法規適用に差異が生じ得るが，これは適用除外規定の効果であって，契約類型自体を同一と解する妨げとはならない12)。

就労関係の実態に照らして性質を決定するという労働法のアプローチにおいて，労働契約該当性は当該労務給付者が労基法上や労契法上の「労働者」といえるかどうかによる。したがって，労働者性判断が個別的労働関係法の適用範囲を画する最も重要なメルクマールとなる。

以上の分析に立つと，労働契約とは「契約の一方当事者（労働者）が，他方当事者（使用者）に使用されて労働し，他方当事者がこれに対して賃金を支払うことを内容とする契約」と定義できる13)。

第4節　労働基準法・労働契約法の適用範囲

I　労働基準法の適用範囲・適用除外

労基法の適用の有無は，後述する労働者（→53頁），使用者（→62頁）に該当するか否か，そして明文による適用除外規定によって画される。かつては，労基法旧8条に適用事業を列挙した規定があり，適用対象事業に該当することが

11)　同旨，荒木ほか・労契法75頁以下，土田・契約法40頁，水町・詳解67頁。反対，鎌田・前掲注5・151頁（2005年）。

12)　従来の議論では，雇用契約と労働契約が契約関係として同一類型かという議論と，民法の雇用の規定の適用範囲と労基法の適用範囲が同一か，という議論が交錯していたように思われる。契約関係として同一類型としても，労基法そして現在では労契法が個別に適用除外を設ければ適用範囲には自ずと差異が生ずる。労基法は同居の親族のみを使用する事業や家事使用人については労基法を適用除外とするが（労基116条2項），これは，同居の親族や家事使用人も労基法上の労働者には該当し，したがって，当該労務供給契約が労働契約にも該当することを前提としており，それゆえ明文の適用除外規定が必要であったと解される（そもそも労働者，労働契約に該当しなければ適用除外を設けるまでもない）。

13)　荒木ほか・労契法75頁。

要件とされていたが，1998年改正により8条は削除され，事業の種類にかかわらず包括的に適用する方式に移行した。しかし，「事業」の概念は依然として，労基法の場所的適用単位として重要な意義を持ち続けているので，まず，「事業」について検討しておく。

▩事業列挙方式から包括適用方式へ　1998年改正前の労基法8条は，労基法の適用対象事業として17事業（16事業およびその他命令で定める事業）を列挙していた。しかし，同条の列挙事業は，労基法の労働時間規制等で事業の種類によって規制の特例や適用除外を定めることを念頭に置いたもので，列挙事業に該当しない事業（例えば選挙事務所）は意図せざる適用漏れといってよく，これらを除外する合理的な意義は見出せなかった。そこで，1998年改正法は8条を削除し，事業についての限定列挙を廃止した。そして，事業毎の特例や適用除外を設ける法技術上の必要のために，旧8条に規定していた列挙事業を若干修正した上で，別表第1として規定することとした。その結果，事業は労基法の適用範囲自体を直接画する意義を持たなくなった。

1　労働基準法における「事業」

⑴　適用単位としての事業

労基法旧8条は，労基法の場所的適用単位が「企業」ではなく，「事業又は事務所」，すなわち「事業」であることを示す意義を有していた（「事業単位適用主義」）。かかる事業の概念は，労働基準監督署の管轄や労基法の地域的適用範囲（→638頁）等で問題となり，また，三六協定（時間外協定）等の労使協定締結の単位や就業規則の作成単位である「事業場」もこの「事業」が単位となると解されている点で重要である。

労基法の適用単位としての事業の意義は，同8条が削除されても，同9条の「この法律で『労働者』とは，……事業又は事務所（以下「事業」という。）に使用される者」という条文に引き継がれて今日でも存続していると解されている[14)]。

⑵「事業」の概念

行政解釈[15)]によると「事業とは，工場，鉱山，事務所，店舗等の如く一定の場所において相関連する組織のもとに業として継続的に行われる作業の一体をいうのであって，必ずしもいわゆる経営上一体をなす支店，工場等を総合し

14)　菅野174頁，注釈労基法（上）160頁［山川隆一］等。

15)　昭和22・9・13発基17号，昭和23・3・31基発511号，昭和33・2・13基発90号，昭和63・3・14基発150号，平成11・3・31基発168号。

た全事業を指称するものではない」とされている。具体的には，場所，労働態様，組織的独立性等を考慮して総合判断して決せられる。すなわち，「一の事業であるか否かは主として場所的観念によって決定すべきもので，同一場所にあるものは原則として分割することなく一個の事業とし，場所的に分散しているものは原則として別個の事業とする」とされている（場所的観点)。「しかし，同一場所にあっても，著しく労働の態様を異にする部門が存する場合」，例えば工場内の診療所や食堂などは，別個の事業とみなされる（労働態様の観点)。さらに，「出張所，支所等で，規模が著しく小さく，組織的関連ないし事務能力等を勘案して一の事業という程度の独立性がないもの」，例えば新聞社の通信部等は，「直近上位の機構と一括して一の事業として取り扱う」こととされている（組織的独立性の観点)。

■行政解釈　労働保護法については，国が行政監督を通じてその履行を確保する仕組みとなっている。そこで，中央行政官庁（厚生労働省）は，労働基準監督署等の監督機関による労働保護法の統一的・効率的解釈適用を確保するため，各種の通達を発している（各種通達の略語とその意味については，凡例の略語一覧を参照)。

これらの行政解釈は裁判所を拘束するものではなく，裁判所が行政解釈の立場を覆すこともある（例えばいわゆる過労死・過労自殺について→298頁以下)。しかし，行政実務は行政解釈に従って運用されており，裁判所が法を解釈する場合にも重要な参考資料とされるなど実務上の重要性は非常に高い。

2　適用除外

労基法は，特別法のある船員について一部の規定を除き適用除外とする（116条1項）ほか，同居の親族のみを使用する事業[16]と家事使用人を適用除外としている（同2項)。同項は，1998年改正前の労基法8条但書で適用除外とされていたものを，ほぼそのまま移行した規定である。刑事罰や行政監督によって担保される労基法の規制を，同居の親族間や個人の家庭内の問題に適用するのは適切でないとの判断があったものと解される[17]。

16)　したがって，同居の親族以外の者を使用する事業における同居の親族は，適用除外とはならない。また，同居の親族ゆえに労働者性が否定されるわけでもない（国・甲府労基署長（甲野左官工業）事件・甲府地判平成22・1・12労判1001号19頁［同居の親族の労基法・労災保険法上の労働者性を否定して労災保険給付不支給とした処分を取り消した例］)。なお，適用除外と労働者性の関係については前掲注12参照。

17)　適用除外となる家事使用人を限定的に解した例として医療法人衣明会事件・東京地判平成

労基法は包括的な労働条件規制立法であるが，適用除外，特に企業規模によるそれは極めて限られている。その結果，大企業から中小・零細企業まで，（労働時間規制について特例等が設けられていることを除くと）一律の規制が適用されることとなる18)。

▩公務員に関する労働基準法の適用　一般職の非現業国家公務員については，団体交渉制度の排除に対応して労基法は全面的に不適用とされている（国家公務員法附則16条〔令和5年4月1日から同6条〕）。これに対して団体交渉制度が排除されていない現業職員には労基法が適用される（行政執行法人労働関係法37条により，労基法の適用除外を定めた国家公務員法附則16条を適用除外）。一般職地方公務員については，団体交渉制度排除から要請される事項や地方公務員に特別規定が設けられている事項に関わる労基法の一定の条文が適用除外とされている（地方公務員法58条3項）。これに対して，団体交渉制度の適用のある地方公営企業職員および単純労務職員については，労基法がほぼ全面的に適用される（地方公営企業法39条1項による地方公務員法58条3項の適用除外，地方公営企業等労働関係法附則5項）。

Ⅱ　労働契約法の適用範囲・適用除外

労契法の適用範囲も，労働者および使用者の概念画定によって画される。労基法と異なり，適用に際して事業の概念は特段用いられていない。

なお，労契法21条は，①国家公務員・地方公務員，②使用者が同居の親族のみを使用する場合，を適用除外としている。①は法令によってその勤務関係が全面的に規律されていることから，適用除外とされたものである。②の同居の親族に関する適用除外は，労働保護法のように公法的履行確保手段を用いない労契法においても，規制の対象とするのが適切でないという特殊性が認められたものと解される。これに対して，家事使用人は，労基法と異なり，除外されていない。これは，労契法が民事法規であり，家事使用人の労働契約に関する紛争が生ずることは十分あり得ることに鑑み，あえて適用除外とすべき特殊

25・9・11労判1085号60頁［医療法人に雇用され，その代表者の個人宅でベビーシッター等の業務を行っていた者につき，家事使用人の適用除外は厳格に解すべきで，その労働条件や指揮命令関係等を外部から把握することが容易で，一般家庭における私生活上の自由の保障と密接に関係しない場合には，労基法の適用除外となる家事使用人には該当しないとした］。

18)　諸外国の中小企業に対する適用除外に関する有益な研究として大内伸哉「中小企業に対する労働法規制の適用除外に関する共同比較法研究」季労227号95頁（2009年）。

性は認め得ないと解したものであろう[19]。

第5節　労働基準法・労働契約法の労働者

労基法の労働者概念は，9条によって「この法律で『労働者』とは，職業の種類を問わず，事業又は事務所（以下「事業」という。）に使用される者で，賃金を支払われる者をいう」と定義されている。他方，労契法における労働者概念については，2条1項が「この法律において『労働者』とは，使用者に使用されて労働し，賃金を支払われる者をいう」と定義している。

労基法の定義ではその者が「事業に使用される」という限定が付加されているが，この点を除くと，労基法と労契法における労働者概念は，同一のものと解される[20]。そして，既述のように最賃法や労安衛法等の労働保護法では明文の規定によって，その他の労働保護法についても解釈によって，労働者概念は労基法上のそれと同一の概念と解されている。したがって，以下に論ずる労働者概念は個別的労働関係法に共通して，各個別法の適用範囲を画する重要な概念となる。以下，労基法上の労働者概念を対象に検討する。

I　労働者性の判断基準

労基法9条の定義からは，労働者が，①事業に使用され，②賃金を支払われる者，ということがわかる。しかし，「使用される」の意味も，「賃金」に関する労基法11条の定義も広範・抽象的であるため，この条文から直ちに労働者の範囲を明確にすることはできない。そこで，解釈上，労働者性の判断基準を明確化する必要が生ずる。

現在，一般に支持されていると解される昭和60年12月19日労働基準法研究会報告「労働基準法の『労働者』の判断基準について」[21]では，労働者性の判断に当たって，雇用契約，請負契約といった契約形式のいかんにかかわらず，実質的な判断を行うべきとしたうえで，労基法上の労働者に該当するか否か

19)　荒木ほか・労契法247頁。

20)　菅野173-174頁，山川・雇用法23頁，土田・契約法53頁，荒木ほか・労契法79頁等。

21)　現在でも，労基局（上）117頁以下は同報告，およびこれを手間請け従業者や芸能関係者について展開した労働契約等法制部会労働者性検討専門部会報告に依拠している。

（労働者性）の一般的判断基準として，「使用従属性」[22]の有無，すなわち，①使用者の指揮監督下で労働し，②労務対償性のある報酬を受け取る者に該当するか否かという基本的枠組みを立て，その具体的判断基準および労働者性判断を補強する要素を示して，判断の明確化を試みている。

まず，①指揮監督下の労働といえるかどうかについては，（具体的な）仕事の依頼，業務従事の指示等に対する諾否の自由の有無（諾否の自由がなければ指揮監督関係を推認），業務遂行上の指揮監督の有無（業務内容・遂行方法について具体的指揮命令を受けていれば指揮監督関係が肯定されやすい），勤務場所・勤務時間に関する拘束性の有無（当該拘束が業務の性質上当然に生ずるものか，使用者の指揮命令によって生ずるものかが問題となる），代替性の有無（本人に替わって他の者が労務を提供してよい，あるいは，補助者を使ってよい場合，指揮監督関係を否定する要素の一つとなる）等に照らして判断される。

■経済的従属性　使用従属性（人的従属性）と対置して論じられるメルクマールとして労働手段の非所有，契約内容の一方的決定への従属等，交渉上の地位の非対等性に着目する経済的従属性がある。通説は，経済的従属性は労基法上の労働者性を基礎付けるものではないとしている。こうした現状に対して，個別的労働関係法の保護を拡張すべく，使用従属性が希薄であっても経済的従属性を有する者も労働者に含まれるとする議論，あるいは，労働者には当たらないが経済的従属性を有する者について労働法上も「準労働者」等として把握し，一定の保護を及ぼそうとする議論が展開されている（労契法制定に際しても，この点は検討された。労契研報告書15頁参照）。ただ，経済的従属性の概念は論者により異なり確立していないため，議論はなお混迷した状態にある[23]。なお，労組法上の労働者性判断においては，経済的従属性は重要な判断要素として考慮されるようになっている（→652頁以下）。

次に，②報酬の労務対償性については，報酬が時間給を基礎に計算される等，労働の結果（成果）による較差が少ない，欠勤した場合には報酬が控除され，残業した場合には手当てが支給される，というように報酬が一定時間労務を提供していることに対する対価と判断される場合には，「使用従属性」を補強す

22）　この「使用従属性」という用語は必ずしもわかりやすくない。労基研報告は，①指揮監督下の労働と②報酬の労務対償性の双方の要件から「使用従属性」が導かれるとしているが，一般の議論においては使用従属性は，①指揮監督下の労働のみを指して使われることも少なくなく（例えば，最近の裁判例では国・甲府労基署長（甲野左官工業）事件・前掲注16），②を含まないと誤解されかねない。使用従属性という概念を介することなく，端的に，労働者性は①と②から判断されると解すれば足り，その方が混乱を招かないと思われる。

23）　最近の議論状況については，皆川宏之「労働法上の労働者」講座再生1巻73頁参照。

る。

そして，①②の観点のみでは判断できない場合のために，③労働者性の判断を補強する要素として，事業者性の有無（正確には程度というべきであろう）に関わる事項（機械・器具の負担関係，報酬の額，損害に対する責任，商号使用の有無等），専属性の程度等が挙げられている。

Ⅱ　具体的な労働者性判断

労働者性判断が具体的に問題となるのは，以下のような場合である。まず，現在の裁判例の状況を概観する。

1　経営者か労働者か

企業の役員（取締役）でありながら役員業務以外の労務に従事している場合，これらの者の労働者性が問題となる。実態において代表者の指揮命令に従って労務に従事し，その対価（役員報酬以外の報酬）を得ているかどうかによる。これが肯定されれば，その限りで「労働者」たり得る（「使用人（従業員）兼務取締役」となる）。これは，取締役が，従業員としての退職金を請求する場合や業務遂行中に災害にあった場合に労災認定を申請する場合等，しばしば問題となり，実際に労働者性を認めた事例も多い[24]。ただし，監査等委員会設置会社の監査等委員である取締役，指名委員会等設置会社の取締役が使用人（労働者）を兼任することは禁止されている（会社法331条3項，4項）。

---

24)　前田製菓事件・大阪高判昭和53・8・31判時918号114頁［従業員兼務取締役の従業員としての退職金を一部認容（最二小判昭和56・5・11判時1009号124頁で維持）］，興栄社事件・最一小判平成7・2・9労判681号19頁［合資会社の無限責任社員の職務を代行する有限責任社員による従業員としての退職金請求を認容］，大阪中央労基署長（おかざき）事件・大阪地判平成15・10・29労判866号58頁［専務取締役の労働者性を認め労災補償不支給処分を取消し］，アンダーソンテクノロジー事件・東京地判平成18・8・30労判925号80頁［取締役兼営業部長の労働者性を肯定］，類設計室事件・京都地判平成27・7・31労判1128号52頁，同・大阪高判平成28・1・15 D1-Law 28251651［塾の就業者全員を取締役に就任する旨の承諾書をとっていたが，実質的に使用者の指揮監督を受けて労働に従事していたとして，労働者性を肯定し未払い残業代・付加金認容］等。なお，執行役員の労働者性が争われた例として，国・船橋労基署長（マルカキカイ）事件・東京地判平成23・5・19労判1034号62頁［労災事案で死亡した部長兼執行役員の労働者性肯定］，アメリカン・ライフ・インシュアランス・カンパニー事件・東京地判平成24・1・13労判1041号82頁［執行役員による従業員としての退職金請求を認容］。

2　独立自営業者か労働者か

保険会社等の外務員[25)]，電気・ガス・NHKの集金人等[26)]，楽団員[27)]，映画撮影技師[28)]，傭車運転手（車持ちの運転手）[29)]，バイク便運転手[30)]，テストライダー[31)]，一人親方大工[32)]，芸能実演家[33)]等が委任契約や請負契約という契約形式で働いている場合，独立自営業者なのか労働者なのかがしばしば問題となる[34)]。また，近時フランチャイズ契約に関連しても労基法上の労働者性が問

---

25)　太平洋証券事件・大阪地決平成7・6・19労判682号72頁［労働者性否定］，株式会社MID事件・大阪地判平成25・10・25労判1087号44頁［肯定］。

26)　NHK西東京営業センター事件・東京高判平成15・8・27労判868号75頁［否定］，NHK前橋放送局（受信料集金人）事件・前橋地判平成25・4・24労旬1803号50頁［委任契約と請負契約の混合契約として否定］，東陽ガス事件・東京地判平成25・10・24労判1084号5頁［LPガスボンベ配送・保安点検者につき肯定］，NHK神戸放送局（地域スタッフ）事件・神戸地判平成26・6・5労判1098号5頁［肯定］，同・大阪高判平成27・9・11労判1130号22頁［否定］。

27)　チボリ・ジャパン事件・岡山地判平成13・5・16労判821号54頁［吹奏楽団員につき肯定］，新国立劇場運営財団事件・東京高判平成19・5・16労判944号52頁［オペラ合唱団員につき否定］。

28)　新宿労基署長（映画撮影技師）事件・東京高判平成14・7・11労判832号13頁［労災事件における映画カメラマンにつき肯定］。

29)　横浜南労基署長（旭紙業）事件・最一小判平成8・11・28労判714号14頁［荷積み作業中に負傷した傭車運転手の労災申請事件で労基法・労災保険法上の労働者性を否定］。

30)　ソクハイ（契約更新拒絶）事件・東京高判平成26・5・21労判1123号83頁［自転車で配送業務を行うメッセンジャーの労働者性否定］。

31)　国・津山労働基準監督署長（住友ゴム工業）事件・大阪地判令和2・5・29労判1232号17頁［業務委託契約によるタイヤ開発のテストライダーの労働者性肯定］。

32)　藤沢労基署長（大工負傷）事件・最一小判平成19・6・28労判940号11頁［工務店の指揮命令を受けず，仕事の完成について報酬を支払われ，自己使用の道具を持ち込んでいた大工の労働者性を否定］。

33)　労働者性肯定例としてスター芸能企画事件・東京地判平成6・9・8判時1536号61頁［歌手］，J社ほか1社事件・東京地判平成25・3・8労判1075号77頁［モデル，タレント］，元アイドルほか（グループB）事件・東京地判平成28・7・7労判1148号69頁［アイドル］，エアースタジオ事件・東京高判令和2・9・3労判1236号35頁［裏方業務にも従事し，俳優出演もする劇団員につき，舞台俳優としての出演につき労働者性を否定した一審判断（東京地判令和元・9・4労判1236号52頁）を覆し，いずれの活動についても労働者性肯定］，労働者性否定例として，Hプロジェクト事件・東京地判令和3・9・7労判1263号29頁［アイドルグループ・メンバーの労働者性否定，東京高判令和4・2・16 LEX/DB25593268で維持］。

34)　その他に労働者性が問題となった事例として，第三相互事件・東京地判平成22・3・9労判1010号65頁［罰金等の控除に対する労基法24条の適用が問題となったクラブホステスにつき肯定］，J社ほか1社事件・東京地判平成25・3・8労判1075号77頁［芸能プロダクションのタレント志望者の専属芸術家契約を労働契約と評価し，最低賃金法を適用して賃金請求認

題となっている[35]。これらの労働者性の判断に当たっては，契約の名称ではなく，労働の実態によって[36]判断される。その実態判断に当たっては，「指揮監督下の労働」といえるか否かに関して，仕事の依頼についての諾否の自由の有無，業務遂行について指揮命令を受けているか，場所的・時間的拘束を受けているか，代替性の有無等，そして「報酬の労務対償性」，さらには，「事業者性」「専属性」等の要素を加味して総合判断がなされている。

なお，かつては使用者の指揮監督下の労働が重要な指標とされてきたが，裁量労働のように，業務の遂行の手段，時間配分等について使用者が具体的指示を行わない就労形態も生じてきている。しかし，これらの裁量労働対象者が労基法上の労働者であることは，同法に裁量労働の規定があることから明らかである。ここで，裁量労働者の労働者性を基礎づけているのは，企業組織に組み入れられて，就業規則や企業秩序に服し，企業秩序違反等に対しては懲戒処分等もあり得るという点で，使用者の指揮命令下で就労していると評価できることにあると解される[37]。

容]，日本相撲協会事件・東京地判平成25・3・25労判1079号152頁［無気力相撲を理由とした引退勧告に従わないために解雇された幕内力士の地位確認請求事件において，当該契約は雇用契約や準委任契約ではない私法上の無名契約で，労働契約にも当たらないとしつつ，解雇理由はないとして請求認容]，リバース東京事件・東京地判平成27・1・16労経速2237号11頁［ボディケアを行うセラピストの地位確認請求を否定]。

35)　ブレックス・ブレッディ事件・大阪地判平成18・8・31労判925号66頁［フランチャイジーから店舗の管理運営を任され，フランチャイジーが指揮命令を及ぼしていたとはいえないとされた店長の労基法上の労働者性が否定され，割増賃金請求，最低賃金請求が斥けられた例]，セブンーイレブン・ジャパン（共同加盟店主）事件・東京地判平成30・11・21労判1204号83頁［フランチャイザーとフランチャイズ契約を結んで事業を展開するフランチャイジーの労基法上の労働者性が否定された例］等がある。なお，フランチャイジーの労組法上の労働者性については→657頁。

36)　ソクハイ事件・東京地判平成22・4・28労判1010号25頁は，「契約の形式や内容と併せて，具体的な労務提供関係の実態」を考慮する立場をとり，契約の形式・内容から請負契約と判断した後，これを覆す事情があるかを判断している点，また，業務毎に分離した契約としてその性質を検討している点で，従来の労働者性判断と異なる独特の判断を行っているが，いずれについても疑問である。

37)　嘱託の地位で就労する社内弁護士の契約関係を労働契約と認めた例として，B社（法律専門職）事件・東京地判平成21・12・24労判1007号67頁，税理士事務所の税理士につき労働者性を肯定した一審判断（東京地判平成23・3・30労判1027号5頁）を覆してこれを否定した例として，公認会計士A事務所事件・東京高判平成24・9・14労判1070号160頁。

3　他人のための労働か自己のための活動か

ボランティア活動，高齢者の生き甲斐就労[38]，実習生や研修医，劇団員[39]のような自己の教育・研修という目的も兼ねて行われる就労の場合のように，当該活動が誰のためになされているのか，そして，その場合の報酬の有無・労務対償性が問題となる事例がある。

研修医の労働者性が問題となった関西医科大学研修医（未払賃金）事件[40]では，病院側が労働者性を否定する根拠として研修医自身の教育的側面を強調した。しかし最高裁は，臨床研修は教育的側面を有しているが，プログラムに従い，指導医の指導の下に医療行為等に従事する場合には，「これらの行為等は病院の開設者のための労務の遂行という側面を不可避的に有することとなるのであり，病院の開設者の指揮監督の下にこれを行ったと評価することができる限り，……研修医は労働基準法9条所定の労働者に当たる」としている。この事件では奨学金等の金員の支払があり給与扱いとされていた事案であったので報酬の労務対償性を肯定できた。しかし，労務提供が労務受領者のための活動と自己のための活動という両側面を併有する場合であっても，無報酬ボランティアのように全く報酬支払が約定されていない場合には，労基法9条の定義における「賃金を支払われる者」という要件を満たさず，労働者性を肯定することは困難である。労務受領者に利益が帰属していれば，賃金支払の要件が欠けていても労働者性を肯定すべきとの考え方もあり得ようが，そのような解釈が可能なのは，その就労実態から見て当然に賃金支払が約定されるのが通常であるにもかかわらず，無報酬で労働を強制されたような例外的な場合に限られよう[41]。

38）国・西脇労基署長（加西市シルバー人材センター）事件・神戸地判平成22・9・17労判1015号34頁［年金支給額減額を避けるために労働法の適用を回避する意図で雇用契約を締結しなかったとしても，労基法・労災保険法上の労働者性はこれに関わらずに判断されるとして労働者性を肯定］。

39）エアースタジオ事件（東京高判令和2・9・3・前掲注33）。

40）関西医科大学研修医（未払賃金）事件・最二小判平成17・6・3民集59巻5号938頁。

41）行政解釈（平成9・9・18基発636号）は，学生のインターンシップ実習について「当該作業による利益・効果が当該事業場に帰属し，かつ，事業場と学生との間に使用従属関係が認められる場合」に労働者性を肯定するが，ここにいう使用従属関係の概念には「指揮監督下の労働」と「賃金支払」の2つの要件が含まれており（前掲注22参照），賃金支払を不要とする趣旨ではないと解される。

Ⅲ　労働者性判断の視角

1　契約名称等によらぬ客観的判断

まず，確認しておくべきは，労働者に該当するか否かは，契約名称や当事者の合意によってではなく，就労実態に照らして客観的に判断されることである。実務では，客観的に労働者と評価される就業実態にある者を請負や委任その他の雇用（労働）契約以外の契約を締結して使用し，当事者間では労働者ではないものとして取り扱われることが少なくない。諸外国でも同様の事態が生じておりこれは「誤分類（Misclassification）」問題と呼ばれている。しかし，労働保護法たる労基法の保護は強行的なものであるから，たとえ，労働者自身が契約時に労働契約ではない契約類型であることや，非労働者として扱われることについて，異議がない旨表明していたとしても，そのことによって労働者性が左右されるものではない。役務提供の実態から労働者と評価される場合，当該役務提供者は，契約名称にかかわらず，客観的に労働者と判断され，労働法の保護が適用されることになる42)。

しかし，労働者性判断は多様な要素を総合判断するため，予測可能性に乏しく安定性に欠けるという問題点がある。とりわけ，労働者と非労働者の中間にあるグレーゾーンの判断には困難が伴う。

2　グレーゾーンの判断方法

この点について，労働者と事業主（非労働者）の中間形態にある者について，当事者の意図を尊重する方向ですべきとする立場43)も見られる。しかし，このような立場は労基法適用の有無を（グレーゾーンとはいえ）力関係に差のある当事者間の合意による処分に委ねることになりかねず，適切でない44)。

---

42)　荒木尚志「プラットフォームワーカーの法的保護の総論的考察」ジュリ 1572 号 15 頁（2022 年）

43)　横浜南労基署長（旭紙業）事件・東京高判平成 6・11・24 労判 714 号 16 頁。学説でも，労働法の適用を回避する当事者意思形成に客観的合理的理由が認められる等，一定の客観的条件が満たされれば，当事者意思を尊重して，労働法の適用対象から外す場合があってもよいとする見解が主張されている（柳屋・前掲注 5・366 頁以下，423 頁）。

44)　東京高裁の当事者意思を尊重すべしとした判示部分は横浜南労基署長（旭紙業）事件最高裁判決・前掲注 29 では削除されている。東京高裁の考え方は，グレーゾーンの労働時間性判断を当事者の約定に委ねるという二分説（→211 頁）と同様の手法を労働者性に適用しようとするものといってもよい（山川隆一＝荒木尚志「ディアローグ：労働判例この 1 年の争点」労

また，グレーゾーンの判断であるにもかかわらず，純然たる労働者を基準とし，それとの相違点に着目する（労働者性を否定する結論に向かいやすい）[45]立場と，純然たる非労働者（独立自営業者）を基準にそれとの違いに着目する（非労働者とはいえないとして労働者性を肯定する結論に向かいやすい）立場とでは，判断に大きな食い違いが生ずる[46]。グレーゾーンのどこに線を引こうとしているのかを十分に認識しつつ判断することが望まれよう。

さらに，労働者概念を労働法全体で統一的に解すべきか，それとも規制目的に照らして個別法・集団法で相対的に把握するか，さらには個別立法毎，個別条文毎に相対的に把握するのか[47]という問題もある。現在は，労基法9条と労組法3条の労働者の定義[48]の相違から，個別法と集団法では労働者概念は相対的に（異なって）把握されている[49]。さらに進んで，規制目的が異なれば，法律毎に，異なる労働者概念を観念し得るか（例えば，労基法と労災保険法の労働者概念を異なって解し得るか）については，議論はあるものの，通説的見解は，個別法の中では統一的に把握すべきと解している[50][51]。

研450号4頁〔1997年〕)。しかし，最高裁は労働時間性判断においてすら当事者の約定に委ねることを許容せず，客観的に判断する立場を採る（→213頁）のであるから，労働保護法，労働契約法のすべての保護の帰趨が決まる労働者性については，より一層，当事者意思に委ねるべきでないと解したものと推測される。

45）　横浜南労基署長（旭紙業）事件・前掲注29の最高裁の判断は，このような立場に立った結果と評することができよう。

46）　この点を指摘したものとして柳屋・前掲注5・296頁以下。

47）　下井・労基法33頁は，制度・ルール等の目的・趣旨との関連で労働者概念を相対的に判断すべしとする。

48）　労組法では，主として団体交渉制度を適用するに相応しい者という観点から労働者の範囲を画する結果，使用されていることは要件ではなく，失業している者であっても労組法上は労働者となり得る（→652頁以下)。

49）　これに対して，橋本陽子『労働者の基本概念』(2021年）は労働法全体で統一的労働者概念を採用するドイツ法の詳細な研究を踏まえ，日本でも労基法上の労働者概念と労組法上の労働者概念は基本的に同義と解すべきとする（同書423頁)。

50）　労基法上の労働者と労災保険法上の労働者については，労災保険法が労基法上の補償義務に関わる責任保険であることや労基法上の災害補償事由が生じた場合に保険給付を行う構造となっていること（労災12条の8第2項）から，労基法上の労働者概念と同一に解されている。厚生労働省労働基準局労災補償部労災管理課編『労働者災害補償保険法』(8訂新版）87頁(2022年)，横浜南労基署長（旭紙業）事件・前掲注29参照。

51）　これに対して，土田・契約法57頁は，all or nothingの処理の問題点を指摘し，混合契約について部分的に労働法の保護を与える処理を示唆している。

3　拡張解釈アプローチ・中間概念導入アプローチ・特別規制アプローチ

労働者性判断に関しては，当該事案における要保護性と体系的判断をどう勘案するかという問題もある。個別のケースにおいて当該労働者に労働法の保護が与えられるべきと考える場合，労働者概念を積極的に拡張して保護を及ぼす立場（拡張解釈アプローチ）[52]に立つと，当該事案（例えば労災補償の場面）では妥当な解決といい得るかもしれないが，一旦そのように拡張された労働者概念によると，他の場面（例えば出退勤管理や報酬の支払い方）では，必ずしも妥当でない（労働者自身も望んでいない）結論となることもあり得る。そこで，労働者と評価されない者に対して一定の保護を及ぼすために労働者概念を拡張解釈するではなく，立法論として，一定の制度を用意して対処するアプローチが考えられる。その一つが，「中間概念導入アプローチ」，すなわち労働者と非労働者（独立自営業者）の中間に位置する雇用類似就業者（雇用ではないが雇用に類似した実態で就業する者）を定義し，それらの者に労働法全体ではなく労働法の一部の保護を及ぼすという対応である。ドイツ，イギリス，カナダなどではこうしたアプローチが採用されている。もう一つが「特別規制アプローチ」，すなわち，保護の必要な就業者に対して，その必要な保護に対応した特別の規制を用意して対応しようとするものである。「中間概念導入アプローチ」の場合，労働法の一部が適用・準用され保護されることになるが，その保護の内容は原則として労働法と同一の規制である。しかし，当該就業者が労働者と非労働者（独立自営業者）の中間に位置する者である以上，その者の適切な保護の内容は労働法の保護と同一であるとは限らない。むしろ独立自営業者の性格をも帯びた者にふさわしい特別の保護規制を用意するのがより合理的であると解される。例えば，労災保険法における一人親方や中小企業事業主等の特別加入制度は特別規制の一例である[53]。

以上の他，労働法に引き寄せた保護ではなく，他の法体系（競争法，社会保障法，税法等）による保護の拡充や，ハードローによらないソフトローによる対処，

52）著名な映画撮影技師の労働者性が肯定された新宿労基署長（映画撮影技師）事件・東京高判平成14・7・11労判832号13頁は，こうした事例のように思われる。

53）労働者の場合，保険料は事業主が全額負担するが，一人親方等の場合，独立自営業者であって労働者ではないので，保険料を負担すべき事業主（使用者）は存在しないので，一人親方等が全額保険料を負担するという特別の制度を用意している（→283頁）。

市場機能を活用した対応も考えられる54)。

なお中間概念導入アプローチや特別規制アプローチは立法論であるので，そのような制度的対処がなされていない以上，法体系（特に労災保険法における特別加入制度のように，すでに労働者概念を拡張するのではなく特別規制を採用して対処している法体系）を踏まえた解釈としては労働者概念拡張アプローチを採用することには困難が伴う。この問題は，解釈による労働者概念拡張の影響と，制度的対処の整備の程度，制度的対応の可能性，それに要する時間等，多角的検討が必要な問題である。

なお，労契法は，労基法と異なり刑罰法規ではないので，類推適用は禁止されない。したがって，労契法上の労働者に該当しなくとも，労働者類似の者に，同法の保護を類推適用することは十分に可能である。労契法は，こうした類推適用の余地も考慮し，労基法上の労働者と同様の労働者概念を採用したものと解される。

第6節　労働基準法・労働契約法上の使用者

労契法上は，労働契約の他方当事者が使用者である。これに対して，労基法は10条で「この法律で使用者とは，事業主又は事業の経営担当者その他その事業の労働者に関する事項について，事業主のために行為をするすべての者をいう」と定義している。つまり，労基法上は，労働契約の他方当事者たる事業主（労働契約上の使用者）に加えて，事業主のために行為するすべての者を使用者としている（労働基準法の責任主体としての使用者）。したがって，労働者であっても，事業主のために行為する場合，労基法上の使用者となり得る。

I　労働契約上の使用者

労契法2条2項は「『使用者』とは，その使用する労働者に対して賃金を支払う者をいう」と定義している。同法6条は労働契約の成立についての規定であるが，同時に，労働契約の定義を行ったものと解することができるところ，同条によると労働者がその者に使用されて労働し，これに対して賃金を支払う

54)　誤分類への対処も含めた多様な就業者に対する5つのアプローチの総論的考察については荒木・前掲注42・15頁以下参照。

図表 3-3　三面的労働関係

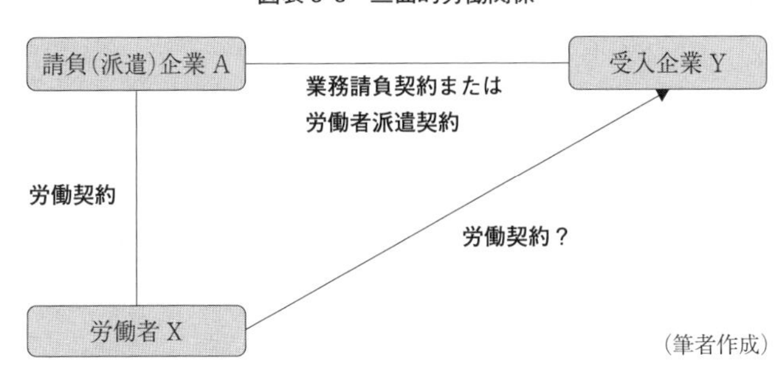

ことを合意した契約の他方当事者が使用者ということになる。労基法10条にいう「事業主」は，労契法上の使用者と同様，労働契約の労働者の相手方たる当事者を指し，個人企業なら企業主個人，法人企業なら法人がこれに当たる。

しかし，形式上契約の一方当事者でない者の使用者性が問題となることがある（「使用者概念の外部的拡張」ともいわれる）。具体的に問題となるのは，社外労働者の派遣受入れや出向関係のように三者間労働関係の場合，別会社を立ち上げて，従前の会社の使用者としての責任を遮断しようとする場合，親子会社関係のように，直接の契約上の使用者を別法人が支配し，子会社の労働関係に影響力を及ぼしているような場合等である。これらの労働契約の当事者でない者が使用者と認められる理論構成には，黙示の労働契約の成立の認定と法人格否認の法理とがある[55]。

1　黙示の労働契約の成立

直接の労働契約の相手方ではない者との間で，黙示の労働契約が成立しているとされる場合がある。業務処理請負・派遣・出向等のように，労働者Xが，企業A（業務処理請負業者，派遣業者〔派遣元企業〕，出向元企業）から受入企業Y（発注元企業，派遣先企業，出向先企業）に出向いて，Yにおいて就労する場合のような三面的労働関係の場合にしばしば問題となる（図表 3-3）。

この点については，使用従属関係（指揮命令に服して労務を提供する関係）の存在のみで，当事者の意思の合致を全く問題とすることなしに労働契約の成立を認

55）　山川・雇用法10頁，水町・詳解80頁参照。

めることはできず[56]，XがYの指揮命令の下にYに労務を提供する意思を有し，これに対して，Yがその対価としてXに賃金を支払う意思を有するものと推認され，社会通念上，両者間で労働契約を締結する旨の意思表示の合致があったと評価できるに足りる事情が必要である[57]（労契2条，6条，民623条参照）。

労働者派遣関係においては，派遣労働者と派遣先企業との間には指揮命令関係があるが，労働契約関係は成立しないことが前提とされている（労派遣2条1号参照）。労働者派遣法44条によって，一定の事項について派遣先企業に労基法上の使用者としての責任が法定されているが，これも派遣先企業が労働契約上の使用者でないことを前提に特別の規定が置かれたものである。また，労働者派遣法違反の事実がある場合，その制裁として派遣先との労働契約の成立を認めるためには，その旨の立法が必要と解される[58]（詳細は→616頁以下）。出向関係については，出向の項で取り扱う（→479頁）。

2　法人格否認の法理

「法人格否認の法理」とは，法人格の違いゆえに法的責任を遮断することを認めない法理である。判例法上認められた法理であり，法人格の実態がなく形骸化している場合（法人格の形骸化），または法の適用を回避するために法人格を濫用した場合（法人格の濫用）にその適用が認められる[59]。

(1)　法人格の形骸化

まず，法人格の形骸化については，かつては比較的緩やかに認める裁判例も

---

56)　サガテレビ事件・福岡高判昭和58・6・7労判410号29頁。学説では，使用従属関係の存在という社会的事実があれば労働契約の成立を認めうるとする「事実的労働契約関係説」も主張されていた（例えば，本多淳亮「事業場内下請労働者の実態と法的地位」労旬902号4頁〔1976年〕）。

57)　大映映像ほか事件・東京高判平成5・12・22労判664号8頁，安田病院事件・大阪高判平成10・2・18労判744号63頁，大阪空港事業（関西航業）事件・大阪高判平成15・1・30労判845号5頁，伊予銀・いよぎんスタッフサービス事件・高松高判平成18・5・18労判921号33頁，ウップスほか事件・札幌地判平成22・6・3労判1012号43頁［形式上の労働契約上の相手方企業が解散した後，出向先とされていた実質的に労働関係を規律していた企業との黙示の労働契約成立を肯定した例］等参照。

58)　伊予銀・いよぎんスタッフサービス事件・前掲注57。この点，松下プラズマディスプレイ（パスコ）事件・大阪高判平成20・4・25労判960号5頁は，偽装請負ないし違法な派遣関係にあることを実質的根拠に，派遣労働者と派遣先との間に黙示の労働契約の成立を認めたが，最高裁によって覆された（最二小判平成21・12・18民集63巻10号2754頁）。

59)　最一小判昭和44・2・27民集23巻2号511頁。江頭憲治郎『株式会社法』（8版）41頁以下（2021年）参照。

図表 3-4　偽装解散

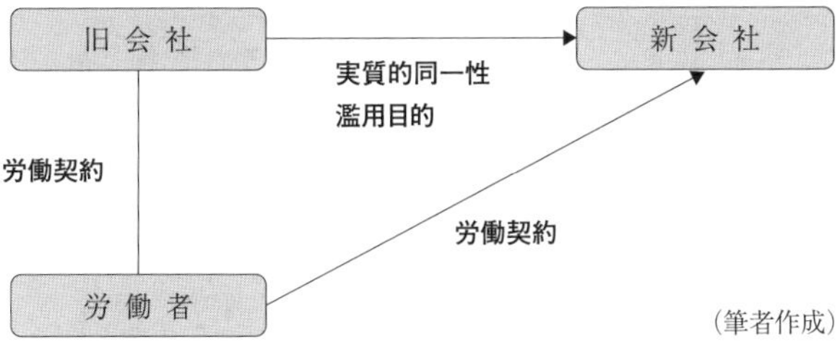

旧会社
新会社
実質的同一性
濫用目的
労働契約
労働契約
労働者

（筆者作成）

あったが[60]，法人格を否認するに足る形骸化を認めるには，財産の混同，業務活動の混同の反復，収支区別の欠如，株主総会や取締役会の不開催等の付加的事情が必要であるとの批判が加えられ，今日では，裁判所は法人格の形骸化のみから法人格を否認することには一般に慎重な態度をとっている[61]。

なお，子会社の法人格が真に形骸化している場合には，法人格否認の法理を用いることなく，親会社との黙示の労働契約を認定することによって処理することも可能である。

(2)　法人格の濫用

次に，不当・違法な目的のために法人格が濫用された場合についても法人格否認の法理が適用される。具体的に問題となるのは，当該会社が労働組合潰し等の不当目的のために解散された場合で，これは偽装解散と真実解散とを区別しつつ検討すべきである。

まず，偽装解散型にも，3つのタイプがある。第1が，会社解散後，実質的同一性のある新会社を設立して事業を継続する場合（**図表 3-4**）であり，いわば「水平的法人格否認」の事案といってもよい。この場合，両会社の実質的同一性（両会社間の株主，役員構成，事業内容，従業員の共通性）が認められ，かつ，濫用目的（会社解散・新会社設立が法人格の相違を利用した責任分離の濫用）が認められる場合，解散会社の雇用関係は法人格否認の法理により新会社に承継されると解さ

60)　川岸工業事件・仙台地判昭和45・3・26労民集21巻2号330頁，盛岡市農協事件・盛岡地判昭和60・7・26労判461号50頁等。

61)　形骸化を認めた事例として，分社化後の退職金不払の責任を親会社に認めた黒川建設事件・東京地判平成13・7・25労判813号15頁。

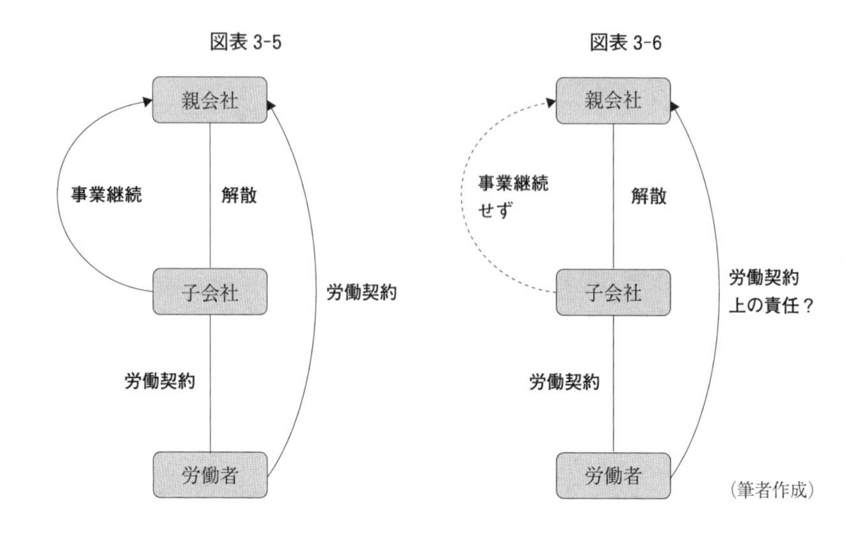

れる[62]。

これに対して，別会社により同一性のある事業を継続するといった事情のない真実解散の場合，たとえ不当目的によるものであったとしても，解散の効力自体が否定されることはないと解されている（→508頁）。

第2の類型は，親子会社において，親会社が子会社を不当目的で解散し，その事業を親会社自らが継続する「垂直的法人格否認」の事案（**図表 3-5**）である。この場合，子会社の解散は真実解散とはいえず，事業を継続する親会社が雇用関係上の責任を承継すると解される。

これに対して，親会社がその支配的地位を利用して，組合潰しや解雇規制の潜脱等の不当目的のために子会社を解散させ，かつ，解散した子会社の業務を継続することもない場合（**図表 3-6**），子会社の法人格を否認して親会社に使用者としての責任を負わせ得るかが問題となる。裁判例は，解散子会社の法人格

62）　新関西通信システムズ事件・大阪地決平成6・8・5労判668号48頁，第一交通産業（佐野第一交通）事件・大阪地岸和田支決平成15・9・10労判861号11頁，サカキ運輸ほか（法人格濫用）事件・福岡高判平成28・2・9労判1143号67頁，メルファインほか事件・京都地判平成28・4・15労判1143号52頁［労働審判による解決金支払義務を免れる目的で100％子会社を設立して事業を継続した事案について法人格濫用として，親会社の代表取締役らの不法行為責任肯定］。

図表 3-7

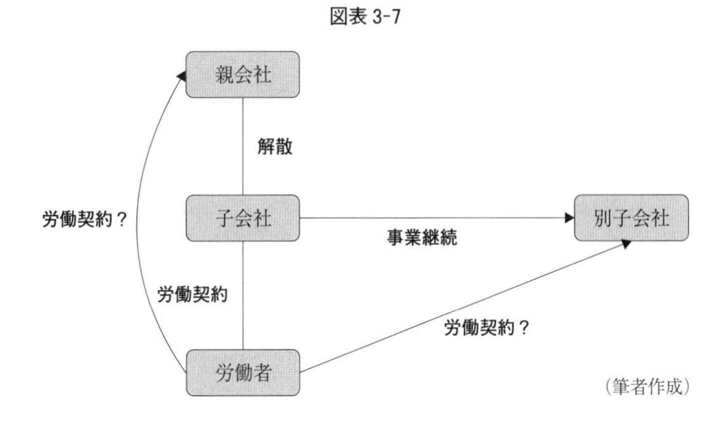

を否認して親会社に労働契約上の使用者としての（雇用関係の承継を含む）責任を認めるものと，未払賃金等の個別の債務については，垂直的法人格否認を認めつつ，労働契約自体の承継については真実解散の場合と同様，企業廃止の自由等を根拠にこれを否定するものに分かれている。前者の裁判例[63]は，子会社の法人格の完全な形骸化までは認めることができない場合でも，「支配の要件」という形骸化よりは緩和された要件と違法・不当目的の要件により，雇用関係の承継までも認め得るという立場であるのに対し，後者の裁判例[64]は，法人格否認により導こうとする効果によって区別し，完全な雇用関係の承継は形骸化が認められない以上，否定する立場と解される。

第3の類型は，第1と第2の複合型で，親会社が子会社を解散させ，別の子

63）　その中には，濫用目的に加えて，親会社の現実的・統一的管理支配と子会社が親会社の一部門と見られるような形骸化を認定して，偽装解散と同様に考えるもの（船井電機・徳島船井電機事件・徳島地判昭和50・7・23労判232号24頁）のみならず，法人を道具として意のままに支配しているという「支配の要件」と，違法又は不当な目的という「目的の要件」の双方を満たす場合に認められるとするもの（中本商事事件・神戸地判昭和54・9・21労判328号47頁，布施自動車教習所・長尾商事事件・大阪地判昭和57・7・30労判393号35頁，大阪空港事業（関西航業）事件・大阪高判平成15・1・30労判845号5頁［支配要件不充足で否定］，大阪証券取引所（仲立証券）事件・大阪高判平成15・6・26労判858号69頁［目的要件不充足で否定］等）があり，これらの裁判例は，形骸化の要件を課すことなく垂直的法人格否認の可能性を認めている点で注目される。

64）　布施自動車教習所・長尾商事事件・大阪高判昭和59・3・30労判438号53頁，第一交通産業（佐野第一交通）事件・前掲注62等。

会社に業務を引き継がせる場合である（図表3-7）。この場合，別の子会社が形骸化しており親会社の一部門とみなされるのであれば，親会社が労働契約を承継することで問題はない。しかし，別の子会社が実体を有し，元の子会社と同一性のある事業を継続する場合，子会社を支配し，不当目的のために法人格を利用した主体は親会社であることから，親会社との間で雇用契約が承継されているとする考え方[65]と，現実に事業を承継している別子会社が承継すべきとする考え方が対立している[66]。雇用契約の承継問題については，後者の立場を原則とすべきものと解する。法人格否認の法理は，法人格を濫用した主体に制裁を課すための法理[67]というより，正義・衡平の観点から，法人格の違いによる法的責任の遮断を許さず妥当な救済を図る法理と解される。前者の考え方によると，支配力を及ぼし，不当目的のために子会社を解散させた主体が大株主たる個人である場合（個人大株主が図表3-6や3-7の親会社の立場にあった場合），当該個人が雇用契約を承継すべきことになる。しかしこれは，単なる金銭支払いの責任ではない，継続的・包括的雇用契約の承継責任については妥当な処理とは思われない（営業の自由の問題も生ずる）。むしろ，子会社の雇用（不当解雇）の責任が，別子会社が実質的に同一の業務を承継したにもかかわらず，法人格の違いゆえに遮断される，という帰結を否定する後者の立場が妥当と解される。親会社の不法行為責任が別途問題となることは考えられるが，それは包括的雇用契約を承継すべき責任とは区別すべきである[68]。

企業組織再編を促進する企業法制が展開する中で，労働法の保護を潜脱する

65）　第一交通産業ほか（佐野第一交通）事件・大阪高判平成19・10・26労判975号50頁（最一小決平成20・5・1 LLI/DB L06310200で上告棄却・不受理で確定）。

66）　第一交通産業（佐野第一交通）事件・大阪地堺支判平成18・5・31判タ1252号223頁，日本言語研究所ほか事件・東京地判平成21・12・10労判1000号35頁［未払賃金免脱のための法人格濫用を認め，事業譲受会社に包括的労働契約上の責任肯定］。

67）　第一交通産業ほか（佐野第一交通）事件控訴審判決・前掲注65は，法人格否認の法理が，法人の背後にあって法人格を濫用した者への法的責任の追及を可能にする側面を持つことを強調する。水町・詳解84頁は，法人格を濫用した主体に責任を帰属させるべきとし，この立場を支持する。

68）　同旨，野田進「法人格否認の法理の適用における雇用責任の帰属方」労旬1704号14頁（2009年），土田・契約法73頁，土岐将仁『法人格を越えた労働法規制の可能性と限界』385頁（2020年）。なお，西谷・労組法172頁，根本到「組織再編をめぐる法的問題」毛塚勝利編『事業再構築における労働法の役割』55頁（2013年）は，いずれが責任を負うかは労働者の選択に委ねられるべきとする。

目的での法人格濫用の危険性は高まっているといえるので，完全な形骸化が認められなくとも，支配の要件と濫用目的の要件の充足により法人格否認の法理を用いて救済すべき場合も認めるべきであろう。ただし，法人格否認の法理は，正義・衡平の観点から，形式的法人格の区別を，当該事案限りで否認する法理である[69]。そうであれば，否認して認めようとする効果（雇用関係の承継が問題となっているのか，未払賃金等の金銭支払義務の問題なのか等）との関係で，支配と濫用目的の要件の充足の程度も異なって解すべきであろう。例えば，完全な雇用関係の承継の場合はより厳格に，一回的な金銭支払義務の責任については，より緩やかに要件充足を認めるべきことになろう[70]。

Ⅱ　労働基準法の責任主体としての使用者

労基法10条は，事業主，すなわち労働契約上の使用者に加えて，「事業の経営担当者」すなわち法人の理事，会社の役員，支配人等，そして，「その事業の労働者に関する事項について，事業主のために行為をするすべての者」を使用者とみなしている。「事業主のために行為をするすべての者」とは，労働基準法の規定する事項について実質的権限を行使する者をいう。例えば，時間外労働を命ずる権限のある部長が，違法な残業を命じた場合には，部長自身は労基法上の労働者であるが，ここでは本条にいう使用者として，労働基準法違反の責任を問われ得ることとなる。この場合，契約上の使用者については両罰規定の適用（→73頁）が問題となる。

なお，災害補償については，厚生労働省令で定める事業（具体的には建設事業，労基則48条の2）が数次請負で行われる場合，その元請負人が使用者とみなされる（労基87条1項，補償の引受につき，同条2項，3項）。

第7節　個別的労働関係法の履行確保

個別的労働関係法のうち，労基法に代表される労働保護法は，民事上強行的直律的効力が与えられているのみならず，公法的担保措置によってその履行が

69）　江頭・前掲注59・43頁。

70）　一般論として同旨を述べた裁判例としてワイケーサービス（九州定温輸送）事件・福岡地小倉支判平成21・6・11労判989号20頁。

確保されている。これに対して，(広義の) 労働契約法には，こうした公法上の担保措置が用意されておらず，専ら民事上の効力を紛争解決機関を通じて実現することが予定されている。

I　労働基準法の効力・履行確保手段

労働保護法の基本法である労働基準法は，その実効性を確保するために以下のような仕組みを用意している。特に，2はアメリカ法の影響を受けたユニークな制度であり，3，4の公法的担保措置が (広義の) 労働契約法とは異なる労働保護法の特徴である。

1　強行的直律的効力

労基法13条は「この法律で定める基準に達しない労働条件を定める労働契約は，その部分については無効とする」として，強行的効力を定め，続けて，「この場合において，無効となつた部分は，この法律で定める基準による」として直律的効力を定めている。労働基準法の労働条件基準に私法上，最低基準としての効力 (最低基準効) を付与したものである。

例えば，労基法32条2項は1日8時間労働を定め，37条は8時間を超える労働に対して割増賃金支払を義務づけているところ，1日10時間労働で割増賃金は支払わないという労働契約を締結しても，8時間を超える労働義務を定める部分は無効となり，1日8時間労働の契約に修正される。また，8時間を超える労働について割増賃金を支払わないという契約も無効で，37条に従って割増賃金請求権が発生する[71]。

労働基準法の諸規定は，次述するように刑事罰によって担保される刑罰法規でもある。刑罰法規は罪刑法定主義の要請から類推解釈は許されないこととなる。そこで，労働基準法の私法上の効力 (強行的直律的効力) の解釈に当たっては，刑罰法規の解釈とは区別して，より弾力的に解釈することを許容すべきで

---

71)　この場合，10時間労働について合意された賃金に関する合意部分には労基法違反はないので，時間給であることが明らかな場合以外，労働時間が10時間から8時間に縮減されても賃金部分は修正を受けないとするものとして橘屋事件・大阪地判昭和40・5・22労民集16巻3号371頁。同趣旨の判断として，しんわコンビ事件・横浜地判令和元・6・27労判1216号38頁 [週48時間勤務を所定労働時間と定める部分を労基法32条1項違反として労基法13条により週40時間に修正し，月給額は縮減しなかった例。東京高判令和2・1・15判例集未登載で一審判断維持]。

あるとの議論もある（労基法規定の二元的解釈）[72]。私法上の効力と刑罰法規の解釈を理論的に分離できる場合にはかかる解釈も有効であるが，労基法の規制の構造上，両者を分離し難い場合があることにも留意する必要がある[73]。

▩契約の違法・無効と労働基準法の適用　労基法は労働契約の有効・無効とは関係なく，現実に展開された労働関係に適用される。したがって，無効な労働契約の下で展開された労働関係についても労働基準法の保護は及ぶ。例えば，労基法56条1項の規制に違反して15歳未満の児童を使用した場合や，強迫を理由に労働契約を取り消した場合であっても，既に展開した労働関係から生ずる賃金や割増賃金等については，当該契約が有効である場合と同様に労基法の保護が及ぶ。不法就労外国人に対しても，不法就労の違法性とは関係なく，現実に労働関係が展開したことに対して労基法が適用され，さらに労働災害に対しては労災保険法も適用される。

2　付加金

労基法114条は，アメリカ法の二倍賠償の制度[74]の影響を受けて，付加金の制度を設けた。すなわち，裁判所は，労基法20条（解雇予告手当），26条（休業手当），37条（割増賃金），39条9項（年休手当）で支払義務のある金員を支払わなかった使用者に対して，労働者の請求により，支払義務のある未払金に加えて，同一額の付加金の支払を命ずることができる。この請求は違反のあった時から2年以内に行う必要があるとされてきたが，2020（令和2）年の労基法上の消滅時効改正に伴い，付加金請求期間についても5年（ただし，当分の間，3年）に改正された（労基114条但書，143条2項）。この期間は除斥期間と解されている。

最高裁[75]は，付加金の趣旨について，労働者保護の観点から，労基法114条の掲げる同法の各規定に違反してその支払義務を履行しない使用者に対し一

72)　西谷・自己決定286頁，西谷59頁。

73)　例えば，労働時間概念を民事上の効力についてのみ拡張的に解した（刑事上「労働させ」たといえない時間も，割増賃金請求権という民事上の効力に限って労働時間と評価した）つもりでも，労基法は民事上の割増賃金支払義務（労基37条）とその違反に対する罰則（労基119条1号）とを一体として規制しているため，民事上と刑事上の解釈を完全に分離することは困難である。詳しくは，労基法24条との関係も含めて，荒木尚志「裁量労働制の展開とホワイトカラーの法規制」社会科学研究50巻3号28頁，特に注77（1999年）参照。これに対する批判として水町・詳解126頁。

74)　アメリカの二倍賠償制度については田中英夫「二倍・三倍賠償と最低賠償額の法定⑴」法協89巻10号1355頁（1972年）参照。

75)　最三小決平成27・5・19民集69巻4号635頁。

種の制裁として経済的な不利益を課し，その支払義務の履行を促すことにより上記各規定の実効性を高めようとするものとし，加えて，その支払が使用者から労働者に対して直接支払うよう命ずべきものとされていることから，不履行によって労働者に生じる損害のてん補という趣旨も併せ有するとしている。これは付加金請求を追加する訴えの変更に伴い，請求の変更の手数料額が問題となった事案において，付加金請求を民訴法9条2項の訴訟の附帯の目的である請求として訴訟の目的の価額に算入しないこととなるか否かについてなされた判示であって，付加金制度の趣旨の理解としてはやや狭い。戦後アメリカ法の影響を受けて設けられた最初の規定といわれる労基法114条の付加金制度の理解としては，労基法の実効性を確保するために，刑事罰や労働基準監督という公法的制度のみに依拠するのではなく，私人（労働者）に訴訟の経済的インセンティブを与え，訴訟を通じて違法状態を是正させることによって，法の実効性を確保しようとしたアメリカ法に由来する制度趣旨[76)]も忘れるべきではない。

付加金を支払わせるかどうかは裁判所の裁量による。条文の文言上「同一額の付加金」とされているが，最近の裁判例は，事案の性格や使用者の悪質性の程度等を勘案して，同一額の一部のみの支払を命ずる[77)]等，付加金の額についても裁量権を行使する例が増えている。

付加金支払義務は使用者の未払によって当然に発生するのではなく，労働者の請求により裁判所が支払を命じることにより発生する[78)]。したがって，違反状態が裁判時までに消滅していれば（未払金を事実審の口頭弁論終結時までに支払っていれば），付加金の支払は命じ得ないと解されている[79)]。

---

76)　田中英夫＝竹内昭夫『法の実現における私人の役割』153頁以下（1987年）参照。

77)　彌榮自動車事件・京都地判平成4・2・4労判606号24頁［未払割増賃金の6分の1ないし8分の1の支払を命じた］，日本マクドナルド事件・東京地判平成20・1・28労判953号10頁［未払割増賃金の半額の支払を命じた］，オフィステン事件・大阪地判平成19・11・29労判956号16頁［41万円余の未払金に25万円の付加金を命じた］，H会計事務所事件・東京高判平成23・12・20労判1044号84頁［未払割増賃金・解雇予告手当全額の付加金を認容した原判決を変更し，3割の限度で認容した］等。

78)　付加金請求が，労基法114条所定の未払金請求訴訟において同請求とともにされるときは，民訴法9条2項の訴訟附帯の目的である損害賠償または違約金の請求に含まれ，当該訴訟の目的の価額に算入されない（最三小決平成27・5・19・前掲注75）。

79)　細谷服装事件・最二小判昭和35・3・11民集14巻3号403頁，新井工務店事件・最二小判昭和51・7・9判時819号91頁，杉本商事事件・広島高判平成19・9・4労判952号33頁，甲

3 罰　則

使用者を名宛人とする労基法の諸規定は，労基法117条以下の罰則規定によっても担保されている。労基法にいう使用者とは，既述のように，労働契約の一方当事者たる使用者（事業主）のみならず「事業主のために行為をするすべての者」をいう。したがって，労基法上の労働者であっても，同時に，労基法上の使用者に該当し，処罰対象となることもあり得る。

なお，刑法総則の規定により特別の規定がない限り故意犯のみが処罰されるところ（刑8条，38条1項），労基法には121条の両罰規定を除き，過失犯の処罰規定はないので，故意犯のみが処罰対象となる。したがって，犯罪の成立には構成要件該当性の認識・認容が必要である。

労基法上は実行行為を行った者を処罰対象とするのを原則としている[80]。したがって，実行行為を行い得ない法人が事業主の場合，法人企業には刑事罰は科されないこととなってしまう。そこで，利益の帰属者である法人たる使用者についても，一定の場合に罰金刑を科すこととしたのが労基法121条であり，「両罰規定」と呼ばれている。すなわち，「違反行為をした者が，当該事業の労働者に関する事項について，事業主のために行為した代理人，使用人その他の従業者である場合においては，事業主に対しても各本条の罰金刑を科する」としている（同1項本文）。ただし，事業主が，違反防止に必要な措置をした場合にはこの限りでない（同但書）。この但書（そして121条2項）にいう「事業主」

野堂薬局事件・最一小判平成26・3・6労判1119号5頁等。しかし，この解釈によると一審で付加金支払を命じられても，二審の口頭弁論終結時までに未払金部分を支払えばもはや付加金を命じ得なくなり，違反状態を是正させるために私人に訴訟提起のインセンティブを与えようとした付加金制度の趣旨は大きく減殺される。この点で，甲野堂薬局事件最高裁判決の処理については，学説の批判が強い（水町・詳解117頁，川口146頁以下，野川149頁）。なお，未払金と付加金の支払を命じた一審判決の確定前に未払金のみを支払っても，付加金の裁判は一審口頭弁論終結時を基準に行われるべきものなので，一審判決確定とともに，使用者は付加金支払い義務を免れない（損保ジャパン日本興亜（付加金支払請求異議）事件・東京地判平成28・10・14労判1157号59頁）。他方，事実審が一旦終結し再開された場合であっても，再開された口頭弁論終結時までに弁済，供託がなされた未払割増賃金に対して，裁判所は付加金を命ずることはできないとした例として社会福祉法人恩賜財団母子愛育会事件・東京高判令和元・12・24労判1235号40頁［上告不受理で確定］。

80）労働基準法を立案した寺本廣作氏（当時の労働省労働基準局監督課長）によると，工場法では，損益計算の帰属者たる工場主・工場管理人を責任の主体とする立場であったが，労基法（10条）では，法律の実効性確保のため，形式的事業主の責任を問う立場を離れ，実質的な行為者に対して使用者の責任を問う立場を明確にしたとする（寺本・労基法174頁）。

は，法文の括弧書にある通り，法人ではなく，実際にそのような違反防止措置を行い得る自然人たる代表者を指す。また，かかる事業主（法人の場合は代表者）が，違反の計画を知り防止措置を講じなかった場合，違反行為を知り是正措置を講じなかった場合，および違反を教唆した場合，事業主も「行為者として」罰される（同121条2項）。したがって，この場合，罰金刑に限らず自由刑も科され得る。

4　行政監督制度

労基法の実効性確保のため，行政監督制度が整備されている。厚生労働大臣の下に労働基準局が，各都道府県には国の機関たる都道府県労働局（都道府県に置かれた厚生労働省の機関である），そして現場で監督に当たる労働基準監督署が置かれている。これらの機関には労働基準監督官が配置されている。

労働基準監督署長には臨検・書類提出要求・尋問（労基101条），許可（同33条1項，41条3号，56条2項，61条3項，71条），認定（同19条2項，20条3項，78条），審査・仲裁（同85条）の権限が（同99条3項），労働基準監督官には，臨検，書類提出要求，尋問（同101条），労基法違反について司法警察員の職務，すなわち，現行犯の場合，令状によらずに逮捕，逮捕の際の差押え，捜索，検証の権限が，それ以外の場合は，令状による差押え，捜索，検証の権限が与えられている（同102条）。

また，行政監督制度を実効的に機能させるべく，労働者は労基法違反について監督機関に申告することができ[81]，使用者は申告を理由とする解雇その他の不利益取扱いをしてはならない（労基104条）。この不利益取扱い禁止規定（労基104条2項）は強行規定と解され，これに違反する解雇その他の法律行為は無効となり，事実行為は不法行為の違法性を備えることになる。また，同条項違反には罰則もある（同119条1号）。なお，申告が犯罪の訴追を求める意思でなされたものであれば，これは告訴または告発にあたり，その場合，労働基

81）　ただし，違反の申告があっても，労働基準監督官は調査等の措置を採るべき職務上の作為義務まで負うものではない。東京労基局長事件・東京高判昭和56・3.26労経速1088号17頁（最三小判57・4・27で確定，労基局（下）1103頁参照），同旨，八王子労基署町田支署事件・東京地判平成29・5・12判タ1474号222頁。もっとも，やや特殊な事例であるが，労働基準監督官の権限不行使が合理的判断として許される範囲を逸脱したものとして国家賠償法上の責任が認められた例としてサン・グループ事件・大津地判平成15・3・24判時1831号3頁［使用者の知的障害者に対する暴力行使等が問題となった事例］がある。

準監督官は，司法警察員として刑事訴訟法241条以下の手続を採るべきこととなる[82]。

さらに法の実効性を確保するため，使用者には次のような義務が課されている。すなわち，法令，就業規則，労使協定，労使委員会決議の周知義務（労基106条），労働者名簿の調製義務（同107条），賃金台帳の調製義務（同108条），記録の保存義務（同109条），報告・出頭義務（同104条の2）等である。

▩記録保存期間　労基法109条により，労働者名簿，賃金台帳および雇入れ，解雇，災害補償，賃金その他労働関係に関する重要な書類の保存期間は3年とされていた。しかし，2020年労基法改正で，労基法上の賃金請求権の消滅時効期間が5年（当分の間3年）に改正されたことと平仄を合わせ，記録保存期間も5年（当分の間3年）に改正された（労基109条，143条1項）。起算日については，労基則56条が詳細に定めている（2020年改正で2項，3項追加）。

Ⅱ　労働契約法の効力・履行確保手段

これに対して，（広義の）労働契約法は，民事規範を設定するのみであり，行政監督や刑事罰等の公法的担保措置が用意されていない。当事者が裁判所等の紛争解決機関を利用することによって，その権利・義務が実現されることを予定している。労働関係の紛争処理システムについては後述する（→621頁以下）。

82）労基局（下）1104頁。なお，告訴（告発）であったとしても，これに対する労働基準監督官の措置の不適正を理由として国賠法上の損害賠償請求をすることはできないことにつき，八王子労基署町田市署事件・前掲注81。

第1編　労働保護法

第3章で述べたように，労働保護法の中には，憲法27条2項の勤労条件の基準法定義務に対応して労働条件基準を定めた「労働条件規制法」と，労働者の労働関係における人格権保護を図った「労働人権法」を観念できる。第4章と第5章では，労働人権法を，第6章ないし第10章では労働条件規制法を取り扱う。

第4章　労働者の人権保障（労働憲章）

労働基準法は，戦前の封建的労働慣行を除去し，新憲法の基本的人権の尊重の理念を労働関係で貫徹すべく，労働者の人権を保障する諸規定を置いている。これらに関する規定は労基法の1章「総則」のみならず，2章「労働契約」にも配され，しばしば「労働憲章」とも呼ばれている。憲法14条を受けた労基法3条および4条の平等規制については，男女雇用機会均等法とあわせて次章で論ずることとし，本章では，その他の労基法における労働者の人権保障規定を取り扱う。

第1節　労働条件規制の理念と労働条件の対等決定

労基法1条1項は「労働条件は，労働者が人たるに値する生活を営むための必要を充たすべきものでなければならない」として憲法25条の生存権保障の趣旨を労働関係において確認している[1)]。また，同2項は労働基準法の労働条件基準は最低限のものであり「労働関係の当事者は，この基準を理由として労働条件を低下させてはならないことはもとより，その向上を図るように努めなければならない」としている。同条項の前段に関しては，男女雇用機会均等法の制定や改正に伴う労基法の女性保護規定の規制緩和・撤廃に際して，従来の労働条件を不利益に変更すること（女性の深夜労働禁止撤廃に伴い，昼勤シフトの女性労働者を深夜勤シフトに変更する，時間外労働の上限規制撤廃に伴い，男性同様の時間外労働を命ずる等）が「労働条件を低下させてはならない」との規定に抵触するかどうかが議論となった。まず，この規定が強行規定か否かが問題となるが，法定最低基準に反しない労働条件設定は無効とはならないのが大原則であり，違反に対する罰則も規定されておらず，後段の努力義務規定と同様，訓示規定と解するのが多数説である[2)]。もっとも，強行規定でないとしても，同条項の趣旨が労働協約・就業規則・労働契約を通じた労働条件不利益変更において斟酌されることはあり得るが，その場合にも，当該労働条件の変更とともに労働条件規制の緩和・撤廃に至った法改正の趣旨（平等実現のための保護の撤廃）も考慮されることとなろう。

労基法2条1項は，「労働条件は，労働者と使用者が，対等の立場において決定すべきもの」とする。労働者と使用者とが実質的に対等な関係にないがゆえに労基法等の労働保護法の規制が両者間の交渉を下支えすべきこととなるが（労基1条参照），その最低基準の枠組みの中でのあるべき労働条件決定の理念を謳ったものと解される。労働契約法3条1項は，同趣旨の規定を置いているので，両者の関係も含めて後に検討する（→313頁以下）。

第2節　不当な人身拘束の禁止

I　強制労働の禁止

労基法5条は「暴行，脅迫，監禁その他精神又は身体の自由を不当に拘束す

1)　ただし，立案に携わった寺本廣作氏によると，立法過程では憲法25条と同様の文言に一本化すべきとの議論があったが，社会保障の最低基準より労働条件の最低基準は高くなければならないとの意図で，あえてワイマール憲法（151条）の表現の原案が維持されたという（寺本廣作「労働基準行政の今昔」8頁（昭和52年9月1日「労働基準法・労働者災害補償保険法施行30周年記念大会」における講演）。

2)　労基局（上）72頁，注釈労基法（上）64頁［山川隆一］参照。

る手段によつて，労働者の意思に反して労働を強制してはならない」として，強制労働を禁止している。戦前にいわゆるタコ部屋，紡績業における女工の強制労働，芸娼妓に対する前借金による拘束等の非人道的な強制労働の封建的悪習が行われてきたことへの反省に立ち，また，奴隷的拘束と意に反する苦役を禁じた憲法18条に対応して置かれた規定である。労基法において最も重い刑罰（労基117条）によって担保されている。

Ⅱ　賠償予定の禁止

1　賠償予定禁止の趣旨

労基法16条は「使用者は，労働契約の不履行について違約金を定め，又は損害賠償額を予定する契約をしてはならない」とし，損害賠償額の予定を禁止している[3)]。

民法上は契約違反に対して損害賠償額を予定することは可能で（民420条），損害の立証の困難を回避し紛争発生の予防のために合理的なものと評価されている[4)]。しかし，当事者間に交渉力格差のある労働契約関係においては，労働者が使用者に与えた損害につき過大な賠償額が予定されたり，契約期間の中途で労働者が逃亡あるいは退職した場合につき多額の違約金が定められ，その結果，労働者の身分的従属や拘束・足止めをもたらした。本条はこうした弊害に対処しようとするもので，民法の賠償額予定に関する規定の特別法に当たる[5)]。

本条によって禁止されるのは，労働契約上の約定に留まらず，例えば，身元保証人との約定も含まれる。また，就業規則の規定も本条により禁止される。

「違約金」とは，労働者が労働契約上の義務を履行しない場合に，（労働者本人，親権者，身元保証人が）損害発生の有無にかかわらず支払義務を負う金銭のことである。「損害賠償額〔の〕予定」は，債務不履行のほか不法行為による損害

3)　キャバクラ運営A社事件・大阪地判令和2・10・19判時2511号98頁［私的交際禁止違反に違約金200万円支払う旨の同意書に反した等とする損害賠償請求について，当該違約金同意書は労基法16条違反で無効とした］。

4)　もっとも，2017（平成29）年債権法改正で，裁判所は予定賠償額を増減することができないとしていた民法420条1項後段部分は，実務と乖離しているとして削除されている。

5)　戦前の工場法施行令24条に同様の条項「工業主ハ職工ノ雇入ニ関シ……又ハ工業主ノ受クヘキ違約金ヲ定メ若ハ損害賠償額ヲ予定スル契約ヲ為スコトヲ得ス」があり，労基法16条はこれを受けたものであるが，諸外国に立法例はないようである（労基局（上）248頁）。

賠償をも対象としていると解されている6)。なお，懲戒処分の一つである「減給の制裁」は，実質上違約金の定めに該当すると解されるが，労基法91条がこれを許容していることから，労基法自身が16条の例外と位置づけていると解することとなろう7)。

本条違反は，現実に違約金等を徴収することによって初めて成立するのではなく，違約金の定めや賠償額を予定する契約をすることによって成立する。他方，本条は，使用者が労働者に対し，実際に発生した損害の賠償を求めることを禁止するものではない（→81頁）。

2　研修・留学費用返還義務と賠償予定の禁止

使用者として当然なすべき講習の手数料（美容指導料）について，勝手わがままに退職した場合には採用時からの累積額を返還すべき旨定める約定は，退職の自由を不当に制限するもので，労基法16条違反の賠償予定の禁止に該当するとされている8)。

このような事案と類似するが，労基法16条違反の成否が微妙なものとして議論されているのが，研修・留学費用の返還義務を定める規定である。企業が費用を負担して労働者に研修や海外留学を行わせた場合，資格取得や留学終了後すぐに転職されては，当該企業にとっては研修・留学させた意味がない。そこで，研修・留学後の勤務継続を確保するため，一定期間内に退職した場合は，労働者に研修・留学費用の返還を義務づけることが少なくない。このような返還義務の定めが労基法16条違反となるかが裁判例で争われている。つまり，一定期間勤務するという労働契約上の義務に違反して退職することが「労働契約の不履行」となり，研修・留学費用返還は，債務不履行に対する「違約金の定め，又は損害賠償額の予定」に当たると解すべきか否かが問題となる。

---

6)　労基局（上）252頁，注釈労基法（上）286頁［藤川久昭］。結論同旨，新基本法コメ・労基・労契法61頁［井川志郎］。

7)　青木＝片岡・注解Ⅰ223頁・226頁［諏訪康雄］。

8)　サロン・ド・リリー事件・浦和地判昭和61・5・30労判489号85頁，アール企画事件・東京地判平成15・3・28労判850号48頁。同種の判断として，医療法人K会事件・広島高判平成29・9・6労判1202号163頁［看護師の退職に伴い，医療法人が，貸し付けていた准看護学校および看護学校修学資金の返還を請求した事案で，労基法16条違反を理由に請求を斥けた例］。なお，美容見習いが一人前になった後1年間は無条件に勤務し，これに反した場合，採用日からの費用全部を負担する，いわゆるお礼奉公のような約定については，労基法制定直後から16条違反とされている（昭和23・7・15基収2408号）。

16条違反の成立を認めた裁判例[9]と，否定した裁判例[10]を分析すると，裁判所は次のような要素に着目して判断を行っているといえよう。すなわち，①研修・留学費用に関する労働契約と区別した金銭消費貸借契約の有無（あれば労働契約の不履行性が薄まる），②研修・留学参加の任意性・自発性（あれば業務性が薄まる），③研修・留学の業務性の程度（企業にとっての業務であればその費用は当然企業が負担すべきで労働者の返還義務は否定され，業務性がないあるいは希薄で，むしろ労働者本人にとって有益な教育訓練機会である場合には，本来労働者自身が負担すべき費用を使用者が貸与したと評価されやすい），④返還免除基準の合理性（貸与額を勘案しつつ，免除されるための勤続期間が不当に長くないか，返還免除期間が不明確で足止め効果を生んでいないか等），⑤返済額・方式の合理性（貸与額以上なら当然に16条違反となる。その他，退職までの勤続期間に応じて返還請求額を逓減させているか，分割返済を認めるなど返還の態様が相当か）等を総合的に判断しているといってよい。特に③の業務性の判断が重視されるが，具体的な事案においては，かなり微妙な判断がなされている。

業務性が希薄で，労働者にとっても相当のメリットのある研修・留学の費用返還問題を，労基法16条違反となれば一切の返還義務を免除し，違反しないとなれば企業の設計通りの返還義務を肯定するというall or nothingの枠組みで処理するのは必ずしも適切ではない。むしろ，業務性の程度と労働者のキャリア形成のメリットの双方を勘案した，合理的な返還方式が模索されるべきであろう。この点，公務員については，2006年に立法によって合理的返還方式の下，返還義務を認める制度が導入されている[11]。労基法16条の解釈論において同様の処理を行うとすると，②③の観点に照らして業務性の希薄な研修・留学の費用返還については，④や⑤の返還方式の合理性（ただし，予め制度化されているもの）を重視するということになろう。

9）　富士重工事件・東京地判平成10・3・17労判734号15頁［海外の関連会社で業務に従事し，かつ，会社の業務にも従事する研修］，新日本証券事件・東京地判平成10・9・25労判746号7頁［会社業務に関連する留学先に限定され，帰国後も留学で習得した技能を活用する職務に従事］，みずほ証券事件・東京地判令和3・2・10労判1246号82頁。

10）　長谷工コーポレーション事件・東京地判平成9・5・26労判717号14頁，野村證券事件・東京地判平成14・4・16労判827号40頁，明治生命保険事件・東京地判平成16・1・26労判872号46頁等。

11）　2006年に成立した「国家公務員の留学費用の償還に関する法律」では，留学後5年内に自主的に退職した公務員に留学費用償還義務を課しているが，償還額については留学後の在職期間に応じて比例的に逓減する方式が採用されている（同3条1項2号）。

3　労働者に対する損害賠償請求

労基法16条が禁止するのは違約金や賠償額の「予定」であって，使用者が労働者に対して現実に生じた損害について賠償請求することは可能である（債務不履行の場合，民415条，416条，不法行為の場合，民709条）[12]。また，労働者の行った不法行為について，使用者が使用者責任を負った場合は，労働者に対する求償権行使も可能となる（民715条3項）。ただし，通説・判例は，労働者の経済力，使用者が労働者の危険を伴う活動から利益を得ているという報償責任，自己の事業範囲を拡張して危険を増大させているという危険責任の考え方を踏まえて，損害の衡平な分担という見地から，使用者による損害賠償・求償請求を，信義則上相当と認められる限度までしか認めないという制限を加えている。そのリーディング・ケースが茨石事件[13]である。すなわち，「使用者が，その事業の執行につきなされた被用者の加害行為により，直接損害を被り又は使用者としての損害賠償責任を負担したことに基づき損害を被つた場合には，使用者は，その事業の性格，規模，施設の状況，被用者の業務の内容，労働条件，勤務態度，加害行為の態様，加害行為の予防若しくは損失の分散についての使用者の配慮の程度その他諸般の事情に照らし，損害の公平な分担という見地から信義則上相当と認められる限度において，被用者に対し右損害の賠償又は求償の請求をすることができるものと解すべき」とし，損害額の4分の1のみを認容した。

裁判例による賠償額の限定は，労働者への請求を全く否定したもの[14]，実損の4分の1に限定したもの[15]，2分の1に限定したもの[16]，7割まで認めたもの[17]等，事案によって異なっている。また，裁判例は，軽過失であっても

12）　昭和22・9・13発基17号。

13）　茨石事件・最一小判昭和51・7・8民集30巻7号689頁。

14）　M運輸事件・福岡高那覇支判平成13・12・6労判825号72頁［使用者が零細でも損害保険で対処しておくべきとして求償請求否定］，つばさ証券事件・東京高判平成14・5・23労判834号56頁［ワラント債の説明に重過失なしとした］，エーディーディー事件・京都地判平成23・10・31労判1041号49頁［労働者に故意・重過失なしとして損害賠償請求棄却］。

15）　茨石事件・前掲注13，大隈鐵工所事件・名古屋地判昭和62・7・27労判505号66頁，N興業事件・東京地判平成15・10・29労判867号46頁。

16）　三共暖房事件・大阪高判昭和53・3・30判時908号54頁，丸山宝飾事件・東京地判平成6・9・7判時1541号104頁，株式会社G事件・東京地判平成15・12・12労判870号42頁。

17）　ワールド証券事件・東京地判平成4・3・23労判618号42頁。

損害賠償請求自体は認めているが，学説では軽過失の場合に損害賠償請求を認めるべきでないとする見解が有力である18)。

使用者からの労働者への求償とは逆に，労働者が被害者に損害賠償を行った後，使用者に対して使用者が負担すべき部分について求償できるのか（いわゆる逆求償）が争われた事案につき，最高裁は原審判断を覆し，損害の公平な分担という見地から相当額を請求できるとする初めての判断を示した19)。

なお，使用者が，うつ病退職労働者に対して法的根拠を欠く訴訟を提起し，労働者の月収5年分にも相当する損害賠償を請求したことが，裁判制度の趣旨目的に照らして相当性を欠くとされ，逆に，労働者からの不法行為請求を認めた例がある20)。

Ⅲ　前借金相殺の禁止

かつて，農村から紡績工場に女工を雇い入れる際や芸娼妓契約等で，労働することを条件に予め金員を貸し付け，その後の就労で返済することを約する前借金契約が締結され，人身拘束手段として用いられた。そうした経験に鑑み，労基法17条は使用者による「前借金その他労働することを条件とする前貸の債権と賃金」の相殺を禁止している。

立法時には，前借金自体を全面的に禁止すべきとの議論もあったが，庶民金融が未発達の段階では，前借金が事実上その機能を果たしていることに鑑み，労基法17条は前借金と賃金の相殺を禁止するに留めた。したがって，俗にいう「給与の前借り」自体が労基法違反となるわけではない。

住宅資金ローンの賃金・退職金との相殺は，労働者福祉のために一般に広く行われている。これも「前借金その他労働することを条件とする前貸の債権」を文字通りに解すると本条によって禁止されていることになりかねない。そこで，行政解釈は，規定の趣旨に照らして，労働の強制ないしは身分的拘束の手段となるようなもののみが本条によって禁止され，「貸付の原因，期間，金額，金利の有無等を総合的に判断して労働することが条件となっていないことが極

18)　道幸哲也「労働過程におけるミスを理由とする使用者からの損害賠償法理」労判827号13頁（2002年），細谷越史「労働者の損害賠償責任」争点42頁，西谷228頁等。

19)　福山通運事件・最二小判令和2・2・28民集74巻2号106頁。

20)　プロシード元従業員事件・横浜地判平成29・3・30労判1159号5頁。

めて明白な場合には，本条の規定は適用されない」[21]としている。したがって，労働者の申し出により使用者が便宜を供与する形でなされ，その内容も合理的である（融資金額，期間，返済方法に無理がなく，返済前の退職の自由も確保されているような）住宅ローン等は，許容されると解されている。

労基法24条の賃金全額払い原則は相殺禁止を含むと解されているが，労使協定による例外が認められている。これに対して，労基法17条の相殺禁止には例外がなく，かつ，より重い罰則が科されている（労基119条1号）。

Ⅳ　強制貯蓄の禁止等

使用者が労働者の貯蓄金を管理する場合には，不当な人身拘束につながるおそれがある。そこで，「使用者は，労働契約に附随して貯蓄の契約をさせ，又は貯蓄金を管理する契約をしてはならない」（労基18条1項）とされている。

労働者の委託を受けて貯蓄金を管理する場合にも，労働者の過半数代表（過半数組合又は過半数代表者）との労使協定の締結および届出が必要とされ（労基18条2項），貯蓄金管理規程の制定・周知（同3項），厚生労働省令で定める利子の付与（同4項），労働者の返還請求に遅滞なく応ずること（同5項），貯蓄金管理が労働者の利益を著しく害する場合の行政官庁による中止命令とその場合の労働者への貯蓄金の遅滞なき返還義務（同6項，7項）が定められている。また，預金管理状況について使用者は毎年3月31日以前の1年間の状況につき，4月30日までに所轄労働基準監督署長に報告しなければならない（労基則57条3項）。

第3節　中間搾取の禁止

労基法6条は手配師によるピンハネ等の悪習を禁止すべく，「何人も，法律に基いて許される場合の外，業として他人の就業に介入して利益を得てはならない」とする。「業として」とは，営利目的で同じ行為を反復継続することを指し，1回の行為であっても，反復継続して利益を得る意思があればこれに当たる[22]。「他人の就業に介入して」とは，労働関係の当事者間に第三者が介在

21）昭和23・10・15基発1510号，昭和23・10・23基収3633号，昭和63・3・14基発150号。
22）昭和23・3・2基発381号。

して労働関係の開始，存続等について媒介または周旋をなす等，何らかの因果関係を有する関与をなすことをいう[23]。

これらの行為は同時に職業安定法の有料職業紹介の許可制・手数料規制（職安30条，32条の3），報酬制労働者募集の許可制・報酬規制（同36条，39条，40条），労働者供給事業禁止（同44条）の規制違反ともなり得る。「法律に基いて許される場合」としては，厚生労働大臣の許可を得て行う有料職業紹介（同30条），委託募集（同36条）等がある。

なお，労働者派遣の場合，契約は派遣先と派遣労働者の間には成立せず，派遣労働者は派遣元との間で労働契約を締結しているので，そもそも「第三者が他人の労働関係に介入するものではなく，労基法6条の中間搾取に該当しない」とされている[24]。

第4節　公民権行使の保障

労基法7条は，「使用者は，労働者が労働時間中に，選挙権その他公民としての権利を行使し，又は公の職務を執行するために必要な時間を請求した場合においては，拒んではならない。但し，権利の行使又は公の職務の執行に妨げがない限り，請求された時刻を変更することができる」とし労働者の公民権行使を保障している。

「公民としての権利」には，公職選挙の選挙権・被選挙権[25]，最高裁判所裁判官の国民審査権，地方自治法上の住民の直接請求権，特別法の住民投票権等が，「公の職務」には各種議会の議員，労働委員会の委員，検察審査員，公職選挙の選挙立会人，裁判所・労働委員会の証人などの職務のほか，刑事裁判における裁判員の職務や，労働審判における労働審判員の職務も含まれる。

本条は労働者が公民権行使により就労できなかった時間の賃金支払義務まで定めたものではなく，有給とするか否かは当事者間の合意に委ねられている。

23）　昭和23・3・2基発381号，昭和63・3・14基発150号，平成11・3・31基発168号。最一小決昭和31・3・29刑集10巻3号415頁。

24）　昭和61・6・6基発333号。

25）　労基局（上）107頁。会社の承認を得ないで公職に就任したときは懲戒解雇する旨の就業規則条項は，公民権保障規定の趣旨に反し無効としたものとして十和田観光電鉄事件・最二小判昭和38・6・21民集17巻5号754頁。

なお，公職への就任等により労働義務の提供が長期間にわたり困難となるような場合に，解雇をなし得るかが問題となる。通説は，本条が不利益取扱い禁止を定めていないこと等から，普通解雇はなしえ，本条違反とはならないと解している[26]。もっとも，普通解雇が本条によって禁止されていないとしても，解雇権濫用法理の適用はありうることから，公職と両立しうる業務への配転が容易であるのにこれを試みないまま解雇した等，具体的事情においては解雇権濫用として無効とされることはあり得る[27]。

第5節　職場におけるハラスメントからの保護

I　職場のハラスメント規制

人的関係である雇用関係の展開する職場においては，いじめや嫌がらせ等，労働者の尊厳や人格の侵害をもたらす事態が生じうる。日本では，長期雇用システムの裏面として，職場におけるハラスメントの問題を転職行動で解消しがたい側面があることから，事態はより深刻になりがちである。職場におけるハラスメントについては，セクシュアル・ハラスメントについて人格権を侵害するものとして不法行為責任を問う訴訟[28]が提起され，損害賠償による事後的救済の道が開かれていった。その後，セクシュアル・ハラスメントを事前に防止し，かつ被害者に対する損害賠償以外の適切な対応を可能とすべく，①セクシュアル・ハラスメント禁止の方針の明確化およびその周知・啓発，②労働者の相談に応じ，適切に対応する体制整備，③セクシュアル・ハラスメントが発生した際の迅速・適切な対応をとること，④相談者・行為者のプライバシー保護，相談・事実確認協力を理由とする不利益取扱い禁止の周知・啓発を，使用

26)　社会保険新報社事件・東京高判昭和58・4・26労民集34巻2号263頁，労基局（上）109頁，注釈労基法（上）136頁［山川隆一］等。十和田観光電鉄事件・前掲注25も，傍論ながら「公職に就任することが会社業務の遂行を著しく阻害する虞れのある場合においても，普通解雇に付するは格別」として，普通解雇の許容性を示唆している。

27)　菅野254頁参照。

28)　そのリーディング・ケースが福岡セクハラ事件・福岡地判平成4・4・16労判607号6頁である。

者に措置義務[29]として課す規制へと展開した。これがその後，セクシュアル・ハラスメント以外のハラスメントにも拡大している。

すなわち，セクシュアル・ハラスメントについては1997年に均等法改正でセクハラ防止の配慮義務が課され（97年雇均21条），2006年にはこれが措置義務に強化された（雇均11条→127頁）。また，2016年には，いわゆるマタハラ（マタニティ・ハラスメント）といわれる妊娠・出産等に関する言動に関して，就業環境が害されることのないよう雇用管理上必要な措置を講ずる措置義務が均等法に設けられ（2016年雇均11条の2〔現11条の3〕→126頁），育児・介護休業等に関する言動に関しても，育介法に同様の措置義務が設けられた（育介25条→139頁）。2019年には，女性活躍推進法等改正法により，さらなる規制の拡充強化が行われているがこれらについては各法の解説で取り扱い，以下では，2019年に初めて導入されたいわゆるパワー・ハラスメントに関する規制を取り扱う。

Ⅱ　パワー・ハラスメント

1　パワー・ハラスメント問題

近年，パワー・ハラスメント（パワハラ）という和製英語で論じられる職場におけるいじめや嫌がらせ等が，都道府県労働局の労働相談でも筆頭に位置するなど職場における大きな問題となってきていた[30]。また，後述する6つの行為類型として整理されるような職場における様々な労働者の人格権を侵害する言動につき，不法行為責任を認める裁判例が蓄積されている。職場のいじめ等から労働者が自殺に至る事例も見られ，「ひどい嫌がらせ，いじめ，又は暴行」の心理的負荷を重く評価する精神障害の労災認定基準改訂にもつながっている（→301頁）。パワー・ハラスメントを行ったとして懲戒処分をされた労働者が，その処分の効力を争う事案も増えている。

こうした中で，厚労省は，2012年1月30日に「職場のいじめ・嫌がらせ問

29）　措置義務についての本格的分析として山川隆一「職場におけるハラスメントに関する措置義務の意義と機能」山田省三先生古稀記念『現代雇用社会における自由と平等』31頁（2019年）参照。

30）　2012（平成24）年以降，いじめ・嫌がらせがすべての相談の中で最上位を占めており，2021（令和3）年度においては，民事上の個別労働紛争相談件数284,139件中，①いじめ・嫌がらせ86,034件，②自己都合退職40,501件，③解雇33,189件という状況である（厚生労働省「『令和3年度個別労働紛争解決制度の施行状況』を公表します」〔令和4年7月1日〕）。

題に関する円卓会議ワーキング・グループ報告」（主査：佐藤博樹東京大学教授〔当時〕，以下「円卓会議報告」）をとりまとめ，職場のパワー・ハラスメントを「同じ職場で働く者に対して，職務上の地位や人間関係などの職場内の優位性を背景に，業務の適正な範囲を超えて，精神的・身体的苦痛を与える又は職場環境を悪化させる行為をいう。」と定義し，また，パワー・ハラスメントの行為類型として後述の6類型を例示した。

その後，政府の働き方改革実行計画（2017〔平成29〕年3月28日働き方改革実現会議決定）において，職場のパワー・ハラスメント防止を強化するための対策を検討することが盛り込まれ，2018年3月30日には厚労省の「職場のパワーハラスメント防止対策についての検討会」（座長：佐藤博樹中央大学教授）報告（以下，パワハラ検討会報告）が出された。また，日本の立法の直接の契機となったわけではないが，2018年からはILO創立100周年となる2019年のILO総会における「仕事の世界における暴力とハラスメントの撤廃に関する条約」（190号条約）の採択に向けた国際的な議論も始まり，ハラスメント規制への関心が高まっていった。

労政審雇用環境・均等分科会では種々議論があったが，事業主にパワー・ハラスメント防止措置義務を課すことで建議がまとまり，2019年5月の労働施策総合推進法改正によりパワハラ防止の措置義務等に関する規定が盛り込まれるに至った（労働施策推進30条の2～30条の8。大企業については2020年6月1日から，中小企業については2022年4月1日から施行）。

2　パワー・ハラスメントの定義

労働施策総合推進法30条の2第1項によると「事業主は，職場において行われる優越的な関係を背景とした言動であつて，業務上必要かつ相当な範囲を超えたものによりその雇用する労働者の就業環境が害されることのないよう，当該労働者からの相談に応じ，適切に対応するために必要な体制の整備その他の雇用管理上必要な措置を講じなければならない。」とされている。そこで，パワー・ハラスメント指針[31)]は，職場におけるパワー・ハラスメントを，「職場において行われる①優越的な関係を背景とした言動であって，②業務上必要

31)　2019年12月23日に労政審雇用環境・均等分科会で承認された「事業主が職場における優越的な関係を背景とした言動に起因する問題に関して雇用管理上講ずべき措置等についての指針」2(1)。https://www.mhlw.go.jp/hourei/doc/hourei/H200116M0020.pdf

かつ相当な範囲を超えたものにより，③労働者の就業環境が害されるものであり，①から③までの要素を全て満たすもの」と定義している。

①優越的な関係を背景とした言動とは，「当該事業主の業務を遂行するに当たって，当該言動を受ける労働者が当該言動の行為者とされる者（以下「行為者」という。）に対して抵抗又は拒絶することができない蓋然性が高い関係を背景として行われるものを指」す[32)]。したがって，職位が上位の者の言動のみならず，同僚や部下の言動でも，その者の協力を得なければ業務の円滑な遂行が困難な場合，あるいは同僚や部下の集団による行為でこれを抵抗・拒絶することが困難な場合には，これに該当する[33)]。

セクシュアル・ハラスメントは，業務を行う上であってはならず，かつ，不必要な言動であるのに対して，パワー・ハラスメントは，業務上必要な指示とどう区別するのかが問題となる。この点を区別する基準が，②業務上必要かつ相当な範囲を超えたもの，という要件である。パワー・ハラスメント指針は，「社会通念に照らし，当該言動が明らかに当該事業主の業務上必要性がない，又はその態様が相当でないものを指」すとし，業務上明らかに必要性のない言動，業務の目的を大きく逸脱した言動，業務を遂行するための手段として不適当な言動，当該行為の回数，行為者の数等，その態様や手段が社会通念に照らして許容される範囲を超える言動，を例示している。指針は，この判断に当たっては，当該言動の目的，当該言動を受けた労働者の問題行動の有無や内容・程度を含む当該言動が行われた経緯や状況，業種・業態，業務の内容・性質，当該言動の態様・頻度・継続性，労働者の属性や心身の状況，行為者との関係性等を総合的に考慮することが適当としている。

第3に，③労働者の就業環境が害されるもの，が要件である。円卓会議報告やパワハラ検討会報告では，パワー・ハラスメントを，「(a) 精神的・身体的苦痛を与える又は (b) 職場環境を悪化させる行為」((a) (b) は筆者挿入）の2類型に整理して定義していたが，労働施策総合推進法30条の2第1項では，(a) の文言は消えて (b) の「就業環境が害される」言動と整理している。こ

32)　裁判例では，福生病院企業団（旧福生病院組合）事件・東京地立川支判令和2・7・1判タ1486号208頁［一般に，パワーハラスメントとは，同じ職場で働く者に対して，職務上の地位や人間関係等の職場内の優位性を背景に，業務の適正な範囲を超えて，精神的，身体的苦痛を与えるまたは職場環境を悪化させる行為と判示］。

33)　パワー・ハラスメント指針2(4)。

れはおそらく（b）が（a）も含む広義の概念であるとの理解に立つものであろう。しかし，パワー・ハラスメントが相手の尊厳や人格を傷つける行為であることや，例示されてきたパワー・ハラスメントの6つの行為類型（後述3）との関係が定義上は判りにくくなった感がある。

指針は，法文に従って，パワー・ハラスメントを①②により③労働者の就業環境が害されるもの，としている。指針によると「労働者の就業環境が害される」とは，「当該言動により労働者が身体的又は精神的に苦痛を与えられ，労働者の就業環境が不快なものとなったため，能力の発揮に重大な悪影響が生じる等当該労働者が就業する上で看過できない程度の支障が生じること」を指す。そして，「就業する上で看過できない程度の支障」に該当するか否かは「平均的な労働者の感じ方」を基準とすべきとしている。

3　パワー・ハラスメントの6つの行為類型

円卓会議報告以来，厚労省はパワー・ハラスメントの典型的な行為類型として次の6つを例示している（限定列挙ではない）。すなわち，1）身体的な攻撃（暴行・傷害）[34]，2）精神的な攻撃（脅迫・名誉毀損・侮辱・ひどい暴言）[35]，3）人間

34）不法行為を認めた裁判例として，メイコウアドヴァンス事件・名古屋地判平成26・1・15労判1096号76頁［暴言，暴行が，仕事上のミスに対する叱責の域を超えて，被害者を威迫し，激しい不安に陥れるもので不法行為に当たるとした］，公立八鹿病院組合ほか事件・広島高松江支判平成27・3・18労判1118号25頁［軽度の暴行だが許容される指導・叱責の範囲を明らかに超えているとされた］，コンビニエースほか事件・東京地判平成28・12・20労判1156号28頁［コンビニクルーに対する日常的な暴行，いじめの事例］，A庵経営者事件・福岡高判平成29・1・18労判1156号71頁［少なくとも2回平手打ちした事案］，等。

35）不法行為を認めた裁判例として，A保険会社上司（損害賠償）事件・東京高判平成17・4・20労判914号82頁［「意欲がない，やる気がないなら，会社を辞めるべきだと思います」「あなたの給料で業務職が何人雇えると思いますか」等のメールを，当該部下と同僚十数人に送付した事例］，ザ・ウィンザー・ホテルズインターナショナル事件・東京高判平成25・2・27労判1072号5頁［「辞めろ！辞表を出せ！ぶっ殺すぞ，お前！」という留守電を残した事案］，X産業事件・福井地判平成26・11・28労判1110号34頁［高卒入社直後の労働者に対する，上司による「学ぶ気持ちはあるのか」「会社を辞めた方が皆のため」「死んでしまえ」等の暴言の後，当該労働者が自殺した事案］，サントリーホールディングス事件・東京高判平成27・1・28労経速2284号7頁［上司による「新入社員以下」「何で分からない。おまえは馬鹿」という発言の事例］等。他方，厳しい改善指導について不法行為が否定された例として，前田道路事件・高松高判平成21・4・23労判990号134頁［不正経理やこれに伴う虚偽報告に対する上司の厳しい改善指導，叱責の違法性を否定］，医療法人財団健和会事件・東京地判平成21・10・15労判999号54頁［単純ミスを繰り返す労働者に対して，時になされた厳しい指摘・指導につき，管理職が医療現場において当然になすべき業務上の指示の範囲内にとどまる

関係からの切り離し（隔離・仲間外し・無視）[36]，4）過大な要求（業務上明らかに不要なことや遂行不可能なことの強制，仕事の妨害）[37]，5）過小な要求（業務上の合理性なく，能力や経験とかけ離れた程度の低い仕事を命じることや仕事を与えないこと）[38]，6）個の侵害（私的なことに過度に立ち入ること）[39]である。

4　事業主の措置義務

事業主の措置義務の具体的内容は，①職場においてパワー・ハラスメントを行ってはならないという方針の明確化およびその周知・啓発，②相談に応じ，適切に対応するために必要な体制の整備，③職場におけるパワー・ハラスメントに係る事後の迅速・適切な対応，そして④①から③までの措置と併せ講ずべき措置として，相談者・行為者等のプライバシー保護および相談したこと等を理由として不利益取扱いされないことの周知・啓発，である[40]。

また，パワー・ハラスメントの相談を行ったこと，相談対応に協力する際に事実を述べたことを理由とする解雇その他不利益な取扱いは禁止される（労働施策推進30条の2第2項）。

なお，パワー・ハラスメントは同僚労働者によっても行われうることから，労働者も，パワー・ハラスメント問題に関心と理解を深め，他の労働者に対する言動に必要な注意を払う等の努力義務が課されている（同30条の3第4項）。

として不法行為を否定した］。

36）不法行為を認めた裁判例として，松蔭学園事件・東京高判平成5・11・12判時1484号135頁［私立高校教諭に対する13年にわたる仕事外し，一人部屋への隔離，自宅研修の事例］，関西電力事件・最三小判平成7・9・5労判680号28頁［特定政党員またはその同調者を職場の内外で監視し，職場で孤立させ，退社後尾行する等の行為が，労働者の人格的利益の侵害とされた例］，学校法人兵庫医科大学事件・大阪高判平成22・12・17労判1024号37頁［大学病院医師を診療業務から約10年にわたり排除した事例］等。

37）不法行為を認めた裁判例としてJR東日本（本荘保線区）事件・最二小判平成8・2・23労判690号12頁［国労ベルト着用者に対して，教育訓練として就業規則全文の書き写しを命じたことが合理性を欠き人格権侵害とされた例］，神奈川中央交通（大和営業所）事件・横浜地判平成11・9・21労判771号32頁［過失なく接触事故を起こした路線バス運転手に下車勤務の中でもっとも過酷な炎天下における構内除草作業のみに従事させた事例］。

38）不法行為を認めた裁判例として，バンク・オブ・アメリカ・イリノイ事件・東京地判平成7・12・4労判685号17頁［管理職を降格して総務課の受付業務に配置したことが退職に追い込む意図によるものとされた例］。

39）不法行為を認めた裁判例として，関西電力事件・前掲注36，コスモアークコーポレーション事件・大阪地判平成25・6・6労判1082号81頁［売上金管理のずさんな部下の財布と通帳を上司が一定期間点検した例］。

40）詳細についてはパワー・ハラスメント指針4。

5　パワー・ハラスメント防止措置義務の履行確保と紛争解決

事業主の措置義務（労働施策推進30条の2第1項）および不利益取扱い禁止（同2項）に関する紛争については，個別労働紛争解決促進法による助言・指導，あっせんの手続は適用せず，独自の紛争解決手続として都道府県労働局長による助言，指導，勧告（同30条の5第1項）そして紛争調整委員会による調停（同30条の6第1項），これらの援助を求めまたは申請する労働者に対する不利益取扱いの禁止（同30条の5第2項，30条の6第2項）等が定められ，その手続には均等法の調停の規定が準用される（同30条の7）。

パワー・ハラスメントの措置義務に違反している事業主が，勧告に従わない場合，厚生労働大臣は，その旨を公表できる（同33条2項）。

第6節　労働関係における個人情報・プライバシーの保護

I　労働関係と個人情報・プライバシー

従来，日本企業は，長期雇用システムの下で，労働者は企業というコミュニティーの一員であるという意識から，労働者のあらゆる情報を収集し，それを人事管理に活用してきた。例えば，配転を命ずるに際して，労働者の家庭事情を考慮するための情報収集や，安全配慮義務を履行するための労働者の健康情報把握などは，企業として積極的に行うべきものとも考えられてきた。また，裁判所も，安全配慮義務違反を認定する際に，使用者が労働者の健康情報を当然に把握すべきことを前提としてきたきらいがある。

しかし，このような使用者による労働者の個人情報取得・管理は，個人のプライバシーの侵害という問題を引き起こすのみならず，2003年の個人情報保護法の制定および同法の2015年および2020年改正，職業安定法による求職者情報に関する規制や，健康情報に関する労働安全衛生法の規制等，公法上の規制との関係でも問題となってきている。職業安定法や労働安全衛生法に関する事項についてはその箇所で論ずることとし，以下では，個人情報保護法およびプライバシー侵害の問題を取り扱う[41]。

41）　基本文献として砂押以久子「近時の法改正と労働者の個人情報の取扱い」季労253号139頁（2016年），土田・契約法133頁以下，岩出359頁以下，三柴丈典『労働者のメンタルヘル

Ⅱ　個人情報保護法と労働関係

個人情報保護法（2020年改正は2022年4月1日より施行）は，個人情報取扱事業者，すなわち，個人情報データベース等を事業の用に供している者（16条2項）に種々の規制を課しているが，労働者の個人情報[42]を取り扱う使用者は個人情報取扱事業者として規制を受けることになる[43]。

▩労働者の個人情報保護指針・ガイドラインの廃止　雇用関係における個人情報保護に関しては，2000年12月に「労働者の個人情報保護に関する行動指針」が，また，2004年7月1日の「雇用管理に関する個人情報適正取扱指針」を全面改正した「雇用管理分野における個人情報保護に関するガイドライン」（「雇用管理個人情報ガイドライン」）が2012年5月14日に策定（2015年に一部改正）されていた。しかし，このガイドラインは，2015年改正個人情報保護法の全面施行に伴い，個人情報保護委員会の「個人情報の保護に関する法律についてのガイドライン（通則編）」他3編のガイドラインに一元化すべく，2017年5月30日をもって廃止されている。

具体的には，第1に，個人情報取扱事業者は，個人情報を取り扱うに当たって，その利用目的をできる限り特定しなければならず（17条1項），第2に，本人の同意なく，特定された利用目的の達成に必要な範囲を超えて，個人情報を取り扱ってはならない（18条1項）。

第3に，いわゆるセンシティブ情報等として議論されてきたものが，2015年改正で「要配慮個人情報」として定義され，規制されることとなった。すなわち，個人情報保護法2条3項により，要配慮個人情報とは，本人の人種，信条，社会的身分，病歴，犯罪の経歴，犯罪により害を被った事実その他本人に対する不当な差別，偏見その他の不利益が生じないようにその取扱いに特に配

ス情報と法』（2018年），坂井岳夫「企業の情報管理」土田道夫編『企業法務と労働法』364頁以下（2019年）等。労働者の個人情報保護法政策の展開については，濱口885頁以下，労働関係における個人情報の利用と保護に関する本格的日仏米比較法研究として，河野奈月「労働関係における個人情報の利用と保護（1～7・完）」法協133巻12号，134巻1号，2号，3号，5号，135巻1号，11号（2016年～18年）参照。

42）　個人情報とは，生存する個人に関する情報であって，氏名，生年月日その他の記述等で特定の個人を識別できるもの，および個人識別符号が含まれるもの（文字，番号，記号その他の符号で個人を識別できるマイナンバーやパスポート番号等）である（2条1項）。

43）　2015年改正前は，個人情報によって識別される個人数が5000人以下の個人情報を扱う事業者は規制対象外とされていたが，法改正によりかかる要件は削除されている。

慮を要するものとして政令で定める記述等が含まれる個人情報をいう，と定義された。政令で定める記述等として5つの記述が定められており[44]，その結果11の記述が要配慮個人情報となる[45]。そして，法20条2項は，要配慮個人情報については，同項1号～8号に列挙された場合[46]を除き，あらかじめ本人の同意を得ずに取得することを禁止している。

■心身の状態に関する情報の取扱い　労働者の心身の状態に関する情報は，要配慮個人情報に該当しうる。そこで従来より，健康管理情報の取扱いに関する通達（平成29・5・29基発0529第3号通達等）が出されていたが，2018年労安衛法改正で，心身の状態に関する情報の取扱いに関する104条が設けられた。すなわち，事業者は，労安衛法・労安衛則の規定による措置の実施に関し，労働者の心身の状態に関する情報を収集し，保管し，または使用するに当たっては，労働者の健康の確保に必要な範囲内で収集し，当該収集の目的の範囲内で保管し，使用しなければならない。ただし，本人の同意がある場合その他正当な事由がある場合は，この限りでない（労安衛104条1項）。また，事業者は，労働者の心身の状態に関する情報を適正に管理するために必要な措置を講じなければならない（同2項）。同3項に基づき事業者が講ずべき措置に関する指針（平成30・9・7指針公示1号）が発出されている。なお，健康診断，長時間労働者やストレスチェックの面接指導等に従事して知り得た秘密の保持が罰則付きで定められている（同105条，119条1号）。

第4に，個人情報取扱事業者は，個人情報を取得した場合は，あらかじめその利用目的を公表している場合を除き，速やかに，その利用目的を，本人に通知し，又は公表しなければならない（21条1項）。

第5に，個人情報取扱事業者は，データ内容の正確性を確保すべく，利用目

44）個人情報保護法施行令2条は次の5つの記述を定めている。(1) 身体障害，知的障害，精神障害（発達障害を含む）その他の個人情報保護委員会規則で定める心身の機能の障害があること。(2) 本人に対して医師等により行われた健康診断等の結果。(3) 健康診断等の結果に基づき，又は疾病，負傷その他の心身の変化を理由として，医師等により指導・診療・調剤が行われたこと。(4) 被疑者又は被告人として，逮捕，捜索，差押え，勾留，公訴の提起その他の刑事事件に関する手続が行われたこと。(5) 少年法3条1項に規定する少年又はその疑いのある者として，少年保護事件に関する手続が行われたこと。

45）要配慮個人情報の具体的な解釈については，個人情報保護委員会「個人情報の保護に関する法律についてのガイドライン（通則編）」（平成28年11月〔令和3年10月一部改正〕）10頁以下参照。

46）法令に基づく場合（20条2項1号），人の生命，身体又は財産の保護のために必要がある場合であって，本人の同意を得ることが困難であるとき（同2号）や，公衆衛生の向上又は児童の健全な育成の推進のために特に必要がある場合であって，本人の同意を得ることが困難であるとき（同3号）等，8つの場合が列挙されている。

的の達成に必要な範囲内において，個人データを正確かつ最新の内容に保つとともに，利用する必要がなくなったときは，当該個人データを遅滞なく消去するよう努めなければならず（22条），個人データの安全管理のために必要かつ適切な措置を講じ，従業者・委託先に対する必要かつ適切な監督を行わなければならない（23条～25条）。

第6に，個人情報取扱事業者は，法所定の場合[47]を除き，あらかじめ本人の同意を得ずに，個人データを第三者に提供することが禁止されている（27条1項）。しかし，本人の求めに応じて当該本人が個人データの第三者への提供を停止することとしている場合であって，一定の事項については，あらかじめ，本人に通知し，又は本人が容易に知り得る状態に置くとともに，個人情報保護委員会に届け出たときは，当該個人データの第三者提供が許容される（オプトアウトと呼ばれる）。ただし，このオプトアウトは，要配慮個人情報については用いることができない（27条2項）。

第7に，保有個人データの公表・開示・訂正・利用停止等についての規制がある。すなわち，個人情報取扱事業者は，保有個人データに関し，本人の知り得る状態に置き，本人からの求めがあれば，利用目的を通知しなければならない（32条）。また，本人は，個人情報取扱事業者に対し，当該本人が識別される保有個人データの開示を請求することができ，事業者は，遅滞なく開示しなければならない（33条）。また，本人は，保有個人データの内容が事実でないときは，訂正，追加，削除を請求でき（34条1項），利用目的違反，違法取得の場合，利用停止・消去を請求できる（35条1項）。

個人情報保護法の違反については，公法上の規制（勧告・命令，罰則等）があるほか，不法行為の違法性評価を導きうる[48]。

47）　法令に基づく場合（27条1項1号），人の生命，身体又は財産の保護のために必要がある場合であって，本人の同意を得ることが困難であるとき（同2号），公衆衛生の向上又は児童の健全な育成のために特に必要がある場合であって，本人の同意を得ることが困難であるとき（同3号）等が列挙されている。

48）　個人情報保護法16条1項（現18条1項）違反の不法行為責任が問題となった事例として，社会医療法人A会事件・福岡高判平成27・1・29労判1112号5頁［労働者のHIV感染情報を，本人の同意なく上司等が，職場で共有し，労務管理に用いた事例につき個人情報保護法16条1項（現18条1項）に違反するとともにプライバシー侵害で不法行為に当たるとされた例］。

Ⅲ　個人情報・プライバシー侵害の法的責任

上述した個人情報保護法やその他の公法上の個人情報に関する規制は，個人情報の侵害を予防する点に主眼があるが，労働者の個人情報・プライバシーの侵害が実際に生じた場合には，事後的救済として不法行為による損害賠償請求がある。裁判例で以下のような類型の事案が問題となっている。

1　健康情報

第1に，労働者の健康情報の取扱いに関する事例がある。健康診断（身体検査）の際に血液採取がなされ，本人の承諾なくHIV抗体検査を行い，陽性反応が出た警察官に対して，上司が退職を勧奨した事件において，同意を得ずに行われたHIV抗体検査と退職勧奨行為を違法であるとして国家賠償法の損害賠償責任が認められた[49]。同様に，本人の同意なくB型肝炎ウイルス検査を行った事案ではプライバシー権を侵害する不法行為とされた[50]。また，HIV感染者への感染事実の告知態様が配慮を欠いたとして不法行為責任が認められた例もある[51]。また，別の病院でHIV陽性と診断された看護師の情報について，これを入手した当人の勤務する病院の医師，職員らが当該看護師の同意なく病院の他の職員らに伝達したこと，および病院における就労を制限したことは個人情報保護法16条1項（現18条1項）に違反するとともにプライバシー侵害で不法行為に当たるとされた[52][53]。

健康情報の把握に関連して，使用者が労働者に健康診断受診を命じ得るかも問題となる。最高裁は，合理的な就業規則規定に基づく頸肩腕症候群総合精密検診受診の業務命令の効力を認め，これを拒否した労働者に対する戒告処分を適法としている[54]。

49）警視庁HIV検査事件・東京地判平成15・5・28労判852号11頁。

50）B金融公庫事件・東京地判平成15・6・20労判854号5頁。

51）HIV感染者解雇事件・東京地判平成7・3・30労判667号14頁。

52）社会医療法人A会事件・前掲注48。

53）うつ病に罹患し病気休暇を取得した県立高校教員につき学校便り・ウェブサイトの転出者欄に「病気休暇」と記載したことにつき国賠法上の損害賠償責任（慰謝料）を認めた例として佐賀県事件・福岡高判令和元・11・27LEX/DB25564506。

54）電電公社帯広局事件・最一小判昭和61・3・13労判470号6頁。

2　企業秩序維持措置とプライバシー侵害

第2に，使用者による秩序維持のための諸措置がプライバシー侵害となる場面がある。最高裁・西日本鉄道事件判決は，使用者がその従業員に対して行う所持品検査は，これを必要とする合理的理由に基づいて，一般的に妥当な方法と程度で，しかも制度として，職場従業員に対して画一的に実施されるものでなければならないとした[55]。この判示は，その後の所持品検査[56]や電子メールの監視・閲覧等でも参照されている。また，企業秩序違反の危険性がないのに労働者を尾行したり，個人ロッカーを開けて写真撮影する等の行為は，不法行為を構成する[57]。セキュリティ向上のため支店内に監視システムを設置する必要性が認められ，ネットワークカメラによる撮影は労働者のプライバシーを侵害するとはいえないが，ナビシステムで，労務提供義務のない時間帯である早朝，深夜，休日，退職後に居場所確認を行ったことは監督権限の濫用で，不法行為を構成するとしたものがある[58]。

3　電子メール・インターネットの監視・調査

第3に，電子メールやインターネットの私的利用[59]の監視・調査がプライバシーの侵害となるかが問題となる。まず，使用者が，監視・調査権限を就業規則やPC使用規定等で明定していれば，労働者のプライバシー保護の期待も生ぜず，監視可能と解される[60]。問題はこうした監視・調査権限を明定・周知していない場合であるが，監視・調査の必要性と目的の合理性，手段・態様

55）　西日本鉄道事件・最二小判昭和43・8・2民集22巻8号1603頁。

56）　最近の事例として，セコム事件・東京地判平成28・5・19労経速2285号21頁［現金等の貴重品を扱う従業員の所持品検査およびその様子の防犯カメラ撮影がプライバシー侵害であるとの主張が，就業規則の定めに基づく正当なものとして，斥けられた］。

57）　関西電力事件・前掲注36。

58）　東起業事件・東京地判平成24・5・31労判1056号19頁。

59）　なお，私的利用自体の可否も問題となるが，企業が自ら提供するパソコンおよびネットワークの私的利用を就業規則等で禁止することは可能と解され（菅野695頁），労働者がこれに違反した場合，使用者は就業規則違反や企業秩序違反の責任を問いうると解される。しかし，電子メールの私的利用を明示的に禁止していなかった場合，職務専念義務違反となるかどうかについては肯定する例（日経クイック情報事件・東京地判平成14・2・26労判825号50頁）と否定する例（F社Z事業部事件・東京地判平成13・12・3労判826号76頁，グレイワールドワイド事件・東京地判平成15・9・22労判870号83頁）に分かれている。

60）　竹地潔「電子メールのモニタリングと嫌がらせメール」労働90号56頁（1997年），菅野695頁。

の妥当性，そして労働者が合理的に期待するプライバシー保護の程度および監視・調査により労働者に生ずる不利益を考慮して判断することになろう[61]。

裁判例は調査の必要性を重視し，プライバシー侵害を認めることに慎重な態度をとっている[62]。しかし，電子メールやインターネット利用が日常化し，プライバシー保護の認識が高まっている現在，使用者としては，むしろ，監視・調査権限について明定しておく必要性が高まっていると認識すべきであろう[63]。

61）　詳細は荒木尚志「電子メールの私的利用と監視・調査」長谷部恭男ほか編『メディア判例百選（第2版）』236頁（2018年）。

62）　F社Z事業部事件・前掲注59，日経クイック情報事件・前掲注59，労働政策研究・研修機構事件・東京地判平成16・9・13労判882号50頁，同控訴審・東京高判平成17・3・23労判893号42頁［企業貸与パソコン上のデータ調査に関してプライバシー侵害を否定した］。

63）　全国建設工事業国民健康保険組合北海道東支部事件・札幌地判平成17・5・26労判929号66頁［私的メールやチャットの頻度が多くなく，パソコン取扱規則等が定められておらず，私的使用に対する注意・警告もなされていなかったこと等を考慮して，物品の使用禁止違反による懲戒を懲戒権濫用・無効とした例］，美浦村・美浦村職員組合事件・水戸地判平成24・9・14判例地方自治380号39頁［パソコンや電子メールの業務外目的使用を禁止し，情報統括責任者はこれらの利用状況調査をすることができる旨の服務規程の下で，本人がパソコンデータ開示を拒否するにもかかわらずパソコン内のデータ確認を行ったことが，プライバシー侵害に当たらないとした（同控訴審・東京高判平成25・3・13 LEX/DB25500342，同上告審・最三小決平成26・1・14 LEX/DB25502750で結論維持）］。

第5章　雇用平等，ワーク・ライフ・バランス法制

労働人権法の中核をなすのが，憲法14条に対応した雇用平等法制である。雇用平等法は，差別禁止に関する法制を中心とする。しかし，日本の雇用平等法制，特に男女雇用平等法制は，差別禁止法制とともに，就業支援法制を車の両輪として展開させてきた。そして，その展開過程では努力義務等のソフトローを活用し，漸進的にハードローである禁止規制や権利付与規制に展開していくというアプローチが採用されてきた。このような日本の雇用平等法制の展開の特色を踏まえて現状を理解するために，本章では，雇用平等法制とワーク・ライフ・バランス法制の双方を取り扱う。なお，パート労働や派遣労働もワーク・ライフ・バランスに密接に関わるが，これらについては非典型（非正規）雇用の章（→533頁）で扱い，本章では育児介護休業法を取り上げる。

第1節　均等待遇

労働基準法3条は，「使用者は，労働者の国籍，信条又は社会的身分を理由として，賃金，労働時間その他の労働条件について，差別的取扱をしてはならない」と規定する。

I　均等待遇原則

労基法3条は，憲法14条の平等原則の趣旨を，使用者と労働者という私人間において明定したものである。憲法14条と比較すると「性別」が記載されていない。これは，労基法自身がかつて女性保護規定（女性のみの深夜業禁止や時間外労働制限等）を置いて男女を平等に取り扱っていなかったことによる。労基法におけるこれらの一般的女性保護は男女雇用機会均等法の強化とともに縮

小・撤廃され，現在では6章の2「妊産婦等」（労基64条の2〜68条）で母性保護のみが規定されている。

労基法3条の差別禁止の対象となるのは，「賃金，労働時間その他の労働条件」であるが，労働条件には，配転，昇進，昇格，懲戒，安全衛生，災害補償，福利厚生等，労働者の職場における待遇一切がこれに該当する。解雇は労働条件に含まれるが，労働関係が成立する以前の採用，雇入れはここにいう労働条件に当たらないと解されている[1]。

「差別的取扱」とは，不利な取扱いのみならず有利な取扱いも含まれる[2]。

Ⅱ　禁止される差別理由

「国籍」とは，国家の所属員たる資格をいう[3]。なお，公権力行使等の職務に携わる職とこれに昇任するのに必要な職務経験を積むために経るべき職を包含する一体的な管理職の任用制度を適正に運用するため，管理職昇任の資格要件を日本国籍を有する者と定めたことは，合理的理由に基づくもので労基法3条に違反しないとされた[4]。

「信条」とは，特定の宗教的又は政治的信念，その他，内面的精神活動や考え方を含む。特定の思想信条と当該事業の特質とが結びついたいわゆる「傾向事業（傾向経営）（Tendenzbetrieb）」については差別禁止の例外が認められるかどうか議論があるが，宗教団体や政党のように，事業目的と信条とが本質的に不可分である事業についてのみ限定的に許容されると解されている[5]。

なお，労働者の信条の自由を侵害する使用者の行為について，判例は，人格

1)　三菱樹脂事件・最大判昭和48・12・12民集27巻11号1536頁，注釈労基法（上）94頁［両角道代］。

2)　労基局（上）82頁，寺本・労基法160頁，有泉・労基法78頁，注釈労基法（上）97頁［両角道代］等。

3)　国籍による差別とされた事例として，日立製作所事件・横浜地判昭和49・6・19労民集25巻3号277頁［入寮手続の際に在日朝鮮人であることを告げたためになされた内定取消し］，ナルコ事件・名古屋地判平成25・2・7労判1070号38頁［外国人研修生から日本人より高い住居費徴収］，否定された例として，東京国際学園事件・東京地判平成13・3・15労判818号55頁［外国人語学教員を長期雇用を前提とする賃金体系では処遇困難であるとして，有期雇用で日本人より高額の給与で雇用した例］。

4)　東京都（管理職選考受験資格）事件・最大判平成17・1・26民集59巻1号128頁。

5)　菅野247頁。日中旅行社事件・大阪地判昭和44・12・26労民集20巻6号1806頁。

的利益の侵害として不法行為を構成するとしている[6]。

「社会的身分」とは，自己の意思によっては逃れることのできない生来的（例えば門地，人種，出身国[7]等）・後天的（例えば受刑者，破産者等）な社会的分類をいう。パート，有期，派遣といった非正規雇用労働者たる地位は契約によって取得し，また変更可能な地位であり社会的身分には該当しない。そこで，2000年代後半から，非正規雇用労働者の正規雇用労働者との処遇格差（雇用形態差別とも称される）を是正するための法規制が開始され，試行錯誤を経つつ，2018年にはいわゆる同一労働同一賃金のスローガンの下に，パート労働法のパート有期法への改正，労働者派遣法の改正等が行われた（→573頁以下，592頁以下）。

▩欧米における差別禁止規制の展開と人権差別禁止アプローチ・政策的格差是正アプローチ　アメリカやEUでは，日本の憲法14条に列挙された伝統的な差別禁止事由の他に，障害，年齢，性的志向等も差別禁止の対象となっている。また，EUではパート労働者や有期契約労働者の正規従業員との均等処遇（不利益取扱い禁止）を定めるEU指令も定められている。

日本では，障害者雇用や高齢者雇用の問題，そして非正規雇用の問題等は，いずれも人権保障から要請される差別禁止の問題と捉える（人権差別禁止アプローチ）のではなく，社会労働政策で対応すべき問題として，多様な政策メニューの中で柔軟で実効性のある政策を選択して対応してきた（政策的格差是正アプローチないし雇用政策アプローチ）。例えば，年齢差別を禁止するアメリカでは定年制は違法無効であるが，日本では定年制を差別問題とは捉えずに，むしろ定年を活用し，定年年齢の引上げにより高齢者雇用問題に対応する政策を採用してきた。また，障害者雇用についても，障害者差別禁止規制ではなく，障害者雇用率制度によって障害者雇用の促進を図るという政策を採ってきた。

しかし，日本でも，年齢については2007年改正雇用対策法10条（現労働施策推進9条）[8]が募集・採用場面に限って年齢差別禁止を部分的に採用したと解し得る規制を導入し，障害についても2013年改正障害者雇用促進法が，雇用分野における障害者差別を禁止するに至った（2016年4月から施行→103頁以下）。これに対して，雇用形態差別といわ

---

6)　関西電力事件・最三小判平成7・9・5労判680号28頁［共産党員ないしその同調者たる労働者に対する継続的監視，尾行，ロッカー無断開扉や他の従業員から孤立化させる行為を人格的利益を侵害する不法行為とした］。

7)　労基局（上）79頁，新基本法コメ・労基・労契法18頁［野川忍］参照。なお，菅野245頁は人種を，山川・雇用法49頁は，人種，出身国を「国籍」に入るとする。

8)　雇用対策法10条（現労働施策推進9条）は「事業主は，労働者がその有する能力を有効に発揮するために必要であると認められるときとして厚生労働省令で定めるときは，労働者の募集及び採用について，厚生労働省令で定めるところにより，その年齢にかかわりなく均等な機会を与えなければならない」と規定し，例外として年齢制限が許される場合について施行規則1条の3第1項に詳細な定めを設けている（→380頁以下）。

れる非正規雇用の処遇格差問題9)について，2007年パート労働法8条（2014年パート労働法9条）は差別的取扱い禁止を定めたが，その後，2012年労契法20条は有期契約と無期契約の不合理な労働条件の相違の禁止，2014年パート労働法8条は，パート労働者と通常の労働者の不合理な待遇の相違の禁止というユニークな規制を導入した。不合理な労働条件等の禁止は，同一労働を前提に差別禁止事由を理由とする異別取扱いを禁止する人権差別禁止アプローチとは異なり，同一労働でなくとも労働条件や待遇の相違が不合理なら救済し，また，同一労働であってもその相違が不合理でなければ同一取扱いを要求しないという，日本独特の政策的格差是正アプローチといえる（→574頁）。この点，2016年からの働き方改革においては，人権差別禁止規制においてその賃金差別禁止の場面で使用される同一労働同一賃金という用語が，正規・非正規の格差是正の場面で政治的スローガンとして用いられ，注目を集めた。しかし，最終的には，非正規と正規の不合理な待遇の相違の禁止という，政策的格差是正アプローチによる処理へと落ち着いた。

人権差別禁止アプローチと政策的格差是正アプローチは理念型としての整理であり，常に二者択一の関係にあるわけではない。例えば，障害者差別や妊娠差別は人権に関わる問題であるが，単なる異別取扱い禁止（差別禁止アプローチ）ではなく政策アプローチの視点も取り込んだ規制が採用されうる10)。しかし，この2つのアプローチを認識することにより，課題となっている問題の性質を正確に把握し（例えば間接差別や逆差別が禁止されるべき事柄か等），それに相応しい規制手法を考える基本的視座が提供される。その上で，具体的な規制内容を日本の労働市場の特質と実情を踏まえながら検討すべきであろう（→872頁）。

▩性的少数者(LGBTQ)に対する人事上の措置の適法性　EU一般雇用均等指令は，性的指向を宗教・信条，障害，年齢と並ぶ差別禁止事由としているが，日本にはこれに相当する規制は存しない。しかし，LGBTQ（レズビアン，ゲイ，バイセクシュアル，トランスジェンダー，クエスチョニング〔またはクイア＝性的指向や性自認が未確定の人〕）などの性的少数者に対する人事上の措置が裁判例で争われている。例えば，S社（性同一性障害者解雇）事件・東京地決平成14・6・20労判830号13頁では，性同一性障害の労働者（生物学的性別は男性）が女性の容姿をして出勤することを禁止する命令に従わなかったこと等を理由とする懲戒解雇が権利濫用で無効とされた。淀川交通（仮処分）事件・大阪地決令和

9)　欧州諸国の雇用形態差別規制は，「非差別原則」と称されているものの，その規制内容を精査すると，人権保障に係る「差別的取扱い禁止原則」（有利にも不利にも両面的に規制）とは区別される雇用形態に係る「不利益取扱い禁止原則」（有利な取扱いは許容する片面的規制）として理解すべきこと，「同一価値労働同一賃金原則」は，差別的取扱い禁止原則を賃金に適用する場合の規範であり，雇用形態差別事案に直ちに持ち込めるものではないこと等を指摘したものとして労働政策研究・研修機構『雇用形態による均等処遇についての研究会報告書』（座長荒木尚志東京大学教授）（2011年）。また，2016年に非正規雇用の処遇改善を目指して唱えられた同一労働同一賃金論については，労働政策研究・研修機構『諸外国における非正規労働者の処遇の実態に関する研究会報告書』（座長荒木尚志東京大学教授）（2016年）が分析を加えている。

10)　富永晃一「雇用社会の変化と新たな平等法理」荒木編・社会変化と法78頁参照。

2・7・20 労判 1236 号 79 頁では，性同一性障害（生物学的性別は男性）のタクシー乗務員が，女性乗務員と同等に化粧することは認めるべきで，化粧を理由とする就労拒否は正当な理由がなく，使用者は賃金支払義務を負うとされた。国・人事院（経産省職員）事件・東京高判令和3・5・27 労判 1254 号 5 頁では，トランスジェンダー（身体的性別は男性で，自認する性別は女性）である経済産業省職員が，女性用トイレの使用について制限を受けていることにつき国家賠償責任を認めた一審判断を覆し，上司の「なかなか手術を受けないんだったら，もう男に戻ってはどうか」等の発言は違法とする判断のみを維持した。

Ⅲ　均等待遇違反

労基法3条違反は，国籍・信条・社会的身分を「理由として」差別的取扱いがなされた場合に成立する。したがって，使用者が禁止される差別事由を認識していることが必要であるが，これは間接事実から推認せざるを得ない場合も多い。差別的取扱いの理由ないし動機が競合している場合には，一般に，いずれが決定的理由（動機）であったのかによって判断するとされている。決定的理由の意味をどう解するかによるが（不当労働行為における理由の競合につき→772頁），労基法3条の差別禁止事由の考慮がなければ当該差別取扱いがなされなかったかどうかを基準に判断すべきであろう。例えば，思想信条に基づく労働者の具体的な行動が企業秩序違反等に該当し懲戒処分がなされた場合，当該行動のみによって（思想信条の側面を度外視しても）懲戒処分がなされたといえる場合は，3条違反とならないが，当該行動が懲戒事由に該当したとしても，当該労働者の思想信条の側面を考慮しなければ実際に懲戒処分に付されることはなかったといえる場合には，3条違反となると解される。

均等待遇違反には罰則の適用がある（労基 119 条1号）。民事上も，法律行為（配転，懲戒処分，解雇等）であれば強行法規違反として無効となり，また，賃金差別についての損害賠償も認められる[11]。また，事実行為（作業割当，査定差別，福利厚生施設利用における差別等）であれば不法行為として損害賠償責任が生じ得る。

11）　東京電力（千葉）事件・千葉地判平成6・5・23 労判 661 号 22 頁［共産党員・同党支持者に対する低い査定による差別につき，勤務成績の正当な考課査定の結果による差額も混在していることを勘案し，平均賃金との差額の3割程度を損害と認め，また，慰謝料を認容］，倉敷紡績（思想差別）事件・大阪地判平成 15・5・14 労判 859 号 69 頁［共産党員であることを理由とする低査定・低処遇を労基法3条の信条差別の不法行為とし，同期同学歴労働者の賃金の平均値との差額賠償を認容］。

第2節　雇用における障害者差別禁止

I　障害者雇用率制度と障害者差別禁止

障害者雇用の促進のために，日本では2013年に至るまで，障害者の雇用差別を禁止するという手法ではなく，事業主に政令で定める雇用率に達する人数の障害者の雇用義務を課す障害者雇用率制度によって対処してきた。雇用義務を課すといっても，雇用契約の締結を強制するわけではなく，雇用率を達成しない事業主からは未達成の人数に応じて障害者雇用納付金を徴収し，雇用率を超えて雇用する事業主には障害者雇用調整金を支給するという制度によって雇用を促す仕組みである[12)]。雇用率は5年ごとに見直されることとなっているが，2018年4月1日より民間企業は2.2%，国，地方公共団体，特殊法人等は2.5%，都道府県等の教育委員会は2.4%となっている。

障害者差別を禁止するという差別禁止アプローチは，差別をされた被害者が訴訟を提起する等，権利侵害に対する救済を求めることで権利の実現が図られるのに対し，障害者雇用率制度は，すべての使用者に一定率の障害者雇用を義務づける雇用政策アプローチを採用したもので，訴訟提起等が容易でない日本の実情に照らし，差別禁止アプローチより実効的な障害者雇用政策として採用され，発展してきた（→850頁）。

しかし，2006年国連総会で採択された障害者権利条約は，締約国が障害に基づくいかなる差別もなく，すべての障害者の人権と基本的自由を完全に実現することを確保・促進すべき旨を定めた（同条約4条）。労働・雇用の分野では，①あらゆる形態の雇用にかかるすべての事項に関する差別禁止，②公正良好な労働条件，安全で健康的な作業条件，および苦情救済についての権利保護，③職場における合理的配慮の提供確保，等のための適当な措置をとるべきものとしている（同条約27条）。2007年9月に本条約に署名した日本は，これを批准するための国内法整備として，2011年の障害者基本法改正，2013年の障害者差別解消推進法の制定を行うとともに，雇用分野における障害者差別解消のために2013年に障害者雇用促進法の改正を行った。

---

12)　障害者雇用率制度が営業の自由を侵害し違憲とならないかという問題については→851頁注23。

2013年改正障害者雇用促進法[13]は，障害者権利条約批准に向けた対応として，雇用分野における障害者差別の禁止，合理的配慮の提供義務，相談体制の整備，苦情処理・紛争解決の援助を定めた（2016年4月施行）。あわせて，従前から展開してきた障害者（法定）雇用率制度は維持するとともに，雇用率の算定基礎に精神障害者を算入することとされた（2018年4月施行）。

2019（令和元）年改正障害者雇用促進法は，対象障害者の確認方法を身体障害者手帳等の省令所定の書類によるべきことを明確化したほか（2019年9月6日施行），短時間であれば就労可能な障害者等の雇用機会確保のため，週所定20時間未満の障害者を雇用する事業主に対する特例給付金の新設，中小企業における障害者雇用を促進するため，障害者雇用促進の取組みの実施状況が優良な中小事業主（常時雇用労働者数300人以下）を認定する制度（もにす認定制度）の新設等が行われた（2020年4月1日施行）。

Ⅱ　障害者差別の禁止

2013年改正障害者雇用促進法34条は，「事業主は，労働者の募集及び採用について，障害者に対して，障害者でない者と均等な機会を与えなければならない」とし，同35条は「事業主は，賃金の決定，教育訓練の実施，福利厚生施設の利用その他の待遇について，労働者が障害者であることを理由として，障害者でない者と不当な差別的取扱いをしてはならない」として，雇用関係における障害者差別禁止を明定した。34条により，募集・採用における障害者差別（例えば，障害者であることを理由に採用対象から排除すること）が禁止され，35条により，労働契約成立後の諸々の待遇に関する障害を理由とする不当な差別的取扱いが禁止される。35条は賃金決定・教育訓練・福利厚生施設利用を例示した後，「その他の待遇」としているが，同法36条1項を受けた障害者差別禁止指針（平成27厚労告116号）は，配置・昇進・降格・職種変更・雇用形態の変更・退職勧奨・定年・解雇・契約更新について不利益取扱いが禁止されることを明記している。

同法において「障害者」とは，「身体障害，知的障害，精神障害（発達障害を含む。……）その他の心身の機能の障害……があるため，長期にわたり[14]，

13）　基本文献として永野仁美＝長谷川珠子＝富永晃一編『詳説 障害者雇用促進法（増補補正版）』（2018年）。

職業生活に相当の制限を受け，又は職業生活を営むことが著しく困難な者」と定義されている（2条1号）。障害者手帳の所持者には限定されていない。

法34条・35条は，障害者であることを理由とする直接差別を禁止したもので[15]，間接差別はその概念の不透明性から，現時点では禁止しないこととされた[16]。また，障害者差別禁止指針は法違反とならない場合として，積極的差別是正措置として障害者を有利に扱うこと，合理的配慮を提供し，労働能力等を適正に評価した結果として非障害者と異別取扱いをすること，合理的配慮にかかる措置を講ずること，採用選考または採用後において，雇用管理上必要な範囲で，プライバシーに配慮しつつ，障害者の障害の状況等を確認すること，を挙げている（同指針第3の14）。

Ⅲ　合理的配慮の提供

世界に先駆けて包括的な障害者差別禁止規制を導入したアメリカの1990年障害者差別禁止法（Americans with Disabilities Act of 1990）は，事業主に過度の負担（undue hardship）とならない限り，障害についての合理的配慮（reasonable accommodation）を講じないことを差別に当たるとした。この障害についての「合理的配慮」の概念は2000年のEU一般雇用均等指令5条や，国連の2006年障害者権利条約2条にも取り入れられている。

2013年改正障害者雇用促進法は，「合理的配慮」の文言そのものを用いているわけではないが，障害者・非障害者間の均等な機会の確保の支障となっている事情を改善するため，事業主は「障害の特性に配慮した措置」を講ずべきとしており，同法36条の5第1項に基づく「合理的配慮指針」（平成27厚労告117号）はこの措置を「合理的配慮」と呼んでいる。

まず，募集・採用については，障害者と非障害者との「均等な機会の確保の支障となつている事情を改善するため」「障害者からの申出により当該障害者

---

14)　短期間に回復の見込まれる病気の場合，「長期にわたり」に該当せず，そのような病気による職業生活の制限・困難があっても同法の対象となる障害者には当たらない（施行通達・平成27・6・16職発0616第1号第1の2(2)）。

15)　障害者差別禁止指針・第2基本的な考え方参照。なお，車いす，補助犬その他の支援器具等の利用，介助者の付添い等の利用等を理由とする不当な不利益取扱いは直接差別に含まれる（同上参照）。

16)　2013年3月14日労働政策審議会障害者雇用分科会意見書2頁。

の障害の特性に配慮した必要な措置を講じなければならない」（障害雇用36条の2）。例えば，視覚障害者に募集内容を音声等で提供する，聴覚障害者に面接を筆談で行うなどである。

次に，採用後においては，障害者と非障害者との均等待遇確保または障害者の有する能力の有効な発揮の支障となっている事情を改善するため，その雇用されている障害者の「障害の特性に配慮した職務の円滑な遂行に必要な施設の整備，援助を行う者の配置その他の必要な措置を講じなければならない」（36条の3）。例えば，車いすを使用する肢体不自由者に，机の高さを調整する等して作業を可能とすることや，知的障害者に本人の習熟度に応じて業務量を徐々に増やす，障害者全体に共通して，出退勤時刻・休憩・休暇に関し，通院・体調に配慮するなどである。

合理的配慮は障害者と事業主の相互の話合いを通じて相互理解の中で提供されるべきものである。具体的には，募集・採用時には，障害者から事業主に対して支障となっている事情等を申し出る，採用後は，事業主から障害者に対して職場で支障となっている事情の有無を確認する（障害者側からの申出も可）等して，相互の話合いを通じて合理的配慮の内容を確定することになる[17]。その際，事業主は障害者の意向を十分尊重しなければならない（36条の4第1項）。事業主は，講ずることとした合理的配慮措置の内容および理由（過重な負担に当たる場合はその旨およびその理由）を障害者に説明しなければならない（合理的配慮指針第3の1(3)，2(3)）。また，採用後の合理的配慮に関し，事業主は，当該障害者からの相談に応じ，適切に対応するために必要な体制整備その他の雇用管理上必要な措置を講じなければならない（障害雇用36条の4第2項）。

ただし，募集・採用においても，採用後においても，合理的配慮を提供する義務は，それが事業主に対して「過重な負担」を及ぼす場合には免除される（36条の2但書，36条の3但書[18]）。そして，「過重な負担」となるか否かは，①事

17）　体幹機能障害を持つ障害者として採用された者につき，高次脳機能障害について大阪府は認識し得なかったとして，合理的配慮を欠くとする分限処分取消請求が棄却された例として，大阪府（職員分限免職処分）事件・大阪地判平成31・1・9労判1200号16頁。

18）　合理的配慮に関する判断例として日本電気事件・東京地判平成27・7・29判時2279号125頁［同条は使用者に対し，障害のある労働者のあるがままの状態を労務の提供として常に受け入れることまでを要求するものでないとして，休職期間満了により退職扱いされたアスペルガー症候群の労働者の地位確認請求棄却］。

業活動への影響の程度，②実現困難度，③費用・負担の程度，④企業の規模，⑤企業の財務状況，⑥公的支援の有無，を総合的に勘案して個別に判断する（合理的配慮指針第5〔過重な負担〕）。

募集・採用そして採用後の障害者差別禁止規制（34条，35条），および合理的配慮の措置（36条の2ないし36条の4）の施行に関し必要があると認められるときは，厚生労働大臣は助言・指導・勧告をなしうる（36条の6）。

Ⅳ　紛争解決制度

2013年改正障害者雇用促進法は，苦情処理機関（事業主を代表する者と労働者を代表する者で構成）を設けて苦情処理を委ねる等，自主的な解決を図る努力義務を定めている（74条の4）。

また，当事者による自主的解決がなされない場合等にも利用可能な紛争処理制度として，都道府県労働局における以下のような手続が用意されている。募集・採用および採用後の待遇に関する障害者差別禁止（34条，35条），および合理的配慮の提供（36条の2，36条の3）に関する紛争について，紛争当事者の一方または双方から紛争解決の援助を求められたときは，都道府県労働局長が必要な助言，指導，勧告をすることができる。援助を求めたことを理由とする解雇その他の不利益取扱いは禁止されている（74条の6）。そして，これらの紛争（ただし，募集・採用についての紛争を除く）について，紛争当事者の一方または双方から調停の申請があり，当該紛争解決に必要があると認めるときは，都道府県労働局長は，個別労働関係紛争解決促進法の紛争調整委員会に調停を行わせることとなる（74条の7）。

Ⅴ　差別禁止規定・合理的配慮提供義務の私法上の効果

障害者雇用促進法は，差別禁止規定・合理的配慮提供義務違反について，上述のように当事者の自主的解決と専門的行政機関による柔軟な調整的解決を主たる解決方法としており，私法上の効果について何ら規定を置いていない。差別禁止規定（34条，35条）は，単純に差別的取扱いを強行的に禁止しているようだが，実際には，当事者の話合いを通じて，個々の事案毎に定まる合理的配慮の提供義務と組み合わせて判断せざるを得ない。したがって，これらの規定が当然に強行規定であるとか，合理的配慮についての私法上の請求権を根拠づける趣旨のものではないという理解で政策立案がなされた[19]。

しかし，これらの法違反に一切私法上の効果が認められないわけではない。障害者差別の禁止規定および合理的配慮提供義務に違反する行為が，民法の一般条項（信義則，権利濫用，公序違反，不法行為）に照らした個別的検討の結果，不法行為に該当したり，公序違反として当該法律行為が無効となりうることも法改正立案過程で了解されていたことである[20]。

第3節　男女雇用平等法制

男女雇用平等法制には，3つの流れがある。第1は，労基法制定当初からある男女賃金差別を禁止した労基法4条である（**図表5-1**左欄）。第2は，賃金以外の男女平等取扱いが規制されていなかった法制の下で，判例が公序法理を使って形成した男女平等取扱い法理の展開と，これを立法化した均等法とその発展の流れである（**図表5-1**中欄）。第3は，女性の就業環境を整備して実質的雇用平等を支援するための法制から，男女のワーク・ライフ・バランス法制に発展していく展開である（**図表5-1**右欄）[21]。

Ⅰ　男女賃金差別の禁止

1　趣　旨

労基法4条は「使用者は，労働者が女性であることを理由として，賃金について，男性と差別的取扱いをしてはならない」とする。1919年ヴェルサイユ条約第13編（労働編）や1951年のILO100号条約（同一価値労働男女同一報酬に関する条約，日本は1967年批准）でも宣明された男女同一賃金原則に対応するもの[22]で，憲法14条の性別に関する法の下の平等を私人間における賃金につい

19）前掲注16・2頁，永野仁美「障害者雇用政策の動向と課題」労研646号11頁（2014年）参照。

20）前掲注16・2頁。菅野302頁，水町・詳解932頁。永野ほか編・前掲注13・243頁［長谷川聡］も同旨。なお，仮処分事件であるが，身体障害を持つバス運転手への勤務配慮を行わないことを公序ないし信義則違反とした例として阪神バス（勤務配慮）事件・神戸地尼崎支決平成24・4・9労判1054号38頁。

21）パート労働法制も含めて女性労働政策の展開を分析したものとして労働政策研究・研修機構『労働政策レポート9　女性労働政策の展開――「正義」「活用」「福祉」の視点から』（2011年）［伊岐典子］がある。

図表 5-1　男女雇用平等，ワーク・ライフ・バランス法制の展開

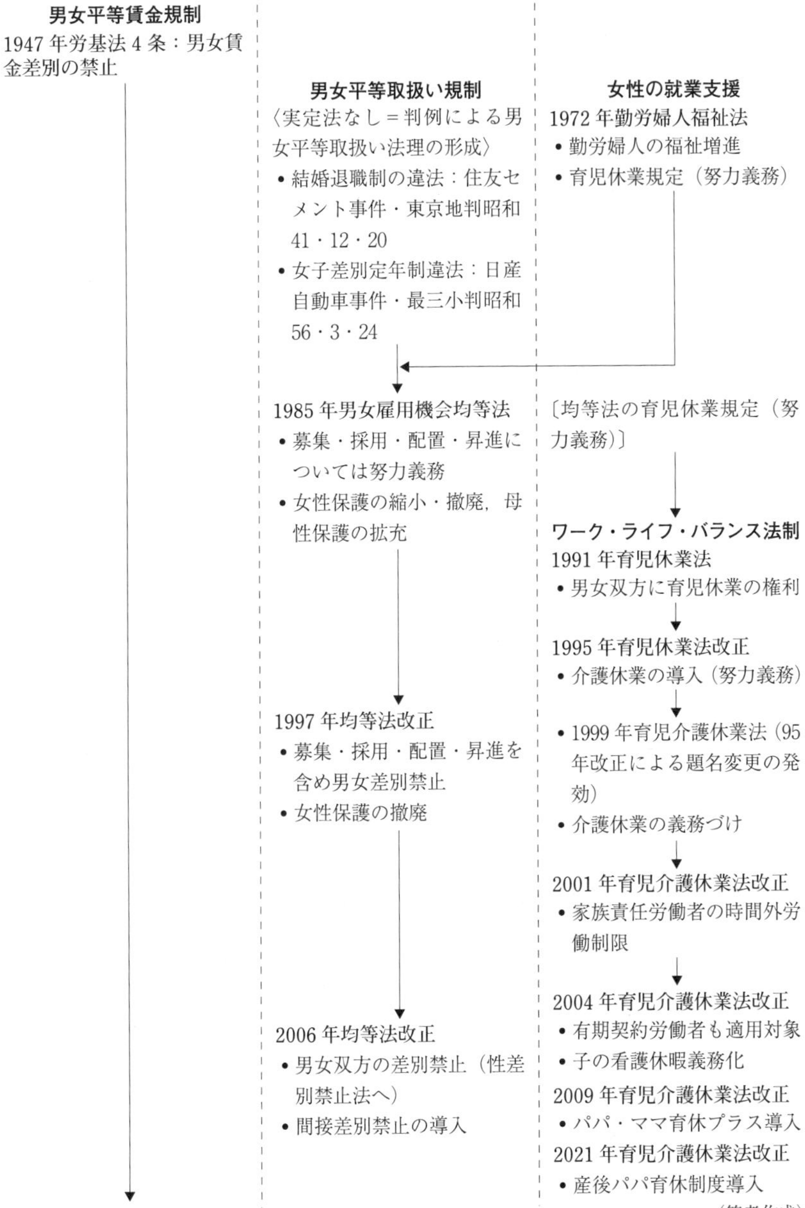

男女平等賃金規制

1947 年労基法 4 条：男女賃金差別の禁止

男女平等取扱い規制

〈実定法なし＝判例による男女平等取扱い法理の形成〉

- 結婚退職制の違法：住友セメント事件・東京地判昭和 41・12・20
- 女子差別定年制違法：日産自動車事件・最三小判昭和 56・3・24

1985 年男女雇用機会均等法

- 募集・採用・配置・昇進については努力義務
- 女性保護の縮小・撤廃，母性保護の拡充

1997 年均等法改正

- 募集・採用・配置・昇進を含め男女差別禁止
- 女性保護の撤廃

2006 年均等法改正

- 男女双方の差別禁止（性差別禁止法へ）
- 間接差別禁止の導入

女性の就業支援

1972 年勤労婦人福祉法

- 勤労婦人の福祉増進
- 育児休業規定（努力義務）

〔均等法の育児休業規定（努力義務）〕

ワーク・ライフ・バランス法制

1991 年育児休業法

- 男女双方に育児休業の権利

1995 年育児休業法改正

- 介護休業の導入（努力義務）

- 1999 年育児介護休業法（95 年改正による題名変更の発効）
- 介護休業の義務づけ

2001 年育児介護休業法改正

- 家族責任労働者の時間外労働制限

2004 年育児介護休業法改正

- 有期契約労働者も適用対象
- 子の看護休暇義務化

2009 年育児介護休業法改正

- パパ・ママ育休プラス導入

2021 年育児介護休業法改正

- 産後パパ育休制度導入

（筆者作成）

て罰則付きで規定したものである。なお，差別的取扱いは有利不利を問わないので，女性を男性より優遇することも本条違反となる。

本条は「女性であることを理由」とする賃金差別を禁止したものであり，同一（価値）労働への従事を要件としていない[23][24]。したがって，同一労働に従事している男性の比較対象者が存在しなければ本条違反が成立し得ないというわけではない。裁判例も，使用者の性による賃金差別の意図が明白な場合には，男女が同一労働に従事していたかを問題とせずに本条違反を認めている。典型的な本条違反としては，男女別に賃金表を2つ作り賃金差別を行うこと[25]，昇給率，一時金等につき男女で別の率・係数を定めること[26]，世帯主たる従業員に支給する家族手当を，その配偶者が所得税法上の扶養控除対象限度額を超える所得を有する場合，男性行員のみに支給すること[27]等がある。これに対して，家族手当を夫婦のうち収入の多い方に支給するという取扱いは本条違反とならないとした裁判例がある[28]。他方，同一労働に従事しているにもかかわらず，男女で賃金格差があれば，当然，本条違反が推認されることとな

22)　林弘子「労基法4条と『男女同一賃金の原則』をめぐる法的問題」安西古稀367頁は，ヴェルサイユ条約の同一価値労働同一賃金は，今日の同一労働同一賃金の意であるが，ILO 100号条約のそれは，同一労働同一賃金と，同一価値労働同一賃金の双方を含むものであったこと，しかし，条約採択に当たり政労使の代表の多くは同一労働同一賃金と同義として投票したこと，批准に当たっての日本の国会の議論でも両者の違いはほとんど認識されていなかったことを指摘している。

23)　立法過程では，当初，「同一価値労働に対しては男女同額の賃金を支払わなければならない」とされていたが，同一価値労働の文言は後に削除された。立法担当者は，「この条文は国際労働憲章の如く男女同一価値の労働に対して同一賃金を支払うべきことを表現してはいないが……矢張り男女が同一価値の労働をすることを前提としているのである」とし，ただ，男性間でも［生活給・年功給のため］同一価値労働同一賃金となっていないことが多いから，あえて男女間での同一価値労働には言及しなかったとしている（寺本・労基法161頁）。

24)　1967年にILO 100号条約批准に当たり，4条が対応しているとして新たな立法措置が採られなかったことから，同条は同一価値労働同一賃金を含んでいることを国会が改めて確認したとする見解として，浅倉むつ子『労働法とジェンダー』73頁（2004年）。なお，浜田冨士郎「労基法4条による男女賃金差別の阻止可能性の展望」前田達男ほか編『労働法学の理論と課題』382頁（1988年），森ます美＝浅倉むつ子編『同一価値労働同一賃金原則の実施システム』304頁［浅倉むつ子］（2010年）も参照。

25)　秋田相互銀行事件・秋田地判昭和50・4・10労民集26巻2号388頁，内山工業事件・広島高岡山支判平成16・10・28労判884号13頁。

26)　日本鉄鋼連盟事件・東京地判昭和61・12・4労判486号28頁。

27)　岩手銀行事件・仙台高判平成4・1・10労判605号98頁。

28)　日産自動車事件・東京地判平成元・1・26労判533号45頁。

る[29]。

しかし，「女性であること」以外の要素（年齢，勤続年数，扶養家族の有無，職務内容，成績，責任等）に基づく賃金格差は本条違反とはならない。日本企業で広く導入されている**職能資格制度**（職務遂行能力で格付けし，賃金を決定する制度→465頁）において，昇格差別により賃金格差がもたらされている場合，従事する職務等に違いがあるため，昇格差別自体を禁止していない制度の下（男女雇用機会均等法は，1997年改正まで，配置・昇進に関しては努力義務規制に留めていた）では，労基法4条違反の男女賃金差別となるか否かは困難な問題となる。この場合も，女性を，その平均勤続年数が短いこと等から，個人の意思や能力と無関係に一括して男性と別異に取り扱うことは，本条違反となり得る。これに対し，そのような性によるカテゴリカルな異別取扱いが明白でない場合は，やはり，従事業務が男性と同じかどうかが判断に際して重要な要素となる。

■労働基準法4条に関する裁判例の展開　近時の裁判例においては，男女の職務が相当重なっていると認められるにもかかわらず男女賃金格差がある場合，厳格な意味で同一労働に従事していなくとも，性別以外の合理的理由を使用者が立証し得ない場合には，女性であることを理由とする差別と捉える事例が見られ，注目される。例えば，塩野義製薬事件[30]では，当初は男女の賃金の違いが職務の違いによるものであっても，女性が基幹職に職種変更し，男女の職務の違いがなくなって以降は，使用者に賃金格差是正義務が生じ，この違反は労基法4条違反となるとされた。また，昭和シェル石油事件[31]では，一貫して事務職に就いている男性社員も一般に高い格付けを得，また，一貫して一つの仕事を担当していながらある程度以上の格付けを得ている男性社員もいることから，女性が一貫して一般事務職に限定されていたことは格差の合理的理由とならないとし，労基法4条違反を認定している。兼松（男女差別）事件[32]でも，職務内容や困難度を截然と区別できないという意味で同質性があると推認できる男女の賃金格差を，性によって生じたものと推認し，労基法4条違反を認めた。

2　違反の効果

労基法4条違反には刑事罰が科される（労基119条1号）ほか，法律行為は無効となり，不法行為の違法性を備えることとなる。したがって，差額分相当額

29）日ソ図書事件・東京地判平成4・8・27労判611号10頁，石崎本店事件・広島地判平成8・8・7労判701号22頁等。

30）塩野義製薬事件・大阪地判平成11・7・28労判770号81頁。

31）昭和シェル石油事件・東京高判平成19・6・28労判946号76頁。

32）兼松（男女差別）事件・東京高判平成20・1・31労判959号85頁。

を，賃金差別と相当因果関係に立つ損害とする損害賠償請求や慰謝料請求が可能となる。

問題は，不法行為の損害賠償請求と異なり，契約上の賃金請求権が認められるかである。労基法4条違反により差別賃金の規定が無効となっても，差額賃金請求権を認めるためには，無効となった部分を男性と同じ賃金請求を基礎づける規範によって補充する必要がある。労基法13条は，労基法の規定の契約補充効を定めるが，労基法4条は，「差別的取扱いをしてはならない」というのみであり，8時間労働を定める労基法32条のように無効とした後に契約内容を直接規律する客観的基準を具体的に設定しているわけではない。そこで，学説や裁判例では，客観的補充基準を確定できる場合に限り，労基法4条と13条の趣旨や類推適用によって，差額賃金請求権を根拠づけ得るとする見解が有力である。

もっとも，このように客観的補充基準を確定できる多くの事案では，契約解釈を工夫することによって対応可能と解される[33)]。例えば，家族手当について「扶養親族を有する世帯主たる労働者には家族手当を支給する。夫婦共働きの場合，世帯主たる労働者とは夫たる労働者とする」という規定があれば，後段の夫を世帯主とする部分を労基法4条違反で無効とすると，世帯主たる労働者には男女を問わず家族手当請求権が基礎づけられる。しかし，このように無効とした後に補充すべき客観的基準が定まらない場合には，不法行為の損害賠償しか認められないとする裁判例が多い[34)]。この点，学説では，不法行為で差別がなかった場合の賃金相当額が確定できるのであれば，労基法4条および13条によって差額賃金の請求権を基礎づけ得るとの見解も主張されている[35)]。

33）　同旨，安枝＝西村・労基法76頁。

34）　日ソ図書事件・前掲注29［労基法4条違反の賃金差別があったとしても，使用者の具体的意思表示がない以上，同13条を媒介として当然に男子並み賃金請求権が発生するとはいえないとし，不法行為による損害賠償のみ認容］，石崎本店事件・前掲注29［中途採用従業員の初任給に関する男女差別に客観的支給基準がなく労基法13条の適用の余地なしとして，不法行為による損害賠償のみ認容］，名糖健康保険組合（男女差別）事件・東京地判平成16・12・27労判887号22頁［労基法4条違反があってもあるべき賃金額が客観的に決定し得ない以上，差額賃金請求権は認められないとし，不法行為に基づく賃金相当額・慰謝料の損害賠償を認容］等。

35）　中窪＝野田・世界122頁。

Ⅱ　男女平等取扱い法理（公序法理）

女性労働者が増加し，その権利意識が高まるにつれて，賃金以外の雇用の場面における男女差別，とりわけ女子結婚退職制や女子差別定年制といった慣行の適法性を争う訴訟が提起されるようになった。裁判所は，この問題に対して，憲法14条の規範を取り込んだ民法90条の公序に依拠して「男女平等取扱い法理」と呼ばれる判例法理を形成し，それが後に，男女雇用機会均等法に受け継がれることとなる。

かつて企業は，女性労働者を安価で若年の労働力として利用する仕組みとして結婚退職制，女子若年定年制を採用していた。しかし，1966（昭和41）年に，結婚退職制は，性別による差別禁止（憲14条），婚姻の自由の保障（同24条）という公序に違反するとする住友セメント事件判決[36)]が現れた。次いで，東急機関工業事件[37)]は，女子若年定年制（男子55歳，女子30歳等）を不合理な男女差別として公序違反とした。そして，最高裁は，男子60歳，女子55歳の男女差別定年制につき，性別による不合理な差別で公序に反し無効とした[38)]。こうして，処遇に関する正当事由のない男女差別を公序違反とする「男女平等取扱い法理」が判例上確立した。

この公序法理に立脚する男女平等取扱い法理は，定年差別以外のあらゆる雇用の場面（採用・配置・昇進・教育訓練等）における合理性のない差別に適用可能であった。そして，実際に雇用終了以外の場面でも一定の法理の発展は見られた。しかし，現実のわが国の雇用慣行に照らして，男女で異なる処遇をしても直ちに公序違反とはいえないとする裁判例も少なくなかった。このような状況の下で，賃金差別，定年差別以外の雇用全般における男女差別に適切に対処するための立法の必要性が意識されるようになり，均等法制定が要請されることとなる。しかし，1985年に均等法が制定に至る上で決定的だったのは，女子差別撤廃条約を「国連婦人の十年」最終年（1985年）までに批准する必要に迫られたという国際的要因であった[39)]。

---

36)　住友セメント事件・東京地判昭和41・12・20労民集17巻6号1407頁。

37)　東急機関工業事件・東京地判昭和44・7・1労民集20巻4号715頁。

38)　日産自動車事件・最三小判昭和56・3・24民集35巻2号300頁。

39)　赤松良子『詳説男女雇用機会均等法及び改正労働基準法』vi頁（1985年），浅倉むつ子『男女雇用平等法論――イギリスと日本』213頁（1991年）参照。

Ⅲ　男女雇用機会均等法の制定と展開

1　1985年均等法

日本は，1979年に国連で採択された「女子差別撤廃条約」を1980（昭和55）年に署名し，その批准のために，国内法の整備を迫られることになった。同条約批准に当たっての国内法整備の最大の懸案が，男女雇用機会均等法の制定であった。均等法制定は，従来の男性中心の日本型雇用慣行に修正を迫るものであったために，国論を二分するといわれたほどの激しい議論を巻き起こした末，1985（昭和60）年に成立し，翌年4月1日より施行された。

1985年の均等法（85年法）には，次のような特色が指摘できる。第1に，複合的性格である。85年法は1972年制定の「勤労婦人福祉法」の改正法として制定された。このことが象徴的に示すように，また，制定当時の目的規定（85年法1条）が示すように，85年法は男女の雇用平等と女性労働者の援助という2つの（相容れない可能性もある）目的を追求するものであった。特に，均等法制定と同時になされた労基法改正でも，女性保護規定は緩和されたものの存続され，保護と平等の矛盾を抱えることとなった。

第2に，女性のみを対象とする片面性である。複合的性格とも関連して，当時の行政解釈は，均等法は女性労働者の地位向上を目的とする法律であるから，男性が女性と均等に取り扱われることは同法の関知するところではなく，男性のみの募集は不可だが，女性のみを募集することは女性の雇用拡大に資するものとして容認した。しかし，こうした解釈は女性を低賃金の職務に固定化させるとの批判を呼んだ。

第3に，85年法は男女の雇用の場面における差別を全面的に禁止するのではなく，募集・採用・配置・昇進については禁止規定とせず努力義務規定（男性と均等な機会を与える，あるいは均等な取扱いをするよう「努めなければならない」）とする（85年法7条，8条）など，漸進的抑制的な規制に留まった。また，労基法とは異なり均等法には違反に対する罰則も設けられなかった。

85年法は，努力義務規定を用いるなど実効性に欠けるとして厳しく批判された。しかし，同法は，一方で男女の役割分担を前提とした雇用システムとそれを前提とした男女の職業意識が存し，他方で，機会均等理念と矛盾する労基法の女性保護規定を，女性が事実上多くの家事責任を負っているという現実の前で撤廃できないという状況の中でなされた立法であった。そこで同法は，一挙にハードロー（法的拘束力のある規制）としての規制を全面採用するのでなく，部分的に努力義務というソフトローを採用し，努力義務の内容を具体的に示す指針とそれに基づく行政指導を駆使して，当事者の意識や雇用慣行の変革を迫り，男女雇用平等の理念の社会への浸透・定着を図るというアプローチを採用したと評することも可能であろう[40]。実際，努力義務の下でも，男女別の求人広告は急速に姿を消し，大卒女子への門戸開放，初任給の男女同一化，男女別雇用管理の解消等，少なくとも外形的雇用平等は進展し，女性の就業率，勤続年数，進出職場等の伸張拡大が見られた[41]。

しかし，募集・採用・配置・昇進というキャリア展開の中心部分で努力義務という弱い規制に留まっている限界も明らかになった。また，外形的表面的な雇用平等の進展が実質的雇用平等を実現しているかどうかは別問題で，一般職は女性，総合職はごく一部の女性と男性全員という形で男女別雇用管理をコース別雇用制の看板の下で温存するような運用も見られた。そこで，均等法の次なるステージへの展開が必要と考えられ，1997年の大幅改正へとつながった。

▩努力義務規定の私法上の効力　均等法制定当時，努力義務は私法上違法性が問題となることはなく，努力義務規定を根拠に損害賠償請求権が生ずることはないと説明された[42]が，公序の具体的基準として使用されることもあるとも指摘されていた[43]。その後，裁判所は85年法の努力義務規定と1997年改正法の禁止規定を明確に区別し，努力義務が公序の内容となることを否定する解釈を採っていた[44]。しかし，近時の裁判例では，努力義務規定の趣旨が「不法行為の成否の違法性判断の基準とすべき雇用関係についての私法秩序」に含まれるとして不法行為責任を認めるものが生じており，注目される[45]。

40）日本では，とりわけ価値観の転換を伴い社会的混乱を惹起しかねない社会労働立法については，努力義務によって社会への新たな価値の浸透を図り，次いでハードロー化する手法が多用されている。その問題点も含めて，詳細は荒木尚志「労働立法における努力義務規定の機能――日本型ソフトロー・アプローチ？」中嶋還暦19頁参照。

41）菅野和夫「雇用機会均等法の一年」ジュリ881号44頁（1987年），労働省女性局編『改正男女雇用機会均等法の解説』（増補版）2頁（1999年）。

42）赤松・前掲注39・244頁。

43）菅野和夫『労働法』（初版）124頁（1985年）。

44）このような裁判所の解釈を鋭く批判するものとして和田肇「憲法14条1項，民法1条の2，同90条，そして労働契約」中嶋還暦1頁。

45）昭和シェル石油事件・前掲注31，兼松（男女差別）事件・前掲注32。

2　1997年均等法改正

1997（平成9）年の改正均等法（97年法，1999年4月1日施行）は，第1に，法のコンセプトを転換し，法律の正式名称から「女子（女性）労働者の福祉の増進」を削るとともに，同時に行われた労基法改正で，時間外労働や深夜業についての女性一般の保護規定を撤廃し，雇用平等法へ近づいた。第2に，募集・採用等における女性優遇を，女性の機会拡大のために例外的に適法とされるポジティブ・アクション（97年法9条）を除き，原則違法とし，片面性の修正が行われた。第3に，それまで努力義務だった募集・採用・配置・昇進における規制を禁止規定・強行規定化した。第4に，それまで業務過程外の教育訓練（Off-JT）に限られていた差別禁止を業務を通じてなされる教育訓練（OJT）を含めて一切の教育訓練を対象とし，また，セクシュアル・ハラスメントについても新規定を置くなど規制を強化拡大した。第5に，相手方当事者の同意が必要なため活用されなかった機会均等調停委員会による調停を一方当事者の申請で開始可能とし，禁止規定違反に対する勧告に従わない場合に企業名公表を可能とする等，実効性確保措置を強化した。

3　2006年均等法改正

2006（平成18）年改正（06年法，2007年4月1日施行）で，均等法はさらに新たなステージへと発展を遂げる[46]。第1に，女性のみを対象としていた片面性を払拭し，男女双方に対する性別を理由とする差別を禁止する法（性差別禁止法）へと転換した。第2に，従来，募集・採用，配置・昇進・教育訓練，福利厚生，定年・解雇という各ステージにおける差別的取扱いを禁止していたが，これらの雇用ステージ以外での差別に対応するため，「配置」に業務の配分・権限の付与が含まれることを明記し，さらに，降格，職種・雇用形態の変更，退職勧奨，契約更新（雇止め）も対象に加えた[47]。第3に，一定の間接差別を禁止する規制を導入した。第4に，妊娠，出産，産前産後休業取得を理由とする解雇禁止に加えて不利益取扱いも禁止した。第5に，セクシュアル・ハラスメントに関する事業主の配慮義務を措置義務に強化した。第6に，実効性確保

46）　小畑史子「男女雇用機会均等法の改正と今後の課題」法時79巻3号32頁（2007年）参照。

47）　ただし，詳細に禁止事項を列挙する規制手法は，列挙されていない事項を規制対象外に置くことになる危険を伴うことにも留意する必要があろう。木下潮音ほか「〔座談会〕男女雇用機会均等法の論点――2006年改正を契機に」法時79巻3号11頁［水町勇一郎発言］（2007年）参照。

図表 5-2　男女雇用機会均等法の展開

<table>
<tr><td colspan="2" rowspan="2"></td><td>1985年法
(1986年4月1日施行)</td><td>1997年法
(1999年4月1日施行)</td><td>2006年法
(2007年4月1日施行)</td></tr>
<tr><td colspan="2">女性に対する差別規制</td><td>男女双方に対する差別規制</td></tr>
<tr><td colspan="2">募集・採用</td><td>努力義務（7条）</td><td>差別禁止（5条）</td><td>差別禁止（5条）</td></tr>
<tr><td colspan="2">配置・昇進</td><td>努力義務（8条）</td><td>差別禁止（6条）</td><td>差別禁止（6条1号，3号）
・業務配分・権限付与
・降格
・職種・雇用形態変更も含む</td></tr>
<tr><td colspan="2">教育訓練</td><td>限定的差別禁止（9条）</td><td>差別禁止（6条）</td><td>差別禁止（6条1号）</td></tr>
<tr><td colspan="2">福利厚生</td><td>限定的差別禁止（10条）</td><td>限定的差別禁止（7条）</td><td>限定的差別禁止（6条2号）</td></tr>
<tr><td colspan="2">定年・退職・解雇</td><td>差別禁止（11条）</td><td>差別禁止（8条）</td><td>差別禁止（6条4号）
・退職の勧奨
・労働契約の更新も含む</td></tr>
<tr><td colspan="2">女性優遇措置</td><td>―（適法）</td><td>原則禁止（9条の反対解釈）</td><td>原則禁止（8条の反対解釈）</td></tr>
<tr><td colspan="2">ポジティブ・アクション</td><td>―</td><td>明文規定で適法（9条）・国の援助（20条）</td><td>明文規定で適法（8条）・国の援助（14条）</td></tr>
<tr><td colspan="2">間接差別</td><td>―</td><td>―</td><td>省令列挙措置につき合理的理由ない限り禁止（7条）</td></tr>
<tr><td colspan="2">婚姻・妊娠・出産・産休取得等による不利益取扱い</td><td>解雇禁止（11条）</td><td>解雇禁止（8条）</td><td>解雇・不利益取扱い禁止，妊娠中・産後1年以内の解雇無効（9条）</td></tr>
<tr><td colspan="2">セクシュアル・ハラスメント</td><td>―</td><td>配慮義務（21条）</td><td>措置義務（11条）</td></tr>
<tr><td colspan="2">母性健康管理</td><td>努力義務（26条，27条）</td><td>措置義務（22条，23条）</td><td>措置義務（12条，13条）</td></tr>
<tr><td rowspan="3">実効性確保の制度</td><td>紛争解決援助</td><td>都道府県婦人少年室長による助言・指導・勧告（14条）</td><td>都道府県女性少年室長による助言・指導・勧告（12条）</td><td>都道府県労働局長による助言・指導・勧告（17条）</td></tr>
<tr><td>調　停</td><td>一方申請の場合，他方同意で開始（15条）</td><td>一方申請で開始（13条）</td><td>・一方申請で開始（18条）
・時効の完成猶予（24条）
・訴訟手続中止（25条）</td></tr>
<tr><td>違反に対する制裁</td><td>労働大臣の報告徴収・助言・指導・勧告（33条）</td><td>・労働大臣の報告徴収・助言・指導・勧告（25条）
・違反企業名公表（26条）</td><td>・厚生労働大臣の報告徴収・助言・指導・勧告（29条）
・違反企業名公表（30条）
・29条の報告違反に過料（33条）</td></tr>
</table>

（筆者作成）

に関して，調停の利用をしやすくするため，時効完成猶予や訴訟手続中止に関する規定を置き，また，事業主が厚生労働大臣に対する報告に応じない場合または虚偽の報告をした場合，過料を科すこととした。

その後も均等法は2016年，2019年改正でハラスメント関係規制を強化するなど展開を続けている。

Ⅳ　男女雇用機会均等法の規制内容

均等法の差別禁止は直接差別（雇均5条，6条）と間接差別（同7条）に大別される。

1　性別を理由とする差別禁止（直接差別）

⑴　差別禁止の対象

ⅰ）募集・採用　85年法で努力義務の対象だった募集・採用に関する規制が，97年法で女性に対して男性と均等な機会を与える義務となり，06年法では，「性別にかかわりなく均等な機会を与えなければならない」こととされた（雇均5条）。

06年法の性差別禁止規定については厚生労働大臣が詳細な指針（平成18厚労告614号[48]）を定めている。同指針によると，募集・採用に関し，1つの雇用管理区分[49]において，その対象から男女のいずれかを排除すること（例えば，総合職や正社員の募集を男女のいずれかのみとする），男女で異なる条件（例えば，女性についてのみ未婚者であること，自宅通勤であることを条件とする），異なる評価方法・基準を用いること（例えば，採用面接で女性に対してのみ結婚の予定の有無，子が生まれた場合の継続就労希望の有無を質問する），男女いずれかを優先すること，情報提供について男女で異なる取扱いをすること（例えば，資料送付対象や資料の内容，送付時期につき男女で異なる取扱いをする）等が禁止される。

ⅱ）配置，昇進，降格，教育訓練　事業主は，労働者の配置（業務の配分および権限の付与を含む），昇進，降格，教育訓練（以下配置等という）について，労働者の性別を理由として差別的取扱いをしてはならない（雇均6条1号）。

48）労働者に対する性別を理由とする差別の禁止等に関する規定に定める事項に関し，事業主が適切に対処するための指針。

49）指針のいう「雇用管理区分」とは，職種，資格，雇用形態，就業形態等の区分その他の労働者についての区分であって，当該区分所属の労働者について他の区分所属の労働者と異なる雇用管理を行うことを予定して設定しているものをいう。

具体的には，配置等に関し，1つの雇用管理区分において，その対象から男女のいずれかを排除すること（例えば，時間外労働や深夜業の多い職務への配置に当たって，その対象を男性労働者に限る），男女で異なる条件（課長昇進に当たり，女性労働者に対してのみ課長補佐を経ることを条件とする），異なる評価方法・基準（降格に当たって，男性労働者は成績最低者を対象とし，女性労働者は成績平均以下を対象とする）を用いること，男女いずれかを優先すること等が禁止される。

iii）**福利厚生**　住宅資金の貸付け（雇均6条2号），生活資金，教育資金その他労働者の福祉の増進のために行われる資金の貸付け，労働者の福祉増進のために支払われる定期的金銭給付，労働者の資産形成のための金銭給付，住宅の貸与（以上雇均則1条1号～4号）について，性別を理由とする差別的取扱いが禁止される。福利厚生の実施に当たって，男女のいずれかを排除する（男性労働者のみに社宅を貸与する）とか，男女で異なる条件を設定する（例えば，住宅資金貸付けに当たって女性労働者に対してのみ配偶者の所得額資料の提出を求める）等が差別的取扱いとなる。

iv）**職種・雇用形態の変更**　労働者の職種および雇用形態の変更についての性別を理由とする差別的取扱いが06年改正で新たに禁止の対象とされた（雇均6条3号）。指針によると，「職種」とは，営業職，技術職とか，総合職，一般職といった職務や職責による分類が想定されており，「雇用形態」とは，労働契約の期間の定めの有無，所定労働時間の長さ等による正社員，パート労働者，契約社員等の分類を指している。

職種・雇用形態の変更に関し，1つの雇用管理区分において，その対象から男女のいずれかを排除すること（例えば，一般職から総合職への職種変更について男女いずれかのみとする），男女で異なる条件（例えば，一般職から総合職への変更について男女いずれかについてのみ一定の国家資格取得，研修の実績を条件とする），異なる評価方法・基準（例えば，契約社員から正社員への雇用形態の変更に当たって，男性労働者は平均的評価により，女性労働者は特に優秀という評価により対象とする）を用いること，男女いずれかを優先すること等が禁止される。

▩コース別雇用管理とコース転換制度の合理性　97年法により配置・昇進における男女差別が明確に禁止されて以後，総合職・一般職というコース別人事管理が，実質的に男女別コース制ではなく合理的なコース別人事管理として適法と評価されるためには，合理的なコース転換制度が用意されているかどうかが重要な判断要素となる。野村證券事件[50]では，英語を含む試験と上司の推薦が要件となるなど，適切なコース転換制度を用意せず男女別コース管理を維持していたとされ，97年法が99年4月1日から施行されるまでは公序違反ではないが，97年法施行後は同法6条に違反するとともに公序に反し違法とされた[51]。兼松事件・一審[52]では，合理的コース転換制度を用意していたとして97年法施行後のコース別人事管理が適法とされたが，控訴審[53]では，「一般職実務検定全教科合格，日商簿記3級，日商ワープロ3級，TOEIC600点以上（導入後2年間程度は550点）」という転換試験受験資格要件の合理性に大いに疑問があり，転換を目指す労働者の努力を支援する配慮をしたとも認められないとして，性別による賃金差別状態を維持するもので違法とされた。巴機械サービス事件[54]では，コース別人事制度を平成11年4月に導入後，令和2年5月までに採用された総合職全員が男性で，一般職は全員女性であり，転換制度はあるも転換は実施されず，社長が女性に総合職はない旨発言していた事案につき，原告女性らに総合職転換の機会が与えられなかったことに合理的理由はないとして違法な男女差別を認定し，慰謝料各100万円が認められた。しかし，総合職たる地位確認や差額賃金請求は認められなかった。

ｖ）退職の勧奨，定年・解雇，労働契約の更新　退職の勧奨，定年・解雇，労働契約の更新について，性別を理由とする差別的取扱いが禁止される（雇均6条4号）。06年法で退職勧奨と労働契約の更新（雇止め）が新たに差別禁止の対象として明記された。

⑵　法違反とならない場合

以上について，法違反とならない2つの場合が指針で示されている。1つは後述するポジティブ・アクションとして許容される場合である。もう1つは，職務上の必要から認められる例外である（アメリカでは「真正な職業資格〔BFOQ：Bona Fide Occupational Qualification〕」と呼ばれる）。すなわち，ｉ）芸術・芸能分野における要請から男女いずれかを従事させる必要のある職務，ⅱ）守衛，警備員等のうち防犯上の要請から男性に従事させることが必要である職務，ⅲ）宗教上，風紀上，スポーツ競技の性質上，その他の業務の性質上，男女のいずれかにのみ従事させることについてｉ）ⅱ）と同程度の必要性のある職務，で

50）　野村證券事件・東京地判平成14・2・20労判822号13頁。

51）　同旨，岡谷鋼機事件・名古屋地判平成平成16・12・22労判888号28頁［改正均等法が施行された99年4月1日以降，男女のコース別処遇を維持したことに過失ありとして慰謝料500万円，弁護士費用50万円を認容］。

52）　兼松（男女差別）事件（一審）・東京地判平成15・11・5労判867号19頁。

53）　兼松（男女差別）事件（控訴審）・前掲注32。

54）　巴機械サービス事件・横浜地判令和3・3・23労判1243号5頁。

ある。

このほか，iv）労基法の規定により，女性を就業させることができない（労基61条1項，64条の2，64条の3第2項），または，男性を就業させることができない（保健師助産師看護師法3条）場合，v）風俗，風習等の相違により，男女いずれかが能力を発揮し難い海外での勤務が必要な場合等が挙げられている。

(3)　違反の効果

以上の直接差別禁止規制に違反した場合，第1に，均等法の用意する公法上の実効性確保措置（詳細は後述→130頁）の対象となる[55]。

第2に，上述の均等法5条，6条の差別禁止規定は，私法上も強行規定と解され，これに反する法律行為は無効となる。また，不法行為の違法性を備えさせ，損害賠償責任を生じさせ得る[56]。

第3に，強行規定違反で無効となった部分を補充する規範が契約上認定できる場合には，その契約上の請求権が基礎づけられ得る。

2　間接差別

06年法は，それまで，日本法では認められていなかった[57]「間接差別（indirect discrimination，アメリカでは差別的効果〔disparate impact〕と呼ばれる）」の概念を初めて導入した。諸外国で認められている間接差別とは，差別禁止事由に直接関係しない中立的な基準が，実質的に当該差別禁止の対象となる属性をそなえたグループ（性差別の場合は一方の性）に対して不釣合いに不利に作用する場合に，使用者が当該基準を用いることの合理性を立証しない限り，違法な差別とみなすという法理である。直接差別と異なり，使用者の差別意図は要求されない。しかし，06年法7条によって採用された日本の性に関する間接差別規制は，対象となる場合を省令で限定列挙するという諸外国にはみられない独特のものである。

55）　もとより行政による実効性確保措置は，均等法違反が成立していない場合にも，紛争解決のために発動されうるものである。

56）　菅野274頁参照。

57）　三陽物産事件・東京地判平成6・6・16労判651号15頁が勤務地限定という性中立な基準を用いた事案であったことから，間接差別を認めた事例と論じられたことがある。しかし，この事件では，「勤務地限定の基準」は，女子従業員の本人給が男子従業員のそれより一方的に低く抑えられる結果となることを使用者が容認して制定・運用されてきたものであるから，女子であることを理由とする賃金差別としたものであり，差別意図を不要とする間接差別法理を認めたものではない。

均等法7条は，事業主は，同法5条，6条に掲げる事項に関する措置であって「労働者の性別以外の事由を要件とするもののうち，措置の要件を満たす男性及び女性の比率その他の事情を勘案して実質的に性別を理由とする差別となるおそれがある措置として厚生労働省令で定めるものについては，……合理的な理由がある場合でなければ，これを講じてはならない」としている。前記指針はこれを，①性別以外の事由を要件とする措置であって，②他の性の構成員と比較して，一方の性の構成員に相当程度の不利益を与えるものを，③合理的な理由がないときに講ずること，と定義している。

具体的に省令で定められているのは，1）労働者の募集または採用に関する措置であって，労働者の身長，体重または体力に関する事由を要件とするもの，2）労働者の募集もしくは採用，昇進または職種の変更に関する措置であって，労働者の住居の移転を伴う配置転換（転居を伴う転勤）に応じることができることを要件とするもの（2013年改正均等則で修正），3）労働者の昇進に関する措置であって，勤務する事業場と異なる事業場に配置転換された経験（転勤の経験）があることを要件とするもの，の3つである（雇均則2条1号～3号）。これらの限定列挙は，上記の①と②を満たしたものとして省令で定めたものなので，実際にどの程度一方の性に不利益が生じているかの立証を要せず，使用者が合理性を立証し得なければ間接差別が成立する[58]。

③の合理的な理由の有無は事案毎に総合的に判断される。指針は，合理的理由のない場合として例えば，1）について，荷物運搬業務に運搬設備・機械等が導入されており，通常作業において筋力を要さない場合に，一定以上の筋力を要件とする場合，2）について，広域にわたり展開する支店，支社等がなく，かつ，支店，支社等を広域にわたり展開する計画等もない場合，3）について，特定の支店の管理職の職務に，異なる支店での経験が特に必要とは認められない場合に，異なる支店における勤務経験を管理職への昇進の要件とする場合，等を挙げている。

58）しかし，①②を満たしたもののみを省令で限定列挙し間接差別の対象とするという諸外国には例のない枠組みは，一方で，②の要件について疑義が生ずるおそれ（転勤要件が例えば女性だけに不利益ではなく，男性にも不利益を与えると解されるようになった場合どうなるのか等）があるとともに，他方で，限定列挙の枠組みを採用した結果，①②を原告が個別に立証することによって間接差別法理を適用する余地を認めていないことも問題となる。これに対して和田肇「雇用平等法制の意義・射程」争点22頁は，限定列挙の逐次追加を検討すべきとする。

7条違反の効果についても，直接差別禁止の場合と同様に解される。

3　ポジティブ・アクション

97年改正以来，女性優遇措置は，例外として優遇措置を認める97年法9条，06年法8条の反対解釈により，原則違法とされている。しかし，過去の不平等の結果を放置したまま機会の均等のみを保障しても平等の実現は図れないことから，女性労働者に対して行う優遇措置（「ポジティブ・アクション」と呼ばれる）が例外的に許容されている。すなわち，均等法8条は，同5条から7条の規制の例外として，事業主が,「雇用の分野における男女の均等な機会及び待遇の確保の支障となつている事情を改善することを目的として女性労働者に関して行う措置を講ずること」を許容している。

具体的には，1つの雇用管理区分における女性労働者が男性労働者と比較して相当程度少ない職務・役職への採用，配置，昇進，教育訓練，職種変更，雇用形態変更につき，女性を男性より優先するあるいは有利な取扱いをすること（例えば，基準を満たす者の中から男性より女性を優先して昇進させること）が例外的に許容される。

▩女性活躍推進法　2015年に成立した「女性の職業生活における活躍の推進に関する法律」（以下「女性活躍推進法」）（2016年4月1日施行）は，2019年改正（2022年4月1日施行）により，常時雇用する労働者の数が100人を超える事業主[59]については，次の事項が義務化されている（労働者数100人以下の事業主については努力義務）。すなわち，一般事業主（国・地方公共団体以外の事業主）は（1）一般事業主行動計画の策定・届出に関して，①自社の女性の活躍に関する状況把握，課題分析（(a)採用労働者に占める女性労働者の割合，(b)男女の平均継続勤務年数の差異，(c)労働時間の状況，(d)管理職に占める女性労働者の割合等）を行い（8条3項），②①の状況把握，課題分析を踏まえ，(a)計画期間，(b)数値目標，(c)取組内容および取組の実施時期，を盛り込んだ行動計画の策定，届出（同1項，2項，3項）と，策定した行動計画について労働者への周知と外部への公表を行わねばならない（同4項，5項）。また，(2)女性の活躍に関する情報の定期的な公表が必要である（20条）。当初，計14項目から1項目以上を選択して公表することで可とされていたが，2019年改正で常時雇用労働者数300人超の事業主には①女性労働者に対する職業生活に関する機会の提供に関する8項目から1項目以上，②職業生活と家庭生活との両立に資する雇用環境の整備に関する7項目から1項目以上の公表を義務づけることとなり（女性活躍推進法に基づく一般事業主行動計画等に関する省令19条1項柱書［2020年6月1日施行］），常時雇用労働者数が100人超の事業主は，①②の全項目から少なくとも1項目以上の公表

59）2019年改正（2022年4月1日施行）までは，労働者数300人超の事業主が対象とされていたが，同改正で100人超の事業主が対象となった。

が義務づけられた（女性活躍20条2項［2022年4月1日施行］）。さらに2022年7月8日の省令改正（同日施行）で，常時雇用労働者数300人超の事業主は上記①および②から各1項目の公表義務に加えて，①の第9項目として新たに追加された「その雇用する労働者の男女の賃金の差異（女性活躍推進法に基づく一般事業主行動計画等に関する省令19条1項1号リ）」60)については，必須の情報公表項目とされた（同19条1項柱書）。これらの義務の違反に罰則は設けられていないが，厚生労働大臣（都道府県労働局長）は報告徴収・助言指導・勧告が可能で（女性活躍30条），また，20条の公表義務違反については，国は企業名公表措置を採りうる（同31条。2019年改正で新設）。

また，女性活躍推進法に基づき，行動計画を策定し，策定した旨の届出を行った事業主のうち，一定の基準を満たし，女性の活躍推進に関する状況などが優良な企業は，都道府県労働局への申請により，厚生労働大臣の認定を受けることができる（同9条）。認定を受けた企業は，認定マーク「えるぼし」（従前の3段階に2019年改正でプラチナえるぼしが加わって4段階ある）を商品や広告，名刺，求人票などに使用し，女性の活躍を推進している企業であることをアピールできる（同10条）。社会における評判（reputation）を活用して政策目標を達成しようとするソフトロー手法の一つである。

4　女性の婚姻，妊娠，出産等を理由とする不利益取扱いの禁止

女性労働者につき，婚姻，妊娠，出産を退職理由として予定する定めをすること（雇均9条1項），婚姻したことを理由として解雇すること（同2項），妊娠，出産，労基法上の産前産後休業その他の母性保護措置，均等法12条，13条の母性健康管理措置を受けたこと，妊娠中の軽易業務への転換等（雇均則2条の2）を理由に解雇その他の不利益取扱いをすること（雇均9条3項）が禁止されている。この規定は私法上の強行規定と解され61)，これに違反する法律行為は無効となり，また，不法行為の違法性を基礎づけ損害賠償責任の根拠となりうる。解雇以外の不利益取扱いとは，有期契約の更新拒否，更新回数の上限が明示されている場合に，当該回数を引き下げること，労働契約内容変更の強要，降格，その他，諸々の人事上の不利益な措置等がこれに当たる（性差別禁止指針〔平成

60)　具体的には，正規雇用男女の平均年間賃金の差異，非正規雇用の男女の平均年間賃金の差異，全労働者の男女平均年間賃金の差異の3つに区分した情報を公開することとされている（雇均発0708第2号令和4年7月8日）。

61)　広島中央保健生協（C生協病院）事件・最一小判平成26・10・23民集68巻8号1270頁。この点，シュプリンガー・ジャパン事件・東京地判平成29・7・3労判1178号70頁は，産前産後休業・育児休業後の復帰に際し，受け入れ難い復職部署の提示や退職勧奨の後，解雇した事案につき，解雇権濫用で無効としつつ，さらに，均等法9条3項，育介法10条に違反し，少なくともその趣旨に反し無効とするが，論理に疑問がある。

18厚労告614号〕第4の3(2)(3)参照)。

近時最高裁は，妊娠中の軽易業務への転換（雇均9条3項，雇均則2条の2第6号でそれを理由とする不利益取扱い禁止）を契機としてなされた女性労働者の降格措置は，9条3項の趣旨・目的に照らせば，原則として同項の禁止する取扱いに当たるとしつつ，例外として，①労働者が受ける有利・不利な影響の内容や程度，事業主による説明内容その他の経緯，労働者の意向等に照らして，労働者が自由な意思に基づいて降格を承諾したものと認めるに足りる合理的な理由が客観的に存在するとき，または，②事業主の業務上の必要性の内容や程度，労働者が受ける有利・不利な影響の内容や程度に照らして，同項の趣旨・目的に実質的に反しないと認められる特段の事情が存在するときは，同項違反とならないとした[62]。①のような承諾がある場合に同条項違反とならないのは，軽易業務転換を「理由として」なされた不利益取扱いにあたらない（雇均9条3項の構成要件に該当しない）ためであって，強行規定に違反するにもかかわらず自由な意思による承諾があれば同項違反とならない旨を判示したもの[63]ではないと解される。

9条4項は，「妊娠中の女性労働者及び出産後1年を経過しない女性労働者に対してなされた解雇は，無効とする。ただし，事業主が当該解雇が前項〔9条3項〕に規定する事由を理由とする解雇でないことを証明したときは，この限りでない」と規定する。この規定は，労基法19条のような解雇禁止期間を定めたものではなく，妊娠中および出産後1年内の解雇について，9条3項の禁止事由による解雇と推定し，9条3項以外の事由による解雇であることの証明（但書の証明）の責任を使用者に負わせるものである。但書の証明がなされた

---

62)　広島中央保健生協（C生協病院）事件・前掲注61。当該事案については，軽易業務転換を契機とする副主任からの降格を均等法9条3項に違反しないとした原審を破棄差戻しとした。差戻し審では，上記①②の例外事由は存在しないとされ，不法行為または債務不履行の損害賠償責任を肯定した（広島高判平成27・11・17労判1127号5頁）。なお，均等法の解釈通達も最高裁の判断枠組みにならって改正されている（平成27・1・23雇児発0123第1号）。①に関するその後の裁判例として，TRUST事件・東京地立川支判平成29・1・31労判1156号11頁〔妊娠判明を告げると派遣会社への登録を提案され退職扱いとなった事案につき，均等法1条，2条，9条3項の趣旨に照らすと，自由意思に基づく退職合意なしとして地位確認請求を認容〕。

63)　判旨をこのように解して批判するものとして，水町勇一郎・判批・ジュリ1477号106頁（2015年），相澤美智子・判批・労働127号132頁（2016年），柴田洋二郎「育児介護休業法の課題」講座再生4巻290頁等。

場合，単に，9条4項本文による解雇無効の効果の発生を妨げるだけであり，但書の証明によって当該解雇が有効となるものではないと解される。但書の証明により9条3項の解雇禁止事由による解雇でないとなれば，労契法16条の解雇権濫用の規定により，当該解雇が有効か否かが判定されることになる。したがって，使用者が当該解雇が有効と主張するには，単に9条4項但書の証明（9条3項の解雇禁止事由による解雇ではないことの証明）では足りず，労契法16条の解雇権濫用と評価されないことの主張立証が必要となる[64]。

▩いわゆるマタハラ防止措置・マタハラ指針　妊娠・出産等に関する不利益取扱いは均等法9条3項によって法律上禁止されているが，これに違反する行為も含めて，妊娠・出産等に関する就業環境を害する言動全般が世上「マタニティ・ハラスメント（マタハラ）」と称されて注目を集めるようになった。2016年均等法改正では，マタハラ防止措置に関する11条の2（現11条の3）が新設され，事業主は職場において行われる女性労働者に対する妊娠，出産，産前産後休業の請求，その他の妊娠または出産に関する事由として均等法施行規則2条の3に定める事由に関する言動により，当該女性労働者の就業環境が害されることのないよう雇用管理上必要な措置を講ずることが義務づけられた。均等法施行規則2条の3は妊娠・出産に関する各種権利の行使や措置を要求したことのみならず，行使や要求，申出をしようとしたことも対象としている。

2016年改正均等法11条の2第2項（現11条の3第3項）を受けて，いわゆる「マタハラ指針」（平成28厚労告312号）[65]も策定された。さらに2019年の女性活躍推進法等改正法によって，マタハラに関する相談を行い，または，事業主による当該相談への対応に協力した際に，事実を述べたことを理由とする不利益取扱いを禁ずる規定が設けられ（雇均11条の3第2項），また，マタハラ問題に関する国，事業主，労働者の責務も規定された（雇均11条の4）。

64）　9条4項が裁判例で初めて問題となったネギシ事件・東京高判平成28・11・24労判1158号140頁は，解雇権濫用に当たるものではないと判断し，9条4項については，就業規則の解雇事由に該当する解雇であり，妊娠を理由とするものではなく，そのことも証明されているとして原審判断を覆し，解雇有効としているが，動機の競合問題としてより慎重な判断が必要との指摘もある（中窪裕也・同事件判批・ジュリ1515号124頁〔2018年〕）。なお，社会福祉法人緑友会事件・東京地判令和2・3・4労判1225号5頁（東京高判令和3・3・4判時2516号111頁で補正なく引用）は，9条4項但書の証明自体に客観的合理的理由の立証を読み込んでいるが，これは労契法16条の問題と解すべきであろう（日原雪恵・同事件判批・ジュリ1563号133頁〔2021年〕参照）。なお，妊娠中に退職した労働者による，退職は実質的には9条4項違反の解雇であるとの主張が事実関係において否定された例としてドリームスタイラー事件・東京地判令和2・3・23労判1239号63頁がある。

65）　事業主が職場における妊娠，出産等に関する言動に起因する問題に関して雇用管理上講ずべき措置についての指針。

5　セクシュアル・ハラスメント

(1)　セクシュアル・ハラスメントの概念と均等法上の防止措置義務

セクシュアル・ハラスメントとは，一般に「相手方の意に反する不快な性的言動」を指すと解されているが，実定法上定義された概念ではなく，セクシュアル・ハラスメントに該当すれば当然に私法上違法性が基礎づけられるような概念でもない。セクシュアル・ハラスメントの法的責任は，次項で検討するように不法行為等の一般的枠組みで検討することとなる。

セクシュアル・ハラスメントの類型には，職場において行われる性的言動に対する労働者の対応により当該労働者がその労働条件につき不利益を受ける「対価型」と，性的言動により労働者の就業環境が害される「環境型」の2つがある。97年法は，この2類型のセクシュアル・ハラスメントを対象に，これを防止するための雇用管理上必要な配慮義務を事業主に課す規定を新設した(97年法21条)。06年法では，事業主はセクシュアル・ハラスメントについて女性に限らず，男女労働者からの相談に応じ，適切に対応するために必要な体制の整備その他の雇用管理上必要な措置を「講じなければならない」とされ，配慮義務が措置義務に強化された(雇均11条1項)。

この措置の具体的内容を明らかにするために，いわゆる「セクシュアル・ハラスメント指針」(平成18厚労告615号)[66]が出されている。それによると，①セクシュアル・ハラスメント[67]に関する方針の明確化，労働者に対するその周知・啓発，②労働者からの相談窓口を予め定め，相談に適切かつ柔軟に対応するための必要な体制整備，③相談の申出に対する事実関係の迅速かつ正確な確認，事実が確認できた場合の行為者・被害者に対する適正な措置，をとるとともに，④相談者・行為者のプライバシー保護に必要な措置，相談・事実確認協力・都道府県労働局に対する相談等を理由として不利益取扱いを行ってはならない旨の定めとその周知・啓発措置，が講じられねばならない[68]。

---

66)　事業主が職場における性的な言動に起因する問題に関して雇用管理上講ずべき措置についての指針。

67)　セクハラは同性に対するものを含むとされていたが，2016年指針改正では，LGBT問題も視野に，被害者の「性的指向又は性自認にかかわらず，当該者に対する職場におけるセクシュアルハラスメントも，本指針の対象となる」旨が明記された。

68)　海遊館事件・最一小判平成27・2・26労判1109号5頁では，会社がセクハラ禁止文書を周知し，セクハラに関する研修を義務づけるなどセクハラ防止の種々の取組みを行っている中

これらの措置を講ずべき事業主の義務[69]は，公法上の履行確保措置の対象，すなわち，厚生労働大臣の行政指導（雇均29条）および企業名公表（同30条）の対象となり，また，都道府県労働局長による紛争解決の援助（同17条）等の対象ともなる。しかし，これらの義務は，私法上の履行請求権や損害賠償請求権を直接基礎づけるものではない。

なお，2019年女性活躍推進法等改正法により，セクシュアル・ハラスメント問題に関する相談を行ったこと，または，事業主による当該相談への対応に協力した際に事実を述べたことを理由とする解雇その他不利益取扱いが禁止された（雇均11条2項）。また，セクシュアル・ハラスメント問題に関する国，事業主，労働者の責務についても規定が新設された（同11条の2）。

⑵　セクシュアル・ハラスメントに対する私法上の責任

セクシュアル・ハラスメントの私法上の責任は，不法行為ないし債務不履行の成否を，加害者および使用者についてそれぞれ検討することとなる。

ｉ）加害者の責任　　まず，加害者は，セクシュアル・ハラスメントによって，被害者の性的自己決定権などの人格的利益[70]や，働きやすい職場環境の中で働く利益[71]等を侵害したものとして不法行為責任を負う。

密室で行われがちのセクシュアル・ハラスメントについては，事実の立証に困難を伴う。この点，強制わいせつ行為の被害にあった女性原告が直接的抵抗をしなかったことは不自然として，セクシュアル・ハラスメント行為の存在を否定した原審判断を覆し，肉体的加害を受けた被害者すべてが逃げ出そうとし

で，1年余にわたりセクハラ発言を行った管理職に対して，警告等を経ずになされた出勤停止の懲戒処分，その後の（懲戒処分ではない人事上の）降格措置の適法性が争われた。最高裁はこれを違法とした原審判断を覆して適法とし，セクハラに対する使用者の厳格な対応を是認した。同様に地方公務員である単純労務職員のセクハラ（コンビニエンスストアの女性従業員に対するカスタマー・ハラスメント）について，停職6ヶ月の懲戒処分を重すぎるとした一審・二審判断を覆して有効とした事例として，A市事件・最三小判平成30・11・6労経速2372号3頁。

69）　97年法の下では，配慮義務に過ぎず，こうした公法上の担保措置の対象でもなかった。

70）　金沢セクハラ（損害賠償）事件・最二小判平成11・7・16労判767号14頁，横浜セクハラ事件・東京高判平成9・11・20労判728号12頁等。

71）　福岡セクハラ事件・福岡地判平成4・4・16労判607号6頁［上司が部下の女性について，異性関係の乱脈ぶりを非難する噂を社内外に流布した行為を，働きやすい職場環境の中で働く利益の侵害として不法行為責任肯定］，東京セクハラ（T菓子店）事件・東京高判平成20・9・10労判969号5頁［店長の女性従業員に対する不適切言動に不法行為責任肯定］。

たり悲鳴を上げるという態様の身体的抵抗をするとは限らないという科学的知見等を踏まえて事実認定を行った裁判例[72]が注目される。

ii）**使用者の責任**　使用者については2種類の責任が問題となる。第1が，被用者の行った不法行為たるセクシュアル・ハラスメントについての民法715条の使用者責任である。使用者責任については，一般の民法715条の解釈と同様，ほとんど免責（民715条1項但書）が認められていない。しかし，学説では，セクシュアル・ハラスメントに関する防止措置を十分に講じていた場合については，そのような対策を講ずるインセンティブを付与するためにも，免責を認めるべきとする見解が有力に主張されている[73]。

第2に，使用者自身の不法行為責任ないし債務不履行責任である。すなわち，使用者は，不法行為法上の注意義務ないし労働契約上の付随義務として「働きやすい職場環境を維持する義務（職場環境配慮義務）」を負い，その義務違反について不法行為[74]（民709条）ないし債務不履行[75]（民415条）の責任を問われ得る[76]。民法715条の責任は，加害者の不法行為の成立を前提としているため，加害者の特定が困難であるなど，加害者の不法行為の立証が困難な場合には追及し得ない。その点，使用者自身の不法行為ないし債務不履行責任を直接に問う構成には意義がある[77]。

---

72)　横浜セクハラ事件・前掲注70。一審の事実認定の問題点を指摘したアリソン・ウェザーフィールド（黒川〔両角〕道代訳）「アメリカ人弁護士のみた日本のセクシュアル・ハラスメント（上）（下）――その概念と法的処理の発展」ジュリ1079号31頁，1080号75頁（1995年）参照。

73)　山川隆一「セクシュアル・ハラスメントと使用者の責任」花見忠先生古稀記念論集『労働関係法の国際的潮流』26頁（2000年）（715条但書の免責のほか，加害行為と職務の関連性を否定する構成も提案），菅野281頁。

74)　福岡セクハラ事件・前掲注71，仙台セクハラ事件・仙台地判平成13・3・26労判808号13頁。

75)　三重セクハラ事件・津地判平成9・11・5労判729号54頁［男性看護師のセクハラ行為について，使用者が迅速に対応しなかったことを職場環境配慮義務の債務不履行とし損害賠償認容］，京都セクハラ（呉服販売会社）事件・京都地判平成9・4・17労判716号49頁［セクシュアル・ハラスメント被害者が退職を余儀なくされた事案で，会社には従業員がその意に反して退職しないようにする職場環境整備義務があるとした］。

76)　両構成の詳細については浅倉むつ子「セクシュアル・ハラスメント」角田邦重ほか編『労働法の争点』(3版) 115頁（2004年），奥山明良「職場のセクシュアル・ハラスメントと民事責任」中嶋還暦247頁。

77)　山川隆一「わが国におけるセクシュアル・ハラスメントの私法的救済」ジュリ1097号73頁（1996年）参照。

6　均等法の実効性確保措置

均等法の差別禁止規定は強行規定と解され，これに反する法律行為は無効となり，また，不法行為法上の違法性を基礎づけ，損害賠償責任を生ぜしめうる。こうした私法上の救済も均等法の履行を確保する重要な手段であるが，均等法がその実効性を確保するために主として用意してきたのは，行政を通じた実効性確保措置である。

すなわち，都道府県労働局長は均等法の諸規定（雇均16条参照）に関する紛争に関して，当事者の双方または一方から解決の援助を求められた場合，助言，指導，勧告をすることができる（同17条）。また，当事者の双方または一方から[78]調停の申請があった場合，都道府県労働局長は必要があると認めるときは，紛争調整委員会（個別労紛6条1項）に調停を行わせる（同18条以下）。

さらに，厚生労働大臣は必要があると認めるときは，事業主に対して報告を求め，助言，指導，勧告をすることができ（同29条），均等法違反に対する勧告に従わない企業については，企業名公表が可能である（同30条）。そして，2006年改正により，29条の報告をせず，または虚偽の報告をした者に対して過料の制裁が設けられている（同33条）。

第4節　育児介護休業法

85年均等法は，女性労働者の職業生活と家庭生活の調和を図ることをその目的の一つに掲げ（85年法1条），育児休業付与の努力義務を定めていた（85年法28条[79]）。そして，労働力人口の長期的減少は女性労働力の活用を要請し，そのためには職業生活と家庭生活の調和をより積極的に促進する必要があると考えられた。特に，1989年の合計特殊出生率が1966（昭和41）年「ひのえうま」の1.58を下回る戦後最低の1.57となったことは「1.57ショック」といわれ，人口減少社会に向けて政策対応の必要を痛感させた。こうした状況の中で1991年に制定されたのが育児休業法である。その後，1995年6月に家族介護のための介護休業を導入する法改正が行われた。ただし，当初は努力義務に留

78）　1985年法では一方申請の場合，他方同意が調停開始要件とされ，調停がほとんど利用されなかったため，1997年改正で一方申請のみでも調停開始が可能とされた。図表5-2参照。

79）　元来，1972年制定の勤労婦人福祉法11条で定められていた規定を受け継いだものである。

められ，育児休業と並んで介護休業の付与が義務づけられたのは1999年4月1日からで，法律の名称にも「介護休業」が明示された。

その後，育児介護休業法は以下のように発展拡充を続けている。2001年には一定の家庭責任を負う労働者の時間外労働制限等の導入，2004年には1年以上継続雇用された有期契約労働者への適用拡大，子が1歳時点で保育所に入れない等の場合における育児休業期間の1年6ヶ月までの延長，子の看護休暇の義務化等が行われた。2009年改正では，配偶者が専業主婦（夫）の場合に可能であった付与制限の撤廃，いわゆるパパ・ママ育休プラスの導入，夫が妻の出産後8週間以内に育児休業を取得した場合，別の時期に再取得を許容，3歳までの子を養育する労働者が請求した場合の短時間勤務・所定外労働免除の義務化，子の看護休暇の拡充，介護休暇創設等の権利拡充に加え，実効性を強化するため，紛争解決制度の導入，勧告違反企業の公表制度，報告義務違反への過料創設等が行われた。2016年改正では，多様な家族形態・雇用形態に対応するため，育児休業の対象となる子の範囲を拡大し，また，育児休業の申出ができる有期契約労働者の要件緩和等が，2017年改正では，子が1歳6ヶ月時点で保育所に入れない等の場合に育児休業期間を最長2歳まで延長可能とし，育児目的休暇新設の努力義務等が定められた。そして2021年6月の育介法改正では，有期雇用労働者の取得要件緩和（2022年4月1日施行），出生時育児休業（いわゆる「産後パパ育休」）制度の創設，育休の2回分割取得の許容（2022年10月1日施行），育休取得状況公表の義務化（2023年4月1日施行）等が行われた。

育児休業法および育児介護休業法は，均等法に先んじて，女性労働者のみならず男性労働者をも対象とした点でも注目すべきものであり，女性の雇用平等を実質化する就業支援制度から男女を問わずワーク・ライフ・バランスを実現するための制度へと発展を遂げている[80]。

I　育児休業

育児休業は，1975年の「女子教員，看護婦，保母等育児休業法」ではこれら一部の女性労働者に保障されるに過ぎなかったが，1991年育児休業法で一般化され，原則として，職種や性別の如何を問わずに，すべての労働者に保障

80）　育児介護休業法の制定・展開については濱口825頁以下参照。

されている。ただし，日々雇用者は，育介法の権利付与規定については，全般にわたって除外されている（育介2条1号）。有期契約労働者についても一定の限定がある。そのほか，後述するように過半数協定によって除外することのできる一群の労働者が予定されている。

▩妊娠・出産申出時の育児休業制度の個別の周知・意向確認措置と雇用環境整備　2021年改正で，育児休業促進のため，事業主は以下のような措置を講じなければならないとされた（2022年4月1日施行）。本人または配偶者の妊娠・出産等を申し出た労働者に対し，事業主は①育児休業（出生時育児休業を含む）[81]に関する制度，②育児休業の申出先，③育児休業給付，④育児休業期間について負担すべき社会保険料について周知し，休業申出等の意向確認のための面談等の措置を講じなければならない（育介21条，育介則69条の3，69条の4）。また，事業主は，育児休業申出が円滑に行われるようにするため，①育児休業に係る研修実施，②育児休業に関する相談体制の整備，③自社の労働者の育児休業取得事例の収集・提供，④自社の労働者への育児休業制度と取得促進に関する方針の周知，のいずれかの措置を講じなければならない（育介22条，育介則71条の2）。

労働者は，1歳に満たない子[82]を養育するため，つまり子が1歳になるまでの期間，育児休業を申し出ることができる（育介5条1項）。なお，特に父親の子育て参加促進をねらって，父母共に育児休業を取得する場合，育児休業取得可能期間は子の1歳2ヶ月到達まで延長される（2009年改正によるいわゆる「パパ・ママ育休プラス」）。ただし，父母一人ずつが取得できる育児休業の上限は1年間のままである（同9条の6）。しかし，子が1歳の時点で保育所へ入所できない，養育予定の配偶者の死亡，婚姻解消による別居，産前産後期間中であること等，休業継続が特に必要な場合は1歳6ヶ月まで（育介5条3項，育介則6条），さらに1歳6ヶ月時点で同様の事情があれば，2歳まで延長可能とされている（育介5条4項，5項，育介則6条の2）。ただし，有期雇用労働者の場合，子が1歳6ヶ月に達する日までの間にその労働契約が満了することが明らかでない，という要件を満たす場合に限られる[83]（育介5条1項但書，2022年4月1日施行）。

81）2021年改正育介法5条1項により「育児休業」とは5条から9条までは9条の2第1項の「出生時育児休業」（産後パパ育休）を除くとされ，したがって，その他の条文では育児休業は出生産時育児休業を含む。

82）「子」とは，実子，養子，特別養子縁組の監護期間中の子，養子縁組里親に委託されている子等をいう。2016年改正で，実子・養子以外であっても，法律上の親子関係に準じる関係にある子に拡大された（育介2条1号）。

83）将来の雇用要件については，子の1歳以降も雇用継続の見込みがあること，2歳まで更新されないことが明らかでないことが要件とされていたが，2016年改正でこのように整理され

2021年改正までは，育児休業の申出は，特別の事情のない限り，1人の子について1回に限られ（ただし，2009年改正により，父親が，妻の出産後8週間以内に育児休業を取得した場合は，再取得が可能），申し出る休業は連続した1つの期間でなければならず，また，1歳以降の延長の場合，育休開始日は1歳，1歳半の時点に限定されていた。しかし，2021年改正により，2回の育児休業取得が可能とされ（育介5条2項参照），また，1歳以降の育休開始日に関しても配偶者の申出につき柔軟化された（同6項）。

育児休業の申出は，休業開始の1ヶ月（1歳6ヶ月および2歳までの子について延長が認められる場合には2週間）前までに休業開始予定日・終了予定日など所定事項を記載して書面，ファクシミリまたは電子メールで行う（育介5条6項，育介則7条）。この1ヶ月（ないし2週間）の期間を置かずに育児休業申出がなされた場合，事業主は1ヶ月（ないし2週間）経過日まで，開始日を繰り下げて指定できる（育介6条3項）。

事業主は労働者による育児休業の申出を拒否できない[84]（育介6条1項）。事業主に年次有給休暇の場合のような時季変更権は認められていない。ただし，以下の労働者について，事業所の労働者の過半数代表との協定で育児休業を認めないとした場合は，この限りでない。すなわち，（無期・有期を問わず）引き続き雇用された期間が1年未満の労働者，育児休業をすることができないとすることに合理的理由があるとして省令で定める労働者（休業申出の日から1年〔同5条3項，4項により1歳時点を超えて延長の場合は6ヶ月〕以内に雇用契約が終了することが明らかな労働者，1週間の所定労働日数が2日以下の労働者）である（同6条1項但書，育介則8条，平成23・3・18厚労告58号）。

育児休業労働者が育児休業および出生時育児休業の申出，取得をしたこと，出生時育児休業期間中の就業可能日の申出（育介9条の5第2項の申出）もしくは同期間中の就業可能日の提示に対する同意（同4項の同意）をしなかったことを理由とする解雇その他の不利益取扱いは禁止されている（同10条→138頁）。

育児休業期間中の賃金保障は法定されておらず，当事者間の合意に委ねられ，

た。なお，2021年改正までは，引き続き雇用された期間が1年以上という過去の勤続要件が課されていたが同年改正で削除された（もっとも，過半数代表との労使協定により無期契約労働者と同様，勤続1年未満の場合，除外することは可能。同法6条1項）。

84）　日欧産業協力センター事件・東京地判平成15・10・31労判862号24頁［育児休業の申出拒否に不法行為の損害賠償責任を認めた］。

合意がなければ無給となる。しかし，雇用保険から育児休業開始後180日間は休業前賃金の67%，その後は50%が「育児休業給付金」として支給される（雇保61条の7第6項→840頁）。なお，育児休業期間中も社会保険（健康保険・厚生年金保険）関係は継続するが，保険料は免除される（健保159条，厚年81条の2）。

▩出生時育児休業（いわゆる「産後パパ育休」）制度の創設　2021年改正で男性の育児休業取得促進のため，一般の育児休業とは別枠で，子の出生直後の時期における柔軟な育児休業の枠組みが創設された（2022年10月1日施行）。すなわち，子の出生後8週間（母はこの間は産休〔労基65条2項〕期間となる）以内に4週間まで出生時育児休業を取得できる（育介9条の2第1項）[85]。分割して取得できる回数は2回である（同2項第1号参照。2021年改正により原則的制度においても，2回可能とされたので〔同5条2項参照〕，男性は子の1歳までに出生時育児休業の2回と合わせて4回の育児休業が可能となった）。

使用者は出生時育児休業申出を拒むことはできないが（育介9条の3第1項），6条1項但書の労使協定による例外が準用される（同9条の3第2項。具体的には，引き続き雇用された期間が1年未満の労働者〔同6条1項1号〕，出生時育児休業申出日から8週間以内に雇用関係が終了することが明らかな労働者，週所定労働日数が2日以下の労働者〔同2号を受けた育介則21条の3，同8条，平成23・3・18厚労告58号〕）。申出期限は原則休業の2週間前までであるが（育介9条の3第3項），雇用環境の整備などについて，改正法で義務づけられる内容を上回る取組みの実施を労使協定で定めている場合，1ヶ月前までとすることができる（同4項）。

一般の育児休業においては休業期間中の就業は原則不可であるが，出生時育児休業においては，使用者と過半数代表との労使協定により，就業可能労働者と定められた労働者は，使用者に申し出ることにより，期間中の就業が可能とされた（育介9条の5第2項）。この申出は出生時育児休業開始予定日の前日までは，変更および撤回が可能である（同3項）。使用者は，申出による就業可能日等の範囲内で，日時を提示し，当該労働者の同意を得た場合に限り就業させることができる（同4項）。労働者は当該同意の全部または一部を撤回できるが休業開始予定日以後は，特別の事情がある場合に限る（同5項）。

出生時育児休業中は，育児休業中と同様，賃金支払いを義務づける規定はない。しかし，所定の要件を満たす者に対して，雇用保険から休業前の賃金の67%が出生時育児休業給付金として支給される（雇保61条の8）。

Ⅱ　介護休業

労働者は，要介護状態（負傷，疾病または身体上もしくは精神上の障害により，2週間以上の期間にわたり常時介護を必要とする状態）にある対象家族，すなわち，配偶者

85)　有期雇用労働者の場合，出生日後8週間を経過する日の翌日から6ヶ月を経過する日までに期間満了することが明らかでない者に限る（育介9条の2第1項但書）。

（事実婚も含む），父母，子，配偶者の父母（さらに育介則3条で，祖父母，兄弟姉妹，孫も対象[86]）の介護のために，要介護者1人につき，要介護状態に至る毎に1回，通算93日まで，3回を上限として，介護休業を取得できる（育介2条2号～4号，11条，15条）。それまで，対象家族1人につき原則1回しか取得できなかったところ，2016年改正で，分割して3回まで取得可能となった。

介護休業の申出は，対象家族が要介護状態にあることを明らかにしつつ，介護休業開始予定日と終了予定日を明らかにして行う必要がある（育介11条3項）。

対象労働者の範囲（育介11条1項）[87]，使用者は原則として労働者の介護休業の申出を拒否できないこと（同12条1項），一定の労働者[88]について過半数代表との協定を締結して拒否が可能となること（同12条2項），不利益取扱いの禁止（同16条→138頁），休業中の所得保障（→839頁）等については，育児休業の場合と類似した規制がなされている。なお，申出期間は休業開始予定の2週間前までとされている（同12条3項）。

Ⅲ　子の看護休暇

2004年改正で導入された子の看護休暇は，2009年改正でさらに拡充された。すなわち，小学校就学前の子を養育する労働者は，子の負傷，疾病，または疾病予防に必要な世話を行うために1年度に5労働日（小学校就学前の子が2人以上いる場合は10労働日）を限度に子の看護休暇を取得できる。2016年改正で，それまで1日単位とされていたところを，半日単位（所定労働時間の2分の1）の取得も可能とされた。申出は口頭でも可能である（育介16条の2，育介則35条）。

事業主はやはりこの申出を拒むことができない（育介16条の3第1項）。ただし，勤続6ヶ月未満の労働者および1週の所定労働日数が2日以下の労働者については，過半数代表との協定を締結した場合，申出を拒むことができる（同

86）　2016年育介則改正でこれらの者について要求されていた同居・扶養要件は削除された。

87）　日々雇用労働者が除外されるほか（育介2条1号），有期雇用労働者については，2021年改正で，それまで設けられていた雇用期間が過去1年以上という要件が削除された結果，介護休業開始予定日から起算して93日を経過する日から6ヶ月を経過する日までに労働契約が満了することが明らかでない者，という要件のみとなった（同11条1項，2022年4月1日施行）。

88）　①介護休業申出があった日から起算して93日以内に雇用期間が終了することが明らかな労働者，②1週間の所定労働日が2日以下の労働者（育介12条2項，育介則24条，平成23・3・18厚労告58号）。

16条の3第2項，育介則36条）。看護休暇の申出・取得に対する不利益取扱いは禁止されている（育介16条の4→138頁）。なお，看護休暇については育児休業・介護休業に対するような雇用保険による所得保障の制度は用意されていない。

Ⅳ　介護休暇

2009年改正により，要介護状態にある対象家族の介護に加えて，その他の世話（要介護状態にあるか否かを問わない対象家族の介護，対象家族の通院等の付添い，対象家族が介護サービスを受けるために必要な手続代行その他の必要な世話。以上につき育介則38条）を行うために，年5労働日（要介護対象家族が2人以上の場合，年10労働日）を限度とする介護休暇が創設された（育介16条の5）。介護休業が要介護状態にある対象家族に対するもので，かつ，休業開始の2週間前までに，開始予定日・終了予定日を明らかにして取得する制度であるのに対して，介護休暇は，要介護状態（常時介護を要する状態）になくとも利用可能で，かつ，急を要する単発の必要に対応しようとするものである。2016年改正で，それまで1日単位とされていたところを，子の看護休暇同様，半日単位（所定労働時間の2分の1）の取得も可能とされた。

事業主は介護休暇の申出を拒むことができない（同16条の6第1項）。労使協定に基づいて勤続6ヶ月未満の労働者および週の所定労働日数が2日以下の労働者について，申出を拒む例外が認められること（同2項，育介則42条），介護休暇の申出・取得を理由とする不利益取扱いが禁止されていること（育介16条の7→138頁），雇用保険による所得保障の制度が用意されていないことは，子の看護休暇の場合と同様である。

Ⅴ　所定外労働の制限（残業免除）

3歳に満たない子を養育する労働者または要介護状態にある対象家族を介護する労働者が，一定の期間（1ヶ月以上1年未満の期間）について，その開始1ヶ月前までに所定外労働の免除を請求した場合，その期間において就業規則等で定められた所定労働時間を超えて労働させてはならない。子が満3歳に達するまで，請求回数自体には制限はない。ただし，過半数代表との労使協定により，①雇用期間が1年未満の労働者，②週の所定労働日数が2日以下の労働者，については除外できる。また，事業の正常な運営を妨げる場合にも，この所定外労働の制限の例外が認められる（以上につき，育介16条の8，16条の9，育介則44条）。

なお，これらの規制の適用対象労働者が所定時間外労働をしなかったことを理由とする不利益取扱いも禁止される（育介16条の10→138頁）。

Ⅵ　時間外・深夜業の制限，所定労働時間短縮（短時間勤務）措置，転勤等についての配慮

小学校就学前の子を養育する労働者または要介護状態にある対象家族を介護する労働者（いずれについても日々雇用労働者，雇用期間が1年未満の労働者，週の所定労働日数が2日以下の労働者を除く）が請求した場合，事業主は制限時間（1ヶ月24時間，1年150時間）を超える（法定）時間外労働をさせてはならない。ただし，事業の正常な運営を妨げる場合は，この限りでない（育介17条1項，18条，育介則52条，56条）。請求できる制限期間は1月以上1年以内で，制限開始予定日の1ヶ月前までに請求しなければならない（育介17条2項，18条）。

深夜業の制限[89]もほぼ同様[90]である（育介19条，20条）。

また，育児休業の権利を有するが育児休業を取得しない労働者が申し出た場合，従前は勤務時間の短縮等（(1)所定労働時間の短縮，(2)所定時間外労働の免除，(3)フレックスタイム制，(4)時差出退勤制度，(5)託児施設等の便宜供与，(6)(5)に準ずる便宜供与，(7)育児休業に準ずる制度）のいずれかの措置を講じなければならないとされていたが，2009年改正で，3歳未満の子を養育する労働者が請求した場合，(2)の所定外労働の免除が義務化されたほか（→136頁），(1)所定労働時間の短縮（短時間勤務）措置が（選択的ではなく）義務化された（育介23条1項）[91]。ただし，日々雇用

89）日本航空インターナショナル事件・東京地判平成19・3・26労判937号54頁は，深夜業免除を請求した客室乗務員については，深夜時間帯における労働者の労務提供義務が消滅するところ（育介19条），それ以外の時間帯に履行の提供をしていた者に対して，別組合員には月約10日間割り当てていた深夜勤のない乗務を月1～2回しか割り当てなかった結果生じた，別組合員との乗務日数差分の不就労は，民法536条2項の責めに帰すべき事由による履行不能に当たるとした。

90）ただし，深夜業制限の場合，保育または介護ができる16歳以上の同居の家族がいる労働者，所定労働時間の全部が深夜にある労働者は対象外となる。

91）所定労働時間を原則として6時間とする措置を含むものとしなければならない（育介則74条）。なお，本条項から直接の私法上の効力が発生するわけではなく，事業主が労働時間短縮

労働者は除外されるほか，①雇用期間が1年未満の労働者，②週の所定労働日数が2日以下の労働者，③業務の性質または業務の実施体制に照らして，短時間勤務制度を講ずることが困難な業務に従事する労働者，については労使協定で対象外となしうる（同項但書，育介則73条）。他方，(3)〜(7)については，小学校就学前の子について努力義務とされた（育介24条）。

要介護状態にある対象家族を介護する労働者（日々雇用労働者を除くほか，育児のための短時間勤務と同様，上記①②も労使協定で対象外となしうる）で介護休業をしない者が申し出た場合，所定労働時間の短縮等の措置を講じなければならない（育介23条3項）。

さらに，転勤によって育児や介護が困難となる労働者について，事業主はその育児・介護の状況に配慮しなければならないものとされている（育介26条）。本条は配転命令権の濫用審査において参照されている（→477頁）。

Ⅶ　育児・介護支援措置利用に対する不利益取扱い禁止

育児介護休業法は，同法の規定したワーク・ライフ・バランス支援のための諸権利の行使に対する不利益取扱いを禁止している（育児休業〔10条〕，介護休業〔16条〕，子の看護休暇〔16条の4〕，介護休暇〔16条の7〕，所定外労働の制限〔16条の10〕，時間外労働の制限〔18条の2〕，深夜業の制限〔20条の2〕，所定労働時間の短縮〔23条の2〕）。

これらの規制は，均等法9条と同様，私法上の強行規定と解され，これに違反する法律行為は無効となり（平成21・12・28職発1228第4号・雇児発1228第2号），また，当該行為は不法行為法上違法と評価され，損害賠償責任を生ぜしめる[92]。

措置を講じ，それが労働契約内容となる必要がある（平成21・12・28職発1228第4号・雇児発1228第2号第9の4(4)ハ等）。

92）医療法人稲門会事件・大阪高判平成26・7・18労判1104号71頁［3ヶ月以上の育児休業により次年度の職能給につき昇給させず，また，昇格試験の受験資格を認めないとの取扱いにつき，遅刻，早退，年休等の不就労に比べて育児休業を不利益に扱うものであり，育児介護休業法10条の禁止する不利益取扱いに当たるとともに，同法が労働者に保障した育児休業取得の権利行使を抑制し同法の趣旨を実質的に失わせるものとして公序に反し，不法行為となるとした例］，X商事事件・東京地判平成27・3・13労判1128号84頁［育休中の退職扱い等の行為から，育休後の復職予定日以降の不就労につき使用者の帰責性を認めて賃金請求および不法行為に基づく損害賠償請求を認めた例］，シュプリンガー・ジャパン事件・前掲注61。なお，育介法10条違反とされたわけではないが，育児休業から復帰した労働者の担当業務変更に伴う降格，成果報酬査定におけるゼロ査定が人事権濫用で違法とされた例として，コナミデジタ

▩育児介護等関連ハラスメント防止措置義務　2016年改正で育児介護等関連ハラスメントに関する事業主の措置義務が育介法25条として導入され（2016年法25条），同28条に基づき「子の養育又は家族の介護を行い，又は行うこととなる労働者の職業生活と家庭生活との両立が図られるようにするために事業主が講ずべき措置に関する指針」（平成21厚労告509号，平成28改正）が発出されている。さらに，2019年の女性活躍推進法等改正法により，セクハラ対策の強化（→127頁），パワハラ防止措置義務の創設（→87頁）とともに，育児介護等関連ハラスメントについて，規制が拡充された。現状の規制は以下の通りである。

事業主は，育児休業，介護休業その他の子の養育または家族の介護に関する厚生労働省令で定める制度または措置の利用に関する言動により当該労働者の就業環境が害されないよう，当該労働者からの相談に応じ，必要な体制整備その他の雇用管理上必要な措置を講ずることが義務づけられ（育介25条1項〔2016年改正で導入された25条を同条1項としたもの〕），労働者がこの相談を行ったことや相談協力時に事実を述べたことに対する不利益取扱いは禁止される（同2項）。また，国は，育児介護等関連ハラスメント問題（法文上「育児休業等関係言動問題」と呼ばれる）についての理解を深める広報・啓発活動等の努力義務を負い（同25条の2第1項），事業主は，同ハラスメント問題に対する労働者の関心・理解を深める等の努力義務を負う（同2項）とともに，自らも，関心・理解を深め，労働者に対する言動に必要な注意を払う努力義務を負う（同3項）。また，労働者も，同問題に対する関心・理解を深め，他の労働者に対する言動に必要な注意を払い，法25条1項の事業主のハラスメント防止措置に協力する努力義務を負う（同4項）。

Ⅷ　育児休業取得状況の公表義務

常時雇用労働者数が1000人を超える事業主は，毎年少なくとも1回，雇用する労働者の育児休業の取得状況として，厚生労働省令で定めるものを公表しなければならない（育介22条の2，2023年4月1日施行）。

具体的には，雇用する男性労働者の育児休業等の取得率または雇用する男性労働者の育児休業等と育児目的休暇の取得率について，インターネットその他の適切な方法で公表することとされている（育介則71条の3，71条の4）。

ルエンタテインメント事件・東京高判平成23・12・27労判1042号15頁，育児休業明けに子の保育所が見つからない無期契約労働者が，合意の上で短時間有期（1年）契約に切り替えたことが不利益取扱いに当たらないとした例として，ジャパンビジネスラボ事件・東京地判平成30・9・11労判1195号28頁（なお，同控訴審・東京高判令和元・11・28労判1215号5頁は，一審では無効とされた有期契約の更新拒否〔雇止め〕も有効とし，最三小決令和2・12・8 LEX/DB25568650で上告不受理，確定）等がある。

第6章 賃　金

第1節　賃金制度と法規制

賃金は民法上，労働者が「労働に従事すること」への「報酬」として支払われるもの（民623条）であり，その額，算出基準，計算方法，支払方法等については，基本的に当事者間の合意，すなわち契約自由によって決せられる。

日本の賃金は，大別すると基本給，各種の手当，所定外給与（時間外労働手当等），そして賞与（ボーナス）から構成されている。日本では非常に多くの諸手当が支払われていること，賞与の年収に占める比率が高いことが諸外国と比べた場合の特徴である。これらの賃金のうち，最も比率が高く重要なのが基本給であるが，この基本給をどのように決定するかについても様々な制度があり得る。

▩賃金制度の変化と実情　従来，日本では年功序列賃金が一般的とされてきた。具体的には労働者の年齢・勤続年数に応じて増加していく年齢給・勤続給と呼ばれるものが基本給の中核であった。その後，こうした年功給を脱すべく職務遂行能力に着目する職能資格制度（労働者をその職務遂行能力に応じた資格・等級に格付けし，それによって賃金額を決定する制度）が普及した。しかし，職務遂行能力判断を年功的に行うなど，職能資格制度の運用もまた年功的になっていった。1990年代以降になると，成果に着目する成果主義賃金や，当該職務に着目した職務給，役割給・責任給等，様々な賃金制度が試みられている。その結果，現在は，定額給たる「基本給」は，本人の属性（学歴，年齢，勤続年数）によって決まる年齢給・勤続給，本人の職務遂行能力によって決まる職能給，当該職務の価値によって定まる職務給や役割給・責任給，本人の成果によって決まる成果・業績給などから構成されることが多い。これに各種の「手当」（これも属人的に定まる家族手当・住宅手当・通勤手当等と，職務に関連して定まる役職手当・特殊勤務手当等がある）が加わる。そして年に2回程度，賞与（固定部分と業績連動部分からなることが多い）が支払われる企業も多い。

賃金制度は，時代や社会状況の変化に応じて，常に当事者の創意工夫によって様々な制度を試みる余地が認められるべきものである。そこで，法は，特定の賃金制度を強制するものではなく，いかなる賃金制度を採用するかを原則として当事者に委ね，賃金の額についての直接的規制は最低賃金法が時間当たりの最低額を規制するに留めてきた。しかし，賃金を生活の糧としている労働者保護の必要性から，一旦発生した賃金の支払については，労働基準法，賃金支払確保法による規制があり，また，民商法，倒産法分野においても賃金請求権の保護について一定の規制が行われている。さらに，最近は，差別禁止規制や正規・非正規格差是正規制による賃金制度の見直しも進展しつつある。

第2節　賃金請求権の成否

労働契約は労働の提供とそれに対する賃金支払を基本内容とする有償双務契約である（労契6条，民623条）。ところが，使用者の主たる義務である報酬支払義務，労働者から見ると賃金請求権はいつの時点で具体的に発生するのかという問題や，労働義務の履行がなされなかった場合の賃金請求権の帰趨といった基本問題について，学説の議論は現在でもかなり錯綜している[1)]。議論を整理すると，賃金請求権は次の4つの場合に成立すると解することができる[2)]。第1が，労働契約の義務の履行として労働がなされた場合である。第2に，労働がなされない場合であっても，賃金支払の合意が存在し，当該合意を根拠に賃金請求権が生ずる場合である。第3に，債権者（使用者）の責めに帰すべき事由により履行不能（労働提供不能）となった場合に関する民法536条2項によって賃金請求権が肯定される場合である。第4に，最低賃金法によって同意がなくとも強行的に最低賃金請求権が発生する場合がある。これについては最低賃金法による特別の規制に基づくものなので，のちに取り扱うこととし（→第6節），前3者について以下順次検討する。

1)　学説の状況については，盛誠吾「賃金債権の発生要件」講座21世紀5巻60頁，注釈労基法（上）371頁以下［水町勇一郎］，新基本法コメ・労基・労契法80頁以下［土田道夫］等参照。
2)　山川・雇用法121頁以下参照。

I 双務契約における義務の履行としての労務提供

労働契約の成立要素は，労働者の労働提供と使用者の賃金支払に関する合意であり（労契6条），ある労務供給契約が労働契約と評価されるためには賃金支払についての合意が不可欠である[3]。賃金請求権は通常，この労働契約の義務の履行としての労働（労務提供）によって具体的に発生する。

労働義務の履行といえるためには，その労務の提供が債務の本旨に従ったものである必要がある。したがって，使用者の適法な業務命令に従わない労務を提供しても，賃金は発生しない[4]。

民法は「労働者は，その約した労働を終わった後でなければ，報酬を請求することができない」（民624条1項）とし，期間によって定めた報酬は，その期間が経過した後（月給制の場合，月の終了時点）に請求できる（同2項）として，賃金後払いの原則を定めている。これは，上記の労働が実際になされた場合に初めて賃金請求権が発生すること，すなわち「ノーワーク・ノーペイの原則」を規定したものと理解することができる[5]。

▩履行の割合に応じた報酬請求　2017年民法改正により，民法624条の2が新設され，労働者は，使用者の責めに帰することができない事由により労働従事が不能となった場合，雇用が履行の中途で終了したとき（解雇された場合等），既に履行した割合に応じて報酬を請求できることとされた。これはこれまでの解釈を明文化し，請負・委任・寄託における規制と同様の規制を導入したものとされている[6]。

しかし，この民法624条は任意規定と解されており，ノーワーク・ノーペイの原則自体も，強行的規範ではなく，これと異なる合意を許容する任意的規範に留まると解される[7]。したがって，次項で見るように，ノーワーク・ノーペ

3） これは，労基法・労契法における労働者性判断において労務対償性のある報酬を受け取るものであることを要件とすることに対応する（→53頁）。

4） 水道機工事件・最一小判昭和60・3・7労判449号49頁［出張業務・外勤業務命令を拒否して内勤業務に従事した例］，新阪神タクシー事件・大阪地判平成17・3・18労判895号62頁［タクシー運転手が乗務員証の表示・ネクタイ着用に関する適法な指示を拒否したまま乗務した例］。

5） 山川・雇用法121頁。

6） 筒井健夫・松村秀樹編著『一問一答・民法（債権関係）改正』331頁（2018年）。

7） 宝運輸事件・最三小判昭和63・3・15民集42巻3号170頁も「賃金請求権は，労務の給付と対価的関係に立ち，一般には，労働者において現実に就労することによつて初めて発生する後払的性格を有する」（傍点筆者）と，あくまで一般的な原則について述べたもので，この例

ィの原則と異なる当事者間の合意があれば，労働がなされなくとも賃金請求権が成立する場合がある。

逆に，この双務契約たる労働契約の本質的部分を構成する労働と賃金の牽連関係からは，労働がなされた場合について明示的な賃金支払合意を認定できない場合にも，合理的契約解釈として黙示の賃金支払合意を認定することが許容され得る[8)]。しかしこれもやはり任意的解釈原則に留まり，賃金請求権の帰趨について異なる合意があればそれによる。

Ⅱ　合意に基づく賃金請求権

Ⅰの場合とは異なり，労働がなされない場合であっても，当事者間に賃金を支払う旨の合意があれば賃金請求権は発生する。例えば，完全月給制のように，遅刻や早退をしても賃金を減額しない旨の合意があれば，労働のなされなかった時間についても賃金請求権は当該合意を根拠として発生する[9)]。また，家族手当や住宅手当等も，労働義務の履行にかかわらず支払う合意があれば，それに従ってこれらの手当（賃金）請求権が根拠づけられる。

この点に関連して，かつて，「賃金二分論」という考え方が主張された。すなわち，賃金には「交換的・対価的部分」と従業員たる地位に基づく「報償的・保障的部分」（例えば家族手当や住宅手当等）があり，ストライキによる不就労の場合に賃金カットできるのは前者に限られ，後者についてはなし得ないと主張し，一時は最高裁[10)]もこれに従ったかに見えた。しかし，賃金の性格をこのように当事者の意思と無関係に抽象的一般的に二分し，保障的部分については不就労でも賃金カットをなし得ないとする根拠は見出し難い。現在では判

外が認められる余地を示唆していると解される。

8)　この問題を労基法上の労働時間に対する賃金請求権に関する解釈として論じたものとして，荒木・労働時間306頁以下。判例（大星ビル管理事件・最一小判平成14・2・28民集56巻2号361頁）も「労働契約は労働者の労務提供と使用者の賃金支払に基礎を置く有償双務契約であり，労働と賃金の対価関係は労働契約の本質的部分を構成しているというべきであるから，労働契約の合理的解釈としては，労基法上の労働時間に該当すれば，通常は労働契約上の賃金支払の対象となる時間としているものと解するのが相当である」としてかかる契約解釈を肯定している。

9)　荒木・労働時間7頁以下。

10)　明治生命事件・最二小判昭和40・2・5民集19巻1号52頁。

例[11]・通説[12]ともに，かかる賃金請求権の有無は，賃金二分論によってではなく，当事者間で労務不提供にもかかわらず支給する合意があったか否かによって判断すべきものと解している。

Ⅲ 労務の履行不能と賃金請求権

第3に，労働がなされず，当事者間に賃金支払合意がなくとも，民法536条2項によって，賃金請求権が根拠づけられる場合がある[13]。民法536条2項によると，債権者（履行不能となった労務提供義務の債権者たる使用者）の責めに帰すべき事由により履行不能となった場合，債権者（使用者）は，反対給付（労働義務の反対給付たる賃金）の履行を拒むことができないこととなる[14]。本条は権利濫用により無効と評価される解雇や休職，自宅待機等，労働者が使用者の責めに帰すべき事由により労務を履行できなくなった場合についての賃金請求権の帰趨を決する重要な機能を営んでいる。

1 民法536条2項の適用要件

民法536条2項が適用されるためには，第1に労働義務が「履行不能」となっていることが必要である。ここで履行不能（労務提供不能）とは物理的に履行不能である場合（例えば工場の焼失）に限らず，社会通念上不能であればよい。したがって，使用者が解雇を行った場合や，出勤停止を命じている場合などのほか，使用者が明確に労務の受領を拒否して就労が社会通念上不能となっていると解される場合には，履行不能と評価してよい。

第2に，履行不能が使用者の責めに帰すべき事由によることが必要である。解雇権濫用と評価された解雇[15]や使用者による正当な理由のない労務受領拒否によって就労不能となった場合[16]が典型例である。

11） 三菱重工長崎造船所事件・最二小判昭和56・9・18民集35巻6号1028頁。

12） 学説については注釈労基法（上）373頁［水町勇一郎］参照。

13） 基本文献として土田編・債権法改正148頁［村中孝史＝坂井岳夫］。

14） 2017年民法改正までは，同じ趣旨であるが，債務者（労働義務の債務者たる労働者）は，反対給付を受ける権利を失わないと規定されていた。

15） 清心会山本病院事件・最一小判昭和59・3・29労判427号17頁［ユニオン・ショップ協定に基づく解雇が無効とされた事例］。

16） 大学准教授に自宅待機を命じ労務の受領を拒否し続けていることは大学側の責めに帰すべき事由によるものであるとして准教授からの賃金支払請求を認容した例として学校法人市邨学園（名経大短期大学部）事件・名古屋地判平成26・4・23労判1098号29頁。

使用者の労務受領拒否は，労働者が債務の本旨に従って労務提供しなかったことを理由になされることが少なくなく，この場合の帰責性判断が問題となる。理論的には，民法536条2項が適用される前提として，労働者は債務の本旨に従った履行の提供を行っていることが要求されるので，債務の本旨に従わない履行提供であれば，これを使用者が受領拒否し，結果として，労働義務が履行不能となっても，それは民法536条2項の債権者の責めに帰すべき履行不能ではない[17)]。ここでは，債務の本旨をどのように解するかが重要な解釈問題となるが，日本では職務内容を契約で明確に定めていないことから，事案によっては微妙な判断となる。最高裁片山組事件判決は，職種や業務内容を特定せずに労働契約を締結した労働者が，現に命じられた特定の業務を十全にできない場合でも，当該労働者が配置される現実的可能性がある他の業務について労務提供が可能で，かつ，その提供を申し出ているならば，なお債務の本旨に従った履行の提供と解するのが相当としている[18)]。解雇の場合のように使用者の受領拒否が明確なら，現実の履行の提供を問題とすることなく，労務の履行は不能となったと解される[19)]。使用者の帰責事由によって履行不能となったという因果関係の主張立証責任は原告たる労働者が負う。この点に関連して，裁判例の中には，労働者が履行の意思と能力を有することについても，民法536条2項の要件事実として原告が主張立証責任を負うとするものがある[20)]。確かに，使用者が受領拒否している間に，労働者が労務履行の意思と能力を喪失した場合，使用者の帰責事由と履行不能の因果関係が切断されることがある（例えば，使用者が受領拒否している間に，所属組合がストライキに突入し当該労働者も就労意思を有しない場合や，労働者が私傷病で労働能力を失った場合）。しかし，履行の意思

---

17)　JR東海（新幹線減速闘争）事件・東京地判平成10・2・26労判737号51頁［減速闘争を行おうとする新幹線運転士が就労拒否された事例につき，債務の本旨に従った労務提供といえないとして使用者の帰責事由否定］。

18)　片山組事件・最一小判平成10・4・9労判736号15頁［バセドウ病に罹患し，工事の現場監督業務に従事できなくなった労働者が内勤の事務作業なら可能として就労を申し出たが，使用者が自宅療養命令を維持して欠勤扱いを継続した事例］。

19)　ペンション経営研究所事件・東京地判平成9・8・26労判734号75頁，本山製作所事件・仙台地判平成15・3・31労判849号42頁。

20)　例えば，ペンション経営研究所事件・前掲注19，オスロー商会ほか事件・東京地判平成9・8・26労判725号48頁，ユニ・フレックス事件・東京地判平成10・6・5労判748号117頁，本山製作所事件・前掲注19。

や能力の喪失が使用者の責めに帰すべき事由によって引き起こされた場合は，なお民法536条2項の使用者の帰責事由を肯定し得る[21]。したがって，使用者の帰責事由と履行不能の因果関係の立証とは別個に，労務履行の意思と能力の存在自体を原告が主張立証すべき民法536条2項の要件事実と解するのは適切でない[22]。また，解雇されて他で雇用されている事実から，当然に就労の意思を喪失しており，帰責事由と履行不能の因果関係がないと解すべきでもない[23]。

2　休業手当との関係

労基法26条は，「使用者の責に帰すべき事由による休業の場合においては，使用者は，休業期間中当該労働者に，その平均賃金の100分の60以上の手当を支払わなければならない」とする。

立法に当たっては，「労働者の責に帰すことのできない事由」による休業の場合に，一定の保障を行うことが議論されたが，不可抗力の場合にまで使用者に休業手当支給義務を課すのは妥当ではないとされ，「使用者の責に帰すべき事由による休業」と規定されることとなった。そうすると，民法536条2項の規定する「債権者の責めに帰すべき事由」による履行不能との異同や，民法の場合100％の賃金（反対給付）が支払われるのに，労基法26条の場合は平均賃金の60％以上の手当となっている点についてどう理解すべきかが問題となる。

まず，両規定の関係であるが，労基法26条は民法536条2項の適用を排除するものではない。むしろ，労基法26条は，民法536条2項によって支払わ

21)　新聞輸送事件・東京地判昭和57・12・24労判403号68頁［臨時従業員らが，使用者の雇い入れた者らから木刀，ヌンチャク等による集団的暴行・傷害を受け，その後も暴行を受ける危険が除去されていないことを理由に労務を提供しなかったことは，使用者の責めに帰すべき履行不能に当たるとした例］。

22)　山川隆一・ペンション経営研究所事件判批・ジュリ1138号133頁（1998年），盛誠吾「賃金債権の発生要件」講座21世紀5巻78頁，土田・契約法249頁等。

23)　解雇の場合の中間収入控除の議論（→359頁）は，他所で雇用されていても民法536条2項の適用があり得ることを当然の前提としている（盛・前掲注22・79頁）。なお，新日本建設運輸事件・東京地判平成31・4・25労経速2393号3頁は，解雇された後，他社に再就職し，約1年経過した時点で客観的に就労意思を喪失するとともに退職の黙示の合意が成立したとして賃金請求をその時点までに限定したが，同控訴審・東京高判令和2・1・30労判1239号77頁は，被解雇労働者が，解雇後に生活の維持のため，他の就労先で就労すること自体は復職の意思と矛盾するとはいえず，解雇前と同水準以上の給与を得た事実をもって，元の企業での就労意思を喪失したと認めることはできないとして，一審判断を覆している。

れるべき賃金のうち平均賃金の6割に相当する部分について罰則によって支払を担保するとともに，民法536条2項後段に規定されている債務を免れたことによる利益の償還を定めないことにより，労働者への平均賃金6割相当額の支払を確保する点で労働者保護を強化したものと解される（解雇権濫用の場合の中間収入控除の場合につき→359頁）。

次に，両規定の帰責事由の解釈については，現在の判例[24]・通説[25]によると，労基法26条にいう「使用者の責に帰すべき事由」は，民法536条2項の帰責事由（故意・過失または信義則上それと同視すべき事由）より広く，民法上は帰責事由とされないような「使用者側に起因する経営，管理上の障害を含む」と解されている。例えば，監督官庁の勧告による操業停止，親会社の経営難のための資金・資材の入手困難[26]等は，民法上は使用者の帰責事由とはいえないが，労基法26条にいう使用者の帰責事由には該当するとされている。ただし，不可抗力による場合は「使用者の責に帰すべき事由」ということはできない。

▩コロナ禍における休業と休業手当・賃金　行政解釈は，不可抗力による休業は労基法26条の使用者の責めに帰すべき事由には当たらないとの原則を確認した上で，不可抗力による休業といえるためには，①その原因が事業の外部より発生した事故であること，②事業主が通常の経営者としての最大の注意を尽くしてなお避けることができない事故であること，の2要件を充たす必要があるとしている。そして，新型インフルエンザ等対策特別措置法に基づく対応が採られる中で，営業自粛の協力依頼や要請を受けた場合には，①は満たされ，さらに②に該当するには，使用者として休業回避の具体的努力を最大限尽くしているといえることが必要で，自宅勤務などで業務従事が可能である，あるいは，他に就かせる業務があるにもかかわらず休業としている場合は，これに当たらない趣旨を説いている（厚生労働省「新型コロナウイルスに関するQ&A（企業の方向け）4　問7)[27]。なお，コロナ禍による事業縮小に伴う休業に対して使用者が休業手当を支払った場合は，労基法26条の休業手当の要否に関係なく，雇用調整助成金がその対象期間，申請期限を延長し，また助成率も引き上げて支給する対応が採られた（上記Q & A4　問6）。

いわゆるシフト制勤務の労働者（予め就業日・就業時間が特定されておらず，シフトの割当てによって就業日・就業時間が特定される者）について，勤務日数・勤務時間数について

24）　ノース・ウエスト航空事件・最二小判昭和62・7・17民集41巻5号1283頁。

25）　有泉・労基法257頁，菅野457頁。

26）　昭和23・6・11基収1998号。

27）　ホテルステーショングループ事件・東京地判令和3・11・29労判1263号5頁［コロナ禍におけるラブホテルのルーム係の休業について，事業を停止したのではなく，売上げの状況を踏まえ，従業員の勤務人数・勤務時間数を調整していたのであるから，当該休業は不可抗力によるものではなく，使用者の責めに帰すべき事由によるものとした］。

合意があったとは認められないとしつつ，合理的理由なき大幅なシフト削減は権限の濫用に当たり違法で，不合理に削減された勤務時間に対応する賃金（直近3ヶ月の賃金の平均額との差額）につき民法536条2項に基づき請求できるとした裁判例[28]がある。シフト制労働者についての先例は，契約の合理的意思解釈により少なくとも一定の勤務日数が黙示的に合意されていたと認定した上で，勤務日数削減に民法536条2項を適用していた[29]こととの関係で，理論的・政策的に詰めるべき課題が提示されているように思われる。

第3節 労働基準法上の賃金

I 労働基準法上の「賃金」の定義の意義

労基法11条は，「この法律で賃金とは，賃金，給料，手当，賞与その他名称の如何を問わず，労働の対償として使用者が労働者に支払うすべてのものをいう」と定義している。この定義は，第1に，労基法の賃金に関する諸規制[30]の対象となる「賃金」を明らかにする。第2に，労基法上の「労働者」の定義における重要な構成要素となる（労基9条）。第3に，労基法は「平均賃金」（労基12条）を基礎として算出される種々の手当[31]の支払を義務づけているところ，この「平均賃金」の算定基礎となる「賃金」を明らかにする。

これらの規制では，賃金をなるべく広く把握した方が，支払規制の及ぶ諸手当が増え，また，労基法の適用範囲が広がるなど，労働者保護に資することとなる。そこで，労基法11条は賃金を「名称の如何を問わず，労働の対償として使用者が労働者に支払うすべてのもの」と幅広く定義している。

労基法11条の定義からは，賃金とは，①労働の対償であること，②使用者が労働者に支払うもの，という2つの要件が明らかとなる。

28） 有限会社シルバーハート事件・東京地判令和2・11・25労判1245号27頁。

29） 萬作事件・東京地判平成29・6・9労判ジャーナル73号40頁，ホームケア事件・横浜地判令和2・3・26労判1236号91頁，医療法人社団新拓会事件・東京地判令和3・12・21労判1266号44頁。

30） 男女同一賃金（労基4条），賃金支払の諸原則（同24条）のほか，契約締結時の労働条件明示（同15条），前借金との相殺禁止（同17条），死亡・退職時の賃金支払（同23条），非常時における賃金支払（同25条），出来高払制の場合の保障給（同27条），時間外・休日・深夜労働に対する割増賃金（同37条），就業規則記載事項（同89条2号），賃金台帳作成（同108条）における規制でも対象となるのは「労基法上の賃金」である。

31） 解雇予告手当（労基20条），休業手当（同26条），年休手当（同39条9項），業務上災害に対する補償（同76条～82条）。

Ⅱ　労働の対償

「労働の対償」は極めて広く把握されている。その結果，何が労働の対償に当たるかではなく，何が労働の対償には当たらないかという，いわば消去法によってその範囲を画するという手法が採られている。すなわち，使用者の支払う給付のうち，次のものは労働の対償に当たらないと解されている。

1　任意的恩恵的給付

まず，「任意的恩恵的給付」に該当すれば労働の対償たる賃金ではないと解されている。しかし，任意的恩恵的給付か否かは，名称ではなく，労働協約，就業規則，労働契約等において，その支給基準が明定され，それに従って使用者に支払義務があるかどうかによって判断される。したがって，結婚祝い金等の名称が付されていて労働との直接的対応関係はない給付であっても，支給基準が定められ，その結果労働者側に広義の労務提供の対価として支給されるという期待が生ずる給付は，広い意味で「労働の対償」に当たり，賃金とみなしてよいという考え方が採られている。

しかし，このように広義に賃金を捉えると，賃金支払の諸原則との関係で問題が生ずることも少なくない。これまでの通説・行政解釈は，賃金の概念自体は広く解し，それで問題のある場面は，個別的に対処を考えればよいという立場を採ってきたということができる。

⑴　慶弔禍福の給付

結婚祝い金，災害見舞金，近親者死亡の場合の弔慰金等の「恩恵的給付」は原則として労働の対償とはいえず，その給付の法的性格は「贈与」である。

しかしながら，これらの給付であっても，労働協約，就業規則，労働契約で支給基準が明確化され，それに従って使用者に支払義務があるものは「労働の対償」と解されており，賃金となる[32]。

⑵　退 職 金

退職金も，支給基準が定まっておらずその支払が使用者の裁量に依存する場合は，賃金ではない。これに対して，退職手当支給について労働協約，就業規則等に規定があり，その支給基準が明定され，それに従って使用者に支払義務

---

32)　昭和22・9・13発基17号。

が生ずる場合は，「賃金」に該当する[33]。ただし，賃金と認められる場合であっても，退職金にはなお功労報償的性格も混在していることから，一定の場合に退職金の減額・没収の規定が置かれることがあり，後述するように賃金全額払い原則との関係が問題となる。

退職金が年金の形で支給される場合も，上記の基準によって賃金該当性が判断される。ただし，退職金・退職年金が社外機関に積み立てられ，これらの機関から退職労働者に支払われる場合には，「使用者が支払うもの」に該当せず，労基法上の賃金とはならない。

(3)　賞与（一時金・ボーナス）

賞与・ボーナス等の一時金も支給時期，額，計算方法等が定められ，それに従って支払われる場合は「賃金」となるが，そうではなく，使用者の裁量によって支払われるものは賃金ではない。

(4)　現物給与ないし利益の支給

現物給与であっても，その分だけ賃金が減額される場合，およびその支給が明確に義務づけられている場合は「賃金」となる。

2　ストック・オプション

いわゆるストック・オプション制度とは，会社が取締役や労働者に対して，自社の株式を将来において予め設定された価格で購入することのできる権利を付与しておき，労働者らがこの設定価格で株式を購入して，権利行使価格より高い株価で売却することによってその差額分の利益を得られるという制度である。1997（平成9）年商法改正によって導入され，2001（平成13）年商法改正後は「新株予約権」の一つ（新株予約権の無償発行）と位置づけられている。

行政解釈は，ストック・オプション制度では，権利付与を受けた労働者が権利行使を行うか否か，また，権利を行使するとした場合に，権利行使の時期や株式売却時期をいつにするかを労働者の決定に委ねていることから，同制度から得られる利益は労働の対償ではなく，労基法上の賃金に当たらないとしている。したがって，本来支払うべき賃金に代えて，ストック・オプションを付与し，賃金を減額したりすることは，賃金全額払い原則に違反することになる。

---

33)　伊予相互金融事件・最三小判昭和43・5・28判時519号89頁参照。ちなみに，1987年の労基法改正以降，退職手当について定めをする場合，退職手当の決定，計算および支払の方法，支払の時期に関する事項を就業規則に明定することが要求されている（労基89条3号の2）。

もっとも，ストック・オプションの付与自体は労働条件の一部として，就業規則の相対的必要記載事項（労基89条10号）となる[34]。

ちなみに，税法上，ストック・オプションの行使によって得られた利益が給与所得と一時所得のいずれに当たるのかが争われてきたが，最高裁によって，精勤の動機づけなどのために職務遂行の対価として付与される以上，給与所得に当たるとの判断が下されている[35]。

▩ストック・オプションの位置づけ　行政解釈は上記のように，ストック・オプションを労基法上の賃金ではないと位置づけているが，利益の発生時期や額が労働者に委ねられる点は現物給付や株式付与[36]の場合と同様である[37]。むしろ，ストック・オプションの賃金性を承認した上で，労基法24条1項の通貨払い原則の例外として認める法令上の措置を採ることも立法論として検討されてよいと思われる。

3　福利厚生給付

労働者の福祉のために支給される利益や費用は「福利厚生給付」として「労働の対償」とはいえないとされている。典型例は，資金貸付け，金銭給付，住宅貸与，従業員のためのレクリエーション施設の提供などである。

家族手当[38]や住宅手当等は，支給規程等によりその支給基準が明定されている場合は，賃金に当たる。

4　業務必要経費

企業設備，作業備品，業務関連経費等の実費弁済は，本来企業が業務遂行のために負担すべきものであり，作業服[39]，作業用品代，出張旅費，社用交際費，器具損料等は，通例，「労働の対償」ではない。

34）以上につき，平成9・6・1基発412号。

35）荒川税務署長事件・最三小判平成17・1・25民集59巻1号64頁。

36）ジャード事件・東京地判昭和53・2・23労判293号52頁［従業員持株制度に基づき賞与として支給することを確約した株式を労働の対償（賃金）に当たるとし，株式支給は労基法24条1項の現物給与禁止に反するとした］，リーマン・ブラザーズ証券事件・東京地判平成24・4・10労判1055号8頁［株式褒賞プログラムに定められ報酬の一部として与えるとされた株式付与の賃金性を肯定し，かつ，合意を根拠に通貨払いの例外を認めた］。

37）土田・契約法241-242頁は，この点を指摘しつつ，権利付与の時点で不確定な利益であることから，賃金としての利益性を欠き，また法的保護の必要性も乏しいことから労基法上の賃金に当たらないと解すべきとする。

38）日産自動車事件・東京地判平成元・1・26労判533号45頁［家族手当支給規程により支給基準が明定されている家族手当の賃金該当性を肯定］。

39）昭和23・2・20基発297号。

なお，通勤手当に関しては，法律的には労務の提供も持参債務（民484条1項）であるので，その弁済のために労働者は自己の費用で（民485条）債権者（使用者）の住所に赴いて履行すべきことになる。したがって，労務を提供するための通勤手当は業務必要経費とはいえず，支給基準が明定されている場合には「賃金」となる。

Ⅲ　使用者が労働者に支払うもの

「使用者が労働者に支払う」ものという「賃金」の第2の要件によって，ホテルや飲食店で客から従業員に支払われるチップは賃金ではないことになる。しかし，レストランやバーなどで「サービス料」が当日の労働に従事した労働者に機械的に分配される場合は賃金となる。

既述のように，企業年金のうち，社外の積立機関から支払われるもの（厚生年金基金，確定給付企業年金，確定拠出年金等）は，使用者が支払うものに該当せず賃金ではない。

また，従業員が死亡した場合に遺族に支払われる死亡退職金は，通例，遺族が直接の請求権を有するもの[40]であり，労働者に支払われるものではないので，賃金には当たらない。

第4節　各種賃金制度の法律問題

Ⅰ　賞　与

賞与（一時金・ボーナス）については，就業規則等に「賞与は毎年2回，6月と12月に支給する」といった条項が置かれることが多いが，このような抽象的条項のみでは賞与の額は確定せず，賞与に対する具体的請求権が成立しているとはいえない[41]。賞与の具体的な額は，労働組合がある場合は通例，労使

40）　日本貿易振興会事件・最一小判昭和55・11・27民集34巻6号815頁。

41）　須賀工業事件・東京地判平成12・2・14労判780号9頁，N興業事件・東京地判平成15・10・29労判867号46頁，福岡雙葉学園事件・最三小判平成19・12・18労判951号5頁［「その都度理事会が定める金額を支給する」との期末勤勉手当規定があるに留まる事案について，その請求権は，理事会が支給すべき金額を定めることにより初めて具体的権利として発生するとした］，大阪府板金工業組合事件・大阪地判平成22・5・21労判1015号48頁等。

交渉を経て，組合がない場合は使用者が具体的な算定方式や支給額を決定することによって決まる。客観的要素（年齢，勤続年数，職種，出勤日数等）によって支給額が定まる部分と，勤務実績，人事考課等の使用者の主観的評価によって決定される部分があることが多い。算定方式の中に査定等の評価要素が含まれている場合，そうした使用者の評価を経て具体的に額が確定する。

このような賞与は，労基法上，平均賃金の算定基礎（労基12条4項）および割増賃金の算定基礎からそれぞれ除外され（同37条5項，労基則21条5号），また，毎月一定期日払い原則の適用も除外される（労基24条2項但書）。行政解釈は，かかる例外的取扱いが認められる「賞与」とは，「支給額が予め確定されていないもの」をいうとしている[42]。

賞与には，固定費的な基本給と異なり，変動費として賃金制度に柔軟性をもたらす性格がある。すなわち，毎年の企業業績に応じて賞与原資を決定でき，また，個人の業績に沿った配分が可能となる。さらに，基本給を引き上げると割増賃金や退職金などに直接反映されるが，賞与は割増賃金算定基礎から除外されており（労基37条5項，労基則21条5号），退職金にも直結しないため，柔軟な対応が可能となる。もっとも，実際の運用は，賞与原資について業績リンク方式を採用している企業は少なく，個人への配分についても基本給に対する倍率で決める定率部分が大部分を占め，考課査定部分は限定的とも観察されていた[43]。しかし，近時，業績連動方式の増大および個人配分についての考課査定部分の増加が見られ，賞与の変動費としての機能は確実に強まりつつあると指摘されている[44]。

賞与は，一定期間の勤務に対して，後日支払われるものであるため（4～9月の勤務に対して12月に支払われる等），支給要件として，支給日に在籍していることという条項が置かれることが少なくない。賞与が純然たる賃金の後払いであれば，このような条項は無効となるが，賞与には，賃金の後払いとしての性格と，功労報償的性格，さらには将来の貢献に期待する給付としての性格等が混在している。そこで，こうした支給日在籍要件の有効性が問題となる。

---

42)　昭和22・9・13発基17号，平成12・3・8基収78号。

43)　以上につき今野浩一郎＝佐藤博樹『人事管理入門』174頁（2002年）。

44)　今野浩一郎＝佐藤博樹『人事管理入門（新装版）』216頁以下（2022年）。

判例は支給日在籍要件を有効と認める傾向にある[45]。ただし，賞与が当初の支給予定日に大幅に遅れて支給され，その間に労働者が退職した場合には，賞与請求権が認められている[46]。

労働者側に責任のない会社都合による退職（定年退職）・整理解雇のように，退職時期を労働者が選べない場合は，支給日在籍要件により不支給とすることは公序違反として許されないと解すべきとの見解が学説では有力である[47]。これに対して，労働者に責任のある非違行為による解雇の場合は，賞与の功労報償的性格を考えると不支給としてよいであろう[48]。

▩業績連動報酬の請求権　基本給とは別に，年単位で，会社および従業員個人の業績等の諸要素を勘案して会社の裁量により支給の有無およびその金額が決定される業績連動型報酬について，最高裁[49]は，賞与についての具体的請求権の発生に関する福岡雙葉学園事件・前掲注41を参照して，その支給の実績および具体的な支給額等に係る使用者の決定または労使間合意もしくは労使慣行が存在しないという事情の下では，具体的な請求権は発生していないとして，請求の一部を認容した原審判断を破棄している。

Ⅱ　年 俸 制

成果主義賃金とともに導入されてきた日本の年俸制は，賃金の全部または相当部分を労働者の業績等に関する目標の達成度を評価して年単位に設定する制度と解される[50]。年俸制は，労働時間の長さではなく労働者の成果に着目して1年間の賃金を設定する制度であるので，現行法の下では，実労働時間規制の適用を除外される管理監督者（労基41条2号），高度プロフェッショナル制度適用対象労働者（同41条の2），そしてみなし時間制に服する裁量労働制の適用

---

45)　大和銀行事件・最一小判昭和57・10・7労判399号11頁。

46)　ニプロ医工事件・最三小判昭和60・3・12労経速1226号25頁［例年6月に支給される夏期賞与支給が9月13日と遅れた結果，支給日に在籍しなかった退職者の賞与請求認容］，須賀工業事件・前掲注41。

47)　菅野和夫『労働法』（初版）161頁（1985年），安枝＝西村・労基法170頁，山川・雇用法124頁。裁判例として，リーマン・ブラザーズ証券事件・前掲注36［整理解雇で退職した事案につき，支給日在籍条項を民法90条により無効とした］。

48)　ヤマト科学事件・東京高判昭和59・9・27労判440号33頁［支給対象期間は在籍していたが，支給日前に懲戒解雇された労働者からの一時金請求を棄却］。

49)　クレディ・スイス証券事件・最一小判平成27・3・5判タ1416号64頁。

50)　菅野436頁。

対象労働者（同38条の3，38条の4）に適合的な賃金制度である。これに対して，実労働時間規制に服する一般の労働者については，仮に年俸制を採用しても，法定時間外労働に対する割増賃金の不足分があれば別途支払う必要が生ずる。

また，労基法24条2項の毎月1回以上一定期日払いの原則（→167頁）により，年俸制であっても賃金は毎月に分けて支払う必要がある。そして，年俸額の17分の1を毎月の基本給に，17分の5を年2回の賞与に充当する場合のように，既に額が確定しているものは，割増賃金の算定基礎から除外できる「賞与」には当たらないとされている[51]。

年俸制では，労働者と使用者とが当該年度の業績等を踏まえて次年度の年俸額を合意することが予定されている。次年度の年俸の合意が成立しない場合，使用者が年俸額を一方的に決定できるためには，そのような権限が労働契約上有効に設定されていることが必要となる。この一方的年俸額決定権限を就業規則によって設定するためには，合理的な年俸額決定の手続を用意しておくことが要請される。近時の裁判例には，期間の定めのない雇用契約における年俸制において，年俸額の合意不成立の場合に使用者の一方的決定権限が認められるためには，年俸額決定のための成果・業績評価基準，年俸額決定手続，減額の限界の有無，不服申立手続等が制度化されて就業規則等に明示され，かつ，その内容が公正なものであることが必要とし，かかる要件が満たされない場合，前年度の年俸額の引下げは許されないとしたものがある[52]。

上記の基準が，合意不成立の場合に使用者が一方的に年俸額決定をなし得るための「要件」として要求されている点は，企業の多様性や賃金制度の工夫の余地を不当に制約すべきでないことを考えると，やや厳格にすぎるように思われる。労働契約における合意原則（→312頁）に照らして考えると，労働者が一方的賃金決定権を使用者に付与する旨を合意した場合は，それが強行規定や公序に反しなければ契約内容となるはずである。また，そのような権限付与の合意が存しない場合には，就業規則で設計した賃金決定制度が，合理的なもので

51）　平成12・3・8基収78号。

52）　日本システム開発研究所事件・東京高判平成20・4・9労判959号6頁。これに対して，年俸額の協議が調わない場合，使用者は協議を打ち切って年俸額を決定でき，労働者はその決定の裁量権逸脱を訴訟上争えると解するのが相当とした裁判例として，中山書店事件・東京地判平成19・3・26労判943号41頁。

あれば，契約内容となるはずである（労契法7条，10条参照）[53]。そうすると，ここで説かれている内容は，制度が有効となるための要件ではなく，制度が契約内容となるための合理性を判断する重要な「要素」と位置づけるのが妥当と思われる。

なお，年俸額が具体的に合意された後，当該年度途中に使用者がこれを一方的に引き下げることは許されないと解される[54]。

Ⅲ　退職金

退職金には，賃金の後払い的性格（算定基礎賃金に勤続年数別の支給率を乗じて算定されることに着目）と，功労報償的性格（勤続年数が増えるにつれて支給率が上昇する，自己都合退職より会社都合退職の方が支給率が高い，競業避止義務違反の場合に没収・減額がある，懲戒解雇の場合に不支給となり得る等に着目）が混在している。企業は，懲戒解雇や競業避止義務違反等一定の事由の存する場合に退職金を減額・不支給とする旨の定めを置くことが多く，その有効性が問題となる。

この点について，退職金請求権は毎年の勤続によって既に発生しており，その支払が退職時まで猶予されていると解すれば，退職金の減額や没収は賃金全額払い原則（労基24条1項）違反となり許されなくなる。これに対して，退職金請求権は，退職時に，減額・不支給事由の存否を踏まえて確定的に発生すると理解すれば，全額払い原則違反の問題は生じない。判例・通説は，基本的に後者の立場を採り，全額払い原則違反の問題としてではなく，退職金の減額・不支給条項の合理性を退職金の複合的性格を踏まえて吟味し，合理的な不支給・減額規定であれば，それに従った処理も適法としている。

例えば，就業規則・退職金規則に，同業他社へ就職のときは自己都合退職の2分の1の乗率にて退職金が計算されるとの条項があり，元従業員（広告代理店

53）　年俸制の合意が成立しなかった場合の不都合は，必要性，合理性を備えた就業規則の制定・変更によって回避できるところ，そのような合理的で適正な手段をとることなく，使用者に無限定な決定権限を与える解釈は相当でないとして，合意不成立の場合には前年度と同額とするのが当事者の合理的意思に適うとした例として，学究社（年俸減額）事件・東京地判令和4・2・8労判1265号5頁。

54）　菅野436頁，新基本法コメ・労基・労契法93頁［土田道夫］。シーエーアイ事件・東京地判平成12・2・8労判787号58頁，新聞輸送事件・東京地判平成22・10・29労判1018号18頁。

の営業社員）が同業他社に就職した事案につき，判例は（当該事件における）退職金が功労報償的性格を併せ有することに鑑みれば，（上記のような退職金の定めを）合理性のない措置とすることはできないとして，使用者による支給退職金の2分の1の不当利得返還請求を認容している[55]。また，懲戒解雇が有効であることから，懲戒解雇の場合に退職金を不支給とする条項をそのまま適用して退職金請求を否定した事例もある[56]。

しかし，退職金減額・不支給条項が合理的なもので契約内容となっていても，功労報償的性格とともに賃金後払い的性格を併せ持つことに留意し，減額・不支給の適法性を厳しくチェックする裁判例が多い。すなわち，退職金全額を不支給とできるのは，過去の労働に対する評価をすべて抹消させてしまうほどの著しい背信行為があった場合に限られる，という観点から厳格な審査を加え，そもそも退職金不支給が認められるような懲戒解雇事由に該当しない等として，退職金全額の請求を認めた例[57]や，懲戒解雇自体は有効としつつ，賃金後払い的要素の強い退職金について，全額不支給とするには，労働者の永年の勤続の功を抹消してしまうほどの重大な不信行為が必要として，総合的考慮に基づき，退職金の一部の請求を認めた例も少なくない[58]。

ポイント式退職金（資格等級や勤続年数などの要素をポイント化して累積算定する方式）や退職金分を月例賃金や賞与に上乗せして前払いする制度との選択的制度

55)　三晃社事件・最二小判昭和52・8・9労経速958号25頁。

56)　東京メデカルサービス・大幸商事事件・東京地判平成3・4・8労判590号45頁，ソニー生命保険事件・東京地判平成11・3・26労判771号77頁，わかしお銀行事件・東京地判平成12・10・16労判798号9頁等。

57)　退職金規程通りの全額の支払を認めた例として，日本高圧瓦斯工業事件・大阪高判昭和59・11・29労判453号156頁［永年勤続の功労を抹消してしまうほどの不信行為に該当しないとした］，トヨタ工業事件・東京地判平成6・6・28労判655号17頁［懲戒解雇該当性も否定しつつ，過去の労働に対する評価を全て抹消させてしまうほどの著しい背信行為があったとはいえないとした］，インタアクト事件・東京地判令和元・9・27労経速2409号13頁［勤続の功を抹消してしまうほどの著しい背信行為があったとは評価できないとした］等。

58)　懲戒解雇は有効としつつ退職金の不支給を一定程度に留めた例として橋元運輸事件・名古屋地判昭和47・4・28判時680号88頁［退職金の6割減額（4割支給）を認めた例］，小田急電鉄事件・東京高判平成15・12・11労判867号5頁［退職金の3割の支払を命じた例］等。労働契約終了後になされた懲戒解雇の法的効力を否定しつつ，懲戒解雇事由に該当する悪質な行為があり，19年余の勤続の功労を減殺するが，その全部を抹消するほどではないとして，退職金の2分の1を超える退職金請求は権利濫用とし，2分の1の限度で請求を認容した例として医療法人貴医会事件・大阪地判平成28・12・9労判1162号84頁。

として設けられている退職金等，功労報償的性格が希薄で賃金後払い的性格が濃厚な退職金制度が採用されている場合には，それに応じて，減額・不支給条項については厳格な（容易に合理性を認めない）判断がなされるべきである59)。

■退職金の複合的性格　退職金に，賃金後払い的性格と功労報償的性格とが混在しているという趣旨は，それぞれが何割ずつと特定できるものではなく，退職金全体が両者の性格が混じり合った性格を帯びていることを指していると解される。それゆえ，賃金後払い的性格をも併せ持つ退職金につき，全額不支給も許容される。また，懲戒解雇が有効とされる重大な非違行為があった場合にも，賃金後払い的性格を考慮して（しかしその割合が何割かを論ずることなく）一定額の退職金支払いが命じられていると解される。

■早期退職優遇制度・選択定年制における割増退職金請求権　人員削減策の一環として，企業が早期退職優遇制度を設けた場合，希望したにもかかわらずその適用を受けられなかった労働者との間で紛争が生ずることがある。使用者の承認によって割増退職金が生ずる選択定年制は，退職の自由を制限するとして争われた事件では，選択定年制によらない退職の自由が制限されるものではなく，使用者の承認がない以上割増退職金債権の発生を伴う退職の効果が生ずる余地はないとされた60)。

Ⅳ　企業年金

企業年金は，国が運営する公的年金（全国民に共通定額の基礎年金〔1階部分などと呼ばれる〕および報酬比例の厚生年金〔2階部分などと呼ばれる〕）に付加（上積み）される，いわゆる「3階部分」に当たる年金で，企業が私的に，任意に実施する制度である。日本の企業年金は，退職金を原資として，これを一時金（退職金）形式と年金形式による給付との選択を認めるものが多く，その意味では，退職金と共通の性格を有する側面がある61)。

企業年金にも，いくつかの類型がある。第1が，かつては企業年金の中核的制度であった「厚生年金基金」で，国の厚生年金の一部を国に代わって支給する（代行給付）とともに，企業の実情に応じて独自の上乗せ給付を行うことで，従業員に手厚い老後保障を行うことを目的に設けられた制度である。しかし，

---

59)　水町勇一郎「成果主義と賃金制度——年俸制・賞与・退職金」土田道夫＝山川隆一編『成果主義人事と労働法』172頁（2003年）。販売実績点数に応じて機械的に額が算出される退職慰労金につき功労報償的性格を否定し，これを不支給とする規定の効力を否定した事例として中部ロワイヤル事件・名古屋地判平成6・6・3労判680号92頁。

60)　神奈川信用農業協同組合（割増退職金請求）事件・最一小判平成19・1・18労判931号5頁。

61)　企業年金の詳細については森戸英幸『企業年金の法と政策』（2003年）参照。

財務状況の悪化を受けて，制度の抜本的見直しが議論され，2014年4月1日以降，新設が禁止されるとともに代行返上および解散が進み，確定給付企業年金（DB）・企業型確定拠出年金（DC）への移行が課題となっている。

第2に，厚生年金基金と異なり，厚生年金の代行を行わずに上乗せ給付のみを行う「確定給付企業年金」（DB〔Defined Benefit〕と略称される）がある。労使の合意で柔軟な設計を行うことができ，かつ，受給権の保護等を確保した企業年金制度として2002年4月から導入された。

第3に「確定拠出年金」（DC〔Defined Contribution〕と略称される）がある。第1，第2の年金が給付額が確定し，保障されているのに対して，拠出された掛金を個人が自己の責任で運用し，その運用結果によって各人の給付額（年金額）が変動する制度で，2001年10月より導入された。年金原資が個人毎に決まっているので，転職時のポータビリティに優れ，個人の責任で運用可能である反面，年金給付が運用次第で変動するというリスクを伴う。2016年5月には確定拠出年金等改正法が成立し，企業年金の普及・拡大を図るため中小企業向けに「簡易型DC」の創設，個人型DC加入従業員に対し，事業主が追加の掛金拠出を可能とする「小規模事業主掛金納付制度」の創設，DCの掛金単位の年単位化，ライフコースの多様化に対応し，個人型DCの加入範囲拡大，DCからDBへの年金資産のポータビリティ拡充等が行われた。

なお，厚生年金基金と並ぶ代表的な年金制度であった「適格退職年金」は，2012年3月31日に廃止された[62]。

以上のいずれでもなく，企業が独自に設ける「自社年金」も少なくない。自社年金の給付要件や支給額等は，当該企業の制度設計によっているため，給付額の減額や打切りをめぐって，紛争が生じている[63]。基本的に，当該年金の

---

62)　会社の経営状況が悪くなく，事前に受給権者（退職者）の意見聴取を一切することなく行った税制適格年金制度廃止は合理性がないとして年金支払義務確認請求を認容した例として，バイエル・ランクセス（退職年金）事件・東京地判平成20・5・20労判966号37頁。これに対して同控訴審・東京高判平成21・10・28労判999号43頁は，年金制度廃止の必要性と代償たる一時金支給の相当性を総合判断し，改廃条項にいう必要性を認め，原審を破棄した。

63)　企業年金減額を認めた例として，幸福銀行事件・大阪地判平成10・4・13労判744号54頁［年金通知書の変更条項を根拠に，規定額を上回る支給分を規定額まで減額有効］，松下電器産業事件・大阪高判平成18・11・28労判930号13頁［年金規定の減額事由（経済情勢に大きな変動があった場合）に該当し，引下げに合理性あり］，松下電器産業グループ（年金減額）事件・大阪高判平成18・11・28労判930号26頁，りそな企業年金基金・りそな銀行（退職年

制度設計内容と，当該制度が受給者との関係でどのような権利義務関係となっているかを明らかにして処理することとなるが，就業規則変更法理によって調整可能な現役労働者と，そうではない退職受給者の問題等をめぐっても議論がある[64]。

第5節　労働基準法上の賃金規制

I　平均賃金

労基法は各種の手当等を平均賃金を基礎に算出することとしており，労基法12条は，この平均賃金の算定方法を定めている。これによると，平均賃金は，算定事由発生日以前の3ヶ月間における総賃金をその期間の「総日数」(労働日ではない)で除して算定される。労働者の通常の生活賃金をありのままに算出するという考え方から，各種の休業期間および試用期間は，算定から除外される(労基12条3項)。これらの期間を含めて計算すると平均賃金が低くなってしまうからである。

同様の考え方から，通常の生活賃金といえない臨時の賃金，3ヶ月を超える期間毎に支払われる賃金(これにより賞与が平均賃金の算定基礎から除外)，通貨以外のもので支払われた賃金(現物給与)で一定範囲に属しないものは賃金総額から除外される(労基12条4項，5項，労基則2条)。

金）事件・東京高判平成21・3・25労判985号58頁［規約変更による受給者への給付水準引下げは原則として許されないが，不利益の内容，程度，代償措置の有無，内容変更の必要性，他の受給者又は受給者となるべき者（加入者）との均衡，受給者へ説明，受給者集団の同意の有無，程度を総合判断して合理的なら変更許される］，早稲田大学（年金減額）事件・東京高判平成21・10・29労判995号5頁［原始規定における「調整を図る」は減額根拠規定に当たるとし，改定の必要性，改定内容の相当性，手続の相当性から減額を有効とした例］。年金減額を認めなかった例として，早稲田大学（年金減額）事件・東京地判平成19・1・26労判939号36頁［減額の根拠規定がない中での4年間に35%の減額の事案］，企業年金打切り（制度廃止）を認めなかった例として，幸福銀行（年金打切り）事件・大阪地判平成12・12・20労判801号21頁［退職金規程の改定権は受給者に対しては及ばず，事情変更による解約も不可とした］等がある。

64)　森戸英幸「企業年金の『受給者減額』」中嶋還暦119頁，内田貴「民営化（privatization）と契約――制度的契約論の試み（6・完）」ジュリ1311号142頁（2006年），土田・契約法286頁，嵩さやか「企業年金の受給者減額をめぐる裁判例」ジュリ1379号28頁（2009年）参照。

なお，日給制・時給制または出来高払制その他の請負制においては実働日が少ない結果，平均賃金が著しく低額になるおそれがあるので，平均賃金が実労働日の賃金の60％を下回る場合，実労働日の賃金の60％が最低保障額とされている（労基12条1項但書）。

Ⅱ　賃金支払に関する4原則

労基法は，既発生の賃金が労働者の手に確実に渡ることを確保するために，賃金支払について①通貨払い，②直接払い，③全額払い（以上労基24条1項），④毎月1回以上一定期日払い（同2項）の4原則を定めている。

1　通貨払い原則

第1に，賃金は労働者にとって最も安全で便利な通貨（強制通用力のある貨幣と日本銀行券。「通貨の単位及び貨幣の発行等に関する法律」2条3項，7条，日本銀行法46条）で支払わなければならない。したがって，賃金に代えて会社の製品等を「現物給与」として支給してはならない。これはILO 95号条約や諸外国の立法でも定められている原則である。小切手による支払や外国の通貨（ドルやウォン等）もここでいう「通貨」とはいえない。

労基法24条1項は通貨払い原則に3つの例外を認めている。第1は，「法令に別段の定めがある場合」であるが，現行法上，かかる法令は定められていない。第2は，「労働協約に別段の定めがある場合」である。この例外は「労働協約」による場合にのみ認められるため，労働組合が存しない場合には利用できない点で，労基法で一般的に採用されている過半数代表との協定による例外とは異なる。過半数代表であることは要件でないので，少数組合の結んだ協約であってもこの例外の要件を満たすが，その効果は，当該組合員のみに及ぶと解されている。第3は，「厚生労働省令で定める賃金について確実な支払の方法で厚生労働省令で定めるものによる場合」である。具体的には，労働者の同意を得ることを条件に，①指定された銀行口座，所定の要件を満たす証券総合口座への振込み[65]，所定の要件を満たし厚生労働大臣の指定を受けた資金移動業者の口座への振込み（2022年の労基則改正で導入された，いわゆるデジタル給与払

65）　通貨払い原則の例外として労基則7条の2に規定されているが，本来，直接払い原則の例外の問題として位置づけるべきであったと思われる。小西國友「賃金の口座払いに関する法的諸問題（一）」労判376号8頁（1982年）参照。

い等と称されるもので，口座残高の上限額を100万円以下に設定していること，銀行口座の場合と同等の賃金保全措置が講じられていることなど，厳格な要件が省令で定められている。2023〔令和5〕年4月1日施行），②銀行その他の金融機関による自己宛小切手等による退職手当の支払が適法とされている（労基則7条の2）[66]。

2　直接払い原則

賃金は労働者に直接支払わなければならない。この原則は，かつて仲介人や親方，あるいは年少者の親などが賃金を代理受領して中間搾取したという経験に鑑み，これを防止しようとするものである。したがって，労働者の代理人への支払は，違法となる。未成年者の親権者・後見人への支払については，特に労基法59条が明示的に禁止している。もっとも，受領のための「使者」であることが明らかな場合（労働者の妻が受領に行く場合等）の支払は適法と解されている[67]が，その区別は微妙である。

労働者が賃金債権を譲渡すること自体は禁じられていない。しかし，債権譲渡の場合にも，使用者は直接払い原則により，譲受人にではなく，労働者本人に支払わなければならない[68]。

賃金債権はその支払期に受けるべき給付（手取り額と解されている）の4分の3が差押禁止債権であるが（民執152条），4分の1については差押可能である。この場合，使用者が差押債権者に支払っても（民執155条による差押債権者の取立て）直接払い原則違反とはならない。国税徴収法に基づく差押えの場合も同様と解されている（ただし，国税徴収法76条で一定額について差押不可）[69]。

なお，直接払い原則は使用者が労働者本人以外の者に支払うことによって賃金支払義務を果たしたことになる不都合を禁止したものであり，使用者が従業員や第三者を介して労働者に支払うことは，賃金が労働者の手に渡るまで使用者の賃金支払義務が消滅しない場合には，直接払い原則違反の問題とはならな

66）　合意による相殺の判例の考え方を通貨払いの例外に転用し，自由意思に基づいて合意されたと認める合理的理由が客観的に存在すれば，通貨払い原則の例外を認めてよいとした例として，リーマン・ブラザーズ証券事件・前掲注36。

67）　昭和63・3・14基発150号。

68）　小倉電話局事件・最三小判昭和43・3・12民集22巻3号562頁。

69）　直接払い原則の例外は法文上規定されていないが，現行法の解釈としては全額払い原則の例外（控除される賃金が直接支払われないことには変わりない）に含まれていると解することも可能であろう。

いと解してよかろう[70]。

3　全額払い原則とその例外

賃金はその全額を支払わなければならない。これは使用者が一方的に賃金を控除することを禁止し，もって労働者に賃金の全額を確実に受領させ，労働者の経済生活を脅かすことのないようにしてその保護を図る趣旨に出たものである[71]。この原則の例外として賃金の一部控除が許されるのは，法令に別段の定めがある場合[72]，および，過半数組合または過半数代表者との書面協定（過半数代表との労使協定）[73]がある場合である（労基24条1項但書）[74]。

かかる例外に該当しない場合，使用者は賃金全額を支払わねばならないが，賃金債権について相殺や放棄がなされた場合に賃金の一部を控除することが全額払い原則違反とならないかどうかが議論となっている。

(1)　一方的相殺の可否

使用者が労働者に対して有する債権を，労働者の有する賃金債権を受働債権として相殺し，その額について支払わない場合（例えば，企業の備品を壊した労働者に対して使用者が損害賠償請求権を有しており，この債権と賃金債権を相殺する場合），全額払い原則違反となるか。

この点，学説には全額払い原則は相殺禁止までは含んでいない（相殺は許される）とする少数説もある[75]。しかし，判例[76]・通説[77]は相殺も賃金の控除に

70)　石井照久ほか『註解労働基準法』357頁（1964年）参照。

71)　シンガー・ソーイング・メシーン事件・最二小判昭和48・1・19民集27巻1号27頁。

72)　具体的には，給与所得税の源泉徴収（所税183条），社会保険料の控除（厚年84条，健保167条，169条6項，労保徴32条等），財形貯蓄金の控除（勤労者財産形成促進法6条）等がある。なお，就業規則の減給の制裁に関する労基法91条については→527頁。

73)　なお労基法上の過半数代表との労使協定一般に妥当することだが，労使協定の効力，すなわち，免罰効（労基法違反の罰則適用を免れる効果）および強行性解除効（労基法13条による労基法違反の合意を無効とする強行性を解除する効果）は，当該事業場の全労働者に及ぶ。

74)　行政解釈は，労使協定による賃金控除は，「購買代金，社宅，寮その他の福利，厚生施設の費用，社内預金，組合費等，事理明白なものについてのみ」認められるとしている（昭和27・9・20基発675号，平成11・3・31基発168号）。なお，労使協定の存在に加えて，協定により定められた控除の使途が明確であることまでも要件としたものとしてオオシマニットほか事件・和歌山地田辺支判平成21・7・17労判991号29頁。

75)　石川吉右衛門「賃金の『全額払』についての疑問」兼子博士還暦記念『裁判法の諸問題（下）』636頁（1970年）は，労基法上の相殺禁止は前借金との相殺を禁じた17条のみで，その他は民事訴訟法（現在では民執152条）上の差押禁止に委ねたはずである，実質的に考えても，労働者が使い込みをして，その損害額を退職金と相殺できないのはおかしい，とする。

当たり，全額払い原則違反となると解している。少数説によると，使用者が労働者に対して有すると主張する自働債権（例えば，不法行為による損害賠償請求権）の存在・額について労働者が争っている場合も，使用者は一方的に相殺可能であり，労働者が訴訟を提起して相殺された賃金額を訴求しなければならないことになる。全額払い原則には，かかる負担を労働者に負わせずに，労働者の生活を支える賃金を確実に受領させようとする趣旨が含まれていると解すべきであろう。したがって，通説の見解が妥当である[78]。

これに対して，使用者の行為が介在せずに労働者が一方的に行う相殺の場合（例えば，使い込み金がある場合などに，労働者側から賃金債権と相殺する場合），使用者は，相殺後の残額のみを支払えば足り，全額払い原則違反も成立しない。

なお，賃金債権の支払期に受けるべき給付の4分の3に相当する部分は差押禁止債権とされている（民執152条）[79]が，差押禁止債権は民法510条によってこれを受働債権とする相殺が禁止されている。その結果，仮に労基法24条1項但書の労使協定が締結され全額払い原則の例外が認められても，この差押禁止の部分については，使用者が労働者の賃金債権等を受働債権として一方的に相殺することはできない。

⑵　調整的相殺

ある賃金計算期間内に賃金の過払いが生じた場合，当該過払い分を，その後の賃金から控除して支払うことが全額払い原則違反とならないかが「調整的相殺」の可否として論じられている。これは，法的には，過払い賃金について使用者が有する不当利得返還請求権を自働債権とし，労働者の賃金債権を受働債権とする相殺である。判例[80]は，労基法24条1項但書の例外に該当しなくと

---

76)　関西精機事件・最二小判昭和31・11・2民集10巻11号1413頁［債務不履行（業務懈怠）を理由とする損害賠償請求権を自働債権とする相殺］，日本勧業経済会事件・最大判昭和36・5・31民集15巻5号1482頁［労働者の不法行為（背任）を理由とする損害賠償請求権を自働債権とする相殺］。

77)　菅野453頁，注釈労基法（上）419頁［野川忍］，新基本法コメ・労基・労契法100頁［三井正信］，土田・契約法266頁等。

78)　こう解すると賃金と前借金の相殺禁止を定めた労基法17条は無用の規定だったことにならないかが問題となるが，同条は24条より罰則を強化し，また，24条1項但書の例外も許容しない点で独自の意義がある（菅野453頁）。

79)　ただし，民事執行法153条の手続で拡張・減額可能である。塩崎勤・日新製鋼事件判解・金法1333号39頁（1992年）参照。

80)　福島県教組事件・最一小判昭和44・12・18民集23巻12号2495頁。

も，賃金過払いの不可避性や賃金と無関係の債権を自働債権とする相殺とは異なることを考慮して，適正な賃金の額を支払うための手段たる相殺は，その行使の時期（合理的に接着した時期である）[81]，方法（労働者に予告されている），金額（多額にわたらない）等からみて労働者の経済的生活の安定を脅かすおそれのない場合には，全額払い原則違反とならないとした。学説の多数もこの立場を支持している。

(3)　賃金債権の放棄

労働者が賃金債権を放棄した場合に，使用者が当該放棄された賃金を支払わないことが全額払い原則に違反するかも問題となる。判例[82]は，退職労働者が，在職中の不正経理の損害の一部を補填する趣旨で，退職金債権を放棄する念書を提出した後に，放棄の意思表示は労基法24条1項（全額払い原則）に反し無効である，放棄は会社の強制によるものである等と主張して退職金の支払を求めた事案について，全額払い原則は労働者自ら賃金債権を放棄する意思表示の効力を否定する趣旨とまで解することはできないとした。もっとも，当該意思表示の効力を肯定するには，それが労働者の「自由な意思に基づくものであることが明確でなければならない」とし，具体的判断では，自由な意思表示に基づくものであると認めるに足る「合理的な理由が客観的に存在していた」ことから，その効力を肯定した。

理論上，労働者の側で一方的に（使用者の行為が介在せずに）債権を放棄する行為を無効とすることは，使用者の行為を規制しようとする労基法の性格からして困難である[83]。しかし，労働者の放棄という形をとっていても，実際は，使用者の圧力により放棄させられたという場合に当たらないかどうかを厳格にチェックする必要がある。自由意思に基づくか否かの認定は本人の内心の問題であり困難な作業となるところ，判旨は自由意思に基づくものであると認めるに足る「合理的理由」が「客観的に存在」していたかどうかという形で，放棄が，外部から客観的に判断しても合理的で，自由な意思によると解してよいと

81)　過払いの時点から3ないし5ヶ月後の調整について違法とした例として群馬県教組事件・最二小判昭和45・10・30民集24巻11号1693頁。

82)　シンガー・ソーイング・メシーン事件・前掲注71。

83)　放棄は民法519条の債務免除に当たり，この場合，債権は消滅するので，控除の問題は生じ得ない。石井ほか・前掲注70・362頁。

いえる状況にあることを吟味する慎重な判断を行ったものと解される[84]。

(4)　合意による相殺

合意による相殺については，使用者の行為の介在する相殺一般が全額払い原則違反になるという前提に立つと，当該相殺合意は（労使協定でこれを許容するのでない限り）労基法24条の定める基準に達しない労働条件を定める労働契約（労基13条）として無効となりそうである。しかし，裁判例の多数は，そのような相殺予約や相殺契約も労働者の完全な自由意思に基づき，かつ，そう認めるに足りる合理的理由が客観的に存すれば，全額払い原則によって禁止される控除に当たらないとしてきた。これに対して，学説では，裁判例同様の立場に立つ見解（自由意思説）と，同意があっても違反となるとする説（一律無効説）とが対立していた[85]。このような中で，最高裁[86]は，労働者の予めの同意に基づく住宅ローンと退職金の相殺が全額払い原則違反となるか否かが争われた事件において，下級審裁判例の流れを支持し，放棄に関する場合と同様，相殺同意が，労働者の自由な意思に基づいてされたものであると認めるに足りる合理的な理由が客観的に存在する場合，当該相殺は労基法24条に違反しないとして，「自由意思説」を採用した[87]。

労基法の設定した最低基準を下回る合意を，それが労働者の自由意思でなされたことを根拠に一般に認めることは，同法が最低労働基準を強行的に設定している構造に照らして問題がある[88]。この点，裁判所は，労基法24条の相殺禁止については，既に調整的相殺[89]や解雇期間中の中間収入の控除（→359頁）について，明文の規定なく全額払い原則の例外を許容する合理的解釈を採用してきた。つまり，相殺禁止の規範自体を他の労基法の絶対的強行規定とは異な

---

84)　放棄の意思表示が自由な意思に基づいてされたものと認める合理的な理由が客観的に存在したということはできないとしてその効力を否定した判例として，北海道国際航空事件・最一小判平成15・12・18労判866号14頁。

85)　水町勇一郎「全額払いの原則と合意による相殺」百選（6版）84頁。

86)　日新製鋼事件・最二小判平成2・11・26民集44巻8号1085頁。

87)　その後の下級審もこの最高裁の立場に従っている（山一證券破産管財人事件・東京地判平成13・2・27労判804号33頁，全日本空輸（取立債権請求）事件・東京地判平成20・3・24労判963号47頁等）。

88)　菅野455頁はこうした立場から判例の解釈を批判し，労基法上用意されている労使協定締結という例外要件の具備を要求すべきとする。

89)　福島県教組事件・前掲注80。

り，客観的合理的意思表示による例外を許容するような規範と位置づけていると解することができる[90]。逆にいうと，このような合理的意思による処分可能性は他の労基法の強行的規定の解釈には直ちに妥当しないと解される。

▩賃金減額合意　賃金減額の合意が争われた裁判例では，比較的簡単に同意を認定している事例も散見されるが[91]，同意の認定を厳格に行う例[92]，実質的に放棄に等しいとして，放棄に関する法理によって処理した例[93]，さらには，原則として当該合意は書面によることが必要とするもの[94]など，一般に厳格な判断が行われてきた。山梨県民信用組合事件最高裁判決[95]が下されて以降は，同判決の枠組み（当該変更を受け入れる旨の労働者の行為の有無だけでなく，当該変更によりもたらされる不利益の内容および程度，労働者により当該行為がされるに至った経緯およびその態様，当該行為に先立つ労働者への情報提供または説明の内容等に照らして，当該行為が労働者の自由な意思に基づいてされたものと認めるに足りる合理的な理由が客観的に存在するか否か）を参照し，減額合意を容易に認めない判断がなされている[96]（→417 頁，435 頁）。

4　毎月1回以上一定期日払い原則

賃金は，毎月1回以上一定期日を定めて支払わなければならない。したがっ

90）　水町勇一郎・日新製鋼事件判批・法協 109 巻 3 号 488 頁（1992 年）は，「賃金債権の相殺は，労基法 24 条 1 項の規定自体により直接禁止されるものではなく……同規定の類推適用という手法によって，柔軟に規制されているもの」で「労基法 13 条の『この法律の定める基準』に該当しない」とする。

91）　小川重事件・大阪地判平成 3・1・22 労判 584 号 69 頁，有限会社野本商店事件・東京地判平成 9・3・25 労判 718 号 44 頁，ティーエム事件・大阪地判平成 9・5・28 労経速 1641 号 22 頁，エイバック事件・東京地判平成 11・1・19 労判 764 号 87 頁等。

92）　京都広告事件・大阪高判平成 3・12・25 労判 621 号 80 頁，山翔事件・東京地判平成 7・3・29 労判 685 号 106 頁，アーク証券（本訴）事件・東京地判平成 12・1・31 労判 785 号 45 頁，中根製作所事件・東京高判平成 12・7・26 労判 789 号 6 頁，NEXX 事件・東京地判平成 24・2・27 労判 1048 号 72 頁。

93）　更生会社三井埠頭事件・東京高判平成 12・12・27 労判 809 号 82 頁。なお，長期にわたる賃金減額であれば，本来，放棄ではなく，労働条件変更問題として処理すべきことにつき，荒木尚志・本件判批・ジュリ 1239 号 161 頁（2003 年）参照。

94）　日本構造技術事件・東京地判平成 20・1・25 労判 961 号 56 頁，ゲートウエイ 21 事件・東京地判平成 20・9・30 労判 977 号 74 頁，ザ・ウィンザー・ホテルズインターナショナル事件・札幌地判平成 23・5・20 労判 1031 号 81 頁等。

95）　山梨県民信用組合事件・最二小判平成 28 年 2 月 19 日民集 70 巻 2 号 123 頁。

96）　例えばユニデンホールディングス事件・東京地判平成 28・7・20 労判 1156 号 82 頁，Chubb 損害保険事件・東京地判平成 29・5・31 労判 1166 号 42 頁，O・S・I 事件・東京地判令和 2・2・4 労判 1233 号 92 頁，グローバルサイエンス事件・大阪地判令和 3・9・9 労判ジャーナル 118 号 30 頁，ハピネスファクトリー事件・東京地判令和 4・1・5 労判ジャーナル 123 号 30 頁等。

て，年俸制を採用している場合でも，毎月一定額を支払う必要がある。

ただし，臨時に支払われる賃金や賞与，その他これに準ずるもの[97]はこの原則に服しない。

Ⅲ　非常時払い

労基法25条は，「使用者は，労働者が出産，疾病，災害その他厚生労働省令で定める非常の場合[98]の費用に充てるために請求する場合においては，支払期日前であつても，既往の労働に対する賃金を支払わなければならない」とする。

Ⅳ　休業手当

労基法26条の規定する休業手当については，既に触れた（→146頁）。

Ⅴ　出来高払制の保障給

労基法27条は「出来高払制その他の請負制で使用する労働者については，使用者は，労働時間に応じ一定額の賃金の保障をしなければならない」として，賃金が成果に依存する出来高制の場合でも，労働時間に応じた一定額の賃金保障を使用者に義務づけている。

保障すべき一定額については規定されていないが，「通常の実収賃金と余りへだたらない程度の収入が保障されるように保障給の額を定める」べきとの行政解釈が示されている[99]。しかし保障給の定めがなされていない場合，それだけで本条違反は成立する[100]が，本条を根拠に一定額を請求することまではできない[101]。ただし，出来高給が実労働時間に最低賃金額（最賃3条）を乗じた

97）　1ヶ月を超える期間についての精勤手当，勤続手当，奨励加給・能率手当（労基則8条）。

98）　労基則9条参照。

99）　昭和22・9・13発基17号，昭和63・3・14基発150号。労基局（上）389頁は，大体の目安として，労基法26条の休業手当が平均賃金の60％以上とされていることから，「少なくとも平均賃金の100分の60程度を保障することが妥当」としている。

100）　御山通商ほか1社事件・大阪地判平成19・6・21労判947号44頁は，償却制度下のトラック運転手の賃金制度につき，給料支払可能額がマイナスとなる場合には労基法27条違反となると限定して解釈しているが，保障給の定めをしていないことで既に27条違反は成立していると解すべきである。なお山昌（トラック運転手）事件・名古屋地判平成14・5・29労判835号67頁参照。

101）　労基局（上）390頁。なお，LPガスボンベ配送業務等に従事する配送員に対して，月額22万円を支払う旨約しながら，配送員の売上げから車両経費を差し引いて月額22万円を超え

額に満たない場合は，最低賃金額との差額を請求できる（同4条1項，2項）[102]。

Ⅵ 時　効

労基法115条により，賃金，災害補償その他の請求権の消滅時効は2年[103]，退職金請求権の消滅時効は（1987〔昭和62〕年改正により）5年とされていた。これは2017年改正前の民法の「月又はこれより短い時期によって定めた使用人の給料に係る債権」についての1年の短期消滅時効（改正前民法174条1号）およびそれ以外の一般債権の10年の消滅時効（同167条1項）の特則に当たる[104]。

ところが，2017年民法改正（2020年4月1日施行）により，各種の短期消滅時効とともに，労基法115条が定められるに際して考慮された使用人の給料等に関する1年の短期消滅時効も廃止され，①債権者が権利を行使することができることを知った時（主観的起算点）から5年間行使しないとき，または，②権利を行使することができる時（客観的起算点）から10年間行使しないときは時効によって消滅することとされた（民法166条1項）。そこで，労基法115条の見直しの要否が課題となった[105]。

る場合はその超過額を歩合給として支払う一方，22万円に達しない場合は，貸付金として計上し，翌月以降精算していた点について，労基法27条の趣旨に反するとし，月額22万円から貸付金を差し引いて精算した限度において公序良俗違反で無効とし，使用者の不当利得返還義務を認めたものとして東陽ガス事件・東京地判平成25・10・24労判1084号5頁。

102）同条項により請求を認容した例として朝日交通事件・札幌地判平成24・9・28労判1073号86頁。

103）杉本商事事件・広島高判平成19・9・4労判952号33頁は，時間外勤務手当不払を不法行為とし，未払賃金額を損害として3年の時効の範囲内の請求を認容した。2年を超える時間外手当請求は労基法115条の2年の時効にかかるとの使用者の主張を，不法行為の損害賠償請求という異なる請求であることを根拠に斥けたものであるが，この論理によると，労基法115条の2年の消滅時効は事実上，不法行為の3年の消滅時効に代替されることになる（池田悠・同事件判批・ジュリ1366号169頁〔2008年〕参照）。

104）労基法115条は，民法の短期消滅時効1年を労働者に有利に2年としたと説かれるのが一般であるが，正確には，1年の短期消滅時効は「月又はこれより短い時期によって定めた……給料」に関するものであり，これに該当しない賃金（例えば賞与や退職金等）の消滅時効は民法上は10年であるところ，取引安全も考慮して民法より短期の2年（退職金については1987年改正で5年）の消滅時効を定めたものといえる。労基法を起草した寺本廣作も，賃金請求権は「多くの場合」民法174条の1年の短期消滅時効で消滅するとし，「労働者の権利保護と取引上の一般公益を調整するため消滅時効を2年とした。」としている（寺本・労基法386-387頁）。労基局（下）1152頁も参照。

105）2019年7月1日の厚労省の「賃金等請求権の消滅時効の在り方に関する検討会」の「論

労働政策審議会労働条件分科会では，労使の見解が対立したが，2019年12月24日に公益委員見解が示され，これを労使双方が受け入れる形で12月27日に建議がまとまった。すなわち，賃金請求権の消滅時効期間は民法改正も踏まえ5年とするが，当分の間，現行の記録保存期間（労基109条）に合わせて3年とする。起算点は客観的起算点を維持する。退職手当の消滅時効期間は現行の5年を維持，年次有給休暇請求権（年度内に確実に取得すべき要請がある），災害補償請求権（業務起因性に係る事実関係は時間の経過とともに立証困難となるため早期に確定させて救済を図るべき要請がある），その他の帰郷旅費，退職時の証明，（賃金を除く）金品の返還にかかる請求権（早期の権利確定の必要性がある）についても現行の2年の消滅時効期間を維持する。経過措置については，契約締結日を基準とする改正民法の処理とは異なり，施行日（2020年4月1日）以前から締結されている労働契約についても施行日以降に支払期が到来する賃金については，5年（当分の間3年）の消滅時効を適用する（同じ職場で労働者の契約締結日が施行日の前か後かで消滅時効期間が異なることによる混乱を回避）。

以上を踏まえた法改正が2020年3月末に成立し，4月1日より施行された。すなわち，労基法の規定による賃金の請求権はこれを行使することができる時から5年間（当分の間，3年間〔労基143条3項〕），災害補償その他の請求権（賃金請求権を除く）は，これを行使することができる時から2年間行わない場合，時効消滅する（115条）。併せて，記録保存期間も5年間（当分の間，3年〔143条1項〕）（109条），付加金の請求も違反のあった時から5年（当分の間，3年〔143条2項〕）以内にしなければならない（114条但書），とされた。施行後5年を経過した場合，施行状況を勘案しつつ，必要があると認めるときは必要な措置を講ずるものとされている（改正附則3条）。

なお，時効の完成猶予（中断）については，民法の一般的規制に服する。

点の整理」（座長：山川隆一東京大学教授）は，諸外国で早期の権利義務関係確定の観点から，民法より短い時効・出訴制限期間等が設けられていること，同時に，諸外国の個別紛争件数の多さも考慮すべきことなど，多様な論点を整理した上で，消滅時効2年を維持する合理性は乏しく，労働者の権利拡充の方向での一定の見直しを提言していた。

第6節　最低賃金法

賃金額については，当事者の合意に委ねられるのが基本である。しかし，完全に当事者の自由な交渉に委ねた場合，特に，労働力が過剰な不況期には，労働力が買いたたかれて労働者は生活を維持できなくなり，労働市場自体も十全に機能しなくなるおそれがある。この問題に対処するため，賃金の最低基準を設定し，それを下回る賃金設定を禁止しているのが最低賃金法である。

制定当初の労基法は，28条で，「行政官庁は，必要であると認める場合においては，一定の事業又は職業に従事する労働者について最低賃金を定めることができる」と規定し，賃金委員会の設置（29条），最低賃金を設定する場合の手続（30条），最低賃金を定めた場合の使用者の義務，適用除外（31条）について規定していたが，これらの条文に基づいて，最低賃金が実際に定められたことはなかった。現実に最低賃金が設定されたのは1959（昭和34）年に労基法から分離独立して最低賃金法が制定されてからである。同法は，1968（昭和43）年および2007（平成19）年の大幅な改正を経て現在に至っている[106]。

I　最低賃金規制の内容

最賃法にいう労働者，使用者，賃金は，労基法にいうそれと同一である（最賃2条）。ただし，省令で定めるところにより都道府県労働局長の許可を得た場合，①精神・身体障害により著しく労働能力の低い者，②試用期間中の者，③認定職業訓練中の者，④軽易な業務に従事する者等については，省令で定める率を乗じた減額最低賃金の適用の特例が認められる（同7条）。従前は，これらの特例労働者は適用除外許可制とされていたが，2007年改正により，最低賃金の減額特例許可規制となったものである。

最低賃金は，2007年改正までは時間，日，週または月によって定めることとされていたが，同改正により，時間額のみを定めることとなった（最賃3条）[107]。使用者は最低賃金額以上の賃金支払義務があり（同4条1項），強行

106)　最賃法の展開の詳細については菅野459頁以下，神吉知郁子『最低賃金と最低生活保障の法規制』31頁以下（2011年）参照。

107)　最低賃金が時間額規制のみとなったことは，すべての労基法上の労働時間について必ず最低賃金以上の賃金を支払うことを要請するものではないと解される。この点については→209頁。

的・直律的効力（同2項），最低賃金に関する使用者の周知義務（同8条）等が定められている。最低賃金の規制については労基法同様，労働基準監督署長による行政監督が行われ（同31条～34条），罰則による担保および両罰規定も設けられている（同39条～42条）。なお，2007年改正では罰金額の上限が2万円（最賃旧44条，罰金等臨時措置法2条）から50万円に引き上げられた（最賃40条）。

▩最低賃金の対象賃金と除外賃金　使用者は「最低賃金額以上の賃金を支払わなければならない」（最賃4条1項）が，それは，毎月，通常の労働時間に対して支払われる賃金（具体的には基本給と毎月支払われる諸手当）によって，最低賃金額以上を支払ったことになっている必要がある。この最低賃金規制から除外される賃金として，臨時に支払われる賃金（結婚手当等），1ヶ月を超える期間毎に支払われる賃金（賞与等），所定労働時間を超える労働に対して支払われる賃金（時間外割増賃金等），所定労働日以外の労働に支払われる賃金（休日割増賃金等），深夜労働に対して支払われる賃金のうち，通常の賃金計算額を超える部分（深夜割増賃金等），当該最低賃金において算入しないことを定める賃金（精皆勤手当，通勤手当および家族手当），がある（最賃4条3項，最賃則1条）。つまり，これらの除外賃金を基本的賃金に加えることで，最低賃金額以上を支払った，という主張はできない。

Ⅱ　最低賃金の決定方式

最低賃金の決定方式には，①地域別最低賃金（全国各地域につき時間最低賃金を設定する原則的制度）と，②特定最低賃金（労使の申出により産業別で地域別最低賃金を上回る最低賃金を設定する補足的制度）の2種類がある[108]。

1　地域別最低賃金

地域別最低賃金は，厚生労働大臣または都道府県労働局長が中央または地方の最低賃金審議会（公労使同数の三者構成）の審議に基づき決定するもの（最賃10条）で，最低賃金の原則的制度である。「賃金の低廉な労働者について，賃金の最低額を保障するため，地域別最低賃金……は，あまねく全国各地域について決定されなければならない」（同9条1項）とされている。したがって，全国一律の最低賃金ではないが，各地域に必ず最低賃金が定められている必要がある。現在，各都道府県毎に47の最低賃金が定められている。

108）　2007年改正前には，一定地域の労働者の大部分に適用される労働協約に基づく地域的最低賃金の制度（最賃旧11条）があったが，企業別協約が主流の日本では，ほとんど利用可能性がなく，廃止された。

最低賃金額は，地域における①労働者の生計費，②賃金，③通常の事業の賃金支払能力，の3つの観点を考慮して定めなければならない（最賃9条2項）。2007年改正時に，働いて保障される最低賃金額よりも生活保護の支給額が高い逆転現象が見られるとの批判が生じたため，「前項の労働者の生計費を考慮するに当たつては，……生活保護に係る施策との整合性に配慮するものとする」（同3項）と規定された。最低賃金が生活保護を下回らない水準となるよう配慮するという趣旨である[109]。

なお，派遣労働者については，2007年改正により，派遣元ではなく派遣先事業場（就労事業場）の地域別最低賃金が適用される旨が明記された（最賃13条）。

地域別最低賃金は当該都道府県のすべての種類の労働者に（したがってパート労働者や学生アルバイトにも）適用される。最低賃金額は，公労使三者構成の中央最低賃金審議会が全国をABCDの4ランクに分けて目安を提示し，これに基づいて各都道府県の地方最低賃金審議会が毎年改定することが慣行となっている。

2　特定最低賃金（産業別最低賃金）

地域別最低賃金がすべての労働者をカバーするセーフティネットであるのに対して，特定の産業について，関係労使の申出により，厚生労働大臣または都道府県労働局長が，最低賃金審議会の意見を聴いて決定するのが特定最低賃金である（最賃15条）。従来，産業別最低賃金とされていた制度を再編整理したものであるが，実務上，現在でも産業別最低賃金と呼ばれている。特定最低賃金（産業別最低賃金）の額は地域別最低賃金を上回るものでなければならない（同16条）。2021年3月末現在，各都道府県で各種の産業別に227の特定最低賃金が定められ，約292万人に適用されている。

従来の産業別最低賃金違反に適用された罰則は，2007年改正後の特定最低賃金に対しては，船員に係るものを除き，廃止された。もっとも，労基法24条1項の賃金全額払い原則違反の罰則（労基120条1号）は適用される。

109）　2007年6月6日第166回国会衆議院厚生労働委員会における細川律夫議員（民主党）に対する青木豊政府参考人（労働基準局長）の答弁。ただし，貧困問題への対処のための生活保護制度と低賃金問題への対策たる最低賃金制度には本質的違いがあることを踏まえて，最低賃金決定方式を再考すべきとの指摘について神吉・前掲注106・288頁以下。

第7節　賃金債権の履行確保

Ⅰ　労働基準法上の履行強制

労基法24条1項の全額払い原則に基づき，賃金はその全額の支払が罰則や行政監督によって担保されている。しかし，かかる賃金保護は，使用者が支払不能に陥った場合には実効性に欠ける。そこで，使用者の支払不能時に，労働者の生活の資である賃金債権が他の債権との関係でどのように取り扱われるべきかが問題となる。

Ⅱ　民商法による先取特権

2003（平成15）年改正前の民法において「雇人」は「最後ノ六个月間ノ給料」について「債務者ノ総財産ノ上ニ先取特権ヲ有ス」（306条，308条），とされていた。これに対して，商法では，株式会社，有限会社または相互会社の使用人（労働者）の賃金債権は，会社の総財産の上に先取特権を有する（2003〔平成15〕年改正前商法295条，有限会社法46条2項，保険業法59条1項）として，最後の6ヶ月に限定されていないという違いがあった。しかし，民法と商法の取扱いの差異に合理性はなく，両者は統一されるべきとの意見が強かった。

そこで，2003年の担保・執行法制見直しの中で，民法306条，308条が改正され，従来の商法と同様，最後の6ヶ月分に限ることなく，雇用関係によって生じた債権全般について先取特権が認められることとなった（なお，民商法の統一に伴い前記商法上の規定は削除された）。

しかし，これらの一般先取特権は，特別の先取特権や個々の客体の上の担保物権（特に先に登記を備えた抵当権）に劣後する（民329条2項，336条但書）。また，一般先取特権も動産先取特権（農業・工業労働者につき民311条7号，8号，323条，324条）も，処分され引き渡された動産に対しては追求し得ないという限界がある（同333条）。

Ⅲ　倒産手続における賃金保護

企業倒産時の賃金債権の保護は，倒産手続によって異なっている[110]。

1　破産手続における保護

破産手続の場合，2004年以前は，財団債権（破産手続によらずに破産財団から随時弁済を受けられる債権）とされるのは一部の賃金に過ぎず，優先的破産債権として保護されるに留まるのが通常で，必ずしも十分な保護が用意されていなかった。しかし，2004年の破産法の大改正により，労働者の賃金債権保護は強化された。すなわち，破産手続開始前3ヶ月間の使用人（労働者）の給料債権は財団債権とされ（破149条1項），破産手続終了前に退職した使用人（労働者）の退職手当請求権は退職前3ヶ月の給料の総額に相当する額が財団債権とされた（同2項）。財団債権とならない給料請求権・退職手当請求権は，優先的破産債権となるにとどまるが（同98条1項）[111]，これらの弁済がなければ生活維持に困難を生ずるおそれがあるときは，裁判所は破産配当に先立つ弁済許可をすることができるようになった（同101条）。また，破産管財人は給料・退職手当請求権者に対する情報提供の努力義務を負う（同86条）。

なお，破産手続開始後の労務の対価たる賃金は，財団債権として扱われる（破148条1項2号，4号，7号，8号）。

2　民事再生手続における保護

和議法に代わって1999年に制定された民事再生法では，手続開始決定前に生じた一般賃金・退職金は一般先取特権のある債権として一般優先債権とされ，再生債権に先立ち再生手続によらずに随時弁済される（民再122条1項，2項）。しかし，社内預金は，再生債権となり，再生計画に従う必要がある。

再生手続開始後の一般賃金・退職金は再生債務者の業務に関する費用の請求権として共益債権となり（同119条2号），一般優先債権と同様に随時弁済される（同121条1項）。すなわち，破産手続と異なり，民事再生手続においては，一般優先債権と共益債権の間に優劣関係はない。

もっとも，再生手続が頓挫して牽連破産手続に移行した場合には，共益債権は財団債権となり（同252条6項），一般優先債権は優先的破産債権となる（破98条）。また，破産法上，破産手続開始前3ヶ月の給料債権を財団債権としてい

110）　山本和彦ほか『倒産法概説』（2版補訂版）107頁以下（2015年），「倒産と労働」実務研究会編『詳説倒産と労働』43頁以下（2013年）等参照。

111）　上述のように2003年民法改正で賃金債権は最後の6ヶ月に限られずに優先的破産債権となった。

るところ（同149条1項），民事再生法は，牽連破産の場合，労働者の生活保障の観点から，破産手続開始決定よりも早い段階である民事再生手続開始前3ヶ月の給料債権について財団債権とする特則を設けている（民再252条5項）。

3　会社更生手続における保護

企業が清算される破産とは異なり，会社更生手続においては，会社再建のために労働者を確保する必要があることから，比較的手厚い保護がある。

更生手続開始決定前6ヶ月間に生じた一般賃金および更生手続開始後に生じた一般賃金は共益債権とされ，更生手続によらずに随時弁済される（会更130条，127条2号，132条1項）。

それ以外の一般賃金は優先的更生債権とされ，更生手続に服するが，更生計画の中で更生担保権に次いで優遇されている（同168条1項）。

なお退職金については，退職前6ヶ月間の賃金相当額または退職手当額の3分の1のいずれか多い額の限度で共益債権となる（更生計画認可決定前の退職者の場合）等，特別の定めがなされている（同130条）。

■倒産手続における労働者代表の関与　再建型倒産手続である民事再生手続および会社更生手続においては，労働者や労働組合からの協力を得るべく，（事業場ではなく会社の労働者の）過半数を代表する労働組合（これがないときは過半数代表者）に，手続開始決定，手続開始後の事業譲渡の許可，財産状況報告集会，計画案の作成等に際して意見聴取や意見陳述の機会が与えられている。民事再生手続では，労働組合等に意見聴取等の権利が認められている（民再24条の2，42条3項，126条3項，168条，174条3項，246条3項，会更22条1項，46条3項3号，85条3項，188条）。これに対して，清算型倒産手続では，事業譲渡の許可に際して労働組合等の意見聴取（破78条4項，会社896条2項）や一定事項に関して労働組合等への通知が定められているものの，労働組合等の関与権保障は限定的である[112]。

Ⅳ　賃金支払確保法

1973（昭和48）年のオイルショックにより，企業倒産が急増し，賃金未払が社会問題化した。そして，労働基準法研究会は，既存の民商法・倒産法における賃金の保護では極めて不十分であるとする報告書を提出した。こうした事態を受けて1976（昭和51）年に成立したのが賃金支払確保法である。

112）　池田悠「倒産手続下での労働者代表の関与――現行法の状況と改正に向けた課題」北大法学論集65巻6号1頁（2015年）参照。

1　未払賃金の立替払い

同法7条は，退職労働者に未払賃金がある場合，所定の要件の下で，政府が事業主に代わって支払う，立替払い制度を定めている。適用対象となるのは，労災保険法の適用事業主で1年以上事業を行っていた者が，破産手続開始決定を受け，その他，政令で定める事由（特別清算開始の命令を受けたこと，再生手続開始の決定があったこと，更生手続開始の決定があったこと，事業主が事業活動に著しい支障を生じたことにより労働者に賃金を支払うことができない状態〔事業活動が停止し，再開する見込みがなく，かつ，賃金支払能力がない状態〕として，退職者の申請に基づき，労働基準監督署長の認定があったこと）に該当することとなった場合である（賃確7条，賃確令2条，賃確則8条）。

また，対象となる労働者は，これらの決定等の申立て日または認定の申請日の6ヶ月前の日以降2年間に事業主の事業から退職した者である（賃確7条，賃確令3条）。

立替払い対象となる賃金は，退職日の6ヶ月前の日以後請求日の前日までの，支払期日の到来している定期給与・退職金の未払賃金総額（総額が2万円以上の場合に限る）の80％相当額である。ただし，退職日の年齢により30歳未満の者には110万円，30歳以上45歳未満の者には220万円，45歳以上の者には370万円の上限が定められている（賃確7条，賃確令4条）。

立替払いの財源は，全額使用者が負担する労災保険料によってまかなわれている。政府（実際の業務を担当するのは独立行政法人労働者健康安全機構）が立て替えた分は，代位弁済として債務者に求償できる（民499条，501条）。この場合，給料債権を財団債権として代位する（原債権は財団債権性を維持したまま移転する）ことを認めるのが倒産実務の取扱いであった[113)]が，学説・裁判例では種々議論があった[114)]。近時，最高裁は，給料債権の第三者による代位弁済の事案（賃確法の立替え払いではない事案）について，代位弁済者からの破産手続によらない請求を認容しており，賃確法の立替え払いでも，同様に財団債権としての権利行使が認められることが明らかになったといえよう[115)]。

113)　東京地裁破産再生実務研究会『破産・民事再生の実務（中）』（新版）88頁（2007年）。

114)　最高裁調査官室編・最高裁判所判例解説（民事篇）平成23年度705頁［榎本光宏］。

115)　最三小判平成23・11・22民集65巻8号3165頁［破産寸前の企業から依頼されて，当該企業の労働者に対して賃金の立替え払いを行った取引先が，破産管財人に対して破産手続によらず給料債権の支払を求めた事案］。求償権は賃金たる性格を有せず，破産手続によるべきと

このほか，同法には貯蓄金・退職手当の保全措置も定められている（賃確3条～5条）。

2　退職労働者の賃金にかかる高率の遅延利息

賃金支払確保法6条1項とこれを受けた施行令1条により，事業主には，退職労働者にかかる未払賃金（退職手当を除く）につき，退職日の翌日から支払をする日までの期間について，14.6％の遅延利息支払義務がある[116]。ただし，天災地変その他厚生労働省令で定めるやむを得ない事由の存する期間は除かれる（賃確6条2項）。

▩高率の遅延利息の例外　賃確法施行規則6条4号はやむを得ない事由として「支払が遅滞している賃金の全部又は一部の存否に係る事項に関し，合理的な理由により，裁判所又は労働委員会で争つていること」を挙げる。近時の裁判例は，この条項に依拠して14.6％の遅延利息を適用しないものが増えている[117]。

した原審を覆して，破産手続によらない財団債権行使を認めた。ただし，賃確法による立替え払いが賃金・退職金の全部をカバーしない一部弁済であることとの関係で，なお残された問題があることについて，「倒産と労働」実務研究会編・前掲注110・94頁以下［杉本純子］。

116）　タオヒューマンシステムズ事件・東京地判平成9・9・26労経速1658号16頁［解雇された労働者が未払の時間外手当と解雇予告手当を請求。時間外手当分に14.6%，解雇予告手当に民法の5％の遅延利息を認めた］。

117）　十象舎事件・東京地判平成23・9・9労判1038号53頁，オリエンタルモーター（割増賃金）事件・東京高判平成25・11・21労判1086号52頁，レガシィほか1社事件・東京高判平成26・2・27労判1086号5頁，国際自動車事件・東京高判平成27・7・16労判1132号82頁等。なお，労働者性を否定する使用者の主張に合理的理由は認められないとして同条項の適用を否定し，14.6％の利率を適用した例として，ミヤイチ本舗事件・東京高判平成30・10・17労判1202号121頁。

第7章 労働時間

第1節 労働時間規制の全体像

I 労働時間規制の展開

1947（昭和22）年制定の労働基準法は，ILO 1号条約に範をとり，1日8時間・週48時間制を採用した。これは当時としてはかなり困難な基準であったが，国際労働基準を満たすという立法者の理念を反映したものであった。その後，労働時間規制は久しく改正されなかったが，1980年代になり，オイルショックを克服した日本の経済躍進に対して，長時間労働によるソーシャル・ダンピングとの国際的非難が向けられた。実際，当時のドイツやフランスの平均実労働時間（製造業）は1600から1700時間，イギリス，アメリカは1900時間程度であったのに対して，日本は2100時間超と相当の開きがあった。この原因は，①週休2日制の普及の遅れ，②年休消化率の低さ，③所定時間外労働（残業）の長さであった。

そこで，1986（昭和61）年にいわゆる前川レポートが出され，労働時間短縮を国際的公約とし，1987年に労基法の労働時間規制の大改正が行われた。改正のポイントは，①に対応して，週40時間制を法律上明定（週46時間，44時間という段階的経過措置を経て1997年完全実施），②に対応して，年休付与日数の引上げ（6日→10日），計画年休の導入，年休取得に対する不利益取扱いについての規定（附則）の導入，③に関して，産業構造，就業実態の変化に対応した労働時間規制の柔軟化（新たな変形労働時間制，フレックスタイム制，専門業務型裁量労働制の導入等）がなされた。また，国を挙げて時短政策推進のため，官公署の土曜閉庁や銀行法改正による金融機関の週休2日制実施等の施策が展開された。その後，1998（平成10）年労基法改正では，変形労働時間制の改正，企画業務型裁量労働制，時間外労働の限度基準規制が導入され，2003（平成15）年改正では，裁量労働制の一部規制緩和が行われた。2008（平成20）年改正では，月60時間超の時間外労働の割増賃金が50％に引き上げられている。

2017年の日本の平均実労働時間は1781時間と英米並みの水準にまで短縮が進んだように見える。しかし，これは年々増加するパート労働者を含んだ平均値にすぎず，フルタイム労働者の実労働時間は2000時間を超えたままで，短縮していない。長時間労働による過労死や過労自殺が社会問題となり，特に，大手広告代理店の新入社員が過労自殺し，労災認定されたことが2016年10月の記者会見で報じられたことは，社会に衝撃を与え，労働時間短縮政策を一層推進すべきとの世論を形成した。他方，労働者の多様化を反映して，ホワイトカラーの労働時間規制の見直しも課題となっていた。こうした中で，2015年に提案されて継続審議となっていた労基法改正法案が働き方改革関連法案に取り込まれ，時間外労働の上限規制を法律上初めて設定し，また，高度プロフェッショナル制度を導入する2018（平成30）年改正労基法が成立した。

Ⅱ　労働時間規制の体系

労基法の労働時間規制は図表7-1のような体系になっている（本書第3版までの整理を修正した）。まず，一般の労働者に適用される労働時間の「一般規制」としては，最長労働時間（労基32条），休憩（同34条），休日（同35条）に関する原則的規制，最長労働時間を弾力化する弾力的労働時間規制（同32条の2～32条の5），最長労働時間と休日の原則規制の例外として時間外・休日労働を認める例外規制（同33条，36条），そして時間外・休日・深夜労働に対する割増賃金規制（同37条）がある。

この一般規制を不適用とするのが「適用除外」である。適用除外（同41条）の場合，（深夜割増規制は別として）何らの労働時間規制も適用されなくなる。

これに対して，労働者や就業形態の多様化に対応して，一般規制をそのまま適用するのが合理的でない場合に，一般規制とは異なる特別の規制枠組みを用意する「特別規制」が導入されている。すなわち，1987年以降導入されたみなし時間制（同38条の2～38条の4）および2018年に導入された高度プロフェッショナル制度（同41条の2）がそうである。特別規制においては一般規制は適

図表 7-1　労働時間規制の体系

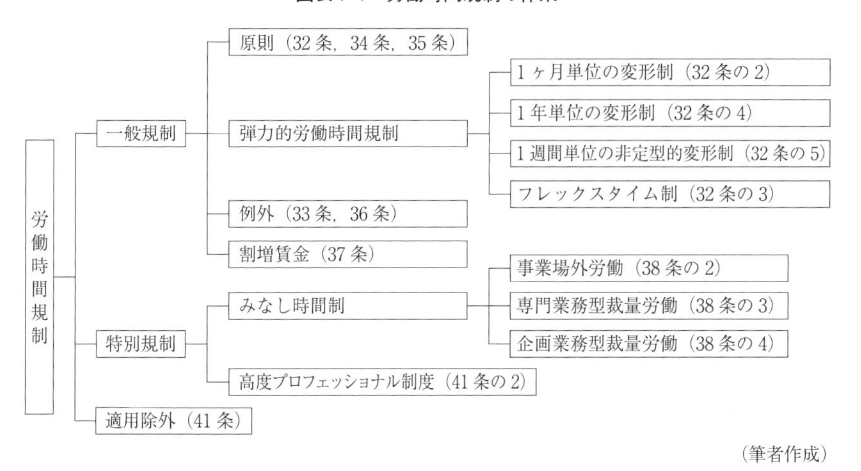

（筆者作成）

用されないが，適用除外とは異なり，一般規制とは別の特別の規制が適用される[1)]。かかる観点からは，高度プロフェッショナル制度は適用除外ではなく特別規制と捉えるべきことになる（→225頁）。

第2節　労働時間・休憩・休日規制の原則

I　法定労働時間

法定労働時間（法律上許される労働時間）は週40時間，1日8時間とされている（労基32条）。この法定労働時間を超える労働時間を約定しても無効であり（同13条）[2)]，また，法定労働時間を超えて労働させた場合には，刑事罰が科さ

1)　管理職労働者に関する一般規制からの異別取扱いには適用除外と特別規制という2つのアプローチがあるという視点から，日米独法を包括的に分析した労作として崔碩桓「管理職労働者の法的地位――日米独の労働法における適用除外と特別規制に着目して(1)～(4・完)」法協129巻8号1729頁，9号1972頁，10号2319頁，11号2558頁（2012年）。

2)　同条の強行的直律的効力によって修正される部分は法定基準に達しない労働条件部分のみであるので，労働時間は週40時間ないし1日8時間に縮減されるが，（時給制であることが明確でない限り）賃金は修正されないことについて，→70頁注71参照。

れる（同119条1号）[3)4)]。ここでいう1週，1日は，就業規則等に別段の定めのない限り，日曜から土曜の暦週，0時から24時の暦日を指す。しかし，継続勤務が2暦日にわたる場合，始業時刻の属する日の労働として取り扱われる[5)]。

なお，常時10人未満の労働者を使用する商業，サービス業については労基法40条に基づく特例で週44時間が法定労働時間とされている（労基則25条の2）。

Ⅱ　休憩時間

1　休憩時間の長さと付与の形態

労働時間が6時間を超え8時間以下の場合，45分以上の休憩を，労働時間が8時間を超える場合は1時間以上の休憩を，労働時間の途中に与えなければならない（労基34条1項）。また，休憩の効果を上げ，また，休憩が実際に付与されているかどうかの監督を容易ならしめるために休憩一斉付与の原則が定められている（同2項）。かつて，一斉付与の例外には労働基準監督署長の許可が必要とされていたが，ホワイトカラーの増加や労働時間の自律的配分を認める制度の進展もあり，1998（平成10）年改正で，許可制度は廃止され，労使協定によって対象となる労働者，当該労働者への休憩付与の方法を定めることにより一斉付与の例外が可能とされている（同但書，労基則15条）。

2　休憩時間の自由利用の原則

使用者は「休憩時間を自由に利用させなければならない」（労基34条3項）。この休憩自由利用の原則をめぐっては，労働時間ではない非労働時間と評価されるための「自由利用」を論じているのか（第1の問題），それとも，（非）労働時間性とは別の，使用者が休憩時間中に労働者に対して課す行動制限等がどこまで許されるのかについての「自由利用」を論じているのか（第2，第3の問題）

3）なお，119条1号は刑法総則の規定に従い，過失犯を処罰する旨を定めていないので，故意犯のみが処罰対象となる（→71頁）。

4）最三小決平成22・12・20刑集64巻8号1312頁［労働基準法32条1項（週単位の時間外労働規制〔法定労働時間規制というべきであろう〕）と同条2項（1日単位の時間外労働規制〔同前〕）とは規制の内容および趣旨等を異にし，同条1項違反成立の場合も，その週内の1日単位の時間外労働規制違反（2項違反）が成立し，それぞれの行為は社会的見解上別個のものと評価すべきで，両罪は併合罪の関係にあるとした］。

5）昭和63・1・1基発1号・婦発1号。

を，区別して論ずる必要がある[6]。

第1に，休憩時間が労働時間と評価されないための（非労働時間のメルクマールとしての）自由利用（電話番や来客に備えて待機をさせる等の「手待時間」と休憩の区別）の問題がある。これは労働時間概念における不活動時間の評価の一場面として問題となる（→202頁以下）。

第2に，外出制限や外出許可の規制によって，その時間が直ちに労働時間と評価されないとしても（例えば外出制限があっても事業場内で自由に過ごしてかまわない場合等），そのような規制が休憩自由利用の観点から許されるかは別途，問題となる。これは当該規制が客観的合理性を有するか否かによると解する。その解釈に当たって，休憩自由利用原則は当然考慮に入れられる。

第3は，休憩時間中の政治活動やビラ配布行為を就業規則等で規制する（許可制とする）ことが本条項との関係で可能かという問題である。この問題については学説上の対立がある。具体的危険説は，休憩自由利用原則には，休憩時間中の労働者の市民的活動を保障する趣旨も含まれている，そう解しないと，労働時間でないことという当然の要請（第1の問題）以上に「自由利用」を法が要求している意味がなくなるとして，具体的業務の支障を生じさせるビラ配布等のみが規制可能とする。これに対して，抽象的危険説は，休憩自由利用原則も，事業場内での秩序維持義務までを免除するものではなく，企業秩序に対する抽象的危険を根拠にビラ配布等を規制できるとする。

この問題について，最高裁は，抽象的危険説を採り，休憩時間中であっても，使用者の企業施設に対する管理権の合理的な行使として是認される範囲内の適法な規制に服するとした[7]。休憩自由利用原則に，具体的危険説の主張する市民的活動の保障が含まれているとしても，企業外の市民が当該事業場内でビラ配布等をしようとする場合，その施設を管理する使用者の規制には服するはずである。したがって，市民的活動の自由といっても，当然に許可を受けずに自由に施設を利用し得ることにはならない。また，第2の問題のように，合理性

6)　かつて，労基法34条の休憩を論ずる場合に，労働時間ではない（非労働時間たる）休憩と，34条の規制（同条3項の自由利用を含む）に適合した休憩を区別せず議論が混乱していたことを含め，詳細は荒木・労働時間273頁以下参照。

7)　目黒電報電話局事件・最三小判昭和52・12・13民集31巻7号974頁［上司の反戦プレート取外し命令に抗議するビラを，昼休み中の食堂で許可制に反して配布したことを理由とする懲戒処分が争われた］。

のない外出制限が労働時間性を基礎づけないとしても，自由利用原則はそのような不合理な外出制限を無効とし得る点で，本条項には，それなりに意義が認められる。そして，休憩自由利用原則は，施設内で休憩をとる他の従業員の休息の実効性確保をも要請していることを考慮すると，判例の立場を支持してよい。

Ⅲ　休　日

1　週休1日制とその例外（変形週休制）

使用者は労働者に毎週少なくとも1回の休日を付与しなければならない（労基35条1項）。欧州ではキリスト教の影響で，法定休日は日曜日と特定されているが，労基法にはそのような規制はない。また，労基法上付与すべき休日は週1日であるので，「国民の祝日に関する法律」の定める「国民の祝日」は，労基法上の休日ではなく，週休日を与えている限り，休日としなくとも労基法違反は生じない。

また，週休2日制を採用している場合も，そのうちの1日は「法定外休日」であって，労基法35条の要求している法定休日ではない。したがって，その法定外休日に労働させた場合，そのことによって，週40時間の法定労働時間規制違反が生ずる可能性はあるが，労基法35条違反の問題は生じない。

「休日」とは，継続24時間ではなく，原則として暦日と解されている。「毎週」については，就業規則等で週の起算点を定めておけばそれによるが，そのような定めがなければ，暦週と解される。

週休1日の原則は，使用者が「4週間を通じ4日以上の休日」を付与する場合には適用されない（変形週休制，労基35条2項）。ただし，4週4日の単位期間の起算日を定めておく必要がある（労基則12条の2）。

2　休日の特定と休日振替・休日労働

法文上，法定休日の特定は要求されていない。就業規則の必要的記載事項の規制（労基89条1号）も「休日……に関する事項」とするのみである。しかし，通達では就業規則等で特定するのが望ましいとされている[8]。

一旦特定された休日に，業務上の必要から出勤を命じ，その代わり他の労働

8)　昭和23・5・5基発682号，昭和63・3・14基発150号。

日に代休を与えることがある（休日振替）。これは事前の振替と事後の振替で全く効果が異なることに注意を要する。

契約上特定された休日の変更は，法律上特定が要求されていない以上，契約上の根拠（個別合意ないし契約，就業規則，労働協約等）があればそれによって可能である。そして，事前の休日振替，すなわち，週休日とされていた日（例えば日曜日）の前日までに[9]，別の日（例えば前週の水曜日）を週休日とする休日振替がなされた場合，当該日曜日は，週休日ではなく労働日となり，日曜日の労働は休日労働ではなく，したがって，休日労働協定（いわゆる「三六協定」，労基36条）や休日労働に対する割増賃金（労基37条）の問題も発生しない[10]。

これに対して，事後の休日振替，すなわち，特定された週休日に労働させた後で，別の日を代休と指定する場合，元の週休日は，休日のまま労働を行わせているので，当該労働は休日労働となる。その結果，休日労働に対する割増賃金支払が必要となるし，三六協定を締結せずに行った場合は，労基法35条違反も成立する[11]。この場合，事後に代休を付与しても，法定休日労働や労基法違反の事実がなくなることはない[12]。

第3節　時間外・休日労働規制

以上のような労働時間・休日規制の原則については，一定の場合に例外として時間外労働・休日労働が認められている。

I　法定時間外労働・所定時間外労働

労基法上の時間外・休日労働規制を論ずる前提として，まず，法定時間外労働・所定時間外労働の概念を整理しておく必要がある。

9）休日が原則暦日単位であることを踏まえると，遅くとも休日が始まる午前0時以前になされる必要がある（注釈時間法386頁，有泉・労基法300頁参照）。

10）振替休日を例えば翌週の水曜日とした場合，日曜の労働は休日労働とはならないが，当該週の実労働時間が法定労働時間たる週40時間を超過する場合には，その超えた時間は法定時間外労働となり，三六協定および割増賃金支払が必要となる（労基局（上）541頁）。

11）休日振替に関する裁判例として，三菱重工横浜造船所事件・横浜地判昭和55・3・28労判339号20頁，ほるぷ事件・東京地判平成9・8・1労判722号62頁，ドワンゴ事件・京都地判平成18・5・29労判920号57頁等。

12）労基局（上）495頁。

法定時間外労働とは，労基法の定める最長労働時間（1日8時間，週40時間）を超える労働をいい，所定時間外労働とは，就業規則や労働協約等で定められた労働時間を超える労働をいう。例えば，ある企業で所定労働時間7時間と定められている場合，7時間を超える労働は所定時間外労働だが，8時間を超えなければ法定時間外労働とはならず，労基法の規制（時間外労働のための諸要件の充足や割増賃金支給）の対象とはならない（「法内超勤」と呼ばれる）。実務では所定時間外労働に対しても法定時間外労働と同様に割増賃金を支給する例は少なくないが，この場合，法内超勤に対する割増賃金支払は労基法の要請ではなく，当事者間の約定等に基づくものである。

休日についても同様に，法定休日における労働（法定休日労働）と法定外の休日における労働（法定外休日労働）とがあり，労基法の休日労働規制が対象とするのは前者である。

以下，「時間外労働」「休日労働」とは，「法定時間外労働」「法定休日労働」を指すものとする。時間外・休日労働については，それが労基法上許されるか（後述Ⅱ）と，許されるとして労働者が時間外・休日労働義務を負うか（後述Ⅲ）の問題を区別して議論する必要がある。

Ⅱ　時間外・休日労働が許される場合

労基法上，適法に時間外・休日労働を行い得るのは次の2つの場合である。

1　災害・公務等の臨時の必要による時間外・休日労働（労基33条）

「災害その他避けることのできない事由によつて，臨時の必要がある場合」使用者は行政官庁（労基署長）の許可を受けて（許可を受ける暇がない場合，事後の届出で可），必要な限度で，時間外・休日労働を行わせることが可能である（労基33条1項）。しかし，行政官庁（労基署長）が，時間外・休日労働を不適当と認めるときは，その時間に相当する休憩・休日を命ずることができる（同2項）。

許可および事後の承認の可否の基準については，2019（令和元）年に，労基法制定直後に発せられた通達の基本的考え方は維持しつつ，現代的事象等を踏まえて明確化を図る行政解釈が示されている。すなわち，「災害その他避けることのできない事由によつて臨時の必要がある場合」は，臨時の必要の限度において厳格に運用すべきものであり，単なる業務の繁忙その他これに準ずる経営上の必要では認められないが，①地震，津波，風水害，雪害，爆発，火災等の災害への対応（差し迫った恐れがある場合における事前の対応を含む），急病への対応その他の人命又は公益を保護するための必要（災害その他避けることのできない事由により被害を受けた電気，ガス，水道等のライフラインや安全な道路交通の早期復旧のための対応，大規模なリコール対応を含む）は認める，②事業の運営を不可能ならしめるような突発的な機械・設備の故障の修理，保安やシステム障害の復旧（通常予見される部分的な修理，定期的な保安は認めないが，サーバーへの攻撃によるシステムダウンへの対応は含まれる）は認める，③上記①および②の基準については，他の事業場からの協力要請に応じる場合においても，人命または公益の確保のために協力要請に応じる場合や協力要請に応じないことで事業運営が不可能となる場合には認める，とされている[13]。なお，災害その他避けることのできない事由に直接対応する場合に加えて，当該事由に対応するに当たり，必要不可欠に付随する業務を行う場合が含まれること，この新許可基準の定めた事項は，あくまで例示であり，限定列挙ではなく，これら以外にも「災害その他避けることのできない事由によつて，臨時の必要がある場合」が認められ得ること等も確認されている[14]。

また，公務のための臨時の必要がある場合，労基法33条1項にかかわらず（つまり，災害等の事由の有無を問わず，行政官庁の許可等を要せず），同法別表第1に掲げる1号～15号の事業以外（したがっていわゆる現業は対象とならない）の官公署の事業に従事する国家公務員および地方公務員には時間外・休日労働をさせることができる（同3項）。もっとも，非現業国家公務員は労基法の適用を除外されているため（国家公務員法附則16条），本項が実際に適用されるのは，ほとんど非現業の地方公務員に限られる。

2　労使協定に基づく時間外・休日労働（労基36条）

労基法36条は，使用者と事業場の過半数代表が書面による労使協定（「三六（サブロクないしサンロク）協定」と呼ばれる）を締結し，これを労基則16条の定める様式により労基署長に届け出た場合，その労使協定で定めるところに従った時間外・休日労働を許容している。労基法33条による例外は災害等の非常の場合に限定されているのに対して，36条は時間外・休日労働の必要により広く対応するものである。

---

13)　令和元・6・7基発0607第1号。

14)　令和元・6・7基監発0607第1号。

(1)　三六協定の締結・届出

三六協定は，各事業場単位で締結しなければならない。協定の一方当事者は使用者であり，他方当事者は労働者の過半数代表，すなわち，事業場の労働者の過半数で組織する労働組合がある場合にはその労働組合（過半数組合），そのような労働組合が存在しない場合には，労働者の過半数を代表する者（過半数代表者）である。過半数代表選出の母集団は事業場の全労働者であり，パート労働者や有期契約労働者はもちろん，時間外・休日労働規制の適用を除外され得る者（管理監督者や監視断続労働従事者等）も含まれると解されている[15]。

過半数組合が存在しない場合に選出されるべき過半数代表者について，かつて労基法はその選出手続について何ら定めも置いておらず，杜撰な選出がなされているとの批判が強かった[16]。そこで，1998（平成10）年労基法改正に伴い，同施行規則が改正され，過半数代表者は，①労基法41条2号にいう管理監督者でないこと[17]，かつ②労使協定締結等をする者の選出であることを明らかにして実施される選挙，挙手等により選出された者であって，（以下は2018年改正で追加）使用者の意向に基づき選出されたものでないこと，が要求されている（労基則6条の2第1項）。また過半数代表者に対する不利益取扱いは禁止され（同3項），さらに2018年改正では，使用者は，過半数代表者が協定等に関する事務を円滑に遂行することができるよう必要な配慮を行わなければならないことが定められた（同4項）。

三六協定で定めるべき事項は，1）時間外・休日労働の対象労働者の範囲（36条2項1号），2）対象期間（同2号：1年に限る），3）時間外・休日労働をさせることができる場合（同3号），4）対象期間における1日，1ヶ月および1年のそれぞれの期間について時間外労働ができる時間または休日労働できる日数（同4号），5）三六協定（協約による場合を除く）の有効期間（労基則17条1項1号），6）上記4）における1年の起算日（同2号），7）時間外・休日労働が単月100時間，複数月平均80時間を超えないこと（同3号），8）36条3項の限度時間を

---

15)　昭和46・1・18基収6206号，昭和63・3・14基発150号，平成11・3・31基発168号。

16)　トーコロ事件・最二小判平成13・6・22労判808号11頁，同・東京高判平成9・11・17労判729号44頁［役員を含めた全従業員によって構成されている親睦団体は労働組合でなく，その代表者は三六協定の締結当事者である過半数代表者には当たらないとした］。

17)　①の該当者（非管理監督者）がいない場合（当該事業場の全員が管理監督者であるとき）は②の要件を満たせばよい（労基則6条の2第2項）。

超えて時間外労働させることができる場合（同4号），9）限度時間を超えて労働させる労働者の健康福祉確保措置（同5号），10）限度時間を超えた時間外労働に係る割増賃金率（同6号），11）限度時間を超えて労働させる場合の手続（同7号），である。

三六協定は単に締結されただけでは足りず，労働基準監督署長への届出がされて初めて，時間外・休日労働が可能となる（労基36条1項本文）[18]。

(2) 時間外労働の上限規制

i）直接規制型と間接規制型　欧州諸国は時間外労働の上限自体を法が直接規制する例が多い（ドイツでは1日2時間，年間60日，フランスでは年間180時間といった上限規制があり，EU労働時間指令は時間外労働を含めて週の労働時間の上限を平均48時間と定めている）。これに対して，アメリカには時間外労働の上限規制はなく，単に法定労働時間（週40時間）を超える労働に50％の割増賃金支払義務を課し，経済的圧力によって間接的に規制するに過ぎない。

これまで日本は労基法32条で実労働時間を直接に規制する一方，三六協定の締結・届出がなされれば，時間外労働の上限については，行政指導の対象とはされたが，強行的な法規制は存せず，割増賃金支払義務が課されるのみであった。したがって，欧州とアメリカの中間的位置にあった。しかし，2018年改正によって，時間外労働の上限に強行的規制が導入され，直接規制型の性格が明確になった。

▩目安時間・限度基準に基づく行政指導から強行的上限規制へ　労基法制定時より，三六協定の締結・届出があれば時間外労働が可能で，その上限については規制がないため「三六協定青天井」と呼ばれ，長時間労働の一因とされた[19]。しかし他方で，時間外労働は日本の雇用システムにおいて解雇回避の手段として機能してきたこと[20]も考慮され，時間外労働の限度については強行的規制を導入するのではなく，1982年以来，時間外労働適正化指針（昭和57労告69号）の延長時間に関する目安（目安時間）による行政指導が行われてきた。

その後，行政指導の根拠条文が存しないという問題に対処すべく1998年労基法改正に

18）32条の2等で届出が変形制適用の要件を定めた項とは別項で規定されているのと異なる。

19）ただし，改正前労基法36条1項但書（現36条6項1号）で，坑内労働等の有害業務（労基則18条で列挙）の時間外労働については，1日2時間という上限規制が設けられていた。

20）好況時の需要増大に，人を雇い入れるのではなく，現雇用労働者の時間外労働で対応し，不況時の需要減退には時間外労働削減で対応し，余剰人員解雇という事態が生ずるのを避けるのが一般であった。

よって，労働（現，厚生労働）大臣が時間外の限度基準を定めることができることとされ（改正前労基36条2項），これに基づき，いわゆる限度基準告示（平成10労告154号）が発出されていた。

しかしこの限度基準も，労使協定当事者が時間外労働時間数を定めるに当たって，限度基準に適合したものとなるようにしなければならないという行政による助言指導の根拠を与えるに留まり，限度基準を超える時間外労働協定を直ちに無効とする強行的な規制ではなかった。

これに対し，2018年改正は時間外の限度時間および絶対的上限時間について罰則付きの強行的規範を労基法制定以来初めて導入した点で画期的なものであった。

ii）時間外労働の限度時間と絶対的上限　三六協定で定めうる時間外労働（労基法36条で「労働時間を延長し」と表現される「時間外労働」は休日労働とは明確に区別されており，上限時間数に休日労働を含む場合は法文上も明記されている）の限度時間は，1ヶ月につき45時間，1年につき360時間（1年単位の変形労働時間制〔労基32条の4〕で変形単位期間が3ヶ月超の場合は，1ヶ月42時間，1年320時間）と法定された（労基36条3項，4項，**図表7-2**参照）。

従来の限度基準告示においては特別な事情がある場合に特別条項によって限度基準を超えることが認められていたが，2018年改正法でも「通常予見する

図表7-2　時間外労働の上限規制のイメージ

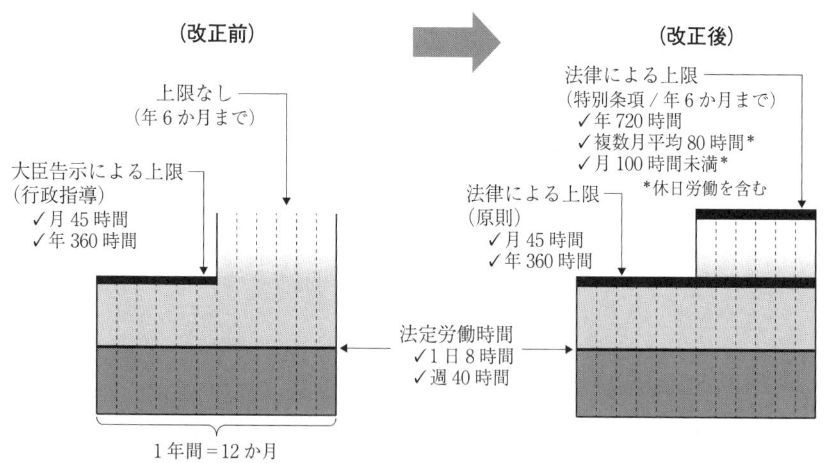

（出所：厚生労働省「時間外労働の上限規制　わかりやすい解説」4頁）

ことのできない業務量の大幅な増加等に伴い臨時的に……限度時間を超えて労働させる必要がある場合」[21]には，特別条項によって限度時間を超える時間外労働を設定することが年に6ヶ月まで許容されている。しかし，2018年改正で初めて，特別条項による時間外労働にも年720時間（これには休日労働の時間はカウントされない），単月では時間外労働と休日労働を合算して100時間，複数月平均で80時間と絶対的上限が定められた（同36条5項，6項）[22]。

なお，新技術・新商品等の研究開発業務については，限度基準告示においても適用対象外とされていたが，2018年改正でも，限度時間および絶対的上限規制は適用しないこととされた（同36条11項）。ただし，新技術・新商品等開発業務労働者については，その健康確保のため，週40時間超の労働時間が月100時間を超える場合，医師の面接指導が罰則付きで義務づけられた（労安衛66条の8の2，120条1号，労安衛則52条の7の2）。

これらの時間外労働の限度時間および絶対的上限規制は，大企業については2019年4月から，中小企業については2020年4月から施行されている。

▩時間外労働の上限規制の適用猶予　建設事業（労基附139条），自動車運転業務（同140条），医師（同141条）については2024年3月31日まで上限規制の施行が猶予されている。鹿児島県・沖縄県の砂糖製造業（同142条）については，単月100時間，複数月80時間の絶対的上限規制のみが2024年3月31日まで猶予されている。

時間外労働および休日労働を適正なものとするため，労基法36条7項に基づき「時間外労働・休日労働指針」（平成30・9・7厚労告323号）が定められ，①時間外・休日労働は必要最小限に留めるべきこと，②三六協定の範囲内でも安全配慮義務を負うこと，③時間外・休日労働を行う業務区分を細分化し，業務の範囲を明確にすべきこと，④臨時的な特別の事情がなければ限度時間（月45時間・年360時間）を超えられないこと，限度時間を超える場合もできる限り限度時間に近づけるよう努めるべきで，また，限度時間を超える時間外労働には

21）「業務の都合上必要な場合」「業務上やむを得ない場合」など恒常的な長時間労働を招くおそれがあるものを定めることは認められない（時間外・休日労働指針5条〔平成30・9・7厚労告323号〕）。

22）三六協定で許容された時間外労働を超えた労働は，32条違反となるが，三六協定に直接違反しなくとも時間外労働と休日労働を合算した絶対的上限規制である36条6項に違反する事態が生じうる。そこで，2018年改正では，36条6項違反自体について，新たに刑事罰が設けられた（119条1号）。

25%を超える割増賃金率とするよう努めるべきこと（三六協定の書式にも限度時間を超える場合の割増賃金率の記載欄が設けられている），⑤限度時間を超えて労働させる労働者の健康・福祉確保，⑥限度時間の適用除外・猶予されている事業・業務についても限度時間を勘案し，健康・福祉確保に努めるべきこと等が規定された。

(3)　三六協定の効力

三六協定には免罰効と強行性解除効という2つの効力がある。第1に，三六協定を締結し，それを届け出ることによって，使用者は法定労働時間を超えて労働させても，あるいは法定休日に労働させても労基法違反の責任を問われないという「免罰効」が導かれる[23]。

第2に，三六協定によって，法定労働時間（労基32条）・休日規制（同35条）の強行的効力が解除され，三六協定の枠内で法定労働時間を超える労働時間設定を私法上可能とする効果がもたらされる。

これらの効果は，当該事業場の全労働者に及ぶ。

Ⅲ　時間外・休日労働義務

三六協定は上述のように，免罰効と強行性解除効をもたらすものの，三六協定から労働者に時間外労働義務が発生するわけではない。すなわち，三六協定が過半数組合と使用者との間で労働協約として結ばれても，非組合員にはその規範的効力は及ばない。また，過半数代表者と締結された三六協定であれば，他の労働者が過半数代表者に代理権を委任する等の事情がない限り，他の労働者にとっては単なる第三者と使用者の締結した協定に過ぎず，何らかの義務を生じさせるものではない。

そこで，三六協定の存在に加えていかなる要件が備われば個々の労働者に時間外労働義務が発生するかにつき，学説が対立した[24]。個別的同意説は，時間外労働には，個々の労働者の個別的同意が必要であり，就業規則や労働協約の「業務上の必要がある場合，時間外労働を命じ得る」旨の規定からは時間外

23）　最一小判平成21・7・16刑集63巻6号641頁［三六協定で1ヶ月の時間外労働時間が協定されている場合，各週の時間外労働が協定時間に達するまでは違法性が阻却されるが，協定時間を超える時間外労働がなされた場合の32条1項違反については，1週間について40時間を超える時間外労働がある各週につき労基法32条1項違反が成立する］。

24）　学説の詳細は注釈時間法448頁以下参照。

労働義務は発生しないとする（さらに，その都度の合意に限るものと，事前の個別的合意でもよいとするものなどに分かれる）。これに対して，包括的規定説は，三六協定の締結によって，時間外労働義務を設定することが私法上可能となっている以上，就業規則や労働協約で包括的な時間外労働義務を負わせることも可能であるとする。

こうした状況の中で，最高裁は個別的同意説を斥け，使用者が三六協定を締結し，労基署長に届け出た場合において，就業規則に当該三六協定の範囲内で一定の業務上の事由があれば時間外労働をさせることができる旨定めているときは，当該就業規則の規定が合理的なものである限り，具体的労働契約の内容をなし，労働者は時間外労働義務を負うとした[25)]。労働者の不利益との調整は，就業規則規定の「業務上の必要性」の存否のチェック，そして時間外労働命令権の濫用の判断で吟味することとなる。

Ⅳ　割増賃金

1　割増賃金の趣旨

労基法37条は，時間外・休日労働に割増賃金支払いを義務づけている。割増賃金の制度趣旨は，使用者に経済的負担を課すことにより時間外・休日労働を抑制し，労働時間・休日の規定を遵守させるとともに，時間外・休日労働という特別な労働負担に対する労働者への補償を行おうとするものと解される[26)]。

2　割 増 率

当初，時間外・休日労働の割増率は2割5分以上とされていたが，1993年改正で，「2割5分以上5割以下」とされ，これを受けて「労働基準法第37条第1項の時間外及び休日の割増賃金に係る率の最低限度を定める政令」（平成6政5）で，休日労働の割増率が35％以上に引き上げられた。さらに，2008年の労基法改正で，1ヶ月60時間を超える時間外労働に対する割増率は50％以上とされた（労基37条1項但書。中小企業に認められていた同規制の適用猶予は2018年改

25)　日立製作所武蔵工場事件・最一小判平成3・11・28民集45巻8号1270頁。

26)　静岡県教職員事件・最一小判昭和47・4・6民集26巻3号397頁，医療法人社団康心会事件・最二小判平成29・7・7労判1168号49頁，日本ケミカル事件・最一小判平成30・7・19労判1186号5頁，国際自動車事件・最一小判令和2・3・30裁判所ウェブサイト，注釈労基法（下）630頁［橋本陽子］等参照。

正で廃止され，2023年4月より中小企業にも適用される）。

月60時間の時間外労働算定に当たって，法定外休日の労働時間はカウントされるが，法定休日労働はカウントされない[27]。

なお，50％のうちの25％部分については，割増賃金に代えて有給代替休暇を付与することが可能である（→198頁）。

深夜労働（午後10時～午前5時の労働）については労基法制定当初から，25％以上の割増賃金支払いが義務づけられている（労基37条4項）。

なお，時間外労働の場合の25％の割増賃金は，基本賃金に加えて支払われるべきは当然であり，125％の支払いが必要となると一般に解されている[28]。しかし，深夜労働の場合，100％部分は既に支払い済みであるので，単に25％を支払えば足りる。また，出来高給の場合も，出来高給自体で基本給部分が支払い済みであるので，時間外手当としては25％増しでよい[29]。

また，労基法37条は33条や36条によって適法に時間外労働を行った場合についてしか規定していないが，違法に時間外労働を行った場合についても当然に割増賃金支払義務が発生すると解されている[30]。

3　時間外・休日・深夜労働の重複の場合

時間外と深夜が重複した場合，25＋25＝50％以上の，1ヶ月60時間超の時間外労働と深夜労働が重複した場合，50＋25＝75％以上の割増賃金（労基則20条1項）が，休日と深夜が重複した場合，35＋25＝60％以上の割増賃金（同2項）が支払われなければならない。これに対して，休日労働が8時間を超えても割増賃金は35％のみで足りる[31]。これは，休日労働も時間外労働も法定外労働という点では同性質のものであり，異なる割増原因が重複したものではないと解されているからである[32]。同様に，法定休日労働は休日労働の観点から法定外労働として評価されるため，週の時間外労働にはカウントされない。したがって，休日労働と週の時間外労働に対する割増賃金の重複は問題となら

27）　平成21・5・29基発0529001号参照。

28）　もっとも割増賃金と付加金の関係も含めて学説上は議論がある。詳細については注釈時間法490頁参照。

29）　平成6・3・31基発181号。

30）　小島撚糸事件・最一小判昭和35・7・14刑集14巻9号1139頁。

31）　昭和22・11・21基発366号，昭和33・2・13基発90号，平成6・3・31基発181号。

32）　注釈時間法492頁参照。

ず，さらには休日労働と1ヶ月60時間超の時間外労働に対する割増賃金の重複も問題とならない。これに対して，週休2日制における法定休日（例えば日曜日）ではない休日（法定外休日〔通達は「所定休日」と呼んでいる〕，例えば土曜日）の労働は，法定休日労働としては評価されないので，週や1ヶ月60時間超の時間外労働の算定においてカウントされなければならない[33]。

4　定額払い制の可否

労基法37条は時間外労働に比例して所定の割増賃金が支払われるべきことを要求している。しかし，実務では，割増賃金の支払に代えて一定額の手当を支払う「定額手当制」や，割増賃金込みの賃金を設定する「定額給制」が採用されることがあり，その適法性が問題となる[34]。

まず前提として，労基法37条は，法に従って算出した額（以下「法所定額」）以上の割増賃金を支払うことを要求しているのであり，37条の計算方法に従うこと自体を要求するものではない[35]。したがって，定額払い制は直ちに違法となるものではないが，37条の潜脱とならないよう，次の諸点に照らして吟味される。

第1に，当該定額手当が，時間外労働に対する対価として，法の要求する割増賃金に代えて支払われること（対価性）が必要である[36]。実際の時間外労働時間数と定額手当相当分の時間数に大きな乖離がある場合，この対価性に疑義が生じ得る。また，対価性が認められても，限度基準（限度時間）を大幅に超える時間外労働分の定額手当は公序違反としてその効力を否定した例がある[37]。

---

33)　平成21・5・29基発0529001号。

34)　棗一郎「定額残業制」岩村正彦ほか編『実務に効く労働判例精選（第2版）』39頁（2018年），岩出誠「みなし割増賃金をめぐる判例法理の動向とその課題」菅野古稀337頁等参照。

35)　昭和24・1・28基収3947号，関西ソニー販売事件・大阪地判昭和63・10・26労判530号40頁，日本ケミカル事件・前掲注26，国際自動車事件・前掲注26。

36)　日本ケミカル事件・前掲注26。当該手当が割増賃金の性質を有するとは認め難いとして，割増賃金の一部弁済の主張を否定した例として，昭和観光事件・大阪地判平成18・10・6労判930号43頁，日本ビル・メンテナンス事件・東京地判平成18・8・7労判926号53頁，ボス事件・東京地判平成21・10・21労判1000号65頁，ワークフロンティア事件・東京地判平成24・9・4労判1063号65頁，泉レストラン事件・東京地判平成26・8・26労判1103号86頁等。これに対して，手当が割増賃金たる性格を有するとされた例として，SFコーポレーション事件・東京地判平成21・3・27労判985号94頁［管理手当（残業内払）と明記されていた事案につき，割増賃金請求否定］。

37)　ザ・ウィンザー・ホテルズインターナショナル事件・札幌地判平成23・5・20労判1031号

第2に，割増賃金込みで賃金が設定されている定額給制の場合，法所定額が支払われていることをチェックできるよう，通常賃金部分と割増賃金部分とが判別できなければならない（判別可能性[38]）。例えば，単に，基本給30万円に固定残業代を含む，といった定めでは，この判別は不可能で，労基法37条の潜脱となるため，無効となる[39]。定額手当についても，割増賃金部分と他の性質の賃金が混在して判別不能の場合には同様である。

なお，タクシー乗務員の割増金が時間外労働等の時間数に応じて算定・支給されるが，その割増金額は歩合給から控除する定めにより，揚高が同じなら時間外労働等の多寡にかかわらず，総賃金額が同じとなる（時間外労働をしても賃金が増えない）制度につき，国際自動車事件・前掲注26は，労基法37条の趣旨に沿わず，元来，歩合給として支払うことが予定されている賃金を，時間外労働等がある場合には，その一部につき名目のみ割増金に置き換えて支払うこととするものであり，通常の労働時間の賃金である歩合給部分を相当程度含んでいると解さざるを得ず，割増金のどの部分が時間外労働等の対価か不明で，通常の労働時間の賃金部分と割増賃金部分とを判別できず，労基法37条の割増賃金が支払われたとはいえないとした。

第3に，これらの定額手当が，法所定額に満たない場合には，不足額を追加的に支払わなければ，当然ながら労基法違反となる。この点に関連して，定額払い制の有効要件として，法所定額との差額がある場合に，差額が所定賃金支払期に支払うことが合意されていることを要求した裁判例もある[40]。理論的

81頁［月95時間分の職務手当］，マーケティングインフォメーションコミュニティ事件・東京高判平成26・11・26労判1110号46頁［月100時間分の営業手当］，穂波事件・岐阜地判平成27・10・22労判1127号29頁［月83時間分の管理職手当］，イクヌーザ事件・東京高判平成30・10・4労判1190号5頁［月間80時間相当の固定残業代］。

38）判別可能性の要件について，「明確区分性」といわれることがあるが，判例は判別可能性が「明確であること」まで要求しているわけではない。同旨，白石120-121頁［白石哲］。

39）高知県観光事件・最二小判平成6・6・13労判653号12頁，テックジャパン事件・最一小判平成24・3・8労判1060号5頁［労働時間が月140時間～180時間の間である限り，月額41万円の固定額とし減額もしないが，別途割増賃金も支払わないとする取扱いは，41万円の定額賃金中，通常賃金と割増賃金との判別が不能で，180時間以内に生じた時間外労働に支払うべき割増賃金を支払っていると認めることはできないとした］，創栄コンサルタント事件・大阪高判平成14・11・26労判849号157頁，山本デザイン事務所事件・東京地判平成19・6・15労判944号42頁等。

40）小里機材事件・東京地判昭和62・1・30労判523号10頁。控訴審（東京高判昭和62・

には，差額支払いは合意がなくとも労基法上当然のことであるので，独立の要件と解すべきでないとも思われる[41]。しかし，定額払い制を採用することによって，残業代は支払い済みとして割増賃金規制の潜脱を助長しかねない問題，労働者が支払われるべき差額を計算して請求することの困難さ，労働契約当事者間の契約内容の理解促進という労働契約の基本原理（労契4条）を踏まえると，かかる行為規範を要求することにも傾聴すべきものがある[42]。

この点，日本ケミカル事件・東京高判平成29・2・1労判1186号11頁は，定額払い制の有効要件として，定額残業代を上回る時間外手当発生を労働者が認識し直ちに支払請求できる仕組み，雇用主によるその仕組みの誠実実行，基本給と定額残業代の金額バランスの適切さ，健康悪化などの労働者の福祉を損なう温床となる要因のないこと，を要求し，定額の業務手当を時間外手当と認めなかった。しかし，同事件（上告審）・前掲注26は，定額手当が時間外労働等に対する対価として支払われたか否かは，契約書等の記載内容のほか，労働者に対する当該手当や割増賃金に関する説明内容，労働者の実際の労働時間等の勤務状況などの事情を考慮して判断すべきとし，法は原審の要求する事情を必須のものとしているとは解されないとして，当該業務手当は時間外労働等に対する対価と認められるとした（原審破棄差戻し）。

5　割増賃金の計算方法

割増賃金の計算に当たっては，その算定基礎額を確定する必要がある。これはまず，「通常の労働時間又は労働日の賃金」（労基37条1項）が基礎となるところ，この「通常の賃金」に該当するか否かのスクリーニングが必要となる。「通常の賃金」には，当該労働に通常の賃金と時間外・深夜でない通常の労働時間になされた場合の賃金という意味がある。労基法施行規則21条4号の「臨時に支払われた賃金」，同5号の「1箇月を超える期間ごとに支払われる賃

11・30労判523号14頁）は一審をほぼそのまま引用し，これが，最高裁（最一小判昭和63・7・14労判523号6頁）でも維持された。

41）　山川隆一「歩合給制度と時間外・深夜労働による割増賃金支払義務」労判657号10頁（1994年），白石122-123頁［白石哲］。

42）　テックジャパン事件・前掲注39の櫻井龍子裁判官補足意見は，かかる予めの合意を必要とする。近時の裁判例で，この立場に立ち，差額清算の合意またはそうした取扱いが確立していることを要するとしたものとして，アクティリンク事件・東京地判平成24・8・28労判1058号5頁，イーライフ事件・東京地判平成25・2・28労判1074号47頁。

金」(例えばボーナス) が割増賃金算定基礎額から除外されるが，その他にもこの「通常の賃金」といえないために除外されるものがあり得る[43]。

次に，「通常の賃金」から，労基法37条5項 (家族手当，通勤手当)，同施行規則21条1号 (別居手当)，2号 (子女教育手当)，3号 (住宅手当) の除外賃金が控除される。この際，これらの除外賃金に該当するかどうかは，名称にかかわらず，実質的に (労働の内容とは無関係に個人的事情に左右される賃金かどうかという観点から) 判断される。そして，ここにいう除外賃金に該当しなければ，割増賃金算定基礎に算入される。その意味で，これらの除外賃金は限定列挙である。

こうして算出された賃金が割増賃金算定基礎賃金となり，これを所定労働時間で除して，1時間当たりの単価たる賃金を算出することとなる。

現行規制では，割増賃金の計算基礎となる賃金から，前述のように各種手当，ボーナス等が除外されている。日本の場合，ボーナス等の年収に占める割合が高いため，現状の割増賃金規制では経済的コストによる時間外労働抑制の効果はあまり期待できないこととなる。

6　割増率引上げ分に相当する有給代替休暇付与

2008年労基法改正で導入された1ヶ月60時間超の時間外労働に対する50%の割増賃金については，使用者は過半数代表と労使協定を締結して，割増賃金に代えて通常賃金の支払われる休暇 (有給の代替休暇) を付与することが可能とされた (労基37条3項)。ただし，これは60時間超で，かつ，割増賃金が引き上げられた部分に対応した部分 (25% 部分) に限られる (**図表7-3**参照)。つまり，1ヶ月60時間超の時間外労働について，1.25倍の割増賃金については，代替休暇ではなく賃金で支払わなければならない。また，代替休暇を取得するかどうかは，労働者の意思による (平成21・5・29基発0529001号)。

代替休暇は1日または半日を単位としなければならない (労基則19条の2第1

43)　当該労働に通常の賃金でないために割増算定基礎から除外される例として，坑内係員が坑外で時間外労働をした場合の「坑内手当」(昭和23・5・25基発811号)，集金業務以外で残業した場合における「集金手当」(昭和28・8・18基収2813号，昭和33・2・13基発90号)，1人乗務ではなく時間外労働した場合における「ワンマン手当」(福運倉庫事件・福岡地判昭和52・5・27労判278号21頁) 等。時間外・深夜に対する割増賃金に代わる手当であって，通常の労働時間の賃金でないために除外される例として，「夜間看護手当」(昭和41・4・2基収1262号)，深夜勤務に支払われる「特殊勤務手当」(昭和28・8・18基収2813号，昭和33・2・13基発90号)，労使協定に定められた時間外割増賃金 (両備運輸事件・山口地宇部支判昭和57・5・28労経速1123号19頁) 等がある。詳細は注釈時間法513頁参照。

項2号)。また，代替休暇を与えることができる期間は，時間外労働が1ヶ月60時間超となった月の翌月と翌々月に限られる(同3号)。

時間外労働に対して割増賃金を支払う制度は，使用者に対しては長時間労働の抑制機能を持つが，労働者には長時間労働のインセンティブとして機能する可能性がある。これに対して，時間外労働に割増賃金に代えて労働解放時間(代替休暇)を付与する制度は，長時間労働問題を解決する新たな施策の第一歩として評価できる[44]。ただし，2008年改正による代替休暇付与制度は，その

図表 7-3　割増率引上げ分に相当する有給代替休暇

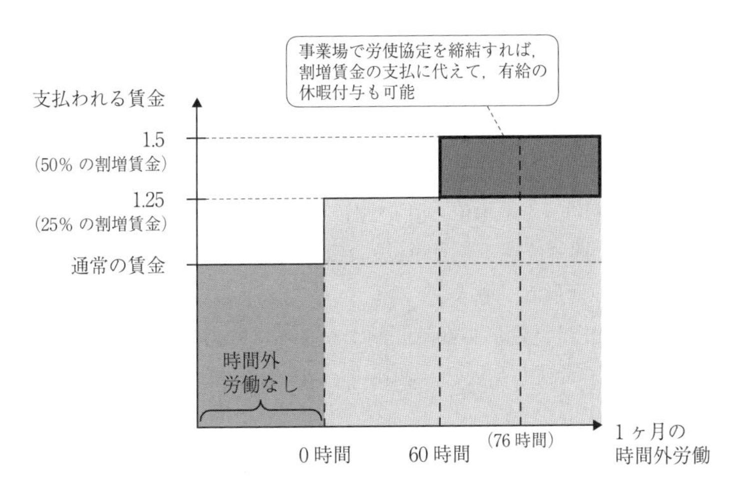

【具体例】
時間外労働を月76時間行った場合
→月60時間を超える16時間分の割増賃金の引上げ分25%(50%−25%)の支払に代えて，有給の休暇付与も可能
→16時間×0.25＝4時間分の有給の休暇を付与(76時間×1.25の賃金の支払は必要)

(出所：厚生労働省リーフレット「労働基準法の一部改正法が成立」)

44)　このような代替休暇付与の制度は厚生労働省労働基準局「今後の労働時間制度に関する研究会報告書」(座長諏訪康雄法政大学教授，2006年1月27日)(https://www.mhlw.go.jp/houdou/2006/01/h0127-1.html)によって提言されていたものである。なお，1994年ドイツ労働時間法は，旧法にあった割増賃金規制を廃止し，時間外労働はすべて労働解放時間付与によって清算されるべきことを前提としている。詳細については和田肇『ドイツの労働時間と

利用可能性が極めて限定されているので，より一般的に利用可能な制度へと発展させるべきであろう。

第4節　労働時間の弾力的規制 ——変形労働時間制・フレックスタイム制

変形労働時間制（変形制）とは，一定期間を単位として，その期間内の所定労働時間を平均して法定労働時間数以内であることを条件に，1日および1週の法定労働時間を超える労働を許容する制度である。この制度により，業務の繁閑に対応した労働時間の柔軟な配置が可能となり，総労働時間の短縮も可能となる。しかし，労働時間が日や週によって変動することは労働者の生活のリズムを乱し，ワーク・ライフ・バランスの点でも問題が生じ得るため，労基法は所定の要件を満たした場合にのみ，かかる変形労働時間制を許容している。

労基法制定当初は，4週単位の変形制しか存しなかったが，1987（昭和62）年改正により，4週単位が1ヶ月単位とされ，新たに，3ヶ月単位（後に1年単位），1週間単位の変形制が導入された。

また1987年改正は，変形労働時間制よりさらに弾力的な労働時間制度としてフレックスタイム制も導入し，2018年改正では，清算期間が1ヶ月から3ヶ月に拡張された。

Ⅰ　1ヶ月以内を単位期間とする変形労働時間制（労基32条の2）

労基法制定当初の4週間単位の変形制を1987年改正で1ヶ月以内の一定期間単位としたものである（労基32条の2）。この変形制を導入するには次の要件を満たしている必要がある。

1　要　件

第1に，過半数代表との書面による協定（労使協定）[45]または就業規則[46]で，

法』116頁，130頁（1998年）参照。

45）　労使委員会および労働時間等設定改善委員会の決議（労基38条の4第5項，41条の2第3項，労働時間設定改善法7条）は，労使協定に代替する。

46）　労基法32条の2第1項には就業規則と別に，「その他これに準ずるもの」とあるが，これは，常時10人以上の労働者を使用しておらず，就業規則作成義務のない使用者についてのみ，

1ヶ月以内の一定期間（単位期間）[47]を平均して，1週当たりの労働時間が週40時間を超えないよう所定労働時間を定めなければならない。例えば，1ヶ月単位の変形制の場合，1ヶ月31日であれば，月の総所定労働時間は40×31／7＝177.1時間を超えてはならない。

第2に，変形制により法定労働時間を超過する労働時間が許容されるのはあくまで「その定めにより，特定された週」「特定された日」についてであるので，就業規則，労使協定等で法定労働時間を超える労働時間配分が予め特定されている必要がある（労働時間の特定）。換言すれば，1ヶ月を平均して，結果として週40時間内に収まっていればよいというわけではない点に注意を要する[48]。もっとも，業務の実態から勤務割表作成の必要がある場合には，「変形期間の開始前まで」の勤務割表による特定でもよいとされている[49]。

上記の要件を満たした変形制の場合，**図表7-4**の8日は1日9時間労働であるが，8時間を超える部分も法定時間外労働とは評価されず，三六協定締結も割増賃金支払も必要なくなる。

なお，労使協定については届出が要求されているが，体系上，変形制の有効要件ではないと解されている（労基36条1項と比較せよ）。しかし，届出違反については罰則がある（労基120条）。なお，労使委員会（同38条の4第5項，41条の2第3項）および労働時間等設定改善委員会（労働時間設定改善法7条）の決議（以下「労使委員会等の決議」）による場合，決議の届出は免除されている[50]。

就業規則に準ずるものによってよいという趣旨とされている（昭和22・9・13発基17号）。

47）単位期間については，就業規則・労使協定または労使委員会・労働時間等設定改善委員会決議でその起算日を定めなければならない（労基則12条の2第1項）。

48）大星ビル管理事件・最一小判平成14・2・28民集56巻2号361頁［労働時間の特定要件の具備を審査しなかった原審判決を破棄差戻し］。特定がなされていないとして変形制の適用を否定し，アルバイト店員の割増賃金請求を認容した例として日本レストランシステム事件・東京地判平成22・4・7判時2118号142頁。

49）昭和63・3・14基発150号。なお，一旦特定された労働時間の変更につき，JR東日本（横浜土木技術センター）事件・東京地判平成12・4・27労判782号6頁［一旦特定された労働時間の変更には，労働者が予測可能な程度に変更事由を具体的に定めることを要し，使用者の裁量により変更するに等しいものは特定要件に欠け不適法とした］，JR西日本（広島支社）事件・広島高判平成14・6・25労判835号43頁［「業務上の必要がある場合は，指定した勤務を変更する。」という抽象的規定では，労働者がいかなる場合に勤務変更命令が発せられるかを予測することは著しく困難として「特定」の要件を満たさないとした］。

50）労基局（上）433頁。

図表 7-4　変形労働時間制における時間外労働の判定

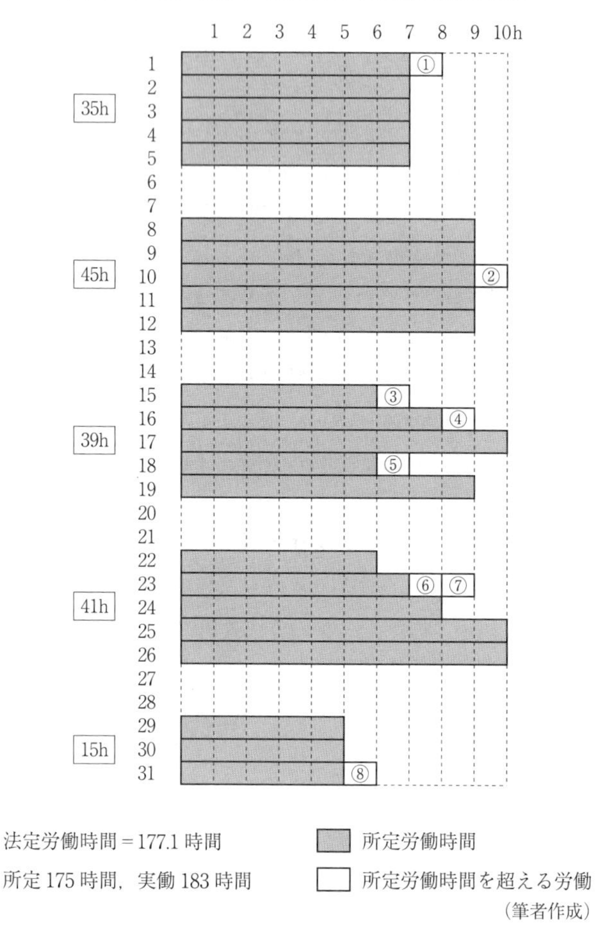

法定労働時間＝177.1 時間　所定労働時間

所定 175 時間，実働 183 時間　所定労働時間を超える労働

（筆者作成）

2　変形労働時間制における時間外労働の判定方法

変形労働時間制の下で，所定時間外の労働がなされた場合に，労基法上の時間外労働に該当するか否かの判断が問題となる。これは，1 日，1 週，変形単位の順に次のように判断することとなる（図表 7-4 参照)。

a）変形制の定めによらずに 1 日 8 時間を超えた時間が法定時間外労働となる。すなわち，1 日について，就業規則等で 8 時間を超える労働時間を定めている場合はその時間を超えて労働した時間（②，④），それ以外の日（＝8時間以下の労働時間を定めてある場合）は8時間を超えて労働した時間（⑦）が法定時間外労働となる。これに対して①，③は所定時間外労働ではあるが法内超勤に留まり，法定時間外労働とはならない。

b)（aでカウントした時間を除き）変形制の定めによらずに週40時間を超えた時間が法定時間外労働となる。すなわち，1週間について，就業規則等で週40時間を超える労働時間を定めている場合は，それを超えて労働した時間（⑥），それ以外の週（＝40時間以下の労働時間を定めている場合）は40時間を超えて労働した時間（⑤）。

c)（aおよびbでカウントした時間を除き）変形期間における法定労働時間の総枠（31日の場合177.1時間）を超えて労働した時間（⑧：①③の労働によって単位期間内の労働が177時間となっており，⑧〔正確には⑧のうち0.9時間〕が法定労働時間の総枠を超える労働となる）。

かかる判断方法は，c）の変形期間が異なる点を除けば他の変形制でも基本的に同様に妥当する。

Ⅱ　1年以内を単位期間とする変形労働時間制（労基32条の4）

1987（昭和62）年改正で3ヶ月単位の変形制が導入されたが，1993（平成5）年改正で変形単位期間が1年まで延長可能となった（労基32条の4）。さらに，1998（平成10）年改正では，対象労働者を全期間を通じて使用される者以外（途中で採用・退職する場合など）にも拡張し（清算して割増賃金を支払うべき場合につき同32条の4の2），配分の上限を若干緩和する（1日10時間，週52時間）と同時に，休日確保については，より労働者保護を充実させている。

1年以内を単位とする変形制は，季節的に業務の繁閑のある場合（例えば百貨店で中元・歳暮の時期は繁忙となるが他の時期はそうでない場合等）を想定した制度である。しかし，変形単位期間が長期となるため，1ヶ月単位の変形制より厳格な要件が課されている。

1　労使協定締結等

1ヶ月単位の変形制は就業規則によっても導入可能であったが，1年単位の変形制は就業規則によることはできず，過半数代表との労使協定締結（または労使委員会等の決議）が必要である。労使協定締結当事者たる過半数代表の要件や，労使協定自身から労働義務が発生することはなく，別途，労働契約，就業規則，労働協約上の根拠が必要であることは三六協定の場合と同様である。届出についても1ヶ月単位変形制と同様である。

2　協定規定事項

協定には，対象労働者，1ヶ月を超え1年以内の対象期間（変形単位期間）・起算日，対象期間中の繁忙期間（特定期間），対象期間における労働日と労働日ごとの労働時間（平均して法定労働時間を超えない定め），労使協定の有効期間，を明定する必要がある（労基32条の4，労基則12条の2，12条の4）。

なお1年単位変形制では単位期間が長期であるため，予めすべての労働時間を特定しておくことは困難である。そこで，対象期間を1ヶ月以上の単位に区分して，当初の労使協定では最初の（区分期間の）所定労働時間のみを定め，残りの区分については，総労働日と総労働時間を定めておき（労基32条の4第1項4号），その具体的配分（労働時間の特定）については，各区分期間の開始前30日に，過半数代表の同意を得て書面で定めることでよい（同2項）。

また，労基法32条の4第3項に基づき，同施行規則が対象期間の労働日数の限度[51]，1日・1週間の労働時間の限度[52]，対象期間および特定期間における連続労働日数の限度[53]について定めている。

なお，3ヶ月を超え1年以内の変形制における時間外労働については，一般の場合より厳格な限度基準（1週14時間，1ヶ月42時間，3ヶ月110時間，1年320時間等）が定められている（限度基準4条）[54]。

Ⅲ　1週間単位の非定型的変形労働時間制（労基32条の5）

これは，日ごとに業務に著しい繁閑があり，これを予測して労働時間を予め

51）対象期間が3ヶ月を超える場合は，対象日（所定労働日）は1年当たり280日とされている。換言すれば，年間85日の休日を確保することが要件となる（労基則12条の4第3項）。3ヶ月以内の場合は，365日－週休日52日＝313日が限度となる。

52）1日10時間，週52時間が上限とされている。なお，対象期間が3ヶ月を超える場合，週労働時間が48時間を超える週は3週を上限とし，また，3ヶ月ごとに区分した各期間に48時間を超える週は3週以下でなければならない（労基則12条の4第4項）。

53）連続労働日数は6日。ただし特定期間（繁忙期間）について協定した場合は1週に1日の休日を確保できる日数とされていることから，結果的に連続労働可能日数は12日となる（労基則12条の4第5項）。

54）平成10労告154号。

特定し得ない事業に対応するための変形制で，それゆえ「非定型的」変形制と呼ばれている（労基32条の5）。

制度利用の要件は，過半数代表との労使協定締結（または労使委員会等の決議）である。協定には届出義務が課されている（同32条の5第3項）。また，1週間の各日の労働時間は当該週の開始前に書面で通知することを要する（同2項）。ただし，緊急やむを得ない事由の存する場合，前日の書面通知でも可能である（労基則12条の5第3項）。なお，1日の労働時間は10時間が上限である（労基32条の5第1項）。

この制度を実際に利用可能なのは，省令で定められた小売業，旅館，料理店および飲食店で常時30人未満の労働者を使用する事業場に限られている（労基則12条の5）。なお，これらの事業のうち，常時10人未満の労働者を使用する事業は，労基法40条の特例事業であり法定労働時間は週44時間とされているが，この非定型的変形制を利用する場合には特例の適用を受け得ず，週40時間制によることとなる（労基則25条の2第4項）。

Ⅳ　フレックスタイム制（労基32条の3）

フレックスタイム制は，単位期間内で定められた労働すべき時間の配分（始終業時刻）を労働者が選択できる労働時間制度である（労基32条の3）。当該単位期間（清算期間）内の労働時間を平均して法定労働時間内に収まっていれば，特定の1日や1週の法定労働時間を超過していても法定時間外労働と評価されない点で変形労働時間制と類似する。しかし，労働者自身が労働時間配分を決定でき労働時間配置の特定が問題とならず，結果として清算期間内を平均して法定労働時間を上回っていなければよいなど，変形労働時間制（上記Ⅰ～Ⅲの制度）とは異なる[55]。また，労働者自身の主体的な労働時間配分を認めるという点では裁量労働と機能的には近接する。しかし，裁量労働制はみなし時間制であるのに対して，フレックスタイム制は，実際に労働した時間をカウントする点で，あくまで実労働時間規制に属する制度である。

1　要　件

第1に，就業規則（10人未満の事業場ではこれに準ずるもの）で，始業および終業

55）労基法における条文配置として変形労働時間制の間に置かれていることは，体系的には適切でない。

時刻の決定を労働者に委ねることを明定する必要がある。労働者は，労働時間の始期と終期の両方を選択可能でなければならない。

第2に，過半数代表と労使協定を締結し，以下の事項を規定する必要がある。すなわち，①対象労働者の範囲，②3ヶ月以内の清算期間[56]（実労働が平均して法定労働時間以下になるべき単位期間）[57]，③清算期間内の総労働時間（当該清算期間当たりの所定労働時間に相当する，労働者が労働すべき総時間），④省令で定められた事項として，標準となる1日の労働時間（フレックスタイム制における年休取得の場合の賃金算定のため），コアタイム（労働者がかならず労働しなければならない時間帯）を定める場合はその開始終了時刻，フレキシブルタイム（自由に出退勤できる時間帯）を定める場合はその開始終了時刻，清算期間が1ヶ月を超える場合は，協定の有効期間の定めである（労基32条の3第1項1号～4号，労基則12条の3）。なお，この労使協定は，清算期間が1ヶ月以内の場合は，届出義務はないが，1ヶ月を超える場合は届出義務がある（労基32条の3第4項）。

清算期間が1ヶ月を超える場合には，過重労働防止のために，清算期間内の1ヶ月ごとに，1週平均50時間を超えないことがフレックスタイム制の要件とされている（32条の3第2項）。したがって，1ヶ月ごとの労働時間が週平均50時間を超える場合には，三六協定の締結・届出が必要となり，清算期間の途中であっても，法定時間外労働として割増賃金の支払も必要となる。また，清算期間の中途で入社・退職した労働者については，当該労働させた期間を平均し，週40時間を超えて労働した場合には，その超えた時間について割増賃金を支払わなければならない（32条の3の2）。

なお，従来，所定労働日数が5日（完全週休2日制）の場合に，曜日の巡りによって，1日8時間相当の労働であっても清算期間における総労働時間が，想定外に法定労働時間の総枠を超える場合が生じ，問題があった。そこでこの問題を解消すべく，2018年改正は，労使協定によって，「清算期間内の所定労働日数×8時間」を労働時間の限度とする旨を定めた場合，これを「当該清算期間における日数÷7」で除した時間を，労基法32条1項の労働時間に読み替えることとした（32条の3第3項）[58]。

56）従来，1ヶ月以内とされていたが，ワーク・ライフ・バランス等の生活上のニーズに合わせた，より柔軟な労働時間配分を可能とすべく，2018年改正で3ヶ月に拡張された。

57）期間の起算日は就業規則または協定で明定しなければならない（労基則12条の2）。

2　フレックスタイム制の効果

上記の要件を満たしたフレックスタイム制の下では，清算期間の労働時間を平均して法定労働時間を超えない限り，特定の1日，1週間の法定労働時間を超えても法定時間外労働とはならない。労働日，労働週ごとの労働時間の特定がないので，1日，1週ごとの時間外労働というものは観念されず，清算期間についてのみ観念される。清算期間単位で法定労働時間を超える労働がなされる場合には，三六協定の締結・届出と割増賃金の支払が必要となる。

過半数代表との労使協定は，フレックスタイム制を適法に実施できる（労基法32条違反とならない）という免罰効と強行性解除効をもたらすのみで，同制度を労働者に義務づけるためには，個別合意，就業規則，労働協約等，制度を労働契約上のものとするための根拠が別途必要となる。

第5節　労働時間の概念と算定

実労働時間規制では，実際に労働者が労働した時間（実労働時間）を算定し，それが法定労働時間以内に収まっていなければならない。そこで，いかなる時間が労基法上の労働時間として規制の対象となるのか，すなわち，労働時間の概念を明らかにしておく必要がある。

I　労働時間概念の多義性

労働時間概念を検討する際には，まず，労働時間の多義性を認識する必要がある。労働時間には，労基法上の実労働時間規制の対象となる「労基法上の労働時間」と，当事者が労働契約上，賃金請求権や労働義務に関して労働時間として取り扱うこととした時間，すなわち「労働契約上の労働時間」を峻別しなければならない。労働契約上の労働時間は，さらに「賃金時間」と「労働契約上の義務の存する時間」に分けられる（図表7-5）[59]。

58）　例えば，暦日31日の月に，週40時間で4週間働き，残りの3日に8時間労働であった場合（40 h×4 w＋8 h×3 d＝184 h）でも，1ヶ月の法定労働時間の総枠（40 h×31 d/7＝177.1 h）を超える端数（6.9 h）が時間外労働となってしまう問題があったところ，従来，通達で特例的に認めていた処理を正面から規定したものである（184 hに収まっていれば時間外労働扱いされない）。

59）　これらの概念の区別の詳細は荒木・労働時間2頁以下。

図表 7-5　労働時間概念の多義性

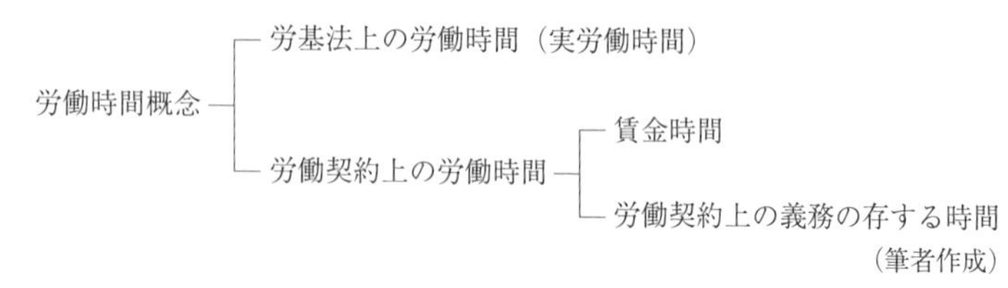

（筆者作成）

1　労基法上の労働時間

労基法に違反して労働させた場合の刑事事件や，法定時間外労働に対して同法37条を根拠に割増賃金を請求する場合等，労基法の適用に当たってその規制対象となるのが「労基法上の労働時間」である。労働者を労基法32条の法定労働時間を超えて「労働させてはならない」という現実の労働の長さを規制する場合の対象となる実労働時間をいう。そして，「労基法上の労働時間」は，刑罰法規（労基119条）の構成要件でもある。このような「労基法上の労働時間」は，後述するように，当事者の約定によって左右することのできない客観的に判定される概念と解すべきこととなる。

2　労働契約上の労働時間

これに対して，「労働契約上の労働時間」については，基本的に当事者がどのように合意したかによって決せられる。

(1)　賃金時間

ある時間に対して賃金が支払われる時間を「賃金時間」と呼ぶとしよう。賃金時間かどうかは，当事者がその時間に賃金支払を合意したかどうかで決まり（→143頁），「労基法上の労働時間」であるかどうかの判断とは直結しない。例えば，遅刻1時間までの欠務について賃金カットしないという就業規則や合意がある場合，欠務した1時間も賃金が発生する「賃金時間」であるが，労働がなされていない以上，「労基法上の労働時間」たり得ない。実際に裁判例で問題となった事例であるが，早退しても定時まで勤務したこととして扱う了解により賃金カットがなされなかった（賃金時間である）としても，そのことから早退して何ら労働をしていない時間が「労基法上の労働時間」となるわけではない[60]。

60）　立正運送事件・大阪地判昭和58・8・30労判416号40頁。この点，定時前に早退した時間を「なお使用者……の指揮監督下にある時間，すなわち労働基準法にいう労働時間」とした井

他方,「労基法上の労働時間」であれば常に賃金請求権が発生する(「賃金時間」となる)わけではない。法定労働時間に達するまでの時間を賃金支払の対象とするか否かは，基本的には当事者の約定に委ねられる。明示的に「労基法上の労働時間」について無給とするという合意がある場合(例えば，所定7時間労働の場合に，時間外に労基法上の労働時間と評価される活動がなされても賃金支払対象としない旨の明示の合意が存する場合)，その時間が法定時間外労働でなければ，これを強行的に無効とする規範は(公序違反となる場合を除き)存しない[61]。最低賃金法の規制も，すべての労働時間に時間当たりの最低賃金額以上の賃金を支払うことを義務づけるものではない。もっとも，このような明示の合意の認定は厳格に行うべきである。「労基法上の労働時間」について賃金支払に関する合意が不明の場合，原則として賃金支払が黙示的に合意されていると解するのが，労働と賃金が対価関係に立つ双務有償契約である労働契約の解釈として，妥当である[62]。こうした考え方は判例でも基本的に支持されている[63]。

▩最低賃金の時間額規制と労働時間　2007年最低賃金法改正により，最低賃金は時間額のみを定めることとなった(最賃3条)。そうすると，労基法上の労働時間である限り，必ず，時間額の最低賃金が発生することになるのかという疑問が生ずる。しかし，この点は改正後も，従来，賃金が日給や月給等，時間給以外で定められていた場合の最低賃金規制と同様，例えば，日給であれば，これを所定労働時間数で除した金額が最低賃金の時間額以上であれば，最賃法違反は成立しない(最賃則2条)。すなわち，特定の1時間について，最低賃金以下の賃金(無給を含む)を合意しても，その日給を所定労働時間で除して，1時間当たりの額が最低賃金額を上回っていれば，最賃法違反の問題は生じない。し

上運輸・井上自動車整備事件・大阪高判昭和57・12・10労判401号28頁はこの点を混同したものといわざるを得ない。北九州市事件・福岡高判令和2・9・17労経速2435号3頁は，バス運行における終点到着から始点始業までの間の「調整時間」から実働時間である「転回時間」を除いた「待機時間」に対し，待機加算として1時間あたり140円が支払われていた事案について労基法上の労働時間性を否定した。これは，当該待機時間が賃金時間として取り扱われていることと労基法上の労働時間判断とを意識的に区別したものと解される。

61)　この点，15分未満の法内残業を切り捨てる処理につき，労基法24条1項を根拠に労働した以上，賃金を全額支払わなければならないとする桑名市事件・名古屋地判平成31・2・14労経速2385号7頁は不適切である。

62)　荒木・労働時間306頁以下。

63)　大星ビル管理事件・前掲注48。ただし，使用者が労基法上の労働時間ではないと考えていた時間が裁判所によって「労基法上の労働時間」に該当するとされた場合，当該時間について賃金支払対象としていなかったという事情は，無給とする合意があったと解釈すべきではなく，むしろ,「労基法上の労働時間」に該当することを前提とする賃金支払に関しては当事者間の合意が欠けていたものとして，合理的契約解釈を補充すべきである。

たがって，「労基法上の労働時間」であれば，当然に最低賃金額の請求権が発生するわけではなく，「労基法上の労働時間」であることと賃金請求権の問題（賃金時間性）は，2007年最賃法改正後もやはり峻別して議論すべきこととなる。

(2) 労働契約上の義務の存する時間

労働契約上の義務を，労働義務とその他の契約上の義務に分けると，労働義務かどうかは，その活動が「労働」といえるかどうかの問題であり，内容的には「労基法上の労働時間」概念と同一の問題となる。

これに対して，労働義務以外の労働契約上の義務，例えば，競業避止義務，秘密保持義務等の不作為義務の存する時間は，「労基法上の労働時間」とはもとより関係がない。一定の作為義務，例えば，入門時にタイムカードを打刻する義務や始業時刻より一定時間前に集合する義務等がある時間であっても，そのことから当該時点以後が「労基法上の労働時間」となるわけではない。かつて通説とされていた「遅刻認定時説」は，遅刻に対して不利益取扱いがなされる時点から労働者は使用者の指揮命令下に置かれたことになるとして，その時点以後を「労基法上の労働時間」になると解していた。しかし，ある時点で一定の作為義務があり，その不履行に対して制裁が課され得るとしても，その時点以降の時間を自由に過ごすことができれば，「労働させ」た時間と評価することは困難である。つまり，遅刻認定時説は「労働契約上の義務の存する時間」と客観的にその時間の実質を判定すべき「労基法上の労働時間」の相違を十分認識していなかった問題がある[64)]。

また，所定労働時間が8時間とされており，労働者が1時間遅刻した場合，終業後1時間の残業を行っても，この日の実労働時間が8時間である以上，法定時間外労働の問題は生じず，三六協定も必要ない[65)]。遅刻は賃金カットや懲戒で処理すべきで，それに見合う時間を終業後働かせることは許されず，上記解釈例規の立場は誤りとする議論[66)]もあるが，「労基法上の労働時間」について論じたに過ぎない行政解釈を，遅刻の場合，それに見合う時間，当然に残業義務を負うか，すなわち「労働契約上の義務の存する時間」となるかという問題と混同した議論である。遅刻時間に見合う残業の可否の問題は，実労働時

64）　この点の詳細については，荒木・労働時間8頁以下。

65）　昭和29・12・1基収6143号。

66）　青木宗也『労働時間法の研究』121頁（1971年）。

間が法定時間内に収まっている限り，労働契約上そのような命令権が設定されているか，あるいは，そのような使用者の申出に労働者が合意したかという，労働契約上の義務の存否の解釈によって処理されるべき問題である。

以上のように，「労基法上の労働時間」と「賃金時間」「労働契約上の義務の存する時間」とは，多くの場合重なるとはいえ，相互に異なり得る概念である。このような労働時間の多義性を踏まえて，労基法の規制対象とする「労基法上の労働時間」とは何かを明らかにする必要がある[67]。

Ⅱ　労働時間性判断枠組み

労働時間概念の多義性を峻別すると，「労働契約上の労働時間」は，当事者の約定・合意によって判断されるのに対して，「労基法上の労働時間」は労基法の立場から客観的に判断されることになるのが当然と思われよう。しかし，裁判例・学説を子細に分析すると，「労基法上の労働時間」についても，当事者の約定を基準に判断するような立場が存在し，これは労働時間概念の多義性を混同したのではなく，労働時間の判断枠組みについて，漠然と考えられた客観的判断とは異なる立場を採用していると解される。

これを理論的に整理すると，労働時間性判断枠組みについては，当事者が労働時間性を約定によって決してよいとする「約定基準説」，労働時間性は労基法の観点から客観的に判断されるとする「客観説」，労働力提供そのものである中核的労働時間については客観的に，その前段階の周辺的労働時間（グレーゾーン）については当事者の約定や取扱いを基準に判断するという「二分説」，の3説が考えられる。この3説の違いをモデルで示すと**図表7-6**のようになる。約定基準説では労働時間の範囲は①～⑤のどこでも当事者が約定したところより決まることになる。このような立場は労基法の強行性と相容れず，労基法の労働時間規制を無力化するので採り得ない。客観説は当事者の約定によって労働時間性を決することは許さず，労基法の観点から客観的に労働時間と非労働時間の境界線が引かれるとする（例えば③）。これに対して，労働時間性判断の

67)　労働時間に関する3つの概念は，労働義務を設定する段階，労働義務が履行され実労働が生ずる段階，それに対して賃金請求権が問題となる段階に対応する。各段階と労働時間規制の関係，特に，実労働時間と所定労働時間の関係，割増賃金と所定労働時間の関係，労働時間規制と強行的直律的効力等については荒木・労働時間284頁以下で詳細に検討している。

図表 7-6　労働時間性判断枠組み

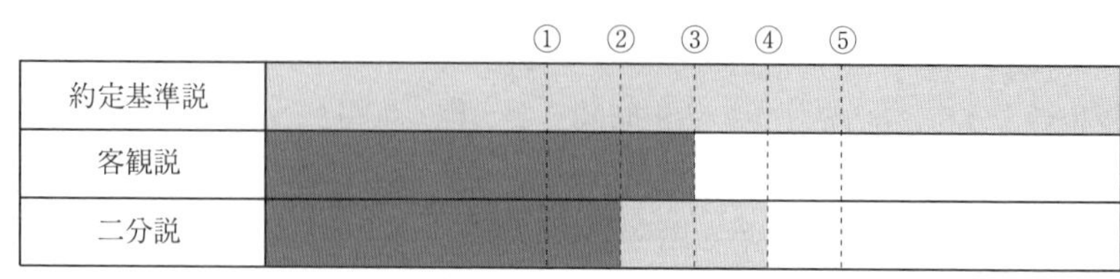

（筆者作成）

困難な周辺的労働時間に限って当事者間の約定を基準に判断する二分説[68]では，当事者が労働時間の範囲を①や⑤と合意しても無効であるが，周辺的労働時間たる②～④の範囲では当事者の約定によって労働時間性が定まる。

二分説によれば，紛争の生じやすい労働時間性の不明確なグレーゾーンの判断は，すべて就業規則や労働契約の解釈問題に解消されることとなり，当事者にとって予見可能性が高まり紛争惹起を防止するというメリットも認められる。しかし，労働時間性が当事者間の合意で決せられるとすると，当事者間の交渉力格差を前提に強行的に最低労働基準を設定している労基法の体系上問題があるし，二分説でも中核的労働時間と周辺的労働時間の区別の困難は客観説と同様に存在する。学説では，二分説のメリットとデメリットを再検証し，二分説の立場を法改正によって導入したアメリカ法の状況等も検討した上で，現行の労基法の解釈としては客観説を採るべきとの主張がなされた[69]。こうした裁判例・学説の展開の中で，最高裁は三菱重工長崎造船所事件[70]で労基法上の

68）　二分説に位置づけ得る裁判例・学説として，日野自動車工業事件・東京高判昭和 56・7・16 労民集 32 巻 3＝4 号 437 頁，同・最一小判昭和 59・10・18 労判 458 号 4 頁，三菱重工長崎造船所事件・長崎地判昭和 60・6・26 労判 456 号 7 頁。萩澤清彦『八時間労働制』68 頁（1966 年）。

69）　荒木・労働時間 224 頁以下。アメリカでもかつて客観説が採られていたが，連邦最高裁が入門後の歩行等も労働時間に当たると判断し，全国で半年のうちに 1,913 件，58 億ドル超の割増賃金訴訟が提起されて経済への深刻な影響が憂慮された。そこで議会がポータル法（Portal-to-Portal Act of 1947）を制定して，始終業前後の歩行や準備後始末労働等の労働時間性は，契約上賃金支払対象とされているか否かで決するという対処を行った。つまり，アメリカにおける二分説の採用は解釈ではなく立法によってなされたものである（荒木・労働時間 122 頁以下）。

70）　三菱重工長崎造船所事件・最一小判平成 12・3・9 民集 54 巻 3 号 801 頁。

労働時間性は「使用者の指揮命令下に置かれたものと評価することができるか否かにより客観的に定まるものであって，労働契約，就業規則，労働協約等の定めのいかんにより決定されるべきものではない」とし，客観説を採るべきことを確認した。

Ⅲ　「労基法上の労働時間」概念

1　学説の展開

客観説を採るとすると，客観的に決まる労基法上の労働時間概念を確定する必要が生ずる。従来の学説では，「労働時間とは労働者が使用者の指揮命令下に置かれている時間」とする「指揮命令下説（単一要件説）」が多数であった。しかし，通説に対しては有力な反対説が主張されている。

古典的工場労働では，労働時間はまさに指揮命令に拘束されて労働する時間であり，指揮命令概念で労働時間を把握しても問題はなかった。しかし，労働者の過半数をホワイトカラーが占めるようになってくると，具体的な指揮命令に拘束されて働くという古典的な労働時間把握が妥当しにくくなってきた。通説は指揮命令概念を抽象化してその労働時間概念を維持してきたが，そうすると判断基準が不明確化し，実際の判断は別の要素により行った上で，その結果を「指揮命令下に置かれた時間」という説明に帰着させるに過ぎないこととなる。

そこで学説では，実際の判断要素である業務性・職務性を定義にも反映させる立場が主張されるようになる。すなわち，「使用者の作業上の指揮監督下にある時間または使用者の明示または黙示の指示によりその業務に従事する時間」と解する「限定的指揮命令下説（部分的二要件説）[71]」である。同説は指揮命令概念のみによる把握の限界を認め，指揮命令概念では処理できない場面に「業務性」という新たな判断要素を導入し，部分的に労働時間を二要件で把握する立場である。

さらに進んで完全な二要件説を採るのが「相補的二要件説」[72]である。同説は，裁判例・行政解釈の分析と労基法32条の構造を踏まえ，労働時間概念は使用者の指揮命令に代表される使用者の関与要件（労基法32条の労働「させ」たと

71)　菅野496頁，安枝＝西村141頁。

72)　荒木・労働時間258頁以下。

いえるか）と，活動内容（職務性）要件（当該時間が「労働」といえるか）という二要件から構成されており，いずれか一方が完全に欠けた場合は労働時間性が否定されるとする。そして，労働時間性が問題となるのはいずれか一方の要件が希薄である場合で，実際の労働時間性判断は両要件の充足度が「労働」「させ」たと客観的に評価し得る状況に至っているか否かによるとする。相補的二要件説によると，労基法上の労働時間とは「使用者の関与の下で，労働者が職務を遂行している時間」をいい，その使用者の関与の程度と職務性の程度を相互補完的[73]に把握して，客観的に「労働させ」たと評価できる程度に達していることを要する[74]。

■労働時間概念を構成する「使用者の関与要件」および「職務性要件」　労働時間性が問題となる場面を分析していくと，①使用者の関与要因（当該活動について使用者の認識の有無，黙認・許容，命令・指示，強制によって労働時間性が問題となる場面）と，②本務外の活動（準備後始末労働や小集団活動等，活動の性格の点で労働時間性が問題となる場面：労働時間の質的外延），③不活動時間（手待や待機，仮眠時間等の労働密度の薄さゆえに労働時間性が問題となる場面：労働時間の量的外延）の3つに整理できる[75]。そして，①使用者の関与要件と②③の活動内容の職務性要件とが組み合わさって労働時間性を基礎づけている

図表 7-7　労働時間概念の構造

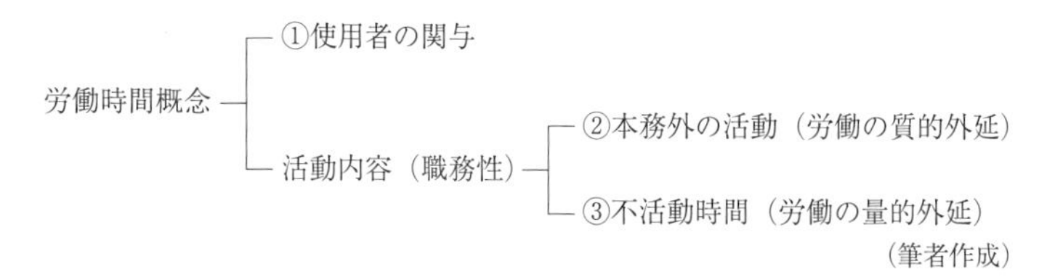

（筆者作成）

73）　一方の充足度が低ければ他方がどの程度高いかによって労働時間性が決まる。例えば，職務性が希薄な活動（社内運動会への参加）であれば，使用者が当該活動を命じたか，それを行わない場合に不利益があるかといった使用者の関与要因の高さが労働時間性を決定する。使用者の関与要因が希薄（単に当該活動を黙認していた）であれば，当該活動の職務性・職務関連性の高さ（本務に不可欠の作業を所定時間外に行っていた）が労働時間性を決定する。このような判断の実相を知るためにも労働時間概念が二要件から構成されていることを認識する必要がある。これを「使用者の指揮命令下に置かれた時間」とするだけでは，判断精度が低く，判定者の恣意的判断に陥りかねない。

74）　荒木・労働時間261頁の表現を若干補充した。同説を支持するものとして，下井・労基法324頁，水町・詳解665頁。

75）　このような整理が，日本だけでなくドイツ法およびアメリカ法についても妥当することについては荒木・労働時間92頁，205頁参照。

ことがわかる（図表 7-7）。

このような労働時間性を基礎づける要件を法定時間を超えて「労働」「させ」てはならないという労基法32条の文言との関係で整理すると，労働「させ」るという文言が，指揮命令を中心とする「使用者の関与要件」（明示・黙示の指揮命令，労働の黙認）を要求し，また，使用者の命じた活動ないし拘束が「労働」と評価されることが，当該活動ないし拘束の「職務性要件」を要求していると解される。

これまでの行政解釈や判例を分析すれば，その具体的判断において労働時間性が肯定されるのは，二要件のうち一方の要件が希薄である場合は，他方の要件が高度に充足されて，両者を相互補完的に評価して「労働させ」たと評価し得るレベルに達している場合である。この具体的判断のメカニズムを二要件の相補的関係として明示しようとするのが「相補的二要件説」である[76]。

2　判例の立場

最高裁は，労基法上の労働時間の定義としては「労働者が使用者の指揮命令下に置かれている時間」とし，従来からの多数説たる指揮命令下説を採用している[77]。しかし，最高裁の具体的判断を見ると，「労働者が，就業を命じられた業務の準備行為等を事業所内において行うことを使用者から義務付けられ，又はこれを余儀なくされたときは……使用者の指揮命令下に置かれたものと評価することができ」る（三菱重工長崎造船所事件判決），あるいは「労働契約上の役務の提供が義務付けられていると評価することができる」（大星ビル管理事件判決）など，実質的には有力説が主張していた指揮命令ないし使用者の関与要因（使用者による義務づけ）に加えて「業務の準備行為」や「労働契約上の役務の提供」という業務性・職務性をも考慮して判断している部分も少なくない。そこで，学説では，判例も実質的には二要件説を摂取している[78]，判例は指揮命令下性の判断基準として業務性や当該時間の拘束性等を考慮しており，従来の指揮命令下説を，有力学説の批判を受けてその理論的難点を克服しようとした

76）　一般健康診断と特殊健康診断の労働時間性の違いに関して指揮命令では説明できないことについて→275頁。

77）　三菱重工長崎造船所事件・前掲注68，大星ビル管理事件・前掲注48，大林ファシリティーズ（オークビルサービス）事件・最二小判平成19・10・19民集61巻7号2555頁［マンションの住込み管理人の労働時間につき，使用者の指示（具体的にはマニュアルの記載）の違いを根拠に，平日，土曜日，日曜日・祝日とで，異なる労働時間性判断を行った］。

78）　土田道夫「作業服の着脱，移動，洗身等の時間と労基法上の労働時間」労判786号6頁（2000年），土田・概説121頁，梶川敦子「労働時間の概念」百選（8版）82頁等。

「新指揮命令下説」と呼ぶことができる[79]といった指摘がなされている。確かに，その後の下級審裁判例を見ても，実質判断は二要件説で行い，その結果を指揮命令下説の説明に帰着させているだけのようである[80]。

判例が，有力説の批判に応えて，指揮命令下説の定義だけは維持したまま，実際の判断は有力説の基準によっているとすれば，労働時間の定義において真の判断基準を明示すべきであるという問題点が残ることになる。

▩労働時間適正把握ガイドライン　長時間労働による過労自殺が大きな社会問題として注目されたこともあり，厚労省は2017（平成29）年1月20日の労働時間適正把握ガイドラインで，判例・学説の議論を踏まえて「労働時間の考え方」を示している。労働時間性判断枠組みについては客観説を確認し，労働時間概念については判例の「使用者の指揮命令下に置かれている時間」という定式化に従っている。そして使用者の指揮命令下に置かれていると評価されるかどうかの判断に当たっては，使用者の指示や義務づけの側面と，当該活動の業務関連性に着目したと解される要素を指摘しつつ，使用者の指示による業務に関連した準備後始末労働，参加を義務づけられた研修・教育訓練，使用者の指示による業務関連学習等が労働時間に該当するとの整理を行っている。

Ⅳ　労働時間算定方法の規制

労基法は実労働時間の算定方法に関して，若干の規定を置いている。

1　異事業通算制（労基38条1項）

第1に「労働時間は，事業場を異にする場合においても，労働時間に関する規定の適用については通算する」（労基38条1項）として「異事業通算制」を定めている。労基法は事業場単位で規制を行う原則であるところ，ある労働者が

79）　石橋洋「労働時間の概念」百選（7版）107頁。

80）　例えば，大道工業事件・東京地判平成20・3・27労判964号25頁では，具体的判断においては，寮内の自室で過ごすことが可能な24時間シフトの不活動時間につき，指揮命令下に置かれているかという定義は維持しつつも，実際の判断は，その場所的・時間的拘束の程度によって労働時間性を判断している。東京都多摩教育事務所（超過勤務手当）事件・東京高判平成22・7・28労判1009号14頁は，担当分掌上の業務を行っていたこと，校務の円滑な遂行に必要な行為であること，超過勤務命令者は，業務の報告を受け超過勤務の実績を知悉した上で超過勤務を容認していたこと，というまさに職務性と使用者の認識を認定し，結論として「使用者の指揮命令下に置かれていたものと評価することができ」るとする。NTT西日本ほか（全社員販売等）事件・大阪地判平成22・4・23労判1009号31頁は，所定時間外のグループ関連商品販売等の販売目標を設定した「全社員販売」，業務関連技能修得のためのWEB学習の時間を，使用者がどのように指示し，業務関連性があるかを認定し「業務上の指示によるもの」であり労働時間としている。

同一使用者のA事業場とB事業場で就労する場合に労働時間を通算しないのは明らかに不合理で，当然に通算すべきである。しかし行政解釈は，使用者が異なる場合についても通算するとの解釈を採っている[81]。確かに労働者の過労防止の観点からは，かかる規制にも一定の意義があるが，他方，複数使用者のうちの誰が時間外労働をさせたことになるのかの判定の困難，当該使用者のみが三六協定締結や割増賃金支払義務を負うことの合理性，かかる規制の実効性確保の困難に加え，副業を行う労働者の増加に伴って兼業禁止の見直しの議論もある。そこで，2005年の労働契約法制研究会報告書[82]は別使用者間の異事業通算制について見直す方向を提言していた。

政府の副業・兼業促進政策を受けて，厚生労働省のモデル就業規制は，2018年1月に改定され，従来禁止していた勤務時間外の副業・兼業を原則可能とし，例外的に禁止・制限できる場合を列挙する内容に改められた（→522頁）。そして，2018年1月策定の「副業・兼業の促進に関するガイドライン」が2020年9月に大幅改定され，使用者が異なる場合も労働時間の通算はなされるとする従前の行政解釈は維持する[83]が，その労働時間把握については自己申告によることとされた。これは，労働者の健康確保のための労働時間規制を副業・兼業の場合にも維持する意義を考慮する一方で，副業・兼業を行うかどうかは，労働者自身の自主的判断に委ねられていること，使用者が異なる場合に労働時間を通算すべきか否かについては欧州諸国でも通算する国としない国が半々に分かれている実情にあること，欧州諸国とは異なり労基法は週単位に加えて1日単位の労働時間規制を採用しており，フレックスタイム制等柔軟な働き方が広がってきている中で，複数の使用者の下での実労働時間の客観的把握は困難を極めること，実労働時間の客観的把握を徹底する場合，経済的必要に迫られて副業・兼業を行わざるを得ない状況にある労働者から雇用を失わせる副作用も懸念されること等が総合的に判断されて，このような立場が採られたものと解される[84]。

81）　昭和23・5・14基発769号，昭和23・10・14基収2117号，昭和61・6・6基発333号，労基局（上）562頁。

82）　労契研報告書48頁。

83）　その場合の処理についての詳細な解説として厚生労働省「副業・兼業の促進に関するガイドライン」Q＆A（2022年7月）参照。

84）「副業・兼業の場合の労働時間管理の在り方に関する検討会」報告書（座長：守島基博学習

労働者の申告に基づき労働時間を把握するとしても，自事業場でも他の使用者の事業場でも時間外労働が発生する場合の通算による労働時間規制は混乱しかねず，とりわけ働き方改革で時間外労働の絶対上限が導入されたこととの関係でも留意が必要となる。そこで，2020年の改定ガイドラインは，簡便な労働時間把握の方法として，いわゆる「管理モデル」を示している。これは先に労働契約を締結していた使用者（いわば本業の使用者A）の事業場における（想定される）法定外労働時間（例えば月45時間）と，後から労働契約を締結した使用者（副業・兼業先の使用者B）の所定労働時間＋所定外労働時間（例えば月35時間）とを合計した時間数が，単月100時間未満，複数月平均80時間以内となる範囲内で，各々の使用者の事業場の労働時間の上限を設定し，その範囲内で労働させることとすれば（各使用者の事業場での実労働時間に対応して三六協定締結や割増賃金支払いは当然必要となるが），他使用者の下での実労働時間を把握して通算処理をしなくとも，時間外労働の上限規制に関する労基法違反は生じないこととなる。

これは本業使用者Aが利用可能な時間外労働枠を先に設定し，残った枠内でのみ副業・兼業先使用者Bが副業・兼業に従事させることを想定したモデルである。したがって，使用者Aが時間外労働枠を使い残した場合（例えば月の法定時間外労働が30時間であった場合），使用者Bは当初設定した所定労働時間＋所定外労働時間の枠以上に労働させても（35時間を超えても＋15時間までは通算しても月80時間内に収まるので）労基法違反が生ずるとは限らない。換言すれば，管理モデルは，この設定枠を超えれば，直ちに労基法違反となるような限界を示したものではなく，あくまで，使用者が，他の使用者の下での実労働時間を把握しなくとも，自事業場において，当初の設定枠内で労働させれば労基法違反は生じ得ない簡便な時間管理の例として示されたモデルである。

院大学教授，令和元年8月8日）では，諸外国の状況も踏まえて，労働時間の上限規制については，①自己申告を前提に，通算管理が容易となる方法を設けること，あるいは②（使用者が異なる場合には通算せず）事業主ごとの上限規制適用と適切な健康確保措置を講ずること，の2案が，また，割増賃金規制については，①自己申告を前提に，通算しても割増賃金が支払いやすく時間外労働抑制効果も期待できる方法を設けること，あるいは②（使用者が異なる場合には通算せず）各事業主の下での法定時間外労働にのみ割増賃金支払いを義務付けること，の2案がそれぞれ提案されていた。ちなみに，欧州の労働時間を通算する国でも，割増賃金については健康確保のための労働時間規制とは異なる賃金の問題として，通算処理しない立場がとられていることにつき同報告書16頁，水町・詳解724頁注212参照。

なお，休憩（労基34条），休日（労基35条），年次有給休暇（労基39条）については，労働時間に関する規定ではないとして，38条1項の適用はないとされている[85]（副業・兼業の場合における労働災害の処理については→292頁以下）。

2　坑内労働の坑口計算制（労基38条2項）

第2に，「坑内労働については，労働者が坑口に入つた時刻から坑口を出た時刻までの時間を，休憩時間を含め労働時間とみなす」として「坑口計算制」を定めている（労基38条2項）。

第6節　みなし労働時間制

労働基準法の1987（昭和62）年改正で導入されたみなし時間制は，実労働時間の長さとは切り離して一定時間労働したものと「みなす」新たな労働時間制度である。1987年改正では事業場外労働と専門業務型裁量労働のみなし時間制が導入され，その後，専門業務型裁量労働の対象事業の拡大，そして1998年改正による企画業務型裁量労働制導入という展開を経て今日に至っている。

I　事業場外労働（労基38条の2）

労働者が事業場外で労働する場合には，実労働時間の把握が困難となることが多い。1987年改正前は，当時の労基法施行規則22条で，使用者が予め別段の指示をしたのでない限り，通常の労働時間労働したものとみなすと定めていた。しかし，労基法本体にそのようなみなし制を許容する定めがないのに施行規則によってみなし規定を定めてよいのか疑義があった[86]。そこで，1987年改正は，事業場外労働のみなし時間制を正面から労基法に導入した（労基38条の2）。

事業場外労働すべてにみなし時間制が適用可能なわけではなく，あくまで事業場外労働で「労働時間を算定し難い」ことが要件である。したがって，事業場外で就労する場合でも，グループで行動しその中に労働時間管理者がいる場合，無線やポケットベル等で随時使用者の指示を受けながら労働している場合

85）　同ガイドライン10頁，令和2・9・1基発0901第3号。

86）　有泉・労基法282頁。

等は労働時間を算定し難い場合に該当せず，みなし時間制の適用はない87)。

事業場外労働で労働時間を算定し難い場合には，3つのみなし時間制がある。第1に，原則として所定労働時間労働したものとみなす（所定時間みなし，労基38条の2第1項）。

しかし，当該業務を遂行するために通常所定労働時間を超えて労働することが必要となる場合にまで「所定労働時間」とみなすのは不当である。そこで，この場合は，第2のみなし制として「当該業務の遂行に通常必要とされる時間」労働したものとみなす（通常必要時間みなし，同1項但書）。

この場合，通常必要時間が何時間となるのかを客観的に確定すべきこととなるが，元来労働時間の算定が困難であることがこの制度の前提であるので，困難な作業となり争いが生じやすい。そこで第3に，通常必要労働時間について使用者と過半数代表が「労使協定」を締結した場合には，その協定時間をみなし時間とすることとした（協定時間みなし，同2項）。この労使協定は，そのみなし時間が法定労働時間を超える場合は届出が必要である（同3項，労基則24条の2第3項）。

▩テレワークガイドライン　2020年より勃発したコロナ禍のために，日本で普及が進まなかったテレワーク（在宅勤務，サテライトオフィス勤務，モバイル勤務）が急速に広がることとなった。政府のテレワーク推進政策を受けて，2021年3月25日改定の「テレワークの適切な導入及び実施の推進のためのガイドライン」は，すべての労働時間制度でテレワークが可能とし，それぞれの労働時間制度の下での留意点を指摘している。テレワークを事業場外労働のみなし時間制で実施するためには，労働時間算定が困難という要件を満たす必要がある。この点につきガイドラインは，①情報通信機器が，使用者の指示により常時通信可能な状態に置くこととされていないこと，②随時使用者の具体的な指示に基

87)　昭和63・1・1基発1号。ツアー添乗員の添乗業務につき，指示書等記載の具体的業務指示，添乗日報の記載により，労働時間を算定可能としてみなし時間制適用を否定した例として，阪急トラベル・サポート（派遣添乗員・第1）事件・東京高判平成23・9・14労判1036号14頁［国内ツアーの添乗員の事例，上告不受理確定］，阪急トラベル・サポート（派遣添乗員・第2）事件・最二小判平成26・1・24労判1088号5頁［海外ツアーの添乗員の事例］，阪急トラベル・サポート（派遣添乗員・第3）事件・東京高判平成24・3・7労判1048号26頁［国内・海外ツアーの添乗員の事例，上告不受理確定］。この点，日本インシュアランスサービス（休日労働手当・第1）事件・東京地判平成21・2・16労判983号51頁は，自宅から直行直帰でなされる事業場外労働につき，労働時間を算定し難いか否かを検討することなく，使用者が労働時間を厳密に管理することは不可能，管理することになじみにくい，としてみなし制を肯定するが疑問である（詳細は竹内(奥野)寿・同事件判批・ジュリ1396号176頁〔2010年〕参照）。

づいて業務を行っていないこと，という要件を満たせば（つまり，使用者が，常時通信可能な状態に置かず，具体的指示をしないことで），労働時間の算定困難の要件を満たし，事業場外労働のみなし時間制の適用が可能となるとしている。また，テレワーク中の中抜け時間（買物，子の迎え等，私用に従事する時間）については，労働時間として取り扱う場合，把握しなくともかまわないとする。もっともこれは，当事者が労働した時間として賃金等に反映するという賃金時間についての処理が可能だというに過ぎず，労働に従事していない時間が，当事者が労働時間として扱うと合意したからといって，労基法上の労働時間になるわけではない。

Ⅱ　裁量労働制

事業場外労働のみなし時間制は，労働時間を算定し難い事態に対処するための制度であり，なるべく実労働時間に近い時間をみなすべきことが制度設計に現れている。これに対して，労働時間算定が可能であっても，労働者が労働時間配分につき裁量をもって就労しており，実労働時間によって通常の労働時間規制・割増賃金規制を適用するのが適切でない場合がある。これに対処すべく創設されたのが裁量労働制である。それゆえ，事業場外みなしでは，所定労働時間を超えて労働することが必要となる場合，「当該業務の遂行に通常必要とされる時間労働したものとみなす」との規定があるのに対して，裁量労働みなしではそうした規定はなく，「対象業務に従事する労働者の労働時間として算定される時間」の設定は労使協定当事者に委ねられている。したがって，裁量労働におけるみなし時間制は事業場外みなしとは性格の異なる，実労働時間数とは切断されたみなし時間制である88)。実務において，裁量労働制を割増賃金の簡便な定額払い制を可能とする制度であり，みなし時間は実労働時間と対応したものでなければならないと理解する向きもあるが，条文構造に照らしても，制度趣旨の理解としても適切ではない89)。

---

88)　裁量労働制の展開と制度趣旨の詳細は荒木尚志「裁量労働制の展開とホワイトカラーの法規制」社会科学研究50巻3号3頁（1999年），注釈労基法（下）661頁［水町勇一郎］，島田陽一「ホワイトカラーの労働時間制度のあり方」労研519号4頁（2003年），池添弘邦「裁量労働のみなし制」争点114頁，菅野545頁以下等。

89)　専門業務型裁量労働制について「労使協定において……当該業務の遂行に必要とされる時間を定めた場合には……当該協定で定める時間労働したものとみなされる」とする行政解釈（昭和63・3・14基発150号，平成12・1・1基発1号）があり，これによると，所定労働時間みなし制を採用し，所定労働時間を超えて必要とされる時間に相当する裁量労働手当を支払う例は広く普及しているところ，そのような取扱いも認められないこととなってしまう。これは

1　専門業務型裁量労働（労基38条の3）

(1)　制度趣旨

研究開発や放送・映画のプロデューサー・ディレクターのように，「業務の性質上その遂行の方法を大幅に……労働者の裁量にゆだねる必要」があるため，「使用者が具体的な指示をすることが困難」で，実労働時間による労働時間算定が適切でない業務について，みなし時間制によることを可能とするものである（労基38条の3）。ホワイトカラーの就労実態に適合的な労基法規制の現代化を目指した1987年改正の眼目の一つであった。

(2)　対象業務

対象業務についての規制には変遷があった。1987年改正当初の裁量労働制では，対象業務は労使協定に委ね，行政解釈で対象業務を「例示列挙」する制度であった。ところが，法文上とうてい読み込むことのできないような業務まで裁量労働の対象とする濫用例が見受けられたことから，1993（平成5）年労基法改正に伴い，従来の通達の例示を，労基法施行規則で①新商品・新技術の研究開発，②情報処理システムの分析・設計，③記事の取材・編集，④デザイナー，⑤プロデューサー・ディレクター，⑥その他厚生労働大臣の指定する業務[90]，として「限定列挙」するに至った（労基則24条の2の2第2項）。

その結果，専門業務型裁量労働の利用可能性が大きく制限されることとなった。以後，裁量労働適用拡大の要請が高まると，厚生労働大臣が，指定業務を逐一追加するという対応をとってきている。しかし今後の規制のあり方としては，このような実体規制から，むしろ適切な労働者代表による手続規制に比重を移すべきであろう[91]。

裁量労働制の制度趣旨に照らして妥当な解釈とはいえない。2022年7月15日の厚生労働省労働基準局「これからの労働時間制度に関する検討会」報告書（座長：荒木尚志東京大学教授）は，この点に関する議論を整理し，裁量労働制の制度趣旨は能力や成果に応じた処遇を可能とする（つまり時間外労働に対して時間比例で割増賃金を支払う以外の処遇を可能とする）もので，実労働時間と対応しないみなし時間の設定も可能であること，ただし，裁量労働制適用にふさわしい処遇の確保が必要となることを指摘している。

90）　現在，厚生労働大臣によって指定されている業務は，コピーライター，システムコンサルタント，インテリアコーディネーター，ゲーム用ソフトウェア創作，証券アナリスト，金融工学等の知識を用いて行う金融商品開発，大学における教授研究，公認会計士，弁護士，建築士，不動産鑑定士，弁理士，税理士，中小企業診断士の各業務である。

91）　荒木・前掲注88・33頁。

(3)　適用要件

専門業務型裁量労働を適用するためには，過半数代表との労使協定の締結（または労使委員会等の決議）が必要である[92]。

労使協定には①命令指定業務の中から指定する対象業務，②みなし時間，③当該業務遂行の手段・時間配分等に具体的指示をしないこと，④健康福祉確保措置，⑤苦情処理措置，⑥省令（労基則24条の2の2第3項）で定める事項（有効期間の定め，記録保存）について定める必要がある（労基38条の3第1項）。

なお労使協定は，労基署長への届出が要求されている（労基38条の3第2項）。

(4)　裁量労働の効果

裁量労働制適用対象労働者の労働時間は，実労働時間に関係なく，協定で定めたみなし時間となる。しかし，休憩，深夜労働，時間外・休日労働等の規定は適用される。その結果，協定で定めるみなし時間が法定労働時間を超えるものである場合（そうすべき必然性はないが当事者がそのように協定する場合には），三六協定の締結・届出や割増賃金支払が必要となる。これが適用除外制度との相違である。

2　企画業務型裁量労働（労基38条の4）

(1)　制度趣旨

事業活動の中枢にある労働者に創造的な能力を発揮させ，積極的事業展開を図りたいという企業の要望や，自らの能力を活かし，労働時間や仕事の進め方について主体的に働きたいという労働者側の希望等を踏まえて，1998年改正で創設された制度である（労基38条の4）。

なお1998年導入時には，利用可能な対象事業場を本社・本店それに類する企業の中枢の事業場に限定していたが，2003年改正で事業場の限定自体は廃止された[93]。

(2)　対象業務

ⅰ）事業の運営に関する事項についての企画，立案，調査および分析の業務

---

92)　裁量労働制に関する労使協定が適法に締結されていなかったとして裁量労働制の適用を認めなかった例として，ドワンゴ事件・京都地判平成18・5・29労判920号57頁，乙山彩色工房事件・京都地判平成29・4・27労判1168号80頁等。

93)　しかし，改正時の附帯決議に基づき，本社・本店・支店・支社等の具体的指示を受けて個別の営業活動のみを行う事業場は対象外とするなど，適用対象となり得る事業場についての告示（平成15・10・22厚労告353号）が出されている。

であって，ii）当該業務の性質上これを適切に遂行するにはその遂行の方法を大幅に労働者の裁量に委ねる必要があるため，当該業務の遂行手段，時間配分決定等に関し使用者が具体的な指示をしないこととする業務，が対象業務である[94]。

i）は一般ホワイトカラーの業務も対象となり得る点で，概括的な業務規定となっている。しかし，企画業務型裁量労働制は，規制の比重を実体規制から，労使委員会の決議等の手続的規制に移していることに留意すべきである。

(3)　対象労働者

対象となり得る労働者は「対象業務を適切に遂行するための知識，経験等を有する労働者」（労基38条の4第1項2号）である。告示（平成11・12・27労告149号）は，学卒3年～5年の職務経験を要求している。

(4)　導入手続

企画業務型裁量労働制の実施には，以下の手続要件を踏まえる必要がある。

第1に，過半数代表との労使協定ではなく，労働者代表が半数以上を占める「労使委員会」の設置が必要である（労基38条の4第1項，2項）[95]。労働者側委員は，事業場の過半数組合，過半数組合が存しない場合は過半数代表者により指名された者である。

第2に，労使委員会の委員の5分の4以上の議決により，対象業務，対象労働者，みなし時間，健康福祉確保措置，苦情処理措置，対象者の同意を得なければならないこと，および，同意しない労働者への不利益取扱い禁止（以上労基38条の4第1項1号～6号）について決議することが必要である。

第3に，当該決議を労基署長に届け出る必要がある（労基38条の4第1項）。

このように，企画業務型裁量労働制は，専門業務型裁量労働制と異なり，業務要件自体は概括化し，手続規制を大幅に強化している点に特徴がある。労働者・就労形態の多様化を踏まえると，このように手続規制にシフトするのは妥当な方向といえる。

なお，2018年の働き方改革における一連の労基法改正としては，企画業務型裁量労働制を拡充する法改正も用意されていたが，裁量労働制データの不適

94)　2015年労基法改正法案では，対象業務に新たに「裁量的にPDCAを回す業務」と「課題解決型提案営業」を追加することを提案している（法案38条の4第1項1号ロ，ハ）。

95)　平成11・1・29基発45号，平成15・12・26基発1226002号。

切な比較や異常値混入等のいわゆるデータ問題により紛糾し，企画業務型裁量労働制に関する改正部分は法案からすべて削除された。

第7節　高度プロフェッショナル制度

自由度の高い働き方にふさわしい新たな労働時間制度については，2007年に労働契約法とともに「自己管理型労働制」を導入する労基法改正が予定されていたが，残業代ゼロ法案等とのマスコミ報道もあって，国会提出には至らなかった。2015年に労基法改正法案として提出された高度プロフェッショナル制度は2015年，2016年と審議されずに推移した。その後，同制度は，2015年案を修正した上で働き方改革関連法の労基法改正の一部に組み込まれ，2018年の通常国会で可決成立に至り，2019年4月1日より施行されている（労基41条の2の新設）96)。

Ⅰ　制度の趣旨と概要

高度プロフェッショナル制度（以下「高プロ（制度）」ともいう）は，専門的知識等を必要とし，その性質上，時間と成果との関連性が高くない対象業務に，高度の専門的知識等を有する労働者が，労使委員会決議等の所定の要件を満たして従事する場合に，一般の最長労働時間規制，それに伴う割増賃金規制の適用を除外するとともに，労働者の健康確保のために，一般労働者には課されていない特別の規制として，年間104日以上の休日確保措置や勤務間インターバル制度等の選択的措置等を要求する新たな労働時間制度である。

高プロ制度を適用除外制度と受け止める向きが多いが，適用除外とは，①最長労働時間規制（1日8時間，週40時間の原則，変形労働時間制等），②割増賃金規制（時間外・休日労働割増），③労働解放時間規制（休憩・休日規制）の3種類の一般規制を不適用とする制度である。これに対して，高プロ制度は，①②の一般規制は不適用とするが，①最長労働時間規制に代えて，健康管理時間規制を，②割

96)　高度プロフェッショナル制度については，労基則34条の2，34条の2の2，34条の2の3が定められたほか，施行通達・平成31・3・25基発0325第1号，「労働基準法第41条の2第1項第1号の業務に従事する労働者の適正な労働条件確保指針」（以下「高プロ指針」）平成31・3・25厚労告88号が定められている。

増賃金規制に代えて，1075万円という年収要件を課し，③労働解放時間規制については一般労働者よりも強化された規制を適用するものである。そうすると，これは適用除外というより労働時間の一般規制に対する特別規制と解される（→180頁）。特別規制については，一般規制が不適用となること自体の当否よりも，その特別規制が就業実態に照らして合理的でかつ労働者保護に欠けるところのない内容となっているか，という観点から検討されるべきである。

Ⅱ　対象業務

高プロ対象業務は，高度な専門的知識等を必要とし，その性質上従事した時間と成果との関連性が通常高くないものとして省令で定めた業務のうち，労働者に就かせることとする業務である（労基41条の2第1項1号）。現在，対象業務として，①金融工学等の知識を用いて行う金融商品開発の業務，②金融商品のディーリング業務，③有価証券市場アナリストの業務（有価証券市場の分析，評価，助言の業務），④コンサルタントの業務（顧客の事業運営に関する調査，分析，考案，助言の業務），⑤新たな技術，商品または役務の研究開発業務，の5業務が限定列挙されている（労基則34条の2第3項）。また，国会の附帯決議を受けて，これらの業務であっても，当該業務に従事する時間に関し，使用者から具体的な指示を受けて行うものを除くことも規定されている（同項柱書括弧書）。

Ⅲ　対象労働者

高プロ対象労働者は，労使委員会決議でその範囲を明定しておく必要がある。そして，対象労働者は，使用者との間の書面その他の省令で定める方法による合意で，職務を明確に定められていること（職務明定に関する合意），かつ，使用者から支払われると見込まれる1年間当たりの賃金額が基準年間平均給与額の3倍の額を相当程度上回る水準として省令で定める額以上であることが必要である（労基41条の2第1項2号イ，ロ）。

これを受けて，書面合意の方法については，①業務の内容，②責任の程度，③職務において求められる成果その他の職務を遂行するに当たって求められる水準，について明らかにした書面に，対象労働者の署名を受け，当該書面の交付を受ける方法（労働者が希望すれば電磁的記録の提供）とされている（労基則34条の2第4項）。また，見込まれる1年間当たりの賃金額については，1075万円以上とされている（同6項）。

そして，高プロ指針第3の2(1)イ(イ)は，「職務が明確に定められていること」について，業務の内容，責任の程度および職務に求められる水準（以下「職務の内容」）が具体的に定められており，対象労働者の職務内容とそれ以外の職務内容との区別が客観的になされていること，したがって，業務内容が抽象的で，使用者の一方的な指示により業務を追加できるものは職務が明確に定められていないこととなること，働き方の裁量を失わせるような業務量や成果を求めるものでないこと，が必要としている。

また，年収要件に関して，高プロ指針第3の2(1)イ(ロ)は，年1075万円は，「労働契約により使用者から支払われると見込まれる賃金の額」であることから，労働者の勤務成績，成果等に応じて支払われる賞与や業績給等，その支給額が予め確定されていないものは含まれないとする。

Ⅳ　導入手続

1　労使委員会決議

労使委員会（その内容については→224頁）の委員の5分の4以上の多数による決議で，①対象業務（労基41条の2第1項1号），②対象労働者の範囲（同2号），③対象労働者の健康管理時間把握とその方法（同3号），④年間104日以上，かつ，4週4日以上の休日付与（同4号），⑤選択的措置（同5号），⑥健康管理時間の状況に応じた健康・福祉確保措置（同6号），⑦同意の撤回手続（同7号），⑧苦情処理措置（同8号），⑨不同意労働者への不利益取扱い禁止（同9号），⑩その他厚労省令で定める事項（決議の有効期間等）（同10号）について定め，かつ，当該決議を行政官庁（労働基準監督署長）に届け出る必要がある。

2　本人同意

使用者は，①対象労働者が労基法41条の2第1項の同意（高プロ制度の適用対象となることについての同意）をした場合，労基法第4章で定める労働時間，休憩，休日および深夜の割増賃金に関する規定が適用されないこととなること，②同意の対象となる期間，③上記②の期間中に支払われると見込まれる賃金の額，の3事項を明らかにした書面に，対象労働者の署名を受け，当該書面の交付を受ける方法（当該対象労働者が希望した場合にあっては，当該書面に記載すべき事項を記録した電磁的記録の提供を受ける方法）で，本人同意を得なければならない（労基41条の2第1項本文，労基則34条の2第2項）。

なお，本人同意をしなかったことに対する不利益取扱いは行ってはならず（労基41条の2第1項9号），本人同意は撤回可能で（同7号），本人同意の撤回について不利益取扱いを行ってはならない（同9号）[97]。

3　高度プロフェッショナル制度が有効となるために講ずべき3措置

高プロ制度は，最長労働時間規制と割増賃金規制を適用除外することから，高プロ従事者の健康確保のために，使用者が3つの措置を（単に決議するだけでなく）講じていることが要件とされている（労基41条の2第1項但書）。したがって，使用者が以下の3つの措置を講じていない場合には，高プロ制度の適用はなく，原則の労基法32条の規制に服することとなる。

⑴　健康管理時間の把握（労基41条の2第1項3号）

「健康管理時間」，すなわち，対象労働者が事業場内にいた時間（在社時間）と事業場外において労働した時間を把握する措置を講ずることが必要である。事業場内にいた時間は，休憩時間や食事時間等，実労働時間以外の時間も含むので，新たな規制手法として注目すべきものであるが，労働時間以外の時間を労使委員会決議により除くことができるとされ，労基則34条の2第7項で「労働時間以外の時間は，休憩時間その他対象労働者が労働していない時間」とされたため，そうした決議がなされれば，健康管理時間と実労働時間との差はなくなる。

健康管理時間の把握は，タイムカードやパソコン等のログイン・ログアウト等の客観的な方法によることを要するが，事業場外労働でやむを得ない理由があれば自己申告も許容される（労基則34条の2第8項）。

⑵　年104日の休日確保（労基41条の2第1項4号）

対象労働者に対し，年104日（週休2日に相当），かつ，4週間を通じ4日以上の休日（いずれも起算日は，高プロ制度の適用開始日）を，労使委員会決議および就業規則で定めるところにより付与する必要がある。一般労働者は三六協定に基

97）　高プロ指針第2の2は，本人同意を得るに当たって，あらかじめ，⑴高プロ制度の概要，⑵当該事業場における決議の内容，⑶本人同意をした場合に適用される評価制度およびこれに対応する賃金制度，⑷本人同意をしなかった場合の配置および処遇ならびに本人同意をしなかったことに対する不利益取扱いは行ってはならないこと，⑸本人同意の撤回ができることおよび本人同意の撤回に対する不利益取扱いは行ってはならないこと，を書面で明示することが適当としている。

づき休日労働をさせ，結果として週休1日（年間52日）の休日付与をしないことも可能であるが，高プロ対象者については，三六協定によってもこのような例外は認められず，104日の休日が確保されねばならない。

(3)　選択的措置（労基41条の2第1項5号）

使用者は，以下の4つの選択的措置のいずれかを講ずる必要がある。

ⅰ）**勤務間インターバル制度（労基41条の2第1項5号イ）**　労働者ごとに始業から24時間を経過するまでに11時間以上の継続した休息時間を確保し，かつ，深夜労働の回数を1ヶ月について4回以内とすること（労基則34条の2第9項，10項）。これは，1日の終業から翌日の始業までに11時間以上の労働解放時間を確保しようとするEUの休息時間規制に倣った制度である。

ⅱ）**健康管理時間の上限措置（同ロ）**　1週間当たりの健康管理時間が40時間を超えた場合におけるその超えた時間について，1ヶ月100時間以内，または3ヶ月240時間以内とすること（労基則34条の2第11項）。

ⅲ）**年1回以上連続2週間の休日付与（同ハ）**　1年に1回以上の継続した2週間（労働者が請求した場合においては，1年に2回以上の継続した1週間）（使用者が当該期間において，労基法39条の規定による有給休暇を与えたときは，当該有給休暇を与えた日を除く）について，休日を与えること。

ⅳ）**臨時の健康診断（同ニ）**　1週間当たりの健康管理時間が40時間を超えた場合におけるその超えた時間が1ヶ月当たり80時間を超えた労働者または申出があった労働者に，健康診断（以下「臨時健康診断」）を実施すること。臨時健康診断は，労安衛則44条1項1号から3号まで，5号および8号から11号までに掲げる項目（同項3号に掲げる項目にあっては，視力および聴力の検査を除く）ならびに労安衛則52条の4各号に掲げる事項の確認を含むものに限る（労基則34条の2第12項，13項）。

▩労安衛法上の高プロ対象労働者に対する医師の面接指導　1週間当たりの健康管理時間が40時間を超えた場合におけるその超えた時間が，1ヶ月100時間を超える対象労働者については，労働者の申出がなくとも，事業者は医師による面接指導を行うことが罰則付きで義務付けられている（労安衛66条の8の4第1項，120条1号，労安衛則52条の7の4）。対象労働者もこれを受けなければならない。また，事業者は，面接指導結果に基づき，対象労働者の健康保持に必要な措置について医師の意見を聞かねばならず，必要があると認めるときは，職務内容の変更，有給休暇（労基39条の年休を除く）付与，健康管理時間短縮のための配慮等の措置を講じなければならない（労安衛66条の8の4第2項）。

健康管理時間が1ヶ月100時間超となっていない対象労働者についても，当該労働者から申出があった場合，上記の面接指導を行う努力義務が設けられた（労安衛66条の9，労安衛則52条の8）。

4　健康・福祉確保措置（労基41条の2第1項6号）

対象労働者の健康管理時間の状況に応じて，使用者は，有給休暇（労基法39条の有給休暇とは別の休暇）の付与，健康診断の実施，その他，省令で定める措置のうち決議で定めるものを講じなければならない。省令は下記の措置を列挙している（労基則34条の2第14項）。

①上記3(3)の4つの選択的措置のうち，(3)で選択した以外の措置[98]
②健康管理時間が一定時間を超える対象労働者に対する医師の面接指導
③代償休日または特別な休暇の付与
④心と体の健康問題についての相談窓口の設置
⑤適切な部署への配置転換
⑥産業医等による助言指導または保健指導

5　その他の決議事項

その他の労使委員会の決議事項として，対象労働者にかかる苦情処理措置（労基41条の2第1項8号），不同意労働者に対する不利益取扱いをしてはならないこと（同9号），省令で定める決議事項（同10号）として，決議の有効期間・決議が自動更新されない旨の定め（労基則34条の2第15項1号），委員会の開催頻度・時期（同2号），50人未満事業場における医師の選任（同3号），使用者が対象労働者ごとの省令列挙事項（労働者の高プロ制度への同意・撤回，合意した職務内容，支払われると見込まれる賃金の額，健康管理時間の状況，年間104日かつ4週4日の休日付与・選択的措置・健康福祉確保措置・苦情処理措置の各実施状況）の記録および50人未満事業場での医師選任に関する記録を，決議有効期間中および有効期間満了後3年間保存すること（同4号）がある。

なお，決議の届出をした使用者は，決議日から起算して6ヶ月以内ごとに上記3(2)，(3)および4の措置の実施状況について労働基準監督署長に報告しなければならない（労基41条の2第2項，労基則34条の2の2）。

98）3(3)の選択的措置として選択した措置を講じていなければ高プロ制度は有効に適用されないが，この4の健康・福祉確保措置として3(3)の別の措置を選択した場合，その不実施は，単なる決議違反にとどまることになる。

第8節　労働時間・休憩・休日規制等の適用除外

労基法41条は「この章，第6章及び第6章の2で定める労働時間，休憩及び休日に関する規定」を，農業，畜産・水産業従事者，管理監督者・機密事務取扱者，行政官庁の許可を得た監視断続労働従事者について適用除外としている。この適用除外が認められると，労働時間の長さについての規制を受けず，時間外労働に対する割増賃金も不要となる。休憩や休日を与える必要もなくなる。しかし，除外されるのは「労働時間，休憩及び休日に関する規定」であるので，深夜業[99]や年次有給休暇の規制は及ぶ。

Ⅰ　農業，畜産・水産業従事者

労基法別表第1第6号の農業，第7号の畜産・水産業に従事する労働者は，業務の特殊性（天候・季節に左右される）により，労働時間や休日の規制になじまないものとして適用除外とされている（労基41条1号）。ちなみに，1993年改正で，それまで適用除外とされていた第6号の林業従事者は適用除外ではなくなった。

Ⅱ　管理監督者・機密の事務を取り扱う者

経営者と一体的な立場にあり，労働時間・休憩・休日等の規制を超えて労働することが要請されるという「経営上の必要」があり，職務の性質上通常の労働者と同様の労働時間規制になじまず，出退社についてある程度の自由裁量があり，労働時間規制を外しても保護に欠けるところのないものとして適用除外とされたものである[100]（労基41条2号）。

「監督若しくは管理の地位にある者」とは労働条件の決定その他労務管理について経営者と一体的な立場にある者の意であり，名称にとらわれず，実態に即して判断しなければならない[101]。したがって，管理職の肩書きがあれば適

---

99)　労基法41条の適用除外となる「労働時間」の規定に深夜業規制が含まれているのであれば，年少者に関する61条4項で再度，別表第1第6号，7号を除外する必要はなかったはずだからである（ことぶき事件・最二小判平成21・12・18労判1000号5頁）。

100)　昭和22・9・13発基17号，昭和63・3・14基発150号参照。

101)　静岡銀行事件・静岡地判昭和53・3・28労判297号39頁［銀行の支店長代理の地位にあり，役席手当が支給されていても，部下の労務管理に関与するところがなく，逆に自己の労働

用除外者に当たるわけではないし，管理職すべてがここにいう管理監督者となるわけでもない。労基法41条2号の管理監督者に該当するか否かについては，行政解釈も裁判例も，①職務権限，②勤務態様，③賃金等の待遇の3つに着目して相当に厳格な判断を行っている。

なお，しばらくの間，行政解釈と裁判例とでは①～③の具体的判断に乖離が見られた（→233頁）。すなわち，行政解釈は，①労働時間規制の枠を超えて活動せざるを得ない重要な職務と責任を有し，②現実の勤務態様も労働時間等の規制になじまないような立場にあり，③賃金等の面でその地位に相応しい待遇がなされているかを管理監督者の判断基準としていた。これに対し，裁判例は，①経営方針の決定への参加あるいは労働条件の決定その他労務管理について経営者との一体性を持っているか，②自己の勤務時間に対する自由裁量を有するか，③その地位に相応しい処遇を受けているか，を主な判断要素としている[102)]。つまり，行政解釈と裁判例の具体的判断は，③の待遇については共通するが，①職務権限については，行政解釈が，労働時間規制の枠を超えて労働せざるを得ない職責を中心に据えていたのに対し，裁判例は，経営への参画の程度など経営者との一体性を重視している。また，②勤務態様については，行政解釈が，労働時間規制になじまないことを強調し，労働時間に関する裁量性は後退していたのに対し，裁判例は，専ら労働時間に関する裁量性に着目している。しかし，2008（平成20）年に行政解釈は解釈を改め，裁判例と同様の立場を採るに至っており，両者の乖離はなくなっている。

■行政解釈の変遷　行政解釈は，当初，その労務管理上の権限と労働時間についての裁量性に着目し，後者については「出社退社等について厳格な制限を受けない者」（昭和22・9・13発基17号）としていた。しかし，労働時間についての広範な裁量を要件とすることが管理監督者の実態に合致しなくなっているとの認識[103)]から，金融機関の管理監督

時間が管理されているという場合，管理監督者に当たらない］。

102）　例えば最近の裁判例では，管理監督者性を否定した例として，神代学園ミューズ音楽院事件・東京高判平成17・3・30労判905号72頁［教務部長，事業部長，教務課長］，日本マクドナルド事件・東京地判平成20・1・28労判953号10頁［店長］，スタジオツインク事件・東京地判平成23・10・25労判1041号62頁［従業員兼務取締役］，管理監督者性を肯定した例として，姪浜タクシー事件・福岡地判平成19・4・26労判948号41頁［営業次長］，ピュアルネッサンス事件・東京地判平成24・5・16労判1057号96頁［取締役部長］等。

103）　このような認識は，当時の行政担当者（労働基準局労働基準監督課長）による行政解釈発出の背景事情説明で指摘されている（倉橋義定「金融機関における管理監督者の範囲」季労

者に関する昭和52年の行政解釈では「規制の枠を超えて活動することが要請されざるを得ない」職責,「労働時間等の規制になじまないような立場」(昭和52・2・28基発105号)が強調され，また，この際に③の処遇の観点が導入された。昭和63年の行政解釈では，このような考え方が，金融機関に限らず一般化され，かつ,「出社退社等について厳格な制限を受けない者」という基準（時間裁量要素）が削除されるに至る（昭和63・3・14基発150号)。当初，管理監督者が労働時間規制の適用を除外されたのは，①使用者と一体的立場にあり，その職責上，時間規制を超えて活動せざるを得ないという「除外の必要性」が一方にあり，他方で，②時間について裁量性があれば，労働時間規制を除外しても保護に欠けるところがないという「除外の保護適合性」を勘案し，適用除外が合理的と解されたことによると思われる。ところが，管理監督者が，その職責上時間規制を超えて活動せざるを得ないということは，その限りでは時間裁量性がないことをも意味する。そこで，行政解釈は，時間裁量性の観点を後退させ，代わって除外の保護適合性を基礎づける要素として，③相応しい処遇の要素に着目するようになったと解される。

しかし，③相応しい処遇の確保の点は，労働時間規制のうち割増賃金規制を除外することとの関係では保護に欠けることがないといえるが，長時間労働を規制し健康を確保するという労働時間規制の除外については，保護に欠けるところがないとは当然にはいえない。近時，名ばかり管理職問題が訴訟で争われるようになり，そこでは，割増賃金規制の適用除外問題に加えて（あるいはむしろ）長時間労働による健康障害問題がクローズアップされるに至った。裁判例は過労死等の健康確保問題を考慮し，②の労働時間規制になじまないという要素に，除外の保護適合性を基礎づける時間裁量性を読み込んでいると解される。そこで，行政解釈も「多店舗展開する小売業，飲食業等の店舗における管理監督者の範囲の適正化について」(平成20・9・9基発0909001号）で，改めて「労働時間等の規制になじまない」について，労働時間に関する裁量性に着目することを確認するに至っている。

▩いわゆるスタッフ職　労基法41条2号の適用除外は，元来いわゆるライン管理職(工場長や部長等，実際に指揮命令権限を持った管理職）を想定していた。しかし，年功賃金制度の下で，スタッフ職で部下を持たないが，処遇の面でライン管理職と同等に取り扱われる者が増えてきた。ライン管理職は適用除外となり，他方同等の年功賃金を支給されるスタッフ職は時間規制に服し，時間外労働には割増賃金が支払われるのはバランスを欠くと考えられた。そこで行政解釈は,「企業内における処遇の程度によっては，管理監督者と同様に取扱い，法の規制外においても，これらの者の地位からして特に労働者の保護に欠けるおそれがないと考えられ，かつ，法が監督者のほかに，管理者も含めていることに着目して，一定の範囲の者については，同法第41条第2号該当者に含めて取扱うことが妥当」104)としている。

しかし，スタッフ職と重複する対象者に対して，1998年労基法改正で企画業務型裁量

104号163頁〔1977年〕)。なお注釈時間法730頁以下，山本吉人「管理監督者と労働時間法制」季労166号88頁（1993年)，崔碩桓「タクシー会社営業部次長の管理監督者性」ジュリ1367号138頁（2008年）も参照。

104)　前掲注100参照。

労働制が導入されたのであるから，上述した1977（昭和52）年の行政解釈に由来する「スタッフ職」という解釈による適用除外対象者の拡大は，本来，企画業務型裁量労働制導入時に整理されてしかるべきであった。

▩「名ばかり管理職」問題　実務では法の趣旨に反して労働者が管理監督者「扱い」され，労働時間規制の適用を除外されている例が少なくなく，いわゆる「名ばかり管理職」として問題となった。使用者の労働時間規制潜脱に対して，法の遵守を徹底すべきはもちろんであるが，法制度上の問題として，管理監督者の適用除外には労基署長の許可や労使協定等の手続要件が課されていないこと，管理監督者の実体要件も法律上明定されておらず解釈に依存していること，いわゆるスタッフ職についての行政解釈により，管理監督者の外延が法改正を伴わずに緩和されたこと，一般的労働時間規制の適用が合理的でない就労関係に相応しい制度が適切に用意されていないこと等が指摘できる。

労働時間の一般規制を適用することが必ずしも合理的とはいえない労働者に対しては，一般規制を単に適用除外する方策ではなく，その多様な就業実態に適合的で，かつ当該労働者の特性に合わせた保護を図る特別規制が考慮されるべきである。

「機密の事務を取り扱う者」とは，秘書その他職務が経営者または管理監督者と一体不可分であって，厳格な労働時間管理になじまない者と解されている[105)]。管理監督者同様，割増賃金規制の適用が除外されることから，適用除外としても保護に欠けることのない処遇がなされていることにも留意すべきであろう。

Ⅲ　監視・断続的労働従事者

監視・断続的労働については，通常の労働に比して労働密度が薄く，労働時間規制を適用しなくても保護に欠けるところがないものとして適用除外とすることが可能とされている（労基41条3号）。例えば，守衛，踏切番，小中学校の用務員，団地の管理人等がこれに該当しうる。しかし，使用者の恣意的判断で監視・断続的労働に当たるとされると弊害があるので，労働基準監督署長の許可が必要とされている。

行政解釈は監視労働および断続的労働の適用除外の許可基準を次のように示している。すなわち，「監視労働」とは一定部署にあって監視するのを本来の業務とし，常態として身体または精神的緊張の少ないものを指す。したがって，精神的緊張の少ないものに該当しない交通関係の監視，車両誘導を行う駐車場等の監視業務，プラント等における計器類を常態として監視する業務，危険ま

105）昭和22・9・13発基17号。

たは有害な場所における業務は許可しないとしている[106]。また，「断続的労働」とは，休憩時間は少ないが手待時間が多い労働を指す。したがって，寄宿舎の賄人等で作業時間と手待時間折半程度までは許可するが，実労働時間の合計が8時間を超えるときは許可すべきでない，鉄道踏切番等については，一日交通量十往復程度までは許可する，その他特に危険な業務に従事する者について許可しないとしている[107]。その他，警備業者が行う警備業務に係る監視または断続的労働[108]，断続的な宿直または日直勤務[109]，医師，看護師等の宿日直[110]等，各種の監視または断続的労働についての行政解釈が示されている。

106）昭和22・9・13発基17号，昭和63・3・14基発150号。

107）昭和22・9・13発基17号，昭和23・4・5基発535号，昭和63・3・14基発150号。

108）平成5・2・24基発110号。

109）昭和22・9・13発基17号，昭和63・3・14基発150号。

110）令和元・7・1基監発0701第1号。

第8章　年次有給休暇

第1節　年休権の趣旨

労働基準法は労働者の心身疲労を回復させ，休息をとる権利を確保する趣旨から労働時間，休憩，休日と並んで年次有給休暇の権利（年休権）を規定している（労基39条）。

元来，年休権は日照が少なく暗い冬が続く欧州で夏期に太陽を求めて長期のバカンスをとるための休暇制度に淵源を持つ。戦前から発達した欧州の年休制度は，1936年のILO 52号条約で国際的労働基準となり，1970年のILO 132号条約でその権利が拡充されている。ILO 132号条約は，年休権発生のための勤務期間は6ヶ月を超えないこと，最低勤務期間に満たない者への比例付与，1年勤務につき最低3労働週の年休権付与，年休分割を認める場合も連続2労働週の年休が確保されるべきこと，年休時期は協約等で定めるほか，使用者と労働者（またはその代表）との協議で定めること等を規定している。連続2週間の休暇が確保されるべきことなど，バカンスを過ごすための欧州の休暇制度の考え方が濃厚に反映されている。

これに対して，労基法の年休制度は，①年休権発生に8割以上の出勤率要件を課し，また付与年休日数を勤続年数に応じて逓増させるなど，功労報償的色彩があること，②年休分割の最小単位の規制がなく，細切れ付与も可能であること，③（1987年改正の計画年休および2018年改正による使用者の年休付与義務制度導入まで）年休の取得時期を労使の協議や使用者の決定ではなく労働者個人の時季指定に委ねてきたこと等，諸外国には見られない特徴がある。このような制度的特色の結果，年休のほぼ完全取得が常態の欧州と異なり，日本では，付与された年休の半分も取得されないといった状況で，年休取得率の低さは年間労働時間短縮が進まない一因とされた。そこで1987年改正では「計画年休制度」が導入された。しかし，年休取得率はバブル経済が崩壊して以降，低下に転じ，2000年代になると50％を割り込んだ。そこで，こうした日本の年休制度の抜本的見直しも議論され[1]，2018年労基法改正で，年休付与日数が10日以上の労働者に対し，その5日分については，使用者に年休付与義務を課すこととなった（労基39条7項）[2]。

第2節　年休権の成立

年休権は，労基法39条1項ないし3項所定の次の要件を満たした場合に成立する。

I　6ヶ月間継続勤務

労基法制定当初は1年勤続が要件とされていたが，1993（平成5）年改正で，労働力移動の増加や諸外国の趨勢に鑑み6ヶ月に短縮された。6ヶ月の起算点は当該労働者の雇入れ日である。全労働者につき一律の基準日を定めて年休権につき斉一的取扱いを行う場合，労働者の労基法上の権利が侵害されない処理にする必要がある[3]。なお継続勤務は，実質的に判断され，例えば，定年後引き続き嘱託で再雇用される場合，非正規雇用者が正規雇用に切り替えられた場合，有期契約が反復更新されている場合[4]等も「継続勤務」に該当すると解さ

1）　厚生労働省労働基準局「今後の労働時間制度に関する研究会報告書」（座長諏訪康雄法政大学教授，2006年1月27日）。

2）　この法改正もあって，2020年の年休取得率は56.6％と上昇に転じた（厚生労働省「令和3年就労条件総合調査」）。もっとも，この年休取得率は，当該年度に発生した年休日数を母数としたものであり，前年度から繰り越された年休も母数に含めて考えると，取得可能な年休の3分の1程度しか取得されていない状況にある。

3）　斉一的処理により，5ヶ月継続勤務者も6ヶ月勤続とみなして年休付与対象とする等の措置が必要となるが，その場合の8割出勤の算定に際しては，短縮された1ヶ月は全期間出勤したものとみなすこと等も必要となる（平成6・1・4基発1号）。

4）　国際協力事業団事件・東京地判平成9・12・1労判729号26頁［1年契約更新につき継続勤務肯定］，日本中央競馬会事件・東京高判平成11・9・30労判780号80頁［競馬開催期間毎の有期契約反復に継続勤務肯定］，中津市（特別職職員・年休）事件・大分地中津支判平成28・1・12労判1138号19頁［非常勤司書の継続勤務該当性を認め，市の誤った年休付与日数提示に損害賠償請求認容］。

れている[5]。また，継続勤務は，実際に出勤することではなく在籍で足り，休業や休職期間も継続勤務に算入される。ただし，労基法39条1項の「雇入れの日」とは出勤率と組み合わせられていることから明らかなように，実際の就業開始日であり，労働契約成立日（例えば内定日）ではない。

Ⅱ 全労働日の8割以上出勤

この要件は，毎年の年休の成立について要求される。したがって，勤続4年6ヶ月の労働者が，4年6ヶ月目の年に「全労働日の8割以上」出勤しなかった場合には，その翌年5年6ヶ月目の年の年休権は1日も発生しない。このようにわが国の年休制度には，労働者の精勤への報奨としての性格が濃厚である（諸外国では，勤続要件のみで出勤率要件はない）。ただし，5年6ヶ月目の年に8割以上出勤した場合，その翌年の6年6ヶ月目の年には完全な年休権（20日）が発生する。

「全労働日」とは，労働者が労働契約上労働義務を負っている日[6]をいう。労働義務のある日における，業務上の傷病により療養のため休業した期間，育児・介護休業期間，産前産後休業期間は，明文の規定によって「出勤」したものとみなされる（労基39条10項）。

近時最高裁は，解雇が無効とされて職場に復帰した場合における解雇されていた期間を，出勤率算定においてどう取り扱うかが争われた事案において，8割出勤要件は，労働者の責めに帰すべき事由による欠勤率が特に高い者を除外する趣旨であったとし，就業規則や労働協約等の所定休日以外の不就労日のうち，労働者に帰責事由のない欠勤日は，「不可抗力や使用者側に起因する経営，管理上の障害による休業日等のように当事者間の衡平等の観点から出勤日数に算入するのが相当でな」いものは別として，出勤したものとして全労働日に含まれると解すべきと判示した[7]。

行政解釈・通説は，全労働日にカウントするか，出勤にカウントするか否か

5） 昭和63・3・14基発150号。

6） エス・ウント・エー事件・最三小判平成4・2・18労判609号12頁参照。

7） 八千代交通事件・最一小判平成25・6・6民集67巻5号1187頁。行政解釈は，労働義務日にも出勤日にもカウントしないという立場を変更し，同判決の立場に従った新たな行政解釈（平成25・7・10基発0710第3号）を発している。

図表8-1　全労働日の8割以上出勤の算定

[労働義務日・出勤] ＋：カウントする　－：カウントしない
（　）内は解釈による修正

	所定労働義務日説	具体的労働義務日説
業務上災害，育児・介護，産前産後休業期間	[＋・－（＋）] 労基39条10項	[－（＋）・－（＋）] 労基39条10項
年休取得日	[＋・－（＋）] 昭和22・9・13発基17号	[－（＋）・－（＋）] 労基39条5項，136条
使用者の責に帰すべき休業	[＋・－（＋）] 学説8) 昭和33・2・13基発90号 昭和63・3・14基発150号 平成25・7・10基発0710第3号	[－（＋）・－（＋）] 民536条2項，労基26条，出勤率規定の趣旨
不可抗力・使用者の責に帰すべからざる休業	[＋（－）・－] 学説9) 昭和33・2・13基発90号 昭和63・3・14基発150号 平成25・7・10基発0710第3号	[－・－]
正当なロックアウト	[＋（－）・－] 学説10)	[－・－]
正当なストライキ	[＋（－）・－] 昭和33・2・13基発90号 昭和63・3・14基発150号 平成25・7・10基発0710第3号	[＋（－）・－] 労組7条
休日労働	[－・＋（－）] 昭和33・2・13基発90号 昭和63・3・14基発150号 平成25・7・10基発0710第3号	[＋・＋]
生理休暇	[＋（－）・－] 学説11)	[－・－]
慶弔休暇	[＋（－）・－] 学説12)	[－・－]

（筆者作成）

が問題となる場合につき，就業規則等において所定労働義務日とされていたかを基準に判断し（「所定労働義務日説」と呼ぶ），それでは結論が妥当でない場面に

8)　有泉・労基法349頁，山口浩一郎「年次有給休暇をめぐる法律問題」上智法学論集25巻2＝3号35頁（1982年）。
9)　菅野560頁。
10)　有泉・労基法348頁。
11)　有泉・労基法350頁。
12)　菅野560頁。

ついて個々的に解釈により修正してきた。しかし，全労働日とは，その日に具体的に労働義務が課されていたか否かを基準に判断すべきである（「具体的労働義務日説」と呼ぶ）。所定労働義務日説の個々的修正は理論的根拠に欠けるのに対し，具体的労働義務日説によれば理論的に一貫した説明が可能で，修正が必要な場面についてはすべて明文の根拠が見出される（**図表 8-1** 参照）。例えば，正当なストライキを行った日は，具体的労働義務日説でも労働日にカウントされ，出勤しなかったことになる（**図表 8-1** では［＋・－］となる）。しかし，このような処理では全労働日の8割以上出勤の判定において不利益に作用し，労働組合の正当な行為を理由とする不利益取扱いとなり労組法7条1号が修正を要求していると解される。したがって，この明文の根拠に基づき，ストの日は労働日にはカウントしないという修正を加えることになる（**図表 8-1** では［－・－］に修正）。所定労働義務日説との顕著な相違は，休日労働を命じた場合である。行政解釈・通説によると，休日労働は所定労働日でない日の労働なので，「全労働日」にも，「出勤」にもカウントされない。しかし具体的労働義務日説によると，使用者が具体的に休日労働を命じて労働者が休日労働義務を負うに至った以上，労働義務日と解し，その休日出勤は出勤にもカウントされることになる（この方が労働者にも有利である）。使用者の責めに帰すべき休業（就労不能）日については，最高裁判例を踏まえると，民法536条2項，労基法26条そして出勤率規定の趣旨に照らし，労働日にカウントされ，かつ，出勤したものとして扱われる。

Ⅲ　休暇日数

前記ⅠとⅡの要件を満たした労働者には，法所定の休暇日数の年休権が成立する。労基法制定当初の最低休暇日数は6日であったが，1987年改正で10日

図表 8-2　一般労働者の年休法定付与日数

継続勤務期間	6ヶ月	1年6ヶ月	2年6ヶ月	3年6ヶ月	4年6ヶ月	5年6ヶ月	6年6ヶ月以上
付与日数	10	11	12	14	16	18	20

（筆者作成）

に引き上げられた。また，勤続年数が1年増える毎に1日ずつ加算していたところ，1998年改正では勤続2年6ヶ月以降は2日ずつ加算することとなった(労基39条2項)。その結果，勤続6年6ヶ月で付与日数は20日となり，功労報償的性格はやや薄められた(図表8-2)。

また，パート労働者の年休権については種々議論が分かれていたところ，1987年改正によって，パート労働者にもその所定労働日数に応じて比例的[13]に年休権が付与されることとなり，付与日数も改正された(図表8-3)。その際，所定労働日の労働時間が短くても1日としてカウントされる。例えば1日4時間で週2日勤務の場合，所定労働日数は2日として，勤続6ヶ月で3日の年休権が発生する。ただし，年休手当は所定労働時間に応じたもの(上記の例では年休1日につき4時間分)となる。なお，週所定労働日数は少ないが，1日の所定労働時間が長く，その結果，週所定労働時間が30時間以上の労働者(例えば1日8時間，週4日勤務で週32時間労働の者)については，比例付与の対象とはならず，一般の労働者と同様の年休を付与する必要がある(労基39条3項，労基則24条の3第1項)。

図表8-3　パート労働者に対する年休付与日数

週所定労働日数	1年間の所定労働日数	継続勤務期間						
		6ヶ月	1年6ヶ月	2年6ヶ月	3年6ヶ月	4年6ヶ月	5年6ヶ月	6年6ヶ月以上
4日	169日から216日まで	7日	8日	9日	10日	12日	13日	15日
3日	121日から168日まで	5日	6日	6日	8日	9日	10日	11日
2日	73日から120日まで	3日	4日	4日	5日	6日	6日	7日
1日	48日から72日まで	1日	2日	2日	2日	3日	3日	3日

(筆者作成)

13)　通常の労働者の週労働日を5.2日として比例計算することとされている(労基則24条の3第2項)。

Ⅳ　休暇の分割付与

休暇は労基法39条1項が「継続し，又は分割した」10労働日と規定するように分割付与が可能である。ILO条約や諸外国の立法では，少なくとも1つの年休は2週間以下に分割できないといった規制がある。しかし，労基法にはそのような規制がなく，1日単位の細切れ取得が一般的となっている。行政解釈はかつて，年休は1労働日を単位とするものであるから，それ以下に分割して与えることはできないとしていたが[14]，やがて，「使用者は労働者に半日単位で付与する義務はない」[15]という形で，使用者が半日単位の付与に応じる場合にはこれを認めたと解される立場を採った。

さらに2008年労基法改正では，労基法39条4項が新設され，事業場の過半数代表との労使協定により，1年に5日分を限度として，時間単位の年休取得が可能とされた。5日分の1日の年休が何時間となるかは，労使協定で所定労働時間を下回らない時間数を定めることとされている（労基則24条の4）。

第3節　年次有給休暇権の法的構造

年休権の法的構造については，判例および立法の展開によって，その理解にも変遷があるので，以下，時系列に沿ってその展開状況を概観する。

結論を先に述べれば，年休権は39条1項～3項を満たすことによって労働者が所定日数分の年休を取得する権利（年休権）と，当該年休の取得時期を労働者が指定する権利（時季指定権）（同条5項）とに分けて把握された（二分説）。しかしその後の法改正で，年休取得時季の特定は，労働者の時季指定権によるほか，1987年改正で導入された計画年休協定による特定（同6項），2018年改正で導入された使用者の年休付与義務に基づく時季指定による特定（同7項）の3つの方法が並立するに至っている。その結果，年休権には当然に労働者の時季指定権が内在するものではなく，時季指定権は時季指定の3つの方法の一つに過ぎないと位置づけられるに至っている。

14）　昭和24・7・7基収1428号。

15）　昭和63・3・14基発150号。なお，高宮学園事件・東京地判平成7・6・19労判678号18頁は，労基法は半日年休付与を妨げるものではないとする。

I　学説の展開と二分説の確立

労基法39条1項は，一定の勤続・出勤をした労働者に有給休暇を「与えなければならない」とし，当時の3項（現5項）で「労働者の請求」する時季に「与えなければならない」と規定している。かかる年休権の法的性格については，学説上，年休権とは年休を請求する権利であり，使用者の承諾があって初めて年休が成立するとする「請求権説」，労働者の請求（＝時季指定）により，使用者の承諾なしに年休取得の効果が発生するとする「形成権説」，そして，労基法39条1項，2項（現1項ないし3項）によって成立する年休権と，旧3項（現5項）の時季指定権に分けて把握する「二分説」が唱えられた16)。

こうした状況の中で，白石営林署事件判決17)は，多数説であった二分説を採用した。すなわち，「年次有給休暇の権利は……〔労基法39条〕1，2項の要件が充足されることによつて法律上当然に労働者に生ずる権利」であり，同条3項（現5項）は「請求」という語を用いているけれども，「年次有給休暇の権利は……労働者の請求をまつて始めて生じるものではなく，また，同条3項〔現5項〕にいう『請求』とは，休暇の時季にのみかかる文言であつて，その趣旨は，休暇の時季の『指定』にほかなら」ず，「年次休暇の成立要件として，労働者による『休暇の請求』や，これに対する使用者の『承認』の観念を容れる余地はない」と判示した。

こうして，年休の権利は，労基法39条1項，2項（現1項ないし3項）が満たされることによって当然に発生する「年休権」（年休を取得する権利）と，その年休を取得する時季を労働者が指定する「時季指定権」とからなるとの理解が1970年代初頭に確立した。

II　計画年休の創設と年休権の新たな整理

1987年改正で年休取得時期特定の新たな方法として，過半数代表との計画年休協定による制度が導入された（同6項）。このことが年休権の理解にどのような影響を及ぼすか，特に，労基法39条1項ないし3項によって成立する年

16)　学説の詳細は注釈時間法630頁以下，注釈労基法（下）715頁以下［川田琢之］，新基本法コメ・労基・労契法181頁［柳澤武］参照。

17)　白石営林署事件・最二小判昭和48・3・2民集27巻2号191頁。

休権は当然に時季指定権が付着したものか否かが，計画年休による時季指定に同意しない労働者が協定に拘束されるのかという形で議論となった。

一つの立場は，この問題を，年休権にはすべて労働者の時季指定権が付着しており，年休権成立とともに一旦発生した労働者の時季指定権を労使協定（計画年休協定）によって奪うことができるか（個人が自由に行使できるはずの時季指定権を，計画年休で定められた時季に行使したのと同じ私法上の効力を認めてよいか），という問題と捉え，他の労基法上の労使協定（例えば三六協定）の免罰効・強行性排除効と私法上の効力を峻別する議論と同様の解釈を適用して，そのような効果は認められないとする。この立場に立つと計画年休に従って年休の取得時期が特定されたというためには，（私法上の効力を持たないはずの）計画年休協定では足りず，就業規則や個別同意等の同制度を契約上のものとする別個の根拠が必要であることになる[18)]。

しかし，1987年改正で計画年休制度が新設され，「[時季指定権について定めた]前項の規定にかかわらず，その定めにより有給休暇を与えることができる」とされた以上，年休権自体に当然に時季指定権が付着していると考えるべきではなく，年休取得時季の特定に時季指定権行使と計画年休協定という2つの方法が並立するに至ったと解するのが条文の解釈からも制度趣旨からも自然である[19)]。したがって，発生した年休権が計画年休として時季が特定されれば，その効果としてまさに当該時期に年休が成立することとなる。年休権は労基法が創設的に付与した権利であり（この点で時間外労働義務が労働契約によって設定されるのと異なる），労基法が時季指定権の発生が問題とならない形での時季の特定方法を含めて年休権を制度設計したとすれば，それに従った効果が発生することとなる。

このような理解に立つと，労基法39条1項ないし3項によって発生する年休権には当然に時季指定権が付着しているのではなく，時季指定権行使による

18）　この立場の学説の紹介を含めて武井寛「年休の制度と法理」講座再生4巻270頁以下参照。

19）　1987年法改正直後から，つとに野田進「計画年休制――その実施上の課題」季労145号30頁（1987年）や菅野和夫ほか「新労働時間法のすべて」ジュリ917号146頁［菅野発言］（1988年）が指摘する通りである。学説の整理については野田進「文献研究⑤　年次有給休暇の法理」季労165号121頁（1992年）や同『「休暇」労働法の研究』230頁以下（1999年），中島正雄「年休権の法的性格」争点118頁，武井寛「年休の制度と法理」講座再生4巻255頁等参照。

特定も，計画年休協定による特定も可能なニュートラルな権利として存在するものと把握できる。

Ⅲ　使用者の年休付与義務の創設

2018年改正では，10日以上の年休日数のうち5日については，使用者に年休付与義務が課され，使用者が時季指定することによって年休時季が特定される制度が導入された（労基39条7項→249頁）。

以上の結果，年休権は労働基準法39条の1項～3項の要件を充足して10労働日以上の年休を取得する権利として発生するが，年休取得時期の特定方法としては，労働者の時季指定権行使（労基39条5項），計画年休（同6項），使用者による時季指定（同7項）の3つの方法が並立することとなった。

第4節　年休取得時期の特定

Ⅰ　時季指定権と時季変更権による特定

1　時季指定権

労働基準法39条5項は，休暇取得時期の特定に関して，労働者にイニシャティブを与え，労働者の時季指定が「事業の正常な運営を妨げる場合」に使用者が時季変更権を行使して変更できるという制度を採用していると解されている。しかし，「時季」という用語が用いられているのは，休暇時期の特定について，「季節」と「具体的時期」の2つの指定方法があることを前提としており，両者を分けて論ずる必要がある[20]。

(1)　具体的時期の指定

まず，労働者が具体的に始期と終期を特定して時季指定を行った場合（具体的時季指定権の行使の場合），使用者が適法な時季変更権を行使しない限り，その時季に年次有給休暇が成立し，当該労働日の就労義務が消滅する。その意味で，このような時季指定権は，形成権と把握され，適法な時季変更権行使を解除条件としてその効果が発生する。このような時季指定権行使の効果が発生するの

---

20)　白石営林署事件・前掲注17，国鉄郡山工場事件・最二小判昭和48・3・2民集27巻2号210頁，菅野565頁。寺本・労基法250頁も参照。

は，あくまで，「具体的に始期と終期を特定した休暇の時季指定について」の判断であることは，最高裁の判旨自身が明確に確認している[21]。

▩時季指定の時間的制限　就業規則等で，時季指定は取得年休の一定期日前までに行うべき等のルールを設定することは，それが合理的なものである限り，適法と解されている。もっとも，有効という趣旨は，これに反する時季指定が無効となるということではなく，代替要員確保の困難等から時季変更権行使の適法性を基礎づける要素として考慮されるということである[22]。

⑵　季節の指定

労働者が季節を指定した場合，具体的な休暇時期は労働者と使用者の調整によって特定されることとなる。この場合，具体的時季指定権行使におけるような形成権の効果は発生しない。

日本では季節の指定は実務上ほとんど見られないため，時季指定権というと具体的時季指定権のこととして論じられてきた。以下では，特に断らないが時季指定権を具体的時季指定権のこととして論を進める。

2　時季変更権

労働者が時季指定権を行使して年休時季を指定した場合，使用者は「請求された時季に有給休暇を与えることが事業の正常な運営を妨げる場合においては，他の時季にこれを与えることができる」(労基39条5項但書)。これを時季変更権という。

⑴　時季変更権の行使方法

その行使方法は，単に「承認しない」というのみでも足り，他の時季を使用者が指定する必要はない。ただし，「他の時季にこれを与える」(労基39条5項但書）可能性がなければならないので，当該労働者の退職前などで，他の時季に与える可能性がない場合には，時季変更権は行使できないと解されている。そうすると，業務上必要な引継ぎ等のための時季変更権行使も不可能となる。しかし，退職時においては諸外国でも認められているように，年休手当の退職時精算（年休の買上げ）を認めつつ時季変更権の行使の余地も認めるべきである。

21）　以上につき，白石営林署事件・前掲注17，国鉄郡山工場事件・前掲注20参照。

22）　電電公社此花電報電話局事件・大阪高判昭和53・1・31労判291号14頁［前々日までに時季指定することを求めた就業規則について，合理的なもので有効と判示］，東灘郵便局事件・神戸地判平成9・5・20労判724号84頁。新基本法コメ・労基・労契法186頁［柳澤武］，水町・詳解751頁参照。

時季変更権は，休暇の全部ではなく，一部についてのみ行使することも可能である[23)]。

なお，時季変更権は，休暇開始前に行使するのが原則だが，時季指定が指定年休日の開始時期に接着しており，事前に判断する余裕がなかった場合につき，最高裁は年休開始後の時季変更権行使も適法としている[24)]。

(2)「事業の正常な運営を妨げる場合」

i)「事業の正常な運営を妨げる」　ここにいう「事業」を労基法の適用単位たる「事業場」と解する説もあるが，大規模事業場を考えると，時季変更権行使が常に不可能となりかねず，また，あまりに小さな単位を考えると，時季変更権行使が常に可能となりいずれも妥当でない。そこで，学説・裁判例の多数は，係，課，部など当該労働者の担当する業務を含む一定の業務単位の正常な運営が妨げられたか否かを基準に判断している。

「正常な運営を妨げる」とは，当該労働者の労働が「事業」の運営にとって不可欠で，かつ代替要員確保が困難なこと[25)]をいう。これは蓋然性で足り，結果的に事業が正常に運営されたとしても，時季変更権行使の適法性判断には影響しない。

ii) 休暇取得への配慮と代替要員確保　判例[26)]は「できるだけ労働者が指定した時季に休暇を取れるよう状況に応じた配慮」を要請している。したがって，通常の配慮をすれば代替要員配置が客観的に可能なのにそのような配慮をしない場合，事業の正常な運営を妨げる場合に当たるとの主張は許されない。他方，通常の配慮をしても客観的に代替勤務者を確保することが不可能な場合には，配慮をしたと見得る具体的行為をしなかったとしてもよいとされている[27)]。

---

23)　時事通信社事件・最三小判平成4・6・23民集46巻4号306頁。

24)　電電公社此花電報電話局事件・最一小判昭和57・3・18民集36巻3号366頁。

25)　日本電信電話事件・最二小判平成12・3・31民集54巻3号1255頁は，非代替的な研修中の年休権行使につき，労働者が研修を欠席しても予定された知識，技能の修得に不足を生じさせないと認められない限り，事業の正常な運営を妨げるものとして時季変更権行使可能とした。

26)　弘前電報電話局事件・最二小判昭和62・7・10民集41巻5号1229頁［代替勤務の申出があったのに使用者が説得してその申出を撤回させた事案で，変更権行使は無効とされた］，横手統制電話中継所事件・最三小判昭和62・9・22労判503号6頁。

27)　電電公社関東電気通信局事件・最三小判平成元・7・4民集43巻7号767頁，東京都（交通局）事件・東京高判令和3・1・13労旬1988号51頁［時季指定した日に，他の運転手の年休とは別の夏期休暇が予定されていたとしてなされた時季変更権行使を適法とした］。

しかし，使用者が，人員配置を最低限に留めている限り，ある労働者が年休を取れば常に事業の正常な運営を妨げることになり，時季変更権行使が可能となりかねない。かかる場合，使用者は代替要員を確保できるような体制を整えておく必要があり，かかる努力を怠っている場合には，実質的に「他の時季に……与える」要件を満たしておらず，事業の正常な運営を妨げるとの主張は許されないと解すべきである[28]。

iii）**長期休暇と時季変更権**　従来一般的だった細切れの時季指定ではなく，長期休暇の時季指定がなされた場合の時季変更権行使の適法性が争われたのが時事通信社事件[29]である。同事件では，新聞記者が1ヶ月にわたる24日の連続休暇を始期と終期を定めて指定し，使用者が後半の12日について時季変更権を行使した。判例は，労働者が調整を経ることなく始期と終期を特定して長期かつ連続の年休の時季指定をした場合，使用者の時季変更権の行使については，事業運営への支障，休暇の時期，期間につきどの程度の修正，変更を行うかに関し，使用者に合理的裁量的判断の余地を認めざるを得ない，としている。

欧州で長期のバカンスが可能なのは，使用者に時季指定の権利があることを前提に年度当初に労働者と使用者の間で事前の調整がなされるからである。長期休暇を従来の細切れ年休のような方法で指定しても，事業運営の支障についての使用者の合理的裁量的判断を認めざるを得ない。長期休暇の取得促進には，新たな制度で対処する必要があり，このために導入されたのが計画年休制度である。

Ⅱ　計画年休制度

個人がその取得時期を自由に指定できる自由年休に加えて，1987年改正で新たに，休暇取得時期について過半数代表との労使協定により決定できる計画年休制度が導入された。

この背景には，個人のイニシャティブに委ねてきた従来の制度では，労働者が自ら時季指定権を行使するまで，使用者の年休付与義務は具体化しないとい

28）　注釈労基法（下）724頁［川田琢之］，菅野567頁。西日本JRバス事件・名古屋高金沢支判平成10・3・16労判738号32頁は，恒常的人員不足を理由とする多数回にわたる時季変更権行使を違法として慰謝料を認容した。

29）　時事通信社事件・前掲注23。

う事情，加えて，個々の労働者の職務内容が明確でない日本の雇用実態の下では，年休取得は同僚の仕事量増加をもたらしかねず労働者自身，年休取得を申し出にくいという事情があった。そこで，労働者に年休取得のイニシャティブを委ねることなく，事前に計画的に年休時期を特定する計画年休制度が導入された。しかし，従来通り個人が自由に時季を選んで使う年休も必要なので，5日は「自由年休」のために確保し，これを上回る年休についてのみ「計画年休」の対象とできることとした（労基39条6項）。

既述のように（→243頁），計画年休協定で年休日として具体的に規定された労働日は，労基法39条5項の規定にかかわらず（つまり，時季指定権や時季変更権を問題とすることなく）年休日となり，これに同意しない労働者についても協定で指定された日が年休日となる（労基39条6項）[30]。例えば，事業場の夏期休業期間を計画年休協定で定めれば，年休日を利用した一斉休暇となる[31]。

Ⅲ　使用者の年休付与義務に基づく時季指定

1　年5日の年休付与義務

年休付与日数が10日以上である労働者[32]を対象に，そのうちの5日について，使用者は「基準日」（継続勤務した期間を6ヶ月経過日から1年ごとに区分した各期間の初日，したがって，4月1日入社の場合，10月1日）から1年以内の期間に，労働者ごとに時季指定することにより年休を付与しなければならない（労基39条7項）。

30)　三菱重工長崎造船所事件・福岡高判平成6・3・24労民集45巻1＝2号123頁参照。

31)　ただし，計画年休によって年休日が特定される前に，自己の年休権をすべて自由年休として指定した労働者については，計画年休に用いるべき年休権が残っていないこととなるので，計画年休日は，当該労働者の年休日を費消することはできない。この場合，一斉休暇として実施する場合には別途休暇日として取り扱わざるを得ないこととなる。

32)　労基法39条1項によると一般の労働者の場合，勤続6ヶ月で8割以上出勤であれば，10日の年休権が発生するので全員が対象となり，使用者に年休付与義務が生じないのは週所定労働日数が4日以下のパート労働者ということとなる（**図表8-3**参照）。しかし，週4日勤務で継続勤務期間が3年6ヶ月以上の者および週3日勤務で継続勤務期間が5年6ヶ月以上の者が，出勤率8割以上の要件を満たせば，10日以上の年休権が発生するので，使用者に年休付与義務が生ずることになる。なお，付与日数10日以上は，労基法39条1項ないし3項の規定により「使用者が与えなければならない有給休暇の日数」であるので，前年度に未消化で繰り越した年休日はカウントされず，当該年の基準日に発生する年休権で判断される（厚生労働省労働基準局「改正労働基準法に関するQ＆A」3-2〔2019年4月〕参照）。

従来，労働者に時季指定権を与え，年休取得のイニシャティブを委ねてきたことが，年休取得の進まない一因となってきたことに鑑み，2018年改正で，使用者に時季指定（年休付与）義務を課すこととしたものである（2019年4月1日より施行）。管理監督者も対象となる。また，中小企業についても例外なく適用される。この付与義務違反には罰則がある（労基120条1号）。

ただし，労働者の時季指定権行使（39条5項）や計画年休（同6項）により年休が取得された場合，それらの日数は付与すべき5日から差し引かれ，それらの日数が5日以上に達した場合には，使用者は付与義務から解放される（労基39条8項）とともに，時季指定することもできなくなる。労働者の自由年休の権利を侵害することとなるからである。なお，厚労省によると，前年度から繰り越された年休を当該年に取得した場合，この付与義務のある5日からも差し引かれる[33]。

厚労省のQ&Aによると，使用者が半日単位で付与することも可能で，その場合は0.5日としてカウントされるが，時間単位で付与することはできない[34]。また，労働者が時季指定権を行使して取得した年休が半日である場合には，0.5日としてカウントされる（したがって，使用者の付与義務は4.5日に減少する）が，時間単位で取得された年休はカウントされない[35]。

なお，企業が独自に設けている休日や特別休暇等を取得した日を，5日付与義務のある年休を取得した日にカウントすることはできない。年休は，労働義務のある日に取得するものであるところ，上記の休日や特別休暇は労働義務が設定されていない日だからである。関連して，従来，労働義務を課していなかった特別休暇日等を，労働者と合意することなく就業規則変更により，労働義務のある日に変更し，その日に使用者が年休付与義務を履行するためとして時季指定をすることは，法改正の趣旨に沿わないのみならず，労働条件の不利益変更と評価されれば，その就業規則変更の合理性が認められない限り，労働契約内容とはならないと解される（労契10条）[36]。そうすると，その日は依然と

33）労基法39条7項，8項は実際に取得した年休が前年度から繰り越されたものか当該基準日に付与されたものかを問うていないとする。厚生労働省労働基準局「改正労働基準法に関するQ&A」3-4。

34）厚生労働省労働基準局「改正労働基準法に関するQ&A」3-3。

35）厚生労働省労働基準局「改正労働基準法に関するQ&A」3-11。

36）厚生労働省労働基準局「改正労働基準法に関するQ&A」3-12。

して労働義務のない休日であり，使用者が年休の時季指定を行うこともできないことになる。

▩使用者の年休付与義務をめぐる議論　従来の通説は，年休すべてに労働者が時季指定権を持つことを当然の前提としてきたため，使用者の年休付与義務を考えてこなかった。その結果，労働者が時季指定権を行使するまで，使用者は単に受け身の立場にあればよく，このことが，世界でも異例に低い年休取得率の大きな要因となっていた。

この点，2000年代半ばから，使用者の年休付与義務を明定すべきとの学説や立法論が唱えられていた。学説では[37]，労基法の立法過程における第6次案まで，年休については（産前休暇や育児時間と同様の）「請求することができる」という文言だったものが，第7次案で「与えなければならない」に変更され，付与義務構成となったこと，当時の想定問答や昭和22・9・13発基17号でも付与義務を前提とした考え方が示されていたこと，昭和29年に削除された旧労基則25条は，「使用者は……勤続1年間の期間満了後直ちに労働者が請求すべき時季を聴かなければならない」として時季聴取義務を使用者に課し，労働者の時季指定はその応答に過ぎなかったこと，旧労基則25条の削除によって，年休制度が変質したことを指摘し，立法論として，使用者の年休付与義務を明定すべきことが主張された。また，2006年1月27日の厚生労働省労働基準局「今後の労働時間制度に関する研究会」報告書は，年休の一定日数につき，使用者が労働者の希望を踏まえてあらかじめ具体的な取得日を決定することにより，確実に取得させることを義務づける手法の検討を提言していた[38]。これは，諸外国では，年休時期について労働者の希望を聴取しつつ最終的には使用者が調整決定することにより年休取得が進んでいる実情も踏まえ，労働者のためによかれと年休取得のイニシャティブを労働者に任せてきた日本の年休システムからの発想の転換を企図したものであった。

2　取得時季に関する労働者の意見聴取義務・意見尊重努力義務

使用者が時季指定をするに当たっては，あらかじめ，労働者の意見を聴かなければならず（労基則24条の6第1項），使用者はその聴取した意見を尊重するように努めなければならない（同2項）。なお，労働者の取得時季に関する意見尊重は努力義務にとどまり，例えば，労働者の希望した時季と異なる時期に指定したとしても，その時期に取得時期は特定される。

欧州の年休制度は，年度当初に労働者の年休取得時期（特に長期休暇）に関する希望を聞いて，労働者が年休を完全消化することを前提に，必要な人員数を勘案して労働者の年休取得時期を調整したり人員計画を立てるという実態があ

37)　畠中信夫「『過労死』防止という観点から見た年次有給休暇制度に関する一考察」水野勝先生古稀記念論集『労働保護法の再生』199頁（2005年）。

38)　厚生労働省労働基準局・前掲注1。

る[39]。こうした年間人員計画を年度当初に立てることによって労働者の年休の完全取得も可能となっている。こうした状況を踏まえ，労働時間設定改善法に基づく労働時間等設定改善指針（平成30・10・30厚労告375号）も，事業主が，業務量を正確に把握した上で，労働者ごとの基準日や年度当初等に聴取した希望を踏まえた個人別の年休取得計画表の作成，完全取得に向けた目標設定の検討，業務体制整備，取得状況把握をすべきことを説いている。

3　基準日の統一による処理

労基法39条7項によると，使用者の時季指定による年休付与は，当該労働者の雇入れ後6ヶ月を経過した日（基準日）から1年以内の期間に行うこととなっているところ，労働者ごとに基準日が異なることは煩雑であるし，4月1日を始期とする年度による管理に統一する方が労使双方にとって簡便である。そこで，39条7項但書は，基準日より前倒しで39条1項～3項で発生する年休権を与えることとした場合は，厚生労働省令（労基則）に定めるところにより付与すべきこととしている。

これを受けて，労基則24条の5が基準日の統一のための制度を定めている。すなわち，4月1日入社の場合，法定の基準日は10月1日となるが，前倒しで4月1日に10労働日の年休権を付与する場合，4月1日が「第一基準日」とされ，この日から1年以内の期間に年休付与義務が生ずる（労基則24条の5第1項）。入社日4月1日の時点では法定の年休権は発生していないので，39条7項但書がなければ，任意に休暇を付与したに過ぎず，労働者が休暇を取得しても，労基法の規定する年休（法定年休）の取得とは無関係と評価されることになる（その結果，必ず10月1日を起点とした10労働日以上の年休について5日の付与義務が課されることになる）ところ，この但書とこれを受けた労基則24条の5により，このような前倒し付与の年休を法定年休として扱うことが許容されることとなる。

また，例えば2019年4月1日入社の労働者に，基準日である同年10月1日に法定通り10労働日の年休を付与した後，全社的に統一的取扱いをするために，翌2020年4月1日に10日以上の年休を前倒し付与することとした場合，最初に付与される年休は2019年10月1日から2020年9月30日までに5日の

39）　野田進＝和田肇『休み方の知恵』29頁以下（1991年）参照。

付与義務が生じ，2020年4月1日に付与される年休は同年4月1日から2021年3月31日までに5日の付与義務が生じ，2020年4月から9月末までの間に重複が生じる。このような場合については，2019年10月1日から2021年3月31日まで（履行期間と呼ばれる）の月数（18ヶ月）を12で除した数に5を乗じた日数を按分して取得させる（18ヶ月で7.5日）ことでよいとしている（労基則24条の5第2項）。また，10労働日の年休の一部を前倒し付与する場合について，さらに規定を設けている（同4項）。

▩年次有給休暇管理簿　2018年改正で，年次有給休暇管理簿について規定が新設された。すなわち，使用者は，上述のⅠ～Ⅲ（労基39条5項～7項）により有給休暇を与えたときは，年次有給休暇管理簿に，時季，日数，基準日を労働者ごとに明記し，有給休暇を与えた期間中および当該期間満了後5年間（当分の間，3年間）保存しなければならない（労基則24条の7，72条）。また，2018年改正の労働時間等設定改善指針（平成30・10・30厚労告375号）は，この年休管理簿を上司も確認し，年休取得の進んでいない労働者に対して労務管理上の工夫を行い，取得につなげる等の活用を説いている。

第5節　年休権の法的効果

年休権が労働者の時季指定，計画年休または使用者の時季指定によって具体化した場合，当該年休日（時間）の就労義務の消滅と，法所定の年休手当請求権の発生，という法的効果が導かれる。年休手当は，①平均賃金，②所定労働時間労働した場合に支払われる通常の賃金，③過半数代表との書面協定を締結した場合は，健康保険法40条1項に定める標準報酬月額の30分の1に相当する金額（労基39条9項，労基則25条1項）のいずれかを就業規則等の定めにより支払う必要があり，時間単位取得の場合は①ないし③の金額をその日の所定労働時間数で除して得た額×取得時間（労基39条9項，労基則25条2項・3項）を支払う必要がある[40]。

なお，年休取得に対する不利益取扱いについては後述する（→257頁）。

40）使用者は，いずれの算定方法で年休手当を支払うかを就業規則に定めておかなければならない。労使協定を締結せずに標準報酬日額によっていた事案につき，労基法39条7項（現9項）の定める平均賃金または通常賃金で計算した額の最低額に満たない場合は無効となるとした（当該事案では最低額以上が支払われていた）例として，土電ハイヤー事件・高知地判平成30・3・16労判ジャーナル76号56頁。

第6節　年休の使途

I　年休自由利用の原則

白石営林署事件最高裁判決[41]は，「年次休暇の利用目的は労基法の関知しないところであり，休暇をどのように利用するかは，使用者の干渉を許さない労働者の自由である」として年休自由利用の原則を宣明した。

ドイツでは年休は保養休暇（Erholungsurlaub）であり，休暇中のアルバイトなどは休暇目的にそぐわずできない（休暇としての効力が認められず，使用者は年休手当の返還を請求できる）。しかし労基法39条はこのような休暇目的を規制しておらず，労働者が年休をどのように利用するかは労基法の関知しないところである[42]。このことの帰結として，労働者は時季指定権行使に際して，使途を具申する必要はなく，具申した使途と別の使途に使っても年休成立に何ら影響しないと解されている。しかし，時季指定が競合し，その一部について時季変更権を行使せざるを得ない場合，あるいは，理由によってはあえて時季変更権行使を控えようという趣旨で使用者が使途を尋ねること[43]は差し支えない[44]。

II　年休の争議目的利用

年休自由利用との関係で最も問題となるのが争議目的利用の可否である。白石営林署事件判決[45]は，次のように判示した。

「労働者がその所属の事業場において，その業務の正常な運営の阻害を目的として，全員一斉に休暇届を提出して職場を放棄・離脱する」一斉休暇闘争は，「その実質は，年次休暇に名を藉りた同盟罷業にほかならない。したがつて，

41）白石営林署事件・前掲注17。

42）弘前電報電話局事件・前掲注26は，「休暇の利用目的のいかんによつて……時季変更権を行使することは，利用目的を考慮して年次休暇を与えないことに等しく，許されない」としている。会社が年休残日数を勝手に0日としたことに加えて，取得理由を冠婚葬祭や病気休暇に限るとしたこと等に慰謝料を認めた例として出水商事〔年休等〕事件・東京地判平成27・2・18労判1130号83頁。

43）電電公社此花電報電話局事件・前掲注24。

44）以上につき菅野572頁以下，山川・雇用法189頁，注釈労基法（上）740頁［川田琢之］参照。

45）白石営林署事件・前掲注17。

……本来の年次休暇権の行使ではないのであるから，これに対する使用者の時季変更権の行使もありえず，一斉休暇の名の下に同盟罷業に入つた労働者の全部について，賃金請求権が発生しないことになる」。しかし，「他の事業場における争議行為等に休暇中の労働者が参加したか否かは，なんら当該年次休暇の成否に影響するところはない」。

当初学説は，争議行為に利用することにつき，労働者の所属する事業場のそれか，他の事業場かで区別し，後者については自由利用が貫徹されるが，前者については，自由利用の例外を設定したものと理解してこれを批判した。しかし，調査官解説46)は，最高裁判決の趣旨を，使用者の時季変更権を初めから無視してかかる年休権行使（一斉休暇闘争は時季変更権を無視して年休を取るところに特徴がある）は，もはや年休権行使ではなく同盟罷業に他ならない，したがって，年休自由利用なども問題とならず，同原則に例外を設定したものでもないとした。その後，最高裁は，この調査官解説と同様，時季変更権を無視してかかるものか否かを基準に判断してきたといってよい47)。

これに対して，時季変更権を無視してかかる年休指定ではない場合でも，それが，自己の所属する事業場の正常な業務の運営を阻害する目的をもって年休請求を維持する態様のものである場合，「業務を運営するための正常な勤務体制が存在することを前提としてその枠内で休暇を認めるという年次有給休暇制度の趣旨に反する」ので，年休は成立しないとする津田沼電車区事件最高裁判決48)が出されている。白石営林署事件判決は時季変更権を無視してかかる年休指定という「一斉休暇闘争」についての判断基準であり，津田沼電車区事件判決は，「一斉休暇闘争」ではない年休取得と争議行為への積極参加の関係についての判示として区別することは不可能ではない49)。しかし，津田沼電車

46)　最高裁調査官室編・最高裁判所判例解説（民事編）昭和48年度527頁［可部恒雄］。

47)　夕張南高校事件・最一小判昭和61・12・18労判487号14頁［使用者の時季変更権があればそれに従う休暇闘争は，同盟罷業ではなく年休権の行使に当たるとした］。

48)　津田沼電車区事件・最三小判平成3・11・19民集45巻8号1236頁［労働者Xが年休指定後に，自己の所属する事業場で行われることになった争議行為に参加し，積極的役割を演じたところ，使用者YはXの欠務を年休として取り扱わず賃金カットを行ったため，Xがその支払を求めた事案］。

49)　もっとも，両事件の区別が可能としても，一旦年休が指定され，時季変更権が行使されていなければ，その日には年休が成立し，労働義務が消滅するので，労働義務の存在を前提とするストライキは成立し得ない。ストライキ以外の争議行為（ピケッティングや集会参加等）の

区事件判決の基本的考え方（正常な勤務体制を前提としてその枠内でのみ年休権は行使できるという制度趣旨からの立論）は，有給で休暇を取得するという年次有給休暇制度と，ノーワーク・ノーペイの原則に則り，使用者に圧力をかける争議行為とは両立し得ない，という白石営林署事件判決以前の年休の争議行為目的利用を否定する立場に近い。かかる一般論が妥当するのなら，一斉休暇闘争も当然に年休ではないことになり，そもそも白石営林署事件判決のような理論は不要だったことにならないかという疑問も生ずる[50)]。

第7節　未消化年休の処理

年度内に消化されなかった年休は，行政解釈[51)]・通説[52)]によると，労基法115条の2年の時効[53)]に服し，翌年度までは繰り越される[54)]。この場合，翌年度には，前年度から繰り越された年休と，翌年度に新たに発生した年休が併存するが，翌年度における年休の行使は，特段の意思表示がない限り，当事者の合理的意思解釈として，繰り越された年休から行使されていると推定すべきである。

年休の買上げを予約し，買上げ対象された日数の年休取得を認めないことは労基法39条違反となり許されない[55)]。ただし，労働者が退職する場合における未消化年休の買上げについては，ILO 132号条約や諸外国でも年休手当の精算を認めているところであり，労基法上も認めるべきであろう[56)]。

評価は問題となる（例えば違法なピケの責任等）が，年休手当請求権には影響しないはずであるとの批判も可能である（注釈時間法691頁，青木＝片岡・註解Ⅰ533頁［西谷敏］参照）。

50）　これに対して，国鉄直方自動車営業所事件・最二小判平成8・9・13労判702号23頁は，年休を取得し，所属する事業場で行われた時限ストにおける職場集会に参加，司会，演説した労働者に対する賃金カット，戒告処分を無効とした。判例法理の現状については，注釈労基法（下）741頁以下［川田琢之］参照。

51）　昭和22・12・15基発501号。

52）　菅野575頁，注釈労基法（下）747頁以下［川田琢之］。

53）　この点は，2020（令和2）年の労基法115条改正でも維持された（→170頁）。

54）　国際協力事業団事件・前掲注4。

55）　昭和30・11・30基収4718号。

56）　青木＝片岡・註解Ⅰ535頁［西谷敏］，注釈労基法（下）747頁［川田琢之］，野川716頁。反対，水町・詳解768頁。なお，厚生労働省労働基準局・前掲注1・7頁参照。退職時の未取得年休の手当精算を定めた就業規則規定を有効とし，年休手当請求を認めた裁判例として，住

第8節　年休取得と不利益取扱い

年休を取得したことを理由に，精皆勤手当，一時金，昇給等において不利益に取り扱うことの可否については，1987年改正で労基法附則134条（現136条）が設けられた。しかし，同条は「使用者は……有給休暇を取得した労働者に対して，賃金の減額その他不利益な取扱いをしないようにしなければならない」という独特の文言を用いたこともあり，その解釈が問題となった。

学説では，①本条は訓示規定に過ぎず，私法上の効力については不利益取扱いの程度によって公序違反の枠組みで判断されるとする立場，②労基法39条自体の中に不利益取扱いを禁止する私法規範が含まれており，同附則134条はこれを確認したものとする立場，③134条は公序の内容をなしており，その違反は当然に公序違反となるとする立場，④134条自体の効力として不利益取扱いは無効となるとする立場等が提唱されていた[57]。

判例[58]は，年休取得に対する皆勤手当不支給という不利益取扱いが労基法39条や同附則134条に反しないかが争われた事案で，「労働基準法134条……は，それ自体としては，使用者の努力義務を定めたものであって，労働者の年次有給休暇の取得を理由とする不利益取扱いの私法上の効果を否定するまでの効力を有するものとは解されない。また，〔年休取得を何らかの経済的不利益と結び付ける〕措置は，年次有給休暇を保障した労働基準法39条の精神に沿わない面を有することは否定できないものではあるが，その効力については，その趣旨，目的，労働者が失う経済的利益の程度，年次有給休暇の取得に対する事実上の抑止力の強弱等諸般の事情を総合して，年次有給休暇を取得する権利の行使を抑制し，ひいては同法が労働者に右権利を保障した趣旨を実質的に失わせるものと認められるものでない限り，公序に反して無効となるとすることはできないと解するのが相当」とし，上記の①の立場を採った。

判旨は，労基法附則134条（現136条）の文言（「不利益な取扱いをしてはならない」ではなく「しないようにしなければならない」），立法の経緯，等に照らして，上

之江A病院事件・大阪地判平成20・3・6労判968号105頁。

57）詳細は荒木尚志「年休取得に対する不利益取扱い（皆勤手当不支給）と労基法39条・134条の効力——沼津交通事件」法教163号108頁（1994年）。

58）沼津交通事件・最二小判平成5・6・25民集47巻6号4585頁。

記の理論的対立に決着をつけようとしたものと思われる。しかし，判旨が参照する先例との相違，年休取得に対する不利益取扱いに関する先例[59]との不整合，年休取得抑止効果を持つ措置もある程度に達するまでは許容する解釈と134条（現136条）制定の趣旨との不整合等の問題点も指摘でき，学説では批判が根強い[60]。

なお，近時の裁判例には，労働者の年休取得を使用者が違法に妨害したとして，不法行為による損害賠償を認めるものがある[61]。

59）エス・ウント・エー事件・前掲注6。

60）菅野576頁，土田・契約法391頁，荒木・前掲注57，新基本法コメ・労基・労契法191頁［柳澤武］等。なお，タクシー運転手について，年休手当を支給するが，歩合給から控除する（実質的に年休手当は支払われない）制度について公序違反無効とした例として土電ハイヤー事件・前掲注40。

61）日能研関西ほか事件・大阪高判平成24・4・6労判1055号28頁［年休取得は望ましくないとして労働者の年休申請を取下げさせた上司の発言を不法行為とした］，出水商事（年休等）事件・前掲注42，中津市（特別職職員・年休）事件・前掲注4［再任用が繰り返された非常勤職員につき，継続勤務したものとして扱わず，労基法を下回る年休日数しかないと虚偽の情報を提供したとして，国賠法による請求を認容］。

第9章　年少者・妊産婦等

第1節　概　説

労働保護法は，年少者・女性に対する労働時間規制，危険有害業務からの保護等から始まった。日本でも工場法が女性・年少者を「保護職工」として最低入職年齢規制，最長労働時間規制，深夜業規制，一定の休日・休憩の義務化，危険有害業務の就業制限等を行っていた。戦後の労基法も，当初，年少者・女性を成人男性に比してより保護の必要な弱者とみなして，手厚い保護を定めていた。

しかし，女性については，1979年に国連総会で採択された「女子差別撤廃条約」が，母性保護措置は差別と解されてはならないが，女性一般に対する保護措置については，男女平等を害するものとして究極的には解消することを求めていた。そこで，1985年の男女雇用機会均等法の制定を機に，女性一般の特別の保護は縮小し，1997年の同法改正時には，原則として廃止することとになった（→114頁以下）。他方，妊娠・出産等に関するいわゆる母性保護についてはその強化が図られた。

このような女性保護に対する考え方の推移を反映し，労基法制定当初，「第6章　女子及び年少者」と同一の章にまとめられていた規制が，1985（昭和60）年の男女雇用機会均等法制定の際に女性についての規定を「第6章の2　女子」として分離することとなった。そして，女性一般の保護を原則撤廃した1997（平成9）年均等法改正の際に，そのタイトルが「第6章の2　女性」に，さらに母性保護への純化が進んだ2006（平成18）年同法改正の際には「第6章の2　妊産婦等」に変更された。

第2節 年少者の保護

未成年に対する労基法上の保護はその対象者の年齢に着目すると，2018年改正民法が2022年4月から施行されるまでは，「未成年者（20歳未満）」「年少者（18歳未満）」（労基57条参照）「児童（満15歳に達した日以後の最初の3月31日が終了するまでの者）」（労基56条参照）という大中小の包摂関係にある3グループがあり，それぞれに対する特別の保護が定められていた。しかし，2022年4月以降，成年年齢が18歳となった（民4条）ことから，未成年者と年少者とは労基法の条文上は区別されているが，いずれも18歳未満の者という同一グループを指すこととなった。

労基法は労働関係の成立（最低年齢，未成年者の労働契約），展開（賃金請求権，労働時間・休日，深夜業，危険有害業務，坑内労働），終了（帰郷旅費）の順に規定を置いている。しかし，未成年者，年少者の規制は児童にも及ぶことから，大きなグループから順次解説する。

I 未成年者の労働契約締結と賃金請求権

未成年者（2022年4月1日以降は18歳未満の者）の労働契約の締結について，「親権者又は後見人は，未成年者に代つて労働契約を締結してはならない」（労基58条1項）。民法上は，親権者（父母。養子については養親〔民818条〕）または後見人は，未成年者の行為を目的とする債務を生ずべき場合（労働契約はこれに該当する）でも，その同意を得れば未成年者に代わって契約を締結できることになっている（民824条，859条）。民法の世界では，親が子の利益のために親権を行使することを前提としているが，労働関係においては，子の同意は有名無実化し，親が自らの利益のために子の労働契約を締結して賃金を前借りする等，親が子を食いものにするという問題が生じていた1)。そこで，たとえ未成年者の同意を得ても，親権者または後見人は未成年者に代わって労働契約を締結できないこととしたものである。

未成年者が労働契約を締結するためには，民法上，法定代理人（親権者・後見人）の同意が必要であり（民5条1項，823条1項），同意なしに締結された労働契

1) 有泉・労基法392頁。

約は，取り消しうることとなる（民5条2項）。しかし，未成年者の労働契約は，法定代理人の同意を得て，未成年者自らが締結した労働契約であっても，それが未成年者に不利な場合，親権者もしくは後見人または行政官庁は，当該労働契約を将来に向かって解除できる（労基58条2項）こととして，未成年者のさらなる保護を図っている。もっとも，上記のように，親権者・後見人と未成年者本人の間で，当該労働契約についての見解の相違が生ずることはありうる。裁判例では，未成年者に客観的に不利とは認められない労働契約を親権者が解除した事案につき，親権者の解除権行使を権利濫用とすることで対処したものがある[2)]。

未成年者は，親権者や後見人とは独立して，自ら賃金を請求することができ，親権者・後見人が未成年者の賃金を代わって受け取ってはならない（労基59条。同120条1号に罰則）。民法上，未成年労働者の賃金を親権者が代理受領することは認められているが（民824条，859条），その結果，賃金が未成年労働者ではなく親元に送金される事例が多く見られた。労基法24条は使用者に対して賃金の労働者への直接払いを定めているが，この使用者に対する規制のみでは不十分として，親権者・後見人の代理受領を罰則付きで禁止したものである。

▩未成年者の行為能力・訴訟能力　民法6条1項によると「営業を許された未成年者は，その営業に関しては，成年者と同一の行為能力を有する」とされている。この規定の（類推）適用ないし準用により，未成年者が親権者・後見人の同意を得て労働契約を締結した場合，労働契約上の諸行為について成年者と同一の行為能力を認めてよいと解される。そうすると，民事訴訟法31条但書の「未成年者が独立して法律行為をすることができる場合」に該当し，訴訟能力も認められることとなる[3)]。

2）倉敷紡績安城工場事件・名古屋地判昭和37・2・12労民集13巻1号76頁［当該労働契約を継続することが未成年者（既に19歳6月であった〔当時成年は20歳〕）のために不利益である事実は存在せず，親権者がなした本件解除の意思表示は，単に親権者と信条を異にする者（左翼グループ）との交際の断絶と親権者の家庭事情（実家の働き手が必要）のために未成年者の意思に反して恣意的になされたもので，解除権の濫用として無効とした］。

3）通説もそのように解している。労基局（下）770頁，菅野610頁，新堂幸司『新民事訴訟法』（6版）155頁（2019年），注釈労基法（下）793頁［森戸英幸］，新基本法コメ・労基・労契法214頁［本庄淳志］等参照。

Ⅱ　年少者に関する規制

1　年少者の証明書

年少者について，使用者は，その年齢を証明する戸籍証明書を事業場に備え付けなければならない（労基57条1項。同120条1号に罰則）。これは，次述するように労働時間，休日，深夜業，危険有害業務，坑内労働について，特別の保護規定が定められており，その特別の保護対象となる労働者であるか否かを明らかにするためである。

2　労働時間の特別規制

年少者に対しては，変形労働時間制（労基32条の2，32条の4，32条の4の2，32条の5），フレックスタイム制（同32条の3，32条の3の2），三六協定に基づく時間外・休日労働（同36条），事業の特殊性による労働時間・休憩の特例（同40条），高度プロフェッショナル制度（同41条の2）は適用除外とされ，原則的労働時間規制に服することとなる（同60条1項）。ただし，非常事由・公務による時間外労働等に関する同法33条および労働時間規制の適用除外に関する41条はその適用を排除されていない。また変形週休制の規定（同35条2項）も適用除外されていない。

ただし，児童に該当しない年少者（満15歳到達後最初の4月1日以後，満18歳未満の者）については，1週間の労働時間が法定労働時間（労基32条1項）を超えない範囲内において，1週間のうち1日の労働時間を4時間以内に短縮する場合，他の日の労働時間を10時間まで延長することができ，また，1週間について48時間，1日について8時間を超えない範囲内で，1ヶ月以内の変形制（同32条の2），1年以内の期間の変形制（同32条の4，32条の4の2）の例により労働させることができるとされている（同60条3項，労基則34条の2の4）。

3　深夜業の禁止

原則として，年少者は午後10時から午前5時までの深夜業に使用してはならない（労基61条1項。同119条1号で罰則）。

これには次の例外が認められている。第1に，交替制によって使用する満16歳以上の男性については深夜業が可能である（労基61条1項但書）。ここにいう「交替制」とは，昼間勤務と夜間勤務とに交替につく勤務の態様をいう（昭和23・7・5基発971号）。夜間勤務による体力消耗を昼間勤務で回復できることがその根拠とされている[4]。第2に，交替制で労働させる事業（第1の労基法61条1項但書における交替制と異なり，事業全体が交替制をとっていることが必要[5]）については，行政官庁の許可を受けて，午後10時30分までの，あるいは，61条2項により午後11時から午前6時までが深夜業禁止とされた場合であっても，午前5時30分からの労働が可能とされている（同61条3項）。

また，深夜業禁止が適用除外される場合として，第1に，労基法33条1項の災害等非常事由により行政官庁の許可を受けて労働時間を延長し，または休日に労働させる場合（労基61条4項前段），第2に，農林業（別表第1第6号），畜産・水産業（同7号）[6]，病院・保健衛生業（同13号）および電話交換の業務（以上につき労基61条4項後段）がある。もっとも深夜業は可能となるが，時間外労働の制限が解除されるわけではないので，時間外労働となる深夜業を行うことは，33条の非常事由等による場合を除き，依然として許されない。なお，深夜業に従事した場合には，深夜割増賃金を支払う必要がある（労基37条4項）。

4　危険有害業務の就業制限

肉体的・精神的に発育過程にある年少者を，安全，衛生および福祉の見地から保護するために，危険有害業務への就業制限（禁止）が定められている。

使用者は満18歳に満たない者（年少者）を，運転中の機械・動力伝導装置の危険な部分の掃除・注油・検査・修繕，運転中の機械・動力伝導装置へのベルト・ロープの取付け・取りはずし，動力によるクレーンの運転，その他厚生労働省令で定める危険業務・重量物取扱業務に就かせてはならない（労基62条1項）。また，毒劇薬等の有害な原材料，爆発性・発火性・引火性の原材料取扱業務，著しくじんあい・粉末を飛散し，もしくは有毒ガス・有害放射線を発散する場所，高温・高圧の場所における業務，その他安全・衛生・福祉に有害な場所における業務に就かせてはならない（同2項）。これを受けて，年少者労働基準規則は7条で重量物取扱業務の範囲を定め，同8条で就業制限業務の範囲を詳細に列挙している（労基62条違反の罰則は同119条1号）。

しばしば風俗関連業務における年少者の使用が労基法違反として問題となる

4）労基局（下）778頁。

5）労基局（下）779頁。

6）ここで別表第1第6号，7号（農林業，畜産・水産業）について，年少者の深夜業禁止の適用除外が規定されていることから，労基法41条によっては深夜業規制が適用除外されていないことが導かれる（ことぶき事件・最二小判平成21・12・18労判1000号5頁）。

のは，労基法62条に基づき，安全上・衛生上の有害業務に加えて，福祉上有害な業務として，酒席に侍する業務（年少則8条44号），特殊の遊興的接客業における業務（同45号）等が就かせてはならない業務として指定されていることによる。

5　坑内労働の禁止

年少者の坑内労働は，その業務を問わずに，全面的に禁止されている（労基63条）。

6　帰郷旅費

年少者が解雇の日から14日以内に帰郷する場合，使用者は必要な旅費を負担しなければならない。ただし，当該年少者の責めに帰すべき事由に基づいて解雇され，使用者がその事由について行政官庁の認定を受けたときはこの限りでない（労基64条）。

Ⅲ　児童に対する規制

以上の未成年者・年少者の規制に加えて，満15歳に達する日以後，最初の3月31日が到来していない者（児童），つまり義務教育（中学校）を終了するまでの児童については，さらに特別の保護が設けられている。

1　最低年齢と就業制限

各国の労働保護法は，最低年齢を設定し，その年齢未満の者の使用を禁止してきた。労基法は，「使用者は，児童が満15歳に達した日以後の最初の3月31日が終了するまで，これを使用してはならない」と定めている（労基56条1項）。労基法制定当初は「15歳に満たない児童」とされてきたが，1998年改正で義務教育を受けるべき年齢の児童の使用を原則として禁止するように改められた[7]。

この例外として，第1に，労基法別表第1第1号から5号までの事業（製造業・鉱業・土木建築業・運送業・貨物取扱業の事業）以外の事業（非工業的事業）に係る職業で，「児童の健康及び福祉に有害でなく，かつ，その労働が軽易なもの」については，行政官庁の許可を受けて，満13歳以上の児童をその者の修学時

7）1973年のILO 138号条約が，義務教育の標準的な終了時点までの児童の使用を禁止する立場をとっていることに対応したもので，同条約は2000年に批准された。新基本法コメ・労基・労契法210頁［本庄淳志］参照。

間外に使用することができる（労基56条2項前段）。

「児童の健康及び福祉に有害」または「軽易」でなく，許可してはならない業務として，年少則9条は，まず，年少者の就業が禁止される8条各号に列挙した危険有害業務を挙げる。これに加えて，公衆の娯楽を目的として曲馬または軽業を行う業務（年少則9条1号），戸々または道路その他これに準ずる場所における歌謡・遊芸その他の演技を行う業務（同2号），旅館，料理店，飲食店または娯楽場における業務（同3号），エレベーターの運転の業務（同4号）を掲げ，これら業務への就業を禁じている。

児童の使用許可を受けるために，使用者は，児童の年齢を証明する戸籍証明書，その者の修学に差し支えないことを証明する学校長の証明書，および親権者または後見人の同意書を使用許可申請書に添えて，所轄労働基準監督署長に提出しなければならない（年少則1条）。

第2の例外として，子役の俳優の場合を想定して，映画の製作または演劇の事業については，満13歳に満たない児童についても，労基法56条2項前段（上記第1）の場合と同様とする，とされている（労基56条2項後段）。これにより，満13歳未満の児童も子役として使用することが可能となるが，あくまで，第1の場合の諸条件の下でのことであり，また，年少者についての就業制限等も当然に適用となる。

2　労働時間・深夜業禁止

労基法56条2項によって例外的に認められる児童の使用は，「修学時間外」であることが必要であるが，労働時間についても特則が定められている。すなわち，32条の1週間40時間の法定労働時間については，「修学時間を通算して1週間について40時間」，1日8時間の法定労働時間については，「修学時間を通算して1日について7時間」とされている（労基60条2項）。修学時間とは，当該日の授業開始時刻から同日の最終授業終了時刻までの時間から休憩時間を除いた時間と解されている[8]。

さらに，労基法56条2項によって使用される児童については，深夜業禁止の時間帯は，年少者の場合のように午後10時からではなく，午後8時から午前5時とされている。ただし，厚生労働大臣が必要と認める場合，地域・期間

8)　労基局（下）773頁。

を限って深夜業禁止の時間帯を午後9時から午前6時とすることも可とされている[9]（労基61条2項，5項）。

3　児童の就業に関する証明書

また，年少者に対する使用証明書（年齢を証明する戸籍証明書）に加えて，労基法56条2項により児童を使用する場合，修学に差し支えないことを証明する学校長の証明書および親権者または後見人の同意書（民法5条にいう未成年者の法律行為に関する同意書）を事業場に備え付けなければならない（労基57条2項）。

第3節　妊産婦等の保護

I　女性保護から母性保護へ

労基法は当初，女性に対する保護規定を年少者と一括して「6章　女子及び年少者」として規定していた。すなわち，男性と異なり，女性については，1日2時間，1週間6時間，1年150時間等の時間外労働の上限規制，休日労働の禁止（旧61条），深夜業の禁止（旧62条），危険有害業務の就業制限（旧63条），坑内労働の禁止（旧64条）等の女性一般に対する保護規定が定められていた。また，母性保護については，産前・産後休暇，育児時間，生理休暇の規定（旧65条～67条）が置かれていた。

しかし，1985年の男女雇用機会均等法制定以降，女性に関する諸規制は年少者とは独立の章とされ，その内容は女性一般の保護を縮小・廃止し，妊産婦保護に純化していくこととなった。今日では「第6章の2　妊産婦等」と題されるに至っている。また，男女雇用機会均等法9条では妊娠，出産等を理由とする不利益取扱い禁止が規定されている（→124頁以下）。

なお，女性一般の保護は縮小・撤廃されているが，他方で育介法等によって，ワーク・ライフ・バランスのための種々の施策が展開されている（→130頁以下）。

9）　平成16厚労告407号により，いわゆる演劇子役について当分の間，午後9時から午前6時とされている。

Ⅱ　危険有害業務の就業制限

かつては，女性一般について広範な危険有害業務が定められていた。しかし，技術革新による就業態様の変化や女性の体力向上・教育水準の上昇等により，一般的に女性に有害な業務を観念することに疑問が生じ，むしろ，女性の職域拡大，雇用機会均等を妨げるものと観念されるようになっていった。そこで，現行法は妊産婦および妊娠・出産機能に着目した規制を行うこととしている。

労基法は，「妊娠中の女性及び産後1年を経過しない女性」を「妊産婦」と定義し，使用者は妊産婦を重量物取扱業務，有毒ガス発散場所における業務，その他妊産婦の妊娠，出産，哺育等に有害な業務に就かせてはならないとしている（労基64条の3第1項）。この就業禁止は女性の妊娠・出産機能に有害な業務につき，省令で妊産婦以外の女性に準用可能である（同2項）。就業禁止となる業務の範囲，対象者については，女性労働基準規則が定めている（女性則2条，3条）。

▩坑内労働　女性の坑内労働は，戦前は広範に行われていたが，当初の労基法は，年少者・女性を一括して一般的に禁止していた。年少者についての坑内労働禁止は維持されているが，女性については，均等法が制定された1985年の労基法改正で，臨時の必要のために坑内で行われる業務については，禁止を解除した。さらに2006年の均等法改正に伴う労基法改正では，妊婦，産後1年を経過しない者については本人が坑内業務に従事しない旨を申し出た者については，坑内で行われるすべての業務を禁止するが，妊産婦以外の女性については，坑内業務のうち人力により行われる掘削業務その他の女性に有害な業務に限って，禁止することとした（労基64条の2）。したがって，産婦は本人が申し出ない場合，また，妊産婦以外の女性は，掘削等の特定業務以外は就業可能となった。

Ⅲ　産前産後休業・軽易業務への転換・労働時間

1　産前産後休業

使用者は，6週間（多胎妊娠の場合，14週間）以内に出産する予定の女性が休業を請求した場合においては，その者を就業させてはならない（労基65条1項）。したがって，産前休業は労働者自身の請求がなければ，付与しなくともよい。

これに対して，産後8週間を経過しない女性は就業させてはならない。ただし，産後6週間を経過した女性が請求した場合において，その者について医師が支障がないと認めた業務に就かせることは差し支えない（同2項）。産後6週間は本人が希望しても就業させてはならない強制休業である。

産前休業の期間は，自然の分娩予定日を基準とする（昭和26・4・2婦発113号）。現実の出産が予定日より早ければ，産前休業はその分，短縮され，遅ければ，遅れた期間も産前休業として取り扱われる10)。

産後休業の期間は，現実の出産日を基準とする（昭和26・4・2婦発113号）。出産当日は産前休業期間に含められる（昭和25・3・31基収4057号）。また，出産には，妊娠85日以上の流産・早産および人工妊娠中絶が含まれ，生産・死産を問わない（昭和23・12・23基発1885号）。

■産前産後休業と不利益取扱い　産前産後休業等の母性保護措置を請求・取得したことを理由とする解雇・不利益取扱いは，2006年の改正均等法9条3項によって禁止されている。では，産前産後休業により出勤しなかったことを昇給・昇格や賞与の査定・評価における出勤率において，欠勤したものとしてカウントすることは許されるであろうか。2006年改正前の事案について，判例は，出勤率算定において，欠勤扱いすることが法の保障した権利行使を抑制し，ひいては権利保障の趣旨を実質的に失わせるものであれば，公序違反となると解していた11)。しかし，少なくとも6週間の産後休業は強制休業であり，産後休業をとる権利行使はそもそも問題とならない。したがって，産後休業に関する限り，どの程度，権利行使を抑制し，権利保障の趣旨を失わせるか，という枠組みで判断することは疑問であった12)。2006年改正後は，強行規定たる9条3項が設けられたことにより，産前産後休業を理由とする不利益取扱いは，端的に，法律行為であれば無効とされ，不法行為の違法性を備えることとなった（→124頁）。

2　産前産後休業中の所得補償

産前産後休業を有給とすることは労基法上要求されていないので，就業規則・労働協約・労働契約に別段の定めのない限り無給となる。しかし，健康保

---

10)　労基局（下）837-838頁，有泉・労基法416頁，菅野618頁。

11)　日本シェーリング事件・最一小判平成元・12・14民集43巻12号1895頁［稼働率80％を昇給の要件とし，産休・年休・生理休暇等の取得日を欠勤扱いする制度が公序違反とされた］，東朋学園事件・最一小判平成15・12・4労判862号14頁［出勤率90％以上を賞与支給の要件とし，産後休業や育児休業法の勤務時間短縮措置に基づく育児時間を欠勤扱いとする制度は，賞与の全額不支給の不利益の大きさ，年間総収入に占める賞与の割合の大きさ，出勤率基準の90％という高さからすると産後休業等により直ちに賞与不支給となる可能性が高いことから，公序違反に当たり無効とされた］。

12)　東朋学園事件・前掲注11は，権利行使の抑制の程度で判断したため，出勤率90％条項により，勤務を継続しながら出産することを差し控えようとする機運を生じさせるという，いささか現実離れした議論を展開することとなっている。

険により，産前42日（多胎妊娠の場合98日）から出産後56日までの間，労務に服さなかった期間について，1日につき標準報酬日額の3分の2に相当する額が「出産手当金」として支給される（健保102条，138条）。また，2014（平成26）年4月より，この産前産後休業期間は，届出により，労使ともに社会保険料も免除されることとなった。

3　軽易業務への転換

使用者は，妊娠中の女性が請求した場合，他の軽易な業務に転換させなければならない（労基65条3項）。原則として，女性が請求した業務に転換させる趣旨であるが，新たに軽易な業務を創設して与える義務までを課したものではないと解される（昭和61・3・20基発151号・婦発69号）。なお，軽易業務転換を理由とする不利益取扱いは均等法9条3項，均等則2条の2第6号により禁止されている[13]（→124頁）。

4　妊産婦の労働時間

使用者は，妊産婦が請求した場合，変形労働時間制（労基32条の2，32条の4，32条の5）の規定にかかわらず，週40時間，1日8時間を超えて労働させてはならない（同66条1項）。また，妊産婦が請求した場合，非常事由（同33条）または三六協定（同36条）によっても時間外・休日労働をさせてはならない（同66条2項）。さらに妊産婦が請求した場合，深夜業をさせてはならない（同66条3項）。

これらの請求は，時間外労働・休日労働・深夜労働の一部についても可能で，妊産婦の身体状況の変化に伴う請求内容の変更も認められる（昭和61・3・20基発151号・婦発69号）。

なお妊産婦については，均等法により，母子保健法による保健指導または健康診査を受けるために必要な時間を確保できるようにしなければならず（雇均12条），その指導・診査に基づく指導事項を守ることができるよう勤務時間の変更，勤務の軽減等必要な措置を講じなければならない（同13条1項）。

Ⅳ　育児時間

生後満1年に達しない生児を育てる女性は，休憩時間のほか，1日2回各々

13）　広島中央保健生協（C生協病院）事件・最一小判平成26・10・23民集68巻8号1270頁。

少なくとも30分，生児を育てる時間（育児時間）を請求でき，この育児時間中，使用者は当該女性を使用してはならない（労基67条)。「育児時間」と規定されているが，哺乳（哺育）時間を想定した規定で[14]，当時より対象者を女性のみとして今日に至っている。育児時間を有給とすべきことは要求されていないので，別段の定めがなければ育児時間は無給となる。1日2回，30分以上の育児時間付与は，1日8時間労働を想定したものであるので，1日の労働時間が4時間以内のパートタイム労働者たる女性の場合，1日1回少なくとも30分の育児時間付与でよいとされている（昭和36・1・9基収8996号)。

V　生理日における就業困難者に対する休暇

労基法制定当初は，①生理日の就業が著しく困難な女子，②生理に有害な業務に従事する女子が，「生理休暇」を請求したときは，その者を就業させてはならない，と規定されていた（労基旧67条)。しかし，生理休暇制度には医学的根拠がない，生理日のみに有害な業務なるものは考えられないと指摘され（1978年労働基準法研究会報告)，1985年改正で②が削除され，また，①は疾患の一つとしての月経困難症と位置づけられるべきとの視点から「生理休暇」という表現が「休暇」に改められた。

就業困難な生理日のための休暇に対して有給とすべきことは要求されていないので，別段の定めのない限り無給となる。また，精皆勤手当の算定において，生理休暇を欠勤扱いすることについて，判例は，生理休暇の取得を著しく抑制しない限り，違法ではないとしている[15]。

14）　寺本・労基法304-305頁参照。

15）　エヌ・ビー・シー工業事件・最三小判昭和60・7・16民集39巻5号1023頁。これに対し，日本シェーリング事件・前掲注11は，稼働率80％を昇給の要件とする制度について，産休・年休とともに生理休暇の取得を欠勤扱いすることについて，権利行使抑制の程度が著しいとして公序違反を認めた。

第10章 安全衛生・労働災害

労働義務の履行は労務を提供する労働者という人格と切り離すことができない。この人的関係としての労働契約関係の特色は，労務提供者である労働者の生命・身体の安全を確保するための事前規制と，不幸にも労働災害が発生した場合の労働者・遺族に対する事後的補償の制度を要請した。日本の労働法は，事前規制としては労働安全衛生法と関係諸規則による規制を，事後的補償の制度としては，無過失責任による労基法上の災害補償制度と，労働者災害補償保険法による労災保険制度を用意している。

第1節 安全衛生規制

I 労働安全衛生法の制定

労働基準法は当初，労働安全衛生について，5章「安全及び衛生」で42条から55条まで規定を置き，使用者の各種の措置義務や安全衛生管理体制を定めていた。しかし，1955年以降の高度経済成長の過程で，機械設備，労働密度，新たな危険有害物質の取扱いといった労働環境の大きな変化が生じ，労働災害の危険の増大や罹災者の増加が見られた。

そこで，こうした状況に対応するために，1972（昭和47）年に労働災害を防止する総合的立法として120条余の大部な労働安全衛生法が制定された。これにより，労基法5章「安全及び衛生」は，「労働者の安全及び衛生に関しては，労働安全衛生法……の定めるところによる」（労基42条）との規定のみを置き，

図表 10-1　労働災害による死亡者数の推移

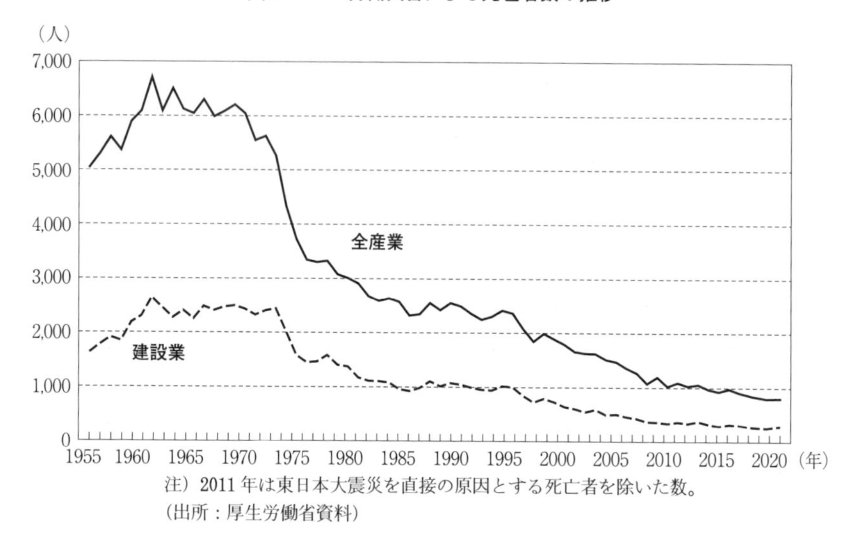

注）2011 年は東日本大震災を直接の原因とする死亡者を除いた数。
（出所：厚生労働省資料）

他の条文は削除された[1]。労働災害による死亡者数は 1970（昭和 45）年には年間 6,048 人であったが，労安衛法の施行後，10 年足らずの 1980（昭和 55）年には年間 3,009 人と半減するなど（2021 年は 867 人），労働災害防止に効果を上げた（**図表 10-1** 参照）。

労安衛法が，労基法から独立した立法とされた理由としては，①危険有害物質の製造・流通段階や重層請負，リース関係等，直接の雇用関係を基本とする労基法の枠を超えた安全衛生規制が必要なこと，②安全衛生教育や安全かつ快適な職場環境形成等，最低労働基準を超えた規制を企図したこと，③条文数が 100 を超える大部な規制となること，等が指摘されている[2]。実際，労安衛法は，①に対応して，使用者たる事業主の遵守すべき労働安全衛生上の義務のほか，ジョイントベンチャー，重層請負，リース等の複雑な就労関係の進展に対応するために，請負事業の注文主や元方事業者，機械等の貸与者等，労働契約

1)　労安衛法の立法過程および内容については，佐藤勝美『労働安全衛生法の詳解』(1992 年)，保原ほか・労災 3 頁以下，小畑史子「労働安全衛生法の課題」講座 21 世紀 7 巻 2 頁，畠中信夫『労働安全衛生法のはなし』(2019 年) 等参照。

2)　小畑史子「労働安全衛生法規の法的性質（3・完）」法協 112 巻 5 号 620 頁（1995 年）。

関係の外にある者に対しても一定の措置を課している（労安衛29条～34条）。また，②に対応して，労安衛法はその目的規定で，職場における労働者の安全と健康の確保とともに，快適な職場環境の形成促進をも目的とすることを明記し（同1条），労働者の就業に当たっての安全衛生教育（同59条～60条の2）や，健康の保持増進に関する条項（同65条～71条），快適な職場環境の形成のための措置に関する条項（同71条の2～71条の4）を置くなど，最低基準に留まらない多彩な規制を導入している3)。そして，上記③の指摘の通り，労基法では14ヶ条に留まった労働安全に関する条文数が，労安衛法では実に120ヶ条を超えた。さらに，（労安衛法制定前にも存したとはいえ）労安衛法の下で，労働安全衛生規則，ボイラー及び圧力容器安全規則，クレーン等安全規則，ゴンドラ安全規則，有機溶剤中毒予防規則，特定化学物質障害予防規則等，多様な規則が制定され，その条文数は全体で1500ヶ条を超える詳細な規制群を形成している。

Ⅱ　労働安全衛生法の概要

労安衛法は，1章「総則」で，上述した目的規定（労安衛1条）のほか，労働災害，労働者，事業者等について定義規定を置き（同2条），また，事業者や労働者の責務に関する訓示規定（同3条～5条）等を定めている。労安衛法にいう労働災害とは，「業務に起因して，労働者が負傷し，疾病にかかり，又は死亡すること」をいう（同2条1号）。つまり，労働災害とは，事故（アクシデント）による災害のみならず，職業病等の疾病をも含む概念である。労安衛法上の労働者とは，労基法9条にいう労働者をいう（同2号）。事業者とは，「事業を行う者で，労働者を使用するものをいう」とされている（同3号）。これは，労基法上の事業主に相当し，労働契約上の使用者を指すと解される。

労安衛法は，その目的を達成するために，国に対しては労働災害防止計画の策定義務およびその実施のための勧告・要請権限を定め（労安衛2章），事業者に対しては，各事業場に総括安全衛生管理者，安全に関する技術的事項を管理

3)　建設アスベスト訴訟（神奈川）事件・最一小判令和3・5・17労判1252号5頁は，石綿含有建材から重篤な石綿関連疾患を発症する危険があることの表示，石綿粉じんを発散させる作業，その周囲における作業の際に防塵マスク着用の必要を示す掲示につき監督指導を怠ったことは，それら規制がその物や場所に着目した規制であり，労働者との関係のみならず，労働者に該当しない者（一人親方等）との関係でも，国家賠償法上違法として責任を認めた。同判決については小畑史子・判批・論ジュリ37号190頁（2021年）参照。

する安全管理者，衛生に関する技術的事項を管理する衛生管理者の選任[4]，議長を除く委員の半数が労働者の過半数代表の推薦に基づき指名される安全委員会ないし衛生委員会の設置等の安全衛生管理体制の整備（同3章），機械，爆発物，作業方法・作業場所等，労働者の危険・健康障害防止のための措置（同4章），機械等，危険物・有害物に関して，製造の許可や種々の検査の義務（同5章），労働者に対する安全衛生教育や就業制限等の労働者の就業に当たっての措置（同6章），健康診断，保健指導，面接指導等の労働者の健康保持増進のための措置（同7章），快適な職場環境形成のための措置（同7章の2）等の義務を課している。

▩安全委員会・衛生委員会・安全衛生委員会　安全委員会は，林業，鉱業，建設業，製造業のうち木材・木製品製造業，化学工業，鉄鋼業，金属製品製造業及び輸送用機械器具製造業，運送業のうち道路貨物運送業及び港湾運送業，自動車整備業，機械修理業並びに清掃業について，常時使用労働者数が50人以上の事業場，それ以外の業種では100人以上の事業場で設置義務があり（労安衛令8条），衛生委員会は，常時使用労働者数が50人以上の事業場で設置義務がある（同9条）。安全委員会と衛生委員会の両方を設置する義務のある事業場では，両者の設置に代えて安全衛生委員会を設置することで足りる（労安衛19条1項）。

いずれの委員会も，議長となる委員は事業者が指名し，その他の委員の半数は事業場の過半数代表の推薦に基づき，事業者が指名する。ただし，これらについて，事業場の過半数組合との労働協約に別段の定めがあれば，その協約の定めに従う（以上につき労安衛17条2項～5項，18条4項，19条4項）。こうした委員会制度は，その後の時短促進委員会（現在の労働時間等設定改善委員会）や労基法上の労使委員会（労基38条の4）の原型ともなった。

▩健康診断受診義務　労安衛法は，事業者に，労働者に対する定期的な一般健康診断（労安衛66条1項，労安衛則44条），一定の有害業務に従事する労働者に対する特殊健康診断（労安衛66条2項・3項），都道府県労働局長の指示による臨時健康診断等の実施義務を課している。健診の結果，異常の所見がある（有所見）場合，医師の意見を勘案し，必要があると認めるときは，就業場所の変更，作業の転換，労働時間の短縮，深夜業の回数の減少，（安全）衛生委員会・労働時間等設定改善委員会への医師の意見の報告等の適切な措置を講じなければならない（同66条の4，66条の5，健康診断結果措置指針）。

こうした事業者の義務に対応して，労働者は労安衛法66条1項～4項により事業者が行う健診を受診する義務を負う（同66条5項）。もっとも，これらの規定による健診に相

4）　安全管理者，衛生管理者を選任すべき事業場規模は常時使用労働者数50人以上の事業場である（労安衛令3条，4条）。常時使用労働者数10人以上50人未満の事業場では安全衛生推進者の選任義務がある（労安衛12条の2，労安衛則12条の2）。

当する健診を受け，その結果を証明する書面を提出したときはこの限りでない（同但書）として，労働者の「医師選択の自由」が保障されている。

受診義務については，受診自体を強制することはできない。そのため，法的に問題となるのは，受診義務違反に対して使用者が懲戒処分やその他の不利益措置を適法になし得るかという点である。判例[5]は，頸肩腕症候群に長期罹患している労働者に対する，就業規則に基づく指定病院での受診命令（労安衛法上の法定健康診断ではない）拒否等を理由とする懲戒処分に関して，就業規則規定は合理的で契約内容となっているとして労働者の受診義務を肯定している。また，教員に対して学校長が職務命令で命じたエックス線検査につき，当時の結核予防法7条1項が教員個人の保護のみならず学校における結核の防衛を目的としていること等を根拠に命令の拘束力を認めた事例がある[6]。

なお，法律上，健診が事業者の義務とされている以上，その費用を事業者が負担すべきは，当然と解される。健診時間の労働時間性について，行政解釈[7]は，特殊健診については労働時間性を肯定し，一般健診については否定する。これは労働時間概念に関する相補的二要件説（→214頁）の立場からは，特殊健診と一般健診の業務関連性の程度の違いによって説明可能となるが[8]，通説たる指揮命令下説では説明困難であろう。賃金支払義務については，第一次的には当事者間の約定によって処理されるが，労働時間と認められる健診が法定時間外に行われれば法律上割増賃金が発生することとなる。

▩過労死防止のための面接指導・措置義務・労働時間の状況把握義務　いわゆる過労死問題に対処するため，2005（平成17）年改正および働き方改革関連法に伴う2018（平成30）年改正で，一定時間を超える時間外労働等を行った労働者（週40時間超の時間外労働が1ヶ月80時間を超え，かつ，疲労の蓄積が認められる者。労安衛則52条の2）に対して，労働者の申出に基づき，事業者は医師の面接指導を行う義務，労働者には面接指導を受ける義務が定められている（労安衛66条の8第1項・2項，労安衛則52条の3第1項，3項）。事業者は，医師の意見を勘案し，必要があると認めるときは，就業場所の変更，作業の転換，労働時間の短縮，深夜業の回数の減少，（安全）衛生委員会・労働時間等設定改善委員会への医師の意見の報告等の適切な措置を講じなければならない（同4項・5項）。

2018（平成30）年の働き方改革関連法による改正により，時間外の上限規制の対象とされない新技術・商品・役務開発従事者（労基36条11項）および高プロ対象者（同41条の2）については，週40時間超の時間外労働が1ヶ月100時間を超える場合，労働者の申出がなくとも，医師の面接指導や必要な措置が罰則付きで義務付けられている（労安衛66条の8の2，66条の8の4，120条1号，労安衛則52条の7の2，52条の7の4→191頁，229頁）。

また，かかる面接指導を実施するために，事業者は（健康管理時間把握義務が課される高プロ対象者を除き），全ての労働者について労働時間の状況を把握することが義務付けられ

5）電電公社帯広局事件・最一小判昭和61・3・13労判470号6頁。
6）愛知県教委事件・最一小判平成13・4・26労判804号15頁。
7）昭和47・9・18基発602号。
8）荒木・労働時間271頁以下。

ている（労安衛66条の8の3）。なお，「労働時間の状況」の把握義務は，労基法の労働時間規制が適用除外となる労基法41条の対象者も含めて，健康保持目的で実施する面接指導等のためのものであり，また，高プロ対象者については（実労働時間ではなく）健康管理時間把握義務が課されるためこの義務の対象とされていないことから示唆されるように，労基法の労働時間規制を前提とした厳密な実労働時間把握義務とは異なる趣旨で「労働時間の状況を把握」という文言が用いられていると解される。

▩過労死等防止対策推進法　2014（平成26）年に議員立法により成立した法律で，過労死を定義する（2条）ほか，過労死防止の国の責務（4条），11月を過労死等防止啓発月間とすること（5条），防止施策の状況報告書の提出（6条），過労死等に関する調査研究，情報収集・整理・分析・提供（8条）等を定めている。同法6条に基づき，毎年『過労死等防止対策白書』が公表されている。

▩ストレスチェック制度　ストレスフルな就業環境の中で，メンタル面の不調に陥る労働者が増加していること，2010年前後から精神障害の労災認定数が年々増加していることなどを背景に，2014（平成26）年労安衛法改正でストレスチェック制度が導入された。すなわち，使用者は，労働者に対し，医師，保健師等による心理的な負担の程度を把握するための検査（ストレスチェック）を行わなければならない（労安衛66条の10）（ただし，同法附則4条，同法施行令5条により，労働者50人未満の事業場については当分の間，努力義務）。他方，労働者がこれを受ける義務については，2011年法案では規定されていたが，成立した2014年改正法では削除されており，労働者の選択に委ねられている[9)]。

事業者は，検査結果が，医師等から労働者に通知されるようにしなければならないが，医師等は，あらかじめ当該労働者の同意を得ずに検査結果を事業者に提供してはならない（同66条の10第2項）。なお，健康情報に関する保護については→93頁。

検査結果通知を受けた労働者であって，検査の結果心理的な負担の程度が医師による面接指導を受ける必要があると医師等に認められた者が面接指導を希望した場合，事業者は遅滞なく面接指導を行わねばならず，申出を理由に不利益取扱いをしてはならない（同3項，労安衛則52条の16）。事業者は，この面接指導の結果，当該労働者の健康保持に必要な措置について医師の意見を聴かねばならず（労安衛66条の10第5項），その必要があると認めるときは，当該労働者の実情を考慮して，就業場所の変更，作業の転換，労働時間の短縮，深夜業回数の減少等の措置，その他適切な措置を講じなければならない（同6項）。

▩受動喫煙対策　労安衛法の2011年改正法案では職場の全面禁煙または空間分煙が義務づけられていたが，成立した2014年改正法では，受動喫煙防止のための適切な措置を講ずる事業者の努力義務を定めるにとどまった（同68条の2）。なお，2020年東京オリンピックを控え，2018年健康増進法改正で，第1種施設（学校，病院，児童福祉施設，行政機関等）における敷地内禁煙，それ以外の多数の者が利用する施設における原則屋内禁煙が定められた（健康増進25条以下。2019年より一部，2020年4月より全面施行）。

9）　菅野600頁注23。

労安衛法における規制で注目すべきは，事業者すなわち労働契約上の使用者のみならず，労働者と直接的労働契約関係に立たない注文者，元方事業者（当該事業の仕事の一部を請け負わせる契約が2以上あるときの最も先次の請負契約における注文者，労安衛15条1項），請負人，機械等貸与者，建築物貸与者等に対して，一定の措置（特に危険・健康障害防止措置）をとる義務が課されている点である。建設業・造船業・製造業では，重層的下請関係の下に複数の企業・使用者に雇用されている労働者が混在して就労する実態にあることから，連絡の不備による労働災害等を防止するためである。

労安衛法の規定は，その性質上罰則を科し得ない条項を除くと，原則として罰則（労安衛115条の3～121条，両罰規定同122条）によって担保され，その履行の監督は労基法と同様，基本的に労基署長，労働基準監督官により実施される（労安衛90条以下）。しかし労安衛法は，罰則によって担保される伝統的労働保護法としての規定のほかにも，多くの努力義務規定を置き，それに関する行政上の各種の措置（勧告，要請，勧奨，指示，指導等），国による事業主への支援措置等多彩な規制を導入している。

このように罰則付きの規定のほかに多様な規定があること，罰則付きの規定も事実行為を規制するものが少なくないこと等から，労安衛法には労基法13条のような強行的直律的効力を付与する規定が設けられていない。そこで，労安衛法上の義務が労働契約上の義務となるかどうか（労安衛法の私法上の効力）について，学説上議論がある10)。しかし，労安衛法の設定する義務が公法上のものに留まるとの立場を採っても，論者も認める通り11)，それが使用者の安全配慮義務の内容を考える場合には十分考慮され得ることに留意すべきである。

▩監督権限・規制権限不行使と国家賠償責任　労働災害の発生について①監督機関が監督実施を怠ったこと，②国が適切に規制権限を行使しなかったこと，を理由に国賠法上の賠償責任を負うかが問題となっている。

①監督権限の不行使につき，裁判例は労災防止の責務を負うのはあくまで事業者であり，

10)　詳細については小畑史子「労働安全衛生法規の法的性質(1)～(3・完)」法協112巻2号212頁，3号355頁，5号613頁（1995年）（同論文は，比較法的考察を踏まえて，労働安全衛生法規は純然たる公法的性格の規定であり私法上の請求権を基礎づけるものではないとする）。

11)　小畑・前掲注2・668頁以下（労安衛法上の義務を果たしていても安全配慮義務違反を肯定すべき場合もあることから，労安衛法の義務と安全配慮義務が同一と考えるべきではないが，安全配慮義務の内容の検討の際の基準となる，あるいは斟酌すべきとの立場を支持している）。

監督権限行使が社会通念上強く要請され，かつ期待される特殊例外的な場合を除いては国の責任を生ぜしめないとしてきた[12)]。

これに対して，②国が法律によって委任された規制権限を適切に行使しなかったために労働災害が発生・拡大した場合，権限不行使が具体的事情の下で許容される限度を逸脱して著しく合理性を欠くと認められるときは，国賠法上の賠償責任を負うとする判例法理が形成されている[13)]。

なお，近時，最高裁は，石綿含有建材から生ずる粉じんを吸引すると重篤な疾患を発症する危険を示すよう指導監督し，事業者に呼吸用保護具の使用を義務付けるべきであったとし，その権限不行使を違法としたが，さらに，この労安衛法57条（有害物質の表示）等に基づく規制は，労働者と同じ場所で働く労働者以外の者（一人親方等）を保護の対象外としているとは解しがたいとして，一人親方等との関係でも賠償責任を負うとした[14)]。

第2節 労働災害とその補償制度

I 労働災害に対する3つの救済制度

労働災害が不幸にして発生した場合，その救済を得るための制度には，①労基法上の災害補償制度，②労災保険法による労災保険制度，③労災民訴と呼ばれる民事訴訟における損害賠償請求，の3つがある。

労基法上の災害補償制度は使用者自身が直接に補償義務を負担するものであり，労災補償の基本である。しかし，現在では使用者自身の責任を社会化した労災保険法の労災保険制度の充実発展により，労災補償の主要部分は労災保険制度が担うに至っている。

また，諸外国では，労災補償制度・労災保険制度を採用している場合には，労災についての民事損害賠償訴訟を制限している国が少なくないが，日本では

12) 大東マンガン事件・大阪高判昭和60・12・23労判466号5頁，長野石綿じん肺事件・長野地判昭和61・6・27労判478号53頁等。

13) 筑豊炭田事件・最三小判平成16・4・27民集58巻4号1032頁［削岩機の湿式型化によりじん肺発生の原因となる粉じん発生を著しく抑制できる工学的知見が明らかになっていたにもかかわらず，国が鉱山保安法に基づく規制権限を行使しなかったことが違法とされた］，大阪泉南アスベスト事件・最一小判平成26・10・9民集68巻8号799頁［労働大臣は，1958年には省令制定権限を行使して，罰則をもって石綿工場に局所排気装置を設置することを義務付けるべきであったのに，1971年までその権限を行使しなかったことは違法とされた］。

14) 建設アスベスト事件・最一小判令和3・5・17民集75巻5号1359頁。本判決の意義については小畑・前掲注3・190頁参照。

労災補償と民事訴訟による損害賠償の双方を請求することが可能とされている点が特徴的である15)。

Ⅱ　労災補償制度の特徴

過失責任主義に立つ市民法の原則に従うと，労働者が業務上の負傷，疾病，死亡について損害賠償を得るためには，使用者の不法行為の成立（故意・過失，違法行為の存在，損害の発生，行為と損害発生との因果関係）を主張立証しなければならず，また，労働者自身に過失があった（例えば，安全保護具の装着を怠った）場合，過失相殺により賠償額は減額されてしまう。しかし，労働災害は企業の営利活動に伴う危険の現実化であり，そのリスクはその営利活動から利益を上げている使用者が負担すべきであると考えられ，市民法理論による処理を修正する必要が認識されるようになる。こうして形成されたのが無過失責任による労災補償制度であり，労働法の市民法理論の修正の特徴的場面の一つである。

1　無過失責任

労災補償制度の第1の特徴は，過失責任主義を修正し，使用者の無過失責任を定めている点である。すなわち，労基法75条，77条，79条，80条の条文からわかるように，労働者が労災補償を得るための要件は「労働者が業務上」負傷し，または疾病にかかり，あるいは死亡したことのみである。労働者保護のために，使用者の無過失責任を設定したものである。

2　補償額の定率化

労災補償制度の第2の特徴は，（療養補償を除き）補償額を平均賃金を基礎として定率的に定めていることである。これによって，被災労働者ないし遺族は労働災害によって生じた損害額の立証を要せず定率の補償を得ることができる。また，ごく例外的に故意・重過失による支給制限の可能性はあるが（労災12条の2の2），原則として過失相殺による補償額の減額もない。

しかし他方で，労災補償には精神損害に対する補償等は含まれない。これが労災民訴という損害賠償請求を認めるべき要因でもある。

なお，労働者の重過失について使用者が行政官庁の認定を受けた場合，休業補償または障害補償を行わなくてもよい（労基78条）。

---

15)　徐婉寧『ストレス性疾患と労災救済』12頁以下（2014年）参照。

3　労基法上の災害補償制度と労災保険法

労基法上の災害補償制度は，市民法理論を修正して無過失責任主義を採用したが，あくまで，使用者自身の補償責任を定めたものである。労基法上罰則は設けられているが（労基119条1号），使用者が任意にその補償責任を果たさない場合，労働者は民事訴訟を提起する必要がある。しかし，工場爆発等を想起するとわかるように，労災によって使用者自身が甚大な被害を被ることも少なくなく，使用者に十分な資力がない場合，補償責任は結局果たされないおそれがある。

そこで，労災補償責任を保険原理で社会化し，使用者集団の保険料拠出により，労災補償の実効性を担保する労災保険制度が設けられている。労基法8章は，療養補償，休業補償，障害補償，遺族補償，葬祭料の5種の災害補償を定めているが（内容については→286頁以下），今日では休業補償の最初の3日分を除き（労災保険法の休業補償給付は4日目から支給），いずれについても同一事由について労災保険法がより有利な給付を定めている。それらの労災保険給付が行われるべき場合，使用者は労基法上の災害補償責任を免除されるため，今日では，労基法上の災害補償責任が問題となるのはごく僅かな場面に限られることとなっている。

第3節　労災保険制度の概要

労災補償による救済を確実にするために，使用者を予め国の運営する保険に加入させ，被災労働者・遺族に対して，直接，国が保険給付を行う労災保険制度が，労基法制定と同時に，労働者災害補償保険法により導入された。

労災保険法に基づいて給付が行われるべき場合，その限度で，使用者は労基法上の災害補償責任を免れる（労基84条1項）。その意味で，労災保険制度は個別の使用者（事業主）の労災補償責任の責任保険としての側面を持つ。しかし，労災保険法は，制定後，数次にわたり改正され，独自の発展を遂げている。まず適用範囲については，当初限定されていた適用対象事業が1972（昭和47）年から「労働者を使用する」全事業（労災3条1項）となっている。また，1965（昭和40）年からはいわゆる一人親方など労働者ではない者を対象とする特別加入制度を創設し，拡充させてきている。保険給付内容についても年金給付の導入，賃金水準の変動に応じたスライド制の採用，給付基礎日額の最低額保障の導入，さらには，実質的には給付の上積み機能を持つ社会復帰促進等事業（2007年改正前の労働福祉事業）による特別支給金等により，質・量ともに労基法の労災補償を上回るレベルに達している。保険給付の対象も，1973（昭和48）年改正では，労基法では補償されない「通勤災害」にまで拡大され，1995（平成7）年改正では，介護補償給付，2000（平成12）年改正ではいわゆる過労死予防のための二次健康診断等給付という新たな保険給付も導入された。さらに，2020（令和2）年通常国会では副業・兼業により2以上の事業主の下で就労する複数事業労働者について，労基法の災害補償責任とは切り離して，被災労働者・遺族の保護を拡充すべく労災保険給付の合算，労災認定における負荷の総合考慮のための法改正が成立した。このように労災保険制度は，労基法の災害補償制度とは別個の制度として位置づけられ，その後の改正により，その適用範囲，給付内容，給付対象について強い独自性を示すに至っている。その意味で，労基法上の災害補償の責任保険としての性格は，労災保険制度の一部を捉えたものでしかない[16]。

しかし，労災補償の場面に限定して見ると，労基法上の災害補償制度と労災保険法の労災保険制度とは，その基本概念の共通性（労働者概念，業務上災害の概念等）や，相互の給付調整等に関して，両制度の相互関係はなお基本的重要性を持つ。そこで，以下，労災保険法を中心に検討し，必要な限りで労基法上の災害補償制度に触れることとする。

I　適用範囲

1　適用事業

労災保険の適用事業（強制適用事業）は，「労働者を使用する」全事業（労災3条1項）である。ただし，別個の制度が用意されている国の直営事業，労基法別表第1に該当しない官公署については適用されない（労災3条2項）。また，労働者5人未満等の小規模な個人経営の農林水産業は，暫定的に任意適用事業とされている（昭和44年同改正法〔法83〕附則12条，整備政令〔昭和47政47〕17条）。任意適用事業が任意に適用を受けていない場合には，労基法上の災害補償制度

16）以上の労災保険制度の展開の詳細については，注釈労基法（下）849頁以下［岩村正彦］，西村健一郎『社会保障法』326頁（2003年）等参照。

によることとなる。

労災保険関係の成立，保険料の徴収等については，労働保険徴収法（労働保険の保険料の徴収等に関する法律）が規定している。労災保険関係は，非適用事業，暫定任意適用事業を除く強制適用事業については，事業が開始された時に成立する（労保徴3条）。事業主は保険関係成立後10日以内に保険関係成立届を所轄労働基準監督署長に提出しなければならない（同4条の2，同施行規則4条2項）。仮に，事業主が届出をせず保険料を納付していない場合であっても，労災補償給付は被災労働者に対して支払われ，政府はその事業主に対して保険料を追徴する。未届や保険料未納付が故意または重過失による場合には，保険給付費用の全部または一部の徴収も可能である（労災31条1項）。したがって例えば，不法就労外国人の労災の場合[17]に，使用者が労災保険に加入していなくとも，労災補償は行われ，事後に保険料が徴収される。

2　労働者

労災保険法にいう労働者については，法律上定義がないため解釈問題となるが，通説・判例[18]は労基法9条にいう労働者と同一と解している。労災保険制度は，使用者の労基法上の災害補償義務を前提に，その責任保険としての性格を持つこと（労基84条1項参照），労災保険給付は労基法上の災害補償事由が生じた場合に行う制度設計となっていること（労災12条の8第2項参照）等に照らすと，現行法の解釈論として通説・判例の立場は妥当である。

労働者性が問題となる事案には，通常は労基法等の保護を必要とは考えずに独立自営業者として活動してきた傭車運転手やカメラマン，大工等が，被災した後に，労働者であるとして労災申請を行うケースが多い。これらの者を労災補償の補償対象とすべきとした場合[19]，第1に，労基法上の労働者概念自体を拡張して解釈するという対処，第2に，労災保険法上の労働者概念を労基法

17）ただし，不法就労外国人の場合，このような保護が及ぶことを知らず，あるいは，強制退去を恐れて労災申請をせず，使用者も労災隠しを行う等の問題があることについては，手塚和彰『外国人と法』（3版）280頁以下（2005年）。

18）厚生労働省労働基準局労災管理課編『労働者災害補償保険法』（8訂新版）87頁（2022年），菅野646頁，注釈労基法（下）854頁［岩村正彦］，横浜南労基署長（旭紙業）事件・最一小判平成8・11・28労判714号14頁，藤沢労基署長（大工負傷）事件・最一小判平成19・6・28労判940号11頁。

19）労災保険の拡張は，民間保険市場の圧迫という側面を持つことを指摘するものとして，岩村正彦「労災保険政策の課題」講座21世紀7巻20頁以下参照。

とは区別して広義に定義する対処，第3に，労働者概念を拡張するのではなく，保護の必要な者には労災保険の特別加入の制度をより適切に設計するという特別規制の3つの方向が考えられる。第3の方向が現行制度との整合性・連続性があり，妥当といえよう[20]。

3　特別加入

労災保険の適用対象者は原則として労基法上の労働者に限られるが，業務の実情，災害の発生状況等に照らして，労働者でない者についても労災保険制度を適用するのが適当と考えられる場合がある。そこで，1965（昭和40）年以来，特別加入制度が設けられ，その要件に合致し，これに任意に加入した者には，労働者ではなくとも，労災保険の適用が認められる（労災33条以下，労災則46条の16以下）。ただし，これらのうち一部の者（自動車運送業者，特定農作業従事者，家内労働者等）については，住居と就業の場所との間の往復の実態が明確でないことから，通勤災害に関する保険給付の適用はない（労災35条1項，労災則46条の22の2）。

現在，特別加入制度が設けられているのは，特別加入保険料の区分[21]で整理すると，1）中小企業事業主等（労災33条1号，2号，34条，労災則46条の16：金融・保険・不動産・小売業は常用労働者50人以下，サービス業・卸売業は100人以下，他は300人以下），2）一人親方その他の自営業者（労災33条3号，4号，35条，労災則46条の17：自動車を使用する旅客輸送〔いわゆる個人タクシー等〕もしくは貨物運送の事業，原付自転車・自転車による貨物運送事業〔フードデリバリー等〕，大工，左官等の建設事業，漁船による水産物採捕業，林業，医薬品配置販売業，廃棄物等収集・解体業，船員が行う事業，柔道整復師が行う事業，高年法上の創業支援等措置に基づき高年齢者が行う事業，あん摩マッサージ指圧師・はり師・きゅう師が行う事業，歯科技工士が行う事業），および特定作業従事者（労災33条5号，35条，労災則46条の18：特定農作業従事者，職場適応訓練等受講者，家内労働者，労働組合の常勤役員，介護作業従事者，芸能従事者，アニメーション制作作業者，情報処理作業従事者〔いわゆるITフリーランス〕）[22]，3）海外派遣者[23]（労災

20）　岩村・前掲注9・35-37頁，西村健一郎「労災職業病の変容と労災保険」日本社会保障法学会編『講座社会保障法（2巻）』202頁（2001年）参照。なお，労働者概念の拡張解釈アプローチ・中間概念導入アプローチ・特別規制アプローチについては→61頁参照。

21）　1）2）3）の対象者に対する保険料はそれぞれ第1種，第2種，第3種特別加入保険料と呼称される（労保徴10条2項，13条～15条参照）。

22）　フリーランス（雇用類似就業者）に対する保護の拡充施策（特別規制→61頁）として2021

33条6号，7号，36条：国際協力事業団等の団体の開発途上地域派遣者，国内事業の海外支店・工場・現地法人等の事業従事者）である。

■特別加入者の給付対象となる業務　特別加入者の労災給付対象となる「業務」については議論があり，特別加入申請書記載の業務内容には拘束されないとした裁判例[24]もあるが，行政解釈・裁判例の多くは特別加入申請書に記載された業務を基準に判断するとしている[25]。最高裁[26]も，特別加入制度は労働者に関して成立している労災保険関係を前提に事業主を労働者とみなして労災保険を適用するものであるので，労働者を使用している事業（土木工事）と無関係の業務（リース業）に従事中の事故は保険給付の対象とならないと厳格に解している[27]。このように，特別加入申請書の業務記載は保険対象業務の認定において重要な意義を持つため，そのことの十分な周知が要請される[28]。

Ⅱ　保険料

保険料徴収については，労災保険の保険料だけでなく，雇用保険の保険料も含めて労働保険徴収法が規制している（労災30条参照）。労災保険の保険料は，事業主が労働者に支払う賃金総額に，保険料率を乗じた額（労保徴11条）であ

年4月1日より柔道整復師，高年法の創業支援等措置事業従事者，芸能従事者，アニメーション制作作業者が，2021年9月1日より自転車による貨物運送事業（フードデリバリー等）従事者，情報処理作業従事者（ITフリーランス）が，2022年4月1日よりあん摩はりきゅう師等が，2022年7月1日より歯科技工士が，それぞれ特別加入の対象に追加された。

23）　海外派遣者について特別加入制度が認められているのは，労災保険法の属地適用により，海外の事業には適用がないためである。100％出資の現地法人の総経理として海外勤務していた労働者の死亡につき，特別加入していなかったが，海外派遣者ではなく国内の事業場に所属する海外出張者にあたるとして労災保険制度の適用を認めた例として中央労基署長（日本運搬社）事件・東京高判平成28・4・27労判1146号46頁。

24）　加古川労基署長事件・大阪高判平成4・4・28労判611号46頁。

25）　平成14・3・29基発0329008号，足立労基署長事件・東京地判平成7・11・9労判684号16頁等。

26）　姫路労基署長（井口重機）事件・最一小判平成9・1・23労判716号6頁。

27）　業務内容を建築工事施工として特別加入の承認を受けていた事業主が，将来の受注のため，架橋工事予定地の下見に赴き自動車ごと池に転落死亡した事案につき，労働者を建設等の現場にのみ従事させ，本店等の営業等の業務に従事させていないときは，営業等の事業について保険関係の成立する余地はないとして不支給決定を適法とした例として国・広島中央労基署長（竹藤工業）事件・最二小判平成24・2・24民集66巻3号1185頁。同事件については島村暁代・判批・ジュリ1450号120頁（2013年），岩村正彦「特別加入の保険関係の成立」社保百選（5版）112頁参照。

28）　皆川宏之「特別加入者の業務起因性」社保百選（4版）123頁，注釈労基法（下）902頁［岩村正彦］。

る。雇用保険料（失業等給付分）は労使折半であるのに対して，労災保険料は全額事業主負担である（同31条1項，3項参照）。

労災保険率は，政令で定めるところにより，労災保険法の適用を受けるすべての事業の過去3年間の災害率等を考慮して厚生労働大臣が定める（労保徴12条2項）。労災保険率は業務災害分と非業務災害分に分かれる。非業務災害分は，複数業務要因災害（→293頁），通勤災害，二次健康診断等給付に関するもので，全業種一律の保険料率が定められている。これに対して業務災害分については，事業の種類ごとの災害率等を考慮して（労保徴令），危険な事業では高率（2018年4月時点で，金属鉱業・非金属鉱業・石炭鉱業：8.8％，水力発電施設・ずい道等新設事業：6.2％），安全な事業では低率（通信・放送・新聞・出版業，金融・保険・不動産業：0.25％）に定められている（労保徴則16条，別表第1）。

また労働者100人以上等，一定規模以上の事業については，過去3年度の保険給付収支率（つまり労災発生の程度）に応じて保険料を原則40％の範囲内で増減させる「メリット制」[29]が採られている（労保徴12条3項，20条1項）。労災保険率は事業の種類ごとに定められているが，同一の業種であっても，事業主により災害率には差があることから，事業主負担の具体的公平を図り，労災防止努力のインセンティブを与えることを目指したものである[30]。

---

29)　メリット制の下では，一定規模以上の事業主は，労災保険の不支給決定が取り消されると保険料率を増額される可能性があるため，当該取消訴訟に補助参加できる点につき，レンゴー事件・最一小決平成13・2・22労判806号12頁。なお，メリット制による保険料の増額処分をされた事業主が，当該処分そして，その基となった労災認定処分の違法性をいかに争いうるかという問題がある。医療法人社団総生会事件・東京高判平成29・9・21労判1203号76頁は，先行処分（業務災害支給処分）の違法性を後行処分（保険料〔増額〕認定処分）の取消事由として主張しうるか（いわゆる違法性の承継）については否定し，その論拠として先行処分の取消訴訟の原告適格を認めうるとした。これに対して，あんしん財団事件・東京地判令和4・4・15労経速2485号3頁は，先行処分を争う事業主の原告適格を否定したが，後行処分の取消を争う余地を認める立場を採った。後者の立場が妥当で，被災労働者の保護という労災補償制度の趣旨を考慮し，先行処分（保険給付支給決定）の効力に影響させない前提で，後行処分（保険料増額処分）について事業主の取消訴訟の原告適格を認めるべきである。

30)　メリット制による保険料上昇を回避するための，いわゆる「労災隠し」は，労安衛法の労働者死傷病報告義務に違反し，違反には罰則の制裁がある（労安衛100条1項，労安衛則97条，労安衛120条5号，122条）。

図表 10-2　補償事由に対する労基法・労災保険法・社会復帰促進等事業による補償制度

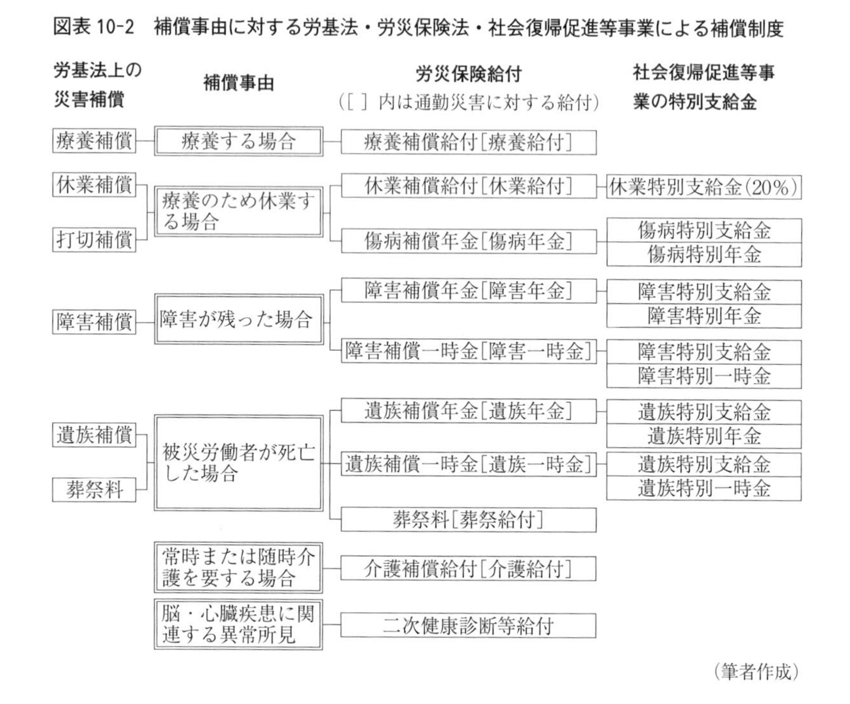

（筆者作成）

Ⅲ　労働基準法の災害補償と労災保険法上の保険給付

労災保険法は，業務災害給付，複数業務要因災害給付，通勤災害給付，二次健康診断等給付の4種の給付を設けている（労災7条）。通勤災害は，従来，業務災害ではないとされていた通勤途上災害について1973年改正で給付対象としたもので，保険事故としての性質が違うため，別建てとされ，給付名称も通勤災害の場合は「補償」の語が付かない。しかし，その具体的給付の種類・内容は全く同一である。2000年改正で導入された二次健康診断等給付は，発症後の補償ではなく，事前の予防を目的とする新たな制度であり，一次健康診断で異常所見があれば業務関連性を問わずに保険事故が発生したことになる点で特色がある[31]。2020年改正で新設された「複数業務要因災害給付」は，副

31）　注釈労基法（下）857頁［岩村正彦］参照。

業・兼業など事業主が同一人でない2以上の事業に使用される複数事業労働者の2以上の事業の業務を要因とする労働災害に関する給付である（→Ⅳ参照）。

以下では，当初労基法上の災害補償の責任保険として出発した労災保険制度が，労基法上の災害補償責任をはるかに上回る制度へと発展してきていることを確認する意味を込めて，補償事由ごとに，⑴労基法上の災害補償と，⑵労災保険法上の保険給付および社会復帰促進等事業の特別支給金に分けて概観する。なお，通勤災害に対する労災保険給付は上述の通り名称は異なるが，給付内容は同一なので，名称を［　］で示し[32]，⑵の労災保険給付の中で一括して説明する。各補償事由に対する補償制度の全体像は図表10-2のようになる。

1　業務災害により療養する場合

⑴　労基法上の療養補償（労基75条）

労基法上の療養補償は，負傷・疾病の療養そのものを行うか，または療養の費用を使用者が負担するものである。したがって，これは定額・定率の補償ではない。疾病については業務との因果関係および療養の範囲が明瞭ではなく紛争が生じやすいことから，その範囲を省令で定めている（労基75条2項，労基則35条〔別表第1の2〕，36条）。

療養が行われる時間的範囲は，発症から治癒の時までである。そして「治癒」とは，日常用語とは異なり，症状が固定し治療の必要（効果）がなくなった状態をいう[33]。ただし，一旦治癒しても「再発」[34]した場合には療養補償が認められる。

労災保険法における「療養補償給付」が支給される場合，使用者は本条の補償責任を負わない（労基84条1項）。

⑵　労災保険法上の療養補償給付［療養給付］（労災13条，22条）

療養の給付，すなわち，診察，薬剤の支給，治療等の現物給付が原則で，これが困難な場合等に例外として療養費用が支給される。

---

32)　複数業務要因災害給付の場合，［　］の給付名の前に「複数事業労働者」が付され，「複数事業労働者療養給付」「複数事業労働者休業給付」等の名称となる（労災20条の2以下参照）。

33)　三田労基署長（エッソ石油）事件・東京地判平成8・3・27労判693号62頁，中央労基署長（東京都結核予防会）事件・東京地判昭和57・3・18労判386号25頁等。

34)「再発」の概念については，神戸東労基署長事件・神戸地判昭和51・1・16労民集27巻1号3頁が認定3要件のリーディング・ケースである。その後の事例として，大阪中央労基署長（住友生命）事件・大阪地判平成9・11・26労判729号31頁。

2　業務災害による療養のため休業する場合

⑴　労基法上の休業補償（労基76条）

労基法75条の療養により労働できない期間について，使用者は平均賃金の60％を休業補償として支給しなければならない（労基76条1項）。平均賃金の額については，同一職種・同一条件の他の労働者の平均給与額が当該被災労働者の労災発生当時と比較して20％を超えて変動した場合，それに応じて調整する定めが置かれている（同2項，労基則38条〜38条の10）。

支給要件は労基法75条の療養により労働できないことであるので，同条の療養期間が終了している場合，すなわち，症状が固定（治癒）して以降については，本条の休業補償義務も発生しない[35)]。

なお，労災保険法における「休業補償給付」が支給されるべき場合，使用者は労基法76条の補償責任を負わない（労基84条1項）。しかし，労災保険法上の休業補償給付は休業の4日目以降についてのみ支給されるので，休業の最初の3日間については，今日でもなお労基法上の休業補償が意義を持っている。

⑵　労災保険法上の休業補償給付［休業給付］（労災14条，22条の2）

休業補償給付は，業務上の療養のため労働できずに賃金を受けない日の4日目から「給付基礎日額」（労災8条：労基法12条の平均賃金相当額）の60％を支給するものである。

なお，社会復帰促進等事業（労災29条，かつての労働福祉事業）の一つとして給付基礎日額の20％の「休業特別支給金」が支給される（労災保険特別支給金支給規則3条）。その結果，休業補償給付と合わせると，労災保険制度の下では，実質的には[36)]，平均賃金の80％が支給されることとなり，労基法上の休業補償

---

35)　この点で，治癒認定後の休職に労基法76条の休業補償請求権を認める神奈川都市交通事件・東京高判平成18・3・22労判919号59頁には疑問がある。西澤健太郎・同事件判批・ジュリ1355号131頁（2008年）参照。なお，神奈川都市交通事件・最一小判平成20・1・24労判953号5頁は，労災保険法上の適用事業に雇用されており，〔労災保険法上の休業補償給付を受けるべき場合に当たり〕労基法76条の休業補償義務を免責される，として破棄自判したが，休業補償給付を受けるべき場合に当たったのかについて検討を行っていない点で疑問の余地がある。

36)　ただし，コック食品事件・最二小判平成8・2・23民集50巻2号249頁は，特別支給金は労働者の損害を塡補する性質のものではないとして，労災民訴における損害額から控除できないとしている。大内伸哉「損害賠償からの労災特別支給金の控除」社保百選（4版）140頁参照。

より手厚い制度となっている。

休業補償給付は長期にわたることがあるが，その間賃金水準が大きく変動した場合に，災害時の平均賃金を基礎とするのは妥当でない。そこで，賃金水準が一定の幅を超えて変動したときはスライド制の適用がある（労災8条の2第1項）。

3　療養開始後一定期間経過しても治らない場合

(1)　労基法上の打切補償（労基81条）

打切補償とは，療養開始後3年を経過しても負傷または疾病が治らない場合，平均賃金の1200日分を支払えば「この法律の規定による補償」を行わなくてもよいとする特別の制度である（打切補償による解雇制限解除→336頁参照）。

(2)　労災保険法上の傷病補償年金［傷病年金］（労災12条の8第3項，18条，23条）

労基法上の「打切補償」に対応して，労災保険法上，打切補償費が規定されていたが，これを発展させた制度が傷病補償年金である。業務上の傷病が療養開始後1年6ヶ月を経過しても治癒せず，かつ，その傷病による障害の程度が労災保険法施行規則で定める傷病等級（全部労働不能：1級～3級）に達している場合に支給される（労災12条の8第3項，労災則別表第2）。その年金額は，労災保険法別表第1による（労災18条1項）。

この「傷病補償年金」の支給により，休業補償給付は支給されなくなるが（労災18条2項），療養補償給付は継続される。

なお，社会復帰促進等事業として，傷病特別支給金，傷病特別年金の制度がある（労災保険特別支給金支給規則5条の2，11条）。

4　業務災害により障害が残った場合

(1)　労基法上の障害補償（労基77条）

労基法上の障害補償とは，負傷・疾病が治癒（→287頁）したとき，身体に障害が存する場合に，障害の程度に応じて平均賃金に労基法の別表第2の日数を乗じた金額（したがって定額）を補償するものである。障害の程度については，労基法施行規則40条を受けた同別表第2が1級から14級までの等級に分類している。例えば，両眼失明は1級とされ，平均賃金の1340日分，一手の拇指喪失は10級とされ，平均賃金270日分の補償を行うべきことになる。

労災保険法上の障害補償給付が支給されるべき場合，使用者は本条の補償責任を免れる（労基84条1項）。

(2) 労災保険法上の障害補償給付［障害給付］（労災15条，22条の3）

障害補償給付とは，負傷・疾病が治癒したとき，身体に障害が存する場合に，障害の程度に応じて「障害補償年金［障害年金］」または「障害補償一時金［障害一時金］」として支給されるものである。

具体的には，14段階の障害等級表（労災則別表第1）により，1級～7級の重い障害に対しては「障害補償年金［障害年金］」が，8級～14級の軽い障害に対しては「障害補償一時金［障害一時金］」が支給される[37)]。

なお，社会復帰促進等事業として，障害特別支給金，障害特別年金，障害特別一時金の制度がある（労災保険特別支給金支給規則4条，7条，8条）。

5 業務災害により死亡した場合

(1) 労基法上の遺族補償，葬祭料（労基79条，80条）

労基法上，業務上の死亡につき，労働者の遺族に平均賃金の1000日分の補償を行うのが遺族補償である（労基79条）。

また，業務上の死亡者の葬祭を行う者に対して平均賃金の60日分を葬祭料として支払わなければならない（労基80条）。

(2) 労災保険法上の遺族補償給付［遺族給付］，葬祭料［葬祭給付］（労災16条，22条の4，17条，22条の5）

業務上の死亡に対する労災保険法上の遺族補償給付［遺族給付］は，「遺族補償年金［遺族年金］」または「遺族補償一時金［遺族一時金］」である（労災16条，22条の4）。遺族補償年金［遺族年金］は，受給資格者たる遺族に支給される。受給資格者たる「遺族」とは労働者の死亡当時その収入によって生計を維持していた配偶者[38)]（事実婚を含む），子（胎児を含む），父母，孫，祖父母および兄弟姉妹であり（さらに年齢要件がある），この順で最先順位の者が受給権者と

37） 国・園部労基署長（障害等級男女差）事件・京都地判平成22・5・27労判1010号11頁では，著しい外貌の醜状障害につき男女差を設けている点が憲法14条1項（法の下の平等）に違反するとされた。これを受け2011（平成23）年に男性の等級を引上げ，女性と同一とする規則改正が行われた。

38） 労災保険法16条の2第1項1号は，遺族が夫の場合，労働者の死亡当時60歳以上であることとしているが，妻にはそのような年齢要件は課されていない。共働き世帯が一般化した現在，このような規制が憲法14条1項の法の下の平等に違反しないかが，同種の規定を置く地方公務員災害補償法に関する事件で争われ，地公災基金大阪府支部長（市立中学校教諭）事件・大阪地判平成25・11・25労判1088号32頁は違憲としたが，同・大阪高判平成27・6・19労判1125号27頁および同・最三小判平成29・3・21労判1162号5頁は合憲とした。

図表10-3　遺族補償年金等の給付内容

遺族数	遺族(補償)年金	遺族特別支給金(一時金)	遺族特別年金
1人	給付基礎日額の153日分(ただし，その遺族が55歳以上の妻，または一定の障害状態にある妻の場合は給付基礎日額の175日分)	300万円	算定基礎日額の153日分(ただし，その遺族が55歳以上の妻，または一定の障害状態にある妻の場合は給付基礎日額の175日分)
2人	給付基礎日額の201日分		算定基礎日額の201日分
3人	給付基礎日額の223日分		算定基礎日額の223日分
4人以上	給付基礎日額の245日分		算定基礎日額の245日分

(出所：厚生労働省『遺族(補償)給付 葬祭料(葬祭給付)の請求手続』2頁)

なる（労災16条の2)。給付額は労災保険法別表第1で規定されている（同16条の3)。また，社会復帰促進等事業から，遺族特別支給金，遺族特別年金が上積み支給される（労災保険特別支給金支給規則5条，9条）(図表10-3参照)。受給権を持つ遺族がいない場合は，遺族補償一時金［遺族一時金］が遺族の優先順位者に支払われる（労災16条の6)。また，社会復帰促進等事業から遺族特別支給金・遺族特別一時金が支給される（労災保険特別支給金支給規則5条，10条)。

業務上の死亡者の葬祭を行う者に対しては「葬祭料［葬祭給付］」が支給される（労災17条，22条の5)。

6　介護補償給付［介護給付］(労災19条の2，24条)

介護補償給付（労災12条の8第4項，19条の2)［介護給付（同24条)］は1995（平成7）年改正で設けられた給付である。

障害補償年金または傷病補償年金を受ける権利を有し，一定以上の等級の障害を持つ労働者が，その障害により，常時または随時介護を受ける状態にあり，かつ，これを受けているときに，その請求により支給される。

7　二次健康診断等給付（労災26条）

二次健康診断等給付は，いわゆる過労死問題の深刻化に対応し，これを発症前の段階で予防すべく2001年4月1日から導入された。直近の定期健康診断等（一次健康診断）の結果，脳・心臓疾患に関連する項目に異常所見のあった労働者に対して，脳血管および心臓の状態を把握するための二次健康診断および脳・心臓疾患の予防を図るための医師等による特定保健指導を，受診者の負担なしに可能とするための制度で，労働者の請求に基づいて行われる（労災26条）。

Ⅳ　複数事業労働者の労災保険給付・労災認定

政府の副業・兼業促進政策の下，2020年労災保険法改正で，複数の事業主の事業に使用される「複数事業労働者」（労災1条，7条1項2号）の労災について，被災労働者・遺族の保護の拡充が図られた。

1　複数事業労働者が被災した場合の給付基礎日額の合算

事業主Aのa事業場の就労から15万円，事業主Bのb事業場での就労から5万円の賃金を得ていた労働者が，b事業場（災害発生事業場）で労働災害を被った場合，a事業場（非災害発生事業場）での就労も不能となっても，労災保険給付はb事業場の賃金5万円のみを基礎に算定され，労災を発生させていない事業主Aのa事業場における15万円の賃金喪失は，考慮されなかった[39]。しかし，これでは20万円の賃金で生活していた被災労働者の保護には十分ではない。同様の状況は通勤災害により複数就業先における就労が不能となった場合にも生ずる。

そこで，2020年改正では，複数事業労働者にかかる労働災害および通勤災害の給付基礎日額は，当該複数事業労働者を使用する事業ごとに算定した給付基礎日額に相当する額を合計した額を基礎とすることとされた（労災8条3項）。すなわち上記の例では5万円と15万円のそれぞれについての給付基礎日額を合算することとなった。

しかし，労災保険給付の算定に当たってa事業場での賃金が基礎に合算されるとしても，事業主Aにとっては，自らの事業場で発生した労働災害ではないので，自ら労災を引き起こした場合の労災保険率を上昇させるメリット制に反映させることは不当である。そこで，労災を発生させていない非災害発生事業場の事業主Aのメリット制には反映させないこととされた（労保徴12条3項）。また，非災害発生事業場の属する業種の保険料率の算定に当たっても，

39)　淀川労基署長事件・大阪地判平成26・9・24 LEX/DB25505112［労災保険制度が使用者の災害補償責任の履行を担保するものと解されることからすれば，労災の発生に責任を負わない事業主の責任の履行を担保することを観念することはできないので，被災労働者が複数の事業場で就労していた場合であっても，労災保険給付額を算定する場合の平均賃金は，労災を発生させた事業場における賃金のみを基礎として算定するのが相当とした］。

非災害発生事業場の賃金に基づく保険給付額については，これを当該業種の保険料率算定の基礎とはせず，全業種一律の負担とすることが適当との建議[40]がなされ，料率改定時に省令でそのように対応することが予定されている。

2　複数事業労働者の複数業務要因災害

複数事業労働者が単独の事業の業務上の負荷のみでは業務と疾病等の因果関係が認められないが，複数の事業の業務上の負荷を総合評価した場合には，業務と疾病等との因果関係が認められる場合[41]に，新たに「複数業務要因災害給付」を支給することとされた[42]（労災1条，2条の2，7条1項2号，20条の2～20条の10）。

この場合も，1と同様，給付基礎日額は，複数の事業場の賃金額を合算して算定すべきこととなる（労災8条3項）。

なお，保険料負担については，事業主単独では労災を発生させたとは評価できないので，いずれの事業場の属する業種の保険料率の算定においても基礎とはせず，通勤災害同様，全業種一律とすることが適当との建議[43]がなされ，料率改定時に省令でそのように対応することが予定されている。また，同様の理由で，個別事業主のメリット制にも反映させないこととされた（労保徴12条3項）。

V　保険給付手続

労働災害（労災補償事由）が発生した場合，保険給付は，被災した労働者または遺族の請求により行われる（労災12条の8第2項）。具体的には事業場の所在

---

40)　労働政策審議会労働条件分科会労災保険部会「複数就業者に係る労災保険給付等について（報告）」2頁（2019年12月23日）（https://www.mhlw.go.jp/content/11601000/000581061.pdf）。

41)　例えば，事業主Aにて週40時間労働，事業主Bにて週25時間労働に従事して疾病を発症した場合，それぞれ事業主の下では時間外労働は生じていないが，両事業主の労働時間を総合すると，週40時間を超える時間が週25時間生じているので，1ヶ月では時間外労働が100時間を超えることとなり，過労死認定基準を上回る水準となる場合などがこれに該当する。

42)　2020年労災保険法改正前，かかる場合に労災認定はできないと判示した裁判例として，淀川労基署長事件・前掲注39［いずれの事業場の使用者にも災害補償責任を認めることはできないにもかかわらず，両事業場での就労を併せて評価して業務起因性を認めて労災保険給付を行うことは，労基法に規定する災害補償の事由が生じた場合に保険給付を行うと定めた労災保険法12条の8の明文の規定に反する］。

43)　前掲注40・4頁。

地を管轄する労働基準監督署長に対して請求し，所轄労基署長が支給・不支給の決定を行う（労災則1条3項）。労基署長の支給決定がなされて初めて，被災労働者またはその遺族は政府に対して具体的な保険給付の支払請求権を取得する44)。請求が認められない場合には労災保険審査官への審査請求，さらに労働保険審査会への再審査請求という不服申立て（労災38条）および取消訴訟（同40条）を提起することになる。

従来，不支給処分に対する取消訴訟の提起は，労働保険審査会の裁決を経た後でなければなしえないとされていたが，2014（平成26）年の行政不服審査法の大改正に対応して，労災保険法も改正され，労災保険審査官の決定を経た後に（労働保険審査会への再審査請求を経ずとも）訴訟提起可能となった（労災40条）。そして，労災保険審査官に対する審査請求から3ヶ月を経過しても決定がないときは，労災保険審査官が審査請求を棄却したものとみなすことができることとされた（同38条2項）。

なお，事業主は労災保険の支給処分に不服があっても不服申立てはなしえない。メリット制における保険料率引き上げの不利益を被るおそれのある一定規模以上の事業主が，訴訟において保険料増額処分やその基となった業務災害支給処分を争いうるかについては議論がある45)。

Ⅵ 時　効

療養補償給付［通勤災害に対する（以下同様）療養給付］，休業補償給付［休業給付］，葬祭料［葬祭給付］，介護補償給付［介護給付］および二次健康診断等給付を受ける権利は2年，障害補償給付［障害給付］，遺族補償給付［遺族給付］を受ける権利は5年の消滅時効が定められている（労災42条）。

第4節　業務災害の認定

労災補償は，使用者の故意・過失を要件としない無過失責任であるが，それが認められるには「業務上」の負傷，疾病，障害，死亡（労基75条～80条）であることが必要である。労災保険法は，これを「業務災害」と呼んでいる（労

44)　正木土建事件・最二小判昭和29・11・26民集8巻11号2075頁。

45)　前掲注29。

災7条1項1号)。労災保険法上，業務災害に対する保険給付は，「労働基準法第75条から第77条まで，第79条及び第80条に規定する災害補償の事由……が生じた場合に……その請求に基づいて行う」(労災12条の8第2項）と規定されており，また，労基法の災害補償事由について労災保険給付が行われるべき場合には，使用者は労基法上の災害補償責任を免れる（労基84条1項）とされていることから，労災保険法上の「業務上」の概念は労基法上のそれと同じと解されている[46]。業務上外の認定は，被災労働者側の保険給付請求を受けて，労基署長が行う[47]。

Ⅰ「業務上」の判断

労災補償責任の有無は，「業務上」か「業務外」かによって決まる。業務災害と認められれば，手厚い労災保険給付が支給され，安全配慮義務違反の民事損害賠償のように，過失相殺により損害賠償額の調整がなされることも原則としてない。これに対して，業務災害と認められなければ，その療養や休業等については，労災補償と比べると格段に低額の社会保険による給付しか受けられない。しかし，「業務上」の概念について法律は定義を置いておらず，解釈問題となる。

業務災害は，諸外国でもそうであるが，当初，作業場における事故・災害による傷病・死亡を念頭に置いていた。やがて，非事故性（非災害性）の疾病（職業病）が職業病リストに列挙され，業務災害に含まれるようになる[48]。さらに，日本では，職業病リストの最後に掲げられた（厳密にはリスト外の）「その他業務に起因することの明らかな疾病」(2010年改正前の労基則別表第1の2第9号）をめ

46）西村・前掲注16・339頁，注釈労基法（下）859頁［岩村正彦］，和歌山労基署長事件・最三小判平成5・2・16民集47巻2号473頁。

47）これに対して，労基法上の災害補償の場合，業務災害に該当するか否かは第一次的には使用者が判断し，その判断に異議のある者は，民事訴訟を提起することとなる。なお，労基法は紛争の簡便かつ迅速な解決のために，行政官庁（労基署長）に対して審査または事件の仲裁を申し立て（労基85条)，さらに，労働者災害補償保険審査官への審査または仲裁の申立て（同86条）を可能としている。なお労基署長に対する審査・仲裁の申立てには労基法85条5項により時効の完成猶予および更新の効果が与えられており，判例（最二小判昭和41・4・22民集20巻4号792頁）は，労災保険審査官への審査・仲裁の申立てにも，同条項が類推適用されるとしている。この審査・仲裁は勧告的性質のものであって，行政処分ではない。労基局（下）960頁参照。

48）岩村正彦「労災保険給付の要件」林＝山川・訴訟法Ⅱ187頁。

ぐって，いわゆる過労死や過労自殺が問題となる脳・心臓疾患，精神疾患の労災認定が争われてきた。過労死・過労自殺問題に関連しては，2010年の労基法施行規則別表改正により，新たに過重な業務による脳・心臓疾患（労基則別表第1の2第8号），心理的負荷による精神障害（同9号）がリストに追加されたが，これまでに形成されてきた詳細な労災認定基準に照らした慎重な判断を要するものである。そこで，以下では，事故性の傷病・死亡，非事故性の業務上疾病（職業病），過労死・過労自殺問題，そしてその他の業務に起因することが明らかな疾病（同11号），に分けて検討を行う[49]。

Ⅱ　事故性の傷病・死亡

負傷・疾病・死亡が「業務上」発生したといえることを「業務起因性」があると称するのが一般である。業務起因性とは発生した負傷・疾病・死亡が業務に内在する危険の発現と評価できることをいうと解される[50]。

行政実務は，業務上外認定の容易化・定型化のため，「業務起因性」を判断する前段階で「業務遂行性」，すなわち，災害が事業主の支配ないし管理下（作業中には限られない）にあるときに発生したか否かを判断する立場を採用している。これによると，①業務遂行性（労働者が労働契約に基づいて事業主の支配ないし管理下にある状態）がなければ，業務起因性は判断するまでもなく否定され，②業務遂行性がある場合は，さらに業務起因性の有無を判断し，「業務上」かどうかが決まる，という2段階の審査がなされる。この判断手法は，事故性の傷病・死亡についてはよく妥当する。

1　事業主の支配下かつ管理下で業務従事中に発生

事業場内における就業中（用便等の短時間の中断を含む）の災害等がこれに当たり，業務遂行性は明白である。この場合，業務起因性が推定され，例外的に，自然現象[51]，本人の私的逸脱行為（喧嘩等）[52]，規律違反行為（飲酒等）による

49）　このような分析については注釈労基法（下）859頁以下［岩村正彦］を参考にした。

50）　地公災基金東京都支部長（町田高校）事件・最三小判平成8・1・23労判687号16頁，地公災基金愛知支部長（瑞鳳小学校教員）事件・最三小判平成8・3・5労判689号16頁［公務災害における公務起因性に関する事件］。

51）　ただし，1995年の阪神・淡路大震災や2011年の東日本大震災は自然現象だったが，「地震に際して当該災害を被りやすい業務上の事情にあった」「地震によって建物が倒壊したり，津波にのみ込まれるという危険な環境下で仕事をしていた」として，私的行為に従事していた場

場合[53]に業務起因性が否定されるに留まる。

2　事業主の支配下かつ管理下だが業務従事中でない場合に発生

休憩時間中，始業前・終業後など事業場内において業務に従事していない時間に事故が発生した場合，事業主の施設管理下にあるため業務遂行性は認められるが，業務起因性は原則として否定される。例えば，休憩時間中にスポーツをしていて負傷した場合が典型例である[54]。例外的に業務起因性が肯定されるのは，その事故が事業設備の不備，欠陥に起因する場合や，業務付随行為と認められる場合である。

3　事業主の支配下だが，その管理を離れて業務従事中に発生

事業場外労働や出張中の事故がこれに当たる。この場合，出張中については，往復や宿泊の時間も含めて業務遂行性があり，危険にさらされる範囲が広いので業務起因性は広く認められている[55]。

4　業務性の問題となる行事への参加

以上のほかに，運動会，慰安旅行，宴会[56]等，通常の業務とは異なる行事

合を除き，業務災害と認定されている。

52)　倉敷労基署長事件・最一小判昭和49・9・2民集28巻6号1135頁［大工が自らの挑発行為から元同僚と争いとなり殴打されて死亡した事案］。

53)　西宮労基署長（宝塚グランドホテル）事件・神戸地判昭和58・12・19労判425号40頁［業務終了後酩酊して運搬用リフトロから転落死した事例］。

54)　尼崎労基署長事件・神戸地判昭和63・3・24労判515号38頁［参加強制のない休憩時間中のドッジボール大会での事故は業務外とした］。

55)　大分労基署長（大分放送）事件・福岡高判平成5・4・28労判648号82頁［宿泊施設で酔って階段から転倒し死亡したのは，私的行為，恣意的行為や，業務遂行逸脱行為によって自ら招来した事故ではなく，宿泊に伴う業務遂行に随伴ないし関連して発生したものであるとし業務起因性肯定］，鳴門労基署長事件・徳島地判平成14・1・25判タ1111号146頁［治安の悪い海外出張中の宿泊先での強盗殺人による死亡は業務に内在する危険性が現実化したものとして業務起因性肯定］。

56)　参加が強制されていたわけではない忘年会への参加につき業務遂行性を否定した例（福井労基署長事件・名古屋高金沢支判昭和58・9・21労民集34巻5=6号809頁），同僚の送別会に出席・飲酒した後の溺死について業務遂行性を否定した例（立川労基署長事件・東京地判平成11・8・9労判767号22頁），渋谷労基署長事件・東京地判平成26・3・19判時2267号121頁［中国ロケにおける中国共産党宣伝委員による宴会で限界を超えるアルコールを摂取し，ホテルにて吐瀉物で窒息死した事例につき労災と認定］等があったが，近時最高裁（行橋労基署長事件・最二小判平成28・7・8労判1145号6頁）は，外国人研修生との親睦目的の歓送迎会に，上司の意向等により参加せざるを得なかった労働者が，業務を一時中断して歓送迎会に途中参加し，業務に戻るに当たり，上司に代わって研修生を居宅に送る途中で交通事故に遭い死亡した事案において，当該労働者は，本件事故の際，会社の支配下にあったというべきで，当

への参加については，業務行為またはそれに伴う行為といえるかどうかという観点から判断される。例えば，出場が出勤扱いされ，その費用を事業主が負担する対外的な運動競技会への参加や，全員が出場することを意図して行われ，不参加が欠勤扱いされる社内運動会への参加は業務となる[57]。

Ⅲ　業務上疾病（職業病）

事故（災害）によらない業務上の疾病（職業病）の場合，上述の業務遂行性判断は有用ではなく，専ら業務起因性によって判断することになる。しかし，これは医学的知識がなければ判定困難である。そこで，労基法は，「業務上の疾病」の範囲を厚生労働省令で定めることとし（労基75条2項），これを受けて労基則35条，別表第1の2が医学的に見て業務により生ずる蓋然性の高い疾病を列挙している。また，別表例示疾病のほか，「厚生労働大臣の指定する疾病」（別表第1の2第10号）に基づき，超硬合金粉じん飛散による気管支肺疾患等いくつかの疾病が指定されている。これに該当すれば，業務起因性が推定され，特段の反証がない限り，業務に起因する疾病と認定される。

Ⅳ　過重負荷による脳・心臓疾患および精神障害

いわゆる過労死・過労自殺等として問題となった過重負荷による脳・心臓疾患や精神障害が業務上疾病に該当するか否かは，2010年までは職業病リストの列挙疾病に該当しないことから，「その他業務に起因することの明らかな疾病」（別表第1の2第9号〔現11号〕）に該当するか否かとして判断されてきた。しかし，2010年の労基則別表第1の2の改正で，過重負荷による脳・心臓疾患（8号）および精神障害（9号）が列挙疾病として明記されることとなった。これは，行政の業務外認定を裁判所が取り消し，これを受けて，行政が認定基準を修正する等の経緯を経て，行政の脳・心臓疾患および精神障害等の業務上外認定基準が確立し，裁判所においてもこれに基づく判断がほぼ定着するに至ったとして，列挙疾病とされたものである[58]。

該死亡は業務上災害に当たるとした。

57）平成12・5・18基発366号。

58）「労働基準法施行規則35条専門検討会報告書」（座長櫻井治彦中央労働災害防止協会労働衛生調査分析センター技術顧問，平成21年12月21日）参照。

1　脳・心臓疾患の業務起因性

脳・心臓疾患の業務起因性については，以下に述べるような展開を経て，2001（平成13）年にいわゆる「過労死新認定基準」[59]が出され，この認定基準が裁判例でも定着したことを踏まえ，労基則別表第1の2第8号として，長期間にわたる長時間の業務その他血管病変等を著しく増悪させる業務による脳出血等の脳血管疾患および心筋梗塞等の虚血性心疾患等が列挙疾病として明記された。その後，2021（令和3）年9月には2001年認定基準を基本的に踏襲しつつ，長期間の過重業務の評価に当たり，労働時間と労働時間以外の負荷要因を総合評価すべきことを明確化し，短期間の過重業務・異常な出来事の業務関連性判断を明確化する等した，認定基準改正が行われている[60]。具体的判断に当たっては，主として次の3点が問題となる。

(1)　過重業務の評価期間

行政解釈は当初，過重な業務の存否について，発症直前に突発的出来事がある場合に限定し，やがて若干拡大して発症前1週間の過重負荷を考慮するとした。しかし，裁判所はより広い期間について考慮する態度を示し，また，行政解釈が考慮してこなかった慢性疲労のもたらす長期の過重負荷についても，最高裁[61]は発症前半年にわたる疲労蓄積に着目し，過重業務と発症の相当因果関係の存在を認めた。

そこで，現在の認定基準は，1）異常な出来事[62]については発症直前から前日まで，2）短期の過重業務は発症前概ね1週間，加えて，3）疲労の蓄積を評価するため「長期間の過重業務」については，発症前概ね6ヶ月について考慮することとしている。また，業務と発症の関連性について，発症前1ヶ月間に時間外労働（週40時間を超える労働時間をいうとされ，労基法上の法定時間外労働との食

59）「脳血管疾患及び虚血性心疾患等（負傷に起因するものを除く。）の認定基準について」（平成13・12・12基発1063号）。

60）「血管病変等を著しく増悪させる業務による脳血管疾患及び虚血性心疾患等の認定基準について」（令和3・9・14基発0914第1号）。これにより2001年の認定基準は廃止されている。

61）横浜南労基署長（東京海上横浜支店）事件・最一小判平成12・7・17労判785号6頁。

62）異常な出来事の例として，大館労基署長（四戸電気工事店）事件・最三小判平成9・4・25労判722号13頁［脳血管疾患発症の2日前に遭遇した，約3メートルの高さから積荷の電柱やフック等がワイヤー切断により近くに落下し，これを避けようとして負傷したという出来事を，突発的で異常な事態とした］。

い違いが生じうる)[63]が概ね100時間を超える，または，発症前2ヶ月ないし6ヶ月間に時間外労働が1ヶ月当たり概ね80時間を超える場合には，業務と発症の関連性が強いとする基準を提示している。

2021年改正認定基準では，労働時間と労働時間以外の負荷要因を総合的に評価すべきことが強調されている。したがって，時間外労働がいわゆる過労死認定基準といわれる上記の1ヶ月100時間，複数月平均80時間という基準を超えていない場合でも，勤務の不規則性，移動を伴う事業場外業務，心理的・身体的負荷，作業環境等，他の負荷要因を十分考慮し，業務と発症の関連性が強いと評価できる場合（例えば負荷が大きい場合等）には労災認定されうることを再確認している。

(2)　基礎疾病と過重業務の双方が作用している場合の業務起因性判断

行政解釈は，業務が相対的に有力な原因であることが必要とする立場で一貫している。これに対して，裁判例は，共働原因説（基礎疾病と過重な業務とが発症の共働原因として作用していることで足りる）を採るものと相対的有力原因説（他の原因と比較して，過重な業務が発症の相対的に有力な原因であることが必要）を採るものがある。もっとも，理念型としては対立する立場と見ることができるものの，裁判例の具体的判断は，共働原因といいながら相対的有力原因説のような判示をするなど，かなり混乱した状況にある。

(3)　業務の過重性判断の基準となる労働者

行政解釈は，昭和62年通達（昭和62・10・26基発620号）では，業務の過重性判断について同僚または同種労働者を基準とする立場を採っていたが，平成7年通達（平成7・2・1基発38号）では「当該労働者と同程度の年齢，経験等を有し，日常業務を支障なく遂行できる健康状態にある」労働者を基準とすることとした。そして，現在の認定基準（令和3・9・14基発0914第1号）は，「当該労働者と職種，職場における立場や職責，年齢，経験等が類似する者をいい，基礎

---

63)　例えば，週労働時間について20時間，60時間，20時間，60時間という4週単位の変形労働時間制を採用していた場合，労基法上の時間外労働は生じていないことになるが，労災認定基準では，週40時間を超える時間としての「時間外労働」には，週60時間の週の20時間はカウントされる。また労基法上は時間外労働と休日労働は別の概念として区別されるが，労災認定基準では休日労働も含めて週40時間超の時間は「時間外労働」としてカウントされる。そのため，過労死認定基準を時間外労働の絶対的上限に転用した際には，法文上，休日労働を含めることを明記する必要が生じた（労基36条5項，6項→190頁）。

疾患を有していたとしても日常業務を支障なく遂行できるものを含む」としている。

これに対して，裁判例は，現在の行政解釈と同様の立場を採るもの[64]から，当該労働者本人を基準とするもの（本人基準説）[65]ないしそれとほとんど異ならない最も脆弱な労働者を基準とするものまで，多様である。しかし，本人基準説は，業務に従事しつつ発症した場合，いかに基礎疾病が重篤で，業務の負担は軽微であっても，本人にとっては過重な業務であったとの評価となってしまい，業務の過重性判断として緩すぎるように思われる[66]。

■治療機会の喪失と業務起因性　業務に従事していたことが原因で，適切な治療を受ける機会を喪失し，その結果，死亡に至ったという場合，これが業務災害に当たるか否かも問題となった。判例は，このような業務ゆえの治療機会の喪失は，業務に内在する危険が現実化したものとして業務起因性を肯定している[67]。

2　過重負荷による精神障害

(1)　過重な業務上の心理的負荷と労災

従来列挙疾病に挙がっていなかった心理的負荷による精神障害等について，2010年改正で，労基則別表第1の2第9号に「人の生命にかかわる事故への遭遇その他心理的に過度の負担を与える事象を伴う業務による精神及び行動の障害又はこれに付随する疾病」が明記された。これも，1999（平成11）年の「心理的負荷による精神障害等に係る業務上外の判断指針」（平成11・9・14基発

64)　西宮労基署長（大阪淡路交通）事件・大阪高判平成9・12・25労判743号72頁，さいたま労基署長（日研化学）事件・東京高判平成19・10・11労判959号114頁。

65)　名古屋南労基署長（矢作電設）事件・名古屋地判平成6・8・26労判654号9頁。

66)　同旨，注釈労基法（下）874頁［岩村正彦］，西村・前掲注16・360頁。ただし，身体障害者であることを前提として業務に従事させた場合に，その障害とされている基礎疾患が悪化して災害が発生した場合，その業務起因性は当該労働者が基準となるとした例として，国・豊橋労基署長（マツヤデンキ）事件・名古屋高判平成22・4・16労判1006号5頁（上告不受理決定・最一小決平成23・7・21労判1028号98頁で確定，笠木映里・判批・ジュリ1442号109頁〔2012年〕参照）。身体的・精神的障害の存在が雇用の際に前提とされ労務軽減がなされている場合，労務軽減が必要という属性を，年齢，経験等に準ずる属性として考慮し，労務軽減を受けている労働者を平均的労働者と捉えるべきとした例として国・厚木労基署長（ソニー）事件・東京高判平成30・2・22労判1193号40頁。

67)　地公災基金東京都支部長（町田高校）事件・前掲注50［労作型の不安定狭心症の発作を起こしたにもかかわらず，直ちに安静を保つことが困難で引き続き公務に従事せざるを得なかった例］，松本労基署長（セイコーエプソン）事件・東京高判平成20・5・22労判968号58頁等。

544号）による取扱いが裁判所においても概ね定着してきたとの判断に基づくものである。同指針は，その後の労働環境の変化等を踏まえて，2011（平成23）年の「心理的負荷による精神障害の認定基準について」（以下「精神障害認定基準」）（平成23・12・26基発1226第1号）によって代替され，その後，パワー・ハラスメント防止措置義務が法制化されたことに伴い，心理的負荷評価表にパワー・ハラスメントを明示する2020（令和2）年改正（令和2・5・29基発0529第1号）がなされている。

「精神障害認定基準」によると，①対象疾病（国際疾病分類第10回修正版〔ICD-10〕第Ⅴ章「精神および行動の障害」に分類される精神障害であって，器質性のものおよび有害物質に起因するものを除く）を発病し，②発病前6ヶ月間に業務による強い心理的負荷が認められ，③業務以外の心理的負荷および個体側要因により発病したとは認められない，という要件をすべて満たした場合に9号の疾病に該当する。これは，心理的負荷（ストレス）が非常に強ければ，個体側の脆弱性が小さくても発病し，逆に脆弱性が大きければ心理的負荷が小さくても発病するという「ストレス－脆弱性理論」に依拠したもので，「強い心理的負荷」は，「同種の労働者」（＝職種，職場における立場や職責，年齢，経験等が類似する者）を基準に判断され[68]，また，業務以外の心理的負荷や個体側要因によるものを除くという考え方による。そして，心理的負荷の強度を弱・中・強の3段階に分類した「心理的負荷評価表」が策定されており（同認定基準別表第1），総合評価で「強」と判断された場合に②の認定要件を満たすものとして取り扱われる。いわゆるパワー・ハラスメントと呼ばれるような事態の発生[69]等を受けて，2009年に「ひどい嫌がらせ，いじめ，又は暴行を受けた」が追加された。その後，2019年の改正労働施策総合推進法でパワー・ハラスメント防止措置義務（→87頁）が定められたことを受けた2020年の認定基準改正で，優越性のない同僚等からの暴行・いじめ・嫌がらせと区別して，優越的な関係を背景とする上司等か

68）　同旨，国・渋谷労基署長（小田急レストランシステム）事件・東京地判平成21・5・20労判990号119頁。

69）　パワー・ハラスメントによる自殺として注目された事案として，静岡労基署長（日研化学）事件・東京地判平成19・10・15労判950号5頁［「存在が目障りだ……お願いだから消えてくれ」「おまえは会社を食いものにしている，給料泥棒」等の発言を行った上司による心理的負荷は人生において稀に経験する程度の強度のもので，精神障害を発症させたとし，自殺の業務起因性を肯定］。

らの身体的，精神的攻撃等が，パワー・ハラスメントという独立の類型に位置づけられた。そして，心理的負荷「強」となる具体例として，上司等により執拗になされる「人格や人間性を否定するような，業務上明らかに必要性がない又は業務の目的を大きく逸脱した精神的攻撃」などが挙げられている[70)]。

(2)　故意による支給制限と自殺

労災保険法12条の2の2第1項は「労働者が，故意に負傷，疾病，障害若しくは死亡又はその直接の原因となつた事故を生じさせたときは，政府は，保険給付を行わない」としている。

自殺がここにいう「故意」に当たるかが問題となり，かつては，業務上の傷病による精神障害のために心神喪失の状態となって自殺した場合であれば，本人の故意によるものとはいえないので不支給の場合に当たらないが，理路整然とした遺書を書いて自殺したような場合は，心神喪失状態とはいえず，故意による死亡，として不支給とする処理がなされていた。

しかし，裁判例は，被災労働者が心神喪失の状態に陥っていない場合でも，自殺行為が当然に労災保険法12条の2の2第1項にいう「故意」に当たるわけではないとし，自殺であっても業務起因性を認める例が現れるようになった。これには，業務上の傷病により精神障害となり自殺に及んだ災害性の自殺事案と，過重な業務による疲労等によってうつ病等の精神障害を発症し自殺したいわゆる「過労自殺」の事案がある[71)]。学説も自殺に対して労災保険法12条の2の2第1項は当然には適用されないとする立場を採り，社会的にも，過労死問題の延長線上で，過労自殺に対する救済が必要との認識が高まっていった。

こうした裁判例の動向や社会情勢の中で，平成11年9月14日に従来の取扱

70)　精神障害認定基準は，一つの参考資料に留まるとして不支給決定を取り消した例として国・鳥取労基署長（富国生命・いじめ）事件・鳥取地判平成24・7・6労判1058号39頁，認定基準を参照し，不支給処分を支持した原審判断を覆した例として，国・豊田労基署長事件・名古屋高判令和3・9・16労判ジャーナル117号2頁［労働者の自殺につき，困難な課題による心理的負荷に加えて，この改正認定基準の挙げる「必要以上に厳しい叱責で他の労働者の面前における大声での威圧的な叱責など態様や手段が社会通念に照らして許容される範囲を超える精神的攻撃」を受け，うつ病を発病したものとし，業務と発病・自殺の相当因果関係を肯定］。

71)　詳細は注釈労基法（下）880頁［岩村正彦］，菅野659頁等参照。代表的事例として，加古川労基署長（神戸製鋼所）事件・神戸地判平成8・4・26労判695号31頁［新入社員が入社後まもなく2ヶ月の予定でインド出張に赴き，現地で業務上のトラブルから反応性うつ病にかかり自殺した事案につき，業務上の死亡と認めた］。

いを大きく変更する新たな判断指針「心理的負荷による精神障害等に係る業務上外の判断指針」(平成11・9・14基発544号，545号）が発出された。

同指針は，自殺の扱いについて「業務による心理的負荷によって……精神障害が発病したと認められる者が自殺を図った場合には，精神障害によって正常の認識，行為選択能力が著しく阻害され，又は自殺を思いとどまる精神的な抑制力が著しく阻害されている状態で自殺が行われたものと推定し，原則として業務起因性が認められる」とした。そして，「故意」については，「業務上の精神障害によって，正常の認識，行為選択能力が著しく阻害され，又は自殺行為を思いとどまる精神的な抑制力が著しく阻害されている状態で自殺が行われたと認められる場合には，結果の発生を意図した故意には該当しない」と解することとした。この立場は，2011（平成23）年の精神障害認定基準でも維持されている。

こうして，自殺が業務に起因する精神障害によるものとして労災認定される事案が近年顕著に増加している。

V　例示疾病以外の「業務に起因することの明らかな疾病」

労基則別表第1の2第11号は，業務上の疾病の一つとして「その他業務に起因することの明らかな疾病」を挙げ，別表の列挙疾病が例示列挙であることを明らかにしている。したがって，具体的に列挙された以外の疾病であっても，明白な業務起因性が証明されれば業務上の疾病となる。この場合，疾病が「業務に起因することの明らかな」ことは，被災労働者の側で立証すべきこととなる。近年でも介護業務による疥癬(かいせん)，理美容業務による接触皮膚炎，印刷業における胆管がん等が業務上の疾病と認定されている[72]。

第5節　通勤災害

通勤災害は労基法上は労災補償の対象とはされていない。しかし，自動車の普及による通勤災害の増加，通勤が労務提供と密接な関連があること，通勤災

72)　14日間に6つの国・地域を訪問し，うち12日間休日なしの連続長時間勤務という海外出張の過重業務により既往症の十二指腸潰瘍が再発したとして業務上疾病とされた例として，神戸東労基署長（ゴールドリングジャパン）事件・最三小判平成16・9・7労判880号42頁。

害はある程度不可避的に発生する社会的危険であること，諸外国やILO条約でも通勤災害を保護の対象としていること等から，通勤途上で労働者が被った災害に対して補償を行う必要性が認識され，1973（昭和48）年改正で労災保険法上の新たな給付として創設された。通勤途上災害は使用者の支配下で発生したとはいえないので「業務上」災害に当たらないが，労災保険法の特別の給付を認めることとしたものである。そこで使用者の災害補償責任に基づく業務災害と区別して，各保険給付の名称から「補償」の語が省かれている。また，労基法19条の解雇制限も及ばない。しかし，給付内容は，既述のように（→286頁），業務災害と同様である。

「通勤」とは「労働者が，就業に関し，次に掲げる移動を，合理的な経路及び方法により行うこと」（労災7条2項）と定義されている。そして，次に掲げる移動として①住居と就業場所との往復（単身赴任者が帰省先住居〔自宅〕から就業場所に移動する場合も含まれる）（平成7・2・1基発39号で導入され，現在では平成18・3・31基発0331042号別紙「通勤災害の範囲について」），②就業の場所から他の就業の場所への移動（詳細は労災則6条），③①の往復に先行しまたは後続する住居間の移動（単身赴任者の赴任先住居と帰省先住居の移動，詳細は労災則7条），が挙げられている。②および③は2005（平成17）年改正で設けられたものである。

上記①～③の移動の経路からの「逸脱」「中断」がある場合には，通勤とは認められない。逸脱とは，就業・通勤とは無関係の目的のために合理的経路をそれること[73)]をいい，中断とは，通勤途上で通勤とは関係のない行為を行うこと（帰宅途中で長時間飲食をした場合等）をいうと解されている。ただし，「逸脱又は中断が，日常生活上必要な行為であつて厚生労働省令で定めるものをやむを得ない事由により行うための最小限度のものである場合」はこの限りでないとされている（労災7条3項但書）。したがって，日用品の購入等（労災則8条）の場合は，逸脱・中断後，合理的経路に復帰した後は通勤として扱われる。この点，勤務終了後，合理的経路外にある義父宅に立ち寄り介護を行ったことは，日用品の購入に準ずる行為として労災保険法7条3項但書に該当し，合理的な

73)　札幌中央労基署長（札幌市農業センター）事件・札幌高判平成元・5・8労判541号27頁は，自宅とは反対方向約140メートルの地点にある商店で夕食の材料を購入することは逸脱に当たるとした。

通勤経路に復した後に生じた事故を通勤災害とした裁判例[74]が注目される。

また，通勤は「就業に関し」ての移動であるため，業務に就くため，または，業務を終えたことにより行われることが必要である。本来の業務以外の行事であっても，参加を命じられている場合には業務に当たる[75]。

第6節 労働災害と損害賠償

I 民事上の損害賠償（労災民訴）

労基法上の災害補償および労災保険法上の保険給付は，労働者の個人的事情等は一切捨象して定率的に決定される。例えば，楽団ピアニストが人差し指を切断しても工員が切断しても，休業に対する補償は平均賃金の6割，労災保険法上の特別支給金を含めても8割の補償に留まり，症状固定後の障害補償も定率化されている。また，通常の不法行為で認められ得る「慰謝料」は含まれていない。

そこで，労災補償ないし労災保険給付によってはカバーされていない損害賠償を求めて，裁判所に民事訴訟を提起するいわゆる「労災民訴」が労働災害に対する救済の第3のルートとして認められている。このことは，労基法84条2項からも確認できる。同条項は，使用者は労災補償を行った価額の限度で，民法による損害賠償責任を免れるとしている。これは，労災補償の価額を上回る民法上の損害賠償請求は排斥されないことを前提としていると解し得る。

このように労災補償と民事上の損害賠償をともに認める立場（労災補償制度と損害賠償制度の併存主義）は，比較法的には当然ではない。例えば，アメリカ合衆国の多くの州やフランスでは労働災害に対して労災補償を受け得る場合には別途民事損害賠償を提起することができない[76]。

---

74) 羽曳野労基署長事件・大阪高判平成19・4・18労判937号14頁。

75) 大河原労基署長事件・仙台地判平成9・2・25労判714号35頁［業務としての性格を持つ社外の飲食店での管理者会とその後の懇親会に参加した帰途の事故を通勤災害に当たるとした］。否定した例として，国・中央労基署長（日立製作所）事件・東京地判平成21・1・16労判981号51頁［歓送迎会・同僚との飲食後，帰宅途中に金員奪取目的の集団暴行に遭遇した事例で，合理的経路の中断・逸脱ありとされた］。

76) 注釈労基法（下）931頁［岩村正彦］。

Ⅱ　安全配慮義務

1　安全配慮義務の確立と発展

当初，労働災害に対する損害賠償請求は，不法行為（民709条，715条，717条）を根拠としていた。しかし，不法行為による損害賠償請求の場合，時効が損害および加害者を知った時から3年（民724条）と短期であり，また，被災労働者側が使用者の過失の立証責任を負うこと等が，救済の障害になっていると考えられた。そこで，昭和40年代後半から，時効が10年の安全配慮義務違反という債務不履行責任を追及する訴訟が提起されるようになる。そして，1975年に最高裁[77)]が安全配慮義務違反を判例上認めたことで，以後，労働災害に対する損害賠償請求は安全配慮義務違反として構成する立場が主流となった。

安全配慮義務とは，判例によると「ある法律関係に基づいて特別な社会的接触の関係に入つた当事者間において，当該法律関係の付随義務として……信義則上負う義務」[78)]と定義され，具体的には，「労働者が労務提供のため設置する場所，設備もしくは器具等を使用し又は使用者の指示のもとに労務を提供する過程において，労働者の生命及び身体等を危険から保護するよう配慮すべき義務」[79)][80)]と解されている。労働契約法5条は安全配慮義務を「使用者は，労働契約に伴い，労働者がその生命，身体等の安全を確保しつつ労働することができるよう，必要な配慮をするものとする」とし，労働契約に当然に伴う義務として明文化している。

安全配慮義務は，ある法律関係に基づいて特別な社会的接触関係に入った当事者間に，信義則上要請される義務であるので，直接労働契約関係のない元請人にも安全配慮義務が生じ得ることは判例でも確認されている[81)]。

---

77)　陸上自衛隊八戸車両整備工場事件・最三小判昭和50・2・25民集29巻2号143頁。

78)　陸上自衛隊八戸車両整備工場事件・前掲注77。

79)　川義事件・最三小判昭和59・4・10民集38巻6号557頁。

80)　時間外命令によらず勤務時間外に職務関連事務等に従事した教諭らについて，上司である各校長がストレスによる健康状態の変化を認識しまたは予見することは困難であったとして，各校長が健康を損なうことがないよう注意すべき義務違反を否定した例として京都市（教員・勤務管理義務違反）事件・最三小判平成23・7・12判時2130号139頁。

81)　大石塗装・鹿島建設事件・最一小判昭和55・12・18民集34巻7号888頁。

2　安全配慮義務の内容の明確化

当初は，不法行為構成より安全配慮義務による債務不履行構成の方が労働者にはるかに有利と考えられた。しかし，その後の判例の展開を整理すると必ずしもそうではない。すなわち，①安全配慮義務は結果債務（特定の結果を実現する義務）ではなく手段債務（注意深く最善を尽くして行為する義務）と解すべきであり，災害が起こった以上責任があるとはいえない。②立証責任に関しては，労働者側が使用者の安全配慮義務の内容を特定し，かつ，義務違反に該当する事実を主張立証しなければならない[82]ので，不法行為より有利とはいえない。③遺族固有の慰謝料は不法行為なら認められ得るが（民711条），債務不履行構成だと認められないと解されている[83]。④遅延利息の起算点についても不法行為は事故の日からだが，債務不履行だと，請求日の翌日からとなる[84]。⑤安全配慮義務違反の場合，義務の内容を特定できれば履行請求の余地がある[85]が，通常は事故や発症後に損害賠償の前提として義務の内容が明らかになるので，実際上，履行請求は困難である。もっとも，安全配慮義務違反を理由に労務提供を拒絶する場合には，当該業務命令の無効の主張や，労務不能を使用者の帰責事由とする際に，安全配慮義務を根拠とすることはあり得よう[86]。

以上を踏まえると，安全配慮義務構成が不法行為構成より被災労働者・遺族に明白に有利といいうるのは消滅時効に関してであった。しかし，2020年4月1日施行の改正民法では，生命・身体の侵害による損害賠償請求権の消滅時効は，債務不履行・不法行為のいずれも，主観的起算点から5年，客観的起算

82）　航空自衛隊芦屋分遣隊事件・最二小判昭和56・2・16民集35巻1号56頁。安全配慮義務違反を理由とする損害賠償請求は，不法行為同様，これを訴訟上行使するには弁護士に委任しなければ十分な訴訟活動が困難な請求権であり，弁護士費用も相当因果関係に立つ損害といえるとした例として，最二小判平成24・2・24判時2144号89頁。

83）　大石塗装・鹿島建設事件・前掲注81。

84）　大石塗装・鹿島建設事件・前掲注81。

85）　傍論ながら肯定するものとして，日鉄鉱業松尾採石所事件・東京地判平成2・3・27労判563号90頁，否定するものとして，高島屋工作所事件・大阪地判平成2・11・28労経速1413号3頁。最近の裁判例として，JR西日本事件・大阪地判平成26・12・3労旬1844号78頁［安全配慮義務の履行請求には，労働者の生命や身体等に対する具体的危険の発生，それに対する使用者の措置が合理的裁量を逸脱し安全配慮義務に違反することが必要とし，当該事案について請求を棄却］。池田悠太・判批・ジュリ1511号142頁（2017年），土田・契約法547頁以下参照。

86）　山川・雇用法233頁。

点から20年に統一され，両者の差異はなくなっている（2017年改正民法166条，167条，724条，724条の2）。

最近の裁判実務は，不法行為構成においても，不法行為法上の注意義務を安全配慮義務と同様の内容に構成する傾向が見られる87)。原告が債務不履行と不法行為双方の成立を主張し，裁判所が双方の成立を認める例も少なくない。

なお，労災補償においては，業務上の災害に該当すれば原則として100％の補償・労災給付がなされ，否定されれば一切の補償・労災給付がなされない。これに対して，労災民訴の場合，業務と損害の発生の因果関係が肯定されても，さらに，本人の落ち度や基礎疾患等が過失相殺ないし同法理の類推適用により考慮され，損害額の調整が可能である88)。そのため，労災民訴における業務と発症の因果関係の認定は，やや緩やかに認め，損害額の算定の場面で過失相殺を類推適用してバランスをとるという傾向が見られる。

---

87)　電通事件・最二小判平成12・3・24民集54巻3号1155頁［業務の遂行に伴う疲労や心理的負担等が過度に蓄積して労働者の心身の健康を損なうことのないよう注意する義務の違反として不法行為責任を肯定］。

88)　被害者の性格等の心因的要因も過失相殺の類推適用においてしん酌可能であるとする最一小判昭和63・4・21民集42巻4号243頁に従い，労災民訴でも多くの過失相殺ないしその類推適用事例がある。例えば，東加古川幼児園事件・大阪高判平成10・8・27労判744号17頁［退職1ヶ月後の，うつ状態での自殺は，園の過酷な勤務条件と相当因果関係にあるとし，安全配慮義務違反の不法行為を認めたが，本人の性格や心因的要素を考慮して8割を過失相殺した（最三小決平成12・6・27労判795号13頁で維持）］，NTT東日本北海道支店事件・最一小判平成20・3・27労判958号5頁［業務上の過重負荷と労働者の基礎疾患が共働原因となって急性心筋虚血により死亡した場合に，使用者の損害賠償額について過失相殺に関する民法722条2項を類推適用しなかったのは違法として差し戻した］。膨大な過失相殺事例を整理したものとして安西愈『そこが知りたい！ 労災裁判例にみる労働者の過失相殺』（2015年）。もっとも，労働者の性格や病状不申告について，過失相殺を否定した判例もあり注目される。すなわち，電通事件最高裁判決は，労働者の性格の多様さとして通常想定される範囲を外れるものでない限り，当該労働者の性格等を心因的要因としてしん酌することはできないとして，過失相殺の類推適用をした原審を破棄した（電通事件・前掲注87［他の要因とあわせ損害額の3割を減額した原審を破棄差戻し］）。メンタルヘルスに関する情報を使用者に申告しなかったことの過失相殺が問題となった東芝事件では，神経科の医院への通院，その病名，神経症に適応のある薬剤の処方等の情報は，労働者のプライバシーに属する情報であり，人事考課等に影響しうる事柄として通常は職場において知られることなく就労しようとすることが想定され，使用者は，労働者からの申告がなくても，その健康に関わる労働環境等に十分な注意を払うべき安全配慮義務を負っており，過重業務が続く中で，体調悪化が看取される場合には，申告がなくとも労働者の健康配慮に努める必要があり，労働者がこれらの情報を使用者に申告しなかったことにつき過失相殺することはできないとされた（東芝〔うつ病・解雇〕事件・最二小判平成26・3・24労判1094号22頁）。

▩安全配慮義務と取締役の責任　最近の裁判例では，過労死事件について，労働者に対する安全配慮義務の履行に関する任務懈怠として，役員等の悪意・重過失による第三者に対する損害賠償義務（会社429条1項，旧商266条の3）を認めるものが登場している[89]。労働法規のコンプライアンス問題としても，注目される[90]。

Ⅲ　労災補償・労災保険給付と損害賠償の調整

労働災害に対する救済には①労基法上の災害補償，②労災保険法による労災保険給付，③民事損害賠償（労災民訴）の3つの手段があるが（→278頁），二重の損害塡補を避けるため，これらの相互調整が問題となる。まず，使用者の①労基法上の災害補償責任は，②労災保険給付が行われるべき場合には免除される（労基84条1項）。また，①労基法上の災害補償を行った場合，同一事由については，その価額の限度で，使用者は③民事損害賠償責任を免れることも明定されている（同2項）。これに対して，②と③の関係については明文の規定がないが（ただし現在では，一定部分につき労災附則64条がある），労基法84条2項を類推適用して，②労災保険給付がなされた場合，同一の事由については，その価額の限度で使用者の③民事損害賠償責任は消滅すると解されている[91]。

労災が第三者の行為によって発生した場合（第三者行為災害），労災保険給付を行った政府は，その限度で被災労働者・遺族が第三者に対して有する損害賠償請求権を取得する（労災12条の4第1項）。労働者・遺族が第三者から先に損害賠償を受けたときは，政府はその価額の限度で保険給付をしないことができる（同2項）[92]。

89）　おかざき事件・大阪高判平成19・1・18労判940号58頁［安全配慮義務の履行に関する任務懈怠肯定］，大庄ほか事件・大阪高判平成23・5・25労判1033号24頁［新卒社員が入社4ヶ月後に毎月80時間を超える時間外労働で急性左心機能不全で死亡した事案につき，1ヶ月100時間の時間外労働を許容する三六協定を締結し，300時間超の長時間労働が常態化しており，取締役らは不合理な体制による就労認識し得たとして，悪意または重過失による任務懈怠ありとされた例］，サン・チャレンジほか事件・東京地判平成26・11・4労判1109号34頁［恒常的長時間労働，パワハラにつき取締役の安全配慮義務遵守体制を整えるべき注意義務違反の責任肯定］。

90）　この点についての有益な分析として土田・契約法531頁以下参照。

91）　菅野684頁，注釈労基法（下）932頁［岩村正彦］，西村・前掲注16・92頁，新基本法コメ・労基・労契法267頁以下［嵩さやか］，三共自動車事件・最二小判昭和52・10・25民集31巻6号836頁。

92）　示談や和解により労働者が損害賠償請求の全部または一部を放棄した場合についても，本

ただし，労災補償・労災保険給付は，財産的損害のうち逸失利益（消極的損害）を塡補するものなので，積極的損害（入院雑費や付添看護費等）や慰謝料の賠償額から保険給付を控除することはできない[93]。社会復帰促進等事業（当時の労働福祉事業）による特別支給金の控除の可否について，判例[94]は，特別支給金は労働者の損害を塡補する性質のものではないとして，労災民訴における損害額から控除できないとしている（非控除説）。これは，下級審の流れを支持したものである。もっとも，現実の機能は労災保険給付の上積みであり，調整対象とすべきとの学説（控除説）も有力である[95]。

また，保険給付が年金化されてきていることにより，将来支払われる予定であるが，まだ支払われていない分までも，損害賠償から控除できるかという問題がある。最高裁[96]は，将来分を控除しないとする立場（非控除説）を採った。

しかしこれによると，損害の二重塡補や使用者の保険利益の喪失という問題が生ずる。そこで，1980（昭和55）年の労災保険法改正により「前払一時金」の制度が設けられ，前払一時金額の限度で損害賠償を猶予され，かつ，前払一時金や年金が支払われた場合には，その限度で損害賠償責任を免れる規定が置かれた（労災附則64条1項）。しかし，第三者行為災害との関係については，判例はやはり非控除説を採っていた[97]にもかかわらず，使用者災害の場合のような調整規定は設けられていない。

損害額は，過失相殺を経て確定するものと考えると，労災保険給付との調整（控除）前に過失相殺を行うべきことになり，判例上はこの立場（控除前相殺説）が確立している[98]。しかし，学説では，控除後相殺説も有力に主張されている[99]。

条により，政府はその価額で保険給付を免れる。小野運送事件・最三小判昭和38・6・4民集17巻5号716頁。

93）東都観光バス事件・最三小判昭和58・4・19民集37巻3号321頁，青木鉛鉄事件・最二小判昭和62・7・10民集41巻5号1202頁。

94）コック食品事件・前掲注36。

95）注釈労基法（下）934頁［岩村正彦］，菅野684-685頁。

96）三共自動車事件・前掲注91。

97）仁田原・中村事件・最三小判昭和52・5・27民集31巻3号427頁。

98）使用者行為災害につき，大石塗装・鹿島建設事件・前掲注81，第三者行為災害につき高田建設従業員事件・最三小判平成元・4・11民集43巻4号209頁。

99）青木＝片岡・註解Ⅱ220頁以下［西村健一郎］，注釈労基法（下）934頁［岩村正彦］。

なお，被災者（遺族）に使用者ないし第三者に対する損害賠償請求が認められる場合において，当該労災に支給される労災保険給付（遺族補償年金）と同性質の損害賠償とは損益相殺（控除）されるが，この損益相殺を元本から先に行うか，遅延利息から行うかが問題となる。最高裁の判断は分かれていたが，近時，最高裁大法廷は，損害賠償額の算定に当たっては，遺族補償年金によって填補される遺族の被扶養利益の喪失と同性質の損害賠償請求（逸失利益）と損益相殺的調整を行うべきとし，元本から先に損益相殺する立場を採用した[100]。

100）　フォーカスシステムズ事件・最大判平成27・3・4民集69巻2号178頁。同事件については嵩さやか「年金給付と損益相殺的調整の対象となる損害」社保百選（5版）132頁参照。

第2編　労働契約法

第11章　労働契約の基本原理

第1編では個別的労働関係法の労働保護法（労働人権法，労働条件規制法）を取り扱ったが，本編は（広義の）労働契約法を対象とする。（広義の）労働契約法については，従来，裁判例の蓄積によって形成される判例法理に委ねられてきたが，2000年に労働契約承継法が，そして2007年には基本法としての労働契約法が制定され，2012年には労契法が改正されるなど，実定法上の規制が整備されつつある。しかし，これらの制定法は現在のところ，（広義の）労働契約法のごく一部について規定を置いたに過ぎず，依然として労働契約法理の大部分をカバーする判例法理について正確に理解することが重要である。

第1節　労働契約の指導原理

労契法は，1章「総則」において，労働契約に関する基本的事項（指導原理）について規定を置いている。

I　合意原則・対等決定原則

まず，労契法は，労働契約が「労働者及び使用者の自主的な交渉の下で，……合意により成立し，又は変更されるという合意の原則」（合意原則）を明らかにすることをその目的の一つとしている（労契1条）。また，「労働契約は，労働者及び使用者が対等の立場における合意に基づいて締結し，又は変更すべきもの」とし，対等決定原則を規定している（同3条1項）。対等決定原則は，労働基準法の「労働条件は，労働者と使用者が，対等の立場において決定すべきものである」（労基2条1項）と共通する理念である。

もっとも，合意原則と対等決定原則は，突き詰めると矛盾・対立の契機を含む[1]。すなわち，合意原則は当事者が合意したところ（契約自治）を尊重し，司法介入は控えるべきとの立場を導き得るが，対等決定原則は，対等性のない合意について，むしろ司法が積極介入し，例えば合理的限定解釈等を通じてコントロールすることを要請し得る。

両者が一致するのは，対等の立場での合意がなされた場合であり，そうした合意はそのまま尊重し遵守すべきこととなる。これは労基法2条2項が同条1項に続けて労働協約，就業規則，労働契約の遵守・誠実履行を規定している場面でも同様である。すなわち，労働協約であれば，基本的に対等決定が担保されているのでその遵守・誠実履行は当然であるが，就業規則や労働契約については，それが対等の立場で決定されたことを前提とした上での規定と解し得る[2]。労基法に謳われた対等決定原則は，労基法の最低労働条件規制や，集団的労使交渉により，個別合意（契約自治）を是正する必要性[3]に力点を置いたものといえる。換言すれば個別合意に対する不信から出発する労基法においては，個別合意（契約自治）は，最低労働条件基準の法定と団体交渉という伝統的労働法ツールにより修正されるべき対象という側面が濃厚である。

これに対して，労契法における対等決定原則は，労働契約の内容の理解促進（労契4条）が規定されていることからもわかるように，個別労使当事者が，その内容を真に理解し，納得して合意することを期待し，個別合意を個別合意として尊重することのできる方向を志向している。もとより団体交渉等の集団的

1）　土田・契約法19頁以下も参照。

2）　寺本・労基法158頁は，労基法2条2項について「労働者が使用者と対等の立場に立つて事実上の自由意思によつて労働条件を定めることの当然の結果として第2項の規定による双方の誠実の義務が定められてゐるので趣旨の一貫した条文になつてゐる」としており，対等決定がなされた場合の遵守義務を想定したものと解して，同1項の対等決定と労働契約や就業規則の遵守義務とが趣旨一貫するとする。

3）　寺本・労基法158頁は労使の交渉力格差に触れ，労組法の団結権・団交権保障も，労基法が時間外労働について団体意思による労働者の同意を必要とし，就業規則の作成について労働者の団体意思に基づく参加を必要としているのも皆この労働条件決定を公正ならしめるための「事実の上に於て，力の関係に於いても平等なものとしなければならない」という労働法を貫く理念であるとし，これを明らかにしたのが労基法2条であるとする。なお，労基局（上）73頁も参照。

労働条件規制を排除するものではないが，労働組合が存在しない場合でも対等決定による合意が機能すべきことを展望したものといえる。その意味で合意原則（契約自治）を是正の対象とするよりも，より積極的に位置づけているということができよう。労契法は，労働契約の成立に関する6条，労働条件変更に関する8条で合意原則を確認するのみならず，7条但書や10条但書では，個別合意に就業規則法理に優越する地位を与え，契約自治を尊重する立場を明確にしている（→427頁，447頁）。

労契法はこのように合意原則を尊重しつつも，同時に，労働者の保護を労契法の理念として明示し（労契1条），対等決定原則（同3条1項），信義則（同3条4項），権利濫用の禁止（同3条5項），さらに出向・懲戒・解雇に関してはより具体的に使用者の権利行使につき裁判所による権利濫用審査がなされるべきこと（同14条～16条）を定めている。つまり，労働契約法は，契約自治を基本に据えつつも，このような契約指導原理を明定し，交渉力に劣る労働者の保護を図るという労働法理念に沿った契約ルールを定立する個別的労働関係法の基本法ということができる[4)]。

▩対等決定原則と契約解釈　労働組合組織率が低下し，また，労働者が多様化した現在，労働保護法と団体交渉制度という伝統的手法を超えて，いかにして労働条件の対等決定を実現するかが現代的課題となっていた。従来から就業規則に定められた懲戒規定や，黙示の意思表示の解釈の場面では対等決定原則に留意した合理的契約解釈がほぼ異論なく行われてきた。しかし，労基法2条の労働条件対等決定の理念を，自己決定を実現するための契約解釈における指導理念と位置づける有力説は，さらに進んで，労働者と使用者が対等の立場にあったとしたらいかなる労働条件設定を行っていたかという「仮定的自由意思」[5)]や最終的決断（二次的自己決定）に対する「真正の自己決定（一次的自己決定）」[6)]を実現する解釈を正当化する理念として主張する点に特徴がある。このような立場については，裁判所の恣意的な介入とならないか[7)]，あるいは，仮定的自由意思や真正の自己決定

4)　荒木ほか・労契法19頁，土田・契約法19頁以下参照。西谷敏「労働契約法の性格と課題」西谷敏＝根本到編『労働契約と法』12頁（2010年）は，労契法が形式的合意問題に無防備であるとして，合意原則＝対等決定原則を実質的なものとするための制度論と解釈論における種々の提案を行っている。

5)　土田・労務指揮権417頁以下。

6)　西谷・個人と集団77頁，84頁，西谷・自己決定376頁。

7)　裁判所によるこのような契約の内容審査に対して，労働保護法と集団的自助の制度の存在を根拠に反対するものとして大内伸哉「労働者保護手段の体系的整序のための一考察」労働100号28頁（2002年）。

をどのように探求するのか等が問題となる[8]。対等決定原則を実質化するための司法審査には，直接的内容審査よりも，合意のプロセス（例えば，十分な情報が提供されていたか，判断に十分な考慮期間が置かれていたか，軽率な判断の撤回の余地が認められていたか[9]等）に着目した手続審査を重視する方向も考えられ，さらに議論を詰める必要があろう。

Ⅱ　均衡考慮の原則

労契法は，労働者および使用者が，労働契約を「就業の実態に応じて，均衡を考慮しつつ」締結・変更すべきとする（労契3条2項）。パート労働者および有期労働者についての均衡処遇については，2018（平成30）年のパート有期法で通常労働者（いわゆる正社員）との不合理な相違が禁止されるに至っている（→579頁）が，労契法3条2項は，これらの非典型（非正規）労働者に限らず，すべての労働者に及ぶべき契約理念を定めたものと解される。

労契法3条2項は，具体的な法律効果を直接に規定したものではなく，あくまで理念規定に留まるが，契約解釈に際して（例えば，パート有期法が直接適用されない疑似パート労働者への同法の類推適用等），そして契約交渉時の行為規範として意義を持ち得る[10]。

Ⅲ　仕事と生活の調和への配慮原則

労契法3条3項は「労働契約は，労働者及び使用者が仕事と生活の調和にも配慮しつつ締結し，又は変更すべきものとする」と規定する。本条項は，労契法3条2項とともに，労契法の国会審議における法案修正で盛り込まれたものである。

ワーク・ライフ・バランスは，労基法の伝統的労働時間規制（変形労働時間制

---

8)　この問題を本格的に論じたものとして西谷・自己決定420頁以下。

9)　労契研報告書は，使用者からの働きかけに応じた合意解約申込みや辞職について，一定期間は撤回可能とすることを提案していたが，このような撤回期間満了時までに撤回しなかった意思表示は真意によるものとの推定が働くことになろう。

10)　菅野151-152頁，荒木ほか・労契法84頁。一定の格差の違法性評価において本条項に言及した裁判例として，いすゞ自動車（期間労働者・仮処分）事件・宇都宮地栃木支決平成21・5・12労判984号5頁［休業手当の正規労働者100％と非正規労働者60％の格差を違法］，京都市女性協会事件・大阪高判平成21・7・16労判1001号77頁［一般論として，正規・非正規間における，同一（価値）労働に許容できないほど著しい賃金格差があれば不法行為となる余地に言及（当該事案では否定）］。

における労働時間特定や，時間外労働の制限等）でも考慮されていた観点であるが，1991年の育児休業法の制定以来，労働法における新たな理念・価値と位置づけられるようになってきた。少子高齢化，社会保障財政問題，長時間労働による労働者自身の健康問題や家庭生活への影響，そして，憲法13条の幸福追求権の実現等の要請を背景に，労働契約法においても，労働契約の指導理念の一つとして位置づけられたものと解することができる。労契法3条2項と同様，3項も具体的な権利義務を定めたものではなく理念規定に留まるが，契約解釈に際して（例えば，配転命令や時間外労働命令の権利濫用判断等），および契約交渉における行為規範として意義がある。

Ⅳ　信義誠実の原則

労契法3条4項は「労働者及び使用者は，労働契約を遵守するとともに，信義に従い誠実に，権利を行使し，及び義務を履行しなければならない」とする。契約遵守については，既述の労基法2条2項と同様の趣旨であり，有効に成立している契約であれば当然に求められる事柄である。

信義誠実の原則（信義則）については，契約の一般原則である民法上の信義則（民1条2項）を労働契約関係について確認したものである。人的関係，白地性，継続的関係，集団的・組織的就労関係といった特色のある労働契約関係（→14頁以下）では，特に，信義則が機能すべき場面が少なくない。契約解釈に当たって考慮されるのみならず，特に，抽象的な付随義務の内容を具体化するに際して考慮される。さらには，通常の契約解釈によっては適切な対処が困難な場合に，信義則に依拠して新たな規範を適用すべき場合にも活用されることがある。安全配慮義務が，特別な社会的接触関係にある当事者間において信義則に基づき発生する債務とされたのはその一例である[11]。

Ⅴ　権利濫用禁止の原則

労契法3条5項は，「労働者及び使用者は，労働契約に基づく権利の行使に当たっては，それを濫用することがあってはならない」として，労働契約関係における権利の濫用を禁止している。これも民法における契約の一般原則（民

11）　荒木ほか・労契法87頁。なお，信義則の意義・機能一般については内田貴『契約の時代』69頁以下（2000年）。

1条3項）であるが，交渉力格差が問題となり，また，白地性ゆえに使用者の一方的決定権が内在する労働契約関係においては，使用者の権利行使については，権利の濫用と評価されないかが常に問題となる。

一般的に，労働契約上の使用者の権利行使については，第1に，そのような権利・権限が労働契約上認められるのかに関する審査（権限審査）と，その権利・権限行使が濫用に当たらないかの審査（濫用審査）の2段階で裁判所が審査を行う。他の法律関係では例外的にしか認められない権利濫用が，労働関係では，その特質から，頻繁に問題となる。労契法が明文の規定を置いている出向命令権（労契14条），懲戒権（同15条），解雇権（同16条）以外の権利行使，例えば，配転命令権，残業（時間外労働）命令権，降格命令権その他の指揮命令権（労務指揮権・業務命令権）行使にも，当然に権利濫用禁止の原則が適用される。

なお，労契法3条5項は労働者の権利濫用についても規定している。裁判例でも，退職後に重大な非違行為が発覚した労働者による退職金請求[12)]等について，権利濫用と判断されている。

Ⅵ　労働契約内容の理解促進

既述のように，合意原則を貫徹するには，当事者がその契約内容を十分に理解した上で合意することが前提となる。そこで労契法4条1項は「使用者は，労働者に提示する労働条件及び労働契約の内容について，労働者の理解を深めるようにするものとする」とし，同2項は「労働者及び使用者は，労働契約の内容（期間の定めのある労働契約に関する事項を含む。）について，できる限り書面により確認するものとする」と定めている。いずれも，合意原則および対等決定原則の実質化，そして契約内容の明確化による紛争防止を企図した規定と解される。

労働条件明示については，労基法15条1項，同施行規則5条が使用者に賃金や労働時間等一定事項について書面明示を義務づけている。これに対して，労契法4条の対象には特段限定がないので，労基法15条に列挙されていない

12）　アイビ・プロテック事件・東京地判平成12・12・18労判803号74頁［懲戒解雇相当事由のある退職労働者からの退職金請求を権利濫用として棄却］。同趣旨の裁判例としてモリタ事件・大阪地判平成13・1・26労判806号88頁，ピアス事件・大阪地判平成21・3・30労判987号60頁。

事項にも及ぶ（例えば，福利厚生に関する事項）。また，理解促進・書面確認の要請される時点も契約締結時に限定されず，契約存続中における労働契約の内容についても求められる。すなわち，「労働者に提示する労働条件」とは，労働契約締結時に提示する労働条件のみならず，労働契約存続中に労働条件を変更するために労働者に提示するそれを含む。

労契法4条1項の「理解を深める」方法は多様な方法があり得るため，特定が困難である。また，理解を深める「ようにするものとする」と同様の文言が用いられた条項について，判例は訓示規定と解している[13]。また，同2項は「できる限り」書面確認を要請するに留まる。したがって，本条の規定は，いずれも訓示規定であり，本条項から具体的な法律効果が直接発生するものではない。しかし，労働契約内容について理解を深める措置（契約内容についての説明等）を使用者が行わなかった場合，その事実は，契約解釈においても十分斟酌され得る。例えば，あいまいな労働条件について，労働者が説明を求めたにもかかわらず，使用者がこれに応じない場合には，使用者に不利な解釈をされてもやむを得ない場合があろう[14]。また，就業規則の実質的周知がなされたか否かの認定に際しても，提示労働条件の理解促進の要請を踏まえた判断がなされ得る（→423頁）。

第2節　労働契約上の権利義務

I　主たる義務

労働契約は，労働者が使用者に使用されて労働（労務提供）し，使用者がこれに対して賃金を支払うことを基本的内容とする契約である（労契6条，民623条参照）。したがって，労働義務（労務提供義務）と賃金支払義務が労働契約の本質をなす主たる義務である。賃金支払義務に関しては既に触れた（→161頁）ので，以下，労働義務（労務提供義務）について検討する。

1　指揮命令権（労務指揮権・業務命令権）

労務提供義務は，既述のように，使用者の指揮命令に従って労務を給付する

13）　労基法附則136条に関する沼津交通事件・最二小判平成5・6・25民集47巻6号4585頁。

14）　米津孝司ほか「労働契約法逐条解説」労旬1669号28頁［緒方桂子］（2008年）参照。

義務であるから，この義務は，使用者の指揮命令権（労務指揮権・業務命令権と呼ばれることもある）を前提とする。換言すれば，使用者に指揮命令権を付与することの承認が含まれているのが労働契約の本質的要素である[15]。しかし，指揮命令権が労働契約の締結という当事者の合意にその法的根拠が求められることからも了解されるように，その行使は無制約ではなく，契約で合意された範囲内でのみ許される。そこで，使用者が労働契約上有する指揮命令権の範囲が重要な解釈問題となる。

周知された就業規則の合理的規定は契約内容になる（労契7条参照→418頁）。したがって，そうした就業規則規定に根拠を持つ業務命令であれば，契約の範囲内のものと解され，労働者はこれに応ずる義務が生ずる。日本では労働者の職務内容を個別労働契約で特定せず，また欧米のように職務内容の特定されたポストに雇い入れるという慣行[16]もないので，使用者に広範な業務命令権が肯定される傾向にある[17]。しかし，当該業務命令権の存在が認められる場合でも，その行使が権利濫用と評価されれば無効となる（労契3条5項）。

2　債務の本旨に従った労務の提供

労務の提供は債務の本旨に従ったものでなければならない。使用者の指揮命令に反する労務を提供しても，債務の本旨に従った履行ではないため，賃金請求権は発生しない（→142頁）。ただし，病気回復過程において，使用者の命じた業務はできなくとも，配置可能性のある他の業務を労働者が申し出ていれば，なお債務の本旨に従ったものと解した例[18]のように，継続的契約関係におけ

15）　電電公社帯広局事件・最一小判昭和61・3・13労判470号6頁は，「労働者は，使用者に対して一定の範囲での労働力の自由な処分を許諾して労働契約を締結するものであるから……労働力の処分に関する……業務命令に従う義務がある」とする。

16）　このような労働契約慣行の違いを，欧米のジョブ契約に対して日本のメンバーシップ契約としてわかりやすく示した優れた啓蒙書として濱口桂一郎『新しい労働社会――雇用システムの再構築へ』（2009年），同『ジョブ型雇用社会とは何か――正社員体制の矛盾と転機』（2021年）。

17）　国鉄鹿児島自動車営業所事件・最二小判平成5・6・11労判632号10頁では，組合員バッジ取外しに応じない労働者を本来の点呼業務から外し，営業所構内の火山灰除去作業を命ずる業務命令が出されたが，火山灰除去作業も必要な付随的業務と認められ，当該業務命令は業務命令権の濫用に当たらないとされた。これに対して，JR東日本（本荘保線区）事件・最二小判平成8・2・23労判690号12頁では，国労ベルト着用者に対して，長時間にわたり全142条の就業規則を一字一句違わず書き写すことを命じたことは，合理性のない懲罰的目的によるものと推認せざるを得ず，人格権侵害の不法行為に該当するとした。

る信義則に照らし，債務の本旨を合理的に解釈すべき場合がある（→145頁）。

3　就労請求権

使用者は労務給付請求権を有し，その対価たる賃金支払義務を負うが，労働者を就労させる義務を負うかという問題がある。使用者からすると労務受領義務の問題であるが，一般に，労働者の「就労請求権」の問題として議論されている。例えば，解雇訴訟で勝訴し，労働契約上の地位を確認されたにもかかわらず，使用者が賃金は支払うが，その者の就労は拒否する場合，労働者は使用者に就労させることを請求する権利（就労妨害禁止仮処分における被保全権利）があるかという形で問題となる。

有力説は，労働とは賃金獲得のための手段的活動であるだけでなく，それ自体が目的たる活動であり，正当事由のない就労拒否は債務不履行に当たると主張する19)。しかし，通説・裁判例20)は，労働義務はあくまで義務であって権利ではなく，使用者が反対給付たる賃金を払い続ける限り労務を受領する義務はなく，就労請求権は認められないと解している。ただし，通説・裁判例も，例外的に特約がある場合21)や，業務の性質上労働者が労務の提供について特別の合理的な利益を有する場合22)には就労請求権が認められると解している。

上記の立場が確立して以降，就労請求権論は下火であったが，近時，学説では，キャリア権の観点から就労請求権を肯定しようとする見解23)や使用者に信義則上の労働付与義務を認める見解24)，就労妨害排除の仮処分は認められ

18)　片山組事件・最一小判平成10・4・9労判736号15頁。

19)　下井隆史『労働契約法の理論』116頁（1985年），下井・労基法247頁，和田・契約226頁，西谷114頁，土田・概説65頁。

20)　リーディングケースとして読売新聞社事件・東京高決昭和33・8・2労民集9巻5号831頁。学説では楢崎二郎「労働契約と就労請求権」現代講座10巻30頁以下，菅野156頁，安枝＝西村・労基法137頁。

21)　栴檀学園（東北福祉大学）事件・仙台地判平成9・7・15労判724号34頁は，大学専任講師が大学において学問研究を行うことについて雇用契約上の権利とする黙示の合意があったとし，教授会への出席および講義等実施の妨害禁止を請求する訴えの利益を肯定しつつも，当該事案については教授会出席停止・講義停止処分の有効性を認め，妨害禁止請求を棄却した。

22)　レストラン・スイス事件・名古屋地判昭和45・9・7労判110号42頁は，調理人について少時でも職場を離れると技量が著しく低下するとして就労請求権を肯定した。

23)　諏訪康雄「労働市場法の理念と体系」講座21世紀2巻17頁。

24)　唐津博「労働者の『就労』と労働契約上の使用者の義務」西村健一郎ほか編『新時代の労働契約法理論』157頁（2003年）。

ないが，信義則上使用者に労働受領義務を認め，就労拒絶は債務不履行として損害賠償責任を発生させるとする見解[25]等，就労請求権をめぐる議論の活発化が見られる[26]。

しかし，債務の本旨に従った労務の提供でなければ使用者に受領義務はないはずである。そして，何が債務の本旨に従った労務かは，使用者の具体的指揮命令による確定によらざるを得ないとすれば，労働者の就労利益を肯定しても，そのことから直ちに使用者の労務受領義務を導くことはできないのが原則であろう。そうすると，不当な就労拒絶が労働者の就労利益を侵害する不法行為を構成し損害賠償責任を生ぜしめることはあるが[27]，それを超えて，一般に債務不履行責任を肯定することや，就労強制を認めることは困難であろう。現実に就労させることを強制するためには，不当労働行為事件における労働委員会の原職復帰命令のように，明確な法的根拠が要求されよう[28]。

Ⅱ　付随義務

1　使用者の付随義務と人格権の尊重

使用者は，労務提供に対する賃金支払義務のほかに，人的・継続的関係である労働関係に由来する多様な付随義務を負っている。代表的な使用者の付随義務として労働者の生命・身体等の安全に配慮する安全配慮義務（→307頁）や，解雇回避努力義務（→353頁）等があるが，これらについてはそれぞれの項で検討する。ここでは付随義務として把握すべきか否かについても議論のある人格

25）　土田・契約法142-143頁。

26）　学校法人茶屋四郎次郎記念学園事件・東京地判令和4・4・7労経速2491号3頁［和解を踏まえて雇用契約書に最低でも週4コマと時間数が明記されていた大学教授に，一切講義をさせなかったことが就労請求権の債務不履行に当たるとして慰謝料106万円を認容］。

27）　学校法人兵庫医科大学事件・大阪高判平成22・12・17労判1024号37頁［大学病院医師を10年以上にわたり臨床担当および外部派遣担当から外し，臨床の機会を与えなかった事案につき不法行為に基づく損害賠償請求認容］，千葉県がんセンター（損害賠償）事件・東京高判平成26・5・21労経速2217号3頁［病院で麻酔科に勤務する医師が，部長を通すことなくセンター長に直接上申したことに対する報復として一切の手術の麻酔担当から外され，退職を決意するに至った事案につき，同医師が被った精神的苦痛に対する損害賠償請求認容］。追手門学院（追手門学院大学）事件・大阪地判平成27・11・18労判1134号33頁［大学教授に対する教員が専属で配属されたことのない研究所への配転の効力を否定し，専門家としての実質的な教育，研究，実践の機会の相当部分を奪われたとして慰謝料認容］。

28）　菅野156頁，中窪裕也「労働契約の意義と構造」講座21世紀4巻17頁も参照。

権の尊重の問題を取り上げる。

労基法は，労働者の人権保障に関する諸規制を行っているが（→76頁以下），これらが直接対象としていない事項についても，近時，労働者の人格権保護，すなわち生命，身体，健康，自由，名誉，プライバシー等の人格的利益の保護に対する侵害であるとして争われる裁判例が増加している。労働関係には，労働力提供が人格と不可分であり，また，使用者の指揮命令に従って，かつ組織的集団的に労務の提供が行われるという特質があることから（→14頁以下参照），使用者による人格権侵害の可能性が潜在する。この問題は，従来は，労働者の所持品検査拒否や服装規程違反等に対する懲戒処分や解雇の効力をめぐって論じられてきた。しかし，近時は，使用者の措置を不法行為とし，その被侵害利益として労働者の人格権が観念されるようになってきた29)。さらに学説では，人格権の尊重を労働契約上の付随義務と位置づける見解も主張されている30)。人格権の尊重が労働関係の中で常に観念される注意義務であれば，安全配慮義務と同様，信義則上，使用者が配慮すべき付随義務と位置づけることも可能であろう。もっとも，労働者の生命・身体等の安全が侵害された場合に，安全配慮義務違反の債務不履行として損害賠償を請求することも，同内容の注意義務違反として不法行為による損害賠償を請求することも可能31)であるように，人格権の尊重が労働契約の付随義務を構成すると解しても，不法行為としての救済を排斥するものではない。

人格権の侵害として近時問題となってきた職場におけるいじめ・ハラスメントについては，2019（令和元）年の労働施策総合推進法改正で，パワー・ハラスメント防止措置義務に関する立法がなされ，個人情報の保護については，個人情報保護法が規制している。これらについては，第4章で論じた（→85頁以下）。

29)　労働者の人格権保護については，島田陽一「企業における労働者の人格権」講座21世紀6巻2頁，小畑史子「労働関係における人格権」争点18頁，角田邦重「労働者人格権の射程」角田邦重先生古稀記念『労働者人格権の研究（上）』3頁（2011年）等参照。

30)　例えば土田・契約法129頁以下，山川・雇用法も付随義務の項の中で論じている。

31)　過労自殺についての使用者の損害賠償責任が問題となった電通事件・最二小判平成12・3・24民集54巻3号1155頁では，下級審で安全配慮義務として論じられていた内容を不法行為法上の注意義務として損害賠償を認めた。

2　労働者の付随義務

(1)　誠実義務

労働者は在職中ことさらに使用者の利益を害する行為を避ける誠実義務を負う。例えば，従業員による同業他社への引抜き行為が，単なる転職の勧誘の域を越え，社会的相当性を逸脱し極めて背信的な方法で行われた場合には，誠実義務違反の債務不履行あるいは不法行為責任を負う[32)]。以下の秘密保持義務や競業避止義務も誠実義務の一内容である。

(2)　秘密保持義務

職務中または企業において知り得た秘密を漏洩しないという秘密保持義務は，在職中と退職後で区別して理解すべきである[33)]。

一般に，労働者は在職中，労働契約に付随する義務として，信義則上，使用者の業務上の秘密を守る義務を負うと解されている[34)]。したがって，秘密保持義務違反に対しては，懲戒，解雇，損害賠償請求（債務不履行ないし不法行為）等が可能である。

これに対して，労働関係終了後も秘密保持義務が存続するか否かについては見解の対立があった。しかし，1990（平成2）年の不正競争防止法改正以降，労働関係終了後も，不正競争防止法にいう「営業秘密」[35)]について図利加害目的で使用・開示することは，同法で不正競争の一類型とされ（不競法2条1項7号），契約上の根拠がなくとも不正競争防止法に基づき，差止め（同3条1項），損害

---

32)　ラクソン事件・東京地判平成3・2・25労判588号74頁［取締役であり社運をかけた企画一切を任されていた者が，部下のセールスマンを，その競争相手である会社に引き抜いた行為は社会的相当性を逸脱した違法な引抜き行為であるとされた］。

33)　土田道夫「競業避止義務と守秘義務の関係について」中嶋還暦189頁，土田・契約法123頁以下，石橋洋『競業避止義務・秘密保持義務』（2009年）参照。

34)　菅野158頁，土田・契約法123頁。裁判例では，古河鉱業足尾製作所事件・東京高判昭和55・2・18労民集31巻1号49頁［管理職でなくとも秘密保持義務を負うとした］，メリルリンチ・インベストメント・マネージャーズ事件・東京地判平成15・9・17労判858号57頁［従業員は労働契約上の義務として業務上知り得た企業機密をみだりに開示しない義務を就業規則の秘密保持条項の有効性にかかわらず負担している］，アイメックス事件・東京地判平成17・9・27労判909号56頁［使用者，従業員相互が誠実に行動すべしとの要請に基づく付随的義務として，従業員が少なくとも雇用関係の存続期間中は，使用者の営業上の秘密を保持すべき義務を負うことは当然とした］等。

35)　不正競争防止法2条6項は営業秘密を「秘密として管理されている生産方法，販売方法その他の事業活動に有用な技術上又は営業上の情報であって，公然と知られていないもの」と定義しており，秘密管理性・有用性・非公知性の3要件を満たした秘密であることが必要である。

賠償（同4条），侵害行為を組成した物の廃棄，侵害行為に供した設備の除却（同3条2項），信用回復措置（同14条）などの救済を求め得ることとなった。さらに，罰則も定められている（同21条）。

不正競争防止法にいう「営業秘密」に該当しない秘密（秘密管理性を欠いた情報等）[36]については契約解釈の問題となる。退職後は，当然に秘密保持義務があるわけではなく，原則として契約上そのような義務が設定されていなければならないと解される[37]。

(3)　競業避止義務

競業避止義務とは，使用者と競合する業務を行わない義務をいう[38]。自ら競業事業を起こすことのみならず，競業他社への就職も競業避止義務の違反となる。これについては明文の規制はなく，解釈問題となる。

まず，在職中については信義則上，労働契約の付随義務として競業避止義務が認められることで学説・裁判例とも一致している。

これに対して，退職後の競業避止義務については，一方で競業制限についての使用者の利益があり，他方で，退職労働者の職業選択の自由の問題，さらには競争制限による独占集中の問題（公正競争秩序維持）等を考慮する必要がある[39]。また，競業の際には前職で得た営業秘密を利用することが多く，秘密

36)　メリルリンチ・インベストメント・マネージャーズ事件・前掲注34［見込み顧客リスト，顧客・関係者からの通信文，社内メール，メモ，営業日報，顧客アプローチ方法，社内人事情報に関するやり取り等の各書類につき企業秘密に当たるとしつつ，守秘義務を負う弁護士への開示につき特段の事情を認め義務違反を否定］，日産センチュリー証券事件・東京地判平成19・3・9労判938号14頁［不正競争防止法の営業秘密に該当しない情報（営業日誌の写し）について，秘密保持義務を認めつつ，就業規則の定める機密・秘密を漏らしたとまでいえないとし懲戒解雇を無効とした］。

37)　ダイオーズサービシーズ事件・東京地判平成14・8・30労判838号32頁［秘密保持特約の有効性を認めた例］。これに対して，レガシィ事件・東京地判平成27・3・27労経速2246号3頁は，退職後の機密保持特約がない事案において，退職後に情報を不当に開示する目的で雇用期間中に当該情報を持ち出した場合，雇用期間中に就業規則違反という債務不履行に着手しているのであり，退職後の漏洩（残業代訴訟で利用することを前提とした情報提供）は，（在職中の）労働契約上の機密保持義務の適用を受け債務不履行にあたるとする（結論は損害なしとして請求棄却）。

38)　競業避止義務については山口俊夫「労働者の競業避止義務」石井照久先生追悼論集『労働法の諸問題』409頁（1974年），小畑史子「退職した労働者の競業規制」ジュリ1066号119頁（1995年），川田琢之「競業避止義務」講座21世紀4巻133頁，土田・前掲注33論文199頁，土田・契約法125頁，石橋洋「競業避止義務」争点66頁等参照。

39)　フォセコ・ジャパン・リミテッド事件・奈良地判昭和45・10・23判時624号78頁参照。

保持義務との関係も問題となる。

現在の学説・判例の立場は，以下のように要約できよう。まず，不正競争防止法にいう営業秘密を「使用し」た競業は，同法の規制によって（契約上の根拠がなくとも）制限可能となる[40]。これに対し，営業秘密を使用しない競業を制限するには，契約上の根拠が必要となる。そして，契約上の競業制限特約の効力は，①競業制限目的の正当性（使用者固有の知識・秘密の保護を目的としているか），②労働者の地位（使用者の正当な利益を尊重しなければならない職務・地位にあったか），③競業制限範囲の妥当性（競業制限の期間，地域，職業の範囲が妥当か），④代償の有無，といった諸点[41]を総合考慮して，合理性がない制限であれば公序良俗違反として無効となる。近時の裁判例は雇用流動化を受けて，競業避止義務の有効性を厳格に判断する傾向にある[42][43]。

40）東京リーガルマインド事件・東京地決平成7・10・16労判690号75頁。不正競争防止法の営業秘密保護は，競業そのものを直接規制したものではない（土田道夫・同事件判批・ジュリ1097号144頁〔1996年〕）ので，営業秘密の行使・開示の要件を満たした場合のみ，このような制限がかかる。しかし，営業秘密を用いた競業が同法が不正競争として禁止する「営業秘密を使用」する行為に該当し得ること（不競法2条1項7号）は否定できない。

41）フォセコ・ジャパン・リミテッド事件・前掲注39。メットライフアリコ生命保険（アメリカン・ライフ・インシュアランス・カンパニー）事件・東京高判平成24・6・13労働判例ジャーナル8号9頁。

42）競業避止義務を否定した裁判例として，東京貨物社事件・東京地判平成12・12・18労判807号32頁［十分な代償措置なし］，キヨウシステム事件・大阪地判平成12・6・19労判791号8頁［会社に独自のノウハウがなく代償措置もない］，岩城硝子ほか事件・大阪地判平成10・12・22知的裁30巻4号1000頁［退職後5年間の競業禁止が長すぎ，代償措置もない］，新日本科学事件・大阪地判平成15・1・22労判846号39頁［ノウハウ保護は守秘義務で足り，競業規制の必要性に乏しく代償措置もない］，アメリカン・ライフ・インシュアランス・カンパニー事件・東京地判平成24・1・13労判1041号82頁［会社の正当利益保護でなく，代償措置も不十分］，リンクスタッフ元従業員事件・大阪地判平成28・7・14労判1157号85頁［在籍約1年の従業員に退職後3年にわたり課された地域限定もない競業避止義務を否定］等。これに対し，競業避止義務を肯定した例としてダイオーズサービシーズ事件・前掲注37［競合禁止期間（2年），区域（隣接都道府県），職種（マット，モップレンタル顧客収奪）からすると代償措置はなくとも合理的制限に留まるとした］。なお，トータルサービス事件・東京地判平成20・11・18労経速2030号3頁は，無限定の競業禁止特約を根拠に差止めを認めたが疑問である。裁判例の状況については土田・前掲注33論文200頁参照。

43）サクセスほか（三佳テック）事件・最一小判平成22・3・25民集64巻2号562頁［退職後の競業避止義務の特約等のない事案で，退職後の競業行為について，⑴当該従業員は，X会社の営業秘密に係る情報を用いたり，その信用をおとしめたりするなどの不当な方法で営業活動を行ったものでなく，⑵取引先のうち3社との取引は退職約5ヶ月後に始まったもので，残り1社についてはX会社が営業に消極的で，X会社と上記取引先との自由な取引が阻害された事

なお，過剰な競業避止義務設定については，そのすべてを無効とするのではなく，過剰にわたる部分のみを無効とすべきとの立場も考えられる。しかし，そうした立場[44]を認めると，使用者は，訴訟で是正されるまで，過剰な競業避止義務を課しておくことができ，労働者の転職の自由および企業間競争を過剰に抑制する事態を許容することとなってしまうので適切ではない。

競業避止義務違反に対しては，差止請求，損害賠償請求，退職金の減額・不支給（減額・不支給条項等の根拠がある場合）等，種々の措置が問題となり得る。損害賠償請求や退職金減額等は差止請求と比べると職業選択の自由との抵触の度合いが小さい。具体的判断に当たっては，当該競業避止義務違反の効果に応じた検討を行うべきであろう[45]。

▩営業秘密と秘密保持義務・競業避止義務の関係　不正競争防止法による営業秘密に関

図表 11-1

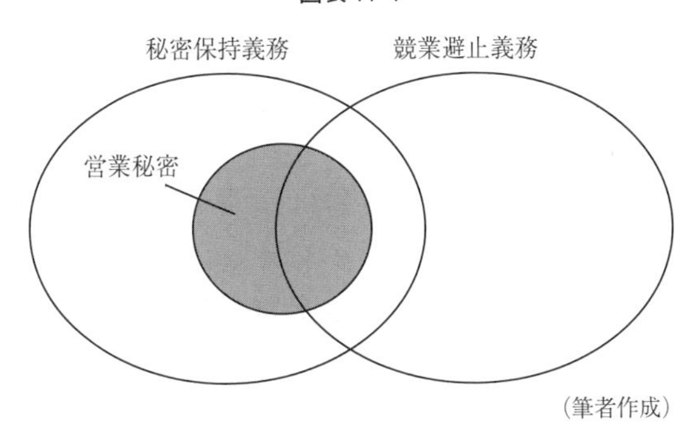

（筆者作成）

情がうかがわれず，当該従業員が退職直後にX会社の営業が弱体化した状況を殊更利用したともいえない事情の下では，社会通念上自由競争の範囲を逸脱した違法はなく，不法行為責任なしとした］。

44）アメリカでBlue Pencilingといわれる立場で，その問題点が指摘されている。小川美和子「アメリカにおける雇用関係終了後の競業行為の規制――日本法への示唆を求めて」本郷法政紀要5巻63頁以下（1996年），植田達「アメリカ・ニューヨーク州法における競業避止特約に基づく権利救済論」法学研究95巻7号1頁，58頁注35（2022年）参照。

45）ヤマダ電機（競業避止条項違反）事件・東京地判平成19・4・24労判942号39頁は，退職時の役職者誓約書の競業避止条項による退職金半減，違約金請求を一部認容（6ヶ月中の1ヶ月分）した。本件では，競業避止条項の有効性を比較的緩やかに認めているが，差止請求事件ではなかった点が影響しているように思われる。

する規制と秘密保持義務，競業避止義務の関係は**図表11-1**のように整理できよう。グレー部分が営業秘密の開示や使用に該当し，契約上の根拠がなくとも，不正競争防止法による規制が及ぶ部分である。その他の白い部分については，在職中は信義則に由来する誠実義務から一般に肯定されるのに対し，退職後は契約上そのような義務が具体的に設定されていることが必要と解される。

(4)　企業秩序遵守義務

判例は「企業秩序論」の一環として，労働契約に付随する義務として「企業秩序遵守義務」を認め，その違反に対しては懲戒処分が可能としているが，詳細は懲戒の章で検討する（→514頁）。

Ⅲ　職務発明と労働者の権利

職務発明とは，従業者等（特許法にいう「従業者」とは労働者と同趣旨と解されるが，そのほか，法人の役員，公務員）がその性質上当該使用者等（使用者，法人，国，地方公共団体）の業務範囲に属し，かつ，その発明をするに至った行為がその使用者等における従業者等の現在または過去の職務に属する発明をいう（特許35条1項）。

職務発明をした従業者等は特許を受ける権利等を原始的に取得する[46]が，従業者等が特許を受けたときは，使用者等は無償で通常実施権（特許権者から差止請求権，損害賠償請求権を行使されることなく特許を実施する権利）を有する（同条項）。職務発明について，使用者等は，「契約，勤務規則その他の定め」により特許を受ける権利または特許権を自らに承継させ，また，専用実施権（特許発明を独占的に実施する権利）を設定することが可能である（同条2項の反対解釈）。この場

46）　労働者の労務提供の成果物は，使用者に帰属し，労働者に帰属するのではないというのが労働法の基本原則であるが，職務発明制度においては，ある自然人が創作した成果はその自然人に原始的に帰属するという知的財産権法の原則（発明者主義，特許29条1項）から出発している。すなわち，発明の直接的担い手である従業者等に発明インセンティブを与えるべく特許を受ける権利を原始帰属させ，同時に，資本を投入してその発明環境を提供する使用者等には無償で通常実施権を与え，さらに「相当の対価」の支払を条件に特許権や専用実施権を取得することを認めることで，従業者等と使用者等の利益調整を図ろうとしていた。もっとも，職務発明における特許を受ける権利の帰属について，独米は，従業者に原始帰属させるが，英仏韓中では使用者に原始帰属させるなど，国によって異なる（特許庁『平成27年特許法等の一部を改正する法律について』https://warp.da.ndl.go.jp/info:ndljp/pid/11239397/www.jpo.go.jp/torikumi/ibento/text/pdf/h27_houkaisei/h27text.pdf）。

合，2015（平成27）年改正前の特許法では，従業者等は「相当の対価の支払を受ける権利」を有する（旧同条3項）とされていた。

このような規制の下で，近年の知的財産に関する関心の高まりを背景に，企業の定めた報奨金等が「相当の対価」たり得ないとして提訴する例が相次いだ。最高裁[47]は，勤務規則等に定められた「対価の額が同条〔2004年改正前〕4項の規定に従って定められる対価の額に満たないときは，同条〔2015年改正前〕3項の規定に基づき，その不足する額に相当する対価の支払を求めることができる」とし，同規定の強行性を確認した。しかし，客観的に支払うべき相当の対価の額については，裁判所の判断も区々で，巨額の「相当の対価」を認める裁判例も現れる[48]など，予測可能性に欠ける点や，報奨規程が使用者等によって一方的に策定され従業者等の納得を得ていない点が問題点として認識された[49]。

そこで，2004（平成16）年特許法改正では，相当の対価の判断に当たって，使用者・従業者間の協議・開示・意見聴取といった手続を経て定められた対価が合理的なものであればそれを尊重し，それが不合理と認められる場合に裁判所が介入して相当の対価の額の実体的判断を行う趣旨の規定が設けられた（2004年改正35条4項）。

しかし，2004年改正によっても，なお訴訟リスクが残っている，わが国の産業競争力強化のために，職務発明に係る特許を受ける権利を原始的に企業に帰属させるべき等の指摘がなされ，2015（平成27）年特許法改正へとつながった。

同改正では，職務発明について，特許を受ける権利が発明をした従業者等に帰属し，従業者等が特許を受けたときには使用者等は通常実施権を有するという従来の制度は維持しつつ（35条1項），契約，勤務規則その他の定めにおいてあらかじめ特許を受ける権利を使用者等に取得させることを定めていた場合，

47）　オリンパス光学事件・最三小判平成15・4・22民集57巻4号477頁。

48）　青色発光ダイオードに関する日亜化学工業事件・東京地判平成16・1・30労判870号10頁は，相当の対価を604億3006万円と認定し，一部請求として200億円の対価請求全額を認容し，関心を呼んだ。なお同控訴審では，相当の対価を約6億円と大幅に減額した和解勧告がなされ，和解で終結した（判時1879号141頁）。

49）　産業構造審議会知的財産政策部会特許制度小委員会「職務発明制度の在り方について」10-11頁（2003年）（https://www.jpo.go.jp/resources/shingikai/sangyo-kouzou/shousai/tokkyo_shoi/document/h15houkokusho/houkoku.pdf），横山久芳「職務発明と労働法　特許法学の立場から」ジュリ1302号107頁（2005年）参照。

特許を受ける権利は，その発生した時から当該使用者等に帰属することとした(同3項)。つまり，特許を受ける権利を原始的に使用者等に帰属させることを認めたものである。そしてこの場合，従業者等は，「相当の金銭その他の経済上の利益」(相当の利益)を受ける権利を有するとされた(同4項)。すなわち，従前の(金銭に限られる)「相当の対価」ではなく(金銭に限られない)「相当の利益」を付与すればよいこととなった。

「相当の利益」に関しては，使用者等と従業者等の協議の状況，策定された基準の開示の状況，相当の利益の内容の決定について行われる従業者等からの意見聴取の状況等を考慮して，不合理と認められるものであってはならない(同5項)。これらの考慮事項については，経済産業大臣が指針(ガイドライン)を定め公表することとされた(同6項)。相当の利益についての定めがない場合またはその定めにより相当の利益を与えることが5項の規定により不合理であると認められる場合，4項により受けるべき相当の利益の内容は，その発明により使用者等が受けるべき利益の額，その発明に関連して使用者等が行う負担，貢献および従業者等の処遇その他の事情を考慮して定めなければならない(同7項)[50]。

なお，従業者等の考案，意匠の創作についても，それぞれ実用新案法11条3項，意匠法15条3項で職務発明に関する特許法35条が準用されており，同様の規制が妥当する。

▩職務著作　職務発明については2015(平成27)年改正でも，特許法35条3項の定めがない限り，特許を受ける権利はデフォルトルールとしては従業員に原始的に帰属する。これに対して，職務著作(法人その他使用者の従業者[51])が職務上作成する著作物)については，原則と例外が逆となっており，その作成の時における契約，勤務規則その他に別段の定めがない限り，法人等が著作者とされている(著作15条)。この場合，著作財産権も人格権も法人(使用者)に原始的に帰属すると解されている。

---

50)　片山英二＝服部誠「職務発明制度の改正について」ジュリ1488号17頁(2016年)，竹田稔＝中山信弘「〔対談〕日本の職務発明制度と平成27年改正」ジュリ1495号ii頁(2016年)，土田・契約法144頁以下。

51)　著作権法15条の「法人等の業務に従事する者」に該当するかに関し雇用関係の存否が争われた事案としてアール・ジー・ビー・アドベンチャー事件・最二小判平成15・4・11労判849号23頁[法人等と著作物作成者の関係を実質的に見て，法人等の指揮監督下において労務を提供するという実態があり，法人等がその者に対して支払う金銭が労務提供の対価と評価できるかを具体的事情に照らして総合的に判断すべきとした]。

第12章　雇用保障（労働契約終了の法規制）と雇用システム

解雇等，労働契約の終了については，個別的労働関係法の最後で扱われるのが通例である。しかし，雇用保障に関する法規制は，その国の雇用システムさらには労使関係システムを規定するといっても過言ではない。次章以下で検討する内定・試用，就業規則法制，人事に関する法理，企業組織再編等，（広義の）労働契約法の内容を真に理解するには，雇用保障に関する法規制の影響を踏まえることが不可欠である。そこで，（広義の）労働契約法の内容の検討に先立ち，まず，雇用保障（解雇およびその他の労働契約終了事由）に関する法規制を取り扱うこととする。

第1節　雇用保障と雇用・労使関係システムの関係

労働者の雇用保障（解雇の制限）の程度は，それぞれの国の雇用・労使関係システムを決定づける最も重要なファクターといってよい。解雇が自由な国[1)]では，労働市場における自由な取引によって資源配分が決まる仕組み（外部労働市場機能）が，労働条件決定にも直接に及びがちである。すなわち，ある労働者の労働条件を使用者が引き下げようと考える場合，使用者は引き下げた労働条件を労働者に提示し，労働者がこれを受諾しなければ解雇し，提示した労働条件で働いてよいという者を雇い入れることが可能である。他方，提示労働条件に応じて雇用される者がいなければ，使用者はより高い労働条件を提示せざる

1）　例えば，アメリカでは，解雇に何らの正当事由も必要ないという随意的雇用（employment at will）の原則が，若干修正されつつあるとはいえ，今日でもなお基本的に維持されている（荒木・雇用システム20頁以下，中窪裕也「『解雇の自由』雑感」中嶋還暦341頁）。

を得なくなる。このように雇用と解雇（hire and fire）を通じた外部労働市場による調整がダイレクトに労働関係を規律することになる。そして雇用保障を欠いた雇用システムでは，労働者はその企業特有の技能を身に付けても解雇されれば投資が無駄になるため，企業特殊的技能を習得するインセンティブを持ちにくい。使用者も，労働者が簡単に転職する場合，自ら費用を負担して行った教育訓練が無駄となるため，訓練投資インセンティブを持ちにくく，既に必要な技能を有する者を外部市場から雇い入れようとする。その結果，職業教育訓練は企業よりも，労働者個人や公的職業訓練機関に委ねられる傾向が顕著となる。集団的労働関係（労使関係）も，労働者が頻繁に転職する状況下では，特定企業内の労働条件規制より，企業横断的労働条件規制が労働者にとってより重要となる。その結果，企業を超えた産業レベルでの団体交渉や，その担い手としての産業別労働組合のニーズが高まる。

これに対して，長期の雇用関係が保障される雇用システムにおいては，賃金等の労働条件は外部労働市場による調整からは隔絶され，内部労働市場[2)]の論理によって決定されることとなる。日本では長期雇用システムの下で，いわゆる年功的賃金・処遇システムが形成されてきた。労働条件変更問題も，外部労働市場による調整ではなく，内部労働市場における調整ルールの発展を要請することとなる。これが就業規則の合理的変更法理（→413頁）が登場する背景事情でもある。また，長期雇用システム下では，労使ともに企業特殊的な技能に対して投資するようになり，企業外の公的職業訓練機関よりも企業内のOJT（On the job training），すなわち業務遂行を通じた訓練が重視されるようになる。内部労働市場が形成されると，労使関係もそれに適合したものとならざるを得ず，企業横断的な産業別組合ではなく，内部労働市場における労働条件規制に適合的な企業別組合の効率性が高まり，日本で企業別組合が定着する主要因となる。

以下では，日本の長期雇用システムを特徴づけてきた雇用保障・雇用終了に関する法規制と法理論について検討する。労働契約の終了事由としては，①解雇（使用者による解約），②辞職（労働者による解約），③合意解約，④定年，⑤当事

---

2)　経済学では，企業内における資源配分の決定が，通常の市場（外部労働市場：external labor market）取引によって決まるメカニズムとは異なることに着目し，これを内部労働市場（internal labor market）と呼んでいる。

者の消滅，⑥有期労働契約の期間満了，⑦休職期間満了がある。本章では，①～⑤を検討し，⑥については，有期契約の中途解約の問題も含め，第18章非典型（非正規）雇用（→533頁以下）で，⑦については，第15章人事の休職（→483頁）で取り扱う。

第2節　解　雇

労働契約は期間の定めのある契約（有期労働契約）と期間の定めのない契約（無期労働契約）に二分される。有期労働契約は期間満了によって自動的に（当事者による解約という措置を要せずに）終了する。これに対して，無期労働契約の場合は，当事者の一方による解約の意思表示（解約告知）または合意解約によって終了する。使用者の行う解約告知が解雇である。

▩諸外国における解雇規制　諸外国の解雇規制を検討すると，解雇規制は，①解雇手続規制（典型的には解雇予告規制），②解雇禁止規制（典型的には差別的解雇の禁止），③正当事由を欠く解雇の規制の3つに整理できる[3]。日本における解雇規制も以下検討するⅠとⅢの解雇予告規制は①に，Ⅱの解雇の禁止に関する規制が②に，Ⅳの解雇権濫用法理が③に位置づけられる。

①解雇手続規制違反の救済は損害賠償等，軽微な救済となるのが一般で（もっとも，フランスやスペインでは一定の手続違反解雇は無効とされる），改めて手続を遵守した解雇がなされれば当該解雇は適法となる。②解雇禁止規制違反の解雇は無効とされ，救済としては復職が原則となる。これに対して，③正当事由を欠く解雇についての救済は，復職のみならず，雇用関係は復活させずに金銭的補償を命ずる救済も可能とするのが一般で，実務上は金銭補償が原則的救済となっている国が多い。

①～③のすべてを規制するのが世界標準といってよい。これに対して，アメリカは，②（性別や皮膚の色等）差別的事由による解雇を禁止する以外は，①解雇予告規制（WARN法により大量解雇の場合には60日の予告を要求するのみで，一般には解雇予告なく解雇が可能）も，③正当事由規制も行わず，解雇自由（随意雇用 employment at will）原則を維持しており，極めて例外的存在である。解雇に正当事由を要せず解雇自由原則が維持されていることはアメリカの雇用関係や労働法理論に大きな影響を与えている[4]。

3）菅野和夫＝荒木尚志編『解雇ルールと紛争解決——10ヵ国の国際比較』446頁以下（2017年）参照。

4）荒木・雇用システム18頁以下。

I　民法における解雇の自由と解約告知期間

民法627条1項によると，「当事者が雇用の期間を定めなかったときは，各当事者は，いつでも解約の申入れをすることができる。この場合において，雇用は，解約の申入れの日から2週間を経過することによって終了する」とされている。本条項は，2週間の予告期間をおくことにより，使用者・労働者いずれからも，いつでも，そして何らの理由も必要なく，雇用契約を解約できることを定めている。つまり，労働者の「辞職の自由」とともに，使用者の「解雇の自由」を定めた規定ということになる5)。

戦後，民法上の2週間の解雇予告期間は労基法の規制によって30日に延長され，また，解雇自由の原則については，労基法をはじめとする種々の労働法規が一定期間・一定事由による解雇禁止を導入するなどの修正を行っている。しかし，解雇禁止事由に該当しない限り，なお解雇自由の原則自体は維持されていた。このような状況の下で，雇用保障を法的に支えたのは，裁判所が形成・確立した「解雇権濫用法理」と呼ばれる判例法理であった。そして，この判例法理は，2003（平成15）年労働基準法改正によって同法18条の2として明文化されるに至り，さらに同条は労働契約法制定により，同法16条に移行された6)。

■期間によって報酬を定めた場合の解約告知期間　期間によって報酬を定めた場合，使用者からの解約申入れは次期以後についてなし得，その申入れは当期の前半にしなければならず（民627条2項），6ヶ月以上の期間によって報酬を定めた場合の解約申入れは3ヶ月前にしなければならない（同3項）とされている。

2017（平成29）年民法改正まで，民法627条2項，3項は使用者のみならず労働者にも適用される規定ぶりであった。そうすると，例えば年俸制労働者の解約申入れは3ヶ月前にしなければならず，労働者の辞職に対する過度の制約となり，適切でない。そこで，2017年民法改正（2020年4月1日施行）により，民法627条2項，3項は使用者による解約にのみ適用する文言に改められた。したがって，期間によって報酬を定めた場合であっても，労働者の辞職は民法627条1項により2週間前の予告で可能である。他方，民法上，

---

5)　民法の起草者は，期間の定めのない雇用契約の当事者は永久に契約関係が存続することは望まないのが通常として，当事者に解約の自由を与えたものとしている。梅謙次郎『民法要義巻之三債権編』693頁（1912年，復刻版1984年），土田編・債権法改正79頁［根本到］参照。

6)　解雇規制の史的展開の詳細については濱口686頁以下，大竹文雄ほか編『解雇法制を考える』（増補版）3頁［山川隆一］（2004年）参照。

使用者については2017年改正前の規定と同内容が維持されたことになるが，使用者の解約告知に関する民法627条2項，3項は，2017年改正前より，労基法20条によって完全に排除されたと解する立場が有力である[7]。解雇予告期間については，民法の特別法として労基法20条が予告手当，付加金，罰則等を伴う解雇予告制度を確立しており，その予告期間も30日と相当の期間を要求していること（→338頁），2017年民法改正は，労働者について2週間以上の予告期間を要求することによる辞職の過度の制約を改めたほかは，現状通りの規定を維持する趣旨の改正であること，元々民法制定当時，解約は自由であり，突然の解約による不利益から保護するために解約予告が設けられていたが，現在は，解雇の効力自体を解雇権濫用法理（労契16条）で争うことができること，解雇予告制度はいたずらに複雑でなく，明瞭であるべきこと等を踏まえると，労基法の適用除外となる場合（労基116条2項）を除き，解雇の予告期間については，民法627条2項，3項の適用はなく，労基法20条によって一元的に規制されると解すべきであろう[8]。

なお，2017年民法改正による626条では，雇用の期間が5年を超え，または，期間の終期が不確定であるときは，5年経過後は，当事者はいつでも解除可能であり，その場合の予告期間は使用者は3ヶ月，労働者は2週間とされた（民626条1項，2項[9]）。

Ⅱ　一定期間・一定事由における解雇の禁止

民法における解雇の自由原則については，労基法をはじめ種々の労働法規が部分的に一定期間・一定事由による解雇を制限してきた。

第1に，労基法19条は，業務災害の場合[10]の療養休業期間中およびその後の30日，そして，産前産後休業期間中およびその後の30日について解雇を原則禁止している。本条の趣旨は，労働者が解雇後の就業活動に困難を来すような一定期間の解雇を制限し，労働者が生活の脅威を被ることのないようにしたものである。後述する一定事由を理由とする解雇とは異なり，解雇の理由を問題とすることなく（また，仮に他の解雇事由が備わっていたとしても，次述する除外事由

7）　安枝＝西村・労基法452頁，注釈労基法（上）358頁［森戸英幸］，下井・労基法211頁等。これに対して土田・契約法303頁，水町・詳解952頁は，民法627条3項は適用され，年俸制の場合，3ヶ月の予告が必要とする。

8）　以上につき，ほぼ同旨，山本豊編『新注釈民法⒁債権⑺』93頁［山川隆一］（2018年）。我妻栄『債権各論中巻二（民法講義 V_3）』591頁（1962年），菅野781頁も参照。

9）　労基法14条により5年超の有期労働契約は締結し得ないので，改正民法626条は不確定期限による有期契約についてのみ意味がある。

10）　労基法19条1項にいう「業務上」とは労災補償制度における「業務上」判断と同じであり，当該うつ病は業務に内在する危険が現実化して発症したものとして休職期間満了による解雇を19条1項により無効とした事例として東芝（うつ病・解雇）事件・東京高判平成23・2・23労判1022号5頁。同趣旨の裁判例として医療法人健進会事件・大阪地判平成24・4・13労判1053号24頁，アイフル（旧ライフ）事件・大阪高判平成24・12・13労判1072号55頁。

に該当しない限り），解雇禁止期間中の解雇が無効となる[11]。休業期間に加えて30日について解雇を禁止している趣旨は，この期間中に解約という効果が発生することを禁止したもので，この期間中でも解約告知（予告）自体はなし得る（例えば，休業期間終了時に，その後30日経過後に解約となる解約告知を行うことは可能）と解されている。反対説もあるが，かかる解釈が労基法自身が「解雇」と「解雇の予告」を区別していることとも整合的である[12]。

この解雇制限は，業務災害により労基法75条によって療養補償を受ける労働者が，療養開始後3年を経過しても治癒（症状固定）せず，使用者が労基法81条の打切補償（平均賃金1200日分）を行った場合，および天災事変その他やむを得ない事由のために事業の継続が不可能となった場合（労基19条1項但書）には適用されない。前者の打切補償制度は，労基法81条によると，労働基準法上の災害補償（労基75条）を行う使用者についてしか規定されていない。そこで，労基法上の使用者自身による療養補償ではなく，労災保険法による療養補償給付を受給する労働者についても（今日ではほとんどの場合そうである），使用者が打切補償を行うことで労基法19条1項但書により解雇制限が解除されることになるかが問題となる。下級審は，労基法75条の補償を受ける労働者を対象とする「第81条の規定によつて打切補償を支払う場合」という文言をそのままに解して，これを否定した。しかし，最高裁[13]は，労災保険制度は使用者による災害補償に代わる保険給付を行う制度であり，災害補償に代わるものとして労災保険法に基づく保険給付が行われている場合には，これによって実質的に災害補償が行われているものといえ，使用者自らの負担により災害補償が行われている場合と労災保険法に基づく保険給付が行われている場合とで労基法19条1項但書の取扱いを異にする理由はなく，そう解しても労働者の保護を欠くこともないとして，19条1項但書の適用を肯定し，打切補償解雇を可能とした。ただし，解雇禁止が解除され，可能となった解雇に対する解雇権

11）　業務上疾病により休職となり，休職期間満了により（解雇ではなく）自動退職となる場合についても，業務上疾病による療養休業であれば，19条の類推適用により退職扱いは無効となるとするものとしてアイフル（旧ライフ）事件・前掲注10，エターナルキャストほか事件・東京地判平成29・3・13労判1189号129頁等がある。

12）　寺本・労基法193頁，労基局（上）289頁，菅野779頁，注釈労基法（上）355頁［野田進］等参照。

13）　学校法人専修大学事件・最二小判平成27・6・8民集69巻4号1047頁。

濫用審査は別途必要となるが，労働基準法81条による打切補償がなされた場合は，客観的に合理的理由が認められ，特段の事情のない限り，社会通念上も相当と認められる[14]。後者の天災事変等の場合，やむを得ない事由について行政官庁（労働基準監督署長）の認定が必要である（労基19条2項）。もっとも，この除外認定を受けていない場合，本条違反の刑事上の責任（労基119条1号）は生ずるが，客観的に除外事由が備わっていれば解雇の民事上の効力には影響しない[15]。

第2に，特定の事由を理由とする不利益取扱いを禁止する種々の労働法規が設けられており，その一環として当該事由を理由とする解雇が無効とされる。具体的には，①差別禁止事由等を理由とする解雇禁止として，労基法3条（国籍・信条・社会的身分による差別的取扱い），労働組合法7条（労働組合員であること等を理由とする不利益取扱い），男女雇用機会均等法6条4号，9条（男女差別解雇，女性の婚姻・妊娠・出産・産前産後休業を理由とする解雇），パート有期法9条（通常労働者と同視されるパート・有期労働者に対する不利益取扱い），②労働保護法違反の申告等に対する報復的解雇を禁止する一連の規定（労基104条2項，労安衛97条2項，じん肺法43条の2第2項，賃確法14条2項，船員法112条2項，港湾労働法44条2項等），③権利行使に対する報復的解雇に関わるものとして，男女雇用機会均等法17条2項（紛争解決援助を求めたことに対する報復解雇），育児介護休業法10条，16条，16条の4，16条の7，16条の10，18条の2，20条の2，23条の2（育児介護休業法上の権利行使に対する報復解雇），個別労働関係紛争解決促進法4条3項，5条2項（紛争解決援助を求めたこと，あっせん申請をしたことに対する報復解雇），公益通報者保護法3条（公益通報をしたことに対する報復解雇），労働施策総合推進法30条の2第2項（パワハラに関する相談を行ったことに対する報復解雇）等がある。

14）　アールインベストメントアンドデザイン事件・東京高判平成22・9・16判タ1347号153頁［打切補償制度の濫用といえる特段の事情のない限り，労基法81条の打切補償をした上での解雇は合理的理由があり社会通念上も相当とした］，学校法人専修大学事件・東京高判平成28・9・12労判1147号50頁（同・最一小決平成29・7・27 LEX/DB25546885で上告棄却・不受理で確定）［業務上の疾病による労務不提供は自己の責めに帰すべき事由による債務不履行とはいえないが，その場合であっても，労基法81条の要件を満たし，同条による打切補償がされたときは，解雇までの間において業務上の疾病の回復のための配慮を全く欠いていたというような特段の事情がない限り，当該解雇は社会通念上も相当と認められるとし，解雇有効と判断］。

15）　昭和63・3・14基発150号。

Ⅲ　解雇予告

1　30日間の解雇予告・予告手当

労基法20条は解雇に際して30日の予告を要求している。民法627条1項の解雇予告2週間を延長し，かつ，これを罰則で担保したものである。解雇予告期間は予告手当の支払により短縮することができる。予告手当の額は，予告を短縮した日数分の平均賃金となる（労基20条1項，2項）。例えば，解雇予告を10日間短縮して20日前にする場合には，平均賃金10日分の予告手当支払が必要となる。

この解雇予告規制の例外，すなわち即時解雇が可能なのは，①天災事変その他のやむを得ない事由のために事業の継続が不可能となった場合，②労働者の責に帰すべき事由に基づいて解雇する場合である。これらの場合に即時解雇を行うには，行政官庁の認定が必要であり，違反には罰則の適用もある（労基20条3項，119条1号）。ただし，除外認定を経ない即時解雇の民事上の効力について，通説・判例は労基法19条2項の解釈と同様に，手続違反は解雇や予告手当の効力に直結しないと解している[16)]。

なお，解雇予告義務規定は，次の者には適用されない。すなわち，1）日々雇い入れられる者（1ヶ月を超えて引き続き雇用される場合は適用），2）2ヶ月以内の有期契約で使用される者（2ヶ月を超えて引き続き雇用される場合は適用），3）季節的業務に4ヶ月以内の有期契約で雇用される者[17)]（4ヶ月を超えて引き続き雇用される場合は適用），4）試用期間中の者（14日を超えて引き続き使用される場合は適用）である（労基21条）。

---

16)　労基局（上）327頁，石井231頁，菅野782頁，日本通信社福岡支局事件・最三小決昭和29・9・28ジュリ70号50頁（本判決の意義については萩澤清彦・百選（初版）204頁参照），共同タクシー事件・横浜地判昭和40・9・30労民集16巻5号670頁，旭運輸事件・大阪地判平成20・8・28労判975号21頁［労働者の責に帰すべき事由があれば，除外認定を受けていなくとも予告手当支払義務は生じないとした］。

17)　2），3）に規定された以外の有期契約労働者については解雇予告義務が課されている。しかしこれは，あくまで有期契約の期間中途の解雇に関する予告の問題であり，解雇ではない期間満了による契約終了の予告が問題となっているのではない。このことを前提に，労基法14条2項に基づく大臣告示は，一定の場合に期間満了の予告について別途，定めを置いている（→569頁）。期間中途の解雇は，やむを得ない事由がある場合にしか許容されない（労契17条1項）ため，その要件が満たされる場合は，労基法20条1項但書で解雇予告が不要とされることが多いであろう。

2 解雇予告義務違反の解雇の効力

労基法20条に反して，解雇予告を行わず，あるいは予告手当を支払わずに行った解雇の効力については議論がある。

(1) 絶対的無効説

労基法20条は強行規定であるので，当然無効と解するのが絶対的無効説である[18]。しかし同説に対しては，付加金を定めた労基法114条の存在と矛盾するとの批判が生じた。すなわち，労基法114条が労基法20条違反に対して付加金を予定しているということは，20条（解雇予告義務）違反の場合に予告手当を請求できることを前提としているはずである。しかし，絶対的無効説では，当該解雇は無効となり効力を生じないのであるから，使用者が支払わねばならない未払金（予告手当）は存在せず，これと同一額の付加金も存在しないことになる。したがって，同説は，これが存在することを前提とする労基法114条の規定と矛盾すると批判されている。

(2) 有 効 説

そこで，労基法20条違反に対しては使用者に罰則の適用があり，労働者は予告手当と付加金の請求をなし得るが，解雇自体は有効とする有効説が主張された[19]。この説によると，労基法の条文の中で20条のみが強行規定でないことになりおかしいと批判された。もっとも，最近，解雇の有効・無効を20条の枠内でのみ論ずることに無理があるとして，有効説を再評価する見解も主張されている[20]。

(3) 相対的無効説

こうした中で行政解釈[21]が主張し，最高裁で採用されたのが，相対的無効説と呼ばれる立場である。すなわち，細谷服装事件[22]では，使用者が解雇予告も予告手当支払もすることなく労働者を昭和24年8月4日に即時解雇したため，労働者が未払賃金，解雇予告手当支払を求めて提訴したところ，使用者は一審の口頭弁論終結日（昭和26年3月19日）に未払賃金と解雇予告手当，遅延利息を支払った。労働者は，このような事後的手当支払があっても即時解雇

18) 寺本・労基法197頁。
19) 西村信雄「解雇と労基法第二十條」法律文化3巻10＝11＝12号101頁（1948年）。
20) 注釈労基法（上）362頁［森戸英幸］，水町・詳解955頁。
21) 昭和24・5・13基収1483号。
22) 細谷服装事件・最二小判昭和35・3・11民集14巻3号403頁。

は無効であるとして，昭和26年3月まで従業員たる地位を有することを前提に未払賃金および労基法114条の付加金を請求した。これに対し，最高裁は「使用者が即時解雇を固執する趣旨でない限り，通知後同条所定の30日の期間を経過するか，または通知後に同条所定の予告手当の支払をしたときは，そのいずれかのときから解雇の効力を生ずる」とし，昭和24年9月3日の経過とともに解雇の効力が生じたとする原審判断を正当とした。

この説に対しては，即時解雇に固執したかどうかの判定が困難であり，通常の場合，使用者が放置していれば30日後には無効であった解雇が有効に転換してしまい，あまりに便宜的に過ぎるという批判がある[23)]。

(4) 選択権説

これらの学説の欠点を克服すべく主張されているのが選択権説である。同説によると，使用者が即時解雇事由がないにもかかわらず，予告期間を置かず予告手当も支払わずに解雇した場合，労働者は解雇無効の主張をするか，それとも解雇有効を前提に予告手当の請求をするかを選択できるとする。同説には，いつまでにその選択権を行使すべきなのかが不明確[24)]という問題点があるとされるが，予告手当は労基法の消滅時効（労基115条）に服すると解され，解雇無効をいつまで主張できるかは，出訴期間の定めがないという解雇手続一般の問題と共通のものである。現在，学説の多数がこの立場を支持し[25)]，下級審裁判例[26)]にもこの立場を採ったものがある。

23）　この点，プラス資材事件・東京地判昭和51・12・24判時841号101頁は，解雇が30日経過により効力を発生した時点において，使用者は予告手当を支払うべき公法上の義務を負担するに至るとする。なお，即時解雇され，労働者が就労しなかった場合，本来30日経過するまでの賃金も労務を提供していないので得られないことになるという問題点の指摘もあるが，この点は，解雇通知をされて，労働者が就労を断念したこともやむを得ないと評価できる事情があれば，使用者の責めに帰すべき履行不能（民536条2項）として賃金請求権を認めることは可能であろう。

24）　有泉・労基法167頁は，相当期間内に選択権を行使しない場合，解雇の無効を主張することができず，予告手当の請求しかできなくなるとする。

25）　野田進「解雇」現代講座10巻222頁，菅野782頁注11，下井・労基法212頁，土田・契約法655頁等。

26）　セキレイ事件・東京地判平成4・1・21労判605号91頁。

Ⅳ　解雇権濫用法理

1　解雇権濫用法理の形成と確立

2003年に至るまで，労基法をはじめとする労働法規は，解雇禁止事由を定めて，一定の場合に解雇を制限してきたが，それ以外の場面では，法律上は解雇の自由原則を維持してきた。諸外国では，解雇に正当事由を要するとの解雇制限立法が制定されてきたのと対照的であった。

しかし，労働力が過剰であった戦後の混乱期にあって，解雇は文字通り生活の糧を奪われることを意味し，労働者およびその家族に深刻な影響をもたらした。そこで労働組合は労働者の雇用確保を最優先の課題とし，解雇には激しく抵抗した。このような状況を受けて，裁判所は，法律上は自由であるはずの使用者の解雇権行使を制限する裁判例を積み重ねていった。

その際の理論構成については，当初，解雇には正当事由が必要であり，正当事由を欠く解雇は無効とする「正当事由説」と，解雇権の行使が濫用と評価される場合，解雇は無効となるとする「権利濫用説」の両説が見られた。正当事由説には実定法上の根拠がないという点で理論上の問題があった。また，立証責任については，正当事由説では使用者側が正当事由を立証すべきところ，権利濫用説だと労働者側が負うこととなると考えられたが，裁判実務では，訴訟における立証活動は使用者により多くを負担させる運用がなされてきた（→367頁）。その結果，立証活動における労働者側のデメリットは問題とならなくなり，法的構成としては無理のない権利濫用説が下級審裁判例の大勢となっていった。

こうした情勢の下で，最高裁も下級審で形成定着してきた権利濫用説を採用し，日本食塩製造事件[27]で，解雇権の行使が「客観的に合理的な理由を欠き社会通念上相当として是認することができない場合には，権利の濫用として無効となる」と判示し，「解雇権濫用法理」が判例上確立することになる[28]。

2　解雇権濫用法理の成文化

判例上確立した解雇権濫用法理は，日本の雇用システムの根幹を形成する最

27）　日本食塩製造事件・最二小判昭和50・4・25民集29巻4号456頁。

28）　判例・学説の展開の詳細については新基本法コメ・労基・労契法422頁以下［荒木尚志］参照。

も重要なルールとなった。しかし，制定法上は依然として，Ⅱで述べた場面を除いて解雇の自由が原則として維持されており，ルールの透明性の点で大きな問題があった。そのため，研究者の間では解雇法理の立法化の必要が主張されていたが[29]，立法化の気運はなかなか高まらなかった。

こうした中，1999年頃から，規制緩和を主張する規制改革委員会や総合規制改革会議により，特に整理解雇を緩やかに認めるように解雇ルールの立法化を求める主張がなされ，他方，労働側はより雇用保障に手厚い解雇ルールの法制化を主張した。こうして，全く異なる内容を想定しつつも解雇ルールの立法作業が開始された。政府案の骨格を決める厚生労働省労働政策審議会労働条件分科会では整理解雇法理の立法化の是非，解雇の金銭解決の是非等も議論されたが，最終的には，確立している解雇権濫用法理の根幹部分のみをそのまま立法化することとなった。

当初，政府法案には，解雇権濫用法理の記述の前に「使用者は，この法律又は他の法律の規定によりその使用する労働者の解雇に関する権利が制限されている場合を除き，労働者を解雇することができる。ただし……」という文言があった。しかし，この部分が解雇は自由であるとの誤ったアナウンスメント効果を持つ，解雇の合理的理由についての立証責任を実際上使用者側に負わせている従来の訴訟実務を変更することになる，との危惧が示され，国会審議においてこの部分が削除された。こうして，2003（平成15）年労基法改正によって「解雇は，客観的に合理的な理由を欠き，社会通念上相当であると認められない場合は，その権利を濫用したものとして，無効とする」という18条の2が新設された。同条はその後，2007年労契法制定により同法16条に移行されて現在に至っている[30]。

▩解雇制限違反の解雇と解雇権濫用法理の関係　解雇権濫用法理は，解雇権の存在を当然に前提としている。したがって，当初の政府法案が明記していたように，解雇権濫用法理に関する労契法16条は，法律によって解雇権が制限されている場合以外に適用されるものである。法律上，解雇権が制限されている場合（→335頁。労契法17条1項のやむを得ない事由の存しない有期契約労働者の期間途中の解雇もこれと同様に解することができる→543頁）の解雇は，端的に当該規制に反して（労契法16条の濫用判断を経ることなく）無効

29)　米津孝司「解雇権論」学説史688頁参照。

30)　詳細については山川隆一「労基法改正と解雇ルール」ジュリ1255号48頁（2003年），根本到「解雇権濫用法理」争点74頁。

となると解される。

3　解雇権濫用法理の内容

解雇権濫用法理は，裁判所が明確に認識しているかどうかは別として，①客観的に合理的な理由の存在と，②解雇が社会通念上相当であること，という2つの柱から構成されていると整理して理解することができる[31]。

(1)　客観的合理的理由の要求

学説は合理性が認められる解雇理由としては，1）労働者側に起因するものとして，労働者の労務提供不能や適格性の欠如，および，労働者の規律違反等の非違行為，2）使用者側に起因するものとして，経済的理由による解雇（整理解雇），そして3）前述の日本食塩製造事件最高裁判決でも認められているユニオン・ショップ協定に基づく解雇（ユニオン・ショップ解雇），を挙げることができる。2）（→351頁），3）（→668頁）については，それぞれ各所で検討するので，以下では，1）労働者側に起因する事由について敷衍する。

ｉ）私傷病による労務提供不能　まず，私傷病による労働者の労務提供不能がある[32]。労働者が業務上の傷病にかかった場合，その療養期間およびその後の30日は解雇が禁止されている（労基19条）のに対して，業務外の傷病（私傷病）によって労働能力を喪失した場合は，基本的に合理的解雇理由となる[33]。

31）　近時の裁判例でこの立場にしたがったものとして，学校法人D学園事件・東京高判平成29・10・18労判1176号18頁。

32）　近年の分析として水島郁子「疾病労働者の処遇」講座21世紀7巻127頁，小宮文人『雇用終了の法理』175頁以下（2010年），畑井清隆「障害・病気と解雇」野田進ほか編『解雇と退職の法務』199頁（2012年），石﨑由希子「疾病による労務提供不能と労働契約関係の帰趨(1)」法協132巻2号201頁（2015年）等。

33）　東京電力（解雇）事件・東京地判平成10・9・22労判752号31頁［身体障害等級1級の嘱託社員を勤務に耐えられないとしてなされた解雇を有効］，北海道龍谷学園事件・札幌高判平成11・7・9労判764号17頁［半身不随となった保健体育教師の解雇を有効］，岡田運送事件・東京地判平成14・4・24労判828号22頁［脳梗塞を発症し，休職期間に回復する見込みもないとして休職に付すことなくなされた解雇を有効］，独立行政法人N事件・東京地判平成16・3・26労判876号56頁［復職を認めるべき健康状態に回復せずとして解雇有効］，横浜市学校保健会事件・東京高判平成17・1・19労判890号58頁，阪神電気鉄道事件・大阪地決平成19・9・12労判951号61頁［腰部障害のあるバス運転手の解雇事例］，カール・ハンセン&サンジャパン事件・東京地判平成25・10・4労判1085号50頁［ギラン・バレー症候群・無顆粒球症で就労不能であった者に，本人の要望に対応して1年7ヶ月間，解雇を見あわせていた後の解雇を有効］等。

もっとも，早期に傷病からの回復が見込まれる場合や，休職等の解雇回避措置をとることなく解雇に訴えた場合には，解雇権濫用と評価される可能性が高い[34]。

なお，当初，当事者間で私傷病扱いされていても，客観的に業務上災害と評価されれば，労基法19条の解雇制限が適用される。近時，うつ病に罹患した労働者を私傷病として休職扱いし，休職期間満了によって解雇ないし退職扱いとした事例について，業務上災害によるものとして19条の（類推）適用により無効とする裁判例が注目を集めている[35]。

ii）規律違反・職務懈怠　職場秩序に反する非違行為や職務懈怠（遅刻・早退・欠勤），勤務態度不良も解雇の合理的理由に当たる[36]。職場における暴言やセクシュアル・ハラスメント等，職場規律違反行為を理由とする解雇を有効とした例は多数ある[37]。また，業務命令違反については，普通解雇が有効とされた例が多数あり[38]，重大な場合には懲戒解雇も認められている[39]。

34）全日本空輸（退職強要）事件・大阪高判平成13・3・14労判809号61頁［業務上疾病の症状固定後，復職するに際して，能力低下を理由に，復帰準備期間等を提供せずになされた解雇を無効］，K社事件・東京地判平成17・2・18労判892号80頁［躁うつ病の労働者に対して回復可能性を確認せずになされた解雇を無効］，J学園事件・東京地判平成22・3・24労判1008号35頁［うつ病に罹患した教員に回復可能性があったとして解雇無効］，綜企画設計事件・東京地判平成28・9・28労判1189号84頁［うつ病による休職後，試し出勤中になされた休職期間満了による退職扱い・解雇が，なお相当期間内に通常業務可能な程度に回復が見込まれる状況にあったとして解雇無効］等。

35）東芝（うつ病・解雇）事件・前掲注10，アイフル（旧ライフ）事件・前掲注10，医療法人健進会事件・前掲注10，学校法人武相学園事件・東京高判平成29・5・17労判1181号54頁等。

36）これらの事案に関する分析として山下昇「労働者の適格性欠如と規律違反行為を理由とする解雇」野田ほか編・前掲注32・177頁。

37）比較的最近の事例として，東栄精機事件・大阪地判平成8・9・11労判710号51頁［会社コンピュータのデータ無断消去，持ち出し，暴言等を理由とする解雇］，大通事件・大阪地判平成10・7・17労判750号79頁［取引先の従業員に対し暴行脅迫，危険行為，暴言等をなし，得意先の器物を損壊し，休職処分に対して反抗的態度を示し職務命令に従わない労働者の解雇］，F製薬事件・東京地判平成12・8・29判時1744号137頁［部下の女性らに対するセクシュアル・ハラスメント行為を理由とする解雇］等。

38）昭和アルミニウム事件・大阪地判平成11・1・25労判763号62頁［出向先の業務指示に再三従わず，投げやりな態度に出た管理職の解雇］，西井運送事件・大阪地判平成8・7・1労判701号37頁［長距離輸送運転手から臨時に運転業務に従事する現場作業員に配転された労働者による5回にわたる乗務命令拒否を理由とする解雇］，パワーテクノロジー（解雇）事件・東京地判平成16・1・14労判875号78頁［出勤停止処分後に再度業務命令違反した管理職の

iii）能力不足，成績不良，勤務態度不良，適格性の欠如　能力不足，成績不良や勤務態度不良，適格性の欠如等も解雇の合理的理由となる。これはとりわけ，管理職や高度専門職等，職務を特定して採用された労働者が，その期待された職務遂行能力を欠いていたような場合に典型的に認められる[40)]。

また，成績不良や勤務態度不良にもかかわらず，反省せずに改善が見られない場合等も解雇有効とする事案が多数ある[41)]。しかしながら，こうした労働者が反省し，反抗的でない場合，裁判例は一般に，能力不足や成績不良については，その程度が重大なものか，改善の機会を与えたか，改善の見込みがないのか等について慎重に吟味している。やや古い裁判例では「勤務成績や能率が

解雇］，三菱重工事件・東京地判平成28・1・26労経速2279号3頁［元の事業所への復職を拒否したためになされた解雇］等。

39）ハネウェルジャパン（解雇）事件・東京地判平成19・12・14労判957号26頁，ハイクリップス事件・大阪地判平成20・3・7労判971号72頁等。

40）解雇を有効とした例として，フォード自動車事件・東京高判昭和59・3・30労判437号41頁［外資系会社の人事本部長としての地位を特定して中途採用された従業員を下位職位への配転を試みることなくなされた解雇］，プラウドフットジャパン事件・東京地判平成12・4・26労判789号21頁［年俸770万円で外資系企業にスペシャリストとして中途採用された労働者の解雇］，朝日新聞社（歯科医師解雇）事件・大阪地判平成13・3・30労経速1774号3頁［患者からの苦情，技量不足，診療報酬不正請求等のあった企業内診療所の歯科医師の解雇］，ヒロセ電機事件・東京地判平成14・10・22労判838号15頁［即戦力として中途採用した品質管理部主事の勤務成績不良による解雇］，F病院事件・福井地判平成21・4・22労判985号23頁［診療開始時間の不遵守，患者とのトラブル等のあった医師の解雇］等。

41）日本メタルゲゼルシャフト事件・東京地決平成5・10・13労判648号65頁［勤務態度不良・職場適応の意思なしとしてなされた解雇］，日水コン事件・東京地判平成15・12・22労判871号91頁［長期間の成績不良・人間関係のトラブルを理由とする解雇］，日本ストレージ・テクノロジー事件・東京地判平成18・3・14労経速1934号12頁［再三の注意にも反省・改善なしとしてなされた解雇］，セコム損害保険事件・東京地判平成19・9・14労判947号35頁［入社当初からの職制・会社批判等の問題行動，職場の人間関係の軋轢を招く勤務態度を理由とする解雇］，三菱電機エンジニアリング事件・神戸地判平成21・1・30労判984号74頁［処分を受けても勤務態度を改めない労働者の解雇］，トムの庭事件・東京地判平成21・4・16労判985号42頁［再三の注意にも改善なき美容院店長の解雇］，日本ヒューレット・パッカード（解雇）事件・東京高判平成25・3・21労判1073号5頁［勤務態度不良が5年にわたる指導・教育によっても改善しなかった事例］，富士ゼロックス事件・東京地判平成26・3・14労経速2211号3頁［警告や研修等の機会を経ても能力上の問題性が改められなかった例］，日本コクレア事件・東京地判平成29・4・19労判1166号82頁［上司に対する反抗的態度をとり続ける労働者に対する解雇］，東芝総合人材開発事件・東京高判令和元・10・2労判1219号21頁［指示命令に従わない状態を継続した労働者に対する解雇］，山崎工業事件・静岡地沼津支判令和2・2・25労判1244号94頁［安全意識を高めることが期待できず重大事故を再び発生させるリスクのある労働者の解雇］等。

不良であることを理由として解雇する場合には，使用者においてその是正のための努力をし，それにもかかわらず，なおその従業員を職場から排除しなければ適正な経営秩序が保たれない場合に始めて解雇が許される」と判示するものがある[42]。また，就業規則の「労働能率が劣り，向上の見込みがない」に該当するためには，人事考課が平均的水準に達しない事実だけでは不十分で，「著しく労働能率が劣り，しかも向上の見込みがないときでなければならない」として，下位10％未満の考課順位であった者の解雇を無効とした例[43]，「技能発達の見込みがないと認めたとき」という就業規則条項に基づく解雇につき，解雇に値するほど技能発達の見込みがないとはいえないとして無効とした例[44]，などがある。

これに対して，外資系の転職市場において，いわゆるジョブ型雇用，すなわち，職務内容を特定し，求められる能力について明確に説明して雇用された労働者について，能力不足等が判明した場合の解雇権濫用判断は，従来の日本企業に一般的な，いわゆるメンバーシップ型雇用，すなわち，職務内容等を特定せず，能力開発を企業が引き受けているとみられてきた場合に比して，緩和されうる[45]。なお，外資系企業で，業務改善プログラム（PIP）を経た上で能力不足として解雇した事案でも，当該能力低下が，労働契約の継続を期待することができない程に重大か，改善矯正を促し，努力反省の機会を与えたのに改善されなかったか等，今後の指導による改善可能性の見込みの有無等を総合考慮すべしとして解雇を無効とした例がある[46]。しかし同事件は，当該外資系企業で必要とされる能力について説明することなく，日本企業と同様，就業規則

42）　リオ・テイント・ジンク（ジャパン）事件・東京地決昭和58・12・14労判426号44頁［ただし，当該事件では解雇を有効とした］。ほぼ同旨を説いて解雇無効とした例としてエース損害保険事件・東京地決平成13・8・10労判820号74頁。

43）　セガ・エンタープライゼス事件・東京地決平成11・10・15労判770号34頁。

44）　森下仁丹事件・大阪地判平成14・3・22労判832号76頁。

45）　注40掲記のフォード自動車事件，プラウドフットジャパン事件などが典型であるが，近時の例として，ドイツ証券事件・東京地判平成28・6・1労判ジャーナル54号39頁［職種限定契約で即戦力となる上級専門職として中途採用され，月例賃金300万余円，裁量賞与が1億6000万円から500万円と変動して支払われた労働者が，期待される能力を有していなかった場合に，他職種配転等の解雇回避措置なしになされた解雇を，合理性も社会的相当性もあり有効とした］。

46）　ブルームバーグ・エル・ピー事件・東京高判平成25・4・24労判1074号75頁。同事件については荒木尚志「能力不足を理由とする解雇」百選（9版）148頁参照。

で能力・能率の「改善の見込みがないと判断される場合」に解雇しうると定めていた事案であった。

(2) 社会的相当性の要求

合理的な解雇理由が備わっているとしても，裁判所はさらに，当該解雇事由に対して解雇をもって臨むことが社会的に相当か，過酷に過ぎないかという観点から審査を行っている。このことを示したのが高知放送事件判決[47]である。この事件では，アナウンサーが2週間余の間に寝過ごしによって早朝の定時ニュースを2回放送できないという事故を起こし解雇された。しかし，最高裁は，「普通解雇事由がある場合においても，使用者は常に解雇しうるものではなく，当該具体的な事情のもとにおいて，解雇に処することが著しく不合理であり，社会通念上相当なものとして是認することができないときには，当該解雇の意思表示は，解雇権の濫用として無効となる」と判示し，当該解雇を権利濫用・無効とした原審判断を支持した。この事件で典型的に示されているように，裁判所は労働者に有利な事情を極力考慮して，解雇事由に照らし解雇をもって臨むことの妥当性，他の労働者との均衡，手続の妥当性等，解雇の社会的相当性を厳格に審査し，解雇を厳しく制限する態度を採っている[48]。ただし，労働者の側に非違行為についての反省がなく，信頼関係を破壊するような行為があった場合には，裁判所は解雇権濫用を認めない傾向も見られる[49]。

47) 高知放送事件・最二小判昭和52・1・31労判268号17頁。

48) 明治ドレスナー・アセットマネジメント事件・東京地判平成18・9・29労判930号56頁［業務活動費の不正経費請求を理由とする解雇］，トラストシステム事件・東京地判平成19・6・22労経速1984号3頁［パソコンのIPメッセンジャー機能を利用し6ヶ月間に1700件余の私的やりとりを行った事例］，Y大学事件・札幌地判平成22・11・12労判1023号43頁［アカデミックハラスメントを理由とする諭旨解雇ないし懲戒解雇が行為と処分の均衡を欠くとされた］等。これに対して，小野リース事件・最三小判平成22・5・25労判1018号5頁は，飲酒癖のある勤務態度不良の取締役部長の解雇につき，解雇以外の方法を講じて勤務態度を改善する機会を与えておらず不法行為に当たるとした原審判断を覆して，不法行為の成立を否定した。

49) 例えば，学校法人敬愛学園事件・最一小判平成6・9・8労判657号12頁，大通事件・大阪地判平成10・7・17労判750号79頁，群英学園事件・東京高判平成14・4・17労判831号65頁，モルガン・スタンレー・ジャパン・リミテッド事件・東京地判平成17・4・15労判895号42頁，南淡漁業協同組合事件・大阪高判平成24・4・18労判1053号5頁，学校法人D学園事件・東京高判平成29・10・18労判1176号18頁，みずほ銀行事件・東京地判令和2・1・29労判1254号62頁［懲戒処分を受けた後も，情報セキュリティ規程に違反して対外秘の情報資産を持ち出し，常習的に漏洩した労働者の懲戒解雇］等。

4　解雇事由の就業規則記載と解雇理由の明示

解雇事由に関しては，2003年の解雇権濫用法理の立法化の際に重要な制定法上の規制が行われている。

(1)　就業規則における解雇事由記載（労基89条3号）

ⅰ）絶対的必要記載事項の明確化　労基法は就業規則の必要的記載事項として「退職に関する事項」を挙げている（労基89条3号）。行政当局は，従来からこの「退職」には解雇が含まれると解してきたが[50]，法令上は明確でなかった。また，退職に解雇が含まれるとしても，解雇の事由までを明記すべきか否かも明確ではなかった。そこで，2003年労基法改正によって「退職に関する事項」の後に「（解雇の事由を含む。）」という文言が追加され，解雇事由が就業規則の絶対的必要記載事項（必ず就業規則に記載すべき事項）であることが明記された。

ⅱ）就業規則の解雇事由記載は例示列挙か限定列挙か　就業規則に列挙された解雇事由の記載は，例示列挙なのか（そうであれば記載のない事由で解雇することも可能），限定列挙なのか（記載事由以外では解雇不可）について，学説は分かれている。学説の多数は，使用者自ら，解雇事由をそれらの事項に制限したものとして，限定列挙説を採る[51]。しかし，明文化された解雇権濫用法理の規定（労契16条）を前提とすると，理論的には例示列挙説を採るのが妥当と解する。限定列挙説を採った場合，当該列挙事由に該当しない理由による解雇は，そもそも解雇権が存在しないことになり，理論上，権利濫用法理の適用もないこととなる。そうした処理も理論上不可能ではないが[52]，労契法はこの場合の処理について，何らの規定も置かなかったと理解することになる。しかしこれは立法時の意図とも[53]，裁判例の大勢とも整合しないように思われる。

50）　例えば，労働省労働基準局編『改訂新版労働基準法（下）』856頁（2000年）。

51）　菅野和夫『労働法』（6版）462頁（2003年）は，従来採ってきた例示列挙説の立場を改説して限定列挙説に転じ，現在に至っている（菅野801頁）。注釈労基法（上）補遺13頁［野田進］参照。

52）　実際，限定列挙説を採る中窪＝野田・世界374頁は，列挙解雇事由に該当しない解雇は（解雇権濫用法理に言及することなく）無効と考えるべきである，とする。

53）　平成15年5月23日・5月30日の衆議院厚生労働委員会において松崎朗労働基準局長は規定ぶりにより例示列挙説を認める答弁を行っており，限定列挙説を明定するための野党提案（労基法90条の2に，就業規則で定める解雇事由に該当する事実がなければ労働者を解雇できないと明記する改正法案）は採択されなかった経緯がある。

これまで裁判例における就業規則の列挙解雇事由該当性は，解雇権濫用法理における前記3(1)の客観的合理的理由の存否の判断に相当し，列挙事由に該当しない場合，解雇権不存在とするのではなく（そうであれば直ちに解雇無効となるはずである[54]），解雇権濫用を基礎づける事情として捉えてきたと解される[55]。そして，労契法16条は「客観的に合理的な理由を欠」く解雇が，権利濫用となると規定しているので，（列挙解雇事由に該当せず）客観的合理的理由を欠いても，なお解雇権が存することを前提としている[56]。そうであれば，就業規則の解雇事由列挙は，この客観的合理的理由を列挙したものであり，それが欠ければ解雇権濫用との評価には結び付くものの，それは解雇権自体を縛る意味での限定列挙ではないと解するのが素直な解釈であろう。実際にも，例えば，解雇事由として当然列挙されるべき事項（例えば経営上の理由による解雇）が列挙されずに，特定の解雇事由が散発的に規定されているに過ぎない場合，やはり例示列挙と解すべきであろう。

実務上は，「その他前各号に掲げる事由に準ずる重大な事由」といった包括条項を置くことが多く，この場合は，両説のいずれを採っても大きな違いは生じない。しかし，上記の解釈が意味を持つのはまさに，そうした包括条項がなく，当然解雇権行使が予定されてしかるべき事由が記載されていない場合にいかに解すべきかという場面である。限定列挙説では，解雇権がない以上，解雇無効という結論しか導き得ず，実態に合致した処理がなし得ない難点を抱える

54）土田・契約法657頁は就業規則に規定のない事由に基づく解雇は「解雇権の存在（発生要件）を欠くものとして無効となる」とし，この立場を採る（同・663頁も同旨）。そうすると，かかる解雇に，解雇権濫用に関する労契法16条は適用し得なくなる。

55）例えば，就業規則の解雇事由の不存在を認定しつつ解雇権濫用とした事例として，2003年労基法改正前数年の裁判例だけでも，セガ・エンタープライゼス事件・前掲注43，公営社事件・東京地判平成11・11・5労判779号52頁，アジア航測事件・大阪地判平成13・11・9労判821号45頁，森下仁丹事件・前掲注44があり，2003年改正後の判断としてもサン石油（視力障害者解雇）事件・札幌高判平成18・5・11労判938号68頁等がある。例示列挙説をとる近時の裁判例として，ベストFAM事件・東京地判平成26・1・17労判1092号98頁。

56）土田・契約法657頁，663頁は，限定列挙説を採り，就業規則列挙事由に該当することが解雇権の発生要件であるとしつつ，列挙事由に該当する場合にさらに解雇権濫用判断がありうるので労契法16条の規律と矛盾しない（同・657頁注72）とする。「矛盾しない」とは，限定列挙説を採っても16条は無意味とならない（適用される場面がある）という趣旨と思われるが，列挙解雇事由に該当しない場合も，16条の解雇権濫用法理で処理する意図で16条は立法されたのではないか（土田説では解雇権が発生しないので16条の適用はなくなる）という点については論じられていない。

のに対して，例示列挙説では，列挙事由に該当しない場合も，使用者はなお解雇権を有するが，しかし，解雇が有効となるわけではなく，解雇権濫用評価において客観的合理的理由の欠如を推認させ，事案に応じて解雇無効を導きうるため，労働者保護に欠ける問題も生じない。このように考えると，理論的難点がなく，合理的処理を可能とする例示列挙説を解釈の基準と解するのが妥当であろう[57]。

⑵　**解雇理由の証明書**

ⅰ）1998年改正と2003年改正　　1998（平成10）年労基法改正で，退職時の証明の「退職の事由」について「（退職の事由が解雇の場合にあつては，その理由を含む。）」との文言が追加され，解雇後，労働者が解雇理由について証明書を請求することが可能となった（労基22条1項）。さらに2003年労基法改正では，解雇を予告されて解雇の効力が発生する退職日までの退職以前の期間であっても，解雇理由の証明書を請求できることとされた（同2項）。

ⅱ）訴訟実務への影響　　証明書に記載された以外の解雇理由を訴訟において事後的に追加主張することは，原則として許されないと解すべきである。解雇理由証明書は，労働者が当該解雇の効力を訴訟を提起して争うか否かの重要な判断資料であり，解雇理由の事後的追加を可能とすると，解雇理由証明書を出させる意義がなくなるからである[58]。したがって，使用者としては，解雇予告の時点で，解雇理由について十分に精査しておく必要がある。

なお，解雇理由証明書を交付しなかった場合，罰則の適用（労基120条）があるが，そのことから直ちに解雇権行使自体が濫用と評価され解雇無効となるわけではない。

57）　同旨，西谷456頁，渡辺弘Ⅰ20頁（実務上，規定不備の就業規則，包括条項を欠く就業規則が少なくないことを指摘し，例示列挙説を支持する），佐々木ほか・類型別Ⅱ393頁［伊藤由紀子］。

58）　同旨，中窪＝野田・世界473頁，土田・概説278頁，水町・詳解990頁。有期契約労働者の雇止めにあたって交付された退職理由証明書に記載のない現金着服，領収書偽造の事実を，解雇理由証明書の制度趣旨を参照して雇止め理由にできないとしたものとして広島山陽学園事件・広島高判令和2・2・26 LEXDB25565239。反対，渡辺弘Ⅰ17-18頁（証明書記載事由か否かは，それが解雇にあたって重視された事情であるか否かとして考慮されるに留まるとする），佐々木ほか・類型別Ⅱ394頁［伊藤由紀子］（渡辺説と同旨を説き，さらに労働者とのトラブルを避けるために真実の解雇理由を記載しなかったという場合もあることにも言及する）。

V　整理解雇

使用者側に起因する理由による解雇として，整理解雇，すなわち，経営（経済）上の理由から余剰人員削減のためになされる解雇がある。これが解雇権濫用法理における客観的合理的理由の一つに該当することについては既に触れた。しかし，労働者側には何らの落ち度がないにもかかわらず行われる点，したがって，どの労働者を解雇するかという人選の問題が生ずる点，しかも，経済変動によって不可避的にかつ大量の労働者を対象として問題となる点等に特徴があり，判例によって「整理解雇法理」と呼ばれる独特のルールが形成されている。

整理解雇法理は，1970年代のオイルショック後に確立した判例法理である。整理解雇問題は，戦後早くから発生し，企業の大量整理解雇は数多くの大争議に発展した（そのピークが1300人の指名解雇から発生した1959年～1960年の三井三池大争議である）。こうした敵対的な労使関係に疑問を抱いた労使は，やがて雇用保障を中心に据えた協力的労使関係を模索し，1970年頃までには長期雇用慣行とそれを支える解雇権濫用法理も確立していた。オイルショック後，大規模な雇用調整の必要性に直面した大企業労使は，入念な労使協議を経て解雇以外の雇用調整手段（残業規制，中途採用中止，配転・出向，新規採用停止，有期雇用労働者の雇止め，一時帰休，希望退職者募集等）を駆使して，極力整理解雇を回避しようと試みた。これらの雇用調整パターンをモデルに裁判所が整理解雇の効力を判断する指標をルール化したのが整理解雇法理である[59]。

整理解雇法理は1990年頃までは，以下に述べるいわゆる「4要件」を満たさない解雇を無効とする法理と理解されてきた（4要件説）[60]。しかし，1990年代後半頃から，裁判例の多くは，これらの「4要件」と称されてきたものは，その一つでも欠けると直ちに解雇権の濫用となるような「要件」ではなく，権利濫用の成否を判断する主要な要素を類型化したものと捉える立場（4要素説）を採用するようになってきている[61]。元来，整理解雇法理も解雇権濫用法理の

59）菅野・雇用社会70頁以下参照。

60）4要件説を最初に明確に打ち出した裁判例として大村野上事件・長崎地大村支判昭和50・12・24労判242号14頁。

61）初期のものとしてロイヤル・インシュアランス・パブリック・リミテッド・カンパニー事件・東京地決平成8・7・31労判712号85頁。要件説を明確に否定し，4つの指標が権利濫用

一類型であることを考慮すると，理論上は4要素説が妥当と考えられる[62]。もっとも，現在の裁判例は4要件という用語を用いてもそれらを総合判断するとしていたり[63]，あるいは，4要素説を採りつつも，特定の要素を大きく欠いている場合には他の要素を吟味することなく解雇権の濫用を導く等，いずれの枠組みを採っても，具体的判断方法に明確な差が生じているとはいえない[64]。

また，就業規則に解雇事由として「事業の縮小，設備の変更等により剰員を生じたとき」とか「その他前各号に準ずるやむを得ない事由があるとき」といった規定が設けられている場合，これらに該当することから整理解雇は適法であるとの主張がなされることがあるが，労働者側の理由による解雇の場合と同様，就業規則の解雇事由に該当するとしても，それが客観的に合理的で社会的に相当な解雇であるかどうかが吟味されることとなる。その際に中心的に考慮されるのが次の4つの事項である。

1　人員削減の必要性

まず，第一が，人員削減の必要性の存在である（整理解雇の必要性ではない）。古い裁判例の中には倒産必至の状況にあることを要求したもの[65]もあったが，経営に責任を持つ立場にない裁判所が，人員削減の必要性といった高度の経営判断に結び付いた事項に過度に介入するのは妥当ではないとの批判を浴びた[66]。その結果，現在の裁判実務は，経営状態の認定は詳細に行うが，人員削減の必要性の判断については，原則として経営判断を尊重する傾向にある。企業全体では好調だが，当該事業部門が不振で戦略的に合理化を行うような場合でも，人員削減の必要性は肯定され得る。必要性が例外的に否定されるのは，解雇直後に新規採用を行う等，外部者から見ても明らかに矛盾した措置がとら

の要素に過ぎないことを明示した裁判例としてナショナル・ウエストミンスター銀行（第3次仮処分）事件・東京地決平成12・1・21労判782号23頁。

62）　この点をつとに指摘していたものとして，石川善則・日立メディコ事件判解・ジュリ882号80頁（1987年）。

63）　例えばシンガポール・デベロップメント銀行（本訴）事件・大阪地判平成12・6・23労判786号16頁。

64）　同旨，山川・雇用法268頁，土田・概説281頁等。

65）　例えば大村野上事件・前掲注60，三萩野病院事件・福岡地小倉支判昭和50・3・31労民集26巻2号232頁。

66）　東洋酸素事件・東京高判昭和54・10・29労判330号71頁は，企業存続不可能な場合でなければ解雇し得ないという考え方を採用できないとし，「企業の合理的運営上やむをえない必要に基づく」という緩やかな基準を用いている。

れているような場合に限られる。

なお裁判例[67]の中には，人員削減の必要性ではなく，整理解雇の必要性として論ずるものが散見されるが，これでは，次の解雇回避努力義務との関係が不明確となり適切ではない。

2　解雇回避努力義務

人員削減の必要性が肯定されても，直ちに整理解雇が必要となるわけではなく，残業規制，中途採用中止，配転・出向，新規採用停止，有期契約労働者の雇止め，一時帰休，希望退職者募集等，解雇以外の様々な対処措置があり得る。これらの解雇回避措置を試みることなくなされた解雇は，権利濫用と評価されることとなる[68]。日本では，使用者にこの解雇回避措置を行う広範な権限が与えられていることが，整理解雇が容易に認められない大きな要因である。逆にいうと，整理解雇が問題となる場面で雇用を維持させるべく，使用者に配転等の解雇回避措置を行う広範な権限を解釈上認めてきたということができる。

しかし，これらのすべての解雇回避措置を試みることが常に要求されるわけではなく，権利濫用の判断要素としてどの程度の解雇回避の努力がなされたかが考慮されることとなる。

なお，全事業所閉鎖で従業員全員の解雇が不可避な場合や職務や勤務場所が特定されていることによって配転等を行い得ない場合等には，解雇回避義務は再就職支援や退職金支払等の解雇打撃軽減義務の観点から吟味されるべきであろう[69]。

67）例えば，九州日誠電気（本訴）事件・熊本地判平成16・4・15労判878号74頁，宝林福祉会（調理員解雇）事件・鹿児島地判平成17・1・25労判891号62頁等。

68）あさひ保育園事件・最一小判昭和58・10・27労判427号63頁では，職員に人員整理がやむを得ない事情などを説明して協力を求める努力を一切せず，かつ，希望退職者募集の措置を採ることもなくなされた指名解雇が権利濫用とされた。近時の例としてゼネラル・セミコンダクター・ジャパン事件・東京地判平成15・8・27労判865号47頁，日本通信事件・東京地判平成24・2・29労判1048号45頁，財団法人ソーシャルサービス協会事件・東京地判平成25・12・18労経速2203号20頁，エミレーツ航空事件・大阪地判平成29・10・23労旬1908号57頁，センバ流通（仮処分）事件・仙台地決令和2・8・21労判1236号63頁［コロナ禍で利用可能な雇用調整助成金を利用することなく行った解雇につき解雇回避措置が不十分として解雇無効］等。

69）同旨，山川・雇用法269頁。ナショナル・ウエストミンスター銀行（第3次仮処分）事件・前掲注61は，解雇に合理的理由がある場合にも，当該労働者の当面の生活維持および再就職の便宜のための相応の配慮を要求している。

3　解雇対象者選定（人選）の合理性

解雇対象労働者の選定は，客観的に合理的な基準により，公正に行われる必要がある。合理性を否定される典型例としては，労働組合員や共働きの女性を対象とする等の法令違反（労組7条，雇均6条4号）の場合であるが，その他に，客観的基準を設けずに使用者の恣意的選択で行う場合も含まれる。しかし，あらゆる事案に妥当する客観的合理的基準があるわけではなく，複数のあり得べき客観的基準のうちいずれを選択するかは当事者に委ねられる余地がある[70)]。例えば，勤務成績不良者という基準と，再就職が容易で解雇の打撃の小さい者という基準は相互に矛盾し得るが，設定された基準が違法な差別の契機を含まず，使用者の恣意的選択を排除する客観的基準であれば，いずれであっても裁判例はその合理性を承認する傾向にある。もっとも，一応客観的・合理的な人選基準を設けていても，その基準の適用・運用が合理的でなければ，人選の合理性は否定される[71)]。

4　説明・協議等の解雇手続の妥当性

労働協約によって人員整理につき協議が義務づけられている場合には，協議を経ない整理解雇は協約違反として無効と解されている。

しかし裁判例はこのような協約上の協議義務規定がない場合にも，労働組合や労働者集団に対して整理解雇の必要性，その時期・規模・方法等につき説明・協議を行うことを信義則上要求している。

5　企業倒産と整理解雇

以上のような整理解雇法理は，企業倒産時にも適用されるのであろうか。倒産手続には清算型（破産手続）と再建型（会社更生・民事再生手続）があり両者は区別して検討する必要がある。また，企業解散の場合は，従業員全員が最終的には解雇に至ることから，清算型と併せて検討する[72)]。

---

70)　マイラン製薬事件・東京高判令和元・12・18労経速2413号27頁［余剰人員となったMRにつき，他部署への配転が困難で出向選定基準にも達しなかった者を対象とした整理解雇を有効とした例］。

71)　例えば，コマキ事件・東京地決平成18・1・13判時1935号168頁［評価ポイントを用いた勤務協力度・貢献度の評価基準が抽象的で評価者の主観に依拠する部分が多く，客観的合理性が不明とされた］，横浜商銀信用組合事件・横浜地判平成19・5・17労判945号59頁［年齢・職位・考課という選定基準をどのように考慮したのか不明として人選の合理性を否定］。

72)　塚原英治「企業倒産と労働者の権利」講座21世紀4巻295頁，水元宏典「更生手続開始と労働契約」判タ1132号107頁（2003年），土田道夫＝真嶋高博「倒産労働法の意義と課題」

(1) 清算型手続・会社解散時における整理解雇

清算型手続（破産）および，同様の事情が生ずる会社解散の場合[73]については，終局的に雇用関係が解消されるという特殊性があることから，裁判例は整理解雇法理をそのままの形では適用しない傾向にある。すなわち，一方に，整理解雇法理の一部の要件（要素）は当然に充足すると解して，それによって充足されない部分に絞って判断する裁判例がある（整理解雇法理修正適用説）[74]。これに対して，会社解散および破産に伴う解雇につき，解雇が許されるための類型的な要件を論ずる余地はないとして整理解雇法理の適用を明確に否定するものもある（整理解雇法理不適用説）[75]。

学説では，倒産法学において整理解雇法理不適用説[76]も見られるが，多数は，整理解雇法理修正適用説[77]の立場を採っているといってよい[78]。

季労222号146頁（2008年），戸谷義治「会社倒産と解雇」季労224号76頁（2009年），池田悠「再建型倒産手続における労働法規範の適用(1)」法協128巻3号1頁（2011年）等参照。

73) 会社解散についての詳細は菅野和夫「会社解散と雇用関係」山口浩一郎先生古稀記念論集『友愛と法』129頁以下（2007年），小宮文人『雇用終了の法理』60頁以下（2010年）参照。

74) グリン製菓事件・大阪地決平成10・7・7労判747号50頁［会社が解散される以上，原則として，4要件のうち①人員整理の必要性は肯定され，②解雇回避努力も，それをせねばならない理由はないとしつつ，③整理基準，④手続については解雇条件の内容の公正さ・適用の平等，および解雇手続の適正さ，として考慮されるとした］，大森陸運ほか2社事件・神戸地判平成15・3・26労判857号77頁［真実解散の場合，解雇は客観的合理的理由を有し，原則有効だが，従業員に対する説明・協議の手続が尽くされなければ解雇権濫用となりうる］，三陸ハーネス事件・仙台地決平成17・12・15労判915号152頁［①人員削減の必要性は，「事業廃止の必要性」と置き換えて，これが肯定される場合は，②整理解雇を選択することの必要性と③被解雇者選定の相当性も当然に肯定されるとし，④手続の妥当性については事業廃止に伴う全員解雇にも，基本的に妥当するとした］。

75) 東北造船事件・仙台地決昭和63・7・1労判526号38頁［会社の真実解散の事案］，浅井運送事件・大阪地判平成11・11・17労判786号56頁［破産の事案］等。

76) 上野久徳『倒産処理と労働問題』82頁（1977年）。

77) 人員削減の必要性および手続的相当性を中心とした判断枠組みへの変容を肯定する見解（毛塚勝利「倒産をめぐる労働問題と倒産労働法の課題」労研511号8頁〔2003年〕，中島弘雅『体系倒産法Ⅰ』262頁以下〔2007年〕），外部雇用維持の努力と労働組合等との協議・説明を尽くしたことが必要で，これらを満たさない場合は解雇権濫用と解すべきとの見解（戸谷・前掲注72・90頁），手続の相当性のみを考慮すべきとの見解（土田＝真嶋・前掲注72・159頁）等。

78) 池田悠「会社更生手続における整理解雇の有効性」「倒産と労働」実務研究会編『概説倒産と労働』172頁（2012年）参照。

(2) 再建型手続における整理解雇

これに対して，会社更生手続や民事再生手続等の再建型手続においては，企業は解散されずに存続再建されるため，整理解雇法理をそのまま適用するのが裁判例の大勢である[79]。特に，会社更生手続下での整理解雇が初めて正面から争われた日本航空事件[80]では，事業再建のスキームは，再建手続開始前から，会社と利害関係人，資金提供者等の間で入念な検討を経て策定され，裁判所が認可したものであり，それに従った整理解雇はその必要性や正当性が確保されているとして整理解雇法理をそのまま適用すべきでないと主張されたが，裁判所は整理解雇法理を適用して判断している。更生・再生計画策定は，倒産法の理念・目的（債権者の最大満足の達成）の観点から入念に検討されたものではあるが，労働者保護（労働者の雇用保障）という視点から十分な検討を経たものとまではいえない[81]。

もっとも，予定された人員削減計画の最終手段である解雇を認めないことによって再建策自体が失敗に終わっては，企業は解体され雇用もすべて失われるという最悪の結果となる。したがって，要は，整理解雇法理の適用を排除することではなく，整理解雇法理を適用した上で，企業が倒産状態にあるという事情を各要素の判断において十分に考慮することである。整理解雇法理自体はそうした事態にも十分対処可能な柔軟性のあるルールといえる[82]。

---

79)　日証（第1・第2解雇）事件・大阪地判平成11・3・31労判765号57頁［和議申立てに伴う解雇］，イセキ開発工機事件・東京地判平成15・12・22労判870号28頁［民事再生手続下での解雇］，山田紡績事件・名古屋地判平成17・2・23労判892号42頁［民事再生法に基づく再生手続において行われた全事業の閉鎖に伴う全従業員の解雇］等。

80)　日本航空（運航乗務員解雇）事件・東京高判平成26・6・5労経速2223号3頁［会社更生手続下の運航乗務員解雇］，同（客室乗務員解雇）事件・東京高判平成26・6・3労経速2221号3頁［会社更生手続下の客室乗務員解雇］。両事件とも上告不受理で確定している。

81)　再建型手続においては，確かに過半数組合等の意見聴取等の手続は用意されているが（再生／更生手続決定前の意見聴取につき民事再生法24条の2，会社更生法22条1項，事業譲渡・再生／更生計画案についての意見聴取につき民事再生法42条3項，168条，会社更生法46条3項3号，188条，財産状況報告集会における意見陳述につき民事再生法126条3項，会社更生法85条3項，再生／更生計画の認可・不認可についての意見陳述につき民事再生法174条3項，会社更生法199条5項），それは，計画案を議決する権限ではなく，あくまで計画案に対する意見表明の機会に過ぎない。

82)　実際，2件の日本航空事件・前掲注80では整理解雇法理を適用した上で，いずれも整理解雇は有効とされた。

Ⅵ　解雇権濫用の立証責任

解雇権行使が「客観的に合理的な理由を欠き，社会通念相当であると認められない」という要件を満たした場合，権利濫用として解雇無効という効果が発生する。そして権利の濫用といういわゆる規範的要件の立証責任は，その評価根拠事実（権利濫用という評価を根拠づける事実）については，権利の濫用を主張する労働者側が負い，評価障害事実（権利濫用という評価を妨げる事実）については，使用者側が立証責任を負う，と解されている[83]。これまでの訴訟実務では，労働者が何らの落ち度なく勤務してきた等の概括的な主張を行えば，一応解雇権濫用の評価根拠事実の主張があったものとして使用者側に評価障害事実を主張立証させるのが一般的である[84]。

整理解雇についても同様に解される。すなわち，整理解雇の4要素は権利濫用という規範的要件の評価根拠事実と評価障害事実に関わる要素を類型的に示したものと理解することができる。そして，整理解雇の4要素のうちの最初の3つ（人員削減の必要性，解雇回避努力義務，人選の合理性）は，いずれも権利濫用という評価を妨げる評価障害事実に関わる要素と理解でき，したがって，使用者側が立証責任を負うこととなる。これに対して第4の要素（解雇手続の妥当性）は，その手続の妥当性も評価障害事実として使用者が立証すべきとも解されるが，手続の妥当性を要求する根拠が信義則にあり，信義則違反についてはそれを主張する者がその評価根拠事実を主張立証すべきとの立場に立てば，権利濫用の評価根拠事実として，労働者側が立証すべきものと解することとなろう[85]。もっとも，裁判実務では手続の妥当性についても労働者の主張を待たずに使用者が主張立証しており，立証責任をめぐって紛議が生ずる例は少ないとも指摘されている[86]。

83）　山川・紛争処理法209頁以下，渡辺弘Ⅰ14頁，審理ノート16頁。

84）　山川・紛争処理法210頁，審理ノート25頁。

85）　山川・紛争処理法215頁，審理ノート39頁。この立場を採った裁判例としてゼネラル・セミコンダクター・ジャパン事件・前掲注68，コマキ事件・前掲注71，東京自転車健康保険組合事件・東京地判平成18・11・29労判935号35頁等。

86）　佐々木ほか・類型別Ⅱ397頁〔伊藤由紀子〕。

Ⅶ　解雇権濫用の効果

1　解雇無効の意味

解雇権行使が権利濫用とされた場合，当該解雇は無効となり，労働者の労働契約上の地位確認請求が認容される。つまり，当該解雇は当初からなかったことになり，労働契約関係は従前通り存続することになる87)。

諸外国では，差別的解雇等の解雇禁止規制の場合，解雇は無効とされるのが原則であるが，日本の解雇権濫用法理に対応する，正当事由を欠く解雇の救済としては，復職と金銭補償という2つの救済方法が併存し，実務上は金銭補償が原則化している例が多い88)。これと比較すると，一律に解雇無効という効果をもたらす点に日本の解雇権濫用法理の一つの特徴がある。

▩解雇の金銭解決　解雇権濫用法理の下では，解雇無効＝雇用関係存続強制と，解雇有効＝救済の全面否定という all or nothing の処理の選択肢しか用意されていない。そのため，使用者と労働者双方に相当の帰責事由があることが少なくない解雇紛争の実態に適合的な処理が困難となっているという問題点も指摘され得る。そこで，解雇について金銭解決という柔軟な救済方法を，その濫用防止措置を講じた上で導入すべきではないか，との提案も行われている89)。もっとも，2006年に施行された労働審判では，解雇の金銭解決も「事案の実情に即した解決」として可能とされており，実際多用されている（→631頁）。また近年，解雇が不法行為にあたるとして損害賠償を請求し認容される例が増えてきており（→361頁），裁判所における解雇の金銭解決の一ルートとなりつつある。しかし，通常訴訟では労働審判のような金銭解決はなしえず，また，不法行為に基づく損害賠償請求の場合，賠償金が支払われても雇用関係が解消されることが当然に導かれるものではない。こうした現状を踏まえて，2017年5月の厚生労働省「透明かつ公正な労働紛争解決システム等の在り方に関する検討会」報告書（座長：荒木尚志東京大学教授）は，現時点における金銭解決制度の可能性と諸課題を詳細に分析し，さらに，2022年4月の「解雇無効時の金銭救済制度に係る法技術的論点に関する検討会」報告書（座長：山川隆一東京大学教授）が法技術的論点について整理を行ったが，政策的判断については，2022年9月現在，

87)　もっとも，解雇が無効となっても労働者に就労請求権は一般に認められておらず，使用者が賃金を支払う限りは労働者が現実に就労させることを請求することは原則としてできないと解されている（→321頁）。

88)　荒木ほか・諸外国法制39頁以下，菅野和夫＝荒木尚志編『解雇ルールと紛争解決——10ヵ国の国際比較』1頁以下［菅野和夫］，446頁以下［荒木尚志］（2017年）。

89)　労契研報告書60頁以下。解雇の金銭解決には，反対説も有力である（名古道功「解雇における金銭解決制度の検討」季労212号76頁〔2006年〕，和田肇「不当解雇の効果と紛争解決」野田ほか編・前掲注32・334頁以下等）。

労働政策審議会労働条件分科会で議論が継続中である。

2　解雇無効の主張と期間の経過

諸外国では解雇訴訟について出訴期間が定められている例が多いが，日本ではそのような規制がないため，解雇後長期間経過した解雇無効訴訟提起の可否が問題となる。裁判所は，解雇から長期間経過した後は，信義則上，もはや無効の主張をし得なくなるとしているが，事案によるばらつきがあり[90]，立法による解決が望まれる。

3　解雇期間中の賃金

(1)　賃金請求権の存否

解雇が無効とされた場合，解雇後も労働関係が継続していたことになるが，労働者は労務を提供していない。そこで，その間の賃金請求権の存否が問題となる。これは，解雇の結果，労働者が解雇期間中，労務を提供できなかったという労働者の履行不能の場合の反対債権の帰趨の問題として，民法536条2項によって処理される。すなわち，債権者（不能となった労務請求権の債権者たる使用者）の責めに帰すべき事由によって債務を履行することができなくなったときは，債権者（使用者）は反対給付（賃金）の履行を拒むことができない（2020年改正民法施行までは，「債務者は，反対給付を受ける権利を失わない」とされていた）。そして，一般に解雇が権利濫用として無効となった場合は，使用者に当該履行不能について帰責事由があると解され，賃金請求権が認められている（民法536条2項における履行の提供，労務履行の意思・能力等については→144頁以下）。

解雇訴訟は長期に及ぶことが少なくない。その結果，最終的に解雇が無効となった場合に認められる賃金額は莫大なものとなる可能性があり，安易な解雇を抑止する効果を持つことになる。

(2)　中間収入の控除

ただし，民法536条2項後段は，「債務者は，自己の債務を免れたことによって利益を得たときは，これを債権者に償還しなければならない」としていることから，解雇期間中に当該労働者が他所で就労し，収入を得ていた場合[91]，

90）　解雇後8年経過後の出訴も信義則に反しないとした例として国鉄事件・東京高判昭和53・6・6労判301号32頁。

91）　被解雇労働者は生活維持のために他の就職先で働かざるを得ず，解雇後に他企業で稼働し

使用者はこの収入（中間収入）を支払うべき賃金額から控除することができるかが問題となる。この場合，同様の規定である休業手当に関する労基法26条の適用があるか，さらには，中間収入が償還すべき利益としてもこれを控除することが労基法24条の（相殺禁止も含まれる）全額払い原則との関係で許されるかも同時に問題となる。この問題について，最高裁[92]は次のような処理の枠組みを定立している[93]。

まず，「中間収入」が民法536条2項後段（当時は但書）にいう債務を免れたことによって得た利益といえるか否かについては，原則として[94]これを肯定した。次に，労基法26条の適用もあるとされた。その結果，民法536条2項によると，中間収入は全額償還すべきところを，労基法26条が536条2項後段のような中間収入償還の規定なしに「平均賃金の6割」を罰則をもって労働者に確保しようとしていることから，中間収入償還（＝遡及払い賃金からの控除）は，平均賃金の6割を超える部分についてのみ可能とされた[95]。さらに，平

たとしても，当然に元企業での就労の意思を喪失したと認められるわけではない。中間収入控除に関する判例はこれを当然の前提としている。みんなで伊勢を良くし本気で日本と世界を変える人達が集まる事件・名古屋高判令和元・10・25労判1222号71頁［解雇期間中の就労による収入が従前の賃金額に及ばず，新たな就労等の形態も地位確認判決が出されれば離職可能なものであり，その就労の都合上，転居していたとしても，元企業での就労意思は否定されないとした例］，新日本建設運輸事件・東京高判令和2・1・30労判1239号77頁［解雇の有効性を争っている労働者が解雇前と同水準以上の給与を得た事実をもって元企業における就労の意思を喪失したとはいえないとし，一審の再就職後半年で復職の意思を喪失したとした判断を覆した例］参照。これに対して，元企業への就労意思を確定的に放棄し，解雇を承認したとされた事例として，ニュース証券事件・東京地判平成21・1・30労判980号18頁［別の証券会社に再就職し，労働審判では地位確認を求めず金銭解決を求めていた事案。東京高判平成21・9・15労判991号153頁で維持］。

92）全駐労小倉支部山田分会事件・最二小判昭和37・7・20民集16巻8号1656頁，あけぼのタクシー事件・最一小判昭和62・4・2労判506号20頁。

93）判例の立場に対する鋭い批判として盛誠吾「違法解雇と中間収入」一橋論叢106巻1号19頁（1991年），本久洋一「違法解雇の効果」講座21世紀4巻205頁。

94）判例（全駐労小倉支部山田分会事件・前掲注92）は「副業的なものであって解雇がなくても当然取得しうる等特段の事情がない限り」とし，解雇がなくとも行っていた副業収入等はこの中間収入には当たらないとしている。

95）遡及払い賃金額と平均賃金額がほぼ同額であった全駐労小倉支部山田分会事件・前掲注92では，平均賃金の4割を限度に控除可能とされた。しかし，あけぼのタクシー事件・前掲注92では，平均賃金算定基礎に算入されない一時金が問題となり，一時金を含む遡及払い賃金が平均賃金より多額であったため，平均賃金の6割確保＝平均賃金の4割控除ではなくなった。そこで改めて，労基法26条の趣旨に忠実に，労働者に平均賃金の6割を確保し，これを上回

均賃金の4割を超える中間収入については，平均賃金の算定基礎に算入されない一時金等の賃金（労基12条4項）の全額を対象として[96]控除可能とされた。ただし，この控除対象とできる中間収入は，「その利益の発生した期間が右賃金〔一時金等〕の支給の対象となる期間と時期的に対応するもの」であることが必要である[97]。

そして，労基法24条の全額払い原則との関係について，全駐労小倉支部山田分会事件判決[98]は民法536条2項後段（当時は但書）で中間利益償還義務がある場合に労基法26条が平均賃金の6割以上の支払を定めていることは，「決済手続を簡便ならしめるため償還利益の額を予め賃金額から控除しうることを前提として」いるとして，遡及払い賃金からの控除を認めた[99]。

4　解雇と不法行為

権利濫用と評価された解雇権の行使は，当然に不法行為となるわけではない。

る部分は中間収入控除の対象とすることができるとされた。

96）労基法26条の要求は，平均賃金の6割を確実に労働者に確保することである。したがって，平均賃金の6割が確保されているのに，さらに平均賃金の計算には算入されない期末手当等についてまで，その6割部分を中間収入控除の対象外とした下級審判決は，最高裁（いずみ福祉会事件・最三小判平成18・3・28労判933号12頁）によって判断を誤ったものとされた。

97）この中間収入の発生した期間と，賃金（一時金）の支給の対象となる期間との時期的対応の意味は必ずしも明らかではない。理論上は，民法536条2項後段を根拠とする以上，債務を免れて他所で就労して中間収入を得た時期と，一時金等の算定対象とする就労のなされるべきであった時期（計算期間）が対応すべきと解される（この考え方による中間収入控除の具体的処理については荒木尚志・法教309号88頁〔2006年〕の図参照）。しかし，いずみ福祉会事件・前掲注96は，中間収入の発生時期と手当算定対象就労時期との対応関係を吟味することなく，むしろ，他所での就労期間に対応する時期に支払が予定されていた手当であることで足りるとして処理している。このような立場に立つと，例えば，12月～5月の就労に対して6月に賞与が払われる場合，5月末に解雇されて6月に他所で得た収入は，6月に支払われる賞与との間で控除・相殺されてしまい，逆に1月～5月，7月～11月には他所で就労したが，賞与支給月の6月，12月には就労しなかった場合，当該賞与は一切控除対象とならない結果となる（柴田洋二郎・判批・労働109号137頁〔2007年〕，野川忍・判批・ジュリ1329号122頁〔2007年〕等参照）。これは妥当な処理とは思えないし，理論上も疑義が残る（そもそも支給対象期間の対応を日，週，月，一定期間等のいずれで見るのかも問題となる）。しかし，当該手当発生の根拠となる就労の時期が常に特定できるとは限らず，特定可能としても相当に煩瑣な処理を強いることになること，また，中間収入控除に関する判例法理自身が，事案の簡便な処理のために形成されたルールという側面があることを考えると，このような便宜的処理をもって妥当と解すべきであろうか。

98）全駐労小倉支部山田分会事件・前掲注92。

99）下井・労基法296頁は，労基法26条が労基法24条1項の全額払い原則の例外が認められる「法令」に当たると解されていることになるとする。

あくまで，不法行為の成立要件を満たすことが前提となる。かつては，解雇無効による雇用関係の復活と解雇期間中の賃金支払により，それ以上の損害賠償は認められないとして不法行為の成立が否定されるのが通例であった[100]。しかし，使用者に積極的害意があったり，著しく不当な態様の解雇である場合などには不法行為として慰謝料請求が認められることがある。近時，権利濫用と評価される解雇について，不法行為の成立を認める例も少なくない[101]。

なお，被解雇労働者が，解雇の無効（労働契約上の地位確認・賃金請求）を主張することなく，解雇が不法行為に該当するとして損害賠償を請求した場合，賃金相当額の請求が認められるか，どの範囲で認められるかは難問であり，裁判例の立場も分かれている。解雇無効の主張をしない以上，賃金は発生せず逸失利益はないとした裁判例もあったが[102]，最近の裁判例は，不当解雇事案について，一定期間の賃金相当額を相当因果関係のある損害額と認定するものが増えている。そして，その一定期間の判断については，当初，雇用保険の最低被保険者期間を基準に相当因果関係のある損害の範囲を画するものもみられたが[103]，近時の裁判例は，諸般の事情を考慮して，一定期間の賃金相当額を相

100）　解雇権濫用で解雇無効としつつ，不法行為を否定した近年の例として，トーコロ事件・東京地判平成6・10・25労判662号43頁，カテリーナビルディング（日本ハウズイング）事件・東京地判平成15・7・7労判862号78頁，静岡第一テレビ事件・静岡地判平成17・1・18労判893号135頁，クレディ・スイス証券事件・東京地判平成23・3・18労判1031号48頁等。

101）　不法行為責任を認めた例として，恵城保育園事件・高松地丸亀支判平成3・8・12労判596号33頁［ほとんど正当な理由なく解雇し，地位保全仮処分後も就労を拒否した事案］，ノース・ウエスト航空（橋本）事件・千葉地判平成5・9・24労判638号32頁［シャンパンを1回少量すすった整備士に対し，不当に任意退職を働きかけ自宅待機命令を継続して解雇に及んだ事案］，HIV感染者解雇事件・東京地判平成7・3・30労判667号14頁［真の目的はHIV感染者排除にあったとされた解雇の事例］，東京自転車健康保険組合事件・前掲注85［労働条件不利益変更問題について外部機関に相談したことを理由に整理解雇を強行したとされた事例］，京阪バス事件・京都地判平成22・12・15労判1020号35頁［バス運転手の出庫点呼時のアルコールチェッカー報告書を上司が改変し，本人に反論機会も与えずされた諭旨解雇が無効とされた事例］，ジェイ・ウォルター・トンプソン・ジャパン事件・東京地判平成23・9・21労判1038号39頁［前訴の解雇訴訟でほぼ全部敗訴の判決が確定したにもかかわらず，その後も約2年間にわたって出勤を許さず，再び退職勧奨・解雇した事例］等。

102）　吉村事件・東京地判平成4・9・28労判617号31頁，わいわいランド事件・大阪地判平成12・6・30労判793号49頁。

103）　京都セクハラ（呉服販売会社）事件・京都地判平成9・4・17労判716号49頁［ただし，解雇ではなく職場環境配慮義務違反により退職した事例］，わいわいランド事件・大阪高判平成13・3・6労判818号73頁［勧誘して転職させ，結果的に雇用契約を締結することなく失職

当因果関係のある損害とする例が増えてきている[104]。損害の性質上その額の立証は極めて困難なものとして民訴法248条による相当な損害額の認定を認めてよいと解する。

第3節　解雇・期間満了以外の労働契約終了事由

I　労働者による解約（辞職）

民法627条の解約自由原則によって，労働契約の一方当事者たる労働者は一方的行為（単独行為）たる解約告知によって労働契約を終了させることができる。「辞職」といわれるものがこれに当たる。

1　期間の定めのない労働契約

民法627条により，労働者はいつでも解約の申入れが可能で，何らの理由も必要ない（辞職の自由）[105]。この場合，予告後2週間の経過により解約の効果が発生する[106]。

労働者による解約告知の場合，相手方への意思表示の到達により，解約告知としての効力（2週間後に解約となる効力）が発生し，撤回し得ない。その効力発生を争うとすれば，意思表示の瑕疵を主張するしかないと解されている[107]。

させた事例]。

104）東京セクハラ（M商事）事件・東京地判平成11・3・12労判760号23頁［使用者の有責行為により労働契約継続を断念させられた事案について6ヶ月の賃金相当額を損害と認めた］，プロトコーポレーション事件・東京地判平成15・6・30労経速1842号13頁［中途採用者の内定取消しにつき，再就職までの7ヶ月半の期間，従前の会社の賃金相当額認容］，O法律事務所（事務員解雇）事件・名古屋高判平成17・2・23労判909号67頁［解雇後3ヶ月の賃金相当額を相当因果関係のある損害とした］，インフォーマテック事件・東京高判平成20・6・26労判978号93頁［勤続20年以上の労働者の整理解雇について，6ヶ月の給与相当額を相当因果関係のある損害とした］，三枝商事事件・東京地判平成23・11・25労判1045号39頁［概ね3ヶ月分相当額を逸失利益として認容］。

105）使用者が不正経理調査終了まで自己都合退職は認めないとしていても，解約告知後2週間経過により労働契約は解約され，以後，使用者は懲戒解雇をなし得ないとした例としてエスエイピー・ジャパン事件・東京地判平成14・9・3労判839号32頁。

106）2017年民法改正により，民法627条2項，3項は労働者からの解約には適用されないこととなったため，期間によって報酬を定めた場合を含めて，労働者からの解約（辞職）の場合の予告期間は2週間に統一された（→334頁）。

107）菅野751頁，水町・詳解992頁以下。

これに対して，合意解約の申し込みの場合は，使用者が受諾するまでは撤回が可能である。そこで，労働者の退職に関する意思表示が，辞職の意思表示に該当するかは慎重かつ厳格に認定すべきと解されている（→365頁）。

▩退職労働者に対する退職を理由とする損害賠償請求　近時，引継ぎを行わずに退職したことや退職により損害が生じたことを理由に，使用者が退職労働者に対して，損害賠償請求を行う事例が散見される。裁判例はそのような請求を一般には認めておらず108)，逆にそのような訴訟の提起を不法行為として退職労働者からの反訴請求を認めた例109)もある。

2　有期契約の中途解約

期間の定めのある労働契約の場合は，民法628条により，労働者による解約も「やむを得ない事由」がある場合に即時解約できるに留まり，期間途中の解約はできないのが原則と解される。それゆえ，期間の定めが長期に及ぶと，不当な人身拘束となるので，労基法は期間の定めをする場合の上限について規制を行っている（労基14条。詳細については→540頁以下）。

Ⅱ　合意解約

合意解約は，労働者と使用者が合意により労働関係を将来に向けて解約するものであり，使用者による解雇には当たらず，解雇に関する規制（解雇予告規制や解雇権濫用法理）の適用を受けない。したがって，即時解約も当事者が合意すれば可能である。

合意解約に関して問題となるのは，労働者が退職に合意する意思表示をした後に，それを撤回しようとしたり，意思表示の瑕疵を主張して解約の効力を争う場合である。この問題は，民法上の意思表示についての諸理論によって判断されることになる110)。

---

108)　広告代理店A社元従業員事件・福岡高判平成28・10・14労判1155号37頁［うつ病に罹患して引継ぎを十分に行わなかった元従業員に対する使用者からの損害賠償請求を棄却］。

109)　プロシード元従業員事件・横浜地判平成29・3・30労判1159号5頁。

110)　清正寛「労働契約の合意解約と退職勧奨」季労165号6頁（1992年），森戸英幸「辞職と合意解約」講座21世紀4巻213頁等参照。

Ⅲ　退職の意思表示

1　退職の意思表示の解釈

退職の意思表示は，労働契約関係の解消という重大な効果をもたらすものであるので，その旨の確定的な意思表示がなされたことが必要で，その認定は慎重かつ厳格になされるべきである[111)]。

また，労働者側から退職の意思表示を行った場合，それが「合意解約の申込み」と解釈されれば，使用者が承諾するまでは，後述するように，信義則違反等特段の事情のない限り，撤回可能である（通説・判例）。これに対して，「辞職の意思表示」の場合，使用者に到達した時点で撤回不能となる。

このように，両者は概念上は明確に区別され，その効果も異なっている。ところが，現実には，退職に関する意思表示はいずれか明確でないものが少なくない。辞表の提出は辞職（解約告知）で，辞職願は合意解約の申込みというべきかもしれないが，一概にいえない。口頭の意思表示の場合はいよいよ不明確である。

両者の法的効果の違いと労働者の保護を考えると，「辞職の意思表示」と解するためには，明確にそう解し得る状況が必要で，いずれか曖昧な場合には，合意解約の申込みと解すべきである。実際に，裁判例はそのように解している[112)]。

2　退職の意思表示の瑕疵

解雇が厳しく制限されていることもあって，使用者は，解雇ではなく，労働者が自発的に退職したという形に追い込むことがある。そして，労働者が使用者の圧力に屈して辞表や退職願を提出した場合，事後にその効力を争う事例が少なくない。この場合，事案に応じて，意思表示の瑕疵に関する民法の諸規定によって処理され，強迫による取消しを認めた例[113)]，錯誤を認めた例[114)]，

111)　医療法人社団充友会事件・東京地判平成29・12・22労判1188号56頁［使用者がライン会話における片言隻句を歪めて解釈し，労働者が退職の意思表示をしたと決めつけて退職扱いしたものとして，労働契約上の地位確認を認めた］。

112)　全自交広島タクシー支部事件・広島地判昭和60・4・25労判487号84頁，大通事件・前掲注37，学校法人大谷学園事件・横浜地判平成23・7・26労判1035号88頁等。

113)　石見交通事件・松江地益田支判昭和44・11・18労民集20巻6号1527頁［若年労働者を長時間一室に留めて懲戒解雇をほのめかして退職強要し，退職の意思表示をさせた例］。

心裡留保を認めた例[115]等[116]がある。

3　合意解約の申込みの撤回

合意解約は労働者の解約申入れに対して使用者が承諾することによって成立する。そこで，一旦申し入れた解約申込みを労働者はいつまで撤回できるか，使用者の承諾はどの時点でなされたことになるかが問題となる。

まず，使用者が承諾の意思表示をするまでは，使用者に不測の損害を与える等の信義に反する特段の事情のない限り，労働者は解約申込みを自由に撤回できると解されている。

使用者が承諾した場合について，学説では，使用者の承諾は書面等の確実な方法でなされない限り効力はないといった主張がなされた。しかし最高裁[117]は，「就業規則等に特段の定めがない限り，辞令書の交付等一定の方式によらなければならないというものではない」とし，また，採用は役員ら4人の面接委員で決したことと対比して，人事部長個人の意思で解約申込みの承諾はなし得ないとした原審判断を，経験則違背とした。したがって，退職承認の権限を持つ人事部長が退職願を受理した場合，その時点で解約申込みに対する即時承諾の意思表示がされたものとして，合意解約が成立し，もはや労働者は解約申込みを撤回し得ないこととなる。

しかし，学説は辞職の意思表示および合意解約のいずれについても，労働者の意思表示に瑕疵があるとまで認められない場合でも，その効果の重大さに鑑み，一定期間についてはその意思表示の撤回を認めるべきとする見解が有力で[118]，その方向での立法論も提起されている[119]。

---

114)　徳心学園（横浜高校）事件・横浜地決平成7・11・8労判701号70頁［懲戒解雇になると誤信してなした退職申込みを動機の錯誤があり，合意退職を無効とした］，昭和電線電纜事件・横浜地川崎支判平成16・5・28労判878号40頁［解雇事由がないにもかかわらず退職勧奨され，自己都合退職しなければ解雇されると誤信した例］，富士ゼロックス事件・東京地判平成23・3・30労判1028号5頁［出退勤の虚偽申告判明後になされた退職の意思表示が，懲戒解雇されると誤信して行われたものでその動機も黙示的に表示されているとして錯誤無効とした］。

115)　昭和女子大学事件・東京地決平成4・2・6労判610号72頁［労働者が反省の意を強調する趣旨で退職する真意を持たずに退職願を提出し，使用者もその趣旨を知り受領した例］。

116)　長崎市事件・福岡高判令和3・10・14労判ジャーナル119号32頁［退職願による意思表示は統合失調症のため意思能力を欠く状態でなされたもので無効とした］。

117)　大隈鉄工所事件・最三小判昭和62・9・18労判504号6頁。

118)　下井・労基法223頁，西谷449頁。

4　退職勧奨

退職勧奨とは，辞職を勧める使用者の行為，あるいは，使用者による合意解約の申込みに対する承諾を勧める行為で，これ自体は事実行為である。このような勧奨行為を行うこと自体は基本的に自由である[120]。しかし，勧奨行為が執拗で不当な強要にわたる場合には不法行為と評価されることがある[121]。

Ⅳ　定　年

1　定年制の意義と機能

定年には定年年齢到達によって自動終了する場合（定年退職制）と，定年を理由として解雇を行う場合（定年解雇制）があるが，後者は解雇であるので，解雇の法理に服する。いずれも中途解約が制限されない点で，労働契約の期間の定めとは異なる。そこで，労働契約終了事由に関する特殊な約定と解されている[122]。

定年はわが国の長期雇用慣行を支えてきた重要な制度である。長期雇用慣行は労働者に長期勤続を奨励するため，年功賃金制度や退職金制度を伴って展開

119）労契研報告書64頁は使用者の働きかけに応じてなされた労働者の合意解約申込みや辞職の意思表示について，民法540条の規定等にかかわらず，一定期間撤回できることとすることを提案する。

120）日本アイ・ビー・エム事件・東京地判平成23・12・28労経速2133号3頁，同・東京高判平成24・10・31労経速2172号3頁［退職勧奨の手段・方法が，労働者の自発的な退職意思を形成する本来の目的実現のために社会通念上相当と認められる限度を超えて，不当な心理的圧力を加えたり，名誉感情を不当に害するような言辞を用いたりすることによって，その自由な退職意思の形成を妨げるに足りる不当な行為ないし言動をすることは許されず，不法行為を構成するとの一般論を述べつつ，労働者が退職勧奨のための面談には応じられないことをはっきりと明確に表明し，かつ，使用者（当該社員の上司）に対してその旨を確実に認識させた段階で，初めてそれ以降の退職勧奨が違法となりうるとし，当該事案について不法行為成立を否定した］。

121）下関商業高校事件・最一小判昭和55・7・10労判345号20頁［被勧奨者の自発的な退職意思の形成を慫慂する限度を超え，心理的圧力を加えて退職を強要したとして慰謝料請求を認容］。不法行為を肯定したものとして，エール・フランス事件・東京高判平成8・3・27労判706号69頁［暴行を含む嫌がらせによる退職強要行為を不法行為とした］，日本航空事件・東京地判平成23・10・31労判1041号20頁［退職勧奨過程で懲戒解雇の可能性に言及した点について違法とした］，日立製作所（退職勧奨）事件・横浜地判令和2・3・24判時2481号75頁［本人が明確に拒否した後も複数回の面談の場で執拗に行われた退職勧奨につき不法行為とした］。

122）菅野755頁。

された。このような年功賃金制度の下では，ある時点で雇用関係を切断しないと企業は採算がとれなくなる。そこで定年制度が要請されることとなる[123]。定年年齢までの解雇は禁止されてはいないが，解雇権濫用法理の下で，労使ともに事実上，定年までの雇用保障を前提に雇用システムを展開してきた。そこで，政府の雇用政策も急速な高齢化の進展に労働市場を適応させるために定年制を利用してきた。

すなわち，定年年齢は当初55歳が一般的であったが，男性の平均寿命が70歳を超えるに至った1970年代初頭から，高年齢者の雇用確保を図る施策として定年延長が重要な政策課題となっていった。そこで1986（昭和61）年に中高年雇用促進特別措置法を改正して成立した高年齢者雇用安定法は，60歳定年を努力義務とし，1994（平成6）年の同法改正では「定年……の定めをする場合には，当該定年は，60歳を下回ることができない」（4条，現8条）として60歳を下回る定年制が禁止された（施行は1998年4月1日）。この規制は私法上も強行規定と解され，例えば58歳定年制は無効となる[124]。

2　65歳までの3つの雇用確保措置

2004年から2013年にかけての公的年金（定額部分）の支給開始年齢の段階的引上げに合わせて，2004（平成16）年の高年齢者雇用安定法改正では，65歳未満の定年を定めている事業主は65歳まで[125]の高年齢者の雇用確保のため，

123）　このことの経済学的説明についてはエドワード・P. ラジアー，樋口美雄＝清家篤訳『人事と組織の経済学』303頁以下（1998年）。

124）　無効となった後については，定年の定めのない状態になるとする説（岸本武史「これからの高齢者雇用対策――高齢者雇用安定法の改正にともなって」季労171号39頁〔1994年〕，菅野109頁，土田・契約法641頁注30，牛根漁業協同組合事件・福岡高宮崎支判平成17・11・30労判953号71頁）と，定年制を設けた当事者の意思を考えると，無効となる部分は，60歳を下回る定年年齢を定めた部分のみであり，60歳定年を定めたものとなるとする説（岩村正彦「変貌する引退過程」岩村正彦ほか編・岩波講座　現代の法12『職業生活と法』354頁〔1998年〕，西谷敏「労働法規の私法的効力――高年齢者雇用安定法の解釈をめぐって」法時80巻8号83頁〔2008年〕等）が対立している。高年齢者雇用安定法には労基法13条のような補充効規定がないことに加え，2004年改正により高年齢者雇用安定法9条1項で，60歳定年制についても使用者は3つの高年齢者雇用確保措置のいずれかを採ることを義務づけられるに至っており，当事者の意思を60歳定年制と解して補充することが必ずしも妥当とはいえなくなっていること，公的年金支給開始年齢が既に60歳を超えていること，同8条違反の状態を当事者自身が解消するインセンティブを付与すべきこと，一旦定年制がない状況となっても，就業規則の合理的変更で定年制を設定することは可能であること等を考慮すると，同条違反の定年制は無効となり，定年の定めのない状態になると解するのが妥当であろう。

①定年年齢の引上げ，②継続雇用制度の導入，③定年の廃止，のいずれかの措置を採ることを義務づけられることになった（高年9条1項)。もっともこの高年齢者雇用確保措置の義務づけは，公法上のもの[126]であり，私法上，強行的効力を持つものではないと解される[127]。例えば，60歳定年制は，②の措置が許容されている以上，一義的に無効ということはできない。この点が，その強行性に関する限り一義的に明確である同8条とは異なる。また，①と③のいずれの措置も採らなかった場合に，当然に②の継続雇用の私法上の効果が発生すると解することも，継続雇用の内容自体，当事者が合意しない限り確定しない以上，困難である[128]。ただし，高年齢者雇用確保措置を何ら採らなかった場合には，私法上も不法行為として損害賠償責任が生ずることはあり得る[129]。なお，使用者が②継続雇用措置を実際に採り，その基準を労働者が満たす場合に，当該継続雇用措置から，労働契約締結という私法上の効果が認められることはあるが[130]，それは9条自体の私法上の効果ではない。

3　65歳までの継続雇用制度

2019年6月時点の調査[131]によると，①～③の選択肢のうち，①定年年齢の

125)　高年齢者雇用確保措置を講ずべき年齢については，年金支給開始年齢引上げに対応して，2006年4月1日からは62歳，2007年4月からは63歳，2010年4月からは64歳までとされ，65歳となったのは2013年4月からである（高年附則旧4条)。

126)　違反企業に対しては指導・助言・勧告・勧告違反の公表が予定されている（高年10条)。

127)　同旨，NTT西日本（高齢者雇用・第1）事件・大阪高判平成21・11・27労判1004号112頁，京王電鉄ほか事件・東京地判平成30・9・20労判1215号66頁，櫻庭涼子「高年齢者の雇用確保措置――2004年法改正後の課題」労旬1641号46頁（2007年)。反対，西谷敏「労働法規の私法的効力――高年齢者雇用安定法の解釈をめぐって」法時80巻8号80頁（2008年)，根本到「高年齢者雇用安定法9条の意義と同条違反の私法的効果」労旬1674号6頁（2008年)。

128)　同旨，東日本電信電話事件・東京地判平成21・11・16労経速2059号3頁。なお，日本ニューホランド（再雇用拒否）事件・札幌地判平成22・3・30労判1007号26頁は，賃金額が定まっていないことを理由に契約成立を否定する（不法行為は肯定）が，理由付けは疑問である（→382頁)。

129)　櫻庭・前掲注127・50頁。

130)　津田電気計器事件・最一小判平成24・11・29労判1064号13頁［継続雇用措置の継続雇用基準を満たす労働者には雇用継続期待の合理的理由があり，使用者が再雇用を拒否することは，他にやむを得ない特段の事情もない以上，客観的に合理的理由を欠き，社会通念上相当とは認められず，再雇用されたのと同様の雇用関係が存続するとした］，エボニック・ジャパン事件・東京地判平成30・6・12労経速2362号20頁。

131)　厚生労働省「令和元年高年齢者の雇用状況」（https://www.mhlw.go.jp/content/

引上げで対応した企業が19.4%，②継続雇用制度が77.9%，③定年の廃止が2.7%と，②が圧倒的に多い。もっとも，①定年年齢の引上げも2012年14.7%，2015年15.7%，2018年18.1%と年々増加し（各年の厚生労働省「高年齢者の雇用状況」），定年を65歳まで引き上げた企業は2019年には17.2%（前年比1.1ポイント増）にのぼる。

(1)　希望者全員の継続雇用

②継続雇用制度については，2004年法の下では過半数代表との労使協定で継続雇用対象者を限定（選別）すること（対象者限定制度）も許容されていた（2004年高年法9条2項）。

しかし，老齢厚生年金報酬比例部分の支給開始年齢が2013年4月から段階的に引き上げられることに対応した2012（平成24）年高年法改正により，希望するものは全員を継続雇用の対象とすべきこととなった。ただし，2025年までは厚生年金報酬比例部分の支給開始年齢引上げと連動した段階的な経過措置が設けられている[132]。なお，指針では，心身の故障のため業務に耐えられない，勤務不良で従業員としての職責を果たし得ない等，就業規則の解雇事由に該当する場合には，継続雇用しないことが可能とされている[133]。これは，解雇可能な状況なのに定年時には継続雇用義務故に解雇をなしえないこととなるのは不合理だからである。したがって，継続雇用しないことについては，客観的合理的理由・社会通念上の相当性が求められる[134]。

また，2012年改正では，継続雇用は，当該企業以外に，グループ企業（特殊関係事業主）によって行うことも可能とされた。特殊関係事業主とは，事業主が「経営を実質的に支配することが可能となる関係にある事業主その他の当該事業主と特殊の関係のある事業主」をいう（高年9条2項）。具体的には，高年法施行規則で，当該事業主の子法人等・親法人等・親法人等の子法人等，当該事

11703000/000569181.pdf)。

132）　対象者限定制度は，2016年3月31日までは61歳以上，2019年3月31日までは62歳以上，2022年3月31日までは63歳以上，2025年3月31日までは64歳以上について維持可能で，最終的に対象者限定制度が完全廃止されるのは2025年4月からとなる（改正法附則3項)。

133）　高年齢者雇用確保指針（平成24・11・9厚労告560号)。NHKサービスセンター事件・横浜地川崎支判令和3・11・30労経速2477号18頁［繰り返し注意・指導を受けるも改善意思が認められなかった有期契約労働者の定年時の継続雇用拒否につき適法とした]。

134）　同指針参照。

業主の関連法人等，当該事業主の親法人等の関連法人等を指すとされ，「親法人等」「子法人等」「関連法人等」についても詳細に定められている（高年則4条の3）。

(2)　継続雇用における労働条件

継続雇用制度は，年金支給年齢引上げという国の年金政策に対応して，使用者に継続雇用義務を課したこともあり，その趣旨に反しない限り，企業の実情に応じて柔軟に内容を定めうると解され[135]，厚労省も合理的な裁量の範囲内の条件を提示していればよいとしていた[136]。この点について，近時いくつかの観点からの法的吟味が議論されている。

第1に，継続雇用制度では年金支給年齢まで有期労働契約で雇用を継続するものであるので，無期契約労働者の労働条件との間に格差がある場合，それが2018年改正前労契法20条にいう不合理な相違と評価されないかが問題となった。長澤運輸事件最高裁判決はこの場面にも2018年改正前労契法20条が適用されることを認めつつ，定年後の再雇用であることを「その他」の事情として考慮し，一部の手当を除き，相違があっても不合理とはいえないとした（→583頁）。

第2に，労働条件が定年前と大きく変更された場合につき，高年法の規定する「継続雇用」と評価できるか否かが，業務内容[137]，および賃金の額[138]について，問題となっている。

4　高年齢者就業確保措置（65歳～70歳，努力義務）

2019年の政府の成長戦略実行計画を踏まえ，2020（令和2）年高年法改正に

---

135)　菅野757頁，濱口301頁参照。

136)　厚生労働省「高年齢者雇用安定法Q＆A（高年齢者雇用確保措置関係）」Q1-9参照。https://www.mhlw.go.jp/general/seido/anteikyoku/kourei2/qa/

137)　トヨタ自動車事件・名古屋高判平成28・9・28労判1146号22頁［ホワイトカラーであった者に対して清掃業務等の単純労務を提示し，再雇用契約が不成立となった事例につき，社会通念に照らし到底受け入れ難いもので実質的に継続雇用の機会を与えたとは認められないとして慰謝料請求認容］。これに対し，申込み内容に問題はないとされた例として，アルパイン事件・東京地判令和元・5・21労判1235号88頁［サウンド設計部に勤務してきた者に対する特殊関係事業主（100％子会社）の人事総務部における労務管理等という職務内容での再雇用申込みにつき，労働者が自らの判断で拒否したもので，申込み内容も客観的に見て不合理とはいえないとして，地位確認，損害賠償請求を否定］。

138)　九州惣菜事件・福岡高判平成29・9・7労判1167号49頁［定年前に比して月収ベースで75％減少となった再雇用について，不法行為の損害賠償認容］。

より，65歳から70歳までの高年齢者の高年齢者就業確保措置の努力義務が新設された（高年10条の2）（2021〔令和3〕年4月1日施行）。65歳までの雇用確保措置とは異なり，雇用に限らず起業，社会貢献活動等の就業確保をも想定している点に特色がある。

すなわち，65歳以上70歳未満の定年制を採用している事業主または継続雇用制度を導入している事業主は，65歳から70歳までの安定した雇用を確保するために，①定年の引上げ，②65歳以上継続雇用制度，③定年の廃止，の措置を講ずる努力義務を負う（高年10条の2第1項）。②には，事業主が他の事業主との間で契約を締結してその雇用する高年齢者で希望するものを継続雇用させる場合も含まれる（同3項）。さらに，事業主が過半数代表（過半数組合・過半数代表者）の同意を得た場合，「創業支援等措置」を採ることにより（雇用確保ではなく）就業確保措置を講ずることでもよい（同1項但書）。創業支援等措置としては，④新事業を開始する高年齢者（創業高年齢者等）で希望する者との間で，委託契約等を締結し資金を提供して，当該高年齢者の就業を確保する措置（同2項1号），⑤定年後または65歳までの継続雇用終了後に元従業員が，イ）事業主が自ら実施する社会貢献事業，ロ）事業主が委託して実施する社会貢献事業，ハ）事業主が出資（資金提供）その他の援助を行う団体が実施する社会貢献事業，に係る業務に70歳までの就業を確保する措置（同2項2号）がある。なお，いずれも事業主が当該高年齢者に金銭を支払うものに限られる（同2項1号，2号）。

厚生労働大臣は，①～⑤の高年齢者就業確保措置について指針を定めるものとされ（同4項），必要があると認められるときは，事業主に対して必要な指導・助言，計画の作成・勧告等をすることができる（同法10条の3）。

5　定年制の適法性

定年制は定年年齢までの雇用を事実上保障するとしても，定年時には本人の能力に関係なく，年齢という一事によって雇用関係を終了させる制度なので，その適法性が問題となる。

学説の中には定年は公序良俗違反で無効とする立場もあるが，現在の判例および学説の多数は，定年制の実際上の雇用保障機能や企業組織における人事の刷新手段としての合理性等を勘案して，有効と解している[139]。日本では，定年の雇用保障機能が依然として重要であり，上記のように雇用政策も定年年齢引上げ等，定年制の雇用保障機能に期待し，これを活用している状況であるので，当分は定年制の合理性が肯定され続けるであろう。

しかし，アメリカの年齢差別禁止法やEU一般雇用均等指令（雇用および職業における平等取扱いの一般的枠組み指令〔2000/78/EC〕）は，年齢差別を禁止される差別類型の一つと位置づけている[140]。定年制の雇用保障効果が変化したり，長期雇用システムの大きな変容が生じた場合には，定年制の評価にも変化が生ずる可能性がある。

V　当事者の消滅

労働契約の当事者たる労働者が死亡したり，法人企業が解散した場合のように，当事者が消滅した場合には労働契約も当然に消滅する。合併や分割等の企業組織再編の場合の労働契約の帰趨については企業組織再編の章（→488頁以下）で検討する。

第4節　労働契約終了に伴う法規制

I　退職時の証明

労働者が再就職するに際して，従前の勤務状況等について証明を必要とすることが少なくない。そこで，労基法は，労働者が退職時（解雇，懲戒解雇，期間満了等すべての労働関係終了の場合を指す）に請求した場合，使用者は，使用期間，業務の種類，その事業における地位，賃金，そして既述の退職の事由（→350頁）についての証明書を遅滞なく交付しなければならないと定めている（労基22条1項）。また，その証明書には労働者の請求しない事項を記入してはならない（同3項）。

---

139)　秋北バス事件・最大判昭和43・12・25民集22巻13号3459頁，アール・エフ・ラジオ日本事件・東京高判平成8・8・26労判701号12頁，菅野756頁，西谷440頁以下等。

140)　もっとも定年制はアメリカでは典型的な年齢差別禁止違反だが，EUでは，正当な目的・手段による例外として，年金支給開始年齢と接合した定年は適法とされうる（例えばドイツ一般平等取扱法〔Allgemeines Gleichbehandlungsgesetz〕10条5号）など，年齢差別禁止規制における定年制の位置づけは米欧で異なる。櫻庭涼子「年齢差別禁止と定年制――EU法・英国法の展開を手がかりに」労研643号31頁（2014年）参照。

また，使用者は予め第三者と謀り，労働者の就業を妨げることを目的として，労働者の国籍，信条，社会的身分もしくは労働組合運動に関する通信をし，または退職証明書に秘密の記号を記入してはならない（同4項）。いわゆるブラックリストの禁止である。

Ⅱ　金品の返還

使用者は，労働者の退職，死亡の場合，権利者（本人または相続人〔債権者は含まれない〕）の請求があれば，7日以内に賃金を支払い，積立金，保証金，貯蓄金その他名称の如何を問わず，労働者の権利に属する金品を返還しなければならない（労基23条1項）。ただし，退職金については，1987（昭和62）年改正により労基法89条3号の2で支払時期と方法につき定めを置くこととなったので，これとの整合的解釈として，就業規則等で支払時期が定めてあれば別途それに従って払ってよいと解される。なお，その額等について争いがある場合には，異議のない部分をこの期間中に支払いあるいは返還しなければならない（労基23条2項）。

Ⅲ　年少者の帰郷旅費

満18歳未満の年少者が解雇から14日以内に帰郷する場合，当該解雇につき年少者に帰責事由があり行政官庁の認定を受けた場合を除き，使用者は必要な帰郷旅費を負担しなければならない（労基64条）。

Ⅳ　労働保険・社会保険の手続

雇用保険法上の義務として，事業主（使用者）は被保険者資格喪失届を公共職業安定所長に提出しなければならず，その際原則として，離職した労働者の離職証明書を作成して添付しなければならない（雇用保険法7条，同83条1号で罰則。同施行規則7条，16条）。これにより職安所長は失業等給付（→806頁）の受給に必要な「離職票」を労働者に交付する。

健康保険・厚生年金保険に関しても事業主は年金事務所に被保険者資格喪失届を提出しなければならない（健康保険法48条，同208条1号で罰則，厚生年金保険法27条，同102条1号で罰則）。

▩使用者の労働・社会保険手続の不履行と損害賠償責任　使用者がこれらの労働保険・社会保険につき労働者の被保険者資格取得の届出を怠っていた場合，得られるはずの保険給付を得られないという問題が生ずる。この場合，使用者の労働契約上の付随義務に違反する債務不履行ないし不法行為として損害賠償責任が認められている[141]。

141)　京都市役所非常勤嘱託員厚生年金保険事件・京都地判平成11・9・30判時1715号51頁［非常勤嘱託員の厚生年金保険の被保険者資格の届出不履行につき不法行為による損害賠償認容］，医療法人一心会事件・大阪地判平成27・1・29労判1116号5頁［雇用保険，健康保険・厚生年金保険の手続不履行につき債務不履行による損害賠償認容］，豊國工業事件・奈良地判平成18・9・5労判925号53頁［厚生年金保険等の社会保険加入手続不履行につき，債務不履行による損害賠償認容］，NOVA事件・名古屋高判令和2・10・23労判1237号18頁［英会話講師の健康保険加入手続の不履行につき債務不履行ないし不法行為に当たるとして慰謝料認容］。

第13章　労働関係の成立・開始

第1節　採用の自由と募集・採用に関する法規制

使用者は，職業選択・営業の自由（憲22条1項）および財産権の保障（同29条）によって経済活動の自由を保障されており，その一環として契約の自由，採用の自由を有する[1]。しかし，契約の自由にも財産権の保障にも，憲法上，公共の福祉による制約があり得る（同22条1項，29条2項）。したがって，勤労権の保障（同27条1項），労働者の団結権の保障（同28条），平等権の保障（同14条）等の観点から，採用の自由に一定の制約が課されることがあり得る。判例[2]も，採用の自由について法律等による制限があることを承認している（→379頁）。もっとも，採用の自由に一定の制約が認められる場合でも，その制約の法的効果を考える際には，採用の自由の保障との調和を慎重に考慮すべきである。

採用の自由の内容は具体的には，⑴契約締結の自由，⑵募集方法の自由，⑶選択・調査の自由の3つの側面に整理できる。

Ⅰ　契約締結の自由

まず，使用者は，特定の労働者との労働契約締結を強制されることはない（契約締結の自由）。このことから，一定の差別的採用拒否を違法と解する場合であっても，その救済は不法行為責任（損害賠償責任）に留まり，契約締結自体を強制させることはできないのが原則となる。

また，使用者は何人の労働者を雇用するかを自由に決定でき，一定数の労働

1）　三菱樹脂事件・最大判昭和48・12・12民集27巻11号1536頁参照。

2）　三菱樹脂事件・前掲注1。

者の雇用を強制されることはない（雇用者数決定の自由）。この点に関して，障害者雇用促進法が雇用労働者中に占める障害者の雇用率を定め，その率に達するまでの障害者の雇用義務を使用者に課す制度が問題となる。しかしこの障害者雇用率制度も，雇用率未達成の場合には「障害者雇用納付金」を徴収し，法定雇用率以上に雇用していれば逆に「障害者雇用調整金」を支給するという規制に留まり，労働契約締結自体を強制するものではない（→103頁。障害者雇用率制度と営業の自由の関係については→850頁以下）。

存続していた雇用関係が一旦終了した場合に継続して雇用関係を強制することについては，純然たる採用の問題とは考えられておらず，例えば，解雇権濫用の場合（労契16条）や，有期契約労働者の雇止めに解雇権濫用法理が類推適用される場合においては，当該解雇や雇止めが無効と解される結果，（損害賠償責任に留まらず）労働契約関係の存続強制が可能と解されてきた。そして，雇止め法理については，2012（平成24）年労契法改正で労働契約の再締結が擬制されることとなった（労契19条）。さらに，同年の労契法改正では，5年を超えて更新された有期契約について，労働者が無期契約転換申込権を行使した場合，使用者の承諾みなし制度により，無期契約の成立が擬制されることとなった（労契18条→546頁以下）。

これに対して，2012（平成24）年労働者派遣法改正で導入された派遣先の雇用契約申込みみなし制度（労派遣40条の6→617頁）は，労働契約関係の存在しなかった派遣先との労働契約締結を強制する点においては，上記の解雇や雇止めとは異なり，採用の自由や合意原則との抵触度はより大きい。しかし，派遣労働政策上の観点から，労働者派遣法違反に対するサンクションとして設けられたものである3)。

なお，高年齢者雇用安定法9条は，高年齢者雇用確保措置の一つとして定年後，年金支給開始年齢である65歳まで再雇用でつなぐ継続雇用制度を挙げているが，その私法上の効力については議論がある（→369頁）。

---

3)　このような立法政策の正統性を認めるためには，常用代替防止の理念に立脚した現行制度の再検証が不可欠と指摘するものとして本庄淳志「労働者派遣法──業法から派遣労働者保護法への転換に向けて」法教386号33頁（2012年）。これに対して，契約申込みみなし制度の合憲性を説くものとして鎌田耕一「労働法における契約締結の強制」毛塚古稀521頁。

Ⅱ　募集方法の自由と職業安定法による規制

労働者採用の手段・方法についても使用者は自由に決定できるのが原則であり，例えば，公募によらず縁故により採用することも許容される。しかし，職業安定法が募集・職業紹介・労働者供給について規制を行っていることから，利用できる手段にも一定の制約が生ずる。

具体的には，募集については，文書募集や直接募集は自由であるが，第三者を用いた有償の委託募集は厚生労働大臣の許可が必要となる（職安36条）。職業紹介事業を用いて採用する場合には職安法の職業紹介に関する規制が関係する。かつては有料職業紹介の対象事業が厳しく制限されていたが，1999（平成11）年改正で原則自由となっている。また，労働者供給事業は労働組合が許可を得て行う以外，禁止されている（詳細については→831頁以下）。

Ⅲ　選択の自由・調査の自由

採用の自由には，いかなる基準で労働者を採用するのかという選択の自由も含まれる。この問題のリーディングケースが，憲法の人権規定の私人間適用について間接適用説を確立したことで有名な三菱樹脂事件最高裁判決[4]である。この事件では，東北大学卒の新入社員が，入社試験の際の身上調書に政治活動の経験等について虚偽の記載をなし，管理職要員として不適格であるとして，試用後の本採用を拒否された。このことが，憲法の保障する法の下の平等（憲14条），思想および良心の自由（同19条）そして労基法の信条を理由とする労働条件差別の禁止（労基3条）との関係で違法とならないかが，正面から問題となった。

最高裁は，憲法が思想，信条の自由や法の下の平等を保障すると同時に，憲法22条，29条等において財産権の行使，営業その他広く経済活動の自由をも基本的人権として保障していることを説き，「企業者は，かような経済活動の一環としてする契約締結の自由を有し……いかなる者を雇い入れるか，いかなる条件でこれを雇うかについて，法律その他による特別の制限がない限り，原則として自由にこれを決定することができ」，「企業者が特定の思想，信条を有

4）　三菱樹脂事件・前掲注1。

する者をそのゆえをもつて雇い入れることを拒んでも，それを当然に違法とすることはできない」とした。また，信条を理由とする差別禁止を定めた労基法3条は，雇入れ後の労働条件に関するもので，雇入れそのものを制約する規制ではないとしている。

さらに，調査の自由については，採用の自由により思想信条を理由とする雇入れ拒否が違法でない以上，企業者が労働者の採否決定に当たり，労働者の思想，信条を調査し，関連する事項について申告を求めることも違法行為とすべき理由はないとした。

このような判断には，三菱樹脂事件判決における「企業における雇傭関係が……継続的な人間関係として相互信頼を要請するところが少なくなく，わが国におけるようにいわゆる終身雇傭制が行なわれている社会では一層そうである」旨の言及からも窺われるように，一旦採用したならばよほどの非違行為がない限り使用者の解雇権行使は権利濫用として許容されにくいという事情も相当に影響しているようである。しかし，雇用維持が労働関係における重要な価値であり続けるとしても，唯一絶対的価値ではなく，他に差別禁止，プライバシー保護[5)]，職業生活における人格発展の自由といった尊重すべき新たな価値が台頭してきている今日，判旨の立場がなお支持されるべきか再検討の余地があろう。とりわけ，採用強制ができないのは当然としても，不法行為として損害賠償責任[6)]を認める余地は十分あり得よう。

Ⅳ　法律による採用の自由の制限

三菱樹脂事件判決も，採用の自由について「法律その他による特別の制限」があり得ることは認めており，現在，Ⅰないし Ⅲに関連して触れた各種の規制のほか，以下のような採用の自由に対する法律上の制限に留意する必要がある。

5)　労働者の個人情報保護に関する研究会（座長諏訪康雄法政大学教授）『労働者の個人情報保護に関する行動指針』（2000年12月）は，原則として収集してはならない個人情報として，（イ）人種，民族，社会的身分，門地，本籍，出生地その他社会的差別の原因となるおそれのある事項，（ロ）思想，信条および信仰，を挙げている。

6)　調査の自由との関係で，プライバシー侵害の不法行為の成立を認めた裁判例として，警視庁HIV検査事件・東京地判平成15・5・28労判852号11頁，B金融公庫事件・東京地判平成15・6・20労判854号5頁（→95頁）。

1　性別を理由とする募集・採用差別の禁止

性別を募集・採用の基準とすることの可否については，1985（昭和60）年制定の男女雇用機会均等法では，女性に対して男性と均等な機会を与える努力義務を規定するに留まったが，1997（平成9）年改正では女性に対する差別禁止規定とされた。そして2006（平成18）年改正では，男女双方に対する募集・採用差別禁止が明定され（雇均5条），また，一定の間接差別による募集・採用差別も禁止された（同7条）。この禁止規定違反の法的効果としては①行政指導，②厚生労働大臣の勧告に従わない場合の企業名公表，③不法行為としての損害賠償責任等が考えられる。しかし，採用自体を強制する（地位確認請求を認める）ことは，採用の自由（労働契約締結の自由）と正面から抵触するので，現行法下では困難と解される。

2　労働組合員であることを理由とする採用差別の禁止

労組法7条1号によって，組合所属や組合活動を理由とする採用拒否は，不当労働行為を構成すると解される。この点，判例[7]は採用拒否は原則として労組法7条1号の不当労働行為とならないと解しているが，学説の批判が強い（→770頁）。

3　年齢を理由とする募集・採用差別の禁止

アメリカ（1967年雇用における年齢差別禁止法：Age Discrimination in Employment Act）やEU（EU一般雇用均等指令〔2000/78/EC〕）では年齢差別禁止規制が導入されている[8]。これに対して，日本では従来，年齢による異別取扱いを，禁止されるべき差別事由とは考えてこなかった。しかし，1990年代初頭のバブル経済崩壊後，企業の組織再編が進行する中で，退職・転職する中高年が，応募対象を40歳未満に限定する等の企業実務に直面し，社会問題となった。そこで2001（平成13）年改正雇用対策法は，労働者の募集・採用について年齢にかかわりなく均等な機会を与える努力義務を規定した（同7条〔当時〕）。そして2007（平成19）年改正雇用対策法では，これが「事業主は，……労働者の募集及び採用について，厚生労働省令で定めるところにより，その年齢にかかわりなく均等な機会を与えなければならない」とされ，募集・採用に関する年齢差別禁止

7）JR北海道・日本貨物鉄道事件・最一小判平成15・12・22民集57巻11号2335頁。

8）諸外国の年齢差別規制の詳細は，櫻庭涼子『年齢差別禁止の法理』59頁以下（2008年）参照。

規定となった（同10条，2018年の法律名変更により現労働施策推進9条）。同条は，均等な機会を与えるべき場合を厚生労働省令で定めるかのような規定ぶりであるが，これを受けた同施行規則1条の3は，例外的に合理的理由があり年齢制限が認められる場合を列挙し，それ以外の場合を年齢制限が認められない場合としている。もっとも，実際に施行規則で列挙された例外は極めて広範なもので，年齢差別禁止規制としては控えめなものに留まる[9)]。

なお，労働施策総合推進法9条（旧雇対10条）の違反については，行政上の助言，指導，勧告（労働施策推進33条）や，求人の申込みの不受理（職安5条の6）等の公法上の効果は生ずるが，罰則は規定されておらず，私法上の効力は特段予定されていない。場合によって不法行為責任を惹起するに留まると解される。

4　障害を理由とする募集・採用差別の禁止

2013（平成25）年の障害者雇用促進法改正により，事業主は，障害者の募集・採用に当たって，障害者でない者と均等な機会を与えなければならないとされ（同34条），募集・採用差別が禁止されるに至った（→104頁，853頁）。

第2節　労働契約の成立と労働条件明示

I　労働契約の成立

労契法6条は「労働契約は，労働者が使用者に使用されて労働し，使用者がこれに対して賃金を支払うことについて，労働者及び使用者が合意することによって成立する」として，労働契約の成立要件を定めている。

本条からは，第1に，労働契約が合意のみによって成立する諾成契約であることがわかる。したがって，労働契約は書面作成・交付等がなくとも有効に成立する[10)]。

第2に，本条は労働契約の成立要件を明らかにしている。すなわち，労働契

---

9)　年齢制限が認められる場合として，定年の定めをしている場合に，当該年齢を下回ることを条件とする場合（例：60歳定年制の下で期間を定めずに60歳未満を募集），法令の規定により特定年齢の就業が禁止・制限されている場合（例：労基法62条の定める危険有害業務について18歳以上を募集），募集・採用における年齢制限を必要最小限にする観点から合理的制限として列挙された場合に該当するとき等，詳細な定めが置かれている。

10)　施行通達（平成24・8・10基発0810第2号）第3の2(1)イ(オ)。

約が成立するためには，労働者と使用者の間で「労働者が使用者に使用されて労働」すること（指揮命令に服した労働提供），および「使用者がこれに対して賃金を支払うこと」（労働提供に対する賃金支払）について合意する必要がある。民法623条は雇用の効力発生要件として「労働に従事すること」と「報酬を与えること」に関する双方当事者の合意を規定しているが，同趣旨である。

労働契約は，上記の2つの要素，すなわち指揮命令に服した労働提供と，労働提供に対する賃金支払についての双方当事者の合意によって成立する。ここでいう指揮命令に服した労働提供とは，労働契約の一方当事者（労働者）が，他方当事者（使用者）の指揮命令に服して労働することを指し，労働の具体的内容や種類，労働時間等の詳細についてまで特定されて合意の対象となっていなければ労働契約が成立しないわけではない。したがって，使用者がこれら労働義務や賃金の内容の詳細に関して明示していなかったとしても（次述する労基法15条の労働条件明示義務違反があったとしても），また，労契法4条の理解促進や書面確認が十分でなかったとしても，上記2要素の合意が認定できれば労働契約は成立する[11]。判例も，具体的労働条件について合意がなされていない採用内定段階であっても，上記2要素についての合意が認定できれば，労働契約の成立を肯定している[12]。したがって，具体的な賃金額についての合意がなくとも，労働の対価として賃金を支払う合意が認定できれば労働契約は成立しうる[13]。

他方，この2要素についての合意が成立していなければ労働契約も成立しない。これは黙示の労働契約の成立をめぐって問題となる（→63頁）。

11)　施行通達・前掲注10。なお，労基法15条の労働条件明示義務違反があっても労働契約が有効に成立することについては従来より争いがない（労基局（上）241頁）。

12)　大日本印刷事件・最二小判昭和54・7・20民集33巻5号582頁は，内定段階では給与，勤務時間，勤務場所等，労働条件は明らかではなく，労働条件について当事者間に合意が成立したと認めるべき事実はないとの会社の主張を斥けて，労働契約の成立を認めた。

13)　芸能プロダクションがタレント志望者と締結した専属芸術家契約に報酬支払いの約定はあったが，具体的な報酬額は定められなかった事案につき，労働契約の成立を認めた例として，J社ほか1社事件・東京地判平成25・3・8労判1075号77頁。これに対して，日本ニューホランド（再雇用拒否）事件・札幌地判平成22・3・30労判1007号26頁は，具体的な賃金額についての合意がないことを根拠に労働契約の成立を否定するが疑問がある。同旨，根本到「契約の成立と変更に関する民法改正案と労働契約」法時82巻11号21頁（2010年）。

Ⅱ　労働条件明示義務

上述のように，労働契約は指揮命令に服した労働提供と，これに対する賃金支払の2要素についての合意で成立する。しかし，労働条件について予め明示されて合意することが望ましいのはいうまでもなく，紛争防止の観点からもそうである。労働条件明示という作為を使用者に行わせるには労働保護法の公法的規制手法が実効的である。そこで労基法は制定以来，罰則付きで労働契約の締結に際し，労働条件明示義務を定めており，その内容は時代を追って強化されてきている（労基15条）。民事規範からなる労契法は労基法15条を補足する形で，労働契約締結時に限られない労働契約内容についての理解促進措置（労契4条1項）および労働契約内容のできる限りの書面化（同2項）を要請している（→318頁）。

1　労働条件明示とその方法

明示すべき労働条件の具体的内容は，労基法15条を受けて，労基則5条1項が11号にわたって列挙している。その内容は，労基法89条が就業規則の必要的記載事項として列挙した事項とほぼ同様である。ただ，労基則5条1項は，就業規則の必要的記載事項に若干の項目を付加している[14)]。

1998（平成10）年労基法改正まで，書面により明示を要する事項は賃金に限られていた。しかし，労働条件明示が極めて不十分であることが実態調査でも判明し，また，雇用管理の個別化・多様化によって，書面による労働条件明確化の必要が認識された。そこで1998年労基法改正とそれに伴う労基則5条改正により，書面で明示すべき労働条件は，①労働契約の期間に関する事項（労基則5条1項1号），②有期労働契約を更新する場合の基準に関する事項（同1号の2）（2012〔平成24〕年改正で告示から格上げ），③就業の場所および従事すべき業務（同1号の3），④始業および終業の時刻，所定労働時間を超える労働の有無，休憩時間，休日，休暇ならびに就業時転換に関する事項（同2号），⑤賃金の決

14)　具体的には，労基則5条は，就業規則の必要的記載事項（労基89条）に加えて，労働契約の期間（労基則5条1項1号），有期契約を更新する場合の基準（同1号の2），就業の場所・従事すべき業務（同1号の3），所定労働時間を超える労働の有無（同2号），休職に関する事項（同11号）を明示すべき事項として列挙している。これに対して，就業規則の必要記載事項である，事業場の労働者すべてに適用する定めをする場合の当該事項（労基89条10号）については触れていない。

定，計算および支払方法等（同3号），⑥退職に関する事項（解雇事由を含む）（同4号），とされている。なお，2018（平成30）年の労基法施行規則改正により，明示方法については，労働者が希望した場合，書面交付ではなくファクシミリまたは電子メールでもよいこととなった（労基則5条3項，4項）。

パート・有期労働者については，パート有期法が労基法15条の規制に加えて，書面交付（労働者が希望した場合はファクシミリまたは電子メール）により明示すべき特定事項（昇給・退職手当・賞与の有無，相談窓口）を定め，違反には過料を科すこととしている（短時有期6条，31条，短時有期則2条。→573頁）。

また，派遣元事業主は，派遣労働者に対し派遣先の就業条件（業務の内容，事業所の名称・所在地，指揮命令者，期間，就業日，就業時間，安全衛生に関する事項等）を書面交付（労働者が希望した場合はファクシミリまたは電子メール）により明示しなければならない（労派遣34条，労派遣則26条）。

2　職業安定法上の労働条件明示

労働条件明示義務は，公共職業安定所（いわゆるハローワーク），特定地方公共団体（→827頁），職業紹介事業者等にも課されており，企業が公共職業安定所，特定地方公共団体，職業紹介事業者等を利用する場合，労働条件を明示し，それをこれらの機関も求職者に明示することになっている（職安5条の3，職安則4条の2）。

3　求人における提示条件と労働契約の労働条件

2017（平成29）年職安法改正で，ハローワーク等は，労働条件明示をしない求人者の求人申込みを受理しないことができ（職安5条の6），また，求人者・募集者が明示した労働条件を変更する場合は，求職者に明示しなければならないこととなった（職安5条の3第3項）。

求人において提示された労働条件が一応の見込みに過ぎないのか，そのまま労働契約の内容となるのかをめぐっては，しばしば紛争が生ずる。例えば，求人票に来年度賃金の「見込額」を記載していた場合，これは見込みに過ぎず確定的な請求権を生ぜしめないとする裁判例[15]がある。これに対し，求人時の提示条件について，特段変更する等の説明や合意がないままに就労している場

15）　八州事件・東京高判昭和58・12・19労判421号33頁。求人カードの記載は，一般には労働契約内容となりうるとしつつ，未確定要素の大きい賞与・昇給については見込みに過ぎないとした例として安部一級土木施工監理事務所事件・東京地判昭和62・3・27労判495号16頁。

合，提示条件どおりの労働契約が成立したと解されている[16)]。実際の就労開始までに求人時の提示条件と異なる労働条件を説明して合意したといえるかが問題となる事案について，求人票と異なる合意がされたときは，特段の事情のない限り，合意の内容が求人票記載に優先するとした裁判例[17)]もあるが，近時の裁判例は，山梨県民信用組合事件最高裁判決（→435頁）を参照して，変更合意について，労働者の自由意思に基づくものと認めるに足りる合理的理由が客観的に存在するか否かという観点から吟味し，これを容易に認めず，求人時の提示条件が労働契約内容となったとする裁判例が増えてきている[18)]。

なお，求人時の労働条件提示が契約内容にならないとしても，求人者と求職者間のやり取りによっては，契約締結過程における信義則違反の責任が生じ得る。

4　労働条件が事実と相違する場合の即時解除・帰郷旅費

労働者は労働契約締結時に示された労働条件と事実とが相違する場合は，即時に労働契約を解除できる（労基15条2項）。すなわち，無期契約については2週間の予告が必要であるところ（民627条），また，有期契約についてはやむを得ない事由がなければ解除できないところ（民628条），本条項によって労働者は即時に解除が可能となる。この場合，就業のために住居を変更した労働者が契約解除から14日以内に帰郷する場合，使用者は必要な帰郷旅費を負担しな

16)　丸一商店事件・大阪地判平成10・10・30労判750号29頁［求人票に「退職金有り」との記載があり，採用に際して求人票と異なる労働条件の説明もなかった事案］，千代田工業事件・大阪高判平成2・3・8労判575号59頁［求人票に「常用」と記載されていた事案で，有期労働契約とする合意が否定され，無期労働契約成立を認定］。

17)　藍澤證券事件・東京高判平成22・5・27労判1011号20頁［雇用形態「正社員」の求人でも有期契約が異議なく合意されたとした］。

18)　福祉事業者A苑事件・京都地判平成29・3・30労判1164号44頁［求人票で正社員，雇用期間の定めなし，定年制なしと記載していたが，採用に当たって，期間の定めあり，定年制あり（満65歳）と記載した労働条件通知書に労働者が署名押印した事案につき，求人票記載の労働条件は，当事者間で別段の合意をする等の特段の事情のない限り雇用契約の内容となるとし，期間の定めや定年制について明確な説明のないままに署名押印した行為によって，労働条件の変更についての同意があったとは認められないとした］，Apocalypse事件・東京地判平成30・3・9労経速2359号26頁［求人広告等の労働条件提示で契約の内容が決定できるだけの事項が表示され，使用者がこれと異なる労働条件を表示せずに採用したときは，提示内容で労働契約が成立したというべきとし，募集広告の賃金総支給額に残業代が含まれることを説明していなかった事案において，使用者の変更同意の主張が斥けられ，総支給額は残業代を含まず，別途割増賃金支払義務ありとした］。

ければならない（労基15条3項）。

もっとも，本来，提示された労働条件と実態が異なる場合は，提示された通りの労働条件を実施させるのが筋である。2018年改正労基法施行規則5条2項は，使用者は労基法15条1項前段の規定により労働者に対して明示しなければならない労働条件を事実と異なるものとしてはならないと規定した。

Ⅲ　契約締結過程における信義則違反の責任（契約締結上の過失）

近時，雇用流動化の進展に伴って，転職に関連した紛争，例えば，転職の勧誘を受けて現在雇用されている企業を退職したところ，求人企業が提示していた労働条件を変更したり，求人企業の方針変更で契約締結に至らないといった紛争が増えてきている。このような事案では，労働契約が成立に至らない場合であっても，契約締結過程における求人企業の行為が信義則に反すると評価された場合は，損害賠償責任が認められ得る。例えば，労働契約成立を信じた労働者に対し，誤解を是正し損害発生防止に協力すべき信義則上の義務に違背したとして損害賠償請求が認容された例[19]，雇用の実現・継続に関する客観的事情の説明義務違反として損害賠償請求が認容された例[20]，求人企業が同年次定期採用者の下限に格付ける内部決定をしていながら，求人広告，面接，社内説明会で応募者に平均的給与と同等の給与待遇を受けるものと信じさせかねない説明をしたことについて，雇用契約締結過程における信義則に反するとし，慰謝料請求を認容した例[21]，求人企業が，求職者の想定しているであろう給与より著しく低額な給与でしか雇用契約を締結できないと判断するに至ったにもかかわらず，これを告げずに放置したことを契約締結過程における信義誠実義務に違反するとして損害賠償請求を認容した例[22]，大学の新設学部の設置認可手続で教員就任承諾書の提出を受けていたにもかかわらず，採用等の面接手続すらとらなかったことを信義則違反として損害賠償請求を認容した例[23]等がある。

19）　かなざわ総本舗事件・東京高判昭和61・10・14金判767号21頁。

20）　わいわいランド事件・大阪高判平成13・3・6労判818号73頁。

21）　日新火災海上保険事件・東京高判平成12・4・19労判787号35頁。

22）　ユタカ精工事件・大阪地判平成17・9・9労判906号60頁。

23）　学校法人東京純心女子学園事件・東京地判平成29・4・21労判1172号70頁。

第3節　採用内定

新規学卒予定者の就職活動は実際の入社の相当以前に開始され[24]，その間，企業と新規学卒予定者の間では種々の交渉がもたれる。企業は採用を決定した新規学卒者にいわゆる「採用内定」通知を出し，新規学卒者は当該企業に就職する旨の誓約書，身元保証書等を提出，その後，健康診断の実施などを経て入社日に辞令を交付されるというのが通例である。しかし，企業が経済状況の変化や経営状態の悪化から，一旦行った採用内定を取り消すことがあるため，採用内定の法的性質および企業の法的責任が問題となる。

I　採用内定法理

当初学説[25]は，採用内定は単なる労働契約締結の過程（契約締結過程説）ないし卒業後に労働契約を締結するという予約に過ぎない（予約説）と解していたが，それでは，単に期待権侵害の損害賠償が認められ得るというに過ぎない。そこで，昭和40年代になると，学説・裁判例は採用内定によって既に労働契約が成立しており，内定を取り消された新規学卒者は労働契約上の地位確認が

---

24)　採用活動の早期化が，学生の勉学に支障を来すことから，1953年以来いわゆる就職協定が文部・労働関係の行政当局と経済団体・大学関係団体間で締結されては，遵守されず廃止されることが繰り返されてきた。1997年以降，就職協定は締結されておらず，経営団体等が倫理憲章を定めることとなった。近年早期化・長期化した採用選考活動を自粛する趣旨で，日本経済団体連合会は2011年3月に「採用選考に関する企業の倫理憲章」を見直し，広報活動開始（会社説明会解禁）を卒業・修了学年前年の12月1日，面接等の選考活動開始（選考解禁）を卒業・修了学年の4月1日，採用内定を10月1日とした。経団連は2013年に倫理憲章を廃止し，「採用選考に関する指針」に改めたが，2016年入社については広報活動開始を3月1日，選考活動開始を8月1日に変更，2017年入社については選考活動開始を6月1日とするなど変更が相次いだ。経団連による就活ルールは倫理憲章や指針にとどまり，また，そもそも経団連に加盟していない新興・外資系企業等には適用されないなどの問題も指摘されてきた。加えて学卒一括採用の見直し（通年採用化）等もあり，経団連は2018年10月に，2020年入社までは現状を維持するが，今後，「採用選考に関する指針」を策定しない方針を表明した。そこで，以後，政府が主導する形で，毎年度，関係省庁連絡会議を開催し，広報活動開始は卒業・修了年度に入る直前の3月1日以降，採用選考活動開始は，卒業・修了年度の6月1日以降，正式な内定日は卒業・修了年度の10月1日以降とする「就職・採用活動日程に関する考え方」を取りまとめ，各経済団体に要請する状況が続いている。

25)　学説・裁判例の展開については水町勇一郎「労働契約の成立過程と法」講座21世紀4巻43頁以下，注釈労基法（上）210頁［中窪裕也］，木南直之「採用内定・試用期間」争点50頁等参照。

可能とする立場（労働契約成立説）を採るようになっていった。このような解釈を最高裁が支持したのが大日本印刷事件判決[26]である。

1　採用内定の法的性質

大日本印刷事件判決は，採用内定の実態は多様であり，事実関係に即して（個々的に）法的性質を判断すべきであるとの前提を置いた上で，当該事件については，企業の労働者募集を申込みの誘引，労働者の応募を労働契約の申込み，これに対する企業からの採用内定通知は契約申込みに対する承諾と構成し，採用内定通知によって「始期付解約権留保付の労働契約」が成立していると判示した。

こうして，個々の事案によって異なり得るものの，わが国の通常の採用内定はこのように始期付解約権留保付の労働契約を成立させるものと解されるようになっていった。

なお，このような新規学卒者に対する採用内定法理は，中途採用者の事案にも適用されている[27]。

2　採用内定取消しの適法性

上述のような採用内定の理解に立つと，採用内定取消しの可否は留保解約権の適法な行使といえるか否かの問題となる。厳密には，留保された解約権の行使による場合と，留保解約権によるのでなく，通常の解雇権行使による場合があり得る。前者の留保解約権の行使による場合は，採用内定の性質に照らして通常の解雇権による場合より広い解約が認められ得よう。もっとも，採用内定通知書や応募者の提出した誓約書に記載された採用内定取消事由が自動的に是認されるわけではなく，判例[28]は「採用内定の取消事由は，採用内定当時知ることができず，また知ることが期待できないような事実であつて……解約権留保の趣旨，目的に照らして客観的に合理的と認められ社会通念上相当として是認することができるものに限られる」としている。

社会通念上相当でない内定取消しとみなされると，解約権行使は無効となり，通常の解雇が無効となった場合と同様，内定者には労働契約上の地位確認が認

26）　大日本印刷事件・前掲注12。

27）　インフォミックス事件・東京地決平成9・10・31労判726号37頁。もっとも，この事件は採用内定取消しというより本採用日における解雇の事案であった。

28）　大日本印刷事件・前掲注12。

められる。また，使用者の恣意的な内定取消しについて，誠実義務違反の契約責任あるいは期待権侵害に基づく不法行為責任として損害賠償を請求することも可能である[29]。

3　内定辞退

他方，内定者の側からする内定の一方的破棄（内定辞退・採用辞退）については，期間の定めのない労働契約の解約として，2週間の予告期間を置けば自由になし得るのが原則である（民627条1項）。しかし，著しく信義則に反するような場合には，損害賠償責任が認められ得るとする学説も有力に主張されている。

Ⅱ　採用内定中の法律関係

1　採用内定と労働条件明示

採用内定時に労働契約が成立するとすると，労基法15条によって要求される労働条件明示もその時点でなされなければならないこととなる[30]。しかし，現実に就労を開始するわけではないという採用内定の特質を考慮すると，明示される労働条件内容は，確定的な内容でなくともよい場合もあり得よう[31]。

2　始期付労働契約の意味と内定中の法律関係

上述のように採用内定は始期付解約権留保付労働契約が成立していると解されるが，いかなる「始期」かが問題となる。判例では事案に応じて就労始期付労働契約と解したもの[32]と労働契約の効力始期付労働契約と解したもの[33]がある。しかし，採用内定中の法律関係（例えば，採用内定中に研修を命じ得るか否か）は就労の始期か効力の始期かによって直ちに明らかになるものではなく[34]，それぞれの契約の解釈によって確定すべきものである[35]。

---

29)　大日本印刷事件・前掲注12では100万円の慰謝料請求が認められている。

30)　なお，労働条件明示義務と労働契約成立は別個の問題であり，明示義務違反があっても契約が成立し得ることについては既に述べた（→381頁）。

31)　注釈労基法（上）280頁［大内伸哉］は，例えば初任給は見込額でよいとする。

32)　大日本印刷事件・前掲注12。

33)　電電公社近畿電通局事件・最二小判昭和55・5・30民集34巻3号464頁。

34)　効力始期付労働契約といっても，いかなる効力の始期が付されているのかが問題となるのであり，これは問題となる個々の事項についての当事者間の合意内容に依存する。

35)　同旨，水町・前掲注25・53頁。採用内定中の研修参加義務が問題となった宣伝会議事件・東京地判平成17・1・28労判890号5頁は，就労始期付か効力始期付かを検討するが，結局，

3　内定取消しと解雇予告

内定取消しに労基法20条の解雇予告の規制が適用されるかも問題となる。労基法21条によると，試の使用期間中の者は引き続き14日を超えて使用されるに至るまでは労基法20条の適用がないこととの均衡上，現実に就労を開始していない内定期間中も，同条の適用はないと解してよかろう[36]。しかし，この場合も労働者からの解約の場合と同様，民法627条1項の2週間の予告の規制はなお適用があると解される。

Ⅲ　採用内々定

採用内定日（通例，採用内定開始日である10月1日）の内定通知よりも以前に，企業の採用担当者が就職活動者に対して採用が決まった旨を告げる例がある。これは正式の内定と区別して，「内々定」と呼ばれている[37]。実態としては，1人の学生が複数の企業から内々定をもらい，10月1日に1社に絞る例が多いようである。内定と内々定の区別は，当該採用決定の通知によって，他に労働契約締結の行為を要せずに労働契約関係が翌年度から展開することが予定されているかどうかが基準となろう[38]。このような観点から検討すると，企業も学生側もいわゆる内々定によってはなお労働契約が成立したとはいえない（労働契約成立の2要素〔→381頁〕についての確定的意思の合致があったとはいえない）のが通例であろう。内々定であるにもかかわらず他社との接触禁止等の拘束行為がなされた等の問題は，契約締結過程における信義則違反の問題として不法行為で対処すべきであろう[39]。

しかし，「内々定通知」と称していれば，正式の内定とは違って労働契約が成立し得ないかのような行動が広がっている。かつて口頭で行われていた内々定の告知とは異なり，文書により採用することに決した旨を「内々定」と称し

判断の決め手となったのは研修についての当事者間の合意であった。

36）菅野236頁。

37）注釈労基法（上）214頁［中窪裕也］参照。

38）大日本印刷事件・前掲注12も「本件採用内定通知のほかには労働契約締結のための特段の意思表示をすることが予定されていなかつたこと」を考慮の上，内定通知による契約成立を認めた。

39）安西愈「複数企業内定時代の採用内定の法理の再検討」季労155号131頁（1990年），注釈労基法（上）215頁［中窪裕也］。

て通知し，応募学生に翌年4月に入社することの承諾書を提出させていたような事案では，上記基準によっても，労働契約の成立が認められる余地もありうることに留意すべきであろう[40]。

第4節　試用期間

新規に雇用された労働者は，一定期間（1ヶ月，3ヶ月，6ヶ月等）「試用」ないし「見習い」として雇用され，通例，就業規則においてこの試用期間中またはその終了時に「社員として不適格と認めたときは本採用しないことがある」といった特別の解約事由が明記されている。この試用期間についても，種々の法律構成が唱えられた[41]が，三菱樹脂事件最高裁判決[42]は，このような試用期間中の労働関係を（事案毎に判断する必要があることに留意しつつも）「解約権留保付労働契約」と理解した。

その結果，試用期間中の使用者による解約の適法性は，留保解約権の適法な行使か否かの問題となる。判例は，通常の解雇より「広い範囲における解雇の自由が認められてしかるべきもの」であるが「解約権留保の趣旨，目的に照らして，客観的に合理的な理由が存し社会通念上相当として是認されうる場合」にのみ許されるとしている。具体的には，「企業者が，採用決定後における調査の結果により，または試用中の勤務状態等により，当初知ることができず，また知ることが期待できないような事実を知るに至つた場合において，……その者を引き続き当該企業に雇傭しておくのが適当でないと判断することが……相当であると認められる場合」に許される。

事案毎の判断が必要ではあるが，試用期間中の雇用関係を「解約権留保付労働契約」とする理解は，その後，通常の試用には一般に妥当するものと解され

---

40)　コーセーアールイー事件・福岡地判平成22・6・2労判1008号5頁，同・福岡高判平成23・3・10労判1020号82頁［「貴殿を採用致しますことに内々定しました。」と文書通知し，「〔翌年〕4月1日，貴社に入社しますことを承諾致します。」という承諾書を提出させていた内々定を10月1日の内定式直前に取り消した事案］では，不法行為の損害賠償は認めたが，労働契約の成立は否定された。しかし，学説では，労働契約成立が認められうる事案であったとする見解が有力である（渡邊絹子「採用内々定取消しをめぐって」季労235号203頁〔2011年〕，石川茉莉・同事件判批・ジュリ1449号124頁〔2013年〕等参照）。

41)　山口浩一郎「試用期間と採用内定」文献研究2頁，菅野238頁，山川・雇用法75頁等参照。

42)　三菱樹脂事件・前掲注1。

ている。

試用期間中は通常の解雇より広い解約権行使が認められるため，あまりに長期の試用期間の設定は，場合によっては公序良俗違反との評価を受ける余地もあろう。また，試用期間の延長は，延長について契約上の根拠が認められる場合等でなければ，基本的に許されないと解すべきである。なお，労働者の能力・適性は試用の全期間を通じて判断されるべきであり，期間途中の解雇（解約権行使）は，能力・資質不足が顕著で改善の見込みがないといった特別事情がない限り無効というべきという見解[43]が有力に主張され，同旨の裁判例もみられる[44]。新卒採用者のように社会人としての能力を身につける過程における試用期間では，こうした考慮も要請され得るが，その場合でも，通常の解雇より広い解約権行使が認められることも踏まえた判断がなされるべきであろう[45]。これに対して，相当の能力を見込んで中途採用した場合に設定される試用期間においては，その能力の欠如が明らかとなった時点で満了を待たずに解約権が行使されても，試用期間設定の趣旨に合致した解約権行使と解される場合も多いであろう[46]。

教員としての適性を判断するために設定された1年間の期間が，労働契約自体の期間の定めか，無期契約における試用期間の設定と解すべきかが問題とな

43）即戦力としての能力や高いマネジメント能力を期待した中途採用者について，指導による改善等を厳格に求めずに解約を認めた例として社会福祉法人どろんこ会事件・東京地判平成31・1・11労判1204号62頁，ゴールドマン・サックス・ジャパン・ホールディングス事件・東京地判平成31・2・25労判1212号69頁。

44）西谷171頁。ニュース証券事件・東京高判平成21・9・15労判991号153頁［試用期間満了前の解雇は，従業員としての適格性を欠く特段の事情のない限り，試用期間を定めた合意に反して短縮するに等しく，合理性を欠き社会通念上相当として是認できない］，医療法人財団健和会事件・東京地判平成21・10・15労判999号54頁［試用期間満了の約20日前の解雇を，解雇すべき時期の選択を誤ったとする］。

45）日本基礎技術事件・大阪高判平成24・2・10労判1045号5頁［留保解約権行使は通常の解雇より広く認められるべきことに触れ，新卒技術社員の適格性・改善可能性の欠如ゆえになされた6ヶ月の試用期間の中途の解雇を有効とした］，メディカル・ケア・サービス事件・東京地判令和2・3・27労経速2425号31頁［繰り返しの注意・指導でも改善されなかった認知症対応型グループホーム入居者に対する粗暴な言動，他の従業員に対する身勝手・威圧的な言動等を理由とする6ヶ月の有期契約における試用期間3ヶ月満了前の解雇を有効とした］。

46）ヤマダコーポレーション事件・東京地判令和元・9・18労経速2405号3頁［経営企画室係長として中途採用された労働者のパワー・ハラスメント，勤務態度不良等を理由とする試用期間満了前の解雇を解雇権濫用に当たらず有効とした］。

った事案において，判例は，期間満了により契約が当然に終了する旨の明確な合意がある場合を除き，試用期間と解すべきとしている[47]が，有期契約を試用目的で利用することは可能なので，一般論としては問題を含む（→538頁）。

■有期契約期間中の試用期間設定　有期契約が試用目的の趣旨を含めて締結されうるとすると，有期契約期間中に試用期間を設定することは可能か。有期契約期間中は無期契約よりも解雇が困難（労契17条→544頁）であり，1回の有期契約で3年ないし5年までの期間の定めが可能とされていること（労基14条1項→540頁）を考慮すると，試用期間設定が不可能とはいえまい[48]。しかし，適格性判定に必要な合理的期間を超えて労働者の地位を不安定にする試用期間設定は無効となり得よう[49]。

また，試用期間中の解雇が無効とされた場合，復職する労働者の地位は残存する試用期間付きのものか，それとも訴訟中に試用期間が終了していれば試用期間の付着しないものとなるのかという問題がある。試用期間が一定期間について解約権の留保された契約関係と解する場合，当該一定期間中に適法に留保解約権が行使されなかった以上，原則として，当該契約は留保解約権の付着しない通常の契約関係に移行したものと解するのが妥当であろう[50]。

---

47)　神戸弘陵学園事件・最三小判平成2・6・5民集44巻4号668頁。

48)　労契法17条のやむを得ない事由がなければ有期契約期間中，解雇をなし得ないという規制が強行規定であることとの関係で，解雇可能な場合を緩和する試用期間設定はなし得ないのではないかという疑問も生ずる。しかし，「やむを得ない事由」という規範的要件の解釈において，有期契約の開始当初の合理的期間内での解雇権行使であることは考慮可能であり，それを明示的に定めたものが試用期間であれば，17条の強行性に反することにもならないと解される（労契法17条の解釈で常にこうした考慮が払われるなら，敢えて試用期間設定を認める必要はないともいいうるが，当事者間で「試用期間」であることを明示的に確認しておくことに意味がないとはいえまい）。また，中期雇用（→541頁）という3年ないし5年までの有期契約が可能な法制の下で，試用期間設定を過度に制約すれば，使用者に有期雇用契約締結自体を躊躇させることにも留意すべきであろう。

49)　リーディング証券事件・東京地判平成25・1・31労経速2180号3頁［1年の有期契約に6ヶ月の試用期間を設定していた事案につき，当該事案では試用期間は3ヶ月の限度で有効としたうえで，3ヶ月内に行使された留保解約権行使を有効とした］，メディカル・ケア・サービス事件・前掲注45。

50)　菅野243-244頁。

第14章　就業規則と労働条件設定・変更

第1節　就業規則法制と就業規則の機能

多数の労働者を使用して効率的合理的事業経営を行うためには，労働条件や職場規律を統一的に設定する必要がある。このような事業経営上の必要のために使用者が定める，事業場の労働者全体に対して統一的に適用される労働条件や職場規律（以下「就業上の諸規律」という）に関する規則類を「就業規則」という（労基89条参照）。

就業上の諸規律が明文化されない場合，労働者が当該諸規律を知らずに不利益を被ったり，これを使用者が恣意的に運用するなどの弊害が生じ，またこれらをめぐる紛争も生じやすい。また，法違反の就業上の諸規律が事実上行われることを国家的監督により防止することも必要と考えられた。そこで，労働基準法は，一定規模以上の事業について就業規則作成義務およびその行政官庁への届出義務を課し（労基89条），就業規則の周知義務（同106条）を定めた。同様の規制は既に戦前の工場法施行令等に見られたが[1]，労基法は，作成義務や記載事項を拡充させるとともに，就業規則作成・変更に当たっての過半数代表からの意見聴取義務（同90条），就業規則と法令・労働協約の効力関係（同92条），そして労働契約に対する最低基準効（同旧93条・現労契12条）についても規定を置いた[2]。

1）大正15・6・5勅令153号による改正で創設された工場法施行令27条ノ4は，常時50人以上の職工を使用する工場の工場主に就業規則の作成・届出義務を課し，地方長官の変更命令権についても規定していた。周知義務については明治38年の鉱業法施行細則67条が労役に関する規則・扶助規則の告知を，大正5年の工場法施行規則12条は労働時間関係規定の掲示義務を定めていた。また，昭和17年の重要事業場労務管理令6条は従業規則の周知義務を定めていた。詳細は浜田・就業規則12頁以下。

これらの労基法上の規制に加えて，判例は，後述するように合理的内容を設定する就業規則は当事者の知不知を問わずに労働契約内容となるという効力（補充効）と，就業規則の変更が合理的なものであれば反対する労働者をも拘束するという効力（変更効）を認めるルールを確立した。とりわけ後者の就業規則の合理的変更法理は，解雇権濫用法理によって形成された雇用保障を中核とする（つまり数量的・外的柔軟性に欠ける）正規従業員の雇用関係に，変化に対応する柔軟性（質的・内的柔軟性）を与える極めて重要な機能を営む法理である。雇用の安定（security）をもたらす解雇権濫用法理と，柔軟性（flexibility）をもたらす就業規則法理は，日本の雇用システムを支える最も重要なルールであったが，いずれも長い間，成文化されない判例法理に留まった。しかし，2003（平成15）年に解雇権濫用法理が労基法18条の2として成文化され，2007年の労働契約法制定により，同条は労契法16条として規定された。また就業規則に関する判例法理も労契法7条，9条，10条として成文化されるに至った。

労契法制定に伴い，就業規則の作成・届出・周知等，使用者に一定の行為自体を義務づける規制は，労働保護法たる労基法が行い（本章第2節），就業規則の民事上の効力に関する規制は労契法が規定する（本章第3節～第5節）との整理がなされている。また，本章では，就業規則による集団的労働条件変更法理と対置されるべき個別的労働条件変更法理として変更解約告知についても検討する（本章第6節）。

なお，2017年の改正民法には定型約款についての規定（民548条の2～548条の4）が新設された。就業規則と定型約款には類似する点が見られるが，以上のような就業規則の特別の効力とそれを支える労働基準行政による規制（労基89条以下），集団的労使交渉との関連（労契10条参照），そして民法における定型約款と就業規則に関する労契法の規制内容の相違を考慮すると，就業規則は改正民法における定型約款には該当しないと解するのが妥当である[3]。

2）　末弘嚴太郎「労働基準法解説(5)」法時20巻7号36頁（1948年），廣政・労基法334頁，労基局（下）971頁等参照。

3）　同旨，菅野167頁，下井・労基法401頁注1。なお，一問一答民法改正243頁は労働契約について，定型約款に該当するための「定型取引」の要件たる「不特定多数の者を相手方として行う取引」には該当しないとする。

第2節　就業規則の作成・変更に関する手続

I　就業規則の作成・届出義務

労基法89条は「常時10人以上の労働者を使用する使用者」に，就業規則の作成義務と，作成・変更した就業規則の行政官庁（労働基準監督署長，労基則49条）への届出義務を定めている（罰則，労基120条1号）。「常時」とは「常態として」の意味であり，一時的に10人未満であっても通常10人以上使用していれば，就業規則作成義務がある。10人にはすべての労働者，したがって，パート労働者や契約社員，臨時工などの非典型雇用労働者もカウントされる。これに対して，派遣労働者は派遣先企業に雇用される労働者ではないので事業場の労働者にはカウントされない。10人以上の算定単位は企業ではなく「事業場」（支店や営業所等）と解されている[4]。なお，届出も各事業場毎になされるのが原則であるが，複数の事業場を有する企業で，各事業場に同一の就業規則を適用する場合には，本社が一括届出できることとされている[5]。

■作成義務のない使用者の作成する就業規則　常時10人以上の労働者を使用しない使用者には，労基法89条の就業規則作成・届出義務は生じない。このような使用者が就業上の諸規律を成文化した場合，それが労基法上の就業規則に該当し，労基法上の諸規制や労契法の就業規則の効力に関する規定が適用されるかが問題となる。

労基法の労働時間規定には，労基法上就業規則作成義務のない使用者の作成する就業規則を「就業規則」と区別して「これに準ずるもの」と呼び（労基32条の2第1項，32条の3柱書，39条9項等），これには就業規則の周知義務も適用されないことを前提とした労基法施行規則の規定もある（労基則12条）。しかし，これらの規定を根拠に，一般に就業規則作成義務のない使用者の作成した「就業上の諸規律」に関する定めは「就業規則」ではなく，労基法・労契法の就業規則関係規定の適用もない，と考えるのは適切でない。労働時間関係の規定が就業規則と「これに準ずるもの」とを区別しているのは，就業規則作成義務のない使用者が，就業規則と呼び得るような就業上の諸規律一般についての規程を作

---

4)　学説では，就業規則作成義務を広く課すため，これを企業単位と解する説も有力である（片岡ほか・新基準法論485頁［西谷敏］，青木＝片岡・注解Ⅱ250頁［名古道功］，金子征史＝西谷敏編『基本法コンメンタール（5版）労働基準法』347頁［中村和夫］〔2006年〕等）。しかし，労基法が事業場単位での適用を前提としていること，就業規則作成に際して事業場単位で意見聴取を行うこととしていること（同90条）から，事業場単位と解するのが妥当である（労基局（下）1000頁，菅野197頁，下井・労基法404頁等）。

5)　平成15・2・15基発0215001号。

成せずに，個別の定め（就業規則と呼び得ない断片的規定）を置くことがあることを想定したものと解される。

したがって，就業規則作成義務のない使用者の作成した包括的な就業上の諸規律も，就業規則に該当し，労基法・労契法の関連規定の適用があると解してよい[6]。ただし，意見聴取義務については，労基法90条2項が「前条の規定により届出をなすについて」として89条の作成・届出義務を前提としていることから，就業規則作成義務のない使用者には適用されないと解される[7]。

■就業規則の成立要件としての作成・周知権限　就業規則が有効に成立するためには，権限のある者によって作成・周知されることが必要である。したがって，就業規則の名称の冠せられた労働条件に関する文書が労働者に周知されていても，それが権限のない者によって作成・周知されたものであれば，就業規則が有効に成立・存在しているとはいえない[8]。

Ⅱ　記載事項

就業規則に記載すべき事項は，常に記載しなければならない「絶対的必要記載事項」と，当該事項について定めをする場合，つまり制度として行う場合には，必ず就業規則に記載する必要のある「相対的必要記載事項」とがある。なお，これら以外の事項（任意的記載事項）を就業規則に記載することについては特に制限はない。

「絶対的必要記載事項」としては，始業および終業の時刻，休憩時間，休日，休暇，交替制労働における就業時転換（労基89条1号），賃金の決定・計算方法，支払の方法，締切りおよび支払の時期，昇給に関する事項（同2号），退職に関する事項（同3号）がある。

「相対的必要記載事項」としては，退職手当（同3号の2），臨時の賃金・最低賃金額（同4号），労働者に食費，作業用品その他の負担をさせる定め（同5号），安全衛生（同6号），職業訓練（同7号），災害補償・業務外傷病扶助（同8号），表彰および制裁（同9号），当該事業場の労働者のすべてに適用される定め（同10号）がある。

■別規則の作成　1998（平成10）年改正前の労基法89条2項は，別規則が作成可能な

---

6)　注釈労基法（下）1005頁［荒木尚志］，荒木ほか・労契法102頁，施行通達（平成24・8・10基発0810第2号）第3の2(2)イ(エ)。反対，沼田稲次郎『就業規則論』128頁（1964年）。

7)　注釈労基法（下）1006頁［荒木尚志］。

8)　ある退職金規程が，管理本部室の規程類の綴りの中に含まれていたとしても，会社で作成された正規の退職金規程とは認定できないとして，当該退職金規程に基づく退職金請求を理由がないとした例として，PSD事件・東京地判平成20・3・28労判965号43頁。

場合を賃金，退職手当，安全衛生，災害補償，業務外の傷病扶助に関するそれに限定していた。しかし同改正で本条項は廃止され，別規則作成に制限がなくなった。別規則も就業規則の一部であることにかわりはないので，就業規則に関する作成・届出義務・法的効力についての規定が適用される。

また，パート労働者のように，就業形態・処遇を異にする労働者について，正社員とは別個の就業規則を作成することも可能であるが，この場合，就業規則適用関係明確化のために，本則たる就業規則の適用除外と別規則への委任等について明示しておくことが望まれる[9)]。

これに対して，一部の労働者に対して就業規則の適用を除外しながら，それらの者に適用される別規則を作成していない場合，就業規則作成義務違反が成立する。なお，一部の労働者に適用される就業規則が作成されていない場合，これらの者には一般労働者の就業規則が当然に適用されるという見解もある[10)]。この見解は，就業規則本則の適用が当該労働者に当然に有利であることを前提としているようである。しかし，就業規則の効力には最低基準効（労契12条）のみならず，労働者に一定の義務を課したり，労働条件を不利益に変更する等の契約内容規律効（労契7条，9条，10条）があることを踏まえると，就業規則適用が当然に有利となるわけではないし，また，適切とも限らない。例えば，パート労働者に別規則を作成するとしつつ未作成の場合に，正社員の残業義務を定めた就業規則が当然に適用されると解すべきことにはなるまい。一般労働者の就業規則が適用されることになるか，当該条項が欠けたままの状態と解すべきかは，個々の事案に即して就業規則条項を合理的に解釈して対処すべきである[11)]。

▩いわゆる「内規」の就業規則該当性　就業規則の一部をなす別規則であることが明らかではない「内規」と呼ばれる就業規則内容に関連した文書の効力が問題となることがある。使用者の作成したものであれば，使用者の意図を解釈する材料とはなる。しかし，それを超えて就業規則（その一部）に該当するというためには，就業規則に重要かつ特殊な法的効力（最低基準効，補充効，変更効→400頁）が付与されていることに鑑み，権限者が作成し，その形式においても就業規則（の一部）であることが確認できる態様のものであることが必要と解すべきであろう[12)]。

---

9)　昭和63・3・14基発150号，平成11・3・31基発168号参照。

10)　片岡ほか・新基準法論488頁［西谷敏］，青木＝片岡・注解Ⅱ252頁［名古道功］。

11)　注釈労基法（下）1004頁［荒木尚志］参照。60歳で中途採用された高齢労働者に，一般従業員の退職金規定を適用して退職金請求を認めた例として大興設備開発事件・大阪高判平成9・10・30労判729号61頁。

12)　山下昇「就業規則と労働契約」講座再生2巻92頁以下は，最低基準効と契約内容規律効で区別し，前者については内規の就業規則該当性を緩く認める立場を採る。社内文書の就業規則該当性をめぐる紛争として，ANA大阪空港事件・大阪高判平成27・9・29労判1126号18頁［退職功労金の支給基準を定めた内規は，就業規則の一部ではなく，労働契約の内容として会社を拘束しないとした］，永尾運送事件・大阪高判平成28・10・26労判1188号77頁［賃金減額協定の内容を記載し説明した社内報につき，就業規則の変更となる旨の記載はなく，交渉結果の報告等を交えたもので就業規則の体裁としても整っていないとし，就業規則に該当せず，

Ⅲ　過半数代表の意見聴取

就業規則作成・変更に当たって，使用者は当該事業場の過半数代表（過半数組合，これが存在しない場合は労働者の過半数を代表する者）の意見を聴取しなければならない（労基90条1項）。そして，就業規則届出の際には，その過半数代表の意見を記した書面を添付する必要がある（同2項）。

労基法の立法過程では過半数代表の「同意」とすることも一時検討されたが，罰則付きで作成義務を課しつつ同意を要求することは労使の自由な取引による労働条件決定の基本原則に反するとして意見聴取義務となった[13]。意見聴取は過半数代表の意見を聴くことであり，協議や同意が要求されているわけではない[14]。したがって，過半数代表が就業規則内容に反対する場合であっても，その旨の書面[15]を添付して届ければ作成・届出義務は果たされる。就業規則は使用者が一方的に作成・変更することができるといわれるのは，この趣旨である。

▩ドイツの事業所委員会の共同決定権　ドイツでは，事業所秩序や懲戒事項，労働時間の始終業時刻，時間外労働，賃金支払方法等，日本の就業規則事項に相当する事項について，事業場の従業員代表委員会である「事業所委員会（Betriebsrat）」に共同決定権（Mitbestimmungsrecht）[16]を与えている。使用者は共同決定事項について事業所委員会との同意を経ずに一方的措置を行うことはできない。もっとも，同意が成立しない場合，使用者は何らの措置もとり得ないわけではなく，仲裁委員会（Einigungsstelle：使用者側，事業所委員会側同数の仲裁委員と，両者が合意して選任する中立委員の三者構成）に付託することができ，仲裁委員会の裁定は使用者と事業所委員会の同意に代替する。ただし，共同

就業規則を変更するものでもないとした]，Chubb損害保険事件・東京地判平成29・5・31労判1166号42頁［「人事（報酬）制度概要説明資料」および「新人事制度－2001年度版の概要」と題する文書を表題，体裁，内容からして就業規則の一部とはいえないとした］。

13）　寺本・労基法354頁参照。

14）　昭和25・3・15基収525号は，意見聴取が労働組合との協議決定を要求するものではないとしている。

15）　労基則49条2項で，労基法90条2項の規定により「届出に添付すべき意見を記した書面は，労働者を代表する者の氏名を記載したものでなければならない」とされている。

16）　企業レベルに設置される監査役会（Aufsichtsrat）に従業員代表が参加する共同決定制度にも同じ共同決定（Mitbestimmung）の語が使われるが，ここでいう事業所委員会の共同決定とは異なる制度である。詳細は，荒木尚志「日米独のコーポレート・ガバナンスと雇用・労使関係」稲上毅＝連合総合生活開発研究所編『現代日本のコーポレート・ガバナンス』234頁以下（2000年）。

決定事項は法の定めた一定事項に限定されており，日本の就業規則のように労働条件全般を対象とするものではない[17]。

意見聴取は事業場の過半数代表に対するものであるので，例えばパート労働者にかかる事項についての就業規則作成・変更であっても，意見聴取の相手方は従業員全体の過半数代表であって，パート労働者の過半数代表ではない。もっとも，当該パート労働者の意見を聴取することが望ましいので，1993年パート労働法7条はパート労働者にかかる事項についての就業規則の作成・変更につきパート労働者の過半数代表からの意見聴取の努力義務を定めていた。2018年にパート有期法となり，この努力義務が有期雇用労働者にも準用されることとなった（短時有期7条）。

Ⅳ　周知義務

労基法106条1項は，法令や労使協定と同様に，使用者に就業規則の周知義務を課している。法定の周知手続は，①就業規則を常時各作業場の見やすい場所に掲示し，または備え付ける，②書面を交付する，③その他の厚生労働省令で定める方法（労基則52条の2：磁気ディスク等に記録した内容を常時確認できる機器の設置）に特定されている。既述のように周知義務は，就業規則作成・届出義務のない使用者の作成した就業規則にも及ぶ。

労基法上は以上のように労基法106条，労基則52条の2の方法に従った周知が義務づけられている。しかし，就業規則の契約を規律する効力（契約内容規律効）との関係では，後述するように，「実質的周知」で足りるとする見解が学説・裁判例の多数である（→423頁）。

第3節　就業規則の労働契約に対する効力

Ⅰ　就業規則の労働契約に対する機能と効力

就業規則と労働契約の関係を考える際には，次の4つの場面を区別して把握

17）　ドイツの事業所委員会の労働条件規制権限や共同決定権については荒木・雇用システム152頁以下，荒木ほか・諸外国法制93頁以下［皆川宏之］，藤内和公『ドイツの従業員代表制と法』（2009年）等参照。

図表 14-1　就業規則の労働契約に対する機能・効力

①契約のひな形として合意（労契6条）の対象となる機能……契約のひな形機能
②労働条件の最低基準を画する効力（労契12条）………………最低基準効
③合理的なら労働契約の内容となる効力（労契7条）…………補充効 ┐
④合理的なら不利益変更でも拘束する効力（労契9条, 10条）…変更効 ┘ 契約内容規律効

（筆者作成）

する必要がある。

第1に，就業規則は労働契約のひな形としての当事者の合意の対象となる（**図表 14-1①**：契約のひな形機能）。例えば，採用に当たって労働条件の内容を示すものとして就業規則を提示されて，労働者がこれに同意した場合，就業規則記載の労働条件は契約の内容となって使用者と労働者を拘束する。ただし，この場合，労働契約内容を規律するのは就業規則自体の効力ではなく，合意の効力（労契6条参照）であり，就業規則は合意の対象となったに過ぎない。しかし，労働契約の内容となるべき集団的統一的労働条件を設定し，労働者の合意の対象（契約のひな形）を提示することは就業規則の原初的機能である。就業規則の法的性質論の契約説は就業規則のこの機能に着目して展開されたものである。

第2に，就業規則には労基法制定以来，2007年改正前労基法93条（現労契12条）によって，就業規則を下回る労働契約部分を無効とし，その部分を就業規則の労働条件で規律するという効力[18)]（**図表 14-1②**：最低基準効）が定められている。

第3に，秋北バス事件大法廷判決以降，就業規則には判例法理によって契約内容を規律する効力（契約内容規律効）が認められてきた。この契約内容規律効には就業規則内容が合理的であれば労働者の知不知を問わず契約内容となる効力（**図表 14-1③**：〔契約内容〕補充効）と，就業規則の不利益変更が合理的であれば反対する労働者をも拘束するという効力（**図表 14-1④**：〔契約内容〕変更効）とがある。③の効力（補充効）を立法化したのが労契法7条であり，④の効力（変更効）を立法化したのが労契法9条，10条である[19)]。

18）　秋北バス事件・最大判昭和43・12・25民集22巻13号3459頁。
19）　荒木ほか・労契法103頁。

Ⅱ　就業規則の最低基準効（強行的直律的効力）

労契法12条は，「就業規則で定める基準に達しない労働条件を定める労働契約は，その部分については，無効とする。この場合において，無効となった部分は，就業規則で定める基準による」として，就業規則に強行的直律的効力を付与している。従来，2007年改正前労基法93条に定められていた規定を，労契法に移行したものである（労基法93条は「労働契約と就業規則との関係については，労働契約法……第12条の定めるところによる」と本条を参照することとした）。

1　最低基準効

本条により，就業規則より不利な労働条件を定める労働契約は効力を否定され（強行的効力），無効となった部分は就業規則の基準によって規律される（直律的効力）。就業規則には労基法と同様に（労基13条参照），事業場の労働条件の最低基準を画する機能が与えられている（**図表14-1②**：最低基準効）。「就業規則は事業場におけるミニ労働基準法である」といわれるのはこのためである。したがって，労働者が就業規則を下回る労働条件を合意したとしても，そのような合意は労契法12条によって無効とされる[20]。この点については，裁判例等に，就業規則と労使慣行を同レベルの規範と解したり，就業規則の最低基準効を看過したかのような解釈を行う例が散見されるが，適切ではない[21]。

労基法13条が，同法の基準を最低基準とし，より有利な契約を当然予定・許容しているのと同様，労契法12条も就業規則の最低基準としての効力を定めたもので，これより有利な労働契約の定めを当然許容していると解される[22]。このことと，就業規則の不利益変更との関係については後述する（→447頁）。

20）　北海道国際航空事件・最一小判平成15・12・18労判866号14頁［「月の途中において基本賃金を変更または指定した場合は，当月分の基本賃金は新旧いずれか高額の基本賃金を支払う」旨の就業規則（賃金規程）に反して低額の賃金を認容する賃金減額同意の効力を旧労基法93条違反として否定した］。

21）　荒木・雇用システム218頁以下。

22）　シオン学園（三共自動車学校・賃金体系変更）事件・横浜地判平成25・6・20労判1098号56頁，同・東京高判平成26・2・26労判1098号46頁［就業規則より有利な基本給と，年齢給・勤続給・技術給・調整給を支給するという労使慣行が成立していたとしてその請求を認容］。

2　最低基準効と就業規則の作成・変更手続

就業規則の最低基準効の発生には，意見聴取・届出の義務が尽くされていることは必要ない。使用者がこれらの手続を怠ることによって，本来労働者に与えられるはずの最低基準効が否定されるのは妥当でないからである。これに対し，周知が必要かどうかについては，実質的周知が必要とする立場と，実質的周知が欠けても最低基準効を認めるべき場合があるとする立場が対立している。実質的周知があれば最低基準効の発生を認めるべきは当然である。しかし，実質的周知がなされていなくとも，使用者が就業規則の形式のみを整えて労基署長に届け出ることで就業規則作成義務・届出義務違反の責任を回避し，あるいは，一定の便益（労働保険加入や各種補助金受給のために就業規則の作成・届出がなされる場合が少なくない）を得つつ，就業規則の存在を知った労働者との関係で，使用者が周知の欠如を理由に就業規則に基づく請求を拒むことは，禁反言の法理に照らしても許されまい。届出によって対外的に就業規則の存在を主張した使用者は，労働者に対して，周知の欠如を理由に就業規則の最低基準効を否定することはできないと解すべきである。したがって，最低基準効の発生には，実質的周知または就業規則の届出があれば足りると解してよい[23]（ただし権限者による作成・周知が必要であることにつき→397頁）。

なお，労働組合法16条は労働協約の補充的効力（労働契約に定めがない部分について協約規範によるとする効力）を定めているところ，旧労基法93条にはこれに対応する規定がなかった。この点は，労契法7条が，就業規則の周知と内容の合理性の要件が満たされる場合の契約内容補充効を定めたため，労働契約に定めがない部分は同条の要件の下で就業規則の労働条件が労働契約を補充することが明らかになった[24]（→426頁）。

---

23)　詳細については注釈労基法（下）1024頁以下［荒木尚志］参照。同旨・大内伸哉「就業規則の最低基準効とは，どのような効力なのか」毛塚古稀129頁，川口106頁。退職金規程の最低基準効としての効力発生が問題となったインフォーマテック事件・東京地判平成19・11・29労判957号41頁は，外部的に成立し（税務署に提出），従業員に実質的に周知された段階で就業規則が客観的な準則になったとしている（同控訴審・東京高判平成20・6・26労判978号93頁で維持）。なお，契約内容規律効に関する周知については，別の検討が必要である（③補充効につき→423頁，④変更効につき→440頁）。

24)　米津孝司ほか「労働契約法逐条解説」労旬1669号46頁［藤内和公］（2008年）。

Ⅲ　法令・労働協約違反の就業規則と変更命令

1　労基法92条1項における法令・労働協約違反の就業規則

労基法92条1項は「就業規則は，法令又は当該事業場について適用される労働協約に反してはならない」として，法令・労働協約の就業規則に対する優位性を定めている。法令とは，当然ながら「強行法規」に限られる。

問題は，労働協約との関係である。まず，違反が問題となる部分とは，当該労働者に適用される協約の「労働条件その他の労働者の待遇に関する基準」（労組16条）すなわちいわゆる「規範的部分」を指す。また，「労働協約に反してはならない」とは，（協約自体がより有利な定めを許容しているのでない限り）有利にも不利にも協約と異なる定めをしてはならないという趣旨と解されている[25]。

では，事業場の一部の労働者を組織する組合が協約を結んだ場合，使用者は労基法92条によって，その協約に従って就業規則を改定しなければならないか。これを肯定する見解[26]もある。しかし，この立場に立つと，ごく一部の労働者を組織する組合との協約が，就業規則変更を通じて全従業員に拡張適用されるに等しくなり，労組法17条が当該協約が4分の3以上の労働者に適用されるに至って初めて拡張適用を認めていることと整合しない。また，複数組合が併存する場合に，A組合とB組合とで異なる協約を締結した場合，就業規則をいずれの協約に合わせて改定しても他方の協約との抵触が生ずることとなり，処理に窮する。したがって，協約に反した就業規則規定が無効となるわけではなく，協約の適用を受ける組合員との関係でその効力を否定されるに留まり，協約の適用を受けない労働者に対しては依然として効力を持ち続ける，と解すべきである[27]。

2　労契法13条における法令・労働協約違反の就業規則

労契法13条は，就業規則が法令または労働協約に反する場合，その部分については，就業規則の契約内容規律効を定めた同7条（補充効），10条（変更効）および12条（最低基準効）は，当該法令または労働協約の適用を受ける労働者

25）　菅野和夫『労働法』（7版補正2版）100頁（2007年），金子＝西谷編・前掲注4・363頁［清水敏］。この点は協約の両面的効力を認めるか否かと関係する論点である（→701頁）。

26）　片岡ほか・新基準法論469頁［西谷敏］。

27）　結論同旨，労基局（下）1028頁，菅野220頁，下井・労基法413頁。

の労働契約については適用しないとしている。労基法92条1項と同趣旨の規定である。したがって，法令とは強行規定を指し，労働協約とは具体的には協約の規範的部分を指す。

もっとも，労基法92条1項が，単に協約に反してはならないとしていたために，1で述べたような解釈上の疑義が生じたところ，労契法13条は，事業場の一部にしか労働協約が適用されない場合があることを念頭に，労働協約の「適用を受ける労働者との間の労働契約については，適用しない」とし，協約の適用を受けない労働者との関係では就業規則の適用があることを確認している。

また，労基法92条1項が「反してはならない」としているのに対して，労契法13条は，労働契約を規律する7条，10条，12条の規定は「適用しない」としている点が異なる。労基法92条の「反してはならない」の意味については，就業規則の法令・労働協約に反した部分は無効となり，一旦無効となった部分は労働協約が失効しても復活しないとの解釈が有力であった[28)]。しかし，1で述べたように，「反してはならない」とは，それに反する就業規則部分の労働契約に対する効力が認められない趣旨に留まると解すれば，労働協約が失効した場合，当該事項を補充する規範として就業規則の規定が参照され得ることとなり，実際それが妥当な場合もあると解される。労契法13条は，これらの点を考慮して，労基法92条1項の「無効」を導きかねない文言ではなく，7条，10条，12条の規定を「適用しない」こととしたもの，つまりその部分に契約内容補充効・変更効・最低基準効が発生しないという効果に留まることを明らかにする趣旨が込められている。したがって，協約存続中，協約に反するために契約内容補充効・変更効・最低基準効の効果を阻止されていた当該就業規則部分は，協約失効によりそうした制約から解き放たれ，それぞれの効力が認められることとなる[29)]。

結局，労基法92条1項についても，労契法13条で整理された考え方で解釈すべきことになると解される。

3　就業規則の変更命令

法令・労働協約に違反する就業規則もそのまま放置されれば事実上実施され

28)　学説状況については注釈労基法（下）1017頁［王能君］参照。

29)　同旨，菅野220頁。

がちなことから，行政官庁（労働基準監督署長，労基則50条）は就業規則の変更を命じることができるとされている（労基92条2項）[30]。変更命令は使用者に変更義務を課すのみで[31]，変更命令自体によって就業規則が変更されるわけではない[32]。

Ⅳ　就業規則の効力と秋北バス事件大法廷判決

2007年労契法制定まで，労基法は就業規則の労働契約に対する効力について，上述した最低基準効（当時は労基法93条）と法令・協約違反の場合の効力（労基92条）を除くと何ら規定を置いていなかった。そのため，就業規則は，いかなる根拠によって労働契約を規律するのか，そして，使用者が（過半数代表からの意見聴取のみで）一方的に変更できる就業規則がそれに反対する労働者を拘束するのか，という就業規則の効力の中心問題は，解釈論によって処理するしかなかった。そこで学説・裁判例は，就業規則の法的性質を明らかにし，そこから演繹的に結論を導こうと種々の議論を展開した。しかし，裁判例・学説の収斂を見ない中で，最高裁は，昭和43年の秋北バス事件大法廷判決[33]で，それまでの議論と異なる独自の判断を行った。そして，最高裁は秋北バス事件判決の立場をその後40年にわたり堅持し，そのルールは2007年の労契法で制定法上採用されるに至った。

次節では，労契法によって明文化されることになった判例による就業規則法理を理解する前提として，学説・裁判例における就業規則の法的性質論（就業規則がいかにして労働契約を規律するかという**図表14-1**①と③に関係する問題）および就業規則の不利益変更の拘束力（**図表14-1**④）の問題を概観する。

---

30)　工場法施行令27条ノ4では，地方長官が必要と認めるときに変更命令可能であったが，労基法92条2項は，法令・労働協約違反の場合に限定した。

31)　もっとも違反に対しては罰則の適用がある（労基120条3号）。

32)　労基局（下）1029頁。

33)　秋北バス事件・前掲注18。

第4節　労働契約法制定前の就業規則論

I　就業規則の法的性質

1　法規説と契約説

学説は極めて多様な議論を展開してきたが[34]，大別すると法規説と契約説の2つの立場の対立に整理できる。

(1) 法 規 説

法規説（法規範説）とは，就業規則が現実に事業場内の規範として妥当している実態を直視し，就業規則自体を一種の法規とみて法規範としての効力を持つとする考え方である。この立場に立つと，法律が当事者の同意等を問題とせず当然に私人間の契約を規律するように，就業規則も当然に労働契約を規律することになる。

このような就業規則の法規範としての効力をいかに根拠づけるかについては，法規説の中でも種々の見解がある。戦前から唱えられた見解として，使用者は経営権に基づき就業規則を作成・変更する権限を有するとする「経営権説」[35]，工場社会における社会的規範としての法であるとの実態を踏まえた認識から出発し，これに裁判上の拘束を認めるか否かは慣習法に関する法例2条（現「法の適用に関する通則法」3条）の精神によって決するとする「社会自主法説（法例2条説）[36]」があったが，社会学的把握としての概念ではあっても，法的概念としては認められない等の批判が加えられた。

戦後の法規説の中で有力化したのが，労基法93条（現労契12条）が労働者保護のために就業規則に法的効力を付与しており，保護法目的に反する不利益変更は法的効力も否定されるとする「保護法授権説」であった[37]。しかし，労基法93条は最低基準効を定めたに過ぎず，なにゆえそれを超えて一般的に法規範的効力を持つ就業規則設定権限が使用者に授権されるのか，あるいはなぜ

---

34)　諏訪康雄「就業規則」文献研究82頁，中村和夫「就業規則論」学説史755頁，王能君『就業規則判例法理の研究』13頁（2003年），唐津博「就業規則の法的性質」角田邦重ほか編『労働法の争点』（3版）16頁（2004年）等参照。

35)　戦前以来の代表的見解として孫田秀春『労働法総論』192頁（1924年）。

36)　末弘嚴太郎『労働法研究』369頁以下（1926年）。

37)　沼田・前掲注6・119頁，130頁。

就業規則一般の法的規範性の根拠として同条を援用できるのかが明らかでないと批判された。

(2) 契約説

就業規則は労働契約のひな形に過ぎず（図表14-1①：ひな形機能），就業規則が労働契約を規律するのは，あくまで労働者と使用者とがそれを契約内容とすることに合意したからであると解するのが契約説である。

契約説の中にもバラエティがあったが，「事実たる慣習説」は，労働関係においては労働契約の内容は就業規則によるという「事実たる慣習」が存在するので，労働者が特段の意思表示でこれを排除しない限り就業規則の定めが契約内容になるとした[38]。

就業規則は当事者の合意を根拠に拘束力が認められる部分（労働条件部分）と，使用者によって作成され労働者に知らされたこと，ないし労働契約を前提とする使用者の指揮命令権を根拠に拘束力が認められる部分（就業秩序部分）とからなるとする「二分説」[39]は，法規説，契約説のいずれとも異なる立場として位置づけられてきた。しかし，使用者の指揮命令権も労働契約締結に根拠を求めるとする現在の考え方に立つと，同説も広い意味の契約説と位置づけることが可能である[40]。

契約説に対しては，法規として妥当している実態を持つ就業規則を明示・黙示の合意で基礎づけるのは擬制に過ぎる，契約説では，なぜ労基法93条（現労契12条）の最低基準効が就業規則に認められるのかを説明できないといった批判が加えられた。後者の批判は，労基法93条が就業規則に本来備わっている性質を確認した規定であるとの前提に立つものだが，契約説に立っても，労基法93条が就業規則に創設的に最低基準効を付与したと解しても何らおかしくはない。やがて法規説・契約説を問わず，労基法93条の最低基準効は法が創設的に付与した効力であり，同条は就業規則の法的性質論の決め手とはならないとする点ではほぼ共通の認識が形成されていった。

2　判例における就業規則の法的性質

最高裁は初期の段階で「経営権説」を採用したことがあった[41]。しかしこ

38）石井照久「就業規則論」私法8号17頁（1952年）。

39）有泉・労基法174頁以下。

40）諏訪・前掲注34・92頁。

の立場はその後の下級審裁判例でも必ずしも支持されず，裁判例も上記学説に対応して対立していた。こうした中で，最高裁は1968（昭和43）年の秋北バス事件大法廷判決[42]で，全く新たな見解を示した。

(1) 秋北バス事件大法廷判決（前段部分）

秋北バス事件では，定年制が設けられていなかった労働者に対して，就業規則で定年制を新設し，これを適用することの可否，つまり就業規則による労働条件不利益変更が問題となった。同判決は，就業規則の労働契約に関する効力（就業規則の法的性質論）に関する前段部分と，就業規則の不利益変更が合理的なものであれば反対する労働者もこれに拘束されるとする後段部分に分かれている。

就業規則の法的性質論として論じられてきた問題について，秋北バス事件判決は「労働条件を定型的に定めた就業規則は，一種の社会的規範としての性質を有するだけでなく，それが合理的な労働条件を定めているものであるかぎり，経営主体と労働者との間の労働条件は，その就業規則によるという事実たる慣習が成立しているものとして，その法的規範性が認められるに至つている（民法92条参照）もの」であり，「当該事業場の労働者は，就業規則の存在および内容を現実に知つていると否とにかかわらず，また，これに対して個別的に同意を与えたかどうかを問わず，当然に，その適用を受ける」と判示した（以下，秋北バス事件判決前段部分）。

(2) 判決の理論構成に対する学説の批判

この判示に対して，学説は法規説としても契約説としても納得し難いとして，厳しく批判した。すなわち，法規説と理解すると，最高裁が法的根拠として参照する民法92条は意思表示の解釈に関する規定であるので，就業規則の法規としての性質を基礎づけ得ないはずである（実際，民法92条は契約説の論拠とされてきた）。また，契約説（中でも「事実たる慣習説」）と理解すると，民法92条は，法律行為の当事者がそれによる意思を有していると認めるべきときに慣習（就業規則の規定によるという慣習）によるというものであるから，（法的性質論の帰結と

41） 三井造船事件・最二小決昭和27・7・4民集6巻7号635頁［就業規則は本来使用者の経営権の作用として一方的に定め得るところであって，このことはその変更についても異なるところがないとした］。

42） 秋北バス事件・前掲注18。

考えられていた不利益変更に関する後段部分で）明示的に反対の意思表示をした者に対する就業規則の拘束力を基礎づけることはできないはずである。

当時学説は，就業規則の不利益変更問題を処理するために，就業規則の法的性質を論じていたので，秋北バス事件判決の不利益変更に関する判示も法的性質論から導かれているものと理解するのも自然な成り行きであった。そこで当時の学説は，全体のトーンとしては法規説的な判旨[43]が，その法的根拠として契約説のよって立つ民法92条を参照していることは理論的に誤りであると批判した。

しかし上記の判示部分（前段部分）は「労働者の知不知，個別的同意の有無を問わず当然に適用を受ける」とするのみで，明示的に反対した場合に拘束されるとまでは述べていない。明示的に反対しても拘束されるとするのは「不利益変更」についての秋北バス事件判決後段部分である。そこで，学説には秋北バス事件判決の前段と後段を分けて読み，新たな位置づけを試みる立場が登場する。

⑶　定型契約説の登場とその後の判例の展開

まず，下井隆史教授は，就業規則の法的性質論は，普通契約約款についての理論を就業規則に及ぼしたものであるとの見解を示した。すなわち，普通契約約款は「事前の開示」「内容の合理性」を条件に，契約者の知不知，同意の有無を問わずに拘束力が認められ，その法的根拠を，その種の取引においては約款によるとの事実たる慣習が成立していることに求めるのが一般であり，これを就業規則に及ぼしたもの，とする。そして，契約条項も法的規範であることは間違いないので，判旨が「法的規範」という言葉を使ったからといって法規説が採られたとはいえないとした[44]。

菅野和夫教授はこの見解に賛同し，確かに判旨における「法的規範性」とは「経営主体と労働者との間の労働条件は，その就業規則によるという事実たる慣習が成立しているものとして……の法的規範性」に過ぎず，また判旨は，就業規則の定めがそれに反対の意思を明確に表示した者までを拘束するとは述べ

43）　秋北バス事件判決自体は，おそらく法規説の立場に立っていたと解するのが素直な読み方と解される点については，可部恒雄・同事件判解・ジュリ421号93頁（1969年），王能君「就業規則法理の軌跡」本郷法政紀要4号24頁以下（1995年），荒木・雇用システム244頁等参照。

44）　下井隆史「就業規則の法的性質」現代講座10巻293頁。

ていないので，定型契約としての法的規範性（その内容に合理性があり，内容が開示されている限り，黙っている者を拘束してしまう法的規範性）と理解すべきとし[45]，後にこの立場を「定型契約説」と命名した。

定型契約説による秋北バス事件判決の読み直しがなされた後に出された最高裁判決[46]は，秋北バス事件判決前段部分を引用し，「就業規則の規定内容が合理的なものである限りにおいて当該具体的労働契約の内容をなしている」としており，就業規則の拘束力の根拠を契約内容に取り込まれたことに求める定型契約説の法的構成に従ったとも解し得る整理を行っている[47][48]。こうして，判例法理上，合理的な内容の就業規則は，当該条項に対する合意が認定できる場合でなくとも，契約内容となる効果が認められる立場が確立した[49]。

判例法理の立場を古典的な契約説の立場と比較すると，次のような特徴を指摘できる。古典的契約説に立つと，就業規則が契約内容となる場合には，明示の合意がある場合のみならず黙示の合意が認められる場合が含まれる。しかも，明示的に異議を唱えることなく就労していれば，黙示的に合意したと判断されかねない。古典的な契約説によると，このように現に通用している就業規則については，その合理性を問題とすることなく拘束力が肯定される可能性がある。これに対して，判例の処理枠組みでは，当該就業規則の内容の合理性を吟味しつつ契約内容となるか否かを判断する点に特徴がある[50]。労使の交渉力の格差を考慮すると，合意の成否の判断を厳格に行い，合意が認められない場合については，裁判所の合理性の吟味を経て契約内容となる効力を認める判断枠組

45) 菅野和夫『労働法』（初版）93頁（1985年）。

46) 電電公社帯広局事件・最一小判昭和61・3・13労判470号6頁，日立製作所武蔵工場事件・最一小判平成3・11・28民集45巻8号1270頁。

47) 内田貴『契約の時代』121頁（2000年）は，就業規則の法的性質についての判例の現状を，普通契約約款の契約への取込みの論理と極めて近い理論を採用するに至っているとする。

48) 契約内容となって当事者を規律するという上記判例の構成は，就業規則の契約への化体を認める法規説の立場からは，法規説としても理解可能であるとの反論もある（片岡ほか・新基準法論462頁以下［西谷敏］，大内・変更法理39頁等）。しかし，このような化体説の主張自体，法規説の実質的意義を失っているとの批判もある（土田・労務指揮権353頁）。

49) 内田貴「民営化（privatization）と契約――制度的契約論の試み（6・完）」ジュリ1311号145頁（2006年）は，約款や就業規則の法的拘束力の根拠を当事者の合意に求めるのでなく，「制度的契約」としての特質から拘束力が肯定されるとする新たな理論を提唱しており，注目される。

50) 土田・概説72頁。

みは，妥当なものと評することができる[51]。労契法7条はこのような判断に立ち，判例法理を立法化することとなった。

Ⅱ　就業規則の不利益変更の拘束力

次に，就業規則をめぐる最大の問題として争われたのが，就業規則が労働者に不利益に変更された場合，これに同意しない労働者もこれに拘束されるか否かである。秋北バス事件判決後段部分は，合理的変更であれば反対する労働者も拘束される旨の判示を行い，これが労契法9条，10条で立法化されるに至るが，そもそも，なぜ就業規則変更による労働条件変更が問題となるかについて確認しておこう。

1　就業規則の不利益変更をめぐる議論の背景

継続的・組織的労働関係においては，社会経済情勢の変化に対応して労働条件を統一的に調整する必要が生ずる（→17頁以下）。この問題は，アメリカのように解雇が自由な雇用システムでは，労働条件の統一的変更に同意しない労働者を解雇し，当該条件に同意する労働者を外部労働市場から雇い入れることによって解決される[52]。しかし，日本では解雇権濫用法理によって自由な解雇が制限されているため，雇用関係の硬直化を避けるために解雇によらずに労働条件の統一的変更を達成するための法理が要請されることとなる。労働条件の集団的規制の手段としては，労働協約（労組16条）や協約の拡張適用制度（同17条）があるが，協約は当該組合員にしか及ばず，拡張適用制度は他組合の団交権尊重の観点から他組合員には及ばないと解されているため（→715頁），事業場単位の統一的労働条件変更を達成することはできない[53]。そこで，統一的労働条件変更を達成するための唯一の方途として就業規則が利用されることとなる[54]。

51）　同旨，労契研報告書26頁，土田・契約法161頁。

52）　荒木・雇用システム8頁，33頁参照。

53）　そのほか，労働協約締結によって労働条件変更を達成しようとしても，アメリカと異なり日本では労働組合に団体交渉義務が課されておらず交渉のテーブルに着かせることができない（→757頁），現在の確立した判例によると先制的ロックアウトは違法とされており，経済的圧力をかけることによって使用者の主張を通すことも制限されている（→741頁以下）等の事情もある。

54）　水町・詳解205頁以下も参照。

就業規則が従前の労働条件を労働者に有利に変更する場合，労働契約は有利に変更された就業規則によって規律される（旧労基93条，労契12条）。これに対して，従前より不利な労働条件を設定する就業規則が労働契約を規律するか否かについて労基法は規定を置いていなかったため，重要な解釈問題となった。

かつて学説は，前述した就業規則の法的性質に関する法規説，あるいは契約説それぞれの立場から，演繹的に就業規則の不利益変更問題を処理しようとした。古典的な法規説（例えば経営権説）では，不利益変更された就業規則も法律と同様に労働者を拘束することになる。しかし，使用者が労働者の過半数代表からの意見聴取（労基90条1項）のみで一方的に変更できる就業規則にそのような効力を認めることの妥当性が問題となる。そこで法規説の中では，この結論を避けるべく，保護法原理の真の実現に向かってのみ使用者の一方的変更が法認され得るとして不利益変更の拘束力を否定する授権説[55]が有力化した。しかし，同説に対しては就業規則の法的性質の理解と整合的なのか，労働者に有利な変更のみが可能と果たしていえるのか，あまりに便宜的ではないかという批判が加えられた。他方，契約説では不利益に変更された就業規則は労働者が明示・黙示に同意しない限り，契約内容となることはなく労働者を拘束しないことになる。しかし，これでは（解雇を認めない限り）継続的契約関係における労働条件変更の必要性に対応できない。また，契約説に立ちつつ，就業規則の合理的変更に対する黙示の合意を緩やかに認定して就業規則変更の拘束力を認める立場に対しては，契約説の意義がほとんど失われるとの批判が加えられた。

裁判例も上記学説の対立に対応する形で対立し，裁判例の流れがいずれかの説に収斂し確立するということなく推移した。このような状況の中で，最高裁は秋北バス事件判決後段部分で，独自の立場を打ち出した。

2　秋北バス事件判決の就業規則の合理的変更法理

秋北バス事件判決後段部分は，「新たな就業規則の作成又は変更によつて，既得の権利を奪い，労働者に不利益な労働条件を一方的に課することは，原則として，許されないと解すべきであるが，労働条件の集合的処理，特にその統一的かつ画一的な決定を建前とする就業規則の性質からいつて，当該規則条項

55)　沼田・前掲注6・130頁。

が合理的なものであるかぎり，個々の労働者において，これに同意しないことを理由として，その適用を拒否することは許されない」と判示した。

つまり，就業規則変更によって労働条件を一方的に変更することは許されないのが原則であるが，就業規則の不利益変更が合理的であれば，それに反対する労働者も拘束されるというルールを定立した。

秋北バス事件判決の立論は，当初，理論上の根拠に欠けるとして学説の激しい批判を浴びたが，最高裁は繰り返し同判決の立場を支持し，判例法理として完全に確立するに至る56)。

学説では，理論的観点から判例の合理的変更法理の実質について反対する見解57)も有力に主張されていたが，継続的・組織的労働契約関係における統一的労働条件変更の必要性，就業規則以外にこの必要性に対処する法理が用意されていないこと58)，紛争処理枠組みとしての実質的妥当性等に鑑み，判例法理に肯定的評価を下すものが増えていった59)。判例法理の枠組みを肯定する立場ではその理論的説明の精緻化が試みられ，就業規則による合理的変更に対して労働者は予め黙示の合意を与えていると解する立場60)や，継続的契約関係において契約条件変更の合意が成立しない場合，契約解消が認められるという契約説の原則が，労働契約関係においては解雇制限によって修正されている

56)　タケダシステム事件・最二小判昭和58・11・25労判418号21頁，大曲市農協事件・最三小判昭和63・2・16民集42巻2号60頁，第一小型ハイヤー事件・最二小判平成4・7・13労判630号6頁，第四銀行事件・最二小判平成9・2・28民集51巻2号705頁，みちのく銀行事件・最一小判平成12・9・7民集54巻7号2075頁。判例の展開によって精緻化されていった就業規則の合理的変更法理の詳細は，注釈労基法（下）974頁以下［荒木尚志］参照。

57)　小西國友ほか『労働関係法』（2版）120頁（1995年）は，合理性のある変更に合意しない労働者の解雇を認めることで契約説を貫徹し，大内・変更法理279頁以下や土田道夫「労働条件の不利益変更(1)」法教260号55頁（2002年）は，変更解約告知を活用して契約説を貫徹しようとしていた。

58)　秋北バス事件判決における横田正俊裁判官，大隅健一郎裁判官の反対意見は，統一的変更の必要性に就業規則改正によって安易に事を処理しようとしたとするが，労働協約は組合員にしか及ばず，労働協約の拡張適用が可能な場合も，現在の通説は拡張適用は別組合員には及ばないと解しており，協約制度によって統一的労働条件変更を実現することはできない（荒木・雇用システム248頁）。

59)　学説の状況については中村・前掲注34・755頁，大内・変更法理57頁，青野覚「就業規則の不利益変更」角田邦重ほか編『労働法の争点』（3版）176頁（2004年）等参照。

60)　下井隆史『労働基準法』（3版）309頁（2001年），山川隆一『雇用関係法』（3版）32頁（2003年）。

以上，自らの同意しないところに拘束されないという契約説の帰結の修正も正当化されるという立場[61]が有力に主張されていた。

労契法9条および10条は，こうした判例・学説の状況を踏まえて，確立した判例法理を立法化したものである。

Ⅲ　就業規則作成・変更手続と判例法理の効力

上記のように判例法理によって就業規則の契約内容規律効（図表14-1③，④）が確立するが，この効力が認められるためには，労基法の要求する過半数代表の意見聴取，労基署長への届出，周知という手続のいずれが必要なのかについて学説・裁判例で議論となった。裁判例では，これらの労基法上の手続は就業規則の効力発生要件ではないとする立場が有力であった。これに対し，学説は，裁判例が最低基準効（同②）と契約内容規律効（同③，④）の区別を認識せずに議論している点を批判し，契約内容規律効についてはいずれの手続も満たすことが必要であるとする見解も有力であった。しかし，周知は不可欠としても，理論上，意見聴取，届出は合理性判断の要素とする立場もあり得るとも指摘されていた[62]。

こうした中，最高裁[63]は，就業規則の契約内容規律効について，「法的規範としての性質を有する……ものとして，拘束力を生ずるためには，その内容を適用を受ける事業場の労働者に周知させる手続が採られていることを要する」とする判断を示した。これによって，少なくとも周知は就業規則の契約内容規律効を認めるための要件であることが明らかになった。

61）　菅野和夫『労働法』（7版補正版）105頁（2006年），内田貴「契約プロセスと法」岩波講座『社会変動のなかの法』130頁（1993年），荒木・雇用システム249頁以下等。水町・詳解211頁は，判例法理の枠組みは信義則によって説明するのが妥当とする。

62）　裁判例，学説の詳細については注釈労基法（下）1022頁以下，1029頁［荒木尚志］。

63）　フジ興産事件・最二小判平成15・10・10労判861号5頁［懲戒解雇の根拠となる就業規則の周知手続が採られていることを認定しないまま懲戒解雇を有効とした原審判断を破棄差戻し］。

第5節　労働契約法における合意・就業規則による労働条件設定・変更

2007年に制定された労働契約法は，労働条件設定・変更における合意原則を定める（労契1条，3条，6条，8条，9条）とともに，前述のような展開を経て確立した判例法理，すなわち，就業規則の内容が合理的なものであれば労働契約の内容となる効力（図表14-1③：契約内容補充効）を労契法7条で，合理的な就業規則の不利益変更は反対する労働者をも拘束するという効力（同④：契約内容変更効）を同9条但書，10条で立法化した[64)]。

Ⅰ　合意による労働条件設定の原則

1　就業規則と労働者の合意

労契法は，労働条件設定について，1条で「労働契約が合意により成立し，又は変更されるという合意の原則」を定め，同3条でも「労働契約は，労働者及び使用者が対等の立場における合意に基づいて締結し，又は変更すべきもの」とする。そして同6条は労働契約の成立に関して，労働者の労働義務，使用者の賃金支払義務について「労働者及び使用者が合意することによって成立する」と定め，同8条は労働者と使用者が「合意により，労働契約の内容である労働条件を変更することができる」とする。これらはいずれも労働条件が労働契約当事者の合意によって設定・変更されるべき合意原則を定めたものである。労契法7条但書，10条但書では，個別合意が存する場合，就業規則の契約内容規律効が及ばないこととしているが，これもこの合意原則を就業規則の効力との関係で確認した規定と理解できる。

したがって，労働者と使用者が労働条件について合意すればそれに従って労働条件が労働契約内容となる。就業規則にはそうした合意の対象となる労働条件を提示するという契約のひな形機能（図表14-1①）があり，就業規則に示された労働条件に労働者が合意すれば，その合意の効力によって就業規則上の労働条件は労働契約内容となる。この場合，原則として，合意された労働条件が

64）　以下については，逐一引用しないが，基本的に荒木ほか・労契法95-151頁の関連部分に依拠しつつ，再構成を行った。

強行的規範（労基13条，労契12条，労組16条）や強行法規，公序良俗（民90条）に反しない限り，その効力が認められ，合理性審査も問題とならない。交渉力格差のある当事者間の契約についての合理的意思解釈や限定解釈等は問題となるが，これは一旦契約内容となることを承認した上での解釈問題であり，契約内容となるか否かの場面での就業規則の合理性審査とは異なる。

2　合意の認定と効力

このような効果を伴う就業規則の労働条件についての合意を，いかにして認定すべきかが問題となる。合意には明示の合意と黙示の合意がある。継続的就労関係である労働関係では，使用者の提示する就業規則条件に明示的に異議を表明することなく就労を継続することも少なくないが，この場合に，当然に黙示的に合意したものと解すると，当該労働条件の合理性を問題とすることなく拘束力が生じることになる。しかし，このような黙示の合意の認定は，労使間の交渉力格差を踏まえた労使対等決定の原則（労契1条，3条1項参照）が要請される労働契約においては妥当ではない。特に，合意が認定できない場合について，労契法によって合理的処理枠組み（労契7条）が用意されるに至っていることを踏まえると，黙示の合意の認定は，明示の合意に匹敵するような意思の合致を明確に認定できる特段の事情のある場合等に限定し，そのような場合に該当しなければ，黙示の合意を認定することなく就業規則の合理性審査に服させるのが妥当である。

他方，労使間の交渉力格差を考慮すると，労働者との合意が形式的に存在することから，確定的な合意が成立していると即断してよいかという問題もある。近時の裁判例の中には，賃金減額に対する同意を認定するには，書面による合意であることが必要とする例も登場し65)，また，学説では合意に加えて，合理的理由の客観的存在等を要求する立場も有力に主張されている66)。

65)　日本構造技術事件・東京地判平成20・1・25労判961号56頁，ゲートウェイ21事件・東京地判平成20・9・30労判977号74頁，ザ・ウィンザー・ホテルズインターナショナル事件・札幌地判平成23・5・20労判1031号81頁等。

66)　土田・契約法257頁以下［判例により労働契約特有の「自由意思に基づく同意の理論」が形成されており，意思表示の瑕疵がない場合にも合意の効力が否定されうるとする］，淺野高宏「賃金減額合意の認定方法とその効力要件」季労237号153頁（2012年）［減額合意に自由意思と認めるに足る合理的理由の客観的存在を要求］，本久洋一「労働者の個別同意ある就業規則の不利益変更の効力」法時82巻12号143頁（2010年）［個別同意に加えて合理的事由の客観的存在が備わって契約内容を規律する効力が認められるとする］等。

合意の存在とは別個に合意の効力の発生要件を要求することは，立法論としては十分にあり得ることであるが，現行法の解釈としては，これらの作業は，あくまで合意の慎重な認定のあり方の問題と捉えるのが妥当であろう[67]。その際には，労働条件変更に関する使用者の説明や情報提供・協議の内容・程度，意思決定のための時間，撤回可能期間を経た意思の確定性，書面化による確定的意思の確認等，手続的審査事項を考慮した慎重な合意認定について，議論を深化させることが課題となる。また，どの程度の慎重な手続の履践が求められるかは，生ずる不利益の程度との相関によって決まってくると解される[68]（就業規則変更に対する合意については→433頁）。

以下，就業規則の契約内容規律効として論ずる問題は，就業規則上の労働条件について，使用者と労働者間に（上述した合意の慎重な認定態度によって）合意が認定できない場合についてのものである。

Ⅱ　労働契約成立時における就業規則の契約内容補充効（労契7条）

労契法7条は，判例法理の展開を踏まえて，「労働者及び使用者が労働契約を締結する場合」，つまり①労働契約の締結の場面において，②就業規則が合理的内容を定めていることと，③当該就業規則が労働者に周知されていたこと[69]という要件が満たされた場合に，「労働契約の内容は，その就業規則で定める労働条件による」という効果を定める。日本の契約実務においては，労働条件を個別の交渉によって設定することはまれで，就業規則を提示・周知し，これが白地の契約の内容を補充するのが一般であった。秋北バス事件判決前段部分は，こうした実務を前提に，就業規則が「合理的な労働条件を定めているものであるかぎり，経営主体と労働者との間の労働条件は，その就業規則によるという事実たる慣習が成立しているものとして，その法的規範性が認められ

---

67)　荒木尚志「就業規則の不利益変更と労働者の合意」曹時64巻9号1頁，27頁（2012年），山川隆一「労働条件変更における同意の認定」菅野古稀271頁以下参照。最高裁も同様の立場と解される。山梨県民信用組合事件・最二小判平成28・2・19民集70巻2号123頁参照。なお，土田道夫「労働条件の不利益変更と労働者の同意」西谷古稀（上）326-327頁も，従来の自説の立場を明確化するとして，「労働者の自由意思に基づく同意」は，合意とは別の要件ではなく，労働者の意思表示を慎重に認定するための枠組みを示すものと解すべきとされる。

68)　荒木・前掲注67参照。同意の認定の本格的検討については，山川・前掲注67参照。

69)　意見聴取・就業規則の届出は要件とされていない。

るに至つている（民法92条参照）」として，就業規則の契約内容補充効を承認していた。労契法7条は，こうした「事実たる慣習」を媒介とすることなく，端的に契約内容補充効を規定したものと理解することができる[70]。

1　契約内容補充効の要件

(1)　労働契約締結時であること

労契法7条は，政府原案が国会で修正され，本条の冒頭に「労働者及び使用者が労働契約を締結する場合において，」という文言が付加され，労働契約締結時に限って適用される条文であることが明定された[71]。この修正は，就業規則が作成されていなかった事業場で新たに就業規則が作成された場合[72]（この問題については→449頁以下），7条が適用される可能性があるとの懸念[73]が表明され，この懸念を払拭すべくなされたものである[74]。

労契法7条の元となった判例法理（秋北バス事件判決前段部分とそれを展開した電電公社帯広局事件判決[75]，日立製作所武蔵工場事件判決[76]）は，その射程を労働契約締結時に限定してはいなかった。したがって，ある労働者が労働契約を締結した後に就業規則が変更され，長期間が経過したような場合，当該変更された就業規則規定が当該労働者を拘束するか否かは，従来の判例法理に照らすと，おそらく同7条と同様の合理性判断に委ねられるべきと考えられてきたようにも思われる。しかし，国会修正を経た同7条は，契約締結後に変更された就業規則の契約内容規律効については適用し得ないこととなった。そこで，契約締結時に存在せず，契約展開過程において新設・変更された就業規則の規定の拘束

70)　菅野204-205頁。

71)　同時に，7条に付されていた「（労働契約の内容と就業規則との関係）」という見出しも削除され，6条と7条の双方が「（労働契約の成立）」に関する条文であると位置づける修正が行われた。

72)　常時雇用する労働者数が10人未満で就業規則作成義務のなかった使用者が，労働者数の増加により就業規則作成義務が生じた場合がその典型例である。

73)　そもそも就業規則の新設に7条の適用問題が浮上したのは，就業規則の新設は就業規則変更と同様に処理する旨の規定を立法化する予定であった（厚生労働省労働政策審議会労働条件分科会答申）にもかかわらず，法案化に至る過程で法案から落とされたことに原因があった（→450頁）。

74)　平成19年11月20日第168回国会参議院厚生労働委員会会議録第6号4頁［小林正夫議員，細川律夫議員発言］。

75)　電電公社帯広局事件・前掲注46。

76)　日立製作所武蔵工場事件・前掲注46。

力については，当該変更に関して合意が認定できる場合にはそのような合意の拘束力（労契8条ないし9条）の問題として処理し[77]，そのような合意を認定し得ない場合には，就業規則変更に関する労契法10条の枠組みで処理されると解するのが妥当であろう。

なお，有期契約の更新時に，就業規則が新設・周知された場合，有期契約更新は新契約の締結であるので，基本的には7条の問題となる。ただ，7条の合理性判断において，反復更新されて継続してきた従前の労働条件との比較が考慮されることは十分あり得る。そして，5年無期転換ルール（労契18条1項→546頁）が適用されて有期契約が無期契約に転換される場合には，7条の枠組みの中で従前の労働条件との比較がさらに重視されると考えることもできるが，5年以上にわたって継続してきた労働契約関係における労働条件変更問題という実質を捉えて，労契法10条（ないし類推適用）によって処理されると解するのが簡明であろう。その際には，雇用の安定という重要な労働条件改善がもたらされることも合理性判断において十分に考慮されることとなる。

(2)　合理的な労働条件

労働者の明示的な合意や就業規則の知不知を問わずに労働契約内容となる効力を認められるには，「合理的な労働条件」を定めた就業規則であることが要件となる。

i）労働条件　　労契法7条によって労働契約の内容となるのは就業規則の定める合理的な「労働条件」に関する規定である。したがって，労働条件に該当しない事項が就業規則に定められてもそれが労働契約の内容となるわけではない。例えば，当該企業の社是や精神規定，労使協議の手続規定等はここにいう労働条件ではない[78]。そこで，ここにいう「労働条件」とは何かが問題となる。

労基法上の労働条件については，各条文毎にそこにいう「労働条件」を解釈している[79]。労契法の7条，10条にいう労働条件については，就業規則で合理的規定を定めることにより契約の内容をなす効力（契約内容規律効）が認められていることから，その範囲について検討する必要がある[80]。これは労働契

77）　菅野207頁。
78）　施行通達・前掲注6・第3の2(2)イ(ウ)。
79）　荒木ほか・労契法109頁以下。

約上の権利義務として労働契約内容となり得る事項であることが必要であるが，賃金や労働時間等の狭義の労働条件だけでなく，災害補償，人事事項，服務規律，教育訓練，付随義務，福利厚生等が広く含まれる。ストック・オプションの付与（→150頁）や職務発明に対する対価もここにいう労働条件に該当すると解される[81]。これに対して，労働契約の当事者に関する権利義務であっても，「労働契約」とは独立した権利義務関係と解される事項（例えば，業務性の希薄な留学費用の返還合意）は，本条にいう「労働条件」には該当しないと解すべきで，就業規則とは別個に個別契約によって設定すべきものである[82]。もっとも，これらの事項を就業規則に記載することが禁じられているわけではなく，これに労働者が具体的に同意した場合，就業規則の効力（労契7条や10条の効力）とは別個に合意が成立することはあり得よう。

また，労働契約終了後の事項（例えば退職年金）[83]であっても，労働契約展開中に就業規則により設定・変更される権利義務関係であれば，ここにいう労働条件に当たると解してよい。

これに対して，労働契約終了後に問題となる競業避止義務や秘密保持義務についても同様に解してよいか議論がある[84]。競業避止義務は職業選択の自由を制限することにつながり得るため，労働者との個別合意で設定すべきであり，就業規則で規制すべき労働条件には該当しないとする考え方もある。しかし，退職後の競業避止義務や秘密保持義務が設定されて初めて，企業秘密に接する業務に従事し得ることになる場合等，在職中の労働条件と関連して競業避止義務や秘密保持義務が設定されることは大いにあり得るところである。そこで，個別契約によらずにこれらの義務が設定される問題点については，労働条件に該当することを認めつつ，その合理性判断等において厳格な判断をする等の対応を行うことが考えられよう。

80）　山川隆一「労働契約法の制定――意義と課題」労研576号9頁（2008年）。

81）　同旨，土田・契約法81頁，水町・詳解193頁。

82）　山川・前掲注80・9頁。

83）　退職年金は，労基法89条3号の2にいう「退職手当」として就業規則の必要記載事項とされている（労基局（下）1006頁）。

84）　山川・前掲注80・9頁は退職後の競業避止義務について，「労働者が認識していなかった条項に拘束されるのは疑問」とする。これに対して，土田道夫「労働契約法の解釈」季労221号21頁（2008年）は退職後の競業避止特約も就業規則で設定し得るとする。

ⅱ）**合理性**　何が「合理的な」労働条件かは，各個の事案において判断するほかない。就業規則変更の場合の合理性（労契10条）と比較した場合，契約締結時における合理性は，従前の労働条件と比較した不利益が観念されないため，一般には広く認められることとなろう[85]。しかし，そこで設定される労働条件によっては裁判所の厳格な審査がなされることもあり得る（例えば退職後の競業避止義務の設定等）。

また，労契法10条の就業規則変更の場合，変更の全プロセスを対象とした合理性であるため，変更手続も合理性審査の要素となる（→441頁以下）。これに対して，同7条は，「合理的な労働条件が定められている就業規則」であれば足りることから，当該労働条件内容の客観的な合理性審査に留まり，意見聴取・届出は同条の契約内容補充効を認めるための要件とされていない[86]のみならず，当該労働条件の合理性にも直接影響するものではないと解される。

▩契約内容補充効に関する判例　労働契約内容補充効に関する最高裁判例は3件ある。電電公社帯広局事件[87]では，頸肩腕症候群に罹患した労働者に対する使用者指定病院における再検査命令に従わなかった労働者に対する懲戒処分（戒告）の適法性が争われ，その前提として，健康管理従事者の指示に従うべき義務を定めた就業規則の合理性が問題となった。最高裁は「要管理者は，健康回復に努める義務があり，その健康回復を目的とする健康管理従事者の指示に従う義務があることとされている……公社就業規則及び健康管理規程の内容は……いずれも合理的なものというべきであるから，右の職員の健康管理上の義務は，公社と公社職員との間の労働契約の内容となつている」としている。

また，日立製作所武蔵工場事件[88]では時間外労働命令拒否に対する懲戒解雇の効力の前提として時間外労働義務の存否が争われた。判旨は，就業規則に，いわゆる三六協定の範囲内で一定の業務上の事由があれば労働契約に定める労働時間を延長して労働者を労働させることができる旨定めており，三六協定で時間外労働を命ずるについて，その時間を

85）　労契研報告書26頁は「就業規則の内容が合理性を欠く場合を除き，労働者と使用者との間に，労働条件は就業規則の定めるところによるとの合意があったものと推定するという趣旨の規定を設けることが適当」としていた。村中孝史「労働契約法制定の意義と課題」ジュリ1351号45頁（2008年）は，本条の合理性審査は，公序［違反］の場合に限定されないとしても極めて例外的な規定の効力を否定する弱いコントロールに留まるが，しかし，労働者は変更時と異なり，広い選択の余地を有しているのでバランスはとれているとする。

86）　菅野206頁。これに対して土田・前掲注84・19頁，土田・契約法170頁は条文の構造上やや無理があるとしつつも，合意原則に代わる手続要件として，意見聴取・届出を要件と解する立場を採る。

87）　電電公社帯広局事件・前掲注46。

88）　日立製作所武蔵工場事件・前掲注46。

限定し，かつ，7項目の事由を必要としているのであるから，本件就業規則の規定は合理的なものというべきであるとした。

労契法制定後の判例である日本郵便（更新上限）事件[89]では，郵政公社の分割民営化に当たり，有期労働者の更新上限年齢を65歳とする就業規則が制定され，その下で契約を締結・更新した有期契約労働者が，65歳を超えたため雇止めされた。判旨は雇止めを適法としたが，この判断に当たり，就業規則の更新上限条項について，高齢者の事故等を懸念して，加齢の影響を個別に判断するのでなく，一定年齢に達した場合には更新しない旨をあらかじめ定めておくことには相応の合理性があり，高年法の65歳までの雇用確保措置義務に抵触する内容でもなく，上限条項の適用開始を3年6ヶ月猶予して相応の配慮をしたことも認定して，労契法7条にいう合理的な労働条件を定めるものであり，周知もなされており，上限条項は労働契約の内容になっていたとした。

(3) 周　知

契約内容補充効の発生には，「就業規則を労働者に周知させていた」ことが要件である。これは，就業規則の契約内容規律効に関して周知を要件とする裁判例・学説の一般的理解[90]と，労働者への周知を就業規則の拘束力の発生要件であるとしたフジ興産事件判決[91]を踏まえて立法化されたものである。

周知については，周知方法，周知内容，周知対象労働者が問題となる。なお，周知方法と周知内容に関する以下の議論は，基本的に労契法10条の周知にも妥当する。

i）周知方法（実質的周知）　労契法7条（および10条）にいう「周知」とは労基法106条，労基則52条の2に定められた法定周知手続（→400頁）によるものに限られず，実質的周知，すなわち，労働者が知ろうと思えば知り得る状態にしておくことで足りる。実質的周知が認められる場合としては，例えば，作業場[92]とは別棟の食堂や更衣所に就業規則をファイルに綴じて備え付け，労働者が見ようと思えばいつでも見ることができるような状態等がある[93]。

89）日本郵便（更新上限）事件・最二小判平成30・9・14労判1194号5頁。

90）注釈労基法（下）1027頁［荒木尚志］。

91）フジ興産事件・前掲注63。

92）掲示・備付けによる周知は，事業場単位ではなく「各作業場」においてなされることが必要であり（労基106条1項），「作業場とは，事業場内において密接な関連の下に作業の行われている個々の現場」（昭和23・4・5基発535号）とされている。

93）実質的周知が認められなかった例として，エスケーサービス事件・東京地判平成17・8・18労経速2261号26頁［就業場所とは別の本店にのみ備え置かれていた事例］，PMKメディカルラボほか1社事件・東京地判平成30・4・18労判1190号39頁［就業規則が本店にしか備

労働者が就業規則の内容を実際に認識しているかどうかは問題とならない[94]。秋北バス事件大法廷判決は「就業規則の存在および内容を現実に知っていると否とにかかわらず，また，これに対して個別的に同意を与えたかどうかを問わず，当然に，その適用を受ける」と判示していた。フジ興産事件判決[95]も，就業規則が法的規範として拘束力を生ずるために，周知「手続が採られていること」は要求するが，労働者が当該周知によって現実に認識していることまでは要求していない。

ii）周知内容の適切性　契約内容規律効に関わる就業規則の周知は，就業規則の定める労働条件が労働契約の内容となる前提要件であるので，周知対象となる情報が適切・的確であることが要請される。これは，使用者の提示する労働条件，労働契約内容について労働者の理解を深めるべきことを定めた労契法4条1項の要請でもある。

裁判例[96]には，（労契法7条ではなく10条で問題となる労働条件変更に関する就業規則の周知について判断した事例であるが）退職金減額があることを朝礼で言及したとしても，どのように減額されるのかについて具体的説明がなされていない場合，就業規則を休憩室の壁に掛けていても，退職手当の具体的決定・計算方法に関する規定を添付していない場合，いずれも実質的周知がされたとはいえない，とするものがある。ここで論じられている実質的周知は，周知方法（労働者が知ろうと思えば知り得る状態にあるか否かという就業規則へのアクセス）の問題とは異なり，アクセスの客体たる情報，周知内容の的確性，具体性の問題である。

iii）周知対象労働者　就業規則の周知とは，本来，事業場の労働者一般に対して行う措置である。しかし，労契法7条については国会で修正され，「労働契約を締結する場合において」「労働者に周知させていた」ことが必要であ

え置かれず，要請があれば各店舗に郵送できることを確認したという旨の書面にどのような立場にあるのか不明の従業員1名が署名押印していたのみという状態は，実質的周知にあたらずとして，就業規則の固定残業代に関する規定の労働契約法7条の周知を否定した]，ムーセン事件・東京地判平成31・3・25労経速2388号19頁［就業規則をパソコンの共有フォルダに電子ファイルで保存していても，従業員に対して保存場所やその内容を確認する方法について説明をしていないとして周知を否定した]。

94）裁判例・学説のほぼ一致した見解である（注釈労基法（下）1028頁［荒木尚志］および施行通達・前掲注6・第3の2(2)イ(オ)参照）。

95）フジ興産事件・前掲注63。

96）中部カラー事件・東京高判平成19・10・30労判964号72頁。

るとの文言となった。そうすると，周知の対象となる労働者は，当該契約締結をする労働者を指しているようにも思われ，解釈論上の問題が生ずる。

この点は，周知とは事業場の労働者に対するものと解してきた判例法理に沿って立法を行うという立法趣旨に照らすと，労契法7条本文の周知対象者は，労働契約を締結する当該労働者をも含む事業場の労働者と解される。換言すると，7条本文における「労働者」とは，事業場の労働者と当該労働契約を締結する労働者の双方を指すと解される。立法者意思および施行通達の解釈も同様である[97]。これに対して7条但書にいう「労働者」とは，当該労働契約を締結した個別の労働者を指すことが明らかであり，この点，「労働者」の意義が同一ではないことに注意を要する。

「周知させていた」と過去形の表現がとられているが，この周知は「新たに労働契約を締結する労働者については，労働契約の締結と同時である場合も含まれる」[98]と解される。

■契約締結時以後に周知された就業規則の契約内容規律効　労働契約締結時に周知を怠り，その後の労働契約展開過程で新たに周知させた場合，契約締結時に限って適用される労契法7条の適用はない。この場合，就業規則の契約内容規律効はどのように判断されるべきか。実質的周知が欠けたということは，作成はしたものの社長の机の引出しに格納し従業員が見ることができないなど，労働者が知り得る状態になかったということである[99]。これは労働者にとっては就業規則が存在しなかった場合に等しい。したがって，かかる就業規則を新たに実質的に周知したということは，その時点で新規に就業規則を作成した場合に準じて扱われるべきである。

具体的には3つの場合が考えられる。第1に，従前展開されてきた労働条件と同一内容

97）同法案を審議した参議院厚生労働委員会・前掲注74においても「修正案では，職場の労働者と新たに加わる労働者に対してあらかじめ周知させていなければならないことを明確にしたものと解されます。このような理解でよろしいか」との小林正夫議員の質問に対して，修正提案者である細川律夫議員は「質問者の御指摘のとおり」と答えている。施行通達・前掲注6・第3の2(2)イ(カ)も「事業場の労働者及び新たに労働契約を締結する労働者に対してあらかじめ周知させていなければならないもの」としている。

98）施行通達・前掲注6・第3の2(2)イ(カ)。

99）事業場の労働者集団には実質的周知がなされ，当該新規雇入れ労働者に実質的周知がなされないという状況は考えにくい。他方，当該雇入れ労働者には就業規則を開示し，事業場の労働者集団に実質的周知をしなかったという事態は生じ得る。この場合，その開示された就業規則と当該雇入れ労働者との関係は，労契法7条の問題ではなく，同6条の問題（個々の労働者が就業規則の労働条件に合意した場合。前述の就業規則の機能・効力では**図表14-1①**の問題）である。

の就業規則が実質的に周知された場合，労働条件に変化はなく，また，当該就業規則の労働条件と同じ労働条件が労働契約内容となっていたのであるから，労契法7条の就業規則の合理性審査も問題とならない。ただ，就業規則が周知されたことにより，当該就業規則に労契法12条の最低基準効が付与され，以後，合意によっても就業規則を下回る労働条件設定が不可能となる効果が新たに生ずることとなる。第2に，従前展開されてきた労働条件より有利な就業規則を実質的に周知した場合，労契法12条の最低基準効により，就業規則のレベルまで労働条件の引上げがなされることとなる。第3に，従前展開されてきた労働条件より不利な就業規則を実質的に周知した場合は，就業規則の新規作成により労働条件を不利益に変更した場合と同様，労契法10条が類推適用されるべきことになると解される（→449頁）。

(4)　立証責任

就業規則の合理性および周知の要件が満たされていることの立証責任は，当該就業規則の定める労働条件が契約内容となっていることを主張する側が負う。

2　効　果

(1)　契約内容補充効

労働契約締結に際して，就業規則が周知されており，その内容が合理的なものであれば，「労働契約の内容は，その就業規則で定める労働条件による」こととされた（労契7条）。労働契約の成立（労契6条→381頁）についての合意はあるが，具体的労働条件については合意されていない，すなわち，労働条件についてブランクの労働契約である場合，別段の合意（労契7条但書）がなされない限り，就業規則が合理的内容を定めており，当該就業規則が周知されていた場合には，就業規則の定める労働条件が労働契約内容となる。労契法7条但書により別段の合意があればそちらが優先されることから，この契約内容規律効は「契約内容補充効」と呼ぶことができる（**図表14-1③**）。

既述のように，秋北バス事件判決前段部分とその後の最高裁判例の展開（→408頁以下）によって確立された判例法理を明文化したものである。

▩労契法7条と就業規則の法的性質論　労契法7条の契約内容規律効（補充効）は，合理的な労働条件を定めた就業規則によるという事実たる慣習の存否にかかわらず，また，「慣習による意思」の有無にかかわらず発生する点で，民法92条の処理とは同一ではない100)。この点で，就業規則の法的性質論に関する契約説の理解に立った整理がなされたということはできない。労働契約法制研究会報告書は「労働条件は就業規則の定めるとこ

---

100)　同旨，村中・前掲注85・45頁注13。

ろによるとの合意があったものと推定する」[101]という，より契約説に親和的な定式化を提言していたが[102]，厚生労働省労働政策審議会労働条件分科会の議論の過程で「合意の推定」に対して労働側の反対が強く，このような構成は採用されなかった[103]。他方，労契法7条は労働条件が直接就業規則によって規律されるという文言ではなく，「労働契約の内容は，その就業規則の定める労働条件による」として，就業規則の労働条件が労働契約内容になることを介して拘束力が生ずるとも解し得る文言[104]が用いられている点で，就業規則の法的性質論の法規説を採ったとも断定できない。

労契法7条は判例法理に沿って就業規則ルールを立法化するという制定過程における了解に基づき起草されたものである。したがって，同条は，その規定ぶりにより就業規則の法的性質論を決することを目指したものではなく，むしろ，法的性質論については慎重にニュートラルな立場をとりながら，合理的内容を定めた就業規則が契約内容となるとの判例法理を，立法化した規定というべきであろう。就業規則の法的性質論は，就業規則と労働契約の関係を解明し，就業規則の拘束力問題を解決することを主たる目的に展開されてきた。しかし労契法7条が立法化された現在では，就業規則の法的性質論から演繹的にその効力を説明する必要性自体が乏しくなったといえる。同様のことは，就業規則の変更に関する労契法9条，10条についても妥当する。

(2)　契約内容補充効の例外：別段の合意

労契法7条但書は「就業規則の内容と異なる労働条件を合意していた部分」は，当該合意が優先し就業規則の契約内容補充効は生じない旨を定める。この規定には，就業規則の労働契約内容規律効（契約内容補充効）に一定の限界を画し，個別契約自治が機能すべき領域を確保したという重要な意義がある（詳細は→447頁以下参照）。

「就業規則の内容と異なる労働条件」の合意（以下「別段の合意[105]」という）が，就業規則の定める労働条件に達しないものである場合，当該合意は労契法12条の最低基準効により無効とされる。したがって，同7条但書の別段の合意は，

101）　労契研報告書26頁。

102）　土田道夫『労働契約法』（初版）137頁注159（2008年）は，労契法7条が労使間合意を媒介とすることなく契約内容となることを規定した点は，合意原則を基本趣旨とする労働契約法として整合性を欠くとし，労働契約法制研究会報告書の推定効構成の方が妥当であったとする。

103）　詳細については荒木ほか・労契法117頁以下。

104）　労契法9条，10条は，従前の就業規則の労働条件が，新たな就業規則により変更される場面を典型的に対象としたものであるが，そこでも「労働契約の内容である労働条件」という表現が用いられ，就業規則の労働条件が労働契約内容となることを前提としている。

105）　労契法7条但書の「別段の合意」と同10条但書の「特約」の区別については→449頁。

就業規則より有利なものである必要がある。例えば，就業規則に事業上の必要により配置転換を命じ得る旨の条項があっても，個別合意で勤務地や職務内容を限定する合意を行っている場合，就業規則の配転条項は当該労働者の労働契約内容とはならず，勤務地限定合意（職務限定合意）が契約内容となる。

■就業規則に明示的に異議を唱えた場合　労契法7条により，従来，労働契約締結時に就業規則内容に明示的に反対の意思表示をした場合には，就業規則の契約内容規律効は及ばないと解してきた有力学説[106]の立場が否定されたことになり，合意原則との関係で問題であるとの指摘もなされた[107]。

しかし，採用時に明示的に就業規則条項に反対の意思表示をしたにもかかわらず，その者を使用者がそのまま採用した場合，使用者と労働者の間には，当該条項について契約内容とはしないという合意が認定可能であり，この合意は労契法7条但書の別段の合意と解することができる。そうすると，同規定により，労働者が反対した就業規則条項に契約内容補充効は生じず，反対労働者がこれに拘束されることもないと解される[108]。このように，労契法7条の本文と但書をあわせ読めば，就業規則の契約内容補充効は，周知と合理性を要件に就業規則が契約内容となる推定効を定めた場合とほとんど異ならないということもできよう[109]。

なお，就業規則と同一の内容について個別契約で合意をすることもあり得る。これは「就業規則の内容と異なる労働条件」ではないため労契法7条但書の「別段の合意」には該当しないが，労契法10条の就業規則変更によっては変更できない「特約」には該当し得る。例えば，定年70歳を定める就業規則がある場合，使用者と労働者が個別契約により，定年は70歳とし，定年の変更は使用者と労働者間の合意による場合に限る旨の合意をしていた場合などである。

別段の合意については，その合意の存在を根拠に就業規則の補充効の不発生を主張する側が立証責任を負う。

Ⅲ　合意による労働条件変更の原則と就業規則

労契法は8条ないし11条で労働条件変更に関するルール[110]を体系的に規

106）　菅野・前掲注25・104頁。

107）　土田・前掲注84・12頁，土田・前掲注102・137頁。

108）　荒木ほか・労契法119頁。土田・契約法162頁注192も初版の見解を改め，このような解釈に賛成している。

109）　山川・前掲注80・9頁。

110）　労契法8条，9条等の見出しは「労働契約の内容の変更」となっているが，各条文自体

定している。すなわち，まず，合意による労働条件変更の原則を宣明し（労契8条），その帰結として労働者との合意を前提としていない就業規則の変更による労働条件変更は原則としてなし得ないことを確認し（同9条），その例外として，判例法理によって確立された就業規則の合理的変更によって労働条件が変更される場合の要件を定め（同10条），さらに個別特約がある場合にはこの就業規則の合理的変更法理の及ばないことを明らかにした（同但書）。そして，就業規則変更手続に関しては労基法上の手続（意見聴取，届出）によることを確認している（同11条）。

この労働条件変更における合意原則と就業規則の合理的変更による労働条件変更問題は，実務上，労働契約紛争の最重要課題の一つであり，判例法理として確立したルールがあるものの，その法的根拠について種々議論があり，労契法の立法過程でも論争の的となった。この問題について，判例法理を立法化することによりルールを明確化した点は，労働契約法の中でも特に意義のある部分である。

1　合意による労働条件変更（労契8条）

労契法8条は「労働者及び使用者は，その合意により，労働契約の内容である労働条件を変更することができる」として，同3条1項で規定された合意に基づく労働条件変更の原則の理念を具体的に確認している。

(1)　労働契約の内容である労働条件

「労働契約の内容である労働条件」とは，労働契約の内容となっている労働条件のすべてを指す。したがって，使用者と労働者間の合意により労働契約内容となった労働条件のほか，労契法7条により就業規則の労働条件規定が労働契約内容となった労働条件，同10条で就業規則の合理的変更によって労働契約内容となっている労働条件，同12条が適用され就業規則の定める基準によることとされた労働条件が含まれる[111]。労働協約の定める労働条件については，労働協約の効力について化体説と外部規律説の対立があるが（→700頁），いずれにしても，労組法16条の適用があるため労働協約に反する合意を行っても，その効力は認められない。

「労働契約の内容である労働条件」としているように具体的には労働条件の変更ルールに関する規定である。

111)　施行通達・前掲注6・第3の3(2)ウ。

(2) 合意による労働条件変更

労働条件変更の合意には，具体的な変更労働条件について労働者が同意を与える場合（具体的変更労働条件に対する合意）と，使用者に変更権限を与えることに労働者が同意する場合（変更権留保の合意）がある。

i）具体的変更労働条件に対する合意　具体的変更労働条件に対する「合意」には，明示の合意のほか，黙示の合意もあり得る。しかし，一旦合意が認定されると，原則として合理性審査を経ることなく拘束力が肯定される（→416頁）。

この点，従来の裁判例は，黙示の合意の認定に慎重な態度をとるもの[112]と，かなり緩やかにこれを認めるもの[113]など，ばらつきが見られた。

しかし，継続的関係たる労働契約においては，一定の労働条件変更があっても，従前通りの就労を継続することは決して珍しいことではない。そして，労働関係における交渉力の格差，実際の労働現場で労働条件問題で紛争を惹起することから生じ得る様々な問題・懸念から，労働者が異議を明示的に提示しない可能性等にも留意すべきである。就業規則の合理的変更法理が判例法理上揺るぎなく確立するまでは，変更された就業規則の下で異議なく就労している労働者については黙示の同意が成立したといわざるを得ないとする議論が有力であった[114]。しかし，就業規則の合理的変更法理を立法上も正面から確立した労働契約法の下では，労働者が合意していない就業規則変更には労契法10条の合理性審査が用意されている。同8条ないし9条の合意の認定による処理は

112）例えば，賃金切下げに関する合意成立を否定した例として，京都広告事件・大阪高判平成3・12・25労判621号80頁，山翔事件・東京地判平成7・3・29労判685号106頁，アーク証券（本訴）事件・東京地判平成12・1・31労判785号45頁，中根製作所事件・東京高判平成12・7・26労判789号6頁，日本構造技術事件・前掲注65等。なお，更生会社三井埠頭事件・東京高判平成12・12・27労判809号82頁は，賃金減額を通知されて就労した労働者につき，黙示の承諾の可能性を認めつつ，自由意思に基づきなされたと認めるに足る合理的理由が客観的に存在するとはいえないとして黙示の承諾の成立を否定した。

113）例えば，賃金の変更について緩やかに黙示の同意を認めた例として，有限会社野本商店事件・東京地判平成9・3・25労判718号44頁［就業規則通りの昇給，賞与支給をしない旨の黙示の同意の効力肯定］，ティーエム事件・大阪地判平成9・5・28労経速1641号22頁［本営業所長が人件費削減策としての賃金引下げ提案に格別異議を唱えることもなく容認していたと認定］，エイバック事件・東京地判平成11・1・19労判764号87頁［新給与体系による賃金支払に即座に異議を唱えておらず，給与変更に黙示的に同意したと認定］等。

114）例えば，蓼沼謙一「就業規則」季労別冊『労働基準法』301頁（1977年），西谷敏「就業規則」片岡ほか・新基準法論506頁以下等参照。

この合理性審査の潜脱となるおそれのあることも踏まえ，合意の認定はあくまで厳格・慎重になされるべきである。したがって，就業規則の不利益変更に異議を留めず就労していたというだけで，変更された労働条件に当然に黙示に同意していたと考えるべきではない[115]。

なお，変更に際して特段文書提示等は要求されていないが，労働条件変更をめぐる紛争を防止すべく労契法4条で労働契約内容の理解促進の努力義務が課されていることに留意すべきである。労働者が変更内容を十分特定し理解し得ないような説明による変更については，変更合意の認定は困難となる[116]。この点，山梨県民信用組合事件最高裁判決（→418頁，435頁）の自由な意思に基づいたものと認めるに足りる合理的理由が客観的に存在するか否か，という観点からの慎重な吟味が妥当することになる。近時，この慎重な合意認定枠組みによって，十分な説明がなされず労働条件を変更した契約書に労働者が署名押印しても自由意思に基づく合意を否定する判断が多数下されている[117]。

変更に関する合意について，錯誤，詐欺，強迫といった意思表示の瑕疵に関する民法の諸規定が適用されることはいうまでもない[118]。また，就業規則を変更しないままに，従前の就業規則の労働条件を引き下げる合意を行っても，就業規則の最低基準効（労契12条）によってそのような合意は無効となることに注意すべきである[119]（→402頁以下）。

---

115)　労契法制定後，このような立場に立って黙示の同意を否定した例として，技術翻訳事件・東京地判平成23・5・17労判1033号42頁。

116)　労契法制定前の事件であるが，多岐にわたる労働条件変更内容の資料を配付せず，数分の社長説明，個別面談の口頭説明，質問への不十分な返答しかせずになされた変更提案につき，変更内容の特定が不十分として，労働条件変更の合意を否定した例として，東武スポーツ（宮の森カントリー倶楽部・労働条件変更）事件・東京高判平成20・3・25労判959号61頁。本文とほぼ同旨の判示を行ったものとして技術翻訳事件・前掲注115。

117)　ハンワ事件・大阪地判平成28・5・27労判ジャーナル54号47頁，福祉事業者A苑事件・京都地判平成29・3・30労判1164号44頁，O・S・I事件・東京地判令和2・2・4労判1233号92頁，木の花ホームほか1社事件・宇都宮地判令和2・2・19労判1225号57頁，東神金商事件・大阪地判令和2・10・29労判1245号41頁，ティアラクリエイト事件・東京地判令和3・5・27労判ジャーナル115号38頁，ハピネスファクトリー事件・東京地判令和4・1・5 LEX/DB25591813，インターメディア事件・東京地判令和4・3・2 LEX/DB25592598等。

118)　錯誤を認めた事例として駸々堂事件・大阪高判平成10・7・22労判748号98頁，東武スポーツ（宮の森カントリー倶楽部・労働条件変更）事件・宇都宮地判平成19・2・1労判937号80頁。

119)　この点，賃上げが退職金基礎不算入を前提になされたものであることが周知され，労働者がこのことを認識しつつこれに異議を留めず賃上額を受領していたことから，就業規則より不

ⅱ）変更権限付与（変更権留保）の合意　使用者が労働条件の変更権を有すること（変更権留保）について労働者が合意する場合も，当該労働条件変更は変更権限を与えたという合意を根拠に当事者を拘束する。したがって，これも労契法8条の合意による労働条件変更の一つといえる。

これに対して，予め使用者に労働条件の変更権を与える合意は，労働者の地位を不安定にするため，労働者側に交渉力があり，実質的対等性が確保されている例外的場合を除き認められないとする見解もある[120)]。しかし，労働契約上，使用者に配転命令権や時間外労働命令権のような労働条件を変更する権限を設定することは十分あり得ることで，実際，そのような条項を就業規則によって設けた場合，合理的なものとして労働契約内容となることは一般に承認されている[121)]。したがって，そのような変更権限を合意によって設定することが原則として認められないということは困難である。近時の裁判例でも，職種限定合意のあった労働者による職種変更内容，配転先については会社に一任するという職種変更同意は，その同意の任意性を慎重に判断しつつ，任意性が認められれば有効とされている[122)]。

確かに，使用者が留保した変更権を行使して労働条件を変更する場合，当該変更された労働条件に労働者が具体的に合意しているわけではないので紛争が生じやすいという問題がある（具体的変更労働条件に対する合意との相違）。この問題は，変更権限付与（変更権留保）の合意を認めないという解釈によってではな

利な退職金算定についての黙示の合意の成立による処理を示唆する朝日火災海上保険事件・最二小判平成6・1・31労判648号12頁や，就業規則より低率の賃上げ・賞与支給の黙示の同意の効力を肯定した有限会社野本商店事件・前掲注113等には疑問がある。詳細は，注釈労基法（下）1020頁［荒木尚志］参照。

120）　日本労働弁護団労働契約法研究会『知ろう！ 使おう！ 労働契約法』19頁（2008年）。

121）　配転命令につき東亜ペイント事件・最二小判昭和61・7・14労判477号6頁，時間外労働命令につき，日立製作所武蔵工場事件・前掲注46。

122）　西日本鉄道（B自動車営業所）事件・福岡高判平成27・1・15労判1115号23頁［職種をバス運転手とする職種限定合意のあった労働者の他職種への変更同意の効力が争われた事案について，同意の任意性は，ア）職種変更は労働者が自発的に申し出たのか，使用者の働きかけに不本意ながら同意したのか，イ）後者の場合，当該職種にとどまることが客観的に困難な状況であったのかなど，当該労働者が職種変更に同意する合理性の有無，ウ）職種変更後の状況等を総合考慮して慎重に判断すべきとし，当該事案では，苦情，事故等から会社が運転士として乗務させ得ないと判断したことに相当の理由があり，当該労働者は弁護士とも相談の上で職種変更を希望する旨回答し，実際に職種変更がなされた後も異議を申し出ることはなかったことなどに照らし，職種変更同意は強制によるものではなく，任意によるもので有効とした］。

く，変更権限の設定の合意自体を慎重に吟味しつつも（権限審査）[123]，変更権が認められても，その権利行使が権利濫用となるかどうかについてさらに司法審査を加えること（権利濫用審査）によって処理すべきものと解される[124]。

2　合意原則と就業規則（労契9条）

労契法9条本文は，「使用者は，労働者と合意することなく，就業規則を変更することにより，労働者の不利益に労働契約の内容である労働条件を変更することはできない」とし，同3条1項，8条に見られる合意原則の趣旨を，就業規則変更による労働条件変更との関係で具体的に規定している。これは秋北バス事件判決以来，最高裁判例で踏襲されている「新たな就業規則の作成又は変更によつて，既得の権利を奪い，労働者に不利益な労働条件を一方的に課すことは，原則として，許されない」という原則的ルールを明文上確認した規定である。

本条を反対解釈すると，就業規則変更による労働条件不利益変更に労働者が合意すれば，労働条件変更は可能であることが導かれる[125]。立法過程での議論[126]を踏まえると，労契法9条の内容は8条に包含された合意原則を，就業規則による変更との関係で再度具体的に表現したものと理解できる[127]。この場合，労働条件変更は当該合意を根拠に拘束力を認められ，就業規則変更が合理的であることという要件を満たすことは格別必要とされない（下記の「合意基準説」）。そこで，このような合意の認定は慎重になされるべきことは既に述べ

123）　変更権留保の合意があっても，それをさらに限定する個別合意があり得る（例えば，包括的配転命令権付与の合意があっても，勤務地限定特約があり得る）ことにも留意すべきである。

124）　荒木・雇用システム288頁以下参照。

125）　菅野208頁。

126）　2006年12月27日の厚生労働省労働政策審議会労働条件分科会答申までは，合意によらずに就業規則の変更により労働条件を不利益に変更することはできないという労契法9条本文の内容は，8条の合意原則に包含されるものとして，明示されていなかった。しかし，判例法理を忠実に条文に反映するべきとの考え方に立ち，2007年2月2日の同労働条件分科会の法案要綱では9条の内容を明文で規定することとなった（荒木ほか・労契法122頁）。

127）　施行通達・前掲注6・第3の4(1)アは「法第9条において，法第8条の『合意の原則』を就業規則の変更による労働条件の変更の場面に当てはめ……確認的に規定した」としており，また同(2)アも「法第9条本文は，法第8条の労働契約の変更についての『合意の原則』に従い，使用者と労働者と合意することなく就業規則の変更により労働契約の内容である労働条件を労働者の不利益に変更することはできないという原則を確認的に規定したものであること。」としてこのことを明記している。

た通りである（→417頁）。

▩就業規則の不利益変更の拘束力についての合理性基準説と合意基準説[128]　就業規則の不利益変更の拘束力は専ら就業規則変更の合理性を基準に考えるべきであり，就業規則変更に合理性がない場合，労働者がこの就業規則変更に合意していても当該労働者を拘束しない（「合理性基準説[129]」と呼ぶ）ことになるのか，それとも，労働者が当該就業規則変更に合意している以上，就業規則変更の合理性は問題とならず，当該合意によって労働者は変更就業規則に拘束される（「合意基準説[130]」と呼ぶ）ことになるのか，という問題がある[131]。秋北バス事件大法廷判決は，就業規則変更に合理性があれば，これに対する合意が存しなくても拘束力が生ずるとし，それゆえ大論争を引き起こしたものであり，合意があれば，契約論の帰結として[132]，当該合意を根拠に拘束力が生ずることは，当時の学説も当然の前提としていたことである[133]。そして，労契法立法過程でも，労働条件変更に対する合意があればそれによって（合意がないときに拘束力を認めるために必要とされる合理性を問題とすることなく）変更の拘束力が生ずることは，労契法8条および9条（の反対解釈）で，当然の前提とされていたものである。したがって，判例法理およびそれを忠実に立法化した労契法においては，合意基準説が必然的帰結となる[134]。

そうすると，合意の認定は厳格になされるべきで，その際には賃金の放棄や相殺合意に

---

128)　この問題の詳細については荒木・前掲注67参照。

129)　合理性基準説に分類できる見解として，労契法制定後では，渡辺章（上）205頁，淺野高宏「就業規則の最低基準効と労働条件変更（賃金減額）の問題について」安西古稀323頁，吉田美喜夫ほか編『労働法Ⅱ』（3版）90頁［根本到］（2018年），矢野昌浩「就業規則の効力」西谷敏＝根本到編『労働契約と法』175頁（2011年），勝亦啓文「就業規則の不利益変更に対する労働者の同意の効力」法時84巻4号118頁（2012年），西谷敏『労働法の基礎構造』172頁以下（2016年）等。

130)　合意基準説に分類できる見解として，菅野208頁［同『労働法』（8版）113頁（2008年）で既に同旨が述べられている］，山川・前掲注80・11頁，土田・契約法581頁（ただし，合意基準説を基本としつつ，就業規則法制・法理の特質に即した適切な修正を施す必要があるとして修正合意基準説を主張），荒木ほか・労契法128頁，大内伸哉「労働契約法の課題――合意原則と債権法改正」労働115号79頁（2010年），山本陽大「就業規則の不利益変更と労働者による個別同意との関係性」季労229号174頁（2010年），石﨑由希子「就業規則の不利益変更と労働者による個別同意」ジュリ1438号114頁（2012年），土田・前掲注67・354頁，川口118頁等。

131)　協愛事件・大阪地判平成21・3・19労判989号80頁は，合理性基準説に親和的な立場を採り，同控訴審・大阪高判平成22・3・18労判1015号83頁は対照的に合意基準説を採り，注目された。

132)　就業規則の原初的機能として契約のひな形機能があること（→401頁）を看過すべきでない。

133)　荒木・前掲注67・12頁注20参照。

134)　同旨，菅野208頁，土田・概説240頁，下井・労基法422頁。就業規則変更の合理性を否定しつつ，労働者の個別同意を根拠に変更就業規則の拘束力を肯定した例として熊本信用金庫事件・熊本地判平成26・1・24労判1092号62頁。

おいて採用されている，自由意思に基づくものと認めうる合理的な事由が客観的に存するか否かを踏まえた意思表示の認定（→165頁以下）や，確定的合意の存在についての慎重な判断（→417頁）等が要請される。

こうした議論がある中で，最高裁は，山梨県民信用組合事件[135]において，上記とほぼ同様の立場に立って，労契法8条，9条を参照しつつ，就業規則に定められた労働条件の不利益変更について，労働者と使用者との個別同意により（その際，就業規則の最低基準効との関係で，就業規則の変更は必要となるが，変更の合理性は特段問題とすることなく）変更可能であること，すなわち，合意基準説の立場を確認した[136]。その上で，労働者の同意の有無については，当該変更を受け入れる旨の労働者の行為（当該事件では同意書への署名押印）をもって直ちに労働者の同意があったとみるのは相当でなく，慎重に判断されるべきとする。そして，「就業規則に定められた賃金や退職金に関する労働条件の変更に対する労働者の同意の有無については，当該変更を受け入れる旨の労働者の行為の有無だけでなく，①当該変更により労働者にもたらされる不利益の内容及び程度，②労働者により当該行為がされるに至った経緯及びその態様，③当該行為に先立つ労働者への情報提供又は説明の内容等に照らして，当該行為が労働者の自由な意思に基づいてされたものと認めるに足りる合理的な理由が客観的に存在するか否かという観点からも，判断されるべき」（①②③は筆者挿入）と判示した。

なお，合理性のない就業規則変更は「無効」ではなく，旧就業規則の適用を受けてきた従前の労働者に対して，変更の「拘束力が生じない」というに過ぎない。それゆえ，就業規則の不利益変更の合理性が否定されても，変更前の旧就業規則が復活して，最低基準効を発揮することにはならない。したがって，不利益変更に対する合意が旧就業規則の最低基準効によって無効となることもない（→446頁）。

労契法9条但書は「次条の場合は，この限りでない」とする。これによって，合意なしに就業規則変更によって労働条件の不利益変更はなし得ない（労契9条）のが原則的ルールであること，しかしその例外として，就業規則の合理的変更ルール（同10条）が認められることが明らかにされている。

Ⅳ　就業規則による労働条件変更（労契10条）

1　労契法10条の意義

労契法10条は，使用者が就業規則の変更により労働条件を不利益に変更し

135）　山梨県民信用組合事件・前掲注67。

136）　山梨県民信用組合事件調査官解説（清水知恵子・曹時70巻1号317頁〔2018年〕）も，同旨を説き，判例は合意基準説を前提としているものと解されるとする。同旨，白石194頁［西村康一郎］，山川＝渡辺・労働関係訴訟Ⅰ・119頁［荒谷謙介］。

ようとする場合，第1に，変更後の就業規則を労働者に周知させること，第2に，当該就業規則の変更が合理的なものであること，という要件を満たした場合，同8条および9条の合意による労働条件変更の原則の例外として，労働条件は当該変更後の就業規則の定めるところにより変更されることを定めた規定である。判例法理によって確立された就業規則の合理的変更による契約内容規律効（変更効）を明文化したものである。

就業規則による労働条件変更ルールの立法化には次のような意義が認められる。第1に，就業規則の合理的変更により，個々の労働者の同意がなくとも労働条件の統一的集団的変更が可能とする確立した判例法理と，労働条件変更には労働者の同意が必要であるという古典的契約法理の原則とが併存するという問題があったところ，確立した判例法理に沿って変更ルールを明文化し，ルールの透明化を図った意義がある。

第2に，判例法理と古典的契約法理の関係をめぐって，就業規則の合理的変更法理の法的根拠について種々議論があったところ，契約法理の原則を確認しつつ（労契9条），その例外として統一的集団的労働条件変更法理を判例法理に沿って明文化することにより，法的根拠に関する議論に決着を付けたという意義がある[137]。就業規則の合理的変更法理については，従来，就業規則の法的性質論から演繹的に結論を導こうとする試みが結論の妥当性に欠け支持を得られず，他方，妥当な処理枠組みを採用しようとすると，その理論的根拠の説明に窮するという状況の中で，判例が独自の処理枠組みを展開してきた。学説では，雇用保障をもたらす解雇制限（雇用の安定：security）と継続的・組織的契約関係である労働契約の労働条件の柔軟な変更の必要性（雇用の柔軟性：flexibility）の調整原理として，判例法理の処理枠組みの妥当性を肯定する傾向が指摘できた（→414頁）。諸外国においても，安定（security）のみ，あるいは，柔軟性（flexibility）のみに偏した政策が見直され，両者の調和を目指した雇用政策（securityとflexibilityを合体させたフレキシキュリティ〔flexicurity〕）[138]が模索されているところ，労契法は雇用の安定について解雇権濫用法理を16条で定めるとともに，同10条で労働条件の柔軟な調整を可能とする就業規則の合理的変更

137）　村中・前掲注85・44頁は「解釈論的脆弱性という問題を克服したもの」とする。

138）　OECDおよびEUによって推奨されたフレキシキュリティについての批判的検討については濱口桂一郎「労働法改革論の国際的展開」講座再生6巻41頁以下参照。

法理を明文化することにより，判例法理が形成してきた日本型 flexicurity[139] ともいうべき雇用政策を法律上確認したということができる。

第3に，労働条件変更問題を集団的統一的労働条件変更法理である就業規則の合理的変更法理に全面的に委ねるのではなく，就業規則によっては変更し得ない個別特約の効力を正面から認め，契約法理の発展領域を確保した（労契10条但書）という意義がある。就業規則の合理的変更法理については，その守備範囲が必ずしも明確ではなかったが，学説では諸外国における集団的労働条件変更と個別的労働条件変更法理の分析および日本の労働条件変更に関する裁判例の分析を踏まえて，就業規則法理の守備範囲は集団的統一的変更の場面に限定され，個別特約による労働条件についてはその適用外と解すべきとの見解が示されていた[140]。労契法10条は，労働条件変更に柔軟性をもたらす就業規則変更法理の射程を，労働条件の安定をもたらし得る契約原理[141]との調整を慎重に考慮して定めたものということができる。

▩契約原理と労契法10条　就業規則の合理的変更法理の立法化は「契約原理に死を宣告するに等しい」との厳しい批判[142]もあった。しかし，契約原理に忠実な処理では，変更合意が成立しなければ，継続的関係たる労働契約は解消する（つまり変更に同意しない労働者を解雇する）ことになる。論者が解雇自由を認める点でも契約原理を墨守するのであれば，理論的には一貫するが，労働条件変更をめぐる紛争を解雇を通じて処理することは，その社会的コストの観点からも，また，その個人に対する負担がかえって本意ならざる合意をもたらすおそれがあることを考えても，雇用政策として妥当とは解されない[143]。解雇の自由は制限し（その点では契約原理を修正し），労働条件変更については合意がない限り変更不可として契約原理を主張するのであれば論理が一貫せず，また，欧州が直面し

139）　なお，欧州の flexicurity が外部市場型であるのに対して，日本のそれは内部市場型という相違があることについては，荒木尚志「労働法政策を比較法的視点から考える重要性」労研659号98頁（2015年）。

140）　荒木・雇用システム224頁以下。

141）　不同意であれば労働条件を変更し得ないという労働条件の安定機能（ドイツでは労働契約の存続保護：Bestandsschutz と対比して労働条件の内容保護：Inhaltsschutz と呼ばれる。荒木・雇用システム143頁参照）は，あくまで，解雇されずに契約が存続している場合に意味を持つ。しかし，契約原理自体は，継続的契約関係において，将来の契約条件に契約当事者が合意しない場合，解約可能であること，すなわち，労働契約では解雇自由を帰結することにも留意すべきである。

142）　2006年12月21日労働法学者有志の声明文「禍根を残す就業規則変更法理の成文化」労旬1639＝1640号5頁（2007年）。

143）　荒木・雇用システム246頁以下，305頁以下。

た硬直的労働市場のもたらす高失業問題等の弊害が懸念される。

契約原理に悖るとする論者自身が主張する契約変更請求権を法定する立法論[144]は，結局，「契約原理」を放棄して裁判所の形成判決によって問題を処理するものである。つまり，合意のない限り労働条件変更は許されないとする契約原理に固執することでは解決がつかないことは論者自身も認めているのである。そうすると，安定と柔軟性を法制度全体の中でいかに適切にバランスさせるかを，当該変更問題の処理にかかるコストをも含めて考察する必要がある。確立した判例法理はこの問題に対する一つの考え抜かれた解答であり，労契法10条は，これに個別契約自治の領域を適切に確保する措置（同但書）を講じた上で労働契約と就業規則の関係を整序し，労働条件変更問題の解決規範を明示したものである。

なお，定型約款の変更に関する改正民法548条の4も，その画一的変更の必要性等に鑑み，①定型約款の変更が相手方の一般の利益に適合するとき，または，②変更が契約目的に反せず，かつ，変更にかかる事情に照らして合理的であるときには，定型約款の変更により，相手方の同意なく一方的に契約内容を変更することができるとしている。

2　要　件

就業規則の変更による労働条件変更が拘束力を持つためには，①就業規則変更が不利益変更に該当し，②当該就業規則が周知され，③就業規則変更が合理的なものでなければならない。これらの要件は強行的なものであり，合意によって潜脱することは許されないと解される[145]。例えば，就業規則の変更は合理性を問題とすることなく拘束力を持つ旨，包括的に合意してもそのような合意の効力は否定され，合理性のない就業規則変更は労働者を拘束しない（なお，労働者が就業規則変更自体に合意している場合，労契法10条ではなく8条ないし9条の問題となることについては→433頁）。

これら労契法10条の要件が満たされていることの主張立証責任は，就業規則変更によって労働条件変更を主張する使用者が負う。

(1)　不利益変更該当性

労契法10条は9条の但書によって，就業規則変更による労働条件の不利益変更が許されないという9条本文の例外として規定されていることから，10条の労働条件変更ルールは労働条件の不利益変更に該当することが前提とされている[146]。就業規則変更が客観的に有利な変更である場合には，同12条に

144)　毛塚勝利「労働契約変更法理再論」水野勝先生古稀記念論集『労働保護法の再生』3頁（2006年），連合総合生活開発研究所『労働契約法試案』118頁以下（2005年）。

145)　岩出誠『早わかり労働契約法』55頁（2008年）。

より，労働者の同意を問題とすることなく，有利変更された就業規則が労働契約を規律することとなる。

何が不利益変更に当たるのかについて，裁判所は，実質的不利益（例えば賃金の減額）が認定できる場合にはこれによって不利益変更該当性を認めている。しかし，そうした実質的不利益変更が明瞭には認定できない場合，最高裁は，実質的不利益の有無は変更の合理性（相当性）の場面で考慮し，就業規則不利益変更法理の適用の有無という入口における「不利益変更」の存否に関しては，新旧就業規則の外形的比較147)において不利益とみなし得る変更があればよいとする傾向にある148)。

実質的不利益の有無の判断は容易ではなく，不利益変更の発現が可能性に留まる場合も少なくない。しかし，そのような労働条件制度変更の拘束力自体は判断せざるを得ないので，不利益の可能性・実質的不利益の程度については，就業規則の合理的変更法理に持ち込んだ上で，変更内容の相当性として考慮するという判例の態度は妥当なものである149)。例えば，年功賃金を成果主義賃金に変更する場合，従来の賃金体系に比して減額の可能性が生じており，その就業規則変更によってもたらされた労働条件の安定の喪失自体を不利益と捉えることができる150)。このような不利益性判断に立つと，就業規則の「不利

146)　菅野 212 頁，山川・前掲注 80・11 頁。

147)　正確には，原告（労働者）の請求に対して，被告（使用者）が就業規則の変更を抗弁として提出し，原告の主張する権利の不発生や縮減を主張する場合，原則として不利益変更に該当する（山川・雇用法 38 頁参照）。同旨，渡辺弘 I 203 頁。

148)　例えば，秋北バス事件判決自身，争点となった定年制の採用につき「それが労働者にとって不利益な変更といえるかどうかは暫くおき」，あるいは「既得権侵害の問題を生ずる余地」はないとしつつ合理性判断を行っている。退職金の不利益変更が問題となった大曲市農協事件・前掲注 56 では，算定基礎となる給与額が合併に伴う給与調整により増額されていたが，最高裁は，一旦不利益変更の判断枠組みに持ち込んだ上で，労働者の「実質的な不利益は，仮にあるとしても，決して……大きなものではない」として「変更の内容（不利益の程度）」の場面で評価しようとしている。運賃改定に際して歩合給の不利益変更がなされたが，手取り賃金は減少していない可能性のある第一小型ハイヤー事件・前掲注 56 でも，外形的な不利益があれば，不利益変更に該当するとして合理性判断を行っている（注釈労基法（下）974 頁［荒木尚志］参照）。

149)　岩淵正紀・大曲農協事件判解・曹時 41 巻 3 号 242 頁（1989 年）参照。

150)　山川・雇用法 38 頁参照。成果主義賃金制度導入が争われたノイズ研究所事件・東京高判平成 18・6・22 労判 920 号 5 頁［上告不受理で確定］は，賃金減額の「可能性が存在する点において，就業規則の不利益変更に当たるものというべきである」としている。

益」変更法理とは，実質的不利益の存在は特に要件としない広範な守備範囲をもった就業規則による労働条件の合理的変更法理と呼ぶべきものである151)。

「就業規則の変更」には，就業規則の既存の条項を変更する場合のみならず，就業規則に新たな規定を設けて労働条件を変更する場合もこれに該当する152)（就業規則が存しなかった事業場における就業規則新設については→449頁）。また，「就業規則の変更により労働条件を変更する場合」とは，従前の就業規則の労働条件を新たな就業規則で変更する場合のみならず，労働契約上合意されていた労働条件，さらには労働契約内容となった労使慣行上の労働条件を就業規則変更によって変更する場合（→451頁）も含まれる153)。

(2)　変更後の就業規則の周知

労契法10条では，変更後の就業規則を労働者に周知させることが要件とされている154)。「周知」についても7条の議論と同様，周知方法と周知内容が問題となり得る（→423頁）。

i）意見聴取・届出の要否　労契法10条の定める契約内容変更効の発生要件については，周知のほかに，労基法上要求されている意見聴取・届出も必要と解すべきか否かについて議論があった。裁判例は周知のみを必要とする立場が多かったが，学説では周知に加えて意見聴取・届出の履践も必要と解する見解が有力化していた。そして，意見聴取や届出の履践は合理性が肯定されるための重要な要素と捉える理論構成も考えられるし，法定手続が欠ける場合はいわば当然に合理性が否定されるとすれば効力要件と解するに等しくなるとして，立法政策においていずれの構成もあり得ることが示唆されていた155)。

労働契約法制研究会報告書156)および厚生労働省労働政策審議会労働条件分科会の議論においても当初は，周知，意見聴取，届出の3つの手続は合理性判断ルールの入口要件と考えられていた。しかし，労働契約法の具体的な条文を

151)　荒木・雇用システム263頁。

152)　秋北バス事件自体が，主任以上の職にある者に対して55歳定年制を導入する条項の新設の事案であった。

153)　同旨，山川・雇用法37頁，土田・前掲注84・18頁，米津ほか・前掲注24・42頁［根本到］。

154)　甲商事事件・東京地判平成27・2・18労経速2245号3頁［実質的周知も欠けており不利益変更の効力否定］。

155)　注釈労基法（下）1029頁［荒木尚志］。

156)　労契研報告書33頁。

イメージしつつ制度設計を詰める中で，以下のような事情から手続要件としては周知のみを課すこととなった。すなわち，労契法では，8条で合意による労働条件変更の原則を明定し，10条で就業規則の合理的変更による労働条件変更ルールを定めることが予定されていた。このような枠組みにおいて，10条の合理的変更ルールの対象となる就業規則を，周知のほかに意見聴取・届出要件を満たしたものに限定する制度設計を行うと，意見聴取や届出義務を満たしていないが周知はされている就業規則変更の下で，労働者が特段明示の異議を表明せずに就労していた場合，8条の黙示の合意があったと認定されるおそれが十分にある[157]。8条の合意が認定されれば，変更の合理性審査を経ずに当該変更は当該合意を根拠に労働者を拘束することとなるが，これは集団的統一的労働条件変更問題である就業規則変更の拘束力判断に適切な処理とは思われないし，労働者保護にも資さない[158]。むしろ，意見聴取・届出を10条の合理性審査の入口要件とせず，周知された就業規則変更を広く合理性審査のルートに乗せ，意見聴取，届出については合理性審査の考慮事項と位置づける方がより適切な制度設計と解される。就業規則の契約内容変更効につき，意見聴取・届出という手続が要件とされていないのはこのような考慮に基づく政策判断があった[159]。

ii）意見聴取・届出と合理性判断　以上のように，意見聴取・届出は，労契法10条の就業規則の契約内容変更効の要件とはされていないものの，これらの法定手続は，立案過程では合理性判断の重要な要素となるべきとの了解があった。そこで，労契法は，このことを示す趣旨で11条で「就業規則の変更の

157）例えば賃金引下げの黙示の合意を安易に認定した事例につき前掲注113参照。最近でも，トップ（カレーハウスココ壱番屋店長）事件・大阪地判平成19・10・25労判953号27頁。

158）意見聴取，届出要件を課し，これを欠いているために労契法10条の合理性審査のルートに載せることができず，また，同8条の黙示の合意の認定もしない結果，当該就業規則による変更はできない，という結論となるべきである，と論ずることもできる。しかし，黙示の合意の認定は裁判官の判断にかかっており，これを禁ずることができない以上，そして，黙示の合意による処理が現に行われている事態にも鑑みると，黙示の合意による処理を誘発しかねない制度設計は避け，同様の効果を達し得る別の枠組みを模索することも政策判断としてあり得よう。

159）第68回厚生労働省労働政策審議会労働条件分科会（2006年11月21日）荒木尚志公益委員発言（本文のような考察を踏まえて，手続要件としては周知のみを要求する政策判断を支持），岩出・前掲注145・44頁以下参照。これに対して，意見聴取・届出のいずれも，就業規則の拘束力の手続要件と解すべきとする見解として土田・前掲注84・19頁。

手続に関しては，労働基準法……第89条及び第90条の定めるところによる」旨をあえて規定している[160]。

労基法上は，就業規則作成においても同様の手続が要求されているが，労契法は，「変更の手続」についてのみ，意見聴取・届出義務に言及した。これは，同10条が就業規則新設の場合を規定していないという事情もあるが，意見聴取手続が，同条の合理性審査の「労働組合等との交渉の状況」として，届出は「その他の就業規則の変更に係る事情」として，それぞれ考慮されるべきことを示したものと解される。

これに対して，労契法7条の労働契約締結時における就業規則の合理性審査では，意見聴取・届出については同法上何ら言及がなく，合理性判断の要素としても特段予定されていないと解される（→422頁）。

なお，意見聴取手続が適法になされる前提として，意見聴取の相手方が適法な過半数代表であること，特に，過半数組合が存在しない場合，労基則6条の2に従った適法な過半数代表者が選出されていることが必要である（→188頁）。

(3)　変更の合理性

就業規則変更が拘束力を持つのは，それが「合理的なものであるとき」である。合理性判断について判例法理の到達点を示した第四銀行事件最高裁判決[161]は，①就業規則の変更によって労働者が被る不利益の程度，②使用者側の変更の必要性の内容・程度，③変更後の就業規則の内容自体の相当性，④代償措置その他関連する他の労働条件の改善状況，⑤労働組合等との交渉の経緯，⑥他の労働組合または他の従業員の対応，⑦同種事項に関するわが国社会における一般的状況等の7つの要素を総合考慮して判断するとしていた。労契法10条はこれをその内容に則して，1）労働者の受ける不利益の程度（上記①），2）労働条件の変更の必要性（前記②），3）変更後の就業規則の内容の相当性（前記③，④，⑦），4）労働組合等との交渉の状況（前記⑤，⑥），5）その他の就業規則の変更に係る事情（前記「等」）の5項目に整理して規定したものである[162]。立法過程では，この定式化が判例法理に変更を加えるものか否かが議

160）　2006年12月27日の厚生労働省労働政策審議会労働条件分科会答申では，労基法所定の就業規則に関する手続が就業規則の変更ルールとの関係で重要であることを明らかにすることと明記され，これを受けて，11条が設けられたという経緯がある。

161）　第四銀行事件・前掲注56。

162）　前掲注74・5頁［青木豊労働基準局長答弁］，施行通達・前掲注6・第3の4(3)オ(カ)参照。

論となったが，内容的には何ら変更を加えるものではないことが確認されている[163]。したがって，これまで判例が展開してきた合理性判断手法が労契法10条でも基本的に妥当する。

「労働者の受ける不利益の程度」については，当該就業規則変更によって個個の労働者が被る不利益の程度をいう。実質的不利益が生じているか否かを問わずに不利益変更該当性を緩やかに肯定して，就業規則変更による労働条件変更を労契法10条の合理性審査に服せしめる解釈が採られていることは上述したが，実質的不利益がない，あるいは，可能性に留まる等の事情は，ここで不利益の程度が小さい事情として考慮されることとなる。

「労働条件の変更の必要性」は，使用者が現在の労働条件を維持するのが困難である事情を指す。必要性には程度の差があり（第四銀行事件判決前記②では変更の必要性の内容・程度とされていた），変更内容の相当性の程度と比較衡量して合理性判断がなされることとなる。

「変更後の就業規則の内容の相当性」には，労働者の受ける不利益以外の，変更後の就業規則の内容自体の相当性，経過措置の有無・内容，代償措置その他関連する他の労働条件の改善状況，同種事項に関するわが国社会における一般的状況等，変更内容の社会的相当性がこれに当たる。

「労働組合等との交渉の状況」では，当該就業規則変更に際して，労働者側とのどのような手続が履践されたかが考慮される。「労働組合等」には，多数組合，少数組合，労使委員会，過半数代表その他，労働者を代表するもの，労働者集団等が広く含まれ，それらとの交渉状況すべてが考慮対象となる[164][165]。労働契約法制研究会報告書[166]や厚生労働省労働政策審議会労働条

理論的には，労働者の受ける不利益の程度も，変更内容の相当性に含めて捉えることができ，考慮要素としては変更の必要性，変更内容の相当性，労組等との交渉状況等の変更手続，その他の事情の4つに整理可能であった。

163）　前掲注74・2頁，5頁［青木労働基準局長答弁，舛添要一厚生労働大臣答弁］。

164）　アルプス電気事件・仙台高判平成21・6・25労判992号70頁［専従役員が活動手当の経費援助を受けていることから，管理職以外の全社員からなる委員会との協定は，社員の意向をどの程度反映した上で交渉に当たっているか疑問を払拭できず，変更の合理性を検討する上で協定の存在をそれほど重視できないとして，変更の合理性を認めた一審を覆した］は，経費援助を受ける団体との労使交渉を「労働組合等との交渉の状況」においてどう評価すべきかという問題を提起している。

165）　労働組合が存しない企業で従業員に対し，賃金の4分の1削減，無期契約の有期契約への変更（ただし，後に訴訟上，抗弁を撤回）等重大な労働条件不利益変更について口頭説明，考

件分科会2006年6月13日提出の「労働契約法制及び労働時間法制の在り方について（案）[167]」では，過半数組合や労使委員会の合意・決議から合理性を推定することが提案されていた。しかし，判例法理に沿った立法化ということから，かかる立場は採用されず，労働組合等との交渉状況全般を，合理性判断要素の一つとして考慮する立場が採られている。

もっとも，第四銀行事件最高裁判決は，多数組合との合意がある点につき，「変更後の就業規則の内容は労使間の利益調整がされた結果としての合理的なものであると一応推測することができ」るとして，他の考慮要素とは異なり，変更内容の合理性を推測する旨を判示しており，これに着目する見解が有力に主張されている。他方で，みちのく銀行事件判決[168]では，多数組合の合意があるにもかかわらず，合理性を否定したことから，そうした立場は否定されたと解する見解，さらにこの見解に対する反批判も主張されていた[169]。こうした理論状況自体は労契法10条の規定の下でも継続することとなる。したがって，5つの考慮事項の総合判断に当たって，多数組合との交渉状況を重視した判断がなされることは十分あり得るし，将来に向けた集団的統一的労働条件変更を論ずる以上，集団的労使関係において当該変更がどのように受け取られたのかに十分着目した総合判断を行うことはむしろ当然といえよう[170]。

「その他の就業規則の変更に係る事情」により，上記の考慮事項以外の就業規則変更に関係した諸事情が考慮対象となり得る。既述のように，労契法11条で言及されている就業規則変更に際しての意見聴取・届出義務の履践は「労

慮期間等に問題があったとして，就業規則変更には経営上の高度の必要性がなく「その手続を含めて合理的であるともいいがたい」として効力を否定した例として東武スポーツ（宮の森カントリー倶楽部・労働条件変更）事件・前掲注118。

166）労契研報告書30頁。

167）荒木ほか・労契法366頁以下。

168）みちのく銀行事件・前掲注56。

169）詳細は荒木尚志「就業規則の不利益変更と労働条件」百選（7版）58頁。筆者は，みちのく銀行事件判決で合理性が否定されたのは，判決自身「不利益性の程度や内容を勘案すると」と述べているように，その極めて重大な不利益の程度，そして，一部の労働者に不利益をしわ寄せするなど，第四銀行事件判決でも想定されていた多数決によって合理性を推測できない例外的場合に該当した事案であったためであり，多数組合との合意から変更内容の合理性を推測する第四銀行事件判決の原則的立場自体が否定されたものではないと解している。同旨・土田・契約法566頁。

170）同旨，菅野214頁，土田・概説237頁。

働組合等との交渉の状況」「就業規則の変更に係る事情」として，合理性審査で十分考慮されるべき事項である。

なお，大曲市農協事件判決[171]以来，「賃金，退職金など労働者にとつて重要な権利，労働条件に関し実質的な不利益を及ぼす就業規則の作成又は変更については，当該条項が，そのような不利益を労働者に法的に受忍させることを許容できるだけの高度の必要性に基づいた合理的な内容のものである」ことが必要とされてきた。労契法10条の総合判断においても，このような重要な権利・労働条件の不利益変更に高度の合理性審査を行うべきことが要請されていると解される[172]。

▩重要な労働条件についての「高度の必要性に基づいた合理的な内容」審査　大曲市農協事件最高裁判決の枠組みによると，賃金等の重要な労働条件変更は「高度の必要性」がなければ就業規則変更の合理性は認められないという理解が一部で見られる[173]。しかし，そもそも大曲市農協事件最高裁判決自身が確認しているように，就業規則変更の合理性は「その必要性及び内容の両面から」判断されるべきものである。変更の必要性と内容の相当性は，一方が小さくとも，他方が高度に充足されれば合理性は肯定される関係にある。そして，賃金等の重要な労働条件について「高度の必要性に基づいた合理的な内容」を要求していることは，相補的関係にある両者の充足度が，その他の労働条件よりも高いレベルで要求されることを意味していると解される。換言すれば，変更内容の相当性が高度である場合（例えば，賃金の変更の不利益性が極小である場合）には，変更の「高度の必要性」がないとしても，変更の合理性が肯定されることはあってしかるべきである。大曲市農協事件最高裁判決が，変更の必要性と内容の相当性の両面から合理性を判断するという基本枠組みを立てた上で論じていたことを忘れて，「高度の必要性」を独立要件のように理解して，これが欠ければ直ちに合理性が否定されると解すべきではない[174]。

171）大曲市農協事件・前掲注56。

172）施行通達・前掲注6・第3の4(3)オ(カ)も，労契法10条はこの判例法理にも変更を加えるものではないとしている。従来の判例の合理性判断の詳細については，注釈労基法（下）976頁以下［荒木尚志］，菅野212頁以下等参照。

173）例えば白石183頁［西村康一郎］，下井・労基法449頁。

174）以上の詳細については，荒木・雇用システム263頁以下，注釈労基法（下）977頁［荒木尚志］参照。白石186頁［西村康一郎］は，「高度の必要性」がないとして変更の合理性を否定した裁判例は意外に少なく，「高度の必要性」は，実際には過度に高いレベルのものではないことを示していると指摘する。変更の必要と変更内容の相当性の相関で判断するという合理性判断の基本枠組みを踏まえれば，裁判所の判断傾向が何ら異とするに足りないことが納得されよう。この相関的判断枠組みを踏まえて，適切な判断を行った最近の裁判例として東京商工会議所（給与規定変更）事件・東京地判平成29・5・8労判1187号70頁［年功序列型から成果主義型への賃金体系の変更につき，経営上の高度の必要性はないとする労働者側の主張に対

3 効　果

(1) 契約内容変更効

変更された就業規則が周知され，かつ，合理的なものと評価された場合，10条但書の個別特約による労働条件（→447頁以下）を除き，「労働契約の内容である労働条件は，当該変更後の就業規則に定めるところによる」。つまり，就業規則による労働条件変更に同意しない（反対する）労働者も変更後の就業規則の定める労働条件に拘束されることになる。この効果は，既述の確立した判例法理を受けて労契法10条が定めた特殊な効果であり，就業規則の法的性質から導かれた効果ではない。また，本条が就業規則の法的性質を決定するものでもない。労基法はその必要があって特に旧労基法93条により就業規則に特別の強行的直律的効力（最低基準効）を付与してきたが，そのことから就業規則自体の法的性質論が決せられることにならないのと同様である。

▩合理性のない就業規則変更は無効か　労契法10条による就業規則変更の拘束力（従前の労働者に対する変更の拘束力）と，就業規則自体の有効性とは別問題である。例えば，変更された就業規則が10条の合理性が否定された場合，変更に同意していない既存の労働者に対する拘束力が否定されることになるが，しかし，当該就業規則自体が「無効」となるわけではない。そのような就業規則も周知の要件を満たしていれば，新規採用労働者との関係では同7条の効果（契約内容補充効）や12条の効果（最低基準効）を持ち得る[175]。

また，就業規則の変更の合理性が否定された場合，就業規則の拘束力を争った当該労働者の労働契約内容について本条の変更効は適用されない。その結果，当該労働者の労働契約内容は，それまで労働契約内容となっていた従前の労働条件がそのまま存続することとなる。旧就業規則が，労働契約内容となっていた場合には，旧就業規則の定めていた労働条件が存続することになる。しかしこれは，当該労働者との関係で旧就業規則が復活した

して，経営判断として一応の合理性のある賃金体系変更の必要性があれば，不利益の程度，内容の相当性その他の事情等を総合考慮して合理性を判断すべきとした]，野村不動産アーバンネット事件・東京地判令和2・2・27労判1238号74頁［賃金が1割以上減少する給与制度変更につき，統一的人事制度導入の必要性があったとして，総合判断を行い，変更の合理性を肯定した]。

175）裁判例の中には就業規則の不利益変更の拘束力が問題となっているのに，就業規則変更の「有効性」として論ずるものが散見されるが，適切でない。また，阪急トラベルサポート（派遣添乗員・就業規則変更）事件・東京高判平成30・11・15労判1194号13頁［「就業規則について，労契法9条及び10条が，使用者において労働者の不利益に一方的に変更することはできず，一定の厳格な要件の下にのみこれを許容した」と判示する］なども，就業規則の変更の可否と，その変更された就業規則が労働者に対して拘束力を持つかという問題を区別せずに論じており適切でない。

ことを意味するのではないと解される。権限者によって就業規則が変更され，周知されている限り，変更された就業規則が，当該事業場に現存する就業規則であり，最低基準効を持つのもこの変更された就業規則と解される[176]（→435頁以下）。

▩就業規則の合理的変更（労契10条）と最低基準効（同12条）　労契法12条の最低基準効が，より有利な契約を許容しているとすると，従前の就業規則の労働条件がその内容となっている労働契約は，不利益変更後の就業規則基準と比較すると，より有利な労働条件を設定しているものとして，そのまま存続することになりそうである。しかし，就業規則の合理的変更に関する判例法理はこの場面について特別のルールを設定し，変更後の就業規則の拘束力を認めることとしたものである[177]。この点が，労契法では明文化され整理された。すなわち，従前の就業規則は，労契法7条または10条により労働契約の内容となっているのが通例であるが，これを不利益に変更する就業規則改定が行われた場合，有利な労働契約と同12条の関係ではなく，端的に10条によって規律されることが明らかにされたといえる。

(2)　契約内容変更効の例外――個別特約

労契法10条但書により，同条本文の就業規則の契約内容変更効（合理的変更ルール）は，「労働契約において，労働者及び使用者が就業規則の変更によっては変更されない労働条件として合意していた部分」，つまり「個別特約」で就業規則では変更できない労働条件として合意されていた部分には及ばない旨規定されている。この点は，判例で明確に認められていたわけではない。しかし，就業規則の合理的変更法理が集団的統一的変更のためのルールとして展開形成された経緯，他方で，個別特約により合意した労働条件変更について就業規則法理の適用を認めた例がないこと，また，個別人事管理の進展に対応して個別契約自治の領域を確保し，職業生活の自己決定を尊重すべき必要性等を考慮して，明文をもって就業規則の合理的変更法理の射程を画し，契約自治原理が機能すべき領域を確保したものである[178]。このような労働条件については，労働者の個別の合意に基づくことなく変更はなし得ないこととなる。

例えば，使用者が就業規則を変更して全国への配転を可能とする広域配転条項を新設し，その条項が一般に合理的なものと評価されるとしても，就業規則

176)　同旨，菅野・217頁，水町・詳解223頁。詳細は，荒木・前掲注67・18頁以下参照。

177)　注釈労基法（下）1021頁［荒木尚志］参照。

178)　第62回厚生労働省労働政策審議会労働条件分科会（2006年9月19日）における荒木尚志公益委員発言参照。就業規則による労働条件変更法理に対して個別的労働条件規制を優先すべきと主張してきた学説として，諏訪康雄「就業規則の構造と機能」労働71巻26頁（1988年），大内・変更法理269頁，土田・労務指揮権401頁，荒木・雇用システム227頁等。

によっては変更し得ない労働条件として勤務地限定の特約を結んでいた労働者に対しては，当該就業規則変更は労働条件を変更する（特約の効力を失わせ広域配転条項に服する義務を課する）効力を持ち得ないこととなる。就業規則とは別途，合意された年俸額についても，同様に解しうる179)。

10条但書に該当するためには「就業規則の変更によっては変更されない労働条件として」の合意が成立していると解釈・評価されることで足り，「就業規則の変更によっては変更されない」ことを予め明文化ないし明示していることが必要なわけではない。

■労働条件の性質と労働契約法10条但書の個別特約の関係　「就業規則の変更によっては変更されない労働条件」は，労働条件の性質（集団的労働条件か個別的労働条件か）によって判断されるとの見解180)が主張されている。しかし，本条但書は，当該労働条件の性質ではなく，当事者が就業規則の変更によっては変更されない労働条件として「合意していた」ことに着目して就業規則の変更効が及ばないことを定めたものである。したがって，仮に集団的労働条件というものを想定したとしても181)，その条件を個別特約で就業規則の合理的変更法理の対象外と合意すれば10条但書が適用されるし，個別的労働条件に該当すると解される条件についても，「就業規則によっては変更されない」旨の合意が認定できなければ10条但書は適用されない。就業規則の変更によって個別労働者の同意を問題とせずに変更するのが適切でないと解される事項の場合であっても，カテゴリカルに就業規則の合理的変更法理（労契10条本文）が及ばないと解するべきではなく，特約が認定できればそれにより182)，認定できない場合には，10条本文の合理性審査を適用し，そこで就業規則により変更する合理性が否定される結果，変更効が生じないと解するのが条文に忠実な処理と解される。

就業規則によって変更されない個別特約には，就業規則と異なる特約183)もあれば，就業規則の労働条件と同一の労働条件ではあるが，就業規則によっては変更されないものと

179)　労契法制定前の事件で，期間1年の有期契約で合意された年俸額を，期間の途中で就業規則変更により一方的に引き下げることは，改定内容の合理性にかかわらず許されないとしたものとしてシーエーアイ事件・東京地判平成12・2・8労判787号58頁。

180)　米津ほか・前掲注24・44頁［根本到］。野川・労契法140頁も労契法10条但書が「就業規則による労働条件の変更の対象が個別労働契約によって定めるべき内容には及ばないという原則」を示したものとする。

181)　集団的労働条件と個別的労働条件の区別が可能かも困難な問題である。これまでの議論については荒木・雇用システム226頁参照。

182)　この特約の認定に当たって当該変更条件の性質はもちろん考慮され得る。山川・雇用法38頁参照。

183)　年功賃金制度を採用している企業が，ヘッドハントした労働者と，別体系の賃金を個別に合意していた場合など。

して合意されている労働条件[184]もある。

▩労働契約法7条但書の別段の合意と10条但書の個別特約の異同　労契法7条但書における「就業規則の内容と異なる労働条件〔の〕合意」(別段の合意)と10条但書における「就業規則の変更によっては変更されない労働条件」の合意(個別特約)とは重なることも多いが同一ではない。7条但書の別段の合意には，10条においても就業規則で変更し得ない個別特約とみなされる(10条但書の対象となる)合意と，就業規則による変更もあり得ることを予定した(10条本文の対象となる)合意の両者がある[185]。また，7条但書の別段の合意は，就業規則とは異なる労働条件の合意であることが必要だが，10条但書の個別特約には，就業規則と同一内容でも就業規則によっては変更されない趣旨の特約も含まれる。

労契法10条但書の個別特約によって設定された労働条件の変更は，個別合意(労契8条)によることが必要となる。このような特約条件について変更の必要が生じたが労働者から変更の合意が得られない場合の処理が問題となる。いわゆる変更解約告知が問題となるのはこの場面である。そこで，労働契約法制研究会報告書[186]は，個別的労働条件変更法理の構築が必要と考えて，雇用継続型契約変更制度を提案していたが，採用は見送られた。今後さらに検討すべき課題である(→452頁以下)。

V　就業規則の新規作成と労働契約法10条の関係

就業規則を作成していなかった使用者が新規に就業規則を作成する場合[187]，新規作成する就業規則でそれまで適用されてきた労働条件を不利に変更することは可能か，という問題がある。この場合，労契法7条は，その適用を明示的に労働契約締結の際の就業規則の効力に限定しているため適用されない。他方，同9条および10条は「就業規則の変更により」労働条件を変更する場合についての規定であり，新規作成は就業規則の「変更」ではないので9条および

184)　定年年齢は就業規則と同じ70歳であるが，70歳定年までの雇用を保障する個別特約で採用された大学教授の場合など。この場合，就業規則を変更して，定年を65歳に引き下げても，70歳定年特約が就業規則によって変更し得ない労働条件に関する特約と解され得る。

185)　同旨，施行通達・前掲注6・第3の4(3)ケ。

186)　労契研報告書34頁。

187)　常時使用する労働者が10名未満で就業規則作成義務を負っていなかった使用者が，10名以上を使用することとなり，新たに就業規則を作成する場合のほか，就業規則作成義務に違反して作成していなかった場合，あるいは作成義務のない使用者が就業規則を作成する場合がこれに当たる。

10条もやはり直接には適用されない。

そうすると，労契法は，就業規則を新設することにより労働条件を変更する場合について，これを直接規律する規定を置いていないということになる。この場合，労契法8条により，労働者の合意がない限り，就業規則新設では労働条件変更はできないと解する立場もあり得るが，逆に，特段異議を唱えずに従前通り就労している場合，黙示の合意があったものとして，その合理性を問題とせずに拘束力が肯定される可能性もある。しかし，問題状況を考えると，これらはいずれも妥当な処理とはいえない。就業規則の新設により，変更された労働条件が拘束力を持つか否かは，まさに労契法10条本文と同様の利益状況にあり，実際，秋北バス事件最高裁判決[188]は，就業規則自体ではないが，定年制の新設，すなわち既存の就業規則に新たな条項を設ける場合について就業規則の合理的変更法理を適用したものである。また，秋北バス事件判決の一般論は「就業規則の作成又は変更によつて」と，就業規則の新規作成をも含めて就業規則の合理的変更法理を判示したものである。そうであれば，労契法10条を類推適用して，周知と合理性審査によりその拘束力を判断すべきである[189]。

ちなみに，2006年12月27日の厚生労働省労働政策審議会労働条件分科会答申までは，就業規則の新規作成による労働条件変更も就業規則変更による場合と同様とすることが明記されていた。ところが，法案要綱策定の際に，就業規則自体を新規作成した事案に関する最高裁判例がないとして，立法化の対象から除かれた[190]。しかし，上述のように，秋北バス事件判決は，新規作成も含めた一般論を展開していたものであり，新規作成による労働条件変更ルールを明らかにする観点からも，労働契約紛争を防止する観点からも，本来労契法10条の就業規則の合理的変更に関するルールが就業規則の新規作成の場合にも適用されることを明記しておくべきであった[191]。

188）秋北バス事件・前掲注18。

189）学説のほぼ一致した見解である。菅野211-212頁，山川・雇用法37頁，土田・契約法569頁注44等。

190）第73回厚生労働省労働政策審議会労働条件分科会（2007年1月25日）における監督課長説明。平成19年11月20日参議院厚生労働委員会の小林正夫議員も，「判例法理で解明されていない問題であるため法案要綱に盛り込まれていませんでした」としている（前掲注74・4頁）。

Ⅵ　労使慣行の就業規則による変更

長期間にわたって反復継続された労使慣行が，当事者の黙示的合意が成立しているものとして，あるいは，当事者がこの「慣習による意思を有しているもの」（民92条）として，労働契約の内容となることがある（→36頁）。このように労働契約内容となった労使慣行を，既に存在する就業規則を変更することによって変更する場合は，通常の労働契約内容となった労働条件変更と同様，労契法10条の合理的変更の枠組みで判断することになる。また，従来，就業規則が存在せずに労使慣行が労働契約関係を規律してきた場合に，新規に就業規則を作成してこれを変更する場合は，前記Ⅴの場合と同様であり，同10条の類推適用によるべきこととなる。

なお，裁判例のように労使慣行が契約内容となる要件として使用者の規範意識を要求すれば，実際にはあまり考えにくいが，仮に，就業規則と異なる労使慣行が労働契約内容となっているとされた場合[192]（例えば，始業9時と就業規則に定めてあっても，9時10分までに出勤すれば遅刻扱いしないという労使慣行が契約内容となっているとされた場合），就業規則通りの労働契約関係を確立するためにいかなる方策をとり得るか。この場合は，就業規則と異なる労使慣行が契約内容となっていたということは，就業規則の当該条項がその限りで失効していた（拘束力を失っていた）と解されるので，文言上は従前と同一の就業規則を，現状の労使慣行を変更する趣旨で周知する行為が「就業規則の変更」に該当する，あるいは変更に準ずる行為とみて，労契法10条を（類推）適用することが考えられよう[193]。

191）なお，大企業の就業規則には「業務上の必要のある場合には就業規則を変更することができる」という条文があることから合理的変更が認められ，就業規則新設の場合にはそのような合意がないことを根拠に，就業規則新設による不利益変更を原則否定すべきと説く見解がある（古川景一「労働契約法の解説」労働法学研究会報2433号28頁）。しかし，就業規則の新規作成に労契法10条が（類推）適用されないという解釈を仮にとったとして，使用者は，現状の労働条件をそのまま引き写した就業規則を一旦作成し，次に，この就業規則を不利益変更すれば，いつでも10条の就業規則の合理的変更問題に持ち込むことができる（菅野212頁注26）。したがって，10条の枠組みが新規作成には及ばないことを主張する実益も乏しい。

192）あくまで就業規則より労働者に有利な慣行に限られる。就業規則の労働条件を不利に変更する労使慣行は，労契法12条の最低基準効に反しているため，成立の余地がない。

193）このような処理を採用した例としてシオン学園（三共自動車学校・賃金体系変更）事件・横浜地判平成25・6・20労判1098号56頁，同・東京高判平成26・2・26労判1098号46頁。

第6節　個別的労働条件変更法理

Ⅰ　合意原則と個別的労働条件変更

労契法10条但書によって就業規則の合理的変更法理に服しない個別特約が明文で認められた。そのような個別特約の変更は，現在の労契法の下では個別労働者との合意に基づいてしか変更できないと解される。

もっとも，個別労働者との合意を根拠とする労働条件変更には，①個別合意による変更，②合意によって設定した変更権限（留保変更権）行使による変更，③変更解約告知による変更がある。①および②については，既に労契法8条の合意による労働条件変更の原則として論じた（→428頁以下）。現在，個別的労働条件変更法理としてその当否が盛んに論じられているのが，③の変更解約告知である。労契法10条但書の個別特約による労働条件について変更の必要が生じた場合，使用者と労働者の間で変更の合意が成立すれば問題ないが，合意が成立しない場合，当該労働契約を解消するか（使用者からすると解雇するか），新たな個別的労働条件変更法理を構築して対処するかが課題となる。変更解約告知はその一つの法技術として注目を集めている。

Ⅱ　変更解約告知

変更解約告知[194]とは，労働条件の変更ないし新たな労働条件での新契約締結の申込みを伴った従来の労働契約の解約告知（解雇の意思表示），つまり，労働条件変更のための解雇である。法的には，労働条件変更を労働者が拒否することを停止条件とする（あるいは労働条件変更を労働者が承諾することを解除条件とする）解雇の意思表示である。さらに，これら条件付解雇ではなく，変更された労働条件による新契約申込みを伴った解雇も変更解約告知と解されている[195]。

194）　変更解約告知は，ドイツ法のÄnderungskündigungの日本語訳として労働法学者の間で認識されていた法概念に過ぎなかった。しかし，スカンジナビア航空事件・東京地決平成7・4・13労判675号13頁が日本の裁判例上初めて明示的に「変更解約告知」という法概念を採用し，その有効要件の一般論を述べ，当該事件における変更解約告知を有効としたことから，理論上も実務上も大いに注目を集めるようになった。金井幸子「変更解約告知」争点146頁参照。

195）　山川隆一「労働契約における変更解約告知——要件事実論からみた覚書」中嶋還暦317頁

変更解約告知は，解雇の一種ではあるが，労働条件変更を解雇という法的手段を通じて達成しようとする点で，雇用関係の終了自体を目的とする通常の解雇と異なる。また，労働者が労働条件変更の申入れを受諾しない場合に解雇問題を惹起する点で，雇用関係存続を前提とした労働条件変更法理である就業規則の合理的変更法理と異なる。そこで，労働条件変更のための解雇である変更解約告知を解雇法理および就業規則法理との関係でどのように位置づけるべきかが重要な検討課題となる。

1　就業規則の合理的変更法理と変更解約告知の関係

裁判例には，就業規則法理という変更法理があるから変更解約告知という新たな変更法理は必要ないとする例[196]もあるが，適切ではない。労契法10条但書で明らかにされたように，就業規則変更によっては変更されない労働条件として設定された労働条件（個別特約による労働条件）は，就業規則によって変更することはできない。したがって，就業規則法理の存在を理由に個別労働条件変更のための変更解約告知の必要性を否定することはできない。

他方，変更解約告知という労働条件変更手段を認めるのであれば，就業規則変更に同意しない労働者も変更解約告知の対象とすれば足り，就業規則の合理的変更法理は不要とならないかが問題となる。実際，学説では，就業規則法理を否定的に評価し，変更解約告知を自己決定を尊重した変更法理として支持すべきであるとする見解も有力に主張された[197]。

これに対して，変更解約告知は個別的労働条件変更法理として，就業規則の合理的変更法理は集団的労働条件変更として，それぞれ守備範囲を異にして併存すべきものとする見解も主張された[198]。すなわち，判例の就業規則変更法理は，多数組合との合意等を重要な判断要素とし，集団的変更法理に相応しい制度として発展してきたものであり，ドイツが集団的労働条件変更法理を確立

参照。関西金属工業事件・大阪地判平成18・9・6労判929号36頁，同控訴審・大阪高判平成19・5・17労判943号5頁。

196）　大阪労働衛生センター第一病院事件・大阪地判平成10・8・31労判751号38頁。

197）　土田道夫「変更解約告知と労働者の自己決定（下）」法時68巻3号59頁（1996年），毛塚勝利「労働条件変更法理としての『変更解約告知』をどう構成するのか」労判680号11頁（1995年），野田・解雇10頁，大内伸哉「変更解約告知」講座21世紀3巻74頁等。

198）　荒木・雇用システム302頁以下。

し得ずに苦慮していること[199]と比較すると，日本の就業規則法理は，集団的統一的労働条件変更の必要性と雇用保障のバランスに十分考慮を払ったものと評価できる。また，就業規則の合理的変更法理の射程を個別特約により設定された労働条件には及ばないと解すれば，学説の一部が主張するような自己決定の完全な排除[200]とはならない。他方で，スカンジナビア航空事件決定[201]等により，日本では，個別特約により設定された労働条件の変更に対処できる法理を欠いていることが明らかとなってきた。したがって，変更解約告知をこの変更法理の空隙を埋める個別的労働条件変更法理と位置づけ，解雇との二者択一を迫られることのないよう，留保付承諾を認めた上で導入すべきである旨が主張された[202]。

以上の点に関しては，労契法10条により就業規則の合理的変更法理が明定されるとともに，就業規則による合理的変更法理は，個別特約によって設定された労働条件には及ばない（同但書）とする整理がなされた。しかし，労働契約法制研究会が提案していた「雇用継続型契約変更制度」は，前述の通り立法化されなかった。そこで，そうした個別特約によって設定された労働条件の変更問題について，変更解約告知や雇用継続型契約変更制度のような個別的労働条件変更法理が必要ではないかが問題となる。

2　解雇法理と変更解約告知の関係

変更解約告知とは，労働条件変更と結び付いた解雇であるが，裁判例上も学説上も，変更解約告知の概念について共通の理解が成立していない。その結果，議論に混乱が見られる。そこでまず，諸外国における労働条件変更と結びついた解雇の取扱いを次の3つに類型化した上で，日本の議論を整理しておこう（図表14-2参照）。

(1)　変更解約告知の3類型

まず第1に，労働条件変更を目的とした解雇を，一般の解雇と区別せずに取

199）荒木・雇用システム168頁以下，188頁以下参照。

200）例えば，西谷・自己決定392頁。

201）スカンジナビア航空事件・前掲注194。

202）同旨，土田・前掲注197・55頁以下，土田・前掲注102・529頁（しかし土田・契約法600頁は，変更解約告知を集団的変更にも及ぶと改説されたようである）。就業規則との棲み分けについて同旨，盛誠吾「労働条件変更の法理」自由と正義48巻11号106頁（1997年），菅野812頁。

図表 14-2　変更解約告知の 3 類型

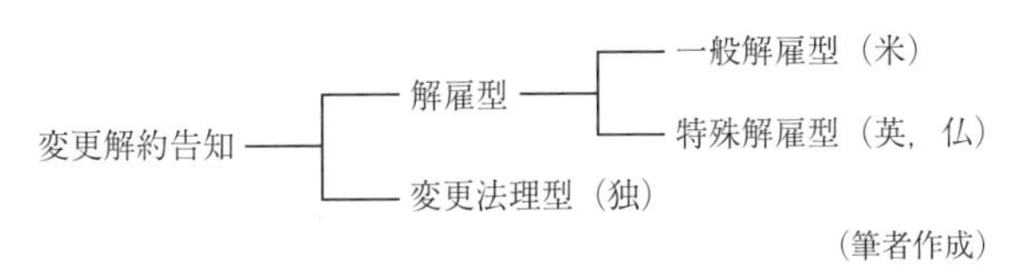

（筆者作成）

り扱う「一般解雇型」の変更解約告知がある。例えば，アメリカのように，差別に当たらない限り解雇が自由な国では，労働条件変更に同意しないことを理由とする解雇も，通常の解雇と同様に適法である。つまり，アメリカでは解雇を通じた労働条件変更は日常的に行われているが，通常の解雇と区別して認識されることもなく，変更解約告知という特別の類型の解雇として位置づけられることもない[203]。

第 2 の類型は，労働条件変更と結び付けられた解雇を，一般の解雇とは区別して，解雇の特殊な類型として位置づける「特殊解雇型」である。これには様々なバリエーションがある[204]が，提案された労働条件変更に労働者が合意しない場合，当該労働者は解雇され，労働条件変更問題は，その解雇の効力を争う中で取り上げられるに過ぎないという点である。その意味で，やはり解雇型に位置づけられる。

これに対して，第 3 の類型は，ドイツの現行法が採用している「変更法理型」変更解約告知である。ドイツでは，労働者に①変更の無条件受諾か，②変更を拒否して解雇訴訟で争うかの二者択一を迫ることは妥当ではないとの判断に立ち，1969 年解雇制限法改正で③変更提案に対する留保付承諾，という第 3 の選択肢を認める制度を導入した。すなわち，労働条件変更に同意しない労働者は，当該変更が社会的正当性に欠けるものではない（と裁判所で判定されること）という留保を付して変更提案を承諾し，変更された労働条件の下で就労を継続することが可能であり（解雇制限法 2 条），当該変更が社会的に正当でないことの確認を裁判所に求めることができる（同 4 条 2 文）。そして，裁判所によって変更が社会的に正当でないと判断されれば，労働条件変更は当初より無効

203）　荒木・雇用システム 33 頁。

204）　1969 年解雇制限法改正前のドイツや現在のフランスの状況につき，荒木・雇用システム 299 頁参照。イギリスの状況につき荒木ほか・諸外国法制 316 頁以下［有田謙司］。

とされ（同8条），元の労働条件に復帰する。当該変更が正当性があると判断されれば，変更された労働条件が確定する。変更解約告知は解雇が目的ではなく，労働条件の変更を目的とした手段であるので，このような対処が必要と解されたものである。そして，社会的正当性の判断も，解雇についてのそれではなく，変更についてのそれとなる[205]。

(2)　日本の裁判例における変更解約告知概念の再整理

こうした分析に立って日本の裁判例を見ると，スカンジナビア航空事件決定[206]は，「労働者の職務，勤務場所，賃金及び労働時間等の労働条件の変更が会社業務の運営にとって必要不可欠であり，その必要性が労働条件の変更によって労働者が受ける不利益を上回っていて，労働条件の変更をともなう新契約締結の申込みがそれに応じない場合の解雇を正当化するに足りるやむを得ないものと認められ，かつ，解雇を回避するための努力が十分に尽くされているときは，会社は新契約締結の申込みに応じない労働者を解雇することができるものと解するのが相当である」としており，整理解雇法理を変更解約告知に適合するようにアレンジすることで，「特殊解雇型」の処理を志向したものと位置づけることができる。

他方，「労働者は，新しい労働条件に応じない限り，解雇を余儀なくされ，厳しい選択を迫られることになるのであって……ドイツ法と異なって明文のない我国においては，労働条件の変更ないし解雇に変更解約告知という独立の類型を設けることは相当でない」とした大阪労働衛生センター第一病院事件判決[207]は，雇用関係を維持したまま変更の正当性を争える「変更法理型」の変更解約告知制度が整備されていない現状では，単純な解雇（整理解雇）としてその効力を厳格に審査しようとしたものと評することができる。

また，労働条件変更提案に不利益変更を争う権利を留保して変更提案に従って就労する旨の異議留保付承諾を行った有期契約労働者の雇止めに関する日本ヒルトンホテル事件一審判決[208]は，本件雇止めは「労働条件の変更に同意をしなかったこと，……及びこの労働条件変更について争う権利を留保したうえ

205）　荒木・雇用システム142頁，145頁，根本到「ドイツにおける変更解約告知制度の構造(2)」季労187号93頁（1998年）参照。

206）　スカンジナビア航空事件・前掲注194。

207）　大阪労働衛生センター第一病院事件・前掲注196。

208）　日本ヒルトンホテル事件・東京地判平成14・3・11労判825号13頁。

で被告のスチュワードとしての就労を認めるときは，仮にこの労働条件の変更が許されないとの裁判所の判断等がなされた場合に，この変更に同意したスチュワードと原告らスチュワードとの間の労働条件が異なることになって相当ではない」ことを理由とするものであり，「このような理由に基づく雇止めが許されるとするならば，被告は……何時でも配膳人〔スチュワード〕にとって不利益となる労働条件の変更を一方的に行うことができ，これに同意しない者については，これに同意しなかったとの理由だけで雇用契約関係を打ち切ることが許されることになる」ところ，このような理由は「社会通念に照らして本件雇止めをすることを正当化するに足りる合理的な理由とは認め難い」とした。この判断は，有期契約の更新問題と絡んだ特殊性はあるが，変更提案に対して異議留保付承諾を行ったことのみでは，契約更新拒否の合理的理由に当たらないとしたものである。変更解約告知については，「変更法理型」を念頭に置き，留保付承諾を認めない解雇型の処理を合理的でないとしたものと解される。これに対して，同事件控訴審判決[209]は，一審判断を覆し，留保付承諾の回答を使用者からの申込みの拒絶と解して雇止めを有効としており，「変更法理型」の志向は見られない。

このように，現在の裁判例は特殊解雇型と変更法理型のいずれに立脚しているかに着目するとその判断の違いも明らかになる。

(3)　学説における変更解約告知概念

学説の議論も，解雇法理（とりわけ整理解雇法理）を変更解約告知に適合的に修正することで対処しようとする「特殊解雇型」を志向する立場と，ドイツのように「変更法理型」の変更解約告知制度を志向する立場に整理することができる。

ｉ）特殊解雇型の変更解約告知論　特殊解雇法理型を志向する学説では，変更解約告知という解雇類型に即して，次のような解雇の有効要件が提案されている。すなわち，変更解約告知という措置が必要となった理由に応じて類型化し解雇の効力の判断方法を論ずる立場[210]，解雇回避型，非解雇回避型等の類型に分けて論ずる立場[211]等が主張されている。また，変更解約告知の有効要

209)　日本ヒルトンホテル事件・東京高判平成14・11・26労判843号20頁。

210)　山川・雇用法271頁。

211)　大内・前掲注197・62頁。

件を工夫するほかに，変更解約告知の手続を工夫することによって，対処することを主張する立場もある。例えば，従業員代表が変更解約告知のプロセスに関与することにより個別労働者の負担を軽減する工夫を主張するもの[212)]や，「個別労働者を二者択一の選択に追い込むのではなく，解雇を回避するための次善の策を労働者集団の支持のもとで検討する制度」の必要を説くもの[213)]などがそうである。

このような解雇法理をアレンジして対処しようとする立場に対しては，いずれにせよ，労働者は変更受諾と解雇の二者択一を迫られ，訴訟の金銭・時間・心理的コストを考慮すると実際上多くの労働者が変更受諾を余儀なくされることにならないか，また，変更解約告知の場合，使用者は変更された労働条件での雇用継続は認めているところ，解雇として争う場合には，解雇有効か解雇無効＝変更前の労働条件への復帰という帰結しかもたらされず，労働条件を変更した上での雇用継続という帰結が排除され，変更解約告知の実態に即しない処理方法となるのではないか，といった問題点が指摘できる。また，従業員代表の関与によってこの問題点を克服しようとする主張に対しては，二者択一という構図自体は解消されないことに加え，個別交渉によって設定された労働条件の変更問題に従業員代表の関与による対処が適切かという問題点も指摘され得る[214)]。このように特殊解雇型変更解約告知の構想に批判的な立場からは，次の変更法理型の変更解約告知を模索すべきことが主張されることになる。

ii）**変更法理型の変更解約告知論**　変更法理型の変更解約告知を志向する学説は，変更解約告知を解雇の場面で処理するのでなく，就業規則法理がそうであったように，雇用関係を維持したまま労働条件変更の相当性を争うことを可能ならしめるべきことを主張する[215)]。そのためには留保付承諾を可能とする必要がある。しかし，民法528条は申込みに変更を加えた承諾は，申込みの拒絶とともに新たな申込みをしたものとみなすと規定していることから，ドイツ

212)　野川忍「ドイツ変更解約告知制の構造」労働88号178頁（1996年）。
213)　野田進「変更解約告知の意義」労働88号157頁（1996年）。
214)　以上につき荒木・雇用システム305頁。
215)　毛塚・前掲注197・10頁，土田道夫「変更解約告知と労働者の自己決定（上・下）」法時68巻2号39頁，3号55頁（1996年），土田・労務指揮権457頁以下，米津孝司「外国航空会社におけるリストラクチャリングと変更解約告知」法時68巻1号87頁（1996年），荒木・雇用システム302頁以下。

のように立法によらずに解釈によって留保付承諾制度を導入できるのかという法技術的課題に直面することになる。

iii）**留保付承諾の可否**　留保付承諾とは，労働条件変更を労働者が拒否することを停止条件とする（あるいは承諾することを解除条件とする）解約告知たる変更解約告知に対して，労働者のなす，当該「労働条件変更に合理性がないこと（裁判所によって変更に合理性がないと判定されること）を遡及的解除条件とする承諾の意思表示」[216]と解される。使用者が，かかる労働者の留保付承諾を任意に承認し，労働者の雇用継続を認める場合には，それに従った処理がなされる。つまり，変更の合理性の欠如という労働者の付した解除条件が満たされたか否かの裁判所による審査により，労働条件変更の帰趨が決まり，合理性欠如の場合，従前の労働条件に復し，合理性があれば，変更された労働条件で確定する[217]。労働者が変更提案に従って就労を続ける場合には，当事者の意思解釈の仕方によって，留保付承諾の事例として処理することも可能であろう[218]。

しかし，使用者が明示的に留保付承諾を承認しない旨明言している場合に，なお承認する義務を課すことができるかが問題となる。民法528条の規定に従うと，留保付承諾は，使用者の労働条件変更提案に「拒絶」とともに労働者の側から新提案を行ったものに過ぎなくなる。そうすると，変更解約告知の停止条件が満たされ，あるいは解除条件が満たされず，解雇という効果が発生してしまう。

この民法528条の問題については，端的に，継続的契約関係たる労働契約の変更申込みに，民法528条は適用されないと解すべきであろう。すなわち，新規に契約を成立させようとする場面[219]では，民法528条の処理は契約の成否

216）　土田・前掲注197・61頁。

217）　本久洋一「労働条件変更の法理」道幸哲也ほか『職場はどうなる　労働契約法制の課題』144-145頁（2006年）は，留保付承諾に関して「変更の合理性については裁判所が審査権を持つこと，異議留保付承諾に基づく特殊な訴訟類型が裁判所において認められていることが前提となる」とし，そうした制度が確立していなければ請求そのものが成り立たないとする。しかし，使用者が一旦，留保付承諾を任意にあるいは後述するように解釈によって承認したとすると，変更提案に合理性がないと考える労働者は，従前の労働条件に基づく権利を主張して給付訴訟を提起し，その訴訟の中で留保付承諾の解除条件たる合理性の欠如を主張すれば，裁判所は解除条件の成就の有無の判断として，変更提案の合理性を審査することになり，この限りでは新たな立法等は必要ないと思われる。

218）　荒木・雇用システム308頁。

219）　民法起草者は，民法528条を専ら新規の契約締結場面を想定して論じている（梅謙次郎

に関する紛争を防止するという意味で合理性を持つ。しかし，既存の労働契約の内容を変更する変更解約告知において，変更申込みに対する条件を付した承諾（留保付承諾）に同条をそのまま適用することは合理的とはいえない。留保付承諾を変更提案に対する拒絶とみなすと，継続的契約関係にあっては，単なる契約不成立ではなく，契約関係解消へと至ってしまう。しかし，変更解約告知の場合，両当事者は契約存続自体は欲し（あるいはその可能性を認め）ており，変更内容について双方が合意を模索している状況なのである。ここで契約内容改定についての合意模索のプロセスを封ずるような解釈を採ることは妥当ではない[220]。

もっとも，以上の解釈は民法528条により留保付承諾が不可能となる障害を除いたに過ぎない。留保付承諾を可能とするためには，使用者の行った変更解約告知が二者択一のものであっても，労働者が留保付承諾を行った場合，それを，変更申込の拒否には当たらず（民528条は不適用），解約告知の解除条件たる承諾に当たると解釈することが必要である。こう解釈することによって，解約告知の解除条件が成就し，解雇の効力は発生しなくなる。労働者が使用者の変更提案に従って就労する以上，使用者には特段不都合はないことから，留保付の変更提案承諾を解約告知の解除条件たる承諾の範囲内と解釈することも，労働条件変更問題のバランスのとれた処理を可能とする解釈として認めてよいであろう。これは，やや創造的な解釈に及ぶ場合もあるが，雇用保障を中核とした雇用システムにあって，就業規則法理という創造的な集団的労働条件変更法理が必要とされたのであれば，これとパラレルな処理を可能とする個別的労働条件変更法理を裁判所が構築することも許容されよう。

iv）変更解約告知の合理性審査　留保付承諾を行った労働者は，その承諾が変更提案の合理性欠如を解除条件とすることを根拠に，合理性の欠如を主張し

『民法要義巻之三債権編』388頁〔1897年〕）。

220）荒木・雇用システム309頁。留保付承諾の解釈論上の可能性を最初に追求された土田教授も，こうした解釈に基本的に賛意を表されている（土田・前掲注102・533頁，土田・契約法604頁参照）。この点，実質的に留保付承諾を否定した日本ヒルトンホテル事件・前掲注209は，その根拠として借地借家法32条のような立法上の手当の欠如をいうが，論拠たり得ていないとの批判として，山川・前掲注195・331頁。山川・紛争処理法219頁は，留保付承諾は民法528条により拒絶とみなされるとしつつも，労働者の相当な内容の留保付承諾を顧慮せずに使用者が解雇に踏み切ったことは，解雇手続の相当性の欠如を基礎付け，解雇権濫用の判断にかなりの程度影響を与えるとする。

て，従前の労働条件に基づく給付訴訟ないし従前の労働契約内容の存続確認訴訟を提起することになる。

この合理性審査の内容は，従前の労働条件の変更の必要性と，提案された労働条件変更内容の相当性の相補的判断となる[221)]。その限りでは，就業規則の合理性判断と同様である。しかし，就業規則の場合は，労働者の多数の同意といった集団的制度としての合理性を中心に据えた判断であるのに対して，変更解約告知では，当該個人の状況，とりわけ個別特約の締結に至った事情に照らした合理性判断がなされるべきこととなる。

3　個別的労働条件変更法理の立法論

以上の解釈論は，ドイツ法のような立法による変更法理型変更解約告知制度の整備の欠如した中で解釈によって対処しようとする試みである。変更解約告知が，条件付解雇ではなく，解雇とともに新労働条件による契約申込みを行うタイプのものである場合，労働者は，新契約申込みを遡及的解除条件付（解雇訴訟で勝訴した場合，遡及的に新契約は解消され，存続することとなる従前の労働契約の下で雇用されることとなり，敗訴の場合，新契約が確定する）で受諾し，旧契約の解雇の効力を訴訟で争う等の対処が考えられるものの，使用者がかかる条件付受諾を受け入れる義務があるかどうかは，上述した留保付承諾の場合と同様，問題となる。こうした問題に正面から対処するために，立法によって制度整備を図るのが望ましいことはいうまでもない。これは，個人が主体的に選択する労働条件設定のための個別交渉を支援する重要な制度整備となる。

▩個別的労働条件変更制度と契約上の特定の認定　現在の裁判例は，勤務地の特定や職務内容の特定について，極めて消極的である[222)]。その結果，配転命令について，配転命令権が限定されていたとの認定は稀で，主たる司法審査は「濫用審査」の場面となる。契約上の特定認定に際して，裁判所は，労働契約上の特定（限定）を認めると，もはや一切の変更が合意なしには許されなくなる，その結果，雇用保障も維持し難くなる，という考慮が働いているように思われる。しかし，契約上の特定（限定）を認めても変更解約告知

---

221)　スカンジナビア航空事件決定・前掲注194は，労働条件変更の必要性が労働者の受ける不利益を上回っていることを中心的判断枠組みとするが，変更の必要性と労働者の不利益自体は比較不可能である。変更の必要性がどの程度のものか，そして，労働者の被る不利益がどの程度のものか，その両者の相関関係によって，変更提案の合理性が判断可能となると思われる。

222)　典型例として，日産自動車村山工場事件・最一小判平成元・12・7労判554号6頁［機械工の募集に応じて採用され，10数年から20数年にわたって機械工として就労してきた労働者の職務特定を否定］。

等によって個別労働条件変更問題に適切に対処できるとの認識が広まれば，個別特約による職務内容や勤務場所の限定に関する認定判断は相当に異なるものとなる可能性がある[223]。

今後，個別人事管理が進展すると，勤務場所や職務内容等について個別労働者との間で具体的な合意が成立する可能性が高まる。このような場合に，雇用関係の内的・質的柔軟性を確保するために，労働契約内容の特定・限定を認めず，労働者の利益の保護は権利濫用の枠組みでのみ対処することは，当事者意思に反し，個人の自己決定を尊重した個別人事管理の趣旨にそぐわず，また当事者間の利害調整の枠組みとしても適切でない。むしろ，個別的労働条件変更法理に正面から取り組むことが要請されているといえよう。

この点，労働契約法制研究会報告書[224]は，就業規則法理で対応できない個別契約で特定された労働条件の変更問題につき，労働者が雇用を維持した上で変更の効力を争い得る「雇用継続型契約変更制度」を提案していた[225]。これに対して，連合総研（連合総合生活開発研究所）は，「労働契約変更請求権」を法定し，当事者間で労働条件変更に関する協議が調わない場合，当事者は，裁判所に対して契約内容の変更を請求でき，裁判所はこれに応じて形成判決を下すという斬新な制度を提案していた[226]。

雇用関係の多様化・個別化の進展に対応して，個別的労働条件変更法理を就業規則法理や解雇法制との関係を含めていかに整序すべきかを，立法論としても正面から議論すべき時代となっている。

223）　職種・勤務地限定合意を認定しつつ，例外的に正当理由があれば使用者の配転命令権を認めるとの解釈を行った東京海上日動火災保険事件・東京地判平成19・3・26労判941号33頁は，その判断内容には疑問もあるが（本来，変更解約告知による処理が模索されるべきであった），特定された契約内容の変更の途があれば，職種・勤務地限定が緩やかに認められ得ることを示唆している。

224）　前掲注186。

225）　これに対する批判的検討として，野田進「労働条件の変更と労働契約法制」労旬1615＝1616号82頁（2006年），根本到「雇用継続型契約変更制度に係る法的諸問題」季労212号62頁（2006年），本久・前掲注217・133頁等。

226）　連合総研・前掲注144・121頁以下。なお，毛塚・前掲注144も参照。

第15章　人　事

第1節　雇用システムと人事・人事権

人事とは，広義には，募集，採用等の雇用関係の成立から，教育訓練，配置，人事考課，人事異動，休職，懲戒等の雇用関係の展開，そして，退職，解雇等の雇用関係の終了に至るまでの労働者の企業における管理全般を指す。しかし，雇用関係の成立と終了については既に見たので，本章では雇用関係の展開に関わる人事を扱う。

雇用保障を中核に展開されてきた日本の雇用システムにおいては，企業内にいわゆる内部労働市場が形成され，労働者は教育訓練を受け，勤務場所，職務内容，組織における地位を変化させてキャリアを展開する。そのために企業は，その人材を育成し，評価し，企業組織内に位置づける広範な権限およびこれらの人事を円滑・効率的に実施するための権限を予定している。これら雇用関係の展開に関する使用者の種々の権限が人事権である。人事権の具体的な場面における行使が，研修命令，降格命令，配転命令，出向命令等の業務命令であり，人事権とはこれらの権限を総称する上位概念と解される。こうした人事権は，労働契約の白地性，集団的・組織的就労関係，継続的関係等（→16頁以下）からも要請されるものである。

しかし，そうした人事権を使用者はア・プリオリに持つのではなく，労働契約に基づいて取得すると解される[1)]。したがって，労働契約の解釈として，それぞれの場面で，人事権の具体的な行使としての業務命令が，契約の範囲内の権限行使といえるか否かが問題となり（権限審査），次に，そのような権限が存

1)　同旨，土田・労務指揮権258頁。

在するとしても，当該権利行使が権利濫用とならないかの吟味（濫用審査）が必要となる。

これまでは包括的な人事権ないし業務命令権が契約に内在するものと解される傾向にあり，司法審査の主たる場面は権利濫用審査となる傾向があった。しかし，長期雇用システムが見直され，ワーク・ライフ・バランスの要請や，労働者自身が自分の職業キャリアを自己決定しようとする傾向が高まるにつれ，権限審査の観点からの吟味が必要となるなど，これまで自明とされた人事権についても，再検討が要請されることとなる[2)]。

第2節　教育訓練

雇い入れた労働者を，企業にとって有用な人材として活用するため，また，長期雇用システムの中で雇用労働者を新たな就業環境に対応させるために，企業は労働者に種々の教育訓練を行っている[3)]。

そこで，企業は業務命令の一環として，労働者に一定の教育訓練や研修を命ずることとなるが，労働者がこれを拒否した場合，当該業務命令の有効性が問題となる。これは，当該業務命令権が労働契約の内容となっていたかどうか，内容となっていたとしても濫用とならないかの解釈によって解決すべき問題である。その際には，所定労働時間内の研修か否か，研修の内容の業務関連性[4)]，研修実施の態様・方法の相当性[5)]等が考慮される[6)]。

教育訓練の機会が与えられることは，労働者にとってもその能力を有効に発

2)　なお，野川296頁以下は各人事上の措置の労働契約上の根拠を探求すれば足り，人事権概念を使用する必要はないとする。

3)　教育訓練の法律問題については安西愈「教育訓練」季労別冊(9)『職場の労働法』136頁（1986年），両角道代「職業能力開発と労働法」講座21世紀2巻154頁，菅野719頁等参照。

4)　職務関連性は緩やかに肯定されている。協調性を養うこと等を目的とする教育訓練を命ずることも可能としたものとして，動労静岡鉄道管理局事件・静岡地判昭和48・6・29労判182号19頁，アカデミック・ハラスメントにより懲戒（出勤停止）処分を受けた教員に対するハラスメント防止研修受講命令を適法としたものとして，国立大学法人B大学事件・東京高判平成25・11・13労判1101号122頁。

5)　就業規則を一字一句違わず書き写す命令を懲罰的目的のものとして不法行為を肯定した例として，JR東日本（本荘保線区）事件・最二小判平成8・2・23労判690号12頁。

6)　なお，労基法は，見習い等の技能習得を目的とする者であることを理由とする酷使や，家事その他技能習得に関係のない作業に従事させることを禁じている（労基69条）。

揮するために極めて重要である。教育訓練の機会が与えられるか否かは労働条件の一つであるので，労働基準法3条の均等待遇原則や組合員に対する差別禁止に関する労働組合法7条の適用がある。さらに，教育訓練に関する性差別（雇均6条1号〔1997年改正で業務遂行過程外訓練 Off-JT のみならず業務遂行過程内訓練 OJT も含めた教育訓練について差別を禁止〕），通常労働者と同視されるパート・有期労働者と通常労働者との差別（短時有期9条），そして，障害者と非障害者との差別（2013年改正による障害雇用35条）も明示的に禁止されている。

なお，労働者の教育訓練を受ける権利を一般に肯定することは困難であるが，他の労働者について制度化され契約内容になっていると解される受講権が，差別的事由によって当該労働者について否定された場合には，差別的事由により排除する契約部分が無効となり，他の労働者と同様の受講権が契約内容となっていたと解釈することが可能である。

第3節　人事制度と昇進・昇格・降格

I　人事制度と昇進・昇格・降格

1　職能資格制度

欧米では，特定の職務について人を雇い入れ，その賃金も当該職務の難易度・価値によって決まる職務給制が一般的である。したがって，どのような職務に従事するかによって賃金が定まるし，職務が変われば賃金も変動するのが原則である。これに対して，日本の企業は，これまで職務内容（端的には役職）という評価軸（職位）と，賃金を決定する職務遂行能力という評価軸（職能資格）の2つの観点から労働者を格付けしてきた。これが多くの企業で採用されている「職能資格制度」と呼ばれる人事管理システムである。職能資格制度では，まず，労働者の職務遂行能力によって，職能資格の格付けがなされ，その職能資格を持った労働者の中から，当該職能資格に対応する役職（職位）につく者が選抜される。労働者の賃金は，その職能資格によって決まり，実際にどのような職務を行っているかという仕事の価値から決まるわけではない。つまり，欧米の賃金制度が職務によって賃金が決まる制度だとすれば，日本の職能資格制度は，労働者の能力によって賃金が決まる制度ということができる。

図表 15-1　職能資格制度の例

層	等級	呼称	職能資格の等級定義（業務の職能の等級区分＝職能段階）	職掌区分	対応役職：役職位	対応役職：専門・専任職：技術系	対応役職：専門・専任職：事務系	初任格付	理論モデル年数	昇格基準年数：最短	昇格基準年数：最長
管理専門職能	M3 (9)	参与	管理統率業務・高度専門業務	管理専門職掌	部長	技師長	考査役		—	—	
	M2 (8)	副参与	上級管理指導・高度企画立案業務及び上級専門業務		副部長	副技師長	副考査役		⑤	—	
	M1 (7)	参事	管理指導・企画立案業務及び専門業務		課長	主任技師	調査役		⑤	③	
指導監督専任職能	(6)	副参事	上級指導監督業務・高度専任業務・高度判断業務	専務・技術・営業職掌	課長補佐	技師	副調査役		④	③	
	(5)	主事	指導監督業務・専任業務・判断業務		係長	技師補	主査		④	②	
	(4)	副主事	初級指導監督業務・判定業務		主任				③	②	
一般職能	(3)	社員一般	複雑定型及び熟練業務	事務・技術・営業				大学院修士	③	②	⑥
	(2)	社員二級	一般定型業務					大学卒	②	①	⑥
	(1)	社員三級	補助及び単純定型業務					高校卒 / 短大卒	④ / ②	④ / ②	⑥

（出所：清水勤『ビジネス・ゼミナール　会社人事入門』〔日本経済新聞出版社，1991年〕）

2　職能資格制度と昇進・昇格

「昇進」とは，係長，課長，部長等の企業組織上の階層における地位（役職・

職位）の上昇をいう。企業の指揮命令系統を担う役職に誰をつけるかについて，企業は広範な裁量権を持つと解されている。

「昇格」とは，職能資格制度における資格ないし等級区分が上昇することをいう（図表15-1では例えば，一般職能から指導監督専任職能への上昇）。また，同じ職能資格内での等級の上昇を「昇級」という（同図表では例えば，等級(2)から(3)への上昇）。職能資格制度の運用にも年功的人事管理がかなり色濃く影響しており，ある資格ないし等級区分で一定年数経てば，昇級，昇格するというのが通例である（同図表の理論モデル年数，昇格基準年数参照）。しかし，必ず昇格できるというものではなく，一定の社内の資格試験合格と勤続年数が条件となる場合が多い。

3　職能資格制度のメリットとデメリット

職能資格制度には，次のような長所が指摘できる。第1に，全社一律の職能資格制度の下で属人的に賃金を決定するため，配転によって担当職務が変更されても賃金に影響しない。その結果，柔軟な人事異動が可能となり，企業組織（内部労働市場）に機能的柔軟性をもたらす。第2に，「役職（職位）」と「資格」が分離しているために，団塊の世代が管理職適齢期となり役職ポストが足りなくなっても，能力の同等な者に同等の賃金処遇を行うことができ，公平性・士気の維持が可能となる。第3に，能力（職能資格）の上昇が賃金上昇をもたらすため，労働者に能力開発のインセンティブを付与することとなり，企業成長の原動力となる。

しかし，職能資格制度には次のような問題点も指摘されている。すなわち，第1に，昇格基準が抽象的で，また，職務遂行能力の客観的評価も困難なため，資格制度の運用が年功的になりがちである。第2に，賃金が職務や成果ではなく職能資格で決定されるために，企業への貢献度と賃金にアンバランスが生じ不公平感をもたらす。第3に，外部市場と隔絶された内部市場の論理による処遇システムであるため，外部市場価値で高い評価を受ける人材を採用しようとしても魅力的な処遇を提示できない。

4　職務等級制度・役割・職責給制度

人を基準とする職能資格制度の問題点に対処すべく，近時は，職務を評価して等級（グレード）に分類して格付けする「職務等級制度」[7]や，仕事上の役割

---

7)　純粋に個々の職務（job）について賃金を決める制度（狭義の職務給）はアメリカでも採用されておらず，同じような価値の職務を同一職務グレードに分類し（15分類程度から30分類

図表 15-2　賃金の構成要素と構成ウェート

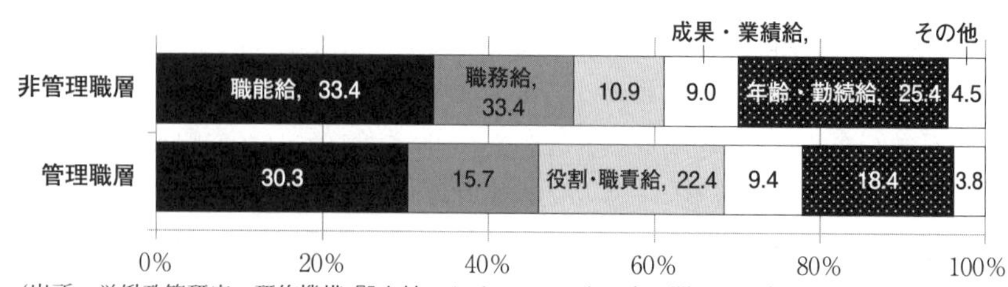

（出所：労働政策研究・研修機構『「人材マネジメントのあり方に関する調査」および「職業キャリア形成に関する調査」結果』（調査シリーズ No. 128）26 頁〔2015 年〕）

を等級化して基本給を定める「役割・職責給制度」を採用（併用）する企業も増えてきている（図表 15-2 参照）。

Ⅱ　法的コントロールの可否

企業の運営に密接に関わる昇進・昇格・降格そしてその前提となる人事考課について，どのような法的コントロールをなし得るのかが問題となる。

1　人事考課（査定）

昇進・昇格・降格等の前提として，企業は労働者の職務遂行能力や業績について人事考課（査定）を行う。この人事考課が適正に行われたか否かがしばしば裁判例で争われている。人事考課（査定）は，均等待遇（労基 3 条），男女同一賃金（同 4 条），性差別禁止（雇均 6 条），障害者差別禁止（障害雇用 35 条），通常労働者と同視されるパート・有期労働者差別禁止（短時有期 9 条），不当労働行為禁止（労組 7 条）等の規制に違反する場合を除くと，基本的には使用者の裁量的判断に委ねられており，例外的に裁量権の濫用と評価される場合に，不法行為責任を惹起するに留まる[8]。裁量権の濫用と解され得る場合としては，人事考課制度の枠組みを逸脱した査定[9]，評価前提事実の誤認に基づく査定，不当な

以上など企業による），その職務グレードの標準賃金から上下 20-25% 程度の賃金レンジ内で賃金が決定される職務等級制度が採用されている。近時はこれをより大括りにしたブロードバンド制（4 分類等の大括りバンドとし，上下 50% 以上の賃金レンジを持つ）を採用する例も出てきている。笹島芳雄『最新・アメリカの賃金・評価制度』24 頁以下（2008 年）参照。

8)　査定に関して使用者の広範な裁量権を認めた例として，ダイエー事件・横浜地判平成 2・5・29 労判 579 号 35 頁。

動機・目的による査定，重要視すべき事項をことさら無視し，重要でない事項を強調する査定[10]等が考えられる。

なお，学説では，使用者は人事考課について自由裁量ではなく，公正評価義務ないし適正評価義務を負うとする見解が主張されている[11]。

2　昇進・昇格・昇級

(1)　昇　進

昇進については，部長や課長等のライン（指揮命令系統）の役職への位置づけという企業経営の根幹に関わる事項であるので，使用者の裁量的判断が尊重されるべきである。法が介入し得るのは，差別・不利益取扱禁止違反による場合であるが，その救済は損害賠償が原則であり，昇進請求権は認められないと解すべきであろう。労働委員会による不当労働行為の救済においては，労働委員会の救済命令に関する裁量の範囲の問題となるが，上級・中間管理職への昇進を命ずることはやはり原則として裁量の範囲外と解されよう[12]。

(2)　昇格・昇級

職能資格制度における等級の上昇たる「昇級」および資格の上昇たる「昇格」については，差別・不利益取扱禁止違反の場合，行政上の救済の対象となる（例えば，性差別→118頁，組合差別→770頁）。指揮命令系統の役職に関する昇進と異なり，昇格の場合は，企業組織内での権限の側面より経済的待遇の側面（賃金）が中心であるので，より広い救済が認められ得る。例えば，不当労働行

---

9)　マナック事件・広島高判平成13・5・23労判811号21頁［使用者の大幅な裁量権を認めつつも，評価対象期間外の事由を考慮した査定につき，裁量権を逸脱し，違法として損害賠償請求認容］，国際観光振興機構事件・東京地判平成19・5・17労判949号66頁［人事制度に則らずになされた人事本部長による低い評定は合理性を欠き，その評定を基礎とする降格・減給は人事権を濫用したものとして無効となる］。

10)　光洋精工事件・大阪高判平成9・11・25労判729号39頁参照。

11)　学説の状況については，土田道夫「成果主義人事と人事考課・査定」土田道夫＝山川隆一編『成果主義人事と労働法』57頁（2003年），安西愈「人事考課・査定」角田邦重ほか編『労働法の争点』（3版）202頁（2004年）。

12)　菅野722頁，1126頁。労働委員会の上位職制への格付け命令を取り消した事例として男鹿市農協事件・仙台高秋田支判平成3・11・20労判603号34頁［課長に任命すべきことを命じた救済命令が，裁量権を逸脱した違法なものとして取り消された］，中労委（朝日火災海上保険）事件・東京高判平成15・9・30労判862号41頁［課長格までの昇格命令は裁量の範囲内だが，副部長格以上の管理職への昇格命令は使用者の人事権を不当に制約するものとして裁量権の逸脱とされた］。

為たる昇格・昇級差別に対して労働委員会が昇格・昇級命令を発することも労働委員会の裁量権の範囲内として許容され得る[13]。

さらに，私法上も，勤続年数要件と成績要件の客観的要件が満たされれば当然に昇格・昇級が認められる，という事情があるにもかかわらず，差別的に昇格（昇級）されていないという場合には，昇格（昇級）請求権を認めることが可能である[14]。

しかし，このような救済が認められるのは客観的昇格基準（一定勤続年数や試験合格など）が明確に認定できる場合に限られ，通常は昇格請求権が認められることは稀である。客観的昇格基準を認定できない場合，救済は損害賠償請求に限定される[15]。

3　降　格

「降格」には，①「昇進」の反対概念で，役職・職位を引き下げるもの，②「昇格」ないし「昇級」の反対概念で，職能資格制度上の資格ないし等級を低下させるもの，そして③懲戒処分としての「降格（降格処分）」の3つがあり，それぞれについて検討が必要である（③は懲戒処分として厳格な司法審査に服することにつき→529頁）。なお，いずれについても差別・不利益取扱禁止規制が及び，その観点から降格の効力が否定されることがある。

(1)　役職・職位の降格

昇進の反対概念としての降格（部長職を解き課長にする，課長職を解き課長代理とする等）について，裁判例は，（差別・不利益取扱禁止の規制を別とすると）就業規則等の根拠規定がなくとも人事権の行使として可能であり，権利濫用とならない限り違法とならないと解している[16]。

通常はこのように解してよいが，人事権行使による降格についても，人事権

---

13)　菅野1126頁。

14)　芝信用金庫事件・東京地判平成8・11・27労判704号21頁［男子について年功的昇格の労使慣行を認定し，就業規則で性別差別を禁止していることから，女子に契約上の昇格請求権を肯定］。

15)　社会保険診療報酬支払基金事件・東京地判平成2・7・4労判565号7頁［昇格に関する合理的理由のない男女差別に不法行為責任は認めたが，昇格確認請求は棄却］。

16)　エクイタブル生命保険事件・東京地決平成2・4・27労判565号79頁［役職者の任免は，使用者の人事権に属する事項であって使用者の自由裁量に委ねられる］，星電社事件・神戸地判平成3・3・14労判584号61頁［勤務成績不良を理由に部長を一般職に降格］，上州屋事件・東京地判平成11・10・29労判774号12頁［店長の降格異動につき権利濫用否定］。

に関する契約上の制約があればそれに服するので，まず，その人事権行使が契約の範囲内のものかどうかという権限の存否を吟味（権限審査）[17]した上で，次に，契約の範囲内としても権利濫用とならないかが吟味（濫用審査）[18]されるべきであろう。

(2) 職能資格の引下げとしての降格

職能資格制度における職能は，ストックとしての能力（技能経験の蓄積の結果としての職務遂行能力）であり，通常，減少する性格のものではなく，また，その職務遂行能力により賃金が決まるものと解されてきたので，職能資格の引下げは本来予定されていなかった。したがって，これを可能とするためには，役職の降格と異なり，制度上，職能資格の引下げをなし得る権限が明示的に設定されている必要がある。そうした権限の存否がまず審査され（権限審査）[19]，次に，権利濫用の有無が審査されることとなる（濫用審査）。

(3) 役職・職位の引下げに伴う職能資格の引下げ

役職・職位の引下げについては，基本的に使用者の広範な人事権が認められ

17）懲戒処分としての降格に関する事例であるが，倉田学園事件・高松地判平成元・5・25労判555号81頁［期間の定めのない契約を有期契約に変更することは，契約の性質そのものを変更するものとし，降格の効力否定］，降格を正面から論じたものではなく，賃金減額を伴う配転として処理した事例であるが，デイエフアイ西友事件・東京地決平成9・1・24判時1592号137頁［バイヤーからアシスタントバイヤーへの降格を賃金減額の観点から一方的になし得ないと判示］。

18）医療法人財団東京厚生会事件・東京地判平成9・11・18労判728号36頁［婦長から一般の看護婦への2段階降格につき，必要性なく裁量判断逸脱し違法］，バンク・オブ・アメリカ・イリノイ事件・東京地判平成7・12・4労判685号17頁［セクション・チーフからオペレーションズテクニシャンへの降格は適法とし，その後の受付業務への配転を違法として慰謝料認容］，明治ドレスナー・アセットマネジメント事件・東京地判平成18・9・29労判930号56頁［退職勧奨後の部長から係長への降格を人事権濫用とした］，大阪府板金工業組合事件・大阪地判平成22・5・21労判1015号48頁［事務局長代理から経理主任への降格を人事権の濫用とした］。コアズ事件・東京地判平成24・7・17労判1057号38頁［営業部長から「独任官」と称する地位への降格を裁量権濫用とした］。これに対し，人事権行使としての降格の権利濫用を否定し有効とした例として，社会福祉法人県民厚生会ほか事件・静岡地判平成26・7・9労判1105号57頁［適応障害で長期欠勤となった福祉法人デイサービスセンター長の法人付き（通常職員）への降格を有効］，海遊館事件・最一小判平成27・2・26労判1109号5頁［セクハラ発言により懲戒処分を受けたことを理由とする人事上の措置としての降格を適法］。

19）アーク証券（本訴）事件・東京地判平成12・1・31労判785号45頁［一般的な職能資格制度の下で，営業成績や勤務評価に基づく降格を予定した就業規則規定がなくなされた降級・降格につき，一旦備わっているとされた職務遂行能力が，営業成績や勤務評価が低い場合にこれを備えないものとして降格されることは何ら予定されていなかったとして，無効とした］。

るのに対して，職能資格の引下げは賃金の減額をもたらすために，就業規則等の明確な根拠が必要と解されている。では，役職・職位の引下げが職能資格の引下げをも伴う場合はどう解すべきか。

これが問題となる場合としては，人事制度上，職位と資格が一対一に対応している場合や，職位の引下げが，資格のレンジを超えるがゆえに，資格の引下げを行う必要が生ずる場合が考えられる。このような人事制度が就業規則によって設けられている場合には，それが合理的なものであれば契約内容となり，労働契約上，職位の引下げに伴って資格の引下げも可能となる余地がある（権限審査）。その上で，職位の引下げが資格の引下げ（すなわち賃金減額）を伴うことを権利濫用判断でより厳格に吟味することとなろう（濫用審査）。

(4)　職務等級の引下げ

職務内容によって賃金を決める職務給（職務等級制度）を採用している場合，職務が変更されれば賃金も変動することとなる。

使用者が配転命令権を行使して，職務内容を変更する場合，職能資格制度では賃金の変動はないため広く配転命令権が肯定されてきたが（→467頁），賃金の変動をもたらす職務等級制度下ではどうか。

労働契約上，職務変更によって賃金変動を伴う配転命令権を確立しておけば[20]，使用者に配転権限がないとは言いがたい（権限審査）。しかし，(3)の場合と同様，賃金の引下げを伴う当該配転命令権行使については，それが権利濫用と評価されないかが厳格に審査されると解すべきである（濫用審査）[21]。

---

20)　労働者の同意や就業規則における根拠規定が存しない場合，使用者が異動を命じ，これに伴って一方的に降格（職務等級の引下げ）を行うことはできない。Chubb損害保険事件・東京地判平成29・5・31労判1166号42頁［異動による職務グレードの引下げを，人事権の濫用とした。理論上は，グレード引下げの権限が契約上設定されていなかったものと構成すべきであった］。

21)　この点，コナミデジタルエンタテインメント事件・東京地判平成23・3・17労判1027号27頁は，職務等級制度下で，育児休業・短時間勤務を行った労働者の役割グレード引下げを適法とするが，担務変更と賃金引下げが連動する点に関する人事権行使の濫用審査を欠いており，疑問がある。なお同控訴審・東京高判平成23・12・27労判1042号15頁は，結論として人事権の濫用としている。職務等級制度下で職務変更に伴うグレード降級・賃金減額につき権利濫用なしとした事例としてL産業（職務等級降級）事件・東京地判平成27・10・30労判1132号20頁，ファイザー事件・東京高判平成28・11・16労経速2298号22頁［勤務態度に問題のあった管理職を一般社員に降格し，標準年収が1322万余円から1142万余円に減額された例］。

第4節　配転・出向・転籍

Ⅰ　配　転

配転とは，同一使用者の下での勤務場所・勤務内容の相当長期にわたる変更をいい，転居を伴うものは「転勤」，同一事業所内での部署の変更は「配置転換」と呼ばれる。

1　配転命令の根拠

日本の企業では配転が極めて活発に行われている。とりわけホワイトカラーの場合，勤務地・職務内容を特定されずに採用されるのが通常であり，ローテーション人事により種々の職務を経験しつつ昇進していくことを労働者自身も当然のことと考えていた。

このような雇用慣行を反映し，当初，配転は使用者の人事権に基づく事実行為であり，配転命令の効力を争うことはできないと考えられていた。しかし，配転が多用され，労働者の私生活上の不利益が問題化してくると，これを法的に争うための理論が模索され，次のような2つの考え方が主張された[22]。

すなわち，「包括的合意説」[23]は，配転命令を，労働の場所・種類の決定を包括的に使用者に委ねる包括的合意によって基礎づけられる労務指揮権（形成権）の行使たる法律行為と捉え，したがって，権利濫用の審査が可能であるとした。また，「契約説」[24]は，配転命令は職種・勤務場所に関する労働契約上の合意の範囲内でのみ可能であり，この合意を超える配転命令は契約の申込みたる事実行為に留まり，その効力を認めるには労働者本人の同意が必要であるとした。

包括的合意説も特約による配転命令権の制限可能性を認め，他方，契約説も包括的合意による配転命令権を承認し，権利濫用法理の適用も否定しない。したがって，両説は両立する見解であり，前者が包括的配転命令権の存在から出発し，後者がその不存在から出発しているので，配転命令権の存在根拠の立証

22）学説については注釈労基法（上）228頁，奥田香子「配転」争点54頁等参照。

23）本多淳亮「配置転換・転勤をめぐる法律問題」菊池勇夫教授六十年祝賀記念論文集『労働法と経済法の理論』475頁（1960年）。

24）萩澤清彦「配置転換の効力停止の仮処分――被保全権利と必要性」成蹊法学2号1頁（1970年）。

責任に違いがある程度である。

結局，配転命令の効力は，①配転命令権の存否（権限審査）と，②配転命令権の存在が肯定されても，その行使が濫用と評価されないか（濫用審査）の2段階で審査されることになる。

2　配転命令権の存否

配転命令権の存否については，個別契約で勤務場所・職種を限定することが稀であり，就業規則上「業務の都合により出張，配置転換，転勤を命じることがある」といった配転条項が置かれているのが通例であることから，通常は肯定される。また，本社採用の幹部候補生のように包括的配転命令権を黙示的に承認していると解される場合もある。

しかし，勤務場所や職種について個別契約においてこれを限定・特定する明示・黙示の合意が認められれば，就業規則の一般的配転条項によってその変更を命ずることはできない（労契7条但書，10条但書参照）[25]。

(1)　勤務場所の限定

勤務場所について明示・黙示の限定合意が認定されれば，個別労働者の合意なく配転を命ずることはできない。従来は，現地採用の従業員には，勤務場所の限定が認められやすかったが[26]，一般の正規従業員については，そのような限定は認められないのが通例であった。

しかし，最近は，コース別雇用管理の採用等のために，正規従業員でも勤務地限定契約が増えてきている[27]。この場合，勤務場所の変更には，労働者の個別の同意が必要となる。

---

25)　東亜ペイント事件・後掲注32も，労働契約締結時に勤務地を限定する合意はなされなかったという事情を認定して（権限審査），濫用審査に入っている。

26)　新日本製鐵事件・福岡地小倉支決昭和45・10・26判時618号88頁［北九州の工場で臨時工として採用され，その後本工となった労働者の君津への配転の事例］，ブック・ローン事件・神戸地決昭和54・7・12労判325号20頁［和歌山採用の事務補助員に対する大阪転勤の事例］，ジャパンレンタカーほか（配転）事件・津地判平成31・4・12労判1202号58頁［アルバイト従業員の勤務地につき少なくとも近隣店舗に限定する合意があったと認めた例］等。

27)　新日本通信事件・大阪地判平成9・3・24労判715号42頁［家庭の事情から転勤に応じられない旨を明確に申し出て採用され，勤務地の限定が認められた］，日本レストランシステム事件・大阪高判平成17・1・25労判890号27頁［勤務地を関西地区に限定する合意があったとして東京で勤務する義務のないことの確認請求認容。なお後掲注39も参照］。

(2)　職種の限定

医師，看護師，自動車運転手，アナウンサーのようにその業務が特殊の資格，技能を必要とするものである場合，当該労働契約は職種を限定したものと解されることが多かった。例えば，難関のアナウンサー専門の試験に合格し，20年近く一貫してアナウンス業務に従事してきた者が，一般事務職への配転を命じられた事件では，労働契約上採用時から職種はアナウンサーに限定されていたとして，労働者は当該配転命令を拒否できるとされた[28)]。

しかし，近時の裁判所の解釈は，容易に職種限定を認めないという傾向が顕著である[29)]。その典型的事例が日産自動車村山工場事件[30)]である。同事件では，機械工の募集に応じて自動車メーカーで機械工の職務に17年から24年にわたって従事してきた労働者が，生産体制の再編により，従事してきた車軸部門が他工場に移転されたため，機械工から組立工に配転を命じられた。労働者は，機械工として長年従事してきたことにより自分たちの職種は機械工に特定されているとして，使用者は同意なく異なる職種への配転を命じ得ないと主張した。裁判所は，労働者と使用者の間において，原告労働者らを機械工以外の職種には一切就かせないという趣旨の職種限定の合意が明示または黙示に成立したとまでは認めることができないとして，職種限定を否定し，配転命令を有効とした。

裁判所の判断には，長期雇用システムの中で雇用を維持するためには，配転による柔軟な労働条件変更を認めざるを得ないところ，一旦，職種や勤務場所の限定を認めると，労働者の個別同意なしには当該労働条件変更が一切不可能となり適切でない，との考慮が働いていると推測される。しかし，変更解約告知等の個別的労働条件変更法理を認める場合には，一旦特定・限定された労働条件の合理的変更も可能となる（→449頁，452頁以下）。今後は，労働者個人の

28)　日本テレビ放送網事件・東京地決昭和51・7・23労判257号23頁。

29)　例えば，九州朝日放送事件・最一小判平成10・9・10労判757号20頁［アナウンサーの職種限定否定］，古賀タクシー事件・福岡高判平成11・11・2労判790号76頁［タクシー運転手の職種限定否定］，東京サレジオ学園事件・東京高判平成15・9・24労判864号34頁［児童指導員の職種限定否定］。これに対して，職種限定を認めた例として，大京事件・大阪地判平成16・1・23労経速1864号21頁［営業部勤務を命じられた調理人の職種限定契約を認め，配転命令・命令拒否解雇を無効とした］，東武スポーツ事件・宇都宮地決平成18・12・28労判932号14頁［キャディの職種をキャディ職に限定する特約を認め，個別同意なしの配転を無効とした］。

30)　日産自動車村山工場事件・最一小判平成元・12・7労判554号6頁。

キャリアの自己決定や，ワーク・ライフ・バランスの尊重の観点から，より積極的に勤務場所や職務内容の特定を認めつつ，個別的労働条件変更の場面での合理的調整を模索すべきであろう31)。また，次述するように，近時の裁判例は，職種・勤務地等の限定までは認め得なくとも，特定についての労働者の期待等を考慮し，配慮に欠ける配転を濫用判断で考慮する傾向が生じてきている。注目される動向である。

3 配転命令権の濫用

配転命令権の存在が肯定される場合であっても，その行使が権利濫用と評価される場合，配転命令は無効となる。

(1) 東亜ペイント事件判決

この濫用判断の枠組みを実務上確立したのが，東亜ペイント事件最高裁判決32)の「転勤命令につき業務上の必要性が存しない場合又は業務上の必要性が存する場合であっても，当該転勤命令が他の不当な動機・目的をもってなされたものであるとき若しくは労働者に対し通常甘受すべき程度を著しく超える不利益を負わせるものであるとき等，特段の事情の存する場合でない限りは，当該転勤命令は権利の濫用になるものではない」という判示である。

これによって，配転命令の権利濫用の有無は，①業務上の必要性の有無，②不当な動機・目的の有無，③通常甘受すべき程度を著しく超える不利益の有無，

31） 東京海上日動火災保険事件・東京地判平成19・3・26労判941号33頁は，職種限定合意を認定したにもかかわらず，特段の事情があれば，使用者は配転命令権を行使し得るとした。しかし，これでは限定を認定した意義が著しく減殺され，労契法10条但書の処理に照らしても疑問が残る。これに対して，地方独立行政法人岡山市立総合医療センター事件・広島高岡山支決平成31・1・10労判1201号5頁では，消化器外科部長兼消化器疾患センター副センター長であった外科医師に対する職員2名のみのがん治療サポートセンター長への配転が問題となったが，外科医師としての職種限定合意が認められるとし，配転を無効とした。学校法人国際医療福祉大学（仮処分）事件・宇都宮地決令和2・12・10労判1240号23頁は，明示の合意はないが薬学部教授の黙示の職種限定合意を認め，また，配転文書への署名押印につき山梨県民信用組合事件最高裁判決（→435頁）を参照して配転合意を否定し，大学付属病院の薬剤師への配転を無効とした。

32） 東亜ペイント事件・最二小判昭和61・7・14労判477号6頁［全国15ヶ所に事務所・営業所を持つ会社が，大卒の営業社員で当時神戸営業所勤務の労働者Xに，広島営業所への転勤を内示したが，家庭の事情（扶養する71歳の母は生まれて以来，大阪を離れたことがなく，保母をしている妻は保育所の運営委員として仕事を辞めるのが困難）を理由に拒否し，さらに名古屋営業所への転勤打診も拒否したため，Xの同意を得ないまま名古屋転勤を発令したところXが応じなかったので懲戒解雇された事案］。

の観点からチェックするという枠組みが定立された。東亜ペイント事件判決は，業務上の必要性は，「余人をもって替え難い」といった高度なものである必要はないこと，単身赴任を強いられることは「通常甘受すべき程度」の不利益に過ぎないとした点でも，その後の裁判所の具体的判断に大きな影響を及ぼした[33)]。

こうした枠組みによって，配転命令が権利濫用と評価される場合は必ずしも多くはないが，不当な動機・目的による場合として，退職を迫る意図による配転[34)]や報復目的の配転[35)]は濫用となる。業務上の必要性があっても，本人が病気から復帰直後である場合の遠隔地配転[36)]，病気の家族の介護の必要性がある場合[37)]等，当該配転が著しい不利益をもたらす場合にも，濫用となる。

(2)　権利濫用判断の新たな展開

しかし，共働き世帯の増加や働き方に対する自己決定の尊重の認識が広まったこと等を反映して，配転命令権行使の権利濫用審査については，近時の裁判例には新たな傾向が見出される。

第1に，労働者の被る私生活上の不利益に関連して，2001（平成13）年育児

---

33)　帝国臓器製薬事件・最二小判平成11・9・17労判768号16頁［共働き夫婦が別居，単身赴任を強いられる等の不利益につき，社会通念上甘受すべき程度を著しく超えるものではないとした］，ケンウッド事件・最三小判平成12・1・28労判774号7頁［3歳の子の送迎を分担していた夫婦の妻に対する配転命令で，通勤時間が50分から1時間45分となる事例につき，濫用とならないとした］。

34)　マリンクロットメディカル事件・東京地決平成7・3・31労判680号75頁，フジシール事件・大阪地判平成12・8・28労判793号13頁，医療法人社団弘恵会（配転）事件・札幌地判令和3・7・16労判1250号40頁。

35)　朝日火災海上保険（木更津営業所）事件・東京地決平成4・6・23労判613号31頁。オリンパス事件・東京高判平成23・8・31労判1035号42頁［内部通報者に対する業務上の必要のない配転命令］，学校法人越原学園（名古屋女子大学）事件・名古屋高判平成26・7・4労判1101号65頁［学園運営方針に対する批判を封じるための研修室業務命令］。

36)　損害保険リサーチ事件・旭川地決平成6・5・10労判675号72頁［神経症による休職明けの労働者に対する旭川から東京への配転命令］。

37)　日本電気事件・東京地判昭和43・8・31労民集19巻4号1111頁［兄はてんかん，妹は心臓弁膜症，母は高血圧症で，いずれも当該労働者の介護に依存している中での東京から広島への配転］，北海道コカ・コーラボトリング事件・札幌地決平成9・7・23労判723号62頁［帯広から札幌工場への配転につき，他の労働者選考が十分可能で，当該労働者の2人の子が病気，父母も体調不良で，転居・単身赴任困難］，明治図書出版事件・東京地決平成14・12・27労判861号69頁［アトピー性皮膚炎幼児を持つ共働き総合職男性労働者に対する東京から大阪への転勤命令］。

介護休業法改正により，転勤によって育児・介護が困難となる労働者につき，事業主はそうした状況に配慮しなければならないとの規定（育介26条）が設けられ，ワーク・ライフ・バランスへの配慮が要請されるようになってきた（労契3条3項参照）38)。これは共働き世帯が少数であった時代に下された東亜ペイント事件判決の③労働者の甘受すべき不利益の評価や，権利濫用一般の評価に影響を与え得る事情といえる。

第2に，従来，職種・勤務地の限定が認定されなければ，東亜ペイント事件の枠組みの②③に挙げられた特段の事情がない限り権利濫用とはならないと解されてきたのに対して，近時の裁判例には，勤務地の限定まで認定できない場合であっても，勤務地特定に対する労働者の期待が相当と認められる場合，勤務地を限定するよう配慮すべき信義則上の義務を濫用判断に反映させる例39)，労使間で締結された配転しない努力義務規定を権利濫用判断に反映させる例40)，専門職としてのキャリア形成の期待を配慮しない配転を権利濫用とした例41)等が現れている。つまり，東亜ペイント事件判決に比して個別の労働者の労働関係安定への期待やキャリアの自己決定に，より配慮したきめ細かな濫用判断がなされつつある。

---

38)　ネスレ日本（配転本訴）事件・大阪高判平成18・4・14労判915号60頁［非定型精神病に罹患している妻や，要介護2の認定を受け徘徊が心配される母を持つ労働者への遠隔地配転命令につき，育児介護休業法26条の配慮が十分行われていないことから通常甘受すべき程度を著しく超える不利益を負わせるものとして，権利濫用・無効とした］。

39)　日本レストランシステム事件・前掲注27［勤務地を関西地区に限定する黙示の合意があったと認定し，仮にこのような限定合意が認定できないとしても本文に挙げたような信義則上の配慮義務があるとした］。宮里邦雄・同事件判批・ジュリ1320号200頁（2006年）参照。同旨，ジャパンレンタカーほか（配転）事件・前掲注26［仮に近隣店舗に限定する合意が不成立であったとしても，として同旨を判示］。

40)　ノース・ウエスト航空事件・東京高判平成20・3・27労判959号18頁。

41)　X社事件・東京地判平成22・2・8労経速2067号21頁［情報システム専門職としてのキャリア形成の期待を配慮しない倉庫業務への配転を権利濫用とし，不法行為責任を認めた］，学校法人原田学園事件・広島高岡山支判平成30・3・29労判1185号27頁［視聴覚障害のある大学准教授を授業から外し，研究室としての利用が不適当なキャリア支援室勤務を命ずる職務変更命令を権利濫用・無効とし100万円の慰謝料を認容］，地方独立行政法人岡山市立総合医療センター事件・前掲注31［外科医師としての職種限定を認めて職員2名のがん治療サポートセンター長への配転を無効とした判断に加えて，念のためとして当該配転は通常甘受すべき程度を著しく超え，権利濫用で無効とした］，安藤運輸事件・名古屋高判令和3・1・20労判1240号5頁［職種限定合意を否定しつつ，運行管理者の資格を活かして運行管理・配車業務に当たる期待に反し，倉庫業務に漫然と配転したとして配転命令を権利濫用・無効とした］。

第3に，配転に当たっての手続，説明の妥当性に着目し，濫用判断の要素とする裁判例が現れている[42]。また，配転命令が権利濫用に該当しない場合でも，配転に伴う利害得失を考慮して合理的決断をするに必要な情報が提供されていなかった場合，懲戒解雇は権利濫用となるとする例[43]や，配転命令は権利濫用とならないとしつつ，配転に当たっての手続の妥当性（説明の不適切さ）に着目して，それに従わないことを理由とする懲戒解雇を無効とした事例[44]，職務限定合意を否定しつつ，労働者の具体的な状況への配慮やその理解を得る丁寧な説明もなく，余裕のない日程で告知した配転命令を，通常甘受すべき程度を著しく超える不利益を負わせるもので，人事権濫用，違法とし慰謝料請求を認容した事例[45]も見られる。労契法3条4項の信義則，同4条1項の労働契約内容の理解促進措置の規定に照らしても，権利濫用判断において配転手続・説明の妥当性は考慮されるべきであろう[46]。

第2，第3の展開は，東亜ペイント事件判決の例示する②③の他に「等」とされてきた部分につき，職種（職務内容）・勤務地の特定への期待や，配転を命ずるに当たっての手続・説明の妥当性についても権利濫用判断の重要な要素として着目し，きめ細かな判断に着手する方向を示しているといえよう。

Ⅱ　出　向

配転は同一企業内の異動であるが，出向（在籍出向）は現在の企業との雇用関係を維持したまま，他企業の業務に従事するものである。

出向は，雇用調整や中高年従業員の処遇目的のために行われるものから，関連会社の経営・技術指導，人事交流，従業員の能力開発等，積極的な人事政策

42)　直源会相模原南病院事件・東京高判平成10・12・10労判761号118頁［事務職系から労務職系への異職種配転を命ずるにはその必要性と合理性について十分な説明がなされていなければならないとした］，日本レストランシステム事件・前掲注27［配転の必要性，配転先の勤務形態・処遇内容，復帰の予定等について説明を尽くしていないことを濫用判断で考慮］，ジブラルタ生命保険事件・名古屋高判平成29・3・9労判1159号16頁［従前職務と同等かそれに近い職種や職場に移行できるよう丁寧誠実な対応をすることが信義則上求められるとした］。

43)　メレスグリオ事件・東京高判平成12・11・29労判799号17頁。

44)　山宗事件・静岡地沼津支判平成13・12・26労判836号132頁。神吉知郁子・同事件判批・ジュリ1257号125頁（2003年）参照。

45)　一般財団法人あんしん財団事件・東京地判平成30・2・26労判1177号29頁。

46)　配転手続について，権利濫用判断で重視すべき旨をつとに主張していた学説として，注釈労基法（上）233頁［土田道夫］，土田・契約法428頁。

として行われるものまで，多様な目的のために活用されている。

出向命令の効力についても，配転と同様，出向命令権の存否および出向命令権の濫用が問題となる。労契法は，出向命令権の濫用を無効とする規定を置いたが（労契14条），出向命令権自体については具体的には規定しておらず，解釈に委ねられている。

1 出向命令権の存否

出向命令権の存否に関連しては，「使用者は，労働者の承諾を得なければ，その権利を第三者に譲り渡すことができない」とする民法625条1項を根拠に，個別同意が必要であるとする見解（個別的同意説）[47]が主張されている。すなわち，出向元企業は「その権利」（＝労務給付請求権）を出向先企業に譲渡することになるので，労働者の承諾（同意）が必要である，とする主張であり，学説では依然有力に主張されている。

しかし，承諾はその都度の個別的同意に限られるわけではなく，事前の包括的同意でもよいと解されている[48]ことから，現在の多数説・判例は，その都度の個別的同意がなければ出向を命じ得ないという立場は採っていない[49]。

個別的同意でなくともよいとしても，どのような同意があればよいかが問題となる。裁判例の中には出向命令権は就業規則や労働協約の包括的な規定によって根拠づけられるとするものもある（包括的同意説）[50]。しかし，出向の場合，配転においては生じないような雇用関係の変動（労務提供の相手方・指揮命令権者・賃金支払者の変動，労働条件関係の複雑化，服務関係規律〔懲戒権者〕の複雑化等）が生ずる。そこで，現在の多数説・裁判例は，包括的同意説とは異なる「具体的規定説」とでも呼ぶべき立場[51]（具体的合意説[52]とも呼ばれる）を採っているといってよい。すなわち，出向命令権が認められるためには，「業務上の必要によ

47） 高木紘一「配転・出向」現代講座10巻142頁，西谷257頁，唐津博「出向命令権の法的根拠と労働者の同意」唐津博ほか編『新版労働法重要判例を読むⅡ』110頁（2013年）等。

48） 幾代通＝広中俊雄編『新版注釈民法⒃債権⑺』61頁［幾代通］（1989年）。

49） 和田肇「出向命令権の根拠」労働63号38頁（1984年），菅野736頁，注釈労基法（上）236頁以下［土田道夫］，新日鐵（日鐵運輸）事件・最二小判平成15・4・18労判847号14頁。

50） 興和事件・名古屋地判昭和55・3・26労判342号61頁［採用時からグループ採用，関連3社間の異動ありとの説明を受け，承諾していたというやや特殊な事案である］。

51） 菅野736頁，下井・労基法152頁，土田・契約法437頁，新日鐵（日鐵運輸）事件・前掲注49。

52） 土田・契約法436頁。

り出向を命ずることがある」といった単なる包括的規定では足りず，就業規則や労働協約において，出向の対象企業，出向中の労働条件，服務関係，期間，復帰の際の労働条件の処理（勤続年数の通算等）について出向労働者の利益に配慮した詳細な規制が定められていることが必要と解している。「包括的同意説」が，権限審査を後退させ，出向命令の有効性を争うのは専ら出向命令権の濫用という濫用審査の場面に限定されるのに対して，「具体的規定説」は，権限審査の場面でも，出向のもたらす複雑かつ労働者の不利益を惹起しかねない法律関係への考慮を反映させたものといえる。このような労働者利益に配慮した具体的な出向条件に関する規定が要求される根拠は，就業規則の場合は，それが契約内容となるためには合理的なものでなければならないこと（労契7条，10条参照）に求めることができよう。

ちなみに，最高裁[53)]は，①構内業務の一部を協力会社に業務委託することに伴い委託業務に従事していた労働者に在籍出向を命ずるもので，②入社時，出向時の就業規則に「業務上の必要性によって社外勤務させることがある」という規定があり，③労働協約である社外勤務協定において，出向労働者の利益に配慮した詳細な規定がある，という事情の下では，個別同意なしに出向を命じ得るとしている。

2　出向命令権の濫用

配転の場合と同様，出向命令権の存在が肯定されても，権利濫用の審査がある。労契法14条は出向命令が「その必要性，対象労働者の選定に係る事情その他の事情に照らして」濫用と認められる場合，当該命令を無効としている。配転と比較すると，出向の場合，労働条件が引き下げられる等の不利益が生ずることが多いため，これが，私生活上の不利益に加えて吟味される。また，不当な動機・目的による出向も権利濫用となり得る[54)]。

---

53)　新日鐵（日鐵運輸）事件・前掲注49。

54)　新日本ハイパック事件・長野地松本支決平成元・2・3労判538号69頁［仕事上のミスをした労働者の研修を理由とする出向命令権の行使］，ゴールド・マリタイム事件・大阪高判平成2・7・26労判572号114頁［職場から放逐するために出向を利用したとされた］，リコー事件・東京地判平成25・11・12労判1085号19頁［退職勧奨拒否者への立ち仕事・単純作業中心の業務への出向命令を自主退職を期待したものとして人事権濫用とした］。これに対して，濫用を否定された例として日本雇用創出機構事件・東京地判平成26・9・19労経速2224号17頁［出向元に能力やスキルに見合ったポジションがなく雇用維持困難として命じられた派遣・職業紹介事業会社への出向を濫用でないとした］。

3　出向中の労働関係

出向（在籍出向）の場合，出向労働者は出向元との労働契約を維持しつつ，出向先とも労働契約関係に入ると解されている（労働者派遣法制定の際，派遣との区別を行うために，このような整理が行われた。労派遣2条1号参照→595頁）。しかし，これは，完全な労働契約が2つ結ばれるという意味で二重の労働契約関係が生じたというより，1つの労働契約が出向元と出向先とにそれぞれ振り分けられたような関係と理解すべきであろう。本来的な労働契約の相手方である出向元との間には，契約の基本的部分（解雇の権限等労働者の地位を基礎づける事項に関する部分）が残り，具体的就労に関する指揮命令権等は出向先が取得するという関係になる。

労基法等の労働保護法の適用は，現実の就労関係に即して，保護法の規制対象とする行為を実際に行う者がいずれであるかによって決定される。なお，現実の就労に直結した指揮命令とは異なる使用者の行為，例えば，賃金の支払義務者はいずれか，懲戒権限はどのように振り分けられるのか等は，出向元と出向先の間の出向契約によって確定されるべき事項と解される[55]。

出向関係は複雑な契約関係となるので，何らのルールも定められていないことによる紛争が生じやすい。労働契約法でデフォルトルール（任意規定）を設定しておき，当事者がそれと異なるルールが妥当だと解すれば別段の定めをすることを許容する，といったアプローチで，出向労働関係のルール化が望まれる。

4　出向からの復帰

判例は，在籍出向において復帰は，もともと当初の労働契約で合意されていた事柄として，特段の事由のない限り，労働者の同意は不要と解している[56]。基本的には，出向契約の解釈によって判断されるべき事項である[57]。

Ⅲ　転　籍

転籍は現在の企業との雇用関係を消滅させて他企業との間で雇用関係を成立させてそこでの業務に従事するものをいう。転籍には理論上，①転籍元企業と

55)　詳細は，菅野739頁，土田・契約法442頁以下。

56)　古河電気工業・原子燃料工業事件・最二小判昭和60・4・5民集39巻3号675頁。

57)　在籍出向を解除してなされた復職命令について，バス運転業務から外され，清掃業務等への従事を命じられたことの適法性が問題となった例として，相鉄ホールディングス事件・横浜地判平成30・4・19労判1185号5頁［職種限定合意は否定され，復職命令は適法とされた］。

の労働契約の解約と，転籍先企業との新労働契約の締結によるものと，②労働契約上の地位の譲渡（民625条1項）によるものがある。

いずれの場合も，労働者の同意を要することになるが，問題は，その同意が，個別具体的な同意ではなく，入社時等の包括的同意でもよいのかである。①の場合は，原契約の解約も新契約の締結も個別具体的な同意が必要と解される。これに対して②の場合，民法625条1項の承諾自体は，包括的同意も考えられる[58)]。しかし，雇用関係を維持した上で解雇を回避するために広く認められてきた配転や出向と，雇用関係自体を解消してしまう転籍とは，法的にも，その機能においても大きく異なる。配転や出向と異なり，転籍の場合には，転籍先の経営が悪化し，整理解雇や倒産の危険に見舞われても，雇用関係を解消した元の企業は労働者を復帰させる等の雇用関係に由来する責任を負わなくなる（むしろそういう効果を期待して出向でなく転籍としている）。

このように考えると，人的関係である雇用（労働契約）関係を転籍元と完全に解消し，転籍先と新設する転籍については，出向よりも慎重に，労働者の個別具体的同意を要すると解すべきである。通説・裁判例も同様に解している[59)]。

第5節　休　職

休職とは，労働者を就労させることが不能または不適当な事由が生じた場合に，労働関係を存続させつつ労務への従事を免除ないし禁止する措置である。自宅待機を命じられた場合と類似するが，待機自体が命じられた業務と解される場合は，待機することで業務を履行したことになり賃金が発生するし，正当な理由もなく使用者が労務受領を拒否したと解される場合であれば民法536条2項により，賃金が発生する。これに対して，休職の場合は，休職制度の定め方により，無給の場合も想定されている。また，休職は，懲戒処分としての出勤停止と異なり，企業秩序違反に対する制裁ではない。

58）　日立精機事件・千葉地判昭和56・5・25労判372号49頁。ただし，この事件では，採用時から社内配転先と並列して転属先として明示されていた別会社への転籍につき，配転と異ならないような態様で永年実施されてきたという事情があった。

59）　山川・雇用法109頁，土田・概説188頁，水町・詳解521頁，三和機材事件・東京地判平成7・12・25労判689号31頁，国立循環器病研究センター事件・大阪地判平成30・3・7労判1177号5頁。

休職には多様なものがあり，その目的や効果も様々である。解雇猶予目的の制度として，病気や負傷によって就労できない場合についての傷病休職（病気休職），私的な事故により就労できない場合についての事故欠勤休職，企業秩序維持・処分待機を目的とする起訴休職がある。また，就労免除・地位存続を目的とする制度として，出向休職，自己都合休職，専従休職等がある。

休職制度が存する場合，明示すべき労働条件とされており（労基15条，労基則5条1項11号），全従業員に適用されるものであれば，労基法89条10号により就業規則に必ず記載すべき事項である。しかし，休職制度の内容についての法規制は存しない。休職期間満了の効果，休職期間中の賃金，勤続年数への算入等については，それぞれの休職制度の定めによるが，その効果（例えば，自動退職，休職期間中無給，勤続年数に不算入等）をそのまま認めてよいかどうかが問題となる。

I　傷病休職（病気休職）

業務外の傷病による長期欠勤が一定期間に及んだ場合に行われるのが傷病休職[60]である。所定の休職期間中に回復し就労可能となれば復職するが，回復しなければ休職期間満了時に自動退職ないし解雇されるのが通常である。これに対し，当該傷病が業務上のものである場合には，休職期間満了時に復職可能となっていなくとも，療養継続中であれば，労基法19条の解雇制限により解雇ないし退職扱いすることはできない（詳細は→335頁）。

業務外の傷病に対する休職制度は，解雇猶予の機能を持ったものであるが，期間満了により自動退職となる場合には，解雇予告規制および解雇規制（解雇権濫用法理）の潜脱とならないよう，休職期間は30日以上であることが要請される。

また，休職期間満了時に復職できなければ自動退職となる旨の規定があっても，解雇規制の潜脱とならないよう，相当期間内の回復可能性と，その間に付与可能な軽易な作業の存否を踏まえた復職可能性の慎重な解釈が要請される[61]。特に，片山組事件（最一小判平成10・4・9労判736号15頁）（→145頁）以降，

60）　傷病休職についての日独仏の詳細な比較法研究として石﨑由希子「疾病による労務提供不能と労働契約関係の帰趨（1）～（5・完）」法協132巻2号，4号，6号，8号，10号（2015年）参照。

同判決の枠組みに依拠して，職種や業務内容を限定せずに雇用契約を締結している労働者が復職の意思を表示している場合，その復職の可否を判断するに当たり，当該労働者の能力，経験，地位，使用者の規模や業種，労働者の配置や異動の実情，難易等を考慮して，配置替え等により現実に配置可能な業務の有無を検討すべき[62]との立場が採られている[63]。

賃金については，労働者側の事由に基づく休職であり，特段の定めのない限り，使用者は支払う必要はない。もっとも，私傷病による傷病休職中は，健康保険から，1日につき標準報酬日額の3分の2の傷病手当金が支給される（健康保険法99条)。これに対して，客観的に休職制度適用の要件を満たしていないにもかかわらず使用者が休職を命じた場合，民法536条2項の使用者の責めに帰すべき事由による履行不能として，賃金請求権が発生する。また，休職事由が消滅した場合に復職を命じない場合も，同様に賃金請求権が認められる[64]。

61）　エール・フランス事件・東京地判昭和59・1・27労判423号23頁［使用者が復職可能性を否定して休職期間満了退職を主張するには，治癒の程度が不完全で，今後の完治の見込みや復職予定職場の事情等を考慮して解雇を正当視しうることを立証すべきとした］。

62）　JR東海事件・大阪地判平成11・10・4労判771号25頁［脳内出血で病気休職中の労働者につき，現実に復職可能な勤務場所があったとして休職期間満了退職を無効とした］，北産機工事件・札幌地判平成11・9・21労判769号20頁，キヤノンソフト情報システム事件・大阪地判平成20・1・25労判960号49頁［休職期間満了により退職扱いされた労働者につき，休職期間満了時に就労可能な程度に回復していたとして地位確認請求を認容した］，I社事件・静岡地沼津支判平成27・3・13労判1119号24頁［脳梗塞発症後，復職可能に回復し休職事由消滅として解雇無効とした］。なお，復職に当たって異なる職務に就いた場合，職務内容，心身の状況等を勘案して給与を決める旨の給与規程に基づき，職務上の負担を軽減し（管理職の役職を外し)，賃金を引き下げたことは人事権の濫用や不法行為に当たらないとした例として，一般財団法人あんしん財団事件・東京高判平成31・3・14労判1205号28頁。

63）　これに対して，休職期間満了による退職扱いを適法としたものとして，独立行政法人N事件・東京地判平成16・3・26労判876号56頁［復職を認めるべき健康状態にまで回復していないとして休職期間満了解雇を有効とした］，東京電力パワーグリッド事件・東京地判平成29・11・30労判1189号67頁［専門クリニックにおけるリワークプログラムの担当医が，出席率や振り返りが十分でなく復職可能なレベルに至っていないと判断したこと等が考慮され，休職期間満了による雇用契約終了が適法とされた］，コンチネンタル・オートモーティブ事件・東京高判平成29・11・15労判1196号63頁，日本漁船保険組合事件・東京地判令和2・8・27労経速2434号20頁［休職事由消滅に関する主治医の診断書について，使用者が主治医と面談することに労働者が同意せず，面談が実現しないまま休職期間満了，自然退職扱いを有効とした］等。

64）　カントラ事件・大阪高判平成14・6・19労判839号47頁。

■復職に向けたリハビリ勤務（試し出勤）　精神疾患により休職していた労働者の復職に向けて，軽減された勤務に従事するいわゆるリハビリ勤務（試し出勤）が実施されることがあり，厚労省も「改訂　心の健康問題により休業した労働者の職場復帰支援の手引き」（平成24年7月改訂）や，「事業場における治療と仕事の両立支援のためのガイドライン」（令和4年3月改訂）で推奨している。このリハビリ勤務は，使用者が自主的に実施する制度であり，その法的評価は問題となった法律問題に即して判断されている。リハビリ勤務に従事していたことが復職ないし復職可能な状態と評価しうるかについて，リハビリ勤務は労働契約上の労務の提供には当たらず復職していたとはいえないとした例[65]，試し勤務により復職したとはいえないが，相当期間内に通常業務を遂行できる程度に回復すると見込まれる状況にあったとして休職原因消滅を認め，解雇を無効とした例[66]がある。

リハビリ勤務中の賃金については，当初所定労働時間を3割弱短縮し，当事者間の合意に基づき基本給を1割減額した措置は有効だが，4ヶ月を経過した5月半ばに病状がほぼ回復し復職可能との主治医の診断書が出された後の6月以降もなお，1割減額を継続したことは違法とした例[67]，試し出勤が，使用者の指示に従って行われ，その作業の成果を使用者が享受している場合等は，無給の合意があっても最低賃金法の適用により，最低賃金額の賃金請求権が発生するとした例[68]等がある。

Ⅱ　事故欠勤休職

事故欠勤休職とは，傷病以外の私的な事故による欠勤が，一定期間以上に及んだ場合になされる休職措置である。解雇猶予措置の一種であるが，休職期間満了時に出勤可能とならなければ解雇または自動退職となる。

休職期間満了時に解雇となる場合には，当該解雇の適法性が解雇規制に照らして吟味されるので問題は少ない。これに対して，自動退職となる場合は，休職措置は解雇予告をも兼ねたものとなり，解雇規制の潜脱とならないか等が問

65）　西濃シェンカー事件・東京地判平成22・3・18労判1011号73頁［休職期間を延長してリハビリ勤務を行った事案で，リハビリ勤務は労働契約上の労務の提供に当たらず「復職」していたとはいえず，延長された休職期間満了時に従前従事していた通常の業務を遂行できる程度に回復していないことが明らかとして退職扱いを適法とした］。

66）　綜企画設計事件・東京地判平成28・9・28労判1189号84頁。

67）　Chubb損害保険事件・東京地判平成29・5・31労判1166号42頁。

68）　NHK（名古屋放送局）事件・名古屋高判平成30・6・26労判1189号51頁。ただし，この判断には理論上の問題点に加え，労働者にとっては，賃金が支払われないことを前提に支給されている傷病手当が不当利得となり返還義務が生じる，使用者にとっては，リハビリ勤務の実施を躊躇させるなど，具体的妥当性についても疑問がある。以上につき，石﨑由希子・同事件判批・ジュリ1538号127頁（2019年）参照。

題となる。30日の解雇予告規制との関係から，休職期間満了による自動退職の場合，休職期間も30日以上であることが要求されよう[69]。そして，休職処分に付すことについては，既に欠勤が相当長期に亘っている場合，相当性ありとされよう。

休職命令が不適法とされた場合，民法536条2項により賃金請求権が認められ得る点は，傷病休職と同様である。

Ⅲ　起訴休職

起訴休職とは，刑事事件に関し起訴された者を，その事件が裁判所に係属する期間，または判決確定まで休職とするものをいう。企業秩序維持・処分待機等の目的を有する。

しかし，起訴されたことにより直ちに就労不能となるわけではないので，学説・裁判例は，次のいずれかに該当する場合にのみ休職に付することを認める。すなわち，①当該起訴により，企業の社会的信用，職場の秩序維持，当該労働者の職務遂行等の点で，就労禁止することがやむを得ないと考えられる場合，または，②勾留や公判期日出頭のため，労務提供が不可能または困難である場合，である[70]。

69)　菅野747頁。

70)　全日本空輸事件・東京地判平成11・2・15労判760号46頁［傷害容疑で起訴された機長に対する起訴休職処分につき，傷害事件が私生活上の男女関係から生じたもので，公判出頭も年休で対処可能であり，無効とされた］。

第16章　企業組織の変動と労働関係

第1節　序　説

企業の合併，事業譲渡，会社分割，そして会社解散といった企業組織の変動は労働関係に大きな影響を与える[1]。

バブル経済崩壊後，浮揚しない日本経済を立て直すべく，1990年代後半より，企業組織再編を促進させる法改正が続いた。1997（平成9）年には企業グループ単位の効率的経営を可能とするための独占禁止法改正による純粋持ち株会社の解禁，合併手続簡素化・合理化のための商法改正，1999（平成11）年には，事業の再構築を支援する産業活力再生特別措置法の制定，完全親子会社関係・持株会社の円滑な創設を目的とする株式交換・株式移転制度の導入，破産予防と企業再建を目的とする民事再生法制定，2000（平成12）年には，迅速な企業組織再編を可能とする会社分割制度導入等が行われた。

こうした企業組織再編・変動の際には労働者の雇用関係や労働条件が承継・維持されるのか否か等が大きな問題となる。EUではEU市場統合に伴う企業再編のコストを労働者に被らせないという趣旨で制定された，いわゆる企業譲渡指令（1977年に制定され，現行法は2001/23/EC）に対応して，各加盟国で合併・事業譲渡・会社分割の際の労働者保護法制が整備されている。他方，アメリカではこうした企業再編時の労働者保護の立法は存しない。日本では，会社分割については，2000年に労働契約承継法を立法して，EUとアメリカの中間に位置する制度を導入しているが，事業譲渡については，判例による処理に委ねており，立法的対処の要否について議論がある（→492頁）。

1）　企業の組織再編の多様な手法とその実務上の運用を概観したものとして小舘浩樹ほか「M＆Aに利用される組織再編の概要」商事法務1884号4頁（2009年）。

第2節　合　併

I　合併における権利義務の承継（包括承継）

まず，合併とは2以上の会社が合体して1つの会社となることであるが，これには，A社がB社（存続会社）に吸収される「吸収合併」（会社法2条27号）と，A_1社とA_2社が1つに合併して新たなB社（新設会社〔法文上は新設合併設立会社〕）を設立する「新設合併」（同28号）とがある。合併されて消滅するA社（A_1社およびA_2社）の権利義務関係は包括的に存続会社ないし新設会社（B社）に承継される（同750条1項，754条1項）。このような権利義務関係の承継を「包括承継」という。合併された会社A社（A_1社およびA_2社）は解散，消滅する（同471条4号，641条5号）。なお，合併には，略式手続・簡易手続の場合を除き，両会社の株主総会の特別決議が必要である（同783条1項，795条1項，804条1項，309条2項12号）。

II　労働契約の承継

合併の場合，労働契約も当然に承継されるため，労働契約上の地位と内容すなわち労働条件も，そのまま存続会社または新設会社に移転・承継される。

民法625条1項は「使用者は，労働者の承諾を得なければ，その権利を第三者に譲り渡すことができない」と規定するが，包括承継である合併については適用されない。したがって，労働者の同意の有無にかかわらず，従前の雇用関係（労働契約関係）は当然に存続会社または新設会社に移転される。

企業組織再編に伴う労働契約関係の承継に関しては，一般に，「承継強制の不利益」（労働者が望んでいないにもかかわらず，雇用関係が現在の企業から新たな企業に強制的に移転・承継されるという不利益）と，「承継排除の不利益」（労働者は雇用関係の移転・承継を望んでいるにもかかわらず移転・承継から排除されるという不利益）が問題となる（**図表16-1**）。

合併の場合は本人の意図と無関係に労働契約関係が存続会社または新設会社に移転されるが，従前の会社は合併によって消滅し，また，包括承継によって雇用は存続し，労働条件も維持されるので，労働者の不利益は特段想定されない。

図表 16-1　組織再編と労働者の不利益

	合　併（会社法2条27号,28号）	事業譲渡	会社分割（会社法2条29号,30号）
効　果	包括承継	個別（特定）承継	部分的包括承継
承継強制の不利益	ある（が実質的不利益なし）	なし（民法625条）	あり得る→立法修正
承継排除の不利益	なし	あり→判例対処	あり得る→立法修正

（筆者作成）

なお，包括承継の結果，存続（新設）会社には，従来の2つの企業の異なる労働条件が併存することとなる。そこで，実務上は労働条件統一のために労働条件の変更が必要となることが少なくない。これは，労働協約の改定2)や解約，就業規則の合理的変更3)等による労働条件変更の問題として処理される。

このように合併による包括承継の場合は，労働関係の権利義務は包括承継されるというルールが明確であり，かつ，労働者に不利益が生ずる場合はほとんど想定されないため，企業再編時の労働法上の立法措置の要否を検討した「企業組織変更に係る労働関係法制等研究会」報告4)でも，特段の措置は必要ないとされた。

第3節　事業譲渡

I　事業譲渡における権利義務の承継（個別承継）

有機的一体性のある組織的財産である「事業」5)（営業）の譲渡である「事業

2)　朝日火災海上保険（石堂）事件・最一小判平成9・3・27労判713号27頁［合併後，労働条件統一のため，定年年齢・退職金算定方法を不利益に変更する協約の効力が肯定された例］。

3)　合併による労働条件統一のための就業規則変更の事例として大曲市農協事件・最三小判昭和63・2・16民集42巻2号60頁。

4)　労働省（当時）「企業組織変更に係る労働関係法制等研究会」報告書（座長菅野和夫東京大学教授〔当時〕，2000年2月）。

5)　2005（平成17）年に制定された会社法は，従来の「営業」の譲渡等に代えて「事業」の譲渡等の語を用いることとしたが，その内容に変わりはない（江頭憲治郎『株式会社法』〔8版〕929頁〔2021年〕，神田秀樹『会社法』〔24版〕379頁〔2022年〕参照）。事業（営業）の概念

譲渡」(営業譲渡)の法的性質は，合併の場合の包括承継とは異なり，「個別（特定）承継」と解されている[6]。すなわち，譲渡会社と譲受会社間で，承継される債権債務を個別に特定して合意するとともに，債務の移転については債権者の同意が必要となる（民法472条参照）[7]。会社法上は事業の全部または重要な一部の譲渡には原則として株主総会の特別決議が必要とされている（会社法467条1項1号，2号，309条2項11号）。

Ⅱ　労働契約の承継

労働契約の承継も，個別（特定）承継の考え方が妥当すると解される。すなわち，労働契約関係の承継には，①譲渡会社と譲受会社間で当該労働契約の承継についての合意が必要で，かつ，②民法625条1項が適用され，労働契約関係の移転について労働者の同意（承諾）が必要となる。②により，譲渡会社から譲受会社への移転（転籍）を命じられても，労働者は，民法625条1項を根拠に，これを拒否することができ，移転・承継強制の不利益はない。しかし他方，①により，雇用関係が譲渡先に承継されるかどうかは，譲渡・譲受会社間の合意（事業譲渡契約）に委ねられるので，移転・承継排除の不利益は存在する（図表16-1参照）。

この承継排除の不利益問題について，古い裁判例の中には，有機的一体たる事業（営業）譲渡の場合，雇用関係も当然に承継されるとするものも見られた[8]。しかし，事業譲渡契約に当該労働契約の承継が明示に合意されていない場合に承継を認めた裁判例を子細に分析すると，事業譲渡契約の解釈として労働者全部についての黙示の承継合意を認定し得るとした事例[9]や，法人格否認

については，最大判昭和40・9・22民集19巻6号1600頁が一定の営業目的のため組織化され，有機的一体として機能する財産としている。もっとも，この事業譲渡に該当するかをめぐっては，競業避止義務を負うことやノウハウ・人的要素の移転を要件とするか否かについて，商法学上，なお定説はないようである（田中亘「競業避止義務は事業の譲渡の要件か」東京大学法科大学院ローレビュー5号286頁〔2010年〕，池田悠「事業譲渡と労働契約関係」野川忍ほか編『企業変動における労働法の課題』62頁〔2016年〕等参照）。

6)　江頭・前掲注5・1009頁。

7)　2016年に発出された事業譲渡等指針（平成28厚労告318号）(→493頁) 第2の1(1)。

8)　例えば，播磨鉄鋼事件・大阪高判昭和38・3・26労民集14巻2号439頁［企業の経営組織の変更を伴わない企業主体の交替を意味するがごとき企業譲渡の場合，特段の事情のない限り，従前の労働契約関係は当然新企業主体に承継されたと解するのが相当とした］。

9)　例えば友愛会病院事件・大阪地判昭和39・9・25労民集15巻5号937頁［経営主体間で特

の法理を使って承継から排除された労働者を救済した事例[10]が多い。現在では，事業譲渡の場合の承継ルールは個別（特定）承継であることを前提[11]に，承継合意の意思解釈や法人格否認の法理の活用によって個々の事案に応じて妥当な解決を導こうとするのが一般的な処理方法となっているといってよい。

承継合意の意思解釈としては，当該事業の大部分の労働者が承継されているのにごく一部の労働者が承継から排除され，その排除が不当目的（例えば組合活動家の排除）による場合，不当目的による排除部分を強行法規違反や公序違反により無効として，当該事業の全員についての承継合意を認定するといった解釈があり得る。法人格否認の法理の活用については，労働契約上の使用者（→64頁以下）および会社の解散（→508頁以下）の検討に譲る。

▩事業譲渡の場合の労働契約承継ルールの立法政策　EUでは合併，事業譲渡，会社分割のいずれの場合も，労働契約は労働条件を維持したまま当然に承継されるとのルールを企業譲渡指令（2001/23/EC）で定めている。日本でも同様に，立法で事業譲渡の場合に労働関係の当然承継ルールを整備すべきとの議論も有力である。ただ，そうした強行的ルール設定の当否については，次の諸点を慎重に検討して判断すべきであろう。第1に，事業譲渡の場合，全部譲渡と一部譲渡とで利益状況が異なり，また一部譲渡の場合にも労働者が雇用関係の譲受会社への移転を望むのか，譲渡会社への残存を望むのか，個別のケース毎に利益状況が異なり，また，個別のケースの中でも，個々の労働者によって判断が異なり得る。このように多種多様な事案が存在し得る事業譲渡について，一律の強行的承継ルールが妥当するかは慎重な検討を要する。第2に，事業譲渡が行われるのは，苦境に至っ

定範囲の労働契約のみを承継しない旨の特別な合意がなされた疎明はないとして包括的承継を認めた]，日伸運輸事件・大阪高判昭和40・2・12判時404号53頁［経営組織変更を伴わない営業譲渡の合意は，「反対の特約がなされない限り」労働契約関係を包括的に譲渡する合意を含むとした]，松山市民病院事件・高松高判昭和42・9・6労民集18巻5号890頁［同一性を保持した病院の経営主体交替につき，譲渡・譲受会社間で従業員の労働関係を包括的に承継する暗黙の合意を認定し，かつ，特定労働者の承継を除外する合意は認定できないとした]，タジマヤ事件・大阪地判平成11・12・8労判777号25頁［子会社解散時の労働者の解雇を無効とし，解散後の親会社への譲渡の対象となる営業には全員の雇用契約も含むものとして営業譲渡がなされたと推認し，解雇労働者の親会社への承継を肯定した]。

10）新旧会社の実質的同一性を認定して，法人格否認の法理を適用した事例として，宝塚映像事件・神戸地伊丹支決昭和59・10・3労判441号27頁，新関西通信システムズ事件・大阪地決平成6・8・5労判668号48頁，日進工機事件・奈良地決平成11・1・11労判753号15頁等。

11）東京日新学園事件・東京高判平成17・7・13労判899号19頁は，事業譲渡において譲受人が雇用契約関係を承継するかどうかは譲渡契約当事者の合意で自由に定められるべきもので，事業譲渡の性質として雇用契約関係が当然に譲受人に承継されることになると解することはできず，従業員が事業の構成部分（有機的一体としての財産）として譲受人に移転されるべき実定法上の根拠はないとして，事業譲渡に伴う当然承継の主張を排斥した。

た企業が不採算部門を売却するという場合が少なくない。不採算部門が余剰人員を抱え，かつ労働条件も経営実態からすると高すぎるような場合に，事業譲渡に全従業員の承継および労働条件維持を強制すると，事業譲渡契約自体が成立し難くなる。事業譲渡契約が成立しないと，元来苦境にある本体企業の経営がますます行き詰まり，最悪の場合には倒産という事態にも至り，事業譲渡が成立していれば救われた雇用がすべて失われかねない。事業譲渡に際して労働者の承継を強制するEUの企業譲渡指令については，こうした観点からの反省点も指摘されていることに留意する必要がある[12]。したがって，立法化を行う際には，事業譲渡の多様な実態に適合し，かつ，長期的に見ても労働者保護に資する規範を検討すべきこととなろう。なお，厚生労働省「企業組織再編に伴う労働関係上の諸問題に関する研究会」報告（2002年8月）（座長西村健一郎京都大学教授〔当時〕）は，事業（営業）譲渡に関して労働契約承継ルールを立法措置で定めるのは妥当でなく，企業に求められる措置や配慮すべき事項について指針を策定し周知するべきであるとした[13]。2005年の会社法制定による会社分割制度の変更や裁判例の展開を踏まえて，厚生労働省「組織の変動に伴う労働関係に関する研究会報告書」（2015年11月）（座長荒木尚志東京大学教授）は改めて組織再編時の法規制のあり方を検討した。同報告書を受けて，厚生労働省「組織の変動に伴う労働関係に関する対応方策検討会報告書」（2016年4月）（座長鎌田耕一東洋大学教授）は，事業譲渡については，労働契約の自動承継や会社分割と同様の承継ルールを導入すべきとはせず，個別同意のあり方や労働組合との団体交渉・協議等について周知すべき事項を指針を策定して示すべきとの提言を行った[14]。

▩事業譲渡等指針　上記検討会報告書を受け，事業譲渡における労働契約の承継に必要な労働者の承諾の実質を担保し，労使間の納得性を高めること等により，事業譲渡・合併の円滑な実施と労働者の保護に資するよう「事業譲渡又は合併を行うに当たって会社等が留意すべき事項に関する指針」（事業譲渡等指針）（平成28厚労告318号）が定められた（2016年9月1日より適用）。

同指針では，事業譲渡における労働契約承継は特定承継の考え方で処理され，個別労働者の承諾が必要なことを確認し（同指針第2の1(1)），労働者から承諾を得る際の留意事項として，真意による承諾が得られるよう，事業譲渡の全体状況，譲受会社等の概要・労働条件等について十分説明し，承諾に向けた協議を行うことが適当であること，特に労働条件を変更して承継させる場合，労働者から当該変更について同意を得る必要があること，労働組合からの適法な団体交渉申入れは，個別労働者との協議が行われていることをもっ

---

12)　荒木尚志「EUにおける企業の合併・譲渡と労働法上の諸問題」北村一郎編『現代ヨーロッパ法の展望』81頁（1998年）参照。

13)　事業譲渡時の承継ルール問題について日・EU・独・米法の比較法研究に取り組み，結論として，事業譲渡に自動承継規定を立法化する必要はないことを説く労作として金久保茂『企業買収と労働者保護法理』（2012年）があり，注目される。

14)　当然承継ルールの立法化を疑問としつつ，明示の反対特約に基づく承継拒否に客観的合理的理由が認められない場合は例外的に労働契約承継を認める立法構想を提案するものとして，土田道夫「事業譲渡における労働契約承継法理の可能性」法時90巻7号40頁（2018年）。

て拒否できず，譲渡会社等は誠意をもって交渉に当たらねばならないこと等を定める（同(2)）。また，労働者が承継を承諾しなかったことのみを理由とする解雇等，客観的合理的理由を欠き社会通念上相当と認められない解雇は解雇権濫用として認められず，事業譲渡を理由とする解雇についても整理解雇法理が適用されること（同(3)），その他，組合員差別等の不当労働行為の禁止，裁判例上，労働契約承継の黙示の合意の認定，法人格否認，公序良俗違反の法理等により，承継から排除された労働者の救済が図られていることに留意すべきとする（同(4)）。そして，労働組合との関係について，協議および団体交渉における留意事項を挙げている（同2）。

合併については，包括承継であり，労働条件もそのまま維持されることを確認している（同第3）。

第4節　会社分割

Ⅰ　会社分割とは

会社分割とは，1つの会社を2つ以上の会社に分けることである。すなわち，会社がその「事業に関して有する権利義務の全部又は一部」[15]を他の会社に承継させる制度であり，円滑な企業組織再編のための法整備の総仕上げとして2000（平成12）年の商法改正で導入され2005（平成17）年の会社法制定時に一定の改正を経ている。

会社分割には，分割する会社（分割会社）A社が，「事業に関して有する権利義務の全部又は一部」を既存の会社（承継会社〔吸収分割承継会社〕）B社に吸収させる「吸収分割」（会社法2条29号）と，分割会社A社が新設会社B社（新設分割設立会社）を作り，そこに「事業に関して有する権利義務の全部又は一部」を承継させる「新設分割」（同30号）の2種類がある（**図表16-2**）。

その手続は，①分割契約（吸収分割の場合）の締結，分割計画（新設分割の場合）の作成（以下両者を合わせて「分割契約等」と呼ぶ）（会社法757条，758条〔吸収分割〕，762条，763条〔新設分割〕），②分割契約等の本店における備置き（事前開示）（782条，794条，803条），③株主総会における特別決議による承認[16]（同309条2項12

15）　2000年導入時は会社分割の対象は「営業の全部又は一部」とされていたが，2005年会社法制定により，対象は有機的一体性のある組織的財産たる事業（営業）である必要はなくなった。

16）　略式手続・簡易手続による場合は株主総会の承認は不要である。なお，反対株主や一定の新株予約権者には公正な価格での買取り請求権が認められる。

図表 16-2　会社分割

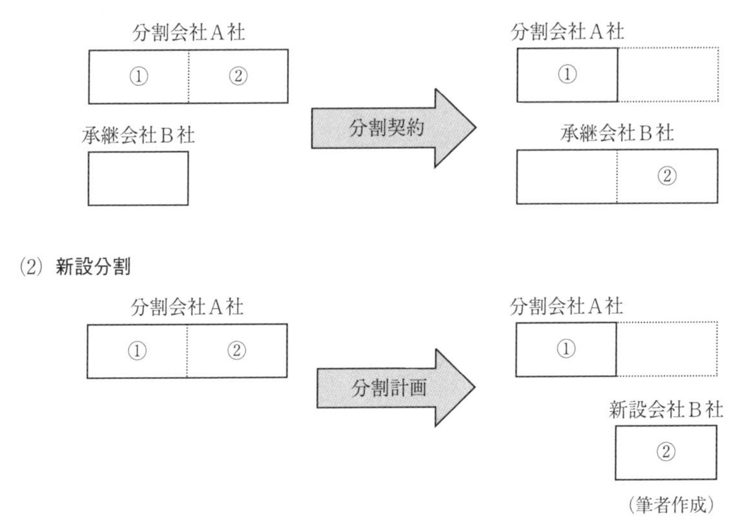

（筆者作成）

号，783条，784条〔吸収分割における分割会社〕，795条，796条〔吸収分割における承継会社〕，804条，805条〔新設分割における分割会社〕），④債権者への異議申述の公告・催告，異議を述べた債権者への弁済・担保提供等の債権者保護手続（同789条，799条，810条），⑤分割登記（同923条，924条），⑥分割事項を記載した書面等の事後の開示（同791条，801条，815条），となる。

会社分割の効果は包括承継であり，分割契約等に記載された権利義務は当然に，承継（新設）会社に承継される（会社法761条，764条）。包括承継という効果は合併と同様であるが，全部承継となる合併と異なり，包括承継の範囲が分割契約等で分割対象とされた部分に限定されている点で「部分的包括承継」となる。承継される権利義務は，分割契約等の定めに従って決まり，その効果の発生に債権者の同意等を要しないことで，円滑な企業組織再編実施を可能とする制度である。

Ⅱ　会社分割と労働契約の承継問題

会社分割の考え方を，何らの立法措置も講じずに労働契約に及ぼした場合，他の権利義務関係と同様，分割契約等に分割の対象として記載された労働契約関係は，労働者の同意を問題とすることなく当然に承継（新設）会社に承継されることになる。会社分割は合併と同様の組織法的行為による包括承継なので，事業譲渡と異なり民法625条1項の適用もなく，労働者は承継を拒否することはできず，移転・承継強制の不利益が生じ得る。他方，承継対象とするかどうかは，分割契約等に記載するかどうかという会社の意思のみによって決せられる。その結果，会社は自由に承継対象者を選別できることになり，移転・承継排除の不利益も生じ得る。合併，事業譲渡の場合と異なり，会社分割の場合，何らの立法措置も講じなければ承継強制と承継排除の両方の不利益が（同時にではないが）生じ得る事態となるのである（図表16-1参照）。

こうしたことから，労働組合は新たなリストラ策として濫用されかねないと，会社分割制度導入に強く反対した。そこで，1999（平成11）年12月に労働省（当時）内に「企業組織変更に係る労働関係法制等研究会」[17]を設けて立法的対処の要否を検討することとなった。研究会報告は，移転・承継強制の不利益および移転・承継排除の不利益が生ずる一定の場合に，労働者保護のための立法措置を講ずべきことを提言した。これを受けて，2000（平成12）年の会社分割制度を導入する商法改正と同時に労働契約承継法が立法された[18]。

Ⅲ　労働契約承継法

労働契約承継法は会社分割に際して，①労働者・労働組合への通知，②会社法の特例となる労働契約承継ルール，③会社法の特例となる労働協約承継ルール，④会社分割に当たって労働者の理解と協力を得る手続，の4つの事項について規制を行っている。また，同法については詳細で，かつ重要な内容を含む指針[19]（労働契約承継指針）が策定されており参照を要する。以下，まず規制の

17)　前掲注4参照。

18)　労働契約承継法の立法経緯については労働省労政局労政課編『労働契約承継法』18頁以下（2000年），荒木尚志「合併・営業譲渡・会社分割と労働関係」ジュリ1182号16頁（2000年），菅野和夫＝落合誠一編『会社分割をめぐる商法と労働法』別冊商事法務236号（2001年），厚生労働省労政担当参事官室編『改訂版労働契約承継法の実務』（2002年）等参照。

19)　分割会社及び承継会社等が講ずべき当該分割会社が締結している労働契約及び労働協約の承継に関する措置の適切な実施を図るための指針（平成12労告127号，平成28厚労告317号）。2016年組織変動検討会報告書（→493頁）を受けて，2016年8月に大幅に改正されている。

柱である②から検討する。

なお，労働契約承継法は，純然たる民事規範からなり，広義の労働契約法に属する。

1　会社分割における労働契約承継ルールの基本的考え方

労働契約承継法は，承継対象となる事業と労働者の関わり方に着目し，承継事業に主として従事する労働者（労働承継2条1項1号。以下「主従事労働者」と呼ぶ）と，承継事業に主として従事していない（以下「非主従事労働者」と呼ぶ）にもかかわらず承継の対象とされた労働者（同2号）に分けてルールを設定している。その際の基本的考え方は，労働者がそれまで主として従事してきた職務から切り離されずに継続できるようにすることである。なお，ここにいう労働者はいわゆる正社員には限られずパート労働者等の非正規労働者も含まれる。

▩2005年会社法制定による承継対象の考え方の変化と労働契約承継法　2000年商法改正で導入された際の会社分割の対象は「営業の全部又は一部」とされ，会社分割は承継対象となる営業（現在では「事業」）に全く従事しない労働者は会社分割の対象ともなし得ないと解されていた。そこで，労働者も承継事業に主として従事，従として従事，不従事の3つに分けて論じていた。しかし，2005年の会社法制定により，会社分割の対象は「事業に関して有する権利義務の全部又は一部」とされ，有機的一体性のある組織的財産たる事業（営業）である必要はないとされた（→474頁）ため，承継対象事業に全く従事していなかった者も，会社分割の対象とすることができるようになった。

会社法制定により，会社分割の対象が事業（営業）から変更されたにもかかわらず，労働契約承継法は，従来の「営業」を「事業」の語に修正したに留まる。これは，労働者が主として従事するかどうかを問題とする以上，従前通り「事業」を基本に考え，それに主として従事していない労働者については，全く従事していない労働者も含めて，非主従事労働者の問題として処理することで特段問題は生じないと考えたものであろう。

2016年の労働契約承継指針改正では，2005年会社法による会社分割単位の変更にもかかわらず，主従事労働者の判断は，承継される事業を単位とすること，その際，労働者の雇用・職務確保という承継法の労働者保護の趣旨を踏まえつつ解釈すべきことが明記された（労働承継指針第2の2(3)イ）。

▩「債務の履行の見込みあること」から「債務の履行の見込み」へ　2000年の会社分割制度導入時は，「債務の履行の見込みあること」とその理由の開示が要求されていたため，「債務の履行の見込みあること」が会社分割の実体的要件とされ，履行の見込みがなければ会社分割の無効事由になるとされていた。しかし，2005年会社法制定により，開示が要求されるのは「履行の見込み」に関する事項にすぎなくなった。そこで，「履行の見込みあること」は実体要件ではなくなったとされている[20]。2016年改正労働契約承継指針は，不採算分割の可能性を踏まえ，7条措置（→502頁），5条協議（→503頁）で「債務の履行の見込み」に関する事項が協議等の対象であることを明記する（同指針第2の4(1)イ，(2)ロ(ロ)）とともに，特定の労働者を解雇する目的で会社制度を濫用した場合に，法人格否認の法理や公序良俗違反等の適用があり得ること，労働組合員に対する不利益取扱いには不当労働行為としての救済があり得ることに留意すべきとしている（同2(4)イ(ト)）[21]。

2　承継事業に主として従事する労働者

(1)　承継対象とされた場合

まず，主従事労働者（労働承継2条1項1号）が，分割契約等に記載され承継対象とされている場合は，包括承継の原則通りに，承継会社等に当然に承継される（同3条）。主従事労働者については従事していた職務と切り離されるものではないこと，包括承継の効果として雇用および労働条件の維持が図られること，そして，会社分割の実効性を確保する社会的必要性等が考慮されたものである。したがって，主従事労働者が適法に会社分割の対象とされた場合，（退職はもとより自由であるが）労働者が承継の効果を否定して分割企業に残留するという意味での承継拒否権は認められない[22]。

(2)　承継対象から除外された場合

次に，主従事労働者が，承継対象から除外されている場合，主従事事業の職務から切り離されるという承継排除の不利益が生ずるので，本人が一定期間内に異議を申し出れば，労働契約が承継されることとされている。すなわち，分割会社は，分割に関する通知（労働承継2条により，株主総会の2週間前の前日までに書面によって行う）のなされた日から少なくとも13日の間隔を置いた「異議申出期限日」を定めるものとされており（2週間の考慮期間を与える趣旨である），労働者はその間に書面による異議申出が可能とされている（労働承継4条1項，2項）。そして当該労働者が「異議を申し出たときは，……分割会社との間で締結して

20）　相澤哲編『立案担当者による新会社法関係法務省令の解説』（別冊商事法務300号）137頁（2006年），神田・前掲注5・416頁。ただし反対説も有力である（江頭・前掲注5・945頁）。

21）　事業部門を新設会社に承継させ，組合員らの属する輸送部門を分割会社に残す会社分割を行い，その後に輸送部門を閉鎖した事案につき，組合員排除目的の不法行為であるとし，会社経営者と共謀して会社分割を行った司法書士の共同不法行為責任を認めた例として生コン製販会社経営者ら事件・大阪高判平成27・12・11労判1135号29頁。

22）　日本アイ・ビー・エム事件・最二小判平成22・7・12民集64巻5号1333頁。

いる労働契約は……承継会社等に承継される」(同4項)。分割契約等に記載されていないにもかかわらず労働者の異議申出により承継の効果を認めるものであり，分割契約等の「定めに従い」承継の効果が発生するという会社法の会社分割ルール（会社法759条1項，761条1項，764条1項，766条1項）の例外を定めたものである。

以上の結果，主従事労働者は，承継対象とされていれば当然に承継され，承継から排除された場合も，本人が承継を希望すれば主従事事業から切り離されることなく承継されることになる。

3　承継事業に主として従事せず承継対象とされた労働者

非主従事労働者であって，分割契約等で承継対象と定められた労働者（労働承継2条1項2号）には，従来主として従事してきた事業の職務から切り離される「承継強制の不利益」が生ずる。そこで，かかる労働者は，上述の2(2)と同様の異議申出期間内に異議を申し出れば（同5条1項），労働契約は承継会社等に承継されないこととされている（同3項）。

▩承継事業に「主として従事する」の判断基準　上記のように，承継事業に「主として従事する」か否かにより労働契約の承継は異なった取扱いとなる。労働者の職務が契約で限定されず，配転等の人事異動が柔軟に行われる日本企業では，承継事業に主として従事していたか否かを，いつの時点でどのように判断するかが重要な解釈問題となる。この点については労働契約承継法施行規則2条および労働契約承継指針第2の2(3)で詳細な基準が定められている。すなわち，分割契約等締結・作成時点における判断が基本となり，①承継事業に専ら従事する労働者は主従事労働者に該当，②承継事業以外の事業にも従事している場合，それぞれの事業に従事する時間，役割等を総合判断して決定，③間接部門（総務，人事，経理等）の労働者で，承継事業に専ら従事する労働者は主従事労働者に該当。承継事業以外の事業に従事している場合で②により判断可能ならそれにより，不明の場合，それらの労働者を除いた分割会社の労働者の過半数が承継会社に承継される場合は，それら労働者も承継事業の主従事労働者に該当，④一時的に承継事業に主として従事しているに過ぎず，その後は承継事業に主として従事しないことが明らかなものは，主従事労働者に該当しない。他方，⑤一時的に承継事業以外に主として従事しており，その後，承継事業に主として従事することが明らかなものは，主従事労働者に該当する。さらに，⑥過去の勤務実態から承継・非承継が明らかな労働者に関し，合理的理由なく承継会社または分割会社から排除する目的で会社分割効力発生日前に意図的に配転した場合，過去の勤務実態に基づき判断する。

4　労働条件の承継

労働契約が承継される場合は，包括承継の帰結として労働条件もそのまま変動なく維持され，年次有給休暇の日数，退職金額等の算定等における勤続年数も，分割会社のものが通算される。会社分割を理由とする労働条件の一方的不利益変更は禁止される（労働承継指針第2の2(4)）。ただし，承継前・承継後に通常の労働条件変更手段（労契法10条の就業規則の合理的変更など）をとることは可能である。

▩転籍合意による承継と会社分割　事業設備等は会社分割により承継され，当該事業の主従事労働者の労働契約関係は会社分割ではなく転籍合意によって移転する場合に，労働条件の不利益変更が許容されるのかどうかが問題となり，これを公序良俗違反とした裁判例もあった23)。しかし，これは主従事労働者が会社分割としては承継対象から排除された場合であるから，主従事労働者の不承継に対する異議申出権の問題と捉えれば足りる。すなわち，転籍合意による労働条件の不利益変更に不満な労働者は，労働契約承継法4条1項の異議申出をすることができ，異議を申し出た場合には，4条4項の効果として従前の労働条件のままの労働契約が承継される。これに対して，労働者自身が転籍条件に納得しており（例えば退職金の上積みがあった場合等），会社分割としての不承継について異議申出をしなかった場合には，これを常に無効とする必要はないと解される24)。2016年の労働契約承継指針改正は，かかる立場から，転籍合意について記述を追加した（同第2の2(5)イ）。すなわち，転籍対象労働者が主従事労働者である場合，法2条1項および2項の通知，商法等改正法附則5条の協議等の手続は省略できないこと（(イ)），転籍によらずに会社分割により承継される場合は労働条件はそのまま維持されることと，承継する旨の定めがない（承継から排除された）場合は法4条1項の異議申出が可能なことを，当該労働者に説明すべきこと（(ロ)），異議申出により労働契約は労働条件を維持したまま承継されるため，これに反する転籍合意部分は効力がないものとされること（(ハ)），を定めている。

(ハ)は，異議申出権が労働者保護の観点から，事前に放棄できないものとして労働者に保障されている趣旨に加えて，EU諸国と異なり，日本には労働条件を変更した組織再編のために事業譲渡というルートもある中で，他の権利義務は会社分割で承継しつつ，労働関係については転籍合意により移転することで，会社分割では保障されたはずの労働条件維持の利益が損なわれることを防止すべきこと，分割会社に対して，労働者に異議申出権行使を選択させないような十分な協議・説明や代替的条件提示のインセンティブを与えることが妥当であること25)等を考慮したものと解される。

---

23)　阪神バス事件・神戸地尼崎支判平成26・4・22労判1096号44頁。

24)　かかる解釈は，土岐将仁・阪神バス事件判批・ジュリ1484号131頁（2015年）によっている。

25)　このような考察も土岐・前掲注24・判批によっている。

Ⅳ　労働協約の承継

1　労働協約の承継・不承継問題への対処

労働協約の承継・不承継に関しては，次のような問題が生じ得る。第1に，組合員の労働契約が承継されたにもかかわらず，労働協約が分割契約等に承継対象として記載されない場合には，労働者が協約によって労使関係の中で獲得してきた利益（規範的効力による労働条件保護や組合事務所等の組合活動上の利益等）を失うという問題がある。第2に，協約が分割契約等で承継対象とされると，承継という効果は，従前の当事者間の法律関係が移転してしまう（元には何も残らない）ことなので，元の分割会社に組合員が残存する場合，これらの組合員が協約の適用を受けられなくなる不合理がある。

そこで，労働契約承継法は，労働組合の組合員が承継会社等へ承継された場合は，協約を承継させるのではなく，「承継会社等と当該労働組合との間で当該労働協約〔分割会社と当該組合間の協約〕……と同一の内容の労働協約が締結されたものとみなす」こととしている（労働承継6条3項)。いうなれば従来の分割会社と労働組合間の協約のコピーが承継会社等と組合間に存することとなる。これは分割契約等の記載に関係なく，組合員が会社分割によって承継会社等に移転すれば当然に生ずる効果として規定されている。

2　債務的部分についての部分承継

しかし，組合事務所や掲示板の提供等，債務的部分については，承継前と同一の協約が組合と承継会社等との間で締結されたとみなすより，分割会社と承継会社等との間で，権利義務を分担するのが適当である場合がある。例えば，分割会社Aに①②の2部門があり，組合事務所が2個提供されていた場合，①②が分割された後は，①と②とにそれぞれ1個の組合事務所提供がなされるのが合理的である。これは，協約の債務的部分の一部のみの承継を分割契約等に規定できれば可能となる。ところが，一つの契約の権利義務の一部分だけを承継させることは，会社分割法制上予定されていなかった。

そこで，労働契約承継法6条1項は「分割会社は，分割契約等に，当該分割会社と労働組合との間で締結されている労働協約のうち承継会社等が承継する部分を定めることができる」として，協約の一部分のみを分割契約等に記載できることとした。

次いで，同6条2項は，協約の債務的部分の全部または一部について，分割会社と労働組合間で「分割契約等の定めに従い当該承継会社等に承継させる旨の合意があったときは，当該合意に係る部分は，……当該承継会社等に承継されるものとする」としている。これによって，例えば2つの組合事務所①②を貸与する協約のうち，②のみを承継会社に承継させる旨，分割会社と組合間で合意が成立し，その旨が分割契約等に記載されれば，②の貸与に関しては承継の効果が発生する。つまり，当該労働組合と分割会社との間では組合事務所②を貸与する旨の債務的部分が消滅し，当該労働組合と承継会社との間に②を貸与するという債務的部分が存することとなる。

これに対して，同6条2項の債務的部分の振分けについて分割会社と労働組合が合意できない場合には，同3項により，当該組合員が承継される限り，債務的部分を含めて同一内容の協約が承継会社等と労働組合の間に締結されたものとみなされることになる。

労働協約の規範的部分については，上述した債務的部分に関する同6条2項のような規定がないことから，同3項の規定により，労働組合員が承継会社等に承継される限り，必ず，承継前と同一の協約の締結が擬制される。したがって，組合員には，労働協約による労働条件保護が維持されることとなる。

V　労働契約承継に関わる手続

会社分割による労働契約承継については順次，以下のような手続をとる必要がある。1，2の手続は，政府法案には盛り込まれていなかったが，国会修正で設けられたものである。

1　労働者全体の理解と協力を得る努力（7条措置）

国会修正で労働契約承継法7条が新設され，「分割会社は，当該分割に当たり，〔厚生〕労働大臣の定めるところにより，その雇用する労働者の理解と協力を得るよう努めるものとする」と規定された。この規定の対象は「その雇用する労働者」であるので，承継対象事業に従事しているかどうかに関係なく，全労働者が対象となっている。具体的には過半数組合や過半数代表者との協議，これに準ずる方法による措置が考えられる（「7条措置」といわれることがある）。

労働契約承継指針は7条措置の対象事項として，(イ)会社分割をする背景および理由，(ロ)効力発生日以後における分割会社・承継会社等の債務の履行の見込みに関する事項[26]，(ハ)主従事労働者に該当するか否かの判断基準，(ニ)労働契約承継法6条の労働協約の承継に関する事項，(ホ)会社分割に当たり分割会社・承継会社等と関係労働組合・労働者との間に生じた労働関係上の問題の解決のための手続，を挙げている（労働承継指針第2の4(2)ロ）。ただし，7条措置は次述する5条協議や通知義務とは異なり，努力義務に留まる[27]。

なお，この協議等は労働組合との団体交渉を代替するものではなく，労働組合が団体交渉を申し入れてきた場合，使用者はこれに応ずる義務がある（同ハ）。また，7条措置は，遅くとも次述する5条協議の開始までに開始されるべきとされている（同ニ）。

2　個別労働者との事前協議（商法等改正法附則「5条協議」）

2000（平成12）年商法等改正法附則5条1項は「……会社分割に伴う労働契約の承継等に関しては，会社分割をする会社は，〔労働契約承継法〕第2条第1項の規定による通知をすべき日〔＝株主総会の2週間前の前日〕[28]までに，労働者と協議をするものとする」と規定している。ここでの協議は，個別労働者との協議である（「5条協議」といわれることもある）。これは承継事業に従事する労働者の労働契約を承継会社等に承継させるか，分割会社に残すかについて労働者に必要な説明を行い労働者の希望を聴取した上で承継対象者を決する趣旨の協議である。個別協議の対象となるのは，2016年改正前の指針では，承継事業に従事する労働者とされていた。しかし，承継事業に従事していない者でも承継対象とする者は法2条1項の通知の対象とされており，5条協議の対象とすべきである[29]。そこで，2016年指針改正では非主従事労働者で承継対象とする労働者も対象となることが明記された（労働承継指針第2の4(1)イ，**図表16-3**参照）。

労働契約承継指針は「分割会社は，当該労働者に対し，当該効力発生日以後当該労働者が勤務することとなる会社の概要，効力発生日以後における分割会

26）2016年労働契約承継指針改正で，「債務の履行」が「債務の履行の見込み」となった。

27）日本アイ・ビー・エム事件・前掲注22［7条措置違反自体は労働契約承継の効力を左右する事由になるものではなく，特段の事情がある場合に，5条協議義務違反の有無を判断する一事情として問題となるに留まるとする］。

28）2005年会社法制定前は分割契約書等の本店備置きの日までとされていた。

29）2005年会社法制定時に不従事労働者（承継事業に全く従事していない労働者）も会社分割の対象となし得ることになった際の指針改正における改正漏れである。

社及び承継会社等の債務の履行の見込みに関する事項[30)]，当該労働者が法第2条第1項第1号に掲げる労働者〔主従事労働者〕に該当するか否かの考え方等を十分説明し，本人の希望を聴取した上で，当該労働者に係る労働契約の承継の有無，承継するとした場合又は承継しないとした場合の当該労働者が従事することを予定する業務の内容，就業場所その他の就業形態等について協議をするもの」としている（同第2の4(1)イ）。協議義務は協議の成立，同意までを要求するものではない。

この協議義務違反の効果については，協議を全く行わなかった場合または実質的にこれと同視し得る場合には，会社分割無効の原因となり得るとされている（労働承継指針第2の4(1)ヘ）が，次の2点が問題となる。第1に，分割無効については，分割無効の訴え[31)]によってのみ主張可能とされているところ（会社法828条1項9号，10号），分割無効の訴えによらずに分割の効果たる労働契約承継の効力を争えるかである。学説[32)]では，協議義務違反の状態のまま会社分割の効果を被った労働者は，分割無効の訴えによることなく，分割会社または承継会社等における労働契約上の地位確認訴訟が可能とする立場が主張されており，判例もこの立場を採用した[33)]。第2に，分割による労働契約承継を否定する事由は，分割無効原因に限られるか，という問題がある。第1の問題について，対世効を持った分割無効の訴えとは別に労働契約承継の効果を争えるとする立場に立てば，分割無効原因に限定する必然性はなくなる。判例も，分割無効原因と解されている5条協議が全く行われなかった場合のみならず，「5条協議が行われた場合であっても，その際の分割会社からの説明や協議の内容が著しく不十分であるため，法が5条協議を求めた趣旨に反することが明らかな場合」も，5条協議違反と評価して労働契約承継の効果を個別に争いうるとした[34)]。2016年指針改正では，この判例の立場が指針でも明記された（同ヘ）。

30）　この債務の履行の見込みに関する部分は2016年改正で挿入された。

31）　提訴権者には分割について承認しなかった債権者が含まれる（会社法828条2項9号，10号）。なお，江頭憲治郎『株式会社法』（3版）846頁（2009年）注2は，将来の労働契約上の債権を有するに過ぎない労働者は，債権者異議手続の対象ではなく，分割無効の訴えの提訴権はないとし，個別の承継・残留の選択権付与により救済すべきとしていた。

32）　岩出誠「会社分割による労働契約承継法の実務（第5回）」労判800号95頁（2001年），江頭・前掲注31・823頁注4，菅野和夫『労働法』（9版）475頁（2010年），土田道夫『労働契約法』（初版）553頁注158（2008年）。

33）　日本アイ・ビー・エム事件・前掲注22。

図表 16-3　会社分割における個別労働者に関する手続

	主従事労働者		従従事労働者（非主従事労働者）		不従事労働者（非主従事労働者）	
	承継の定め有	承継の定め無	承継の定め有	承継の定め無	承継の定め有	承継の定め無
5条協議	○	○	○	○	○	×
通知	○	○	○	×	○	×
異議申出	×	○	○	×	○	×

主従事労働者：承継事業に主として従事する労働者
従従事労働者：承継事業に従として従事する労働者
不従事労働者：承継事業に全く従事していない労働者

（筆者作成）

3　労働者・労働組合への通知

(1)　通知対象労働者・労働組合

会社分割を行う会社は，分割契約等を承認する株主総会の日の2週間前の日の前日（通知期限日）までに，主従事労働者全員と非主従事労働者で承継対象とされた者に対して（労働承継2条1項，3項），また，協約を締結している労働組合[35]に対して（同2項），所定通知事項を書面により通知しなければならない。

通知期限日を株主総会の日の2週間前の日の前日としたのは，異議申出の考慮期間を2週間確保する趣旨である。

(2)　通知事項

労働者に通知すべき事項は，①当該労働者が分割契約等に承継対象として記載されたか否か，②承継対象とされた労働者は，会社分割効力発生日以後，労

34)　日本アイ・ビー・エム事件・前掲注 22。同事件については荒木尚志・判批・平成 22 年度重要判例解説 263 頁（2011 年）参照。5条協議違反を認めた例としてエイボン・プロダクツ事件・東京地判平成 29・3・28 労判 1164 号 71 頁［労働組合を脱退することと引替えに労働契約の新設会社への承継対象とするという話合いの内容は，5条協議の聴取とは程遠く，少なくとも，法が同協議を求めた趣旨に反することが明らかとして，承継の効果を否定］。同事件判決は，5条協議が不十分というより不当労働行為的な不適切な内容であったことを理由とするものである。土岐将仁・判批・平成 29 年度重要判例解説 230 頁（2018 年）参照。

35)　労働協約を締結していない場合にも，分割会社に組合員がいる労働組合には通知することが望ましいとされている（労働承継指針第2の1(3)）。

働契約が包括的に承継されるため，労働条件はそのまま維持されること[36]，③当該労働者の異議申出期限日，④当該労働者が労働契約承継法2条1項各号のいずれに該当するか（承継事業の主従事労働者か非主従事労働者か），⑤承継事業の概要，⑥分割効力発生日後の分割会社，承継会社等の商号，住所（会社法763条1項に規定する新設分割設立会社にあっては所在地），事業内容，雇用予定労働者数，⑦分割の効力発生日，⑧分割効力発生日以後の分割会社または承継会社等における当該労働者の業務内容，就業場所，その他の就業形態，⑨分割効力発生日以後の分割会社および承継会社等の債務の履行見込みに関する事項，⑩4条1項・5条1項の異議申出が可能なこと，異議申出受理部門の名称・住所または担当者氏名・職名・勤務場所（以上労働承継2条1項，労働承継則1条），である。

また，労働組合に通知すべき事項は，上記⑤，⑥，⑦，⑨（労働承継則3条1号）のほか，⑪分割会社と労働組合との間の労働協約が分割契約等に承継対象として記載されたか否か（労働承継2条2項），⑫承継労働者の範囲または氏名（労働承継則3条2号），⑬承継会社等が承継する労働協約の内容（同3号），である。

⑶　通知義務違反の効果

通知義務違反の効果については労働契約承継法に規定がないため，解釈問題となる。

通知義務違反には，通知を全く受けない場合のほか，書面によらない通知，通知期間が法定期間に満たない通知，通知すべき事項の脱落等，種々の場合があり得る。このように通知義務違反には多様なケースがあるところ，これを一律に会社分割の手続的瑕疵として分割無効の原因と解するのは適切ではない。むしろ，適法な通知を受けなかったために適切な異議申出の機会を奪われた労働者に対して，事後的に，適法な通知を行い，異議申出期限日を設定し，当該期間内に異議申出がなされた場合には，適法に異議申出があった場合と同様の効果を認める等の個別的な処理を行うのが妥当である。

上記のような処理でも紛争が解決されない場合については，訴訟により通知義務違反の承継の効力について争うことが可能と解する。労働契約承継指針は，

36）　2016年規則改正で労働承継則1条2号として追加された。

図表 16-4　株式会社の会社分割手続の流れ（概要）（株主総会の承認を要する場合）

（労働契約承継法・平成12年商法等改正法）	（会社法）
○労働者の理解と協力を得るための協議 （承継法7） ・平成12年商法等改正法附則5①の協議までに開始することが望ましい	（○分割契約等の準備）
○労働契約の承継に関する労働者との協議 （平成12年商法等改正法附則5①） ・分割契約等の通知期限日（株主総会日の2週間前の日の前日）までに協議 ・十分な協議ができる時間的余裕をみて開始するのが望ましい **○労働協約中の分割契約等に定める部分の労使合意** （承継法6②） ・分割契約締結前又は分割計画作成前の合意が望ましい	
○労働者への通知 （承継法2①） **○労働組合への通知** （承継法2②） ・通知期限日までに通知 ・分割契約等の本店備置開始日又は分割契約等承認株主総会の招集通知日を通知日より早くする場合は，それらの日と同じ日に通知することが望ましい	○[吸収] 分割契約の締結 （757） ○[新設] 分割計画の作成 （762①・②） ○分割契約等の本店備置き （[吸収] 782①Ⅱ,794①） （[新設] 803①Ⅱ） ・株主買取請求手続等開始日又は分割契約等承認株主総会日の2週間前の日のうち最も早いものから効力発生日後6か月を経過する日まで備置き
○労働契約の承継等について労働者の異議申出 （承継法4①，5①） ・通知期限日の翌日から株主総会日の前日までの分割会社が定める期間（少なくとも13日間）に申出	○株主総会招集通知 （299①） ・株主総会の日の2週間前までに通知 ○[吸収] 株式買取請求・通知・公告 （785①・③・④,797①・③・④） ○[吸収] 新株予約権買取請求・通知・公告 （787①Ⅱ・③Ⅱ・④） ○[吸収] 債権者異議申述・公告・催告 （789①Ⅱ・②,799①Ⅱ・②）
	○株主総会による分割契約等の承認 （[吸収] 783①,795①） （[新設] 804①）
	○[新設] 株式買取請求・通知・公告 （806①・③・④） ○[新設] 新株予約権買取請求・通知・公告 （808①Ⅱ・③Ⅱ・④） ○[新設] 債権者異議申述・公告・催告 （810①Ⅱ・②）
	○[吸収] 効力発生 （759①,761①） ○[新設] 登記（＝効力発生） （924①ⅠⅢ・②ⅠⅢ（49,579,764①,766①））
	○[吸収] 登記 （923）
	○会社分割の無効の訴え （[吸収] 828①Ⅸ） （[新設] 828①Ⅹ）

（出所：厚生労働省「会社分割に伴う労働契約の承継等に関する法律（労働契約承継法）の概要」〔2016年〕）

①承継事業に主として従事する労働者で承継対象とされなかった者が労働契約承継法2条1項の通知を適法に受けなかった場合，効力発生日以後においても承継会社等に対して労働者たる地位の確認，分割会社に対して労働者たる地位の不存在確認が可能，②承継事業に主として従事しない労働者が承継対象とされたが法2条1項の通知を適法に受けなかった場合，効力発生日以後においても，分割会社に対して労働者たる地位の確認，承継会社等に対して雇用関係不存在確認が可能としている（労働承継指針第2の2(3)ニ）。

第5節　会社の解散

Ⅰ　会社解散と労働関係

会社は合併，破産手続開始決定，解散を命ずる裁判等のほか，株主総会の特別決議（持分会社の場合，総社員の同意）によって解散される（会社法471条，309条2項11号，641条）。会社は解散しても直ちに消滅するわけではなく，合併により解散した場合および破産手続開始決定による解散で，当該破産手続が終了していない場合を除き，清算手続に入り（同475条1号，644条1号），清算結了に至るまで清算目的の範囲内で存続する（同476条，645条，清算結了登記は929条）。したがって，会社解散の場合も，労働契約関係は当然に終了するわけではなく，合意解約，辞職，解雇の問題が生ずる。解散の場合にも解雇については解雇予告（労基20条），解雇権濫用規制（労契16条）の適用がある。解散を理由とする解雇に整理解雇法理が適用されるかについては議論がある（→337頁以下）。

Ⅱ　会社解散の自由（真実解散）と偽装解散

会社解散・事業廃止は雇用の喪失をもたらし労働者に深刻な不利益を与え，社会的影響も大きい。特に，会社解散が不当な目的のために行われた場合にも解散の自由が認められるべきかが問題となる[37]。

この点については，かつては不当労働行為（組合潰し）目的の解散決議を無効とする裁判例・学説[38]もあった。しかし，現在，学説・裁判例の大勢は，企

37）　菅野和夫「会社解散と雇用関係」山口浩一郎先生古稀記念『友愛と法』129頁（2007年），土田・契約法605頁等参照。

業廃止の自由は財産権，営業の自由，職業選択の自由に基づく資本主義経済体制における法秩序の基本原則であり，真に企業を廃止する解散決議は，労働組合を壊滅する意図によるものであっても有効であると解している[39]。つまり，真実解散・廃業の場合には，たとえ不当目的のための解散であっても，解散自体の効力を否定することはできない。

もっとも，会社解散の自由が認められ解散決議が無効となることはないとしても，解散を前提としたその他の行為のすべてが当然に適法とされることにはならない。会社解散後，清算結了に至るまでの間の解雇について，その手続に問題があったとして解雇権濫用を認める例[40]や，会社解散および解雇は有効でも，取締役の任務懈怠による損害賠償責任を認める例[41]，親会社が組合壊滅のために子会社を解散し，子会社従業員を解雇したことについて不法行為責任を認めた例[42]等が見られる。

これに対して，会社解散後も事実上事業を継続したり，実質的に同一な新会社を設立したりするいわゆる「偽装解散」の場合，解雇された労働者が実質的に同一事業を営む新会社に雇用関係の確認を求めたり，旧会社の使用者としての責任を新会社に求めることがある。この請求が認められるかどうかは，旧会社と新会社とは別法人であるために，法人格否認の法理の適用の問題となる(→63頁。不当労働行為による救済については→740頁以下)。

---

38)　太田鉄工所事件・大阪地判昭和31・12・1労民集7巻6号986頁，日産金属工業事件・大阪地判昭和56・12・21労判379号42頁，盛岡市農協事件・盛岡地判昭和60・7・26労判461号50頁，正田彬「会社解散と不当労働行為」季労46号43頁（1962年），橋詰洋三「会社解散と不当労働行為」新講座6巻159頁等。

39)　三協紙器製作所事件・東京高決昭和37・12・4労民集13巻6号1172頁，池本興業・中央生コンクリート事件・高知地判平成3・3・29労判613号77頁，グリン製菓事件・大阪地決平成10・7・7労判747号50頁，日進工機事件・前掲注10，大森陸運ほか2社事件・神戸地判平成15・3・26労判857号77頁，同・大阪高判平成15・11・13労判886号75頁等，石井465頁，菅野763頁等。これに対し，会社解散自体は有効としても，当該解散が著しく合理性を欠く場合は解雇権を濫用したものとして労契法16条により無効となる余地があるとしたもの［結論としては濫用否定］として帝産キャブ奈良事件・奈良地判平成26・7・17労判1102号18頁。

40)　グリン製菓事件・前掲注39。

41)　JT乳業事件・名古屋高金沢支判平成17・5・18労判905号52頁［牛乳食中毒事件後の解散・解雇につき代表取締役の任務懈怠と雇用契約上の権利喪失損害の因果関係を認め解雇後2年間の賃金相当額またはその差額の損害賠償請求を認容した］。

42)　ワイケーサービス（九州定温輸送）事件・福岡地小倉支判平成21・6・11労判989号20頁。

Ⅲ　事業譲渡解散と労働関係

A社がその事業をB社に全部譲渡し，その後，自らは解散する場合，事業譲渡のオーソドックスな考え方によると，AB間の事業譲渡契約でA社の労働者を承継する合意とA社の労働者の移籍の承諾がなければ，労働契約はB社に承継されない。ここで，AB間に承継合意がなく，むしろ，B社は採用の自由の問題としてA社の労働者を選別して雇用する場合，採用されなかったA社の労働者の雇用保障問題が生ずる。既述のように，AB間の事業譲渡契約の解釈問題で処理できる場合もあるが，そうでない場合に，A社の事業譲渡解散とB社の採用を一体と見て，整理解雇法理の適用を模索する裁判例の展開がある[43)]。例えば，新会社を設立し，そこに事業譲渡を行い，従業員については選別採用するという行為が，倒産回避と組合排除の意図を持ってなされたと認定された事例で，裁判所は旧会社の全員解雇と新会社の一部不採用は整理解雇法理の潜脱で法人格の濫用と評価し，不採用労働者と新会社との雇用関係を認めている[44)]。

また，労働条件を不利益に変更するために事業譲渡を行い，譲渡先では労働条件の不利益変更に同意する者のみを採用し，旧企業が解散し，不同意の労働者が解雇されたという事例では，当該解散・解雇は，労働条件変更に異議のある従業員を個別に排除する目的でなされたものとして，解雇権濫用と評価し，事業譲渡契約に原則全員承継の合意が含まれていたとして譲渡先企業への承継を認めている[45)]。

このように，事業の全部譲渡・解散の場合に，裁判例は，事業譲渡一般について雇用承継ルールがない中で，解雇権濫用法理や法人格否認の法理の適用を模索している状況にある。しかし，未成熟な理論的段階との評価[46)]もある。この問題の処理を困難にしている一つの要因として，解雇問題に解雇無効（雇用関係存続強制）か解雇有効（一切の救済否定）かという二者択一の選択肢しか用意されていないということも指摘できよう。雇用が失われる場合の多様柔軟な

43)　この問題については菅野・前掲注37・145頁以下参照。

44)　新関西通信システムズ事件・前掲注10。

45)　勝英自動車（大船自動車興業）事件・横浜地判平成15・12・16労判871号108頁，同・東京高判平成17・5・31労判898号16頁。

46)　菅野766頁。

救済手段が用意された場合には，新たな展望が開けてくる可能性がある。

第17章 懲　戒

第1節 服務規律・企業秩序と懲戒

労働契約関係の特色の一つが集団的・組織的就労関係である（→18頁）。多数の労働者が企業組織の中で企業施設を利用して就労する労働関係においては，労働者が遵守すべき服務規律が要請され，企業はこれを就業規則で定めるのが通常である。服務規律規定には，①労務提供（労働義務）に関するもの（出退勤，遅刻・早退，欠勤，就業時間中の外出等の手続，上司の指示・命令への服従，勤務時間中の職務専念義務等），②職場秩序の保持に関するもの（職場秩序・風紀の維持，喫煙規制，政治活動・組合活動の禁止等），③企業施設利用に関するもの（会社財産の保全，施設の立入り・利用制限，ビラ配布・貼付の場所と手続の規制等），④企業外の行動に関するもの（会社の名誉毀損行為の禁止，企業・営業秘密の保持，競業活動・兼業活動の規制等）等がある[1)]。①は主たる義務である労働義務に対応したものであるが，②～④は付随義務として労働契約内容となるか否かが問題となり得る事項である。

そして，労働者がこれらの服務規律に違反した場合，懲戒処分が予定されるのが通常である。しかし，懲戒処分は，一般の契約関係において契約違反の際に予定されている契約解除や損害賠償という措置を超えた，労働関係に独特の制裁措置であり，労働者を使用者の権力的支配に従属させる措置と見ることもできる。そこで，こうした懲戒処分をなし得る根拠やその限界をめぐって学説・判例上様々な議論がなされてきた。

なお，労働契約法15条は「使用者が労働者を懲戒することができる場合に

1) 注釈労基法（上）247頁［土田道夫］，土田・契約法467頁，水町・詳解558頁等参照。菅野690頁以下は，服務規律を，狭義の服務規律，企業財産の管理・保全のための規律，従業員としての地位・身分による規律に分類する。

おいて」懲戒権濫用を無効とすることを規定したに留まり，懲戒権の存否については直接触れていない。

第2節　懲戒権の根拠

I　裁判例・学説の展開

懲戒権の法的根拠に関する議論は，懲戒の規定が使用者が一方的に作成する就業規則によって設けられることから（労基89条9号参照），就業規則の法的性質に関する議論と絡まり合って複雑な様相を呈した2)。現代的労働関係において懲戒権なる制裁措置を契約の一方当事者である使用者に認めることの根拠も活発に議論されたが，解釈論として具体的に課題となるのは，懲戒権を定めた具体的条項がなくとも懲戒権を行使し得るかであり，従来の議論はこれを肯定する固有権（経営権）説とこれを否定するその他の説（契約説や授権説等）に大別できる。

固有権説は，使用者は，規律と秩序を必要とする企業の運営者として当然に固有の懲戒権を有すると解する。同説によると，懲戒に関する就業規則等の根拠規定がなくとも経営権ないし企業所有権の一作用として当然に懲戒権を行使することができ，就業規則に懲戒事由が列挙されていても，それは例示列挙に過ぎないこととなる。初期の裁判例および学説では，固有権説を採るものも少なくなかった。

これに対して，学説の大勢は使用者の懲戒権をア・プリオリに承認する固有権説を批判し，懲戒権を認めるためには何らかの懲戒条項が必要とする立場を採った。その内容はそれぞれの就業規則の法的性質論の理解の違いを反映して多岐にわたったが，就業規則で懲戒規定を設けることが労働基準法89条，91条で法認ないし授権されているとする授権説や，懲戒権は就業規則の懲戒規定が契約内容となって初めて認められるとする契約説などが主張された。これらの見解によると，懲戒権行使は就業規則や労働者との合意によって使用者が取

2）学説の包括的検討として，学説史808頁以下［籾井常喜］，鈴木隆「企業の懲戒・制裁」講座21世紀6巻146頁，土田・契約法471頁，三井正信「懲戒権の根拠・要件・効果」争点60頁，淺野高宏「懲戒処分と労働契約」講座再生2巻201頁等。

得した懲戒権の範囲内でのみ可能であり，したがって，就業規則の懲戒事由・懲戒手段の列挙も，例示列挙ではなく限定列挙と解すべきことになる。

Ⅱ　判例の立場とその位置づけ

1　判例の企業秩序論と懲戒権

これらの学説に対して，最高裁判例は昭和40年代後半以降，「企業秩序論」と呼ばれる体系的な立場を確立し，懲戒権も企業秩序定立権の一環として位置づけている[3)]。すなわち，富士重工業事件最高裁判決[4)]は，企業は「企業秩序を維持確保するため，これに必要な諸事項を規則をもつて一般的に定め，あるいは具体的に労働者に指示，命令することができ」るとして，企業秩序定立・維持権限を認め，「労働者は，労働契約を締結して企業に雇用されることによつて，企業に対し，労務提供義務を負うとともに，これに付随して，企業秩序遵守義務その他の義務を負う」とする[5)]。そして，労働者のかかる労務提供義務・企業秩序遵守義務を前提に関西電力事件最高裁判決[6)]は，「使用者は，広く企業秩序を維持し，もつて企業の円滑な運営を図るために，その雇用する労働者の企業秩序違反行為を理由として，当該労働者に対し，一種の制裁罰である懲戒を課することができる」とする。

2　義務違反の成立と懲戒権行使

判例の説くところを，労働者は労働契約締結に付随して（いわば当然に）「企業秩序遵守義務」を負い，使用者はその違反に対して当然に懲戒を課し得る立場と解すると，固有権説の系譜に属するように見える。しかし，義務違反の成立と懲戒処分の可否は，当然に直結するものではない。義務違反に対して，通常の契約違反に対する処置（契約解除・損害賠償）とは異なる懲戒処分という制裁を課す根拠が問われねばならない。

▩懲戒処分の雇用関係における機能　そもそも，通常の契約違反についての責任追及（契約解除・損害賠償）ではなく，懲戒処分という措置が労働関係において採られるのは，

3)　菅野692頁参照。

4)　富士重工業事件・最三小判昭和52・12・13民集31巻7号1037頁。

5)　同旨を説く判例として，国鉄中国支社事件・最一小判昭和49・2・28民集28巻1号66頁，目黒電報電話局事件・最三小判昭和52・12・13民集31巻7号974頁，関西電力事件・最一小判昭和58・9・8労判415号29頁。

6)　関西電力事件・前掲注5。

伝統的に主張されてきたように使用者が専制的に労働者を支配服従させる手段という側面以外に，積極的側面も指摘できる。すなわち，懲戒処分には契約解除や損害賠償と比較して戒告・譴責等の労働者にとってより穏便な措置もあり得る。使用者としても，採用や教育訓練等に相当の費用を投下した労働者を失うよりは雇用を維持して義務違反行為を是正させるメリットが大きい。また，解雇権濫用法理によって解雇という手段を行使することが制限されており，また，労働者の規律違反を金銭に換算することが困難で損害賠償請求も実効的とはいえないことを考えると，懲戒処分を用いる必要性も高まる[7]。これらの事情を踏まえると，労基法が89条9号（制裁の定め）および91条（減給の制裁）の規定を置き懲戒処分という措置がなされ得ることを前提としていることも了解できよう。

判例は懲戒権の行使権限を必ずしも企業秩序定立権から直接に導き出して肯定しているわけではない。すなわち，国鉄札幌運転区事件最高裁判決[8]は，「規則に定めるところに従い制裁として懲戒処分を行うことができる」とし，フジ興産事件最高裁判決[9]でも，「使用者が労働者を懲戒するには，あらかじめ就業規則において懲戒の種別及び事由を定めておくことを要する」としている。つまり，懲戒処分を行うには，就業規則[10]で懲戒の種別と事由を明定しておく必要があることになり，これは契約説の立場とほとんど変わりがない。

翻って考えると，判例の立場は契約説として理解することも可能である。懲戒処分については，まず第1に労働契約上の義務違反（主たる義務のこともあれば付随義務のこともある）が成立することが前提となり，第2に，その義務違反に対して懲戒という措置をとる権限が契約上設定されていることが必要となる。判例の企業秩序論は，第1の問題について，企業秩序遵守義務の根拠を労働契約締結によってかかる義務を引き受けたことに求めていると解することができ，第2の問題について，就業規則に明定して，それが契約内容となっていることを要求している[11]と解することができる[12]。

7）　毛塚勝利「懲戒の機能と懲戒権承認の規範的契機」労協277号21頁（1982年），片岡ほか・新基準法論515頁［西谷敏］，下井・労基法436頁等参照。

8）　国鉄札幌運転区事件・最三小判昭和54・10・30民集33巻6号647頁。

9）　フジ興産事件・最二小判平成15・10・10労判861号5頁。

10）　就業規則作成義務のない使用者も，就業規則を作成し懲戒規定を置くことは可能であり，また，個別契約で懲戒権を設定することも可能と解してよかろう。

11）　判例法理およびこれを立法化した労契法7条（→418頁以下）を踏まえると，労働者の同意が認定できない場合，就業規則が労働契約内容となるためには当該規定内容が合理的であることが要請されることになる。

12）　ネスレ日本（懲戒解雇）事件・最二小判平成18・10・6労判925号11頁は，懲戒権行使は

もっとも，判例の立場を，固有権説に立ちつつ，懲戒処分は一種の制裁罰であるので，罪刑法定主義的考慮から予め懲戒の種別・事由の明定が要求されているとして説明することも不可能ではない。しかし，これは本来の固有権説の意味をほとんど失うに等しい。そうすると，理論的には，判例の立場も含めて，契約説で理解するのが妥当であろう。

Ⅲ　懲戒処分の司法コントロール

判例の立場を踏まえると，懲戒権の法的根拠について契約説・固有権説のいずれに立とうとも，懲戒権行使に具体的根拠規定が必要である点について差異は生じない。そうすると，議論の関心は使用者の懲戒権の行使についていかなる司法コントロールを行うかに向かうこととなる。

懲戒処分に対する裁判所の審査は，第1に上述した懲戒権の根拠たる就業規則規定の存在，懲戒事由および処分の種類の明定，そして義務違反の成否（懲戒事由該当性）の判断（懲戒事由に該当する場合に具体的懲戒権限が発生するという意味では「権限審査」である），そして，第2に懲戒権行使に関する権利濫用の成否の判断（濫用審査）という2つの段階に分けて把握できる。第1の点について裁判所は，使用者が一方的に制定した就業規則の懲戒規定に合理的限定解釈を加えることによって，懲戒事由該当性ないし義務違反の成立を厳格に解釈している。第2の点についても，懲戒処分が労働者に種々の不利益を課し，また人事権行使とは異なる制裁罰として将来にわたって人事記録に残る制裁措置であることから，権利濫用とならないかどうかが厳格に審査されている（労契15条→531頁）。

▩労契法15条と懲戒規定・懲戒事由該当性・懲戒権濫用の関係　学説には，労契法15条の「使用者が労働者を懲戒することができる場合」とは懲戒根拠規定の存在に対応し，「客観的に合理的な理由」が就業規則の懲戒事由該当性に対応し，「社会通念上相当であると認められない」が，懲戒処分の相当性に対応すると解する立場が主張されている[13]。しかし，就業規則の懲戒事由に該当しない場合，そもそも懲戒権は発生していない[14]の

「企業秩序維持の観点から労働契約関係に基づく使用者の権能として行われる」とする。この判示も，使用者の懲戒の権能が「労働契約」関係に由来するという説示に着目すると，契約説の立場を採っていると理解することが可能である。

13)　土田・契約法476頁，菅野715頁以下等。

14)　就業規則の懲戒規定は「従業員が以下の各号のいずれかに該当する場合は，○○条の定め

であるから，懲戒権の濫用も問題となり得ないはずである。

労契法15条にいう「使用者が労働者を懲戒することができる場合」とは，就業規則における懲戒規定の存在のみならず，その懲戒事由該当性も満たされた場合を指すと解すべきである[15]。懲戒規定の懲戒事由該当性が満たされて初めて懲戒権が具体的に発生し，その濫用の有無が「客観的に合理的な理由を欠き」「社会通念上相当であると認められない」かに照らして審査される。労契法15条は当時存在した懲戒権濫用に関する判例[16]に忠実に立法化された。ネスレ日本事件判決[17]は「就業規則所定の懲戒事由に該当する事実が存在する場合であっても，当該具体的事情の下において，それが客観的に合理的な理由を欠き，社会通念上相当なものとして是認することができないときには，権利の濫用として無効になる」と判示している。就業規則の懲戒事由に該当する事実の存在（懲戒事由該当性）は，労契法15条にいう「使用者が労働者を懲戒することができる場合」に対応し，客観的に合理的理由を欠くことは，社会通念上の相当性とともに濫用審査の要素と整理されていた。実際，この事件では，7年前の暴行行為を理由とする懲戒処分（諭旨退職）につき，7年後の処分時点でそのような重い懲戒処分を必要とする「客観的に合理的な理由を欠く」としており，「客観的に合理的な理由」はあくまで濫用判断の要素と位置づけられている。

なお，このような理解は，労契法16条の解雇権濫用法理における「客観的に合理的な理由」と「社会通念上相当」であることの理解（→341頁）と平仄が合わない印象を与えるかもしれないが，懲戒権が就業規則の懲戒事由に該当して初めて発生するのに対して，解雇権は民法627条により雇用契約に当然に備わっているという相違を考えれば，おかしなことではない[18]。

▩懲戒処分の法的性質　懲戒処分（懲戒権の行使）とは，労働者の義務違反を理由として労働契約上不利益な措置を行う形成権の行使と解される[19]。したがって，その形成権行使の根拠となる権限が労働契約上認められるのか，その権利行使が権利濫用と評価されないのかを争い，懲戒処分無効確認ないし懲戒処分の付着しない地位の確認，当該懲戒処分によって生じた損害の賠償等を求めて裁判所に提訴することができる。また，懲戒処分は，企業による労働者に対する一種の制裁罰[20]であり刑事罰類似の機能を営むことから，刑罰や刑事訴追手続に関する諸原則，すなわち罪刑法定主義（懲戒事由と処分の明定，不遡及の原則〔行為の時に存在しなかった懲戒規定を遡及適用不可〕）や，一事不再理（二重処

るところに従い懲戒を行う。」として懲戒事由を列挙するのが一般である。

15）　同旨，山川・紛争処理法273頁，水町・詳解567頁。

16）　ダイハツ工業事件・最二小判昭和58・9・16労判415号16頁，ネスレ日本（懲戒解雇）事件・前掲注12。

17）　ネスレ日本（懲戒解雇）事件・前掲注12。

18）　同旨，山川・紛争処理法273頁以下。

19）　同旨，山川・雇用法245頁，土田・契約法473頁。

20）　山口観光事件・最一小判平成8・9・26労判708号31頁。

分の禁止）の原則（同一の行為に対して複数回の処分不可21)）として論じられているのと同様の要請が働き，懲戒処分の有効性判断において考慮されるべきこととなる。ただし，もとより国家による刑罰の行使の問題ではないので罪刑法定主義といわれるのは比喩的な意味に留まる22)。

■処分理由の事後的追加　処分事由の事後的追加は原則として許されない。最高裁は，処分当時認識していなかった非違行為は，特段の事情のない限り，当該懲戒の理由とされたものでないことが明らかであるから，当該懲戒の有効性を根拠づける事由として追加主張することはできないとしている23)。妥当な判断である。

第3節　懲戒事由

就業規則の懲戒事由は一般に包括的な表現をとっていることが多いが（例えば，「不正の行為により会社の名誉・信用を傷つけたとき」など），裁判所は，労働者保護の観点から一般に限定解釈を行う傾向が顕著である。

I　労働契約上の主たる義務違反

1　職務懈怠

無断欠勤24)，遅刻早退，職場離脱等は，理論的には単なる債務不履行であるが，正当な理由なくこれらを反復したような場合，これを懲戒事由として定めておけば懲戒可能となる。ただし，懲戒解雇が可能かどうかは，厳格な審査がなされるべきである25)。

---

21)　二重処分の禁止に類する事案として，国立大学法人乙大学事件・東京地判平成23・8・9労経速2123号20頁［入学試験の配点ミス，採点漏れに対し訓告処分を行った時点で，その不報告についても使用者は認識していたにもかかわらず，その後，さらに不報告・隠蔽に対し停職処分を行ったことは信義則に反するとして停職処分を懲戒権濫用とした］。

22)　この点については，花見忠「懲戒権の法的限界」労働9号45頁，49頁（1956年）。

23)　山口観光事件・前掲注20。なお，懲戒当時認識しながら懲戒事由として表示しなかった事由を，事後に懲戒事由として主張することはできないが，懲戒解雇の相当性判断では考慮可能としたものにヒューマントラスト事件・東京地判平成24・3・13労判1050号48頁がある。

24)　被害妄想など精神的な不調のために欠勤を続けている労働者に対して，使用者としては，精神科医による健康診断を実施するなどした上で，その診断結果等に応じて，必要な場合は治療を勧めた上で休職等の処分を検討し，その後の経過を見るなどの対応をとるべきで，かかる対応をとることなく無断欠勤としてなされた諭旨退職の懲戒処分を無効とした事例として，日本ヒューレット・パッカード事件・最二小判平成24・4・27労判1055号5頁。

25)　職務懈怠による懲戒解雇が認められた例として東京プレス工業事件・横浜地判昭和57・

2　業務命令違反

時間外労働命令，配転命令，出向命令，健康診断受診命令等の業務命令違反に関しては，当該命令が契約の範囲内の適法なものであったのかどうかが最大の争点となる。日本では，労働契約上職務や勤務地を特定せずに雇用されていると解されてきたので，配転等については広範な業務命令権が肯定され，その違反については懲戒解雇も可能と解される傾向にある。

日本で広範な配転命令等が肯定されてきた背景には，労働者の雇用維持に資するという考慮があったと推測される。しかし，一旦そのような広範な配転命令権を承認すると，これに従うことのできない労働者には，逆に懲戒解雇という，単なる雇用関係解消よりも過酷な結果をもたらしかねない問題がある。配転命令権の存否の解釈に当たっては，労働者の自己決定の尊重，ワーク・ライフ・バランスの尊重，就労形態の多様化等を踏まえて，これを制約する勤務場所や職種の限定が成立していないかをより積極的に吟味することが望まれよう(→474頁以下)[26]。

使用者の業務命令が労働者の人格に対する侵害を伴いやすい場合には，当該命令の有効性が厳格に審査される。例えば，所持品検査については，検査を必要とする合理的理由に基づき，一般的に妥当な方法と程度で，制度として従業員に対して画一的に実施され，就業規則等の明示の根拠に基づいて行われることが必要と解されている[27]。

2・25判タ477号167頁［品質管理部門の従業員（大学院卒・組合活動家）が，6ヶ月間に無断で24回の遅刻，14回の欠勤を行い，上司の注意にもかかわらず改めなかった事案］。

26)　ドイツでは労働契約上，一般に職務や勤務地が特定されていると解され，その変更たる配転等には，変更解約告知という個別的労働条件変更法理で対応している。ドイツでは労働者が変更を拒否して解雇され，解雇の効力を争うか，労働条件変更（配転）に応ずるか，あるいは留保付承諾をして変更の合理性を争うか，を選択できるところ（→455頁），日本では業務命令として発令され，労働者がこれに応じない場合に，単に解雇が可能というに留まらず懲戒解雇可能という帰結を導いている。これは労働者の職業生活についての自己決定権尊重という観点からも妥当でない。

27)　西日本鉄道事件・最二小判昭和43・8・2民集22巻8号1603頁［電車賃不正隠匿摘発・防止目的の脱靴検査を拒否した電車運転手に対する懲戒解雇を有効とした］。

Ⅱ　付随義務違反

1　経歴詐称

労働者が採用時の履歴書や面接において学歴や職歴・犯罪歴等を正確に申告しない，あるいは虚偽の申告をする経歴詐称は，それが重要な経歴に関するものである場合，労使双方の信頼関係に基礎を置く継続的契約上の信義則違反であり，労働力評価や企業秩序維持にも関係する事項として懲戒事由の一つとなる[28)]。また，経歴は高く詐称する場合のみならず，低く詐称する場合も懲戒事由となると解されている[29)]。

2　職場規律違反

職場規律違反には，種々の形態がある。第1に，同僚に対する暴行・脅迫，セクシュアル・ハラスメント，業務妨害行為，横領・背任，会社物品の窃盗・損壊等のいわゆる非違行為については，それぞれの状況に応じて，懲戒解雇もやむを得ないとされることがある。

第2に，企業施設内での演説，集会，貼紙，ビラ配布，政治活動に関する許可制や禁止に違反する行為がある。

就業規則で政治活動を禁止することの可否[30)]について，学説には「抽象的危険説」（事業場内の政治活動が，企業施設の管理を妨げるおそれや従業員間の抗争を生ぜしめる抽象的危険から禁止可能とする説）と「具体的危険説」（具体的危険が存する場合にのみ禁止可能とする説）があった。この問題に実務上，決着をつけたのが電電公社目黒電報電話局最高裁判決[31)]である。同判決は，基本的には抽象的危険説の立場に立ちつつ，形式的に違反するように見えても，実質的に秩序を乱すおそれのない特別の事情[32)]がある場合には，当該規定違反にはならないという

28）　炭研精工事件・最一小判平成3・9・19労判615号16頁［大学除籍中退の経歴や公判中の刑事事件について秘匿して，高卒，賞罰無しとする履歴書を提出した事案につき，大学中退を秘匿した点は経歴詐称に当たるが，有罪が確定していない段階で賞罰無しとした点はこれに当たらないとされた］，メッセ事件・東京地判平成22・11・10労判1019号13頁［経営コンサルタントとしての虚偽の経歴，服役の事実秘匿を理由とする懲戒解雇を有効］。

29）　スーパーバッグ事件・東京地判昭和55・2・15労判335号23頁。

30）　なお，休憩自由利用（労基34条3項）と政治活動禁止の関係については，→182頁。

31）　目黒電報電話局事件・前掲注5。

32）　実質的に秩序を乱すおそれのない「特別の事情」を認めて無許可ビラ配布の許可制違反該当性を否定した例として明治乳業事件・最三小判昭和58・11・1労判417号21頁。また，不

就業規則条項の合理的限定解釈を行っている。妥当な判示といえよう。

第3に，服装規定や身だしなみに関する規制の違反も問題となる。例えば，懲戒処分の事件ではないが，タクシー運転手の口ひげが，乗務員勤務要領の「ヒゲをそり，頭髪は綺麗に櫛をかける」との条項に違反するかが問題となった事例では，そるべき「ひげ」とは，不快感を伴う「無精ひげ」とか「異様，奇異なひげ」を指すとし，格別不快感や反感を生ぜしめない口ひげはこれに当たらないと限定解釈された[33]。また，トラック運転手の黄色く染めた髪を黒色に染め直せとの命令に従わなかったことを理由とする諭旨解雇につき，労働者の髪の色・型，容姿，服装などといった労働者の人格や自由に関する事柄について，企業が企業秩序の維持を名目に労働者の自由を制限しようとする場合，合理的範囲内に留まるべく，制限行為の内容は相当性を欠くことのないよう特段の配慮が要請されるとして，無効とされた[34]。

3　副業・兼業禁止

2018年1月に改定されるまで，厚労省のモデル就業規則[35]は副業・兼業を禁止し，その違反は懲戒事由に該当する旨の規定を置いていた。そうしたこともあり，就業規則で「会社の許可なく他人に雇い入れられること」を禁止し，懲戒事由としている例が少なくなかった[36]。しかし，裁判例はこれを文字通りには適用せず，職場秩序に影響せず，使用者に対する労務提供に支障を生ぜしめない程度・態様のものは，禁止違反に当たらないと限定解釈している[37]。

当労働行為事件だが，懲戒処分の不当労働行為成否の判断の前提として，同様に無許可ビラ配布が就業規則に違反しないとした例として倉田学園事件・最三小判平成6・12・20民集48巻8号1496頁。

33）　イースタンエアポート事件・東京地判昭和55・12・15労判354号46頁［ひげをそって乗務する労働契約上の義務の不存在確認請求を認容］，郵便事業（身だしなみ基準）事件・神戸地判平成22・3・26労判1006号49頁［男性の長髪・ひげは不可とする身だしなみ基準は不快なそれに限定して適応すべきで，引き詰め髪・整えられたひげはこれに該当せずとした］。

34）　東谷山家事件・福岡地小倉支決平成9・12・25労判732号53頁。

35）　労基法により作成義務が課されている就業規則の一例をモデルとして示すもので何ら法的拘束力はないが，多くの企業で参照され，事実上の影響力は無視し得ない。

36）　中小企業庁「平成26年度兼業・副業に係る取組み実態調査事業報告書」によると，副業・兼業を認めていない企業は85.3％に上った。

37）　最近の事例として学校法人上智学院事件・東京地判平成20・12・5判タ1303号158頁［無許可で通訳などの業務に従事し，講義を休講・代講したことなどを理由とする大学教授に対する懲戒解雇を，就業規則の懲戒事由に実質的に該当せず無効とした］。

労働時間以外の時間をどのように過ごすかは基本的に労働者の自由であるべきこと，職業選択の自由の保障，就業形態の多様化等を考慮すると，使用者は当然には副業・兼業を禁止し得ないと解すべきである。例外的に兼業・兼職禁止が可能となるのは，兼業が競業に当たる場合，本務に支障を生じさせるような態様の兼業に当たる場合[38]等その規制に客観的合理的理由がある場合に限定されるべきである[39]。

このような裁判例・学説の動向もあり，政府は働き方改革の一貫として副業・兼業推進の方針を打ち出すに至る。無許可の副業・兼業を禁止する規定を置いていた厚労省のモデル就業規則は2018年1月に改定され，「労働者は，勤務時間外において，他の会社等の業務に従事することができる。」と，副業・兼業が原則可能であることが明記された（厚生労働省「モデル就業規則」68条1項）。例外的に禁止または制限できる場合として，①労務提供上の支障がある場合，②企業秘密が漏洩する場合，③会社の名誉や信用を損なう行為や，信頼関係を破壊する行為がある場合，④競業により，企業の利益を害する場合，が列挙されている（同2項，「副業・兼業の促進に関するガイドライン」〔2020年7月改定〕も同旨）。

4　私生活上の非行

就業規則は，しばしば，企業の名誉，信用を汚したことを懲戒事由として掲げている。しかし，使用者・企業は，その労務遂行に関係する限りで種々の規制権限を有するものであり，労働者の労働時間外の活動について，一般的に規制する権限を有するものではない。したがって，私生活上の非行に関する懲戒規定についても，当該行為の性質，情状，会社の事業の種類・態様・規模，従業員の会社における地位・職種等諸般の事情を考慮して，企業の社会的評価の毀損の有無が厳格に審査される。

例えば，酩酊して，風呂場の戸を開け他人の居宅に入り込み，住居侵入罪として罰金刑に処された工員が，「不正不義の行為を犯し，会社の体面を著しく

38）　小川建設事件・東京地決昭和57・11・19労判397号30頁［毎日6時間にわたるキャバレーのリスト係・会計係としての無断就労を理由とする解雇を有効とした］，日通名古屋製鉄作業事件・名古屋地判平成3・7・22労判608号59頁［会社の就業時間と重なるおそれや，深夜に及ぶタクシー運転手としての無断兼業に対する解雇を有効とした］。

39）　同旨，マンナ運輸事件・京都地判平成24・7・13労判1058号21頁。労契研報告書48頁は，やむを得ない事由がある場合を除き，兼業禁止規制や許可制は無効とすべきとし，また，労基法38条の異事業通算制は別使用者との関係では不適用とすることを提言していた。

汚した者」に該当するとしてなされた懲戒解雇につき，当該工員の行為は私生活の範囲内で行われたもので，罰金2500円に留まったこと，職務上の地位も指導的なものではないこと等を勘案し，会社の体面を著しく汚したとまではいえないとし，無効とした例[40]や，米軍基地拡張反対デモで逮捕起訴された労働者の懲戒解雇・諭旨解雇につき，従業員3万名の大企業の一工員の本件行為が「不名誉な行為をして会社の体面を著しく汚した」とは認められないとして無効とした例[41]がある。しかし，鉄道会社の従業員が他の鉄道会社の電車内で痴漢行為を行い戒告処分を受けた後，さらに別の鉄道会社の電車内で痴漢行為を行って逮捕され懲戒解雇された事案では，懲戒解雇が有効とされた[42]。

5　誠実義務違反・秘密保持義務違反

労働契約が人的関係であることから，労働者は労働契約の付随義務として誠実義務を負っていると解される。そこで，職場外や勤務時間外の行為であっても，誠実義務違反や秘密保持義務違反として懲戒処分の対象となることがある。例えば，関西電力事件[43]では，就業時間外のビラ配布も，そのビラの内容が事実を歪曲し会社を中傷誹謗するものであれば懲戒可能とされた。会社の重要な機密の漏洩についても懲戒可能とされている[44]。

6　内部告発と公益通報者保護法

労働者の内部告発や企業批判行動も，みだりに使用者の利益を害しない誠実義務の違反，守秘義務違反，企業秩序遵守義務違反等として，懲戒処分あるいは不利益取扱いの対象とされることがあり，その適法性が裁判例でも争われてきた。もちろん，明文によって法違反の申告に対して，解雇や不利益取扱いの禁止が定められている場合[45]は，これによって保護される。しかし，それ以外の内部告発に対する懲戒処分や不利益取扱いの可否について，裁判例は，当該告発の内容（真実か真実と信ずるに相当な理由があったか），告発の目的（公益・私益

40）　横浜ゴム事件・最三小判昭和45・7・28民集24巻7号1220頁。

41）　日本鋼管事件・最二小判昭和49・3・15民集28巻2号265頁。

42）　小田急電鉄事件・東京高判平成15・12・11労判867号5頁。

43）　関西電力事件・前掲注5。

44）　古河鉱業足尾製作所事件・東京高判昭和55・2・18労民集31巻1号49頁［機密漏洩防止に特段の配慮がなされていた長期経営計画の基本方針を複製し政党機関に配布した事例］。

45）　制定法上，法違反の申告に対して，解雇や不利益取扱いの禁止が定められている場合として，労基法104条，労安衛法97条，賃金支払確保法14条，労働者派遣法49条の3参照。

のいずれを目的とするか），手段・方法・態様（通報先や内部的是正努力の有無もここで考慮）等を総合考慮する枠組みで判断してきた46)。

内部告発の正当性が認められ，懲戒処分をなしえなくなる理論構成は，就業規則の懲戒事由規定によって異なってこよう。例えば，「不正な行為により，会社の名誉・信用を毀損したとき」といった条項であれば，「不正な行為」に該当せず，労契法15条の「懲戒することができる場合」に当たらないこととなる。これに対し，外形上，懲戒事由に該当することが否定できない場合は，懲戒権行使が客観的合理的理由・社会的相当性を欠き，権利濫用として，無効となると解される（労契15条）47)。

1990年代以降，企業や官庁の不祥事が内部告発によって明るみに出され，特に，食品に関連した法令違反が直接消費者に被害を及ぼす事案が相次いだ。そこで，法令違反行為の是正・抑止を促進するために，2004（平成16）年には，公益通報者保護法が制定された（2006〔平成18〕年4月施行）。同法は，「公益通報」を労働者が，不正の目的でなく（誠実性），「通報対象事実」が発生し，または発生しようとしていることを，所定の通報先（労務提供先等の事業者内部，行政機関，その他事業者外部）に通報することと定義し（公益通報2条），公益通報をしたことを理由とする労働者の解雇，降格，減給等の不利益取扱いを禁じた

---

46)　大阪いずみ市民生協（内部告発）事件・大阪地堺支判平成15・6・18労判855号22頁［ただし，上記3点に加えて告発内容の当該組織体等にとっての重要性も要素としている］，トナミ運輸事件・富山地判平成17・2・23労判891号12頁［内部告発の正当性肯定］，アワーズ（アドベンチャーワールド）事件・大阪地判平成17・4・27労判897号26頁［正当性否定］，学校法人田中千代学園事件・東京地判平成23・1・28労判1029号59頁［正当性否定］，甲社事件・東京地判平成27・11・11労経速2275号3頁［告発の主目的は私的利益であり公益性および態様の相当性が否定され，懲戒解雇有効とされた］参照。従来の裁判例の状況については，島田陽一「労働者の内部告発とその法的論点」労判840号5頁（2003年），水谷英夫「『内部告発』と労働法」労研530号11頁（2004年），大内伸哉編『コンプライアンスと内部告発』71頁以下（2004年），國武英生「公益通報者保護法の法的問題」労旬1599号11頁（2005年），角田邦重＝小西啓文編『内部告発と公益通報者保護法』73頁以下（2008年）等参照。

47)　違法性が阻却されると構成する立場として，山川・紛争処理法271頁，土田・概説205頁（もっとも，懲戒事由該当性否定ともしている），学校法人田中千代学園事件・前掲注46，岡山県立大学ほか事件・岡山地判平成29・3・29労判1164号54頁等。補助金不正問題で学校法人を告訴した行為が学園の秩序を乱したことは否定できないとしても，就業規則の「学園の秩序を乱し，学園の名誉または信用を害した」という懲戒事由には該当しない（仮に該当しても懲戒解雇は重きに失する）として懲戒解雇を無効とした例として学校法人常葉学園ほか（短大准教授・本訴）事件・静岡地判平成29・1・20労判1155号77頁。

（同3条，5条）。しかし，その後も企業不祥事は続き，同法が実効的に機能していないことが問題となった。そこで，2020（令和2）年改正で規制の拡充強化がなされた（2022〔令和4〕年6月施行）48)。

まず，保護される通報者については，労働者に加えて，2020年改正法は労働者であった者（退職後1年以内の者）（同2条1項1号）および法人の役員（同4号）を含めることとした。次に，「公益通報」の対象となる「通報対象事実」について，2004年法は最終的に刑事罰の対象となる違反行為に限定していたが，2020年改正法は過料の対象となる違反行為をもカバーすることとした（同2条3項）。もっとも，若干拡張はされたものの，刑事罰・行政罰によって担保された規制違反に限定されている点で，そうした限定のない労基法や労契法，そして内部告発に関する判例法理よりも保護範囲は狭い。そこで，公益通報者保護法は明文で，同法の保護対象とならない告発行為が，他の法令によって保護されうることを確認している（同8条）。なお，2020年改正では，公益通報者が損害賠償義務を負う懸念を払拭すべく，3条各号・6条各号の定める公益通報によって事業者が損害を受けたことを理由として，通報者に対して損害賠償請求をなし得ないことが規定された（同7条）。換言すれば，公益通報者保護法の保護要件を満たしていないことから，当然に，他の法令や判例法理による保護も得られないというように，同法を反対解釈することは許されない。

公益通報が保護されるためには，通報先に応じて，①事業者内部の通報，②行政機関への通報（いわゆる2号通報），③その他の外部通報（いわゆる3号通報）の順に，要件が厳格に設定されている。これは通報先によって，規制違反行為の防止の効果のみならず，当該企業の存続やそこで雇用されている労働者の雇用が失われる等の副作用が生じかねないことを考慮したものである。2020年改正では②③について通報要件の緩和がなされた（同3条2号，3号，図17-1参照）。①事業者内部の通報（直接の使用者や派遣労働者の労務提供先等への通報）の場合，「通報対象事実が生じ，又はまさに生じようとしていると思料する場合」であれば，それが客観的に真実でなくとも，また，真実であると考えたことに相当の理由（真実相当性）があるといえない場合であっても，同法の保護対象となる（3条1号）。これに対して，②行政機関への通報の場合，通報対象事実が

48）山本隆司ほか『解説 改正公益通報者保護法』（2021年）参照。

図表 17-1　公益通報者保護法における通報先と保護要件

通報先	目　的	真実性	外部通報要件
①事業者内部	不正目的なし		
②行政機関	不正目的なし	真実・真実相当性 or 所定事項書面提出	
③外部	不正目的なし	真実・真実相当性	3条3号イ～へのいずれかに該当

（筆者作成）

生じている，またはまさに生じようとしていると信じるに足りる相当の理由があること（真実・真実相当性あり），または，通報対象事実が生じ，若しくはまさに生じようとしていると思料し（真実相当性なしでも可），かつ，法3条2号イ～ニの事項（公益通報者の氏名または名称および住所または居所，通報対象事実の内容，上記のように思料する理由，通報対象事実について法令に基づく措置等がとられるべきと思料する理由）を記載した書面（電子メール等を含む）を提出すること，が要求される（同2号）。2020年改正で，真実相当性がなくとも，所定事項を記載した書面の提出[49]があれば，保護されることとなった。そして③事業者外部への通報の場合，真実性・真実相当性に加えて，同法3条3号イ～へ（通報に対する不利益取扱い，証拠隠滅等，内部通報者についての正当な理由のない情報漏洩懸念，正当な理由のない公益通報回避要求，通報事実についての調査不実施，個人の生命身体への危害または個人の財産に対する損害発生の危険等）のいずれかに該当することが必要となる（同3号）[50]。

2020年改正では，さらに，大企業（常用労働者301名以上）に公益通報対応業務従事者を定め，公益通報に適切に対応する体制を整備することを義務化（同11条），これらの義務に違反した事業者に対する助言，指導，勧告，公表措置の導入（同15条，16条），公益通報対応業務従事者に対する刑事罰付きの守秘義務導入（同12条）等が行われた。

49）提出がなされれば，行政機関が受理しなくとも保護要件は満たされる。山本ほか・前掲注48）149頁。

50）なお，公益通報者保護法の問題ではないが，取引先からの転職者の問題についてコンプライアンス室に内部通報したところ，これを問題視した上司によりなされた配転について，通報に対する不利益取扱い禁止の運用規定に反し人事権の濫用とされ，慰謝料が認められた事案としてオリンパス事件・東京高判平成23・8・31労判1035号42頁（上告不受理で確定）。

第4節　懲戒処分の種類

懲戒処分には，企業によってその名称には違いがあるが，一般的に次のような種類のものがある。

Ⅰ　譴責・戒告

「譴責」は通例，始末書を提出させて将来を戒めるもので，「戒告」は将来を戒めるのみで始末書提出を伴わないものを指す。いずれも，実質的不利益を課さない，最も軽い懲戒処分である。しかし，賞与・昇給・昇格の人事考課や査定において不利益に考慮され，数回の譴責・戒告を経た後にはより重い懲戒処分が課される旨，明記されることがある。これらの場合には，無効確認の訴えの利益が認められる[51)]。なお，始末書を提出しないことを理由にさらに懲戒処分が可能か否かについては見解が分かれている[52)]。

Ⅱ　減　給

1　減給の意味

「減給」とは本来支払われるべき賃金額から，一定額を控除する懲戒処分である。したがって，遅刻や欠勤により就労しなかった時間分の賃金を支払わないことは，賃金請求権が発生しておらず，支払うべき賃金からの減額である「減給」処分には当たらない。

また，将来に向けて賃金を低くする処分は，支払うべき賃金の減額ではないので，減給とは別のカテゴリーの懲戒処分（降給や降職）となる[53)]。

2　労基法91条の規制

減給については制裁が過度に及ばないように，労基法91条が「1回の額が

51）富士重工業事件・前掲注4。

52）職務上の命令に従わないものとして懲戒可とするものとして，エスエス製薬事件・東京地判昭和42・11・15労民集18巻6号1136頁，労働契約は労働者の人格まで支配するものではないので，提出は労働者の任意に委ねられ，提出を懲戒処分によって強制不可とするものとして，福知山信用金庫事件・大阪高判昭和53・10・27労判314号65頁。学説では後者の立場が有力であるが，始末書不提出を査定で不利益に評価することは妨げられないとする（菅野703頁）。

53）この点，昭和37・9・6基発917号は従前の職務に従事させつつ賃金額のみ減ずる場合，91条の適用があるとするが適切でない。

平均賃金の1日分の半額を超え，総額が一賃金支払期における賃金の総額の10分の1を超えてはならない」という規制を行っている。

「1回の額」とは「一事由についての減給」をいう。したがって，一つの懲戒事由について減給できる額の上限が，平均賃金の1日分の半額となる。一事由について，1日分の半額ずつ何日にもわたって減給することが許される，ということではない。

「総額」とは一賃金支払期内の複数の懲戒事由についての減給額のトータルをいう[54)]。

なお，労基法91条は「就業規則で……減給の制裁を定める場合」と規定するが，減給の限度を過度に及ばないようにする本条の趣旨に鑑み，就業規則作成義務のない使用者の作成した就業規則にも本条は当然に適用されると解される[55)]。

3　他の労基法の規制との関係

このように，減給とは本来支払うべき賃金を制裁として控除するものであるので，労基法16条の違約金の定め・損害賠償額の予定の禁止や24条の賃金全額払いとの関係が問題となる。この点は，労基法91条自体が16条の例外を設定している，あるいは，労基法24条にいう法令の別段の定めに当たると解するほかない[56)]。

Ⅲ　出勤停止（自宅謹慎・懲戒休職）

「出勤停止」とは，労働契約を存続させつつ，出勤を一定期間禁止する懲戒処分で，通常，この間は賃金が支払われない。また，退職金算定に当たって，勤続年数に算入されない場合が多い。

賃金不支給が可能となるのは，当該出勤停止の懲戒処分が適法で，不就労が民法536条2項の「債権者の責めに帰すべき」事由に当たらないからである[57)]。賃金が発生しない以上，発生した賃金の減額に関する労基法91条の減

---

54)　以上につき昭和23・9・20基収1789号。

55)　労基局（下）1021頁，青木＝片岡・注解Ⅱ281頁［辻秀典］参照。なお，本条の制限を超える労働協約の制裁規定も無効となることにつき，新日鉄室蘭製鉄所事件・札幌地室蘭支判昭和50・3・14労民集26巻2号148頁。

56)　吾妻編・註解労基法169頁，青木＝片岡・注解Ⅱ283頁［辻秀典］参照。

57)　下井・労基法439頁。

給の規制対象ともならない[58]。逆にいうと，出勤停止処分が不適法と判断されれば，使用者の帰責事由が認められ，賃金を支払うべきことになる。

賃金の支払われない出勤停止が長期間に及ぶと，労働者には過酷な処分となる。そこで，出勤停止という懲戒処分が可能かどうかは厳格なチェックがなされるべきで，異常に長い場合には公序良俗違反，あるいは，懲戒一般の相当性の原則等により懲戒権の濫用と解され得る。

これに対して，懲戒処分ではなく，犯罪行為の嫌疑が発覚し，その処分決定までの調査期間中，自宅待機を命ずる場合などに，業務命令として出勤停止，自宅待機が命じられる場合がある。労働者に就労請求権が認められる場合に当たらず，かつ，賃金を支払う限りは，業務命令としてこれを命ずることができる[59]。ただし，相当な理由のない自宅待機命令は業務命令権の濫用とされる可能性がある。

他方，業務命令としての自宅待機命令で，賃金を支払わないことが許されるのは，事故発生，不正行為の再発など，就労を認めないことに実質的理由がある場合に限られる。そのような実質的理由がなければ，民法536条2項および休業手当の規制に従って，使用者の責めに帰すべき履行（就労）不能として，労働者に反対債権たる賃金請求権（ないし休業手当請求権）が発生すると解される。

Ⅳ　降格（降職）

ここでいう「降格（降職）」とは，制裁の目的で懲戒処分としてより低位の職位につける措置を指す。人事権の行使（業務命令）として就業規則の根拠なく行い得る降格（→470頁）と異なり，懲戒処分である以上，就業規則に明記されていることが必要で，その懲戒規定該当性，手続等に関する懲戒法理に服する。

ただし，懲戒処分も雇用の同一性を失わせ，社会通念上，全く別個の契約に変更するような措置を行うことはできず，教諭を常勤または非常勤講師に降格する懲戒処分は許されないとした裁判例がある[60]。

58）　これに対して，片岡ほか・新基準法論518頁［西谷敏］は出勤停止にも労基法91条の適用があるとする。

59）　三葉興業事件・東京地判昭和63・5・16労判517号6頁。

60）　倉田学園事件・高松地判平成元・5・25労判555号81頁。

V　懲戒解雇・諭旨解雇

1　懲戒解雇

懲戒解雇は懲戒処分のうち最も重いもので，実務上，解雇予告・予告手当もなしに即時解雇となり，また，退職金も減額ないし不支給となることが多い。その意味で，雇用関係における「極刑」ともいうべき処分である。

もっとも，懲戒解雇であれば当然に即時解雇や退職金不支給が可能となるわけではない。まず，即時解雇するには，解雇予告規制の例外を定めた労基法20条1項但書にいう「労働者の責に帰すべき事由」に当たることが必要である。なお，即時解雇の有効要件ではないが，当該事由についての行政官庁の認定（同20条3項）も罰則付きで要求されている（同119条1号）。

次に，退職金の不支給は，懲戒解雇の場合に減額・不支給とすることができる旨，就業規則や退職金規程等に明示されている場合に初めて可能となる。さらに，退職金は，功労報償的性格とともに，賃金の後払的性格をも併有することから，懲戒解雇が有効とされる場合にも，その非違行為が永年の勤続の功労を抹消してしまうほどの重大な非行か等を勘案し，減額・不支給措置が公序違反とされる場合があり得る（→148頁）。

懲戒解雇は，懲戒処分としての有効性と同時に，解雇でもあるので，解雇の観点からも有効性が問題となる。労契法は懲戒権濫用（労契15条）と解雇権濫用（同16条）の規定を置いており，懲戒解雇についてはいずれの条文によって判断すべきかが一応理論上は問題となる。解雇権は民法627条により一般に当然に発生するのに対して，懲戒権は就業規則等の根拠規定があって初めて発生するものであること等を考慮すると，懲戒解雇の権利濫用判断は労契法15条によってなされると整理してよいであろう。なお，懲戒解雇を訴訟において普通解雇としては有効であると主張すること（いわゆる「懲戒解雇の普通解雇への転換」）は許されないと解されている。もっとも，懲戒解雇と同時に予備的に普通解雇の意思表示を行うことは可能である[61]。

2　諭旨解雇

懲戒解雇より若干軽い懲戒処分で，労働者に退職願を提出させた上で解雇す

61）　菅野806頁。

るもの（諭旨解雇），および退職願を出させて退職扱いとするもの（諭旨退職）があり，退職金は全部または一部支払われることが多い。いずれも，労働者が退職願を提出せず，退職に応じない場合には，懲戒解雇されることが予定されている。したがって，懲戒解雇に準じた厳格な司法審査がなされるべきである[62]。

第5節　懲戒権行使の濫用審査

懲戒に関する就業規則規定があり，義務違反の成立および懲戒事由該当性が肯定され（権限審査），懲戒権の存在が認められる場合[63]であっても，さらに，懲戒権の行使が権利濫用とならないかどうかが吟味される（濫用審査）。これまで判例[64]は懲戒処分の行使には厳格な濫用審査を行ってきたが，労契法15条はこれを明文化し，「使用者が労働者を懲戒することができる場合において，当該懲戒が，当該懲戒に係る労働者の行為の性質及び態様その他の事情に照らして，客観的に合理的な理由を欠き，社会通念上相当であると認められない場合」には懲戒権の濫用として，当該懲戒処分は無効となると定めている。

懲戒権濫用の判断に際して考慮されるのは次の諸点である。

第1に，相当性の原則がある。すなわち，懲戒処分は，その違反行為の程度に照らして均衡のとれたものである必要がある。労契法15条では「労働者の行為の性質及び態様その他の事情に照らして……社会通念上相当」と評価されなければ権利濫用となるとしてこのことを明らかにしている。この相当性の審査は，懲戒処分の有効性審査に当たって最も重要な視点となる[65]。

62）京阪バス事件・京都地判平成22・12・15労判1020号35頁［出庫点呼時にアルコールが検出されたが道交法上の酒気帯び状態には至っていなかったバス運転手の諭旨解雇を無効］，日本ヒューレット・パッカード事件・前掲注24［精神的な不調者の約40日にわたる欠勤を無断欠勤としてなされた諭旨退職の懲戒処分を無効とした］。

63）労契法15条の「使用者が労働者を懲戒することができる場合」が，この権限審査に対応している（→496頁）。ただし，同条自体はいかなる場合に懲戒することができるかは定めていない。

64）ダイハツ工業事件・前掲注16，ネスレ日本（懲戒解雇）事件・前掲注12参照。

65）ネスレ日本（懲戒解雇）事件・前掲注12，Y社事件・東京地判平成21・4・24労判987号48頁，クレディ・スイス事件・東京地判平成28・7・19労判1150号16頁，国立大学法人群馬大学事件・前橋地判平成29・10・4労判1175号71頁は，いずれもセクハラ等の言動は認めつつ，懲戒解雇は重きに失し権利濫用で無効とした。これに対して，セクハラ発言を繰り返し

第2に，平等取扱い原則，すなわち，同等の義務違反（非違行為）については同等の処分がなされるべきとの原則がある。したがって，従前の先例に比して均衡を失する処分は，この観点から懲戒権の濫用とされる可能性がある[66]。

第3に，適正手続の要請が働く。懲戒を行うに際しては，本人に弁明の機会を与えることが，手続の適正の観点から，最低限必要と解されている[67]。また，就業規則等に懲戒委員会の議を経るべきことが要求されているのにその手続を欠いている場合も，手続違反として懲戒権の濫用となり得る[68]。

た管理職に対し，事前の警告等なくなされた出勤停止処分を相当としたものとして海遊館事件・最一小判平成27・2・26労判1109号5頁。

66)　日本交通事業社事件・東京地判平成11・12・17労判778号28頁［部下の不明金着服に関する監督者に対する諭旨解雇につき，監督責任を問われた他の者の処分と比較して極めて重いことも考慮して無効とした］，伊藤忠テクノサイエンス事件・東京地判平成17・11・22労判910号46頁［与信未設定等の社内規程違反を理由とする部長の懲戒解雇につき，与信未設定等の原因を作った代表取締役は取締役を解任されず退職慰労金も支払われている等の処遇と比較して公平の点で疑問があるとして懲戒解雇を無効とした］。

67)　菅野717頁注49。裁判例では日本通信（懲戒解雇）事件・東京地判平成24・11・30労判1069号36頁，熊本県教委（教員・懲戒免職処分）事件・福岡高判平成18・11・9労判956号69頁等。この点について，渡辺弘 I 143-145頁は，裁判例には，手続違背のみを理由に懲戒解雇権の濫用を認めていないものも存在することを指摘し（この立場をとる裁判例として，大和交通事件・大阪高判平成11・6・29労判773号50頁，東京貨物社（解雇）事件・東京地判平成12・11・10労判807号69頁，グラバス事件・東京地判平成16・12・17労判889号52頁，日本HP本社セクハラ解雇事件・東京地判平成17・1・31判タ1185号214頁等），懲戒事由該当事実が十分に認定可能で，懲戒解雇を選択する相当性も十分に認められるにもかかわらず，もっぱら手続に問題があるというだけで，懲戒解雇の有効性を否定することに懐疑的立場を採る。紛争が顕在化した後の処理だけをみればもっともとも思える点があるが，こうした立場が判例法理となった場合には，弁明の機会を与えることによって，誤った事実認識のまま懲戒処分がなされることを防止する機能は期待し難いし，むしろ，懲戒手続は整備しない方がよいというインセンティブを使用者に与えることとなりはしないか，という視点からの検討も必要であるように思われる。

68)　中央林間病院事件・東京地判平成8・7・26労判699号22頁［就業規則上の懲戒委員会も，これに代替する措置もとられていない点で手続的瑕疵が大きいことに言及し懲戒解雇を無効とした］，セイビ事件・東京地決平成23・1・21労判1023号22頁［懲戒委員会が事実関係の存否，懲戒処分の内容について実質的に審議したといえず，就業規則の定める適正手続の趣旨に実質的に反するとして懲戒解雇を無効とした］。

第18章　非典型（非正規）雇用

第1節　非典型（非正規）雇用と長期雇用システム

非典型雇用（一般には「非正規雇用」といわれることが多い）とは，期間の定めのない労働契約で直接雇用されているフルタイムの正規従業員（正社員）の雇用以外の雇用全般を指す。したがって，(1)期間の定めのない労働契約で雇用されている正規雇用に対して，期間の定めのある「有期労働契約」による雇用（契約社員や嘱託としての雇用も通例これに該当する），(2)フルタイムでないという意味で「パートタイム労働」（アルバイトもパートタイム労働の一部である），(3)当該企業に直

図表 18-1　正規・非正規雇用労働者の比率の変化

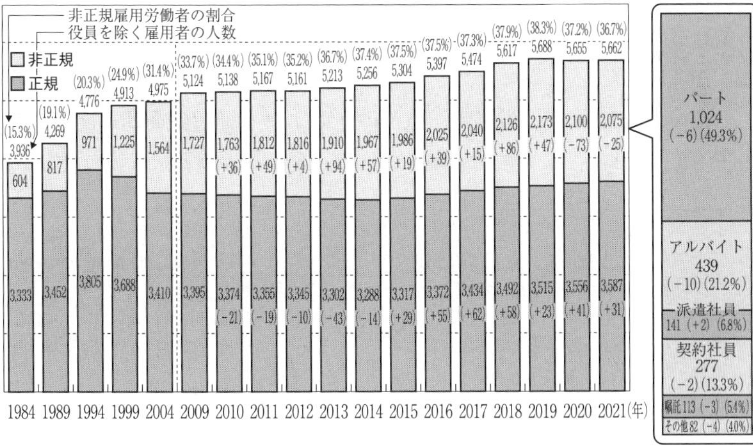

(出所：厚生労働省ホームページ〔https://www.mhlw.go.jp/content/000830221.pdf〕を加工)
注）雇用形態の区分は，勤め先での「呼称」によるもの。

接雇用されていないという点で「派遣労働」が非典型（非正規）雇用に当たる。

日本の雇用システムは期間の定めのない労働契約（無期契約）により雇用されるいわゆる「正社員」に手厚い雇用保障を提供し（解雇権濫用法理），そこで形成される，内部労働市場に適合的な法理（その典型が就業規則の合理的変更法理）を発展させてきた（→331頁以下）。しかし，この長期雇用システムの周辺に配置された非典型雇用労働者は，経済変動の緩衝装置として長期雇用を支える機能を期待される結果，その雇用保障は希薄で，労働条件も外部労働市場のメカニズムで規律されてきた。

1990年代前半には全労働者の約20％に過ぎなかった非典型（非正規）労働者（政府統計では非正規と称されているので，以下「非正規」を用いる[1]）の割合が，バブル経済崩壊以降増大し，2000年代には3割を超え，4割に近づくまでになった（図表18-1）[2]。また，高度成長期に臨時工が人手不足により本工（正規雇用）化した後は，非正規雇用の主力は主婦パートや学生アルバイトのような家計補助型非正規であったが[3]，バブル経済崩壊以降は，その生計を非正規雇用で支える生計維持型非正規雇用が増加してきた。このように非正規雇用が量的に増大し質的にも変容する中で，2008年秋の世界金融恐慌（いわゆるリーマン・ショック）後に，派遣労働者や有期労働者等の大量の雇用打ち切りが発生し，失職した非正規雇用者の越年を支援する「年越し派遣村」が大きく報道され注目された。非正規雇用問題は，もはや，長期雇用システムをサポートする存在として済ませることはできない雇用政策上の重要課題であることが一般にも認識されるようになった。

その後，2012年には労働者派遣法改正および有期労働契約に関する労働契約法改正，2014年のパート労働法改正，2015年の労働者派遣法の更なる改正，

1）「非正規」という呼称は，労働法の保護の対象となる正規の労働者ではない，といった誤った印象を与えるので，本来は諸外国で用いられている非典型雇用（atypical employment）や非標準雇用（non-standard employment）の語が適切である。

2）なお，非正規雇用は量的に増大したが，そのすべてが正規雇用を得られずに不本意ながら非正規雇用に就いている者（不本意非正規）というわけではない。総務省「労働力調査（詳細集計）」によると，非正規雇用の中に占める不本意非正規の割合は，2013年時点でも19.2％であり，2021年時点では10.7％に留まる。厚生労働省「『非正規雇用』の現状と課題」参照（https://www.mhlw.go.jp/content/000830221.pdf）。

3）大内伸哉『非正社員改革』24頁（2019年），濱口桂一郎『ジョブ型雇用社会とは何か――正社員体制の矛盾と転機』42頁（2021年）参照。

図表 18-2　各雇用形態（呼称による）に占める有期契約労働者の比率（2018 年平均）

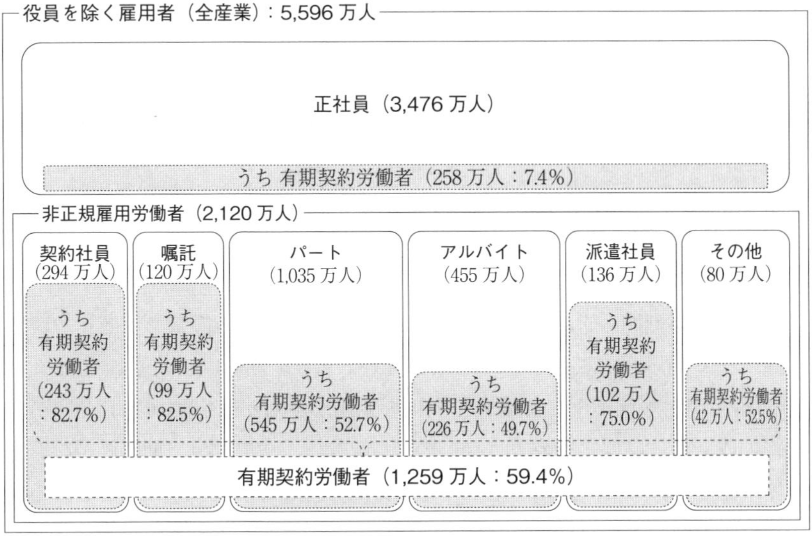

役員を除く雇用者（全産業）：5,596 万人

正社員（3,476 万人）

うち 有期契約労働者（258 万人：7.4%）

非正規雇用労働者（2,120 万人）

契約社員（294 万人）　うち 有期契約労働者（243 万人：82.7%）

嘱託（120 万人）　うち 有期契約労働者（99 万人：82.5%）

パート（1,035 万人）　うち 有期契約労働者（545 万人：52.7%）

アルバイト（455 万人）　うち 有期契約労働者（226 万人：49.7%）

派遣社員（136 万人）　うち 有期契約労働者（102 万人：75.0%）

その他（80 万人）　うち 有期契約労働者（42 万人：52.5%）

有期契約労働者（1,259 万人：59.4%）

（出所：総務省「労働力調査（詳細集計）」（平成 30 年平均）第Ⅱ-9 表のデータに基づき筆者作成）

そして 2018 年のパート労働法のパート有期法への改正，労働者派遣法改正など，非正規雇用法制はめざましく展開することとなった。

上記のように非正規雇用は，法的には有期労働契約による労働，パートタイム労働，派遣労働の 3 つの観点から把握される。しかし，国の非正規雇用に関する統計（総務省・労働力調査）は，勤務先での「呼称」によるもので，法的に正確に把握された統計ではない。非正規雇用に占める有期契約労働者の割合も不明であったところ，総務省の「労働力調査」では，2013 年 1 月より，常雇を無期契約と有期契約に区別する等，非正規雇用の法的状況を把握できるように調査事項が変更され，各種呼称の非正規雇用が有期雇用か無期雇用かが分析できるようになった。2018 年の調査によると，非正規雇用全体（2,120 万人）の約 60%（1,259 万人）が有期契約で雇用されている（**図表 18-2**）[4]。

4)　呼称による分類であるため，正社員とされる者の中に有期契約労働者が 7.4% 含まれるということが生ずる。調査側が用意した呼称を選択してもらう既存調査の問題点を克服すべく，実際の職場での「呼称」を事業所・労働者に記載してもらった上で，その者を「正社員」として位置づけているか否か，フルタイムか否か，無期契約か否か，直接雇用か否かを問い，非正規雇用の実態とその法的分析を可能とする実態調査として厚生労働省「労働者の雇用形態による

第2節　有期雇用労働

有期雇用労働の法規制は，民法，労働基準法，労働契約法，そして2018年にパート労働法を改正して成立したパート有期法という複数の法律によって規律されている（図表18-3）。以下では第3節で扱うパート有期法以外の規制について検討する。

I　期間の定めと法規制・法的効果

1　期間の定めの書面明示

労働契約の期間の定めについては，1998（平成10）年労働基準法改正以降，書面により明示することが必要となっている（労基15条1項，労基則5条2項，3項）。書面明示義務に反した場合，罰則の適用があるが（労基120条1号），労働契約の成立自体は要式行為ではないので（民623条，労契6条），期間設定の合意自体が認定されれば，期間の定めのある労働契約として成立すると解される。しかし，書面による明示がなされていないことが，合意の認定に影響を与えることは十分あり得る。

2　期間の定めの3つの効果と法規制

労働契約に期間の定めをした場合，次の3つの効果，すなわち，①期間中やむを得ない事由がなければ労働者は自由に解約（辞職）できない[5]結果，労働者の人身拘束という問題をもたらす効果（人身拘束効果），②期間中やむを得ない事由がなければ使用者は労働者を解雇できないという効果（雇用保障効果），③期間満了により，解雇によらずに（解雇規制の対象とならずに）労働契約が終了するという効果（自動終了効果），がもたらされる[6]。①人身拘束効果の問題に対処するために，労基法14条は労働契約の期間の定めに上限を置いている（→540頁以下）。②雇用保障効果については，民法628条が「やむを得ない事

待遇の相違等に関する実態把握のための研究会報告書」（2017年）（https://www.mhlw.go.jp/content/000179045.pdf）がある。

5)　民法628条参照。もっとも，労働者がやむを得ない事由なく退職しても，労働者は損害賠償責任を負うに留まる（下井・労基法103頁）。

6)　小宮文人「有期労働契約――雇止めに関する判例法理の分析を中心として（上）」労旬1555号8頁以下（2003年），労契研報告書66頁参照。ただし，民法626条1項は，5年を超える有期契約で5年経過した後は，①②の効果は生じない旨を定めている。

由」があれば期間途中の解雇を認めているが，「やむを得ない事由」がなくとも解雇できるとする合意の有効性が問題となり，2007年制定の労契法はやむを得ない事由は強行的に要求されることを明らかにした（労契17条）（→543頁）。③自動終了効果は有期労働契約の更新拒絶の問題であり，労働者に雇用継続への期待が生じている場合等に解雇権濫用法理を類推するいわゆる「雇止め法理」といわれる判例法理が形成されてきた。2012（平成24）年労契法改正では，雇止め法理が明文化される（労契19条）とともに，有期契約が5年を超えて更新された場合，当該労働者に無期契約転換申込権を付与するという新たな制度が創設されるに至った（労契18条）。

3　諸外国における有期契約規制と日本の法規制

有期契約に関する法規制を比較法的視点から見ると，欧州諸国では，(1)有期契約を締結すべき客観的事由がある場合（例えば，産休をとった労働者の代替要員を期間を限って雇用する場合等）にのみ有期契約を許容する等の有期契約締結事由の規制（いわば「入口規制」），(2)有期契約の利用が濫用にわたることを防止するために，更新回数を一定回数以下に制限したり，更新を含めて有期契約を利用できる期間を一定期間以下に制限する等の有期契約の濫用利用規制（いわば「出口（濫用）規制」），そして，(3)無期契約労働者との差別（不利益取扱い）禁止規制（いわば「内容規制」）が採用されている[7]。有期契約は前述③自動終了効果により，解雇規制の及ばない不安定雇用となり，また，雇用保障の欠如ゆえに無期雇用より劣悪な労働条件となりがちなことから，労働者保護を図ろうとしたものである。もっとも，有期契約の厳格な利用制限が労働市場の柔軟性を奪い，失業率の高止まり等の病理現象をもたらしているとの反省から，1980年代以降，欧州各国では，入口規制から出口（濫用）規制に規制の比重を移したり，入口規制を維持する場合も有期契約締結可能事由を追加するなど，有期契約の利用制限を緩和する傾向が見られる。他方，アメリカではこれらの規制は採用されておらず，有期契約の利用は自由であり，更新回数や利用期間に制限はない。

7)　1999年のEU有期労働指令（1999/70/EC）は，EU加盟国に入口規制は要求していないが，出口規制については，①更新正当化理由，②総継続期間の上限，③更新回数の上限のうち，一つまたは複数の事項について，国内法整備を要求している。また，内容規制については，有期契約であることを理由とする不利益取扱い禁止を全加盟国に要求している。各国法制の概観については濱口桂一郎「EU有期労働指令の各国における施行状況と欧州司法裁判所の判例」労旬1677号19頁（2008年）参照。

また，有期契約と無期契約とで労働条件に格差があっても，自由な転職によって解消されるべき問題であって差別問題とは観念されていない[8]。

こうした諸外国の状況と比較すると，日本法は，締結事由，更新回数ないし利用期間，そして無期契約労働者との処遇格差について規制を行ってこなかった点で，欧州型の規制ではなくアメリカ型に近いが，判例の形成した雇止め法理によって，一定の場合に有期契約の自動終了に制限を課している点でアメリカと異なっていた。しかし，2012（平成24）年労契法改正により，無期契約転換ルールや有期契約を理由とする不合理な労働条件禁止の規制を導入し，欧州型に近いスタンスを取ることとなった。もっとも，立法の過程では，欧州で失業問題に対処すべく，締結事由規制から濫用利用規制に比重を移した国があることや，短期の無期転換ルールが雇止めを誘発しかねないこと，雇用形態差別規制と呼ばれる規制と人権に基づく差別禁止規制の異同等について慎重に検討がなされ，日本独自の政策判断に基づく規制が導入された[9]。

その後，2016年から同一労働同一賃金を日本にも導入するとのスローガンが掲げられ，2018年のいわゆる働き方改革関連法（働き方改革を推進するための関係法律の整備に関する法律〔平成30年法律71号〕）によって，パート労働法はパート有期法（短時間労働者及び有期雇用労働者の雇用管理の改善等に関する法律）に改正され，パート労働法の規制が有期雇用労働者にも適用されることとなった。その結果，無期・有期間の不合理な相違を禁止した労契法20条は削除され，同趣旨の均衡規制であるパート有期法8条に吸収され，また，有期雇用労働者に，パート有期法9条により，新たに差別的取扱い禁止規制（均等規制）が適用されることとなった（有期雇用労働者の均等・均衡規制については→574頁以下）。

以上のような有期労働契約に関する規制の展開をまとめると**図表18-3**のようになる。

▩期間の定めの解釈　神戸弘陵学園事件[10]では，契約期間は一応1年とし，勤務状態を見て再雇用するか否かの判定をする旨の説明を受け，期間1年の期限付きで採用された

8）　以上の諸外国の状況については荒木尚志「有期労働契約規制の立法政策」菅野和夫先生古稀記念論集『労働法学の展望』166頁以下（2013年），労働政策研究・研修機構『諸外国における非正規雇用労働者の処遇の実態に関する研究会報告書』（座長荒木尚志東京大学教授）（2016年）参照。

9）　詳細は荒木・前掲注8参照。

10）　神戸弘陵学園事件・最三小判平成2・6・5民集44巻4号668頁。

図表 18-3　有期労働契約に関する法規制の展開

	人身拘束効果		雇用保障効果	自動終了効果		労働条件格差
	1回の有期契約の上限規制		中途解雇規制	更新拒否規制	無期転換規制	格差是正規制
1896年（民法制定）	5年上限（民626条）		中途解約にやむを得ない事由要求（民628条）			
1947年（労基法制定）	1年上限（労基14条）					
	↓			判例法理「雇止め法理」の形成		
1998年（労基法改正）	↓	高度専門知識労働者・60歳以上に3年上限特例		↓		
2003年（労基法改正）	3年上限（労基14条, ただし同附則137条で修正）	高度専門知識労働者・60歳以上に5年上限特例		↓		
2007年（労契法制定）	↓	↓	中途解雇にやむを得ない事由を強行的に要求（労契17条）	↓		
2012年（労契法改正）	↓	↓	↓	雇止め法理の明文化（労契19条）	5年無期転換ルール（労契18条）	不合理な相違の禁止（労契20条）
2018年（パート有期法）	↓	↓	↓	↓	↓	↓ 不合理な相違の禁止（均衡規制：短時有期8条）、通常労働者と同視すべき場合の差別的取扱い禁止（均等規制：短時有期9条）

（筆者作成）

常勤講師の雇止めが問題となった。最高裁は期間設定の趣旨・目的が労働者の適性を評価・判断するためのもの（試用目的）であるときは，期間の満了により雇用契約が当然に終了する旨の明確な合意が成立しているなどの特段の事情が認められる場合を除き，同期間は，契約の存続期間の定めではなく，試用期間であると解するのが相当とした。これは有期契約の利用目的を限定的に解し，試用目的の期間設定であれば，これを原則として労働契約の期間の定めではなく，無期契約における試用期間に読み替えようとする立場のようにも思われる。しかし，日本法は有期契約の利用目的ないし事由については規制を行っておらず，2012年改正でも雇用政策上の観点から慎重に検討の上，利用事由については，あえて規制しないこととした。したがって，神戸弘陵学園事件判決は，試用目的の期間の定めは当然に無期契約の試用期間と解すべきという趣旨ではなく，あくまで，期間満了により終了する明確な合意がない，すなわち，有期契約であること自体が明確でない場合に限定して理解すべきであろう[11)]。その後，最高裁は，福原学園事件[12)]において，1年契約を更新限度3年とし，勤務成績等を考慮して必要であると認めた場合に無期契約に移行する旨が明確に定められていた事案につき，3年の期間を試用期間と解した原審判断を覆し，3年終了時の無期契約への移行を否定し，雇止めを認めている[13)]。

Ⅱ　契約期間の上限規制

1　3年上限の原則

労基法は1947（昭和22）年制定以来，労働契約に期間の定めをする場合，その上限を1年としてきた[14)]が，2003（平成15）年労基法改正によって，上限は3年に引き上げられた（労基14条1項）。封建的労働関係における人身拘束という弊害の懸念が薄らぎ，上限規制ゆえに短期に反復継続されている有期契約を，3年までの期間設定を許容し，3年間は雇用関係が存続することを前提に労使

11)　最高裁判決の「右期間の満了により右雇用契約が当然に終了する旨の明確な合意」にいう「右雇用契約」が，当該労働者と使用者の契約関係を指すとすれば，適性が認められれば，その後の雇用契約の継続を予定する試用目的の有期契約締結と自己矛盾をきたす（菅野241-242頁参照）。試用目的の有期契約が認められる以上，このような解釈は妥当ではない。そこで，この判示にいう「右雇用契約が当然に終了」とは当該労働者との雇用関係が終了することではなく，当該（有期）雇用契約が期間満了により終了することの明確な合意，すなわち当該契約が有期契約である旨の明確な合意を指していると解することによって判旨は初めて支持可能となる。

12)　福原学園事件・最一小判平成28・12・1労判1156号5頁（原審・福岡高判平成26・12・12 LEX/DB25542054）。

13)　森戸英幸・同事件判批・ジュリ1502号4頁（2017年）参照。

14)　民法626条1項は契約期間が5年を超える場合，5年経過後はいつでも解約可能としていたが，労基法の契約期間上限規制は，労働者の人身拘束の弊害に鑑み，拘束期間をより短期に定めたものである。

双方が教育訓練インセンティブを持つ「中期契約」としてより良好な雇用機会と位置づけるべきとの考え方が背景にあった[15]。

しかし，2003年改正法案の国会における議論では，なお人身拘束効果への懸念があるとして，労基法附則137条が設けられ，必要な措置が講じられるまでの暫定措置として，契約期間の初日から1年を経過した日以降は，使用者に申し出ることによりいつでも退職可能とされている[16]。その結果，現在のところ3年の有期契約を締結しても改正前と同様に1年を超えて労働者を拘束することはできず，使用者にとっては3年まではやむを得ない事由のない限り解雇できない雇用保障を約した契約として扱われることになる。

▩3年上限規制についての誤解？　有期契約の上限3年の規制は，労働者が期間途中で自由に退職できずに人身拘束となる期間の長さ（前述①人身拘束効果→536頁）に関するもの，つまり，1回の有期契約の期間の定めをどれだけ長くできるかに関する規制である。しかし，有期契約を反復継続して利用可能な総期間を3年と定めた規制（欧州等で採られている出口規制）と誤解してか（本田技研工業事件・東京地判平成24・2・17労経速2140号3頁における会社側主張参照），雇止め法理の予測可能性がないために，雇止め法理の適用を回避できる可能性の高い安全値とみてか（いすゞ自動車（雇止め）事件・東京地判平成24・4・16労判1054号5頁参照），あるいは，1999年以降，対象業務が自由化された派遣について，3年を超えた場合，派遣先に直接雇用義務が生ずる規制と混同してか，6ヶ月契約等を反復更新し，全体で2年11ヶ月等，3年に達する前の時点で更新拒絶するという実務が，特に大手製造業では広がった。これは労基法14条1項の3年上限規制とは全く関係のない対応である。

2　事業完了必要期間の例外

契約期間の上限規制については，労基法制定当初より「一定の事業の完了に必要な期間を定める」場合については，例外が認められている（14条1項柱書）。例えば，事業が4年で終了する場合，3年の上限規制は適用されず，4年の有期契約が認められる。しかし，この例外は当該労働者の業務が一定期間で終了する場合では足りず，当該事業自体が一定期間で完了する場合に限られる[17]。

15)　詳細は岩村正彦ほか「〔座談会〕改正労基法の理論と運用上の留意点」ジュリ1255号13頁［荒木尚志発言］（2003年），渡辺章「中期雇用という雇用概念について」中嶋還暦71頁。

16)　東京地判平成28・3・31判タ1438号164頁［芸能プロダクションと歌手の専属契約が労働契約とされ，期間2年の契約につき，労基法附則137条を適用して，1年経過日以後に歌手が退職の意思表示をしたことにより終了したとされた］。

17)　ジョブアクセスほか事件・東京地判平成22・5・28労判1013号69頁は，当該職務が存在

3　5年上限の特例

また，1990年代に労働市場の規制緩和が進む中で期間制限の見直し論が高まり，1998（平成10）年改正では，1年上限の例外として，高度の専門的知識等を有する労働者，60歳以上の労働者の雇入れの場合に上限3年の特例が許容されることとなった。そして，2003年改正で上限規制の原則が3年とされた際に，1998年改正による上限3年の特例は，①厚生労働大臣が定める基準[18]に該当する高度の専門的知識等を有する労働者，②60歳以上の労働者について上限5年とされた（労基14条1項1号，2号）[19]。5年上限規制については前述の労基法附則137条の暫定措置の適用はない。

4　上限規制違反の効果

3年の上限を超える有期契約を締結した場合，罰則（労基120条1号）の適用があるほかに，当該契約はどのように修正されるかについて議論がある。

通説・裁判例[20]（第1説）によると3年上限に反する契約（仮に期間4年の契約）は労基法13条により期間3年に縮減される。また，期間3年を過ぎて労働関係が継続されたときは黙示の更新（民629条1項）により期間の定めのない労働契約となる。そして3年経過後の解雇（当初の期間4年満了時の契約終了の主張も解雇と評価される）は，解雇権濫用審査に服することになる（労契16条）。

これに対しては，対立する有力説[21]（第2説）があった。この説によると，

する限りでの期間の定めのない契約，換言すれば，当該職務が存在しなくなることを不確定期限とする労働契約が，期限到来（この事件では派遣先の解散）により終了したと判断しているが，このような不確定期限による（解雇ではない）契約終了を認めると解雇法理が完全に潜脱されることとなり，疑問である（水町勇一郎・同事件判批・ジュリ1422号145頁〔2011年〕も参照）。こうした判断は控訴審（東京高判平成22・12・15労判1019号5頁）で覆され，解雇権濫用として派遣元に対する労働契約上の地位確認が認容されている。

18）　平成15厚労告356号。具体的には，①博士の学位を有する者，②公認会計士・医師・弁護士・税理士・社会保険労務士・弁理士等，③システムアナリスト・アクチュアリー試験合格者，④特許発明者・登録意匠創作者等，⑤農林水産業・鉱工業・機械・電気・土木・建築技術者等で実務経験者等，⑥国・地方公共団体等による認定者等が定められている。

19）　1998年改正による3年上限の特例は「新規雇用」にしか用い得ず，また，そのような労働者が「不足している事業場」という要件があったが，2003年改正でこれらの要件も廃止された。下井・労基法102-103頁はこのような厳格な規制により，1998年改正は労使による現実の利用を十分に期待できる制度改革とならなかったとし，2003年改正を評価している。

20）　有泉・労基法114頁，労基局（上）234頁，旭川大学事件・札幌高判昭和56・7・16労民集32巻3=4号502頁，読売日本交響楽団事件・東京地判平成2・5・18労判563号24頁，社会福祉法人ネット事件・東京地立川支判令和2・3・13労判1226号36頁等。

使用者は，1年（現在は3年）を超える期間の拘束関係を主張できない（契約通り上限を超えて労働せよとはいえない）が，労働者にとっては上限を超える期間の定めは有効で，その期間（例えば4年間）の雇用保障を主張でき，また，当該期間（4年）の満了により労働関係は終了することになる。

さらに，期間の定めが労基法14条に違反している場合，端的に期間の定めを無効とし，期間の定めのない契約になると解すべきとする見解[22)]（第3説）も主張されている。

第3説は傾聴すべき見解だが，当事者に期間を設定する意思があったことを全く無視してよいのかとの疑問も生じる。第2説は，前述②雇用保障効果（→536頁）については，上限規制を超える雇用保障を認める点で労働者に有利な解釈をしているといえるが，有期契約のもう一つの重要な効果は，その期間満了時に解雇規制によらずに労働契約が終了するという前述③自動終了効果（例えば4年契約の場合，4年満了時に解雇によらずに契約が終了する効果）である。有期契約の上限が緩和されたため，上限違反の契約は3年以上という相当の期間存続した契約であり，法に違反した期間設定であるにもかかわらず，その満了終了という効果をそのまま認めてよいのかが問題となること，使用者は有期契約の締結に当たって，書面明示に加えて更新の有無・判断基準を明示すべき規範が形成されてきていること（→569頁），上限違反の契約の当初の期間満了に解雇権濫用法理を適用しても，当事者が期間の定めを了解していた事実を考慮した妥当な処理が可能なこと等を勘案すると，第1説のように解すべきであろう[23)]。

Ⅲ　有期契約の中途解約

期間途中における解約につき，民法628条は「やむを得ない事由」があれば直ちに解除可能としている。かかる規定が置かれていることは，「やむを得な

21)　菅野和夫『労働法』（5版補正2版）182頁（2001年），下井隆史『労働基準法』（2版）67頁（1996年），青木＝片岡・注解Ⅰ209頁［諏訪康雄］等。

22)　中窪＝野田・世界81頁（1994年の初版以来の見解である）。これを支持するものとして斉藤周「契約期間の制限」百選（6版）27頁，金子征史＝西谷敏編『基本法コンメンタール 労働基準法』（5版）84頁［金子征史］（2006年）。

23)　同旨，平成15・10・22基発1022001号。奥野寿・タイカン事件・後掲注30判批・ジュリ1300号158頁（2005年）参照。有力説も，現在においては従来の見解を修正し第1説を支持するに至っている。菅野317頁，下井・労基法103頁。

い事由」がなければ解約できないことを前提としていると解される。しかし，同条が強行規定か否かについては争いがあり，裁判例は，やむを得ない事由以外の解雇事由を合意することも可能とするもの[24]と，かかる合意の効力を認めずに「やむを得ない事由」がない限り解雇できないとするもの[25]に分かれていた。

この問題について，労契法17条1項は，使用者は「やむを得ない事由がある場合でなければ」有期契約の期間途中で労働者を解雇することはできないとし，「やむを得ない事由」の要求が強行的規範であることを明らかにした。「やむを得ない事由」は，無期契約における解雇が権利濫用とならない場合（客観的に合理的理由があり，社会通念上相当と評価される場合＝労契16条）よりも限定された，期間満了を待つことなく雇用関係を解消せざるを得ない例外的な事由と解される[26]。この「やむを得ない事由」の存在は使用者が主張立証すべきこととなる。

期間途中の解雇が「やむを得ない事由」が存在しないため無効とされても，期間満了によって契約が終了するか否かは別途問題となる。労契法17条1項により期間途中の解雇を無効と判断したのみで，期間満了による契約終了の効果発生の有無を検討することなく，期間満了後の労働契約上の地位確認を認めた高裁判決につき，最高裁は期間満了による契約終了について判断遺脱があるとし，破棄差戻しとした[27]。

24）　ネスレコンフェクショナリー関西支店事件・大阪地判平成17・3・30労判892号5頁。

25）　安川電機（パート解雇）事件・福岡高決平成14・9・18労判840号52頁，モーブッサンジャパン（マーケティング・コンサルタント）事件・東京地判平成15・4・28労判854号49頁等。

26）　やむを得ない事由を肯定した例として新生ビルテクノ事件・大阪地判平成20・9・17労判976号60頁［業務命令への再三の違反］，否定した例としてプレミアライン（仮処分）事件・宇都宮地栃木支決平成21・4・28労判982号5頁［労働者派遣契約解約を理由とする派遣労働者の契約期間中途の解雇］，アンフィニ（仮処分）事件・東京高決平成21・12・21労判1000号24頁［年末終期の契約を5月末終期の契約に変更後，その終期以前の5月17日の中途解雇を無効］，学校法人東奥義塾事件・仙台高秋田支判平成24・1・25労判1046号22頁［高校の塾長の期間満了前解雇を無効］，大阪運輸振興事件・大阪地判平成25・6・20労判1085号87頁［乗客事故に嘱託運転手の落ち度なしとして期間中途の解雇を無効］，センバ流通（仮処分）事件・仙台地決令和2・8・21労判1236号63頁［コロナ禍におけるタクシー乗務員の整理解雇につき，整理解雇の4要素を総合考慮した上で，労契法17条1項のやむを得ない事由を欠き無効］。

27）　朝日建物管理事件・最一小判令和元・11・7労判1223号5頁。

なお，労契法17条1項は解雇権濫用法理を有期契約の場合に具体化したものとする理解もあるが[28]，理論上は，「やむを得ない事由」がなければ，そもそも，行使すべき解雇権自体が認められていないと解される。したがって，労契法16条の解雇権行使の濫用判断によってではなく，端的に労契法17条1項により無効となると解される（→342頁参照）。

Ⅳ　有期契約の黙示の更新

民法629条1項によると，期間満了後も労働関係が継続し，使用者がこれを知りながら異議を述べないとき（黙示の更新）は，「従前の雇用と同一の条件で更に雇用をしたものと推定する」こととされている。この「同一の条件」が労働時間や賃金等の労働条件を指していることは疑いがないが，期間の定めもこの「同一の条件」に含まれるか否かについては見解の対立がある。通説は，民法629条1項後段が期間の定めのない雇用契約に関する627条により解約申入れ可能としていることから，「同一の条件」に期間の定めは含まれず，無期契約に転化すると解している[29]。これに対して，有力説[30]は通説が形成された頃は無期契約について解雇の自由が存在したが，解雇権濫用法理が確立し，かつ，反復更新された有期契約の更新拒絶には同法理が類推適用される今日では，同一の期間を定めた有期契約として更新されていると解すべきと主張する。

有力説の実質的根拠は，黙示の更新により一挙に解雇が不自由な無期契約に転化してしまうのは雇用の実態にそぐわない点にある。しかし，近時の学説[31]で指摘されているように，解雇権濫用法理の適用において，当該事案における労働者の雇用存続への期待の程度を勘案することは可能であり[32]，ま

28）　社団法人キャリアセンター中国事件・広島地判平成21・11・20労判998号35頁。

29）　我妻栄『債権各論中巻二（民法講義 V_3）』589頁（1962年）。この立場を採った裁判例として旭川大学事件・前掲注20［無期契約となったことを認めつつ，その後の解雇を有効とした］，角川文化振興財団事件・東京地決平成11・11・29労判780号67頁［無期契約となった後の整理解雇を有効とした］。

30）　菅野335頁，下井・労基法106頁，渡辺弘 I 92頁。この立場を採る裁判例として，タイカン事件・東京地判平成15・12・19労判873号73頁。

31）　奥野・前掲注23，水町・詳解386頁。

32）　5年の研修期間が旧労基法14条により1年に短縮され，その期間経過後は無期契約となるが，研修終了後の雇用継続への期待程度は低いとし，解雇を有効としたものとして自警会東京警察病院事件・東京地判平成15・11・10労判870号72頁。

た，有期契約締結時の期間明示・更新可能性の明示の要請の強化（→569頁）を踏まえると，通説の立場を支持すべきであろう[33]。

V　有期労働契約の無期労働契約への転換

2012（平成24）年労契法改正の最大の特徴は，有期労働契約が5年を超えて反復更新された場合に，当該有期契約労働者に有期労働契約を無期労働契約に転換させる権利を付与したことである（2013年4月1日施行で，同日以後の日を初日とする有期労働契約について適用）。すなわち，労契法18条は，「同一の使用者との間で締結された2以上の有期労働契約……の契約期間を通算した期間（……「通算契約期間」という。）が5年を超える労働者が，当該使用者に対し，……期間の定めのない労働契約の締結の申込みをしたときは，使用者は当該申込みを承諾したものとみなす」としている。かかる労働者が無期労働契約締結の申込権（以下「無期転換申込権」という）を行使すると，使用者は当該申込みを承諾したものとみなされるため，有期契約は無期契約に転換されることとなる（以下「無期転換ルール」という）。申込みと承諾という形式をとってはいるが，労働者に有期契約を無期契約に転換させる転換権という形成権を付与したに等しい[34]。

1　無期労働契約転換ルールの趣旨

2012年改正が締結事由規制（入口規制）は採用せずに，出口規制に当たる無期転換ルールを導入した趣旨は，有期労働契約の利用自体は禁止せず許容するが，その反復更新が5年を超えて存続する場合には濫用にわたるものと評価して，これを安定雇用たる無期労働契約に移行させようとしたものである。しかし，無期転換ルールという出口規制には，これを回避しようとする使用者による雇止めを誘発するおそれが懸念されること[35]から，そうした懸念を軽減することに相当に配慮した制度設計が行われた。

33）ここで問題としているのはあくまで「黙示」の更新である。書面明示はなくとも期間の定めの明確な合意があった場合は，有期契約として更新される（→536頁）。

34）同旨，菅野323頁。

35）厚生労働省「有期労働契約研究会報告書」（座長鎌田耕一東洋大学教授，2010年9月10日）は，更新回数・利用可能期間の規制という出口規制には安定雇用への転換というプラスの効果とともに，雇止め誘発効果という副作用があること，しかし，その副作用の弊害の程度は出口規制の内容に応じて調整されうるとの指摘に言及していた。

(1) 無期転換ルールの必要性

有期労働契約も反復継続していれば安定的雇用であって何ら問題はなく，実際多くの有期契約労働者は雇止めされずに雇用されており，一定の場合には「雇止め法理」による救済もあるので，無期転換ルールを創設する必要はない，との議論もあった[36]。しかし，有期契約雇用の問題は，単に，期間満了によって解雇規制の適用を受けることなく雇用関係が終了するという雇止めの問題につきるものではない。雇用継続の保障がなく，有期契約が更新されるか否かが使用者の意向にかかっているという状況下に置かれる有期契約労働者は，法律で保障された権利行使，労働条件改善要求，セクハラ等の苦情申出といった雇用関係上，当然の権利や要求の主張を，将来の更新拒絶を恐れて自ら抑制してしまうという点[37]により大きな問題がある。つまり，有期契約労働者は常に雇止めとなる可能性があることによって，契約存続中も使用者に対して著しく交渉力に劣る立場に置かれることに，有期労働契約関係の問題と特質がある[38]。解雇権濫用法理による保護のある正規労働者であっても使用者との関係では交渉力に劣るとされているが，有期契約労働者の場合，正規労働者よりも，さらに劣位に置かれることとなる。2012年改正で採用された5年無期転換ルールは，使用者が，有期契約労働者に対して圧倒的に優越的な地位に立つ契約関係を5年を超えて継続利用することを，有期契約の濫用的な利用と評価し，安定的な無期契約への転換を図らせるべきであるという趣旨に出たものということができる[39]。

---

36) 2011（平成23）年8月3日に公表された労働政策審議会労働条件分科会「有期労働契約に関する議論の中間的な整理について」では，「実態調査を見ても，事業主の7割は雇止めの経験が無く……結果として多くの有期契約労働者の雇用は安定的に運用されている」という使用者側の見解が述べられている。

37) 有期労働契約研究会における労使関係者からのヒアリングでもこのような問題が指摘された。

38) このような有期契約の特質は，（権利行使とは逆に，有期契約下では，義務のないことを事実上拒否できないという文脈においてではあるが）国・中労委（INAXメンテナンス）事件・最三小判平成23・4・12労判1026号27頁でも考慮されている。同事件では，業務依頼を断っても当該有期契約期間中に債務不履行責任を追及されることがなかったとしても，相手方に異議があれば更新されないという状況下では，事実上従わざるを得ないという有期契約者の不安定な立場が勘案され，労組法上の労働者性を肯定する判断要素とされている（→655頁）。

39) 施行通達（平成24・8・10基発0810第2号）第5の4(1)が，労契法18条の趣旨について，「雇止め……の不安があることによって，年次有給休暇の取得など労働者としての正当な権利

こうした点を踏まえると，後述（→558頁）の雇止め法理による救済は，有期労働契約としての更新をもたらすのみで，無期労働契約への転換という効果は導き得ないという限界がある。無期転換ルールは，この限界を克服し，安定雇用への道筋を作ろうとするものといえる。

■雇止め法理のみが立法化された場合の副作用の懸念　2003年労基法改正で1回の有期労働契約の上限が3年に改正された後，大手製造業では，あたかも3年上限ルールがあるかのように3年を超える前に有期契約労働者を雇止めするという取扱いが広がった。これは，雇止め法理の予測可能性の欠如（→563頁）ゆえに，雇止め法理の適用可能性の少ない「安全値」として3年という基準が用いられた可能性が高い（→541頁）。そうすると，これまで雇止め法理の認識が十分でなく，有期労働契約を長期にわたり反復更新してきた諸産業でも，雇止め法理が明文化され周知された場合，製造業と同様に，3年を上限に短期で有期契約の更新を打ち切る実務が急速に拡大するおそれも十分に考えられ，実際，製造業以外の産業でも，有期契約の更新回数や勤続年数の上限を設定する事案[40]が増加してきていた。このように雇止め法理の適用回避のために企業が自主的に有期契約の上限設定をすることは，違法ではないだけに対処に苦慮する問題である。無期転換ルールを導入せずとも雇止め法理の明文化・周知徹底が，合理性の乏しい3年を上限とする雇止めを誘発するのであれば，雇止め誘発問題への対処をも踏まえた無期転換ルールを法定し，安定雇用への道筋をつくるほうが望ましいといえよう。5年無期転換ルールを導入していなければ，5年手前での雇止めは生じず，有期契約のまま雇用が続いたはずという見方は，2003年以降，急速に広がった3年を上限とする雇止めの実務と，それを加速する効果を持つ雇止め法理立法化の影響の認識と考察が欠けているように思われる[41]。

(2)　雇止め誘発懸念への考慮

無期転換ルールには，そのルール適用を回避するための雇止めを誘発するという懸念が伴う。そこで，労契法18条の無期転換ルールは，一方で，使用者に無期転換のハードルを低くして，雇止めではなく無期転換へ誘導することが考慮され，他方で，安易な雇止めを防止する仕組みが考慮されている。

行使が抑制されるなどの問題が指摘されている。」「こうした有期労働契約の現状を踏まえ……無期転換ルール……を設けることにより，有期労働契約の濫用的な利用を抑制し労働者の雇用の安定を図ることとした」としているのは，ここで指摘したような趣旨を踏まえたものと理解できる。

40）　厚生労働省「平成23年有期労働契約に関する実態調査（個人調査）」では，勤続年数の上限規制がある場合，1年超～3年以内が41.9％，3年超～5年以内が32.4％で，5年より短い上限規制基準が形成される傾向がうかがえた。3年上限を導入した典型的事例として後掲注89の報徳学園（雇止め）事件，立教女学院事件等参照。

41）　荒木・前掲注8・176頁以下参照。

まず，無期転換のハードルを低くする考慮として，第1に，労契法18条の無期契約転換ルールは，欧州諸国で採用されているような上限を超えて更新された有期契約を自動的に無期契約に転換させるものではなく，無期転換を労働者自身の選択に委ねている。これは，労働者が納得して無期転換を望まない場合にまで無期転換を法定することによる無用の雇止め誘発を回避するとともに，いわゆる有期プレミアムといわれる有期ゆえに正社員より有利な労働条件を享受している一部の有期契約労働者の存在を考慮したものと解される。

第2に，5年という比較的長期の無期転換基準が採用された。これは製造業等の3年未満の自主的上限設定による雇用縮小効果を生んでいる事態に対しては，むしろ3年手前での合理性のない雇止めを防止する効果を持ちうる。さらに，1年半や2年といった短期の無期転換ルールでは，有期契約労働者が無期転換に十分な技能を身につけたかどうかについて不安を持つ使用者は，雇止めを選択しがちなのに対して，5年にもわたって問題なく雇用を継続し，その間，技能も身につけた労働者であれば，より多くの使用者を無期転換しても問題ないという判断に導くであろう。

第3に，労契法18条1項は，無期転換後の労働条件について，別段の定めがある部分を除き，有期労働契約におけるのと同一の労働条件とすることとした。これは無期転換は，文字通り有期契約を無期契約に転換することを要求するにすぎず，無期転換労働者を，典型的な正社員と同じ労働条件で処遇することを要求するものではないことを明らかにし，使用者側が無期転換の大きな障害と考えているコスト増の懸念を除去するものである。なお，無期転換に伴う処遇改善が望ましいことはいうまでもないが，これについてハードローで要求するのではなく，キャリアアップ助成金制度により，無期転換を行い，かつ，転換前の基本給から5%以上昇給させた等の要件を満たした事業主に対しては助成金を支給する，というソフトローによる施策で誘導している。

他方，安易な雇止め防止策としては，第1に，5年無期転換ルール適用直前の雇止めについても，労働者に雇用継続への合理的期待がある場合には，労契法19条で明文化された雇止め法理の適用により制限され得る（更新限度条項と雇止め法理について→566頁）。第2に，クーリング期間（→555頁）が6ヶ月と比較的長期に設定されているのも，無期転換ルールの潜脱を容易に認めず，無期転換の実効性を確保する趣旨が含まれていると解される。

以上のような2012年労働契約法改正を全体として見れば，締結事由規制（入口規制）を行わないことよって，無業・失業状態から有期労働契約を活用して雇用へと誘導し，さらに，従来は有期雇用に留め置かれがちであった状況を無期転換ルールで打開し，安定雇用たる無期労働契約へ誘導し，助成金支給によるソフトローも併用して処遇改善を図ろうとしたものといえよう42)。

▩締結事由規制（入口規制）の不採用の趣旨　有期契約が不安定雇用であり，それゆえに，雇用関係存続中も使用者との関係で不当に交渉力格差のある雇用関係であることから無期転換ルールが必要であるというのなら，そもそも，有期契約締結を原則禁止し，例外的にのみ，法の定めた締結事由に限って有期契約利用を認める，という入口規制を採用すべきではないか，との主張も有力である。

しかし，入口規制を採用する場合，有期契約の締結を原則禁止し，例外的に締結してよい事由を列挙することとなるところ，その事由に該当するかどうかをめぐって必然的に紛争が生ずる。その事由が「事業活動の一時的増加」といった抽象的なものであれば，その解釈が争いとなる43)。次々に有期契約締結事由を追加列挙していったスウェーデンは，2007年に入口規制から出口規制に転じたが，これも列挙事由該当性をめぐって紛争が惹起されたことがその大きな理由であった。

そしてより重要なことは，有期契約利用を原則禁止し，雇用する以上は無期契約で雇用すべきとの立場を採った場合の雇用政策上の効果である。雇用の場を求めている無業・失業状態にある者を雇用に結びつけることが喫緊の課題であるが，その雇用に際して，原則，無期契約によるべきことを使用者に要求しても，雇用のハードルを高くするだけで雇用創出効果は望めない。むしろ，無業・失業状態から雇用への入口は敷居を低くし，有期契約を積極的に利用させ，有期契約で雇用されている間に，本人の職業能力を発展させて，不安定雇用から安定雇用へと誘導することが政策的には望ましい。

日本の労働市場は正規従業員については，量的柔軟性を制限する代わりに，労働条件調

---

42)　無期転換権発生手前での雇止め誘発が懸念されたが，2018年11月時点の調査によると，2013年4月の無期転換ルールの施行以降，自社の都合で雇止めを行った企業の割合は3.3%（有期契約労働者を雇用している企業を母集団とすると6.2%），「無期転換を申込む権利を持つ人が出ないようにするため，あるいはその人数を減らすため，2018年3月末までに有期労働契約の終了（雇止め）を行った」割合は0.4%（同0.7%）にとどまっている（労働政策研究・研修機構「無期転換ルールへの対応状況等に関する調査」2019年9月10日）。

43)　労働政策研究・研修機構『ドイツ，フランスの有期労働契約法制調査研究報告』72頁［奥田香子］（2004年）および奥田「フランスの有期労働契約法制」労働問題リサーチセンター『非正規雇用問題に関する労働法政策の方向』160頁（2010年）は，「事業活動の一時的増加」が一般的かつ曖昧で，解釈も明確でなく有期契約を広く認めることになりかねないとの批判があることを指摘している。また，慣行的に有期労働契約利用が認められてきた部門での利用や，雇用政策のための利用（若年者雇用・高齢者雇用のための有期契約）が認められていることを指摘している。

整を柔軟に行うという質的（内的）柔軟性によって補完するという内部市場型 flexicurityを採用してきたといえるが，このシステムは，有期契約を自由に利用することにより量的柔軟性を補完することとセットで成り立っていたものである[44]。ここで，有期契約の利用自体を制限するとすれば，産業空洞化等の懸念も生じかねない。締結事由規制の不採用は，これらの労働市場全体の状況を勘案した上での政策選択であったといえよう。

2　無期転換申込権

同一の使用者との間で締結された2以上の有期労働契約の契約期間を通算した期間（通算契約期間）が5年を超える有期契約労働者が，当該使用者に対し，現に締結している有期労働契約の契約期間が満了する日までの間に，無期労働契約締結の申込みをしたときは，使用者は当該申込みを承諾したものとみなされる（労契18条1項前段）。無期契約に転換された場合の労働条件は，別段の定めがない限り，従前の有期労働契約の内容である労働条件（契約期間を除く）と同一とされている（同後段）。

(1)　同一の使用者

5年を超える通算契約期間は，同一の使用者（労働契約の相手方たる使用者である法人や個人事業主）との間で算定される。したがって，別使用者の下で3年有期労働契約で雇用されていた者が，現使用者との間で2年を超える有期労働契約を締結したとしても，有期契約期間が通算されることはない。他方，同一使用者（企業）に雇用されている限り，契約更新の際に，勤務する事業場が異なっていても，契約期間は通算される。なお，派遣労働者の場合は，労働契約の締結の相手方である派遣元事業主との有期労働契約について通算契約期間が計算される。ただし，施行通達は，「使用者が，就業実態が変わらないにもかかわらず，〔労契法18条1項の〕無期転換申込権……の発生を免れる意図をもって，派遣形態や請負形態を偽装して，労働契約の当事者を形式的に他の使用者に切り替えた場合は，法を潜脱するものとして，同項の通算契約期間の計算上『同一の使用者』との労働契約が継続していると解される[45]」としている。

合併や会社分割によって労働契約が包括承継される場合，合併・会社分割前後の使用者は異なっているが，ここでの問題は「同一の使用者」性ではなく，

44)　例えば，荒木・雇用システム209頁以下。

45)　施行通達・前掲注39・第5の4(2)イ。国会答弁でも確認されている（平成24年7月25日第180回国会衆議院厚生労働委員会会議録第15号23頁［西村智奈美厚生労働副大臣答弁］）。

合併・会社分割によって，従前の使用者の下で継続した有期労働契約関係という地位が包括的に承継されるので，その効果として旧使用者の有期契約期間と新使用者のそれが通算されると解される。これに対して，事業譲渡や改正労働者派遣法における派遣先の直接雇用申込みみなしの場合には，包括承継ではないので，当然に従前の雇用を通算することにはならず，当事者間に従前の雇用関係を承継する合意があったのかどうかを基準に判断すべきこととなろう[46]。

(2)　2以上の有期労働契約の通算契約期間が5年を超えること

無期転換申込権は「2以上の有期労働契約」の通算契約期間が5年を超える場合，すなわち更新が1回以上行われ，かつ，通算契約期間が5年を超えている場合に発生する。したがって，1回も更新がなされない場合，たとえ契約期間が5年を超えていても（労基法14条1項により，一定の事業の完了に必要な期間を定めるものとして5年を超える有期労働契約はあり得る），無期転換申込権は発生しない。

育児休業などで勤務をしなかった期間も，労働契約が続いていれば通算契約期間にカウントされる。

通算契約期間の算定に当たっては，暦に従い，契約期間の初日から起算し，翌月の応当日の前日をもって1ヶ月とする。1ヶ月に満たない端数がある場合には，端数同士を合算し，30日をもって1ヶ月とカウントされる。

▩5年更新上限条項と5年無期転換ルールの潜脱？　5年無期転換ルールは5年を超える有期契約の反復更新を有期契約の濫用的利用とみて安定雇用に移行させるものであって，5年を超えない有期契約利用は当然に許容している。したがって，5年更新上限条項の設定や導入自体に問題がなければ（雇用継続の合理的期待が既に生じていた場合等は別である→566頁），5年更新上限設定自体を当然に労契法18条の潜脱と評価すべきではない[47]。

▩5年無期転換ルールの特例　5年無期転換ルールについては，以下のような特例が定められている。第1に，研究・教育を困難とし，若手研究者のキャリア形成にも悪影響がある等の懸念から，科学技術（人文科学を含む）研究者・技術者（研究補助を含む），科学技術研究支援専門業務従事者（2013年改正研究開発力強化法〔現在改称され，科学技術・イノベーション活性化法〕15条の2第1項），および大学教員（2013年改正大学教員任期法7条

46)　菅野323頁もほぼ同旨。

47)　日本通運事件・東京地判令和2年10月1日労判1236号16頁［労契法18条は，有期契約の利用自体は許容しつつ，5年を超えたときに無期雇用へ移行させることで，有期契約の濫用的利用を抑制し，もって労働者の雇用の安定を図る趣旨の規定であるとして，労契法18条の適用を免れる目的で更新限度や不更新条項を設けて雇止めを行ったもので労契法18条の潜脱であるとの主張を斥けた］。同旨，日本通運（川崎・雇止め）事件・後掲注87，ドコモ・サポート事件・後掲注87。

1項）について，無期転換のための通算契約期間を10年超とする特例が設けられている[48]。

第2に，2014年制定の「専門的知識等を有する有期雇用労働者等に関する特別措置法」（有期特措法）により，5年を超える一定期間内に完了することが予定されている業務に就く高度専門的知識等を有する年収1075万円以上の有期契約労働者（第一種特定有期雇用労働者，同法4条1項，具体的には平成27厚労告67号）については，当該業務の開始から完了の日までの期間（ただし10年を超える場合は10年），そして，定年後継続雇用される高齢有期契約労働者（第二種特定有期雇用労働者，同法6条1項）が，定年後引き続き雇用されている期間については，無期転換申込権は発生しないとする特例が定められている（同法8条1項，2項）。そして，この特例を利用するには，事業主が厚生労働大臣に適切な雇用管理計画を提出して認定を受ける必要がある（同法4条～7条）。

(3)　無期転換申込権の発生と行使

無期転換申込権は，当該契約期間中に通算契約期間が5年を超えることとなる有期労働契約の契約期間の初日から当該有期労働契約の契約期間が満了する日までの間に行使することができる[49]。また，労契法18条1項の文言上，無期転換申込権は，通算契約期間が5年を超えた時点で発生するのではなく，通算契約期間が5年を超える有期労働契約を締結し，当該契約が開始した時点で発生することとされている（**図表18-4**の契約期間3年の場合参照）。

この期間内に無期転換申込権を行使せずに，再度，有期労働契約が更新され

48）　科学技術・イノベーション活性化法や大学教員任期法の10年特例の適用を否定した例として専修大学事件・東京地判令和3・12・16労判1259号41頁［大学の語学講師につき，同法15条の2第1項1号の「研究者」には該当せず10年ではなく5年無期転換ルールが適用されるとして期間の定めのない労働契約上の地位確認を認容。東京高判令和4・7・6判例集未登載で維持］，10年特例の適用を肯定した例として，学校法人茶屋四郎次郎記念学園事件・東京地判令和4・1・27LEX/DB25591794［大学の専任講師は大学教員任期法の「教員」に該当し，10年無期転換特例が適用され，5年無期転換ルールは適用されないが，本件雇止め自体は，労契法19条2号の更新への合理的期待を認め無効とした］，学校法人羽衣学園事件・大阪地判令和4・1・31労経速2476号3頁［私立大学の専任教員につき大学教員任期法の10年特例が適用され，5年無期転換ルールの適用はなく，雇止めについても更新への合理的期待なしとして有効とした］。

49）　雇止めの効力を争い，訴訟において雇止めが無効となり，有期契約が更新されたとみなされた結果，無期転換申込権が発生することとなったが，無期転換申込権の行使が当該更新された有期契約の期間満了後になされた場合，18条1項所定の期間内の無期転換申込権の行使とは認められないとした例として，高知県公立大学法人事件・高松高判令和3・4・2労経速2456号3頁（上告不受理で確定）。本件に関する訴訟法上の論点については池田悠・判批・ジュリ1566号162頁参照。

図表 18-4　無期転換申込権の発生と行使

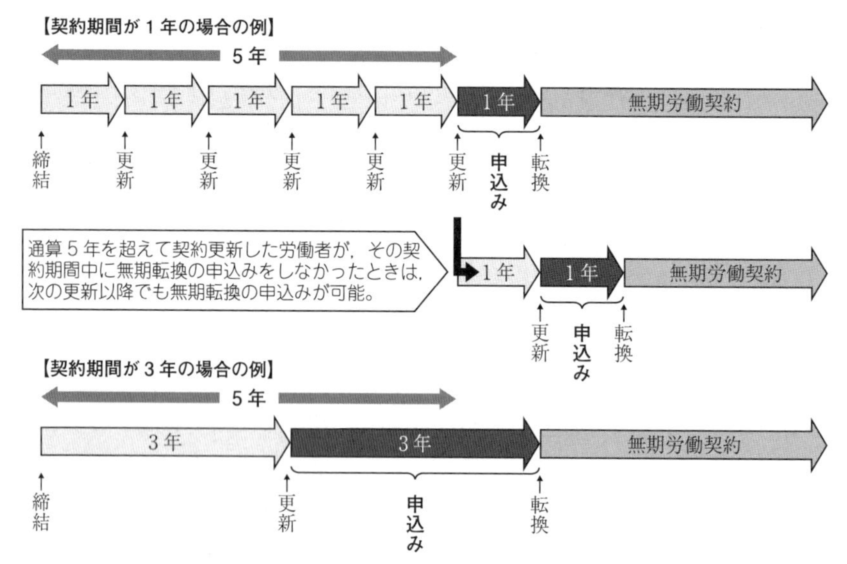

（出所：厚生労働省パンフレット「労働契約法改正のあらまし」を加工）

た場合，新たに，無期転換申込権が発生する[50]。18 条 1 項は，転換申込権発生を 5 年を超える最初の有期労働契約期間に限定しておらず，再度の更新であっても同条項の条件を満たす構造となっており，実質的に考えても，最初の無期転換申込権の認識が不十分で申込権を行使しなかった有期契約労働者や，当初の更新期間中は有期労働契約で納得していても，再更新後は無期転換を望むに至った有期契約労働者に対して，無期転換権を認めない解釈は，無期転換ルールの趣旨に反して妥当でないからである[51]。

無期転換申込権も権利である以上，自由意思による放棄は可能である。しかしその放棄は，自由な意思表示に基づくものであることが認められる客観的に合理的な理由が存在する状況下でなされたものであることが必要であろう。また，権利発生前に予め「放棄」すること（事前の放棄）は，労契法 18 条 1 項が

50）　施行通達・前掲注 39・第 5 の 4 (2)エ。国会答弁でも確認されている（前掲注 45・23 頁［金子順一政府参考人答弁］）。

51）　同旨，菅野 325-326 頁。

無期転換申込権を設定した趣旨を没却しかねないため，その効力は原則として認められないと解される[52]。

(4) クーリング期間

ある有期労働契約と次の有期労働契約の間に無契約期間が挟まった場合，どの程度の空白期間があれば，相互の有期労働契約が連続しないものとして通算しないことが許されるのかが問題となる。この従前の契約期間を通算しない（いわばリセットする）ことが許される空白期間のことを「クーリング期間」という。クーリング期間を認めなかったり，それがあまりに長期であれば，同一企業での再雇用を希望する労働者の職業選択の自由・雇用創出を阻害することになるが，あまりに短期であれば無期転換ルールが容易に潜脱されてしまう。そこで2012年改正ではクーリング期間は原則6ヶ月とされた。

したがって，空白期間が6ヶ月以上である場合は，それ以前の有期労働契約はリセットされ，その後の通算契約期間に通算されない（**図表18-5**）。これに対して，空白期間が存在してもクーリング期間の6ヶ月未満である場合には，リセットされず，空白期間前後の有期労働契約の期間が通算される（**図表18-6**）。

これに対して，空白期間前の契約期間（複数の有期労働契約がある場合，そのすべての契約期間を通算する[53]）が1年未満の場合については，その2分の1の期間を基準に，1月に満たない端数を生じたときは1月として計算するという省令により，**図表18-7**のようなクーリング期間となる（労契18条2項，有期通算基準省令2条）。

52)　施行通達・前掲注39・第5の4(2)オは，「無期転換申込権が発生する有期労働契約の締結以前に，無期転換申込権を行使しないことを更新の条件とする等有期契約労働者にあらかじめ無期転換申込権を放棄させることを認めることは，雇止めによって雇用を失うことを恐れる労働者に対して，使用者が無期転換申込権の放棄を強要する状況を招きかねず，法第18条の趣旨を没却するものであり，こうした有期契約労働者の意思表示は，公序良俗に反し，無効と解される」としている。国会でも同趣旨の答弁がなされている（前掲注45［西村副大臣答弁］）。菅野326-327頁は，合理的な理由があり真意に出ていれば放棄も可能だが，使用者がこれを強要したと評価されれば無効であるとし，交渉力が弱い一般の有期契約労働者による転換申込権の事前の放棄は一般的にこのようにいえるとする。

53)　つまり2ヶ月契約が3回更新された場合は，8ヶ月として計算する。また，複数の有期契約ブロック間，例えば［2ヶ月+2ヶ月+2ヶ月］と［2ヶ月+2ヶ月］の2ブロック間に2ヶ月の空白期間がある場合，第1ブロック6ヶ月に必要なクーリング期間は3ヶ月であり，クーリングされないため，第1ブロックと第2ブロックは通算して10ヶ月となる。したがって，その後の空白期間が5ヶ月以上の場合にクーリングが認められることとなる。

図表 18-5　空白期間が 6 ヶ月以上の場合

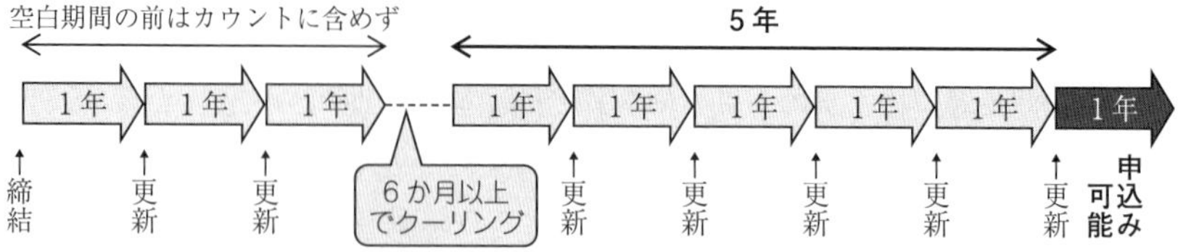

空白期間の前はカウントに含めず
5年
1年
1年
1年
1年
1年
1年
1年
1年
1年
締結
更新
更新
6か月以上でクーリング
更新
更新
更新
更新
更新
申込可能

（出所：厚生労働省パンフレット「労働契約法改正のあらまし」）

図表 18-6　空白期間が 6 ヶ月未満の場合

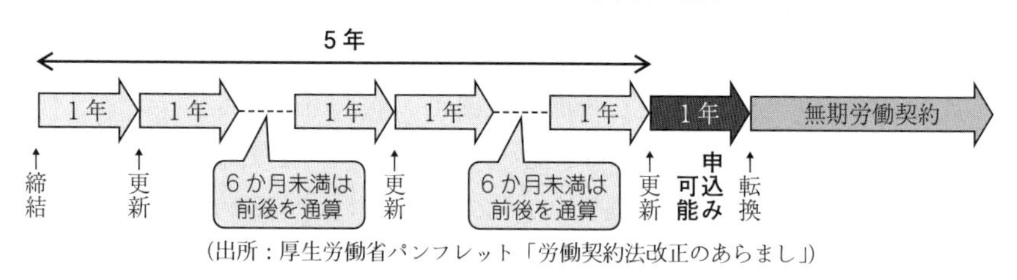

5年
1年
1年
1年
1年
1年
1年
無期労働契約
締結
更新
6か月未満は前後を通算
更新
6か月未満は前後を通算
更新
申込可能
転換

（出所：厚生労働省パンフレット「労働契約法改正のあらまし」）

図表 18-7　カウント対象となる契約期間が 1 年未満の場合のクーリング期間

カウントの対象となる有期労働契約の契約期間	契約がない期間
2か月以下	1か月以上
2か月超～ 4か月以下	2か月以上
4か月超～ 6か月以下	3か月以上
6か月超～ 8か月以下	4か月以上
8か月超～10か月以下	5か月以上
10か月超～	6か月以上

（出所：厚生労働省パンフレット「労働契約法改正のあらまし」）

なお，この空白期間（有期通算基準省令の契約期間が連続するか否かの基準においては「無契約期間」と称されている）は，当該使用者との関係で問題となるものであり，空白期間中に，無業であったか，他企業で雇用されていたか等は関係ない。

3　無期転換と労働条件

労契法 18 条 1 項の無期転換ルールは，有期労働契約を無期労働契約に転換するにとどまり，有期契約労働者をその職務や契約内容と無関係にいわゆる正社員扱いすることを求めるものではない[54]。したがって，労働条件については別段の定めのない限り有期労働契約における労働条件と同一とされている。しかし，「別段の定め」をすることにより，労働条件を変更することはもちろん可能である（労働条件改善に対する助成金につき→549頁）。「別段の定め」には，労働協約，就業規則および個々の労働契約（個別合意）が含まれる。

別段の定めにより，有利な変更のみならず不利な変更を行うことも禁止されていない。有期プレミアムのように有期であるがゆえに高い労働条件を設定してある場合には，無期労働契約に移行すれば，労働条件低下もあり得るからである[55]。ただし，就業規則によって，従前の労働条件を不利益に変更する場合には就業規則の合理的変更法理の適用がある。有期労働契約が無期労働契約に転換されることから，労働契約の新規締結に関する労契法7条の適用があるとする見解もあるが，労働契約関係は5年を超えて継続している実態，および全くの新規契約ではなく，まさに従前の労働条件との比較を問題とせざるを得ないことを踏まえると，従前の労働条件の就業規則による変更問題を処理する枠組みである労契法10条（ないしその類推）によって処理されると解すべきであろう（→420頁）。

4　無期転換労働者の雇用保障

有期労働契約から無期労働契約に転換した労働者の雇用保障の程度は，当該労働者の労働契約内容を考慮して判断される。すなわち，有期契約労働者の場合，現地工場で採用されたり，いわゆる正社員ほど広範な職務の変更を予定せずに，一定の職務に限定して雇用されていることが少なくない。このような労働者が無期契約に転換しても，従前同様の勤務地・職務の限定が維持されている場合，当該勤務場所や職務が喪失された際の雇用保障の程度は，勤務地・職務内容の特定がないため配転等により解雇を回避すべき労働者（典型的正社員）

54）従前と同一条件で契約期間のみ無期に転換した事案において，無期転換により正社員就業規則に基づく地位確認等の請求を，労契法18条は無期転換後の契約内容を正社員と同一にすることを当然に想定したものではないとして斥けた例として，ハマキョウレックス（無期転換）事件・大阪高判令和3・7・9労経速2461号18頁。

55）施行通達・前掲注39・第5の4(2)カは，職務内容が変更されないにもかかわらず，従前の労働条件を低下させることは，無期転換を円滑に進める観点から望ましくないとするに留まる。

と比較すると，より限定的なものとなろう[56]。無期転換するに際して，当該労働者の契約内容を，いわゆる典型的な正社員と同様に無限定な契約とするのか，職務内容，勤務場所等について一定の限定を付したものとするのか，労使でよく協議し確認しておくことが肝要である。

Ⅵ　更新拒否に関する判例法理（雇止め法理）

有期契約は期間満了によって当然に終了する。したがって，更新された有期契約も，さらなる更新がなされない限り，その期間満了とともに終了するのが原則である。日本では有期契約の更新につき何ら規制がなかったことと相まって，解雇規制に服することなく雇用関係を終了できる有期雇用は景気変動に応じた雇用量の調整弁として利用された。しかし，期間の定めの有無こそ正規従業員と異なっているが，実態は正規従業員と同様の業務に長期にわたって従事した有期契約労働者を，期間の定めの有無という形式のみで区別し，契約更新をしないことで雇用を奪うという事態はいかにも不当と考えられた。このような状況の中で形成されてきたのが，いわゆる「雇止め法理」，すなわち，有期契約更新拒否に解雇権濫用法理を類推適用し，合理的理由のない更新拒否の効力を否定する法理である。雇止め法理は次のような展開を経て確立し，2012年改正で労契法19条として立法化された[57]。

1　実質無期契約タイプ

まず，雇止め法理を判例法上確立したのが東芝柳町工場事件判決[58]である。この事件では，契約期間2ヶ月の記載のある労働契約書を取り交わして入社した臨時工が，5～23回にわたり契約更新が行われた後，更新を拒否された。臨時工は，その従事する仕事の種類，内容の点では本工と差異がなく，また，採用に際して，会社側に長期継続雇用，本工への登用を期待させる言動（「2ヶ月の期間が満了しても真面目に働いていれば解雇されるようなことはない。安心して長く働いて欲しい」など）があり，労働者らも継続雇用を信じて契約書を取り交わし，使用者は期間満了の都度直ちに新契約締結の手続をとっていたわけではなく，従来，

56)　施行通達・前掲注39・第5の4(2)ク参照。

57)　以下の3つの類型のほかに，雇止め法理の適用のない純粋有期契約タイプとあわせて有期契約を4類型に整理したものとして労働省労働基準局監督課編『有期労働契約の反復更新に関する調査研究会報告』（座長山川隆一筑波大学教授〔当時〕）15頁以下（2000年）。

58)　東芝柳町工場事件・最一小判昭和49・7・22民集28巻5号927頁。

臨時工が2ヶ月の期間満了により雇止めされた事例は見当たらなかった。最高裁は，「当事者双方とも……いずれかから格別の意思表示がなければ当然更新されるべき労働契約を締結する意思であつたものと解するのが相当」であり，したがって「本件各労働契約は，期間の満了毎に当然更新を重ねてあたかも期間の定めのない契約と実質的に異ならない状態で存在していたもの」ということができ，「本件各傭〔雇〕止めの意思表示は右のような契約を終了させる趣旨のもとにされたのであるから，実質において解雇の意思表示にあたる」。「そうである以上，本件各傭〔雇〕止めの効力の判断に当たっては，その実質にかんがみ，解雇に関する法理を類推すべきである」とした。

本判決以前の学説・裁判例においては，反復更新された有期契約は無期契約に転化するとする立場（無期契約転化説）とその更新拒絶に解雇権濫用法理を類推適用する立場（類推適用説）の対立があったが，本判決は理論上無理のない類推適用説を採ることを明らかにしたものである。

こうして有期契約も反復更新され，期間の定めのない契約と実質上異ならない状態に至った場合，その雇止めには解雇権濫用法理が類推適用され，客観的・合理的な理由が要求される，という「雇止め法理」が判例法上確立した。

2　期待保護（反復更新）タイプ

企業は，東芝柳町工場事件のように契約更新を杜撰に行っている場合には，無期契約と実質上異ならないと評価され，雇止め法理の適用があることから，より厳格に更新手続を行うようになった。その場合にもなお雇止め法理の保護が及ぶかが問題となったのが，日立メディコ事件[59]である。最高裁は，期間の定めのない労働契約が存在する場合と実質的に異ならない関係が生じたとはいえないとしつつ，雇用関係にある程度の継続が期待され，契約が更新されていた場合，解雇法理が類推適用されるとした（ただし，無期雇用労働者との雇用保障の程度には自ずから合理的差異があるとし，雇止めは有効と判断→565頁）。

このように日立メディコ事件は雇止め法理の適用範囲を，無期契約と実質的に異ならない状態にあるわけではないが，反復更新により雇用継続への期待が生じている場合にまで拡大すると同時に，有期契約労働者の雇用保障の程度が正規従業員よりも劣後したものであることを明らかにした。

59）　日立メディコ事件・最一小判昭和61・12・4労判486号6頁［期間2ヶ月の労働契約が5回更新され雇止めされた事案］。

3　期待保護（継続特約）タイプ

日立メディコ事件で判示されたように，雇止め法理の根拠が無期契約と同視できることではなく，労働者に雇用継続への保護すべき期待が生じていることにあるとすると，それが有期契約の反復継続以外の事情によって生じた場合はどうかが問題となる。この点，下級審には，有期契約の初回の更新拒絶についてもこの法理を及ぼすものが現れた。すなわち，初回の契約更新が拒絶された前例のなかったタクシー会社における臨時運転手の初回の契約更新拒絶が争われた龍神タクシー事件[60]で，裁判所は「雇用期間についての実質は期間の定めのない雇用契約に類似するものであって……右契約期間満了後も……雇用を継続するものと期待することに合理性を肯認することができる」とし，「契約の更新を拒絶することが相当と認められるような特段の事情が存しないかぎり」更新拒絶は信義則に照らし許されないとした。

4　雇止め法理の明文化（労契19条）

(1)　出口規制としての無期転換ルールと雇止め法理

労契法改正の立法過程では，入口規制・出口規制と雇止め法理の関係についても様々な組合せの可能性が指摘されていた[61]が，結果的に，入口規制である締結事由規制および出口規制のうち更新回数規制は行わず，5年無期転換ルールが採用された。しかし，無期転換基準が5年と比較的長期に設定されたこともあり，やはり出口規制の一種である雇止め法理も同時に立法化されることとなった。雇止め法理の立法化は，5年を超えない有期労働契約の多数回にわたる反復更新に雇止め法理の保護が及ぶ可能性が高まる結果，更新回数規制に代わる機能を営みうること，労契法17条2項の必要以上の短期契約の反復更新をしない配慮義務の実効を確保すること，5年無期転換ルールの適用を回避するための雇止めにも一定の抑止効果を持ちうることなどが考慮されたものといえる。

労働政策審議会労働条件分科会では，立法化に際して，雇止め法理に関する判例法理をそのまま明文化するとのコンセンサスが形成された。

(2)　雇止め法理の明文化の意義

雇止め法理が明文化されたことの第1の意義は，不文の判例法理に留まって

60)　龍神タクシー事件・大阪高判平成3・1・16労判581号36頁。

61)　有期労働契約研究会報告書・前掲注35・10頁以下。

いたルールが法律上明定され，その周知が図られることである。あたかも非正規雇用というカテゴリーであれば，解雇法理も判例の確立した雇止め法理も適用されないかのような実態が報告されているが，雇止め法理の明文化により，有期契約労働者にも雇用終了に対する保護がありうることが浸透することとなろう。そのことの副作用については既に触れた（→548頁）。

第2の意義は，雇止め法理[62]における契約更新という効果について，理論上議論のあった問題を立法的に解決したことである。雇止め法理の効果については，明示・黙示の合意による説明[63]，判例による一種の法定更新制度との位置づけ[64]，信義則に基づく契約の補充的・修正的解釈[65]等が論じられてきたが，いずれにせよ理論的不透明性は否めなかった。労契法19条は，これを労働者からの契約更新申込み，ないし契約締結申込みに対する使用者の拒絶が，「客観的に合理的な理由を欠き，社会通念上相当であると認められないとき」に，使用者は従前と同一の労働条件で承諾したものとみなすと規定した。すなわち，労働者からの申込みと使用者によるその承諾を擬制するという形で，立法上整理を行ったものである。もっとも，申込みと承諾による契約成立にひきつけて整理したため，これまでの雇止め法理の適用とはややズレが生じ，解釈上留意すべき点が生じている。

(3) 雇止め法理の構造

雇止め法理には，解雇権濫用法理の類推適用があり得るか否かの吟味にかかる第1段階（雇止め法理の適用審査）と，これが肯定された場合に，解雇権濫用法理の類推適用によって，雇止めの効力が否定されるか否かの吟味を行う第2段階（雇止めの効力審査）があった[66]。

i）雇止め法理の適用審査　判例において雇止め法理の適用（解雇権濫用法理の類推適用）が認められる場合としては，東芝柳町工場事件[67]によって確立し

62） 東芝柳町工場事件・前掲注58，日立メディコ事件・前掲注59，パナソニックプラズマディスプレイ（パスコ）事件・最二小判平成21・12・18民集63巻10号2754頁。

63） 安枝英訷「短期労働契約の更新と雇止め法理」季労157号99頁（1990年）。

64） 菅野和夫『労働法』（9版）192頁（2010年）。

65） 水町・詳解390頁。

66） 第2版で雇止め法理適用適状，雇止めの合理的理由・社会的相当性の審査と称した2段階の審査の名称を，荒木尚志編『有期雇用法制ベーシックス』73頁［池田悠］に従って改めた。

67） 東芝柳町工場事件・前掲注58。

たいわゆる実質無期タイプと，日立メディコ事件[68]によって確立した期待保護タイプの2類型があった[69]。最高裁は，この2類型を，パナソニックプラズマディスプレイ（パスコ）事件[70]で，「期間の定めのある雇用契約があたかも期間の定めのない契約と実質的に異ならない状態で存在している場合，又は，労働者においてその期間満了後も雇用関係が継続されるものと期待することに合理性が認められる場合」と整理している。

19条はこうした判例の展開を踏まえて，無期契約と実質的に異ならない状態で存在しているという第1の類型につき，1号で，反復更新された有期契約を「更新しないことにより当該有期労働契約を終了させることが……解雇の意思表示をすることにより〔無期契約を〕終了させることと社会通念上同視できると認められること」と表現した。そして，期間満了後も雇用継続期待に合理性が認められるという第2類型につき，2号で，労働者が「有期労働契約の契約期間の満了時に当該有期労働契約が更新されるものと期待することについて合理的な理由が……認められること」と規定した。1号は反復更新を要件としているが，2号は要件としていないため，初回の不更新事例にも適用されうる[71]。

なお，2号では，労働者の期待が時の経過とともに変動しうるものであることから，契約更新の合理的期待が存する時点について「期間の満了時」におけるそれであることが明記された。従来の裁判例も同様に解していたといってよい[72]。

▩労契法19条の「更新」の概念　労契法19条にいう「更新」とは，有期契約と次の有期契約の接続した再締結を指し，契約期間や労働条件に変更が加えられていても更新に該当しうると解される[73]。なお，契約間に一定の空白があった場合，18条のクーリング期間とは別個の問題であり，個々に判断するほかない。農協における3ヶ月の春期3ヶ月，

68)　日立メディコ事件・前掲注59。

69)　櫻庭涼子「雇止め法理の根拠と効果」季労230号213頁（2010年）は，前者を黙示の更新合意可能型（解雇権濫用法理の類推型），後者を合理的期待を根拠とする信義則上更新拒絶無効型と整理している。

70)　パナソニックプラズマディスプレイ（パスコ）事件・前掲注62。

71)　例えば，雇用継続への合理的期待を理由に初回の不更新の効力を否定した龍神タクシー事件・前掲注60のような事案は，1号の対象とはならないが，2号では対象となり得る。

72)　エヌ・ティ・ティ・コムチェオ事件・大阪地判平成23・9・29労判1038号27頁は，明示的に，雇止め時点における合理的更新期待を判断している。

73)　労契法19条の更新概念の詳細は，荒木尚志「有期労働契約法理における基本概念考」西谷古稀（上）395頁以下参照。同旨，菅野337頁。

秋期2ヶ月の労働に3ないし4ヶ月の空白期間を挟んで17年間従事してきた労働者からの労契法19条の類推適用の主張を退けた事例として大北農業協同組合事件・東京高判平成27・6・24労判1132号51頁。

雇止め法理の適用があるか否かの判断は，当該雇用の臨時性・常用性，更新の回数，雇用の通算期間，雇用期間管理の状況，雇用継続の期待を持たせる使用者の言動の有無などを総合考慮して行われてきた[74]。しかし，その判断は予測可能性に欠けるとの批判が妥当したのも事実である。例えば，初回の更新拒否でも雇止め法理により保護される事例[75]もあれば，更新回数が多数回にわたっても，あるいは契約存続期間が長期に及んでも雇止め法理の適用はなく，雇止めが有効とされた例[76]もあり，予見可能性に乏しく，そのことが紛争を惹起する原因ともなっている。この点については，2012年労契法改正でも特段変化は見られない[77]。

次に，19条柱書は，雇止め法理によって有期契約が更新されて存続することを契約の申込みと承諾の擬制という構成で整理しているため，労働者からの契約更新ないし期間満了後は契約締結の「申込み」がなされたことが要件となっている。しかし，現実の雇止めは，労働者からの申込みを問題とせずに，まず使用者から不更新（雇止め）の通知がなされ，それに労働者が異議がある場合に，雇止め法理の適用の有無が問題となるのが通常である。そこで，施行通達は，「更新の申込み」および「締結の申込み」は，要式行為ではなく，使用者の雇止めに対して，労働者による何らかの反対の意思表示が使用者に伝わるものでよい，としている[78]。

また，申込みをなすべき時期について，労契法19条は，期間満了後は，「遅滞なく有期労働契約の締結の申込みをした場合」であることを要件としている。

74）　施行通達・前掲注39・第5の5(2)ウ。

75）　期待保護（継続特約）タイプの龍神タクシー事件・前掲注60等。

76）　例えば，亜細亜大学事件・東京高判平成2・3・28労民集41巻2号392頁［1年契約を20回更新された非常勤講師の雇止め］，加茂暁星学園事件・東京高判平成24・2・22労判1049号27頁［25年ないし17年にわたり年度契約を締結した非常勤講師の雇止め］。

77）　もっとも，5年無期転換ルールにより，これまでのように有期雇用のまま5年を超えて長期に反復継続する事例は減少するであろう。

78）　施行通達・前掲注39・第5の5(2)エ。国会審議では，雇止めに対して「嫌だ」「困る」という反対の意思が伝わる言動があれば，この要件を満たす旨の政府答弁がなされている（前掲注45・18頁［津田弥太郎政務官答弁］）。

しかし，この問題の実質は，使用者の更新拒絶に対して，有期契約労働者がいつまでに異議を表明すればよいか，ということである。異議の表明は例えば，訴訟の提起や紛争処理機関への申立て，団体交渉等におけるそれでもよいとされている[79]。そうすると，解雇についてそもそも出訴期間の規制がなく，解雇権濫用法理を類推適用する雇止め法理についても同様であったことを踏まえると，この「遅滞なく」とは，ことさらに異議表明の期間を制限するように解されるべきではない。結局，解雇訴訟において信義則上，解雇無効の主張をなし得なくなるとされる場合[80]と同様，信義則上，雇止めを承認したものとみなされる程度の期間を経過した場合に，「遅滞」があったと解することになり，その期間は，「遅滞なく」という語感よりも，長い期間の経過を許容するものとなろう。施行通達は「正当な又は合理的な理由による申込みの遅滞は許容される意味である」としている[81]。この問題は本来は，解雇・雇止め訴訟の出訴期間を法定することによって解決すべきものである。

ⅱ）**雇止めの効力審査**　第1段階で雇止め法理の適用が肯定された場合，雇止めの効力は，第2段階として，解雇権濫用法理の類推適用によって判断されてきた。しかし，労契法19条は，解雇権濫用法理を定めた16条を参照することなく，その柱書の中で，労働者による有期労働契約更新の申込み，または締結の申込みに対する使用者の拒絶が「客観的に合理的な理由を欠き，社会通念上相当であると認められないとき」は，従前と同一の労働条件で当該申込みを承諾したものとみなす，と規定した。雇止め法理を労働契約法に正面から規定するに当たり，解雇権濫用法理と同じ判断要素により，有期契約の期間満了による終了効果を否定し，また，同一条件での有期契約の更新合意を擬制して雇用関係存続を定めたものである[82]。したがって，今後，雇止めの効力は，

79）　同上。この点も国会審議で確認答弁がなされている（前掲注45・18頁［津田弥太郎政務官答弁］）。

80）　菅野803頁。

81）　施行通達・前掲注39・第5の5(2)オ。

82）　東芝柳町工場事件・前掲注58については，労働契約が期間の定めのない契約と実質的に異ならない状態で存在していたとされているので，一部には，無期への転化を認めたとの理解もあるが，最高裁は，雇止めを解雇そのものと見て，解雇法理を直接適用したとも解しうる原審判断を修正し，あえて「解雇に関する法理を類推すべきである」との一文を挿入し，解雇法理が「類推」され，無期転化を認めるのではないことを明らかにしたものである（松田保彦・同事件判批・判タ315号140頁〔1975年〕，櫻庭・前掲注69・220頁等参照）。そして，日立メ

「解雇権濫用法理（労契16条）の類推適用」ではなく，端的に労契法19条によって判断されることとなる。

しかし，今回の法改正は判例法理の内容を変更するものではない。したがって，労契法16条と19条は「客観的に合理的な理由を欠き，社会通念上相当であると認められない」場合（とき）という同じ文言を用いているが，労契法16条の解雇権濫用法理におけるそれと，従来，雇止め法理で解雇権濫用法理の類推適用として了解されてきた内容（雇用保障の程度）の相違は，労契法19条の解釈でも反映されるべきものである。

■雇止め法理で保護される有期契約労働者と無期契約労働者の雇用保障の相違　日立メディコ事件[83]では，有期契約労働者の雇用継続への期待が肯定され，雇止め法理の適用が肯定された。しかし，簡易な手続で採用された有期契約労働者の雇止めの効力を判断すべき基準は，終身雇用の期待の下に無期契約を締結している労働者を解雇する場合とは，おのずから合理的な差異があるべきとされ，無期雇用労働者に希望退職を募ることなくされた有期契約労働者の雇止めを有効としている。

■雇止めと整理解雇法理　整理解雇法理には，正社員の雇用保障のために，有期契約労働者を先に雇止めすることが予定されていた。では，有期契約労働者には整理解雇法理による保護はあり得ないかというとそうではなく，裁判例は解雇権濫用法理が類推適用される有期契約労働者について，整理解雇法理の適用も認めている。ただし，その際の解雇回避努力義務等は無期契約労働者とは異なるものとして検討されている[84]。

■不利益な更新条件提示による更新不成立は使用者による雇止めか（変更解約告知類似の雇止め）　使用者が労働条件を不利益に変更した更新を提案したために，労働者がこれに同意せずに契約不更新となった場合，これは使用者による雇止めか，労働者の不同意による契約不成立かが問題となる。これは労契法19条1号，2号を満たし雇止め法理が適用される場合か否かで分けて検討すべきである[85]。①雇用継続への合理的期待等が認め

ディコ事件・前掲注59では，明示的に「従前の労働契約が更新されたのと同様の法律関係となる」と判示されていた。

83)　日立メディコ事件・前掲注59。同様の判断として，いすゞ自動車（雇止め）事件・東京地判平成24・4・16労判1054号5頁［リーマン・ショック後の雇止めについて，解雇権濫用法理を類推適用しつつ有効とした］。

84)　三洋電機事件・大阪地判平成3・10・22労判595号9頁［十分な回避努力なしとして雇止め無効］，日本電子事件・東京地八王子支決平成5・10・25労判640号55頁［雇止め有効］，芙蓉ビジネスサービス事件・長野地松本支決平成8・3・29労判719号77頁［雇止め有効］，安川電機八幡工場事件・福岡地小倉支判平成16・5・11労判879号71頁［正社員の整理解雇とは異なるとしても，人選の合理性に欠けるとして雇止めの効力否定］，江崎グリコ（雇止め・仮処分）事件・秋田地決平成21・7・16労判988号20頁［人員削減の必要があったのは2名として，雇止めされた3名のうち1名について雇止めを無効とした］等。

85)　詳細は，荒木・前掲注73・402頁以下。

られず雇止め法理の適用がない場合，当該有期契約は期間満了で当然に終了する。したがって，労働者が更新を希望しても労使間で契約更新合意が成立しない限り（それが労働条件低下をめぐる合意不成立であっても），単純な期間満了終了と新契約の不成立であって，使用者による雇止めには該当しないと解される。これに対して，②雇用継続（つまり同一労働条件での更新）への合理的期待等が認められる場合は，有期契約は期間満了により当然終了するわけではなく，労働条件を変更した更新を使用者が提案しそれに労働者が同意せずに契約更新がなされなかった事態は，同一条件での労働者の更新申込みを使用者が拒絶して契約が終了したもの，すなわち，使用者による雇止めと評価できる。したがって，その適法性は，雇止めの効力審査において，変更提案の合理性を審査して判断すべきこととなる[86]。

■更新限度条項と雇用継続の合理的期待・雇止めの効力　更新年数や更新回数の上限を設定し，それ以上更新をしない旨を明示する「更新限度条項」や「不更新条項」（以下まとめて「更新限度条項」という）との関係で雇止めの効力をめぐって解釈論上の問題が生じている。これは以下の4つに整理できる。

①当初より更新限度条項が明示されていた場合

有期契約締結時から更新限度条項が明示されていた場合，その限度を超える雇用継続への合理的期待は原則として否定され，雇止めも可能となる[87]。もっとも，このような更新限度が明示されていても，その限度を超える雇用継続を期待させるような使用者側の言動があった場合には，そうした言動を根拠に，雇用継続期待が発生し得る[88]。

②合理的雇用継続期待が生じている状況下で使用者が更新限度に関する一方的措置をとった場合

使用者が，更新限度や以後更新しない旨を明示する等の措置を一方的にとったとしても，一旦雇用継続への合理的期待が生じていた場合，裁判例の多数は，雇用継続への合理的期

---

86)　テヅカ事件・福岡地判令和2・3・19労判1230号87頁は，定年後の継続雇用として1年の有期契約が締結・更新され，65歳まで更新の合理的期待がある状況下で，大幅賃金減額による更新提案がなされ，労働者がこれを拒否して契約不更新となった事案につき当該提案に具体的妥当性・合理性はないとして，労契法19条による更新を認めた。妥当な処理である。

87)　北洋電機事件・大阪地決昭和62・9・11労判504号25頁，近畿建設協会（雇止め）事件・京都地判平成18・4・13労判917号59頁，高知県立大学後援会事件・高知地判平成30・3・6労判1183号18頁，同控訴審・高松高判平成30・10・31 LEX/DB25561627，日本通運（川崎・雇止め）事件・横浜地川崎支判令和3・3・30労判1255号76頁［合理的期待が形成される以前である契約当初より契約上限5年が明確に示され契約が締結されていた事案につき，山梨県民信用組合事件最高裁判決・後掲注98の射程外で，労契法18条の潜脱にも当たらないとした］，ドコモ・サポート事件・東京地判令和3・6・16労判ジャーナル115号2頁［通算契約期間5年，更新4回の更新限度が予定されていた事案につき，合理的期待の発生を否定し，労契法18条の潜脱ともならないとした。東京高判令和4・1・12判例集未登載で維持］等。

88)　カンタス航空事件・東京高判平成13・6・27労判810号21頁では，更新期間を5年としつつ，他方で，これを超える雇用継続への期待を抱かせる言動があったことから，雇用継続への期待を認め，雇止めの効力を否定している。

待が当然に失われることにはならないとしており89)，この点は施行通達90)，学説91)でも同様である。

③更新限度条項導入を労働者が拒否して不更新となった場合

これは上述した不利益な更新条件提示による更新不成立（変更解約告知類似の雇止め）(→567頁）の考え方に従って処理される。したがって，更新限度条項提示の時点で既に更新限度のない雇用継続への合理的期待が生じていたのであれば，労働者が更新限度条項導入を拒否して更新がなされなかったことは，労働者による更新拒絶ではなく，使用者の契約内容変更提案に労働者が合意しないことを理由とする雇止めと理解できる92)。そうすると，そのような雇止めの効力は，第2段階の雇止めの効力審査において，更新限度条項提案の合理性を審査して判断すべきこととなる。

④労働者が更新限度条項を受諾した場合

これに対して，労働者が更新限度条項を受諾して当該有期契約を更新した場合はどうか。学説・裁判例は3つの立場に分かれている。第1に，更新限度条項に合意した以上，それ以上の更新期待は消滅した（雇用継続期待があったとしてもそれを放棄した）と捉え，更新限度での雇止めを有効とする立場がある。裁判例でこの立場に立つように見えるものも少なくないが，裁判所の具体的判断93)を見ると，第2の立場と同様の慎重な吟味を経てそ

---

89)　報徳学園（雇止め）事件・神戸地尼崎支判平成20・10・14労判974号25頁［1年契約の2回（3年）目の更新時に，更新は3年が上限であることを告げ，3年目の契約満了時に雇止めした事例で，雇用継続への期待が遮断・消滅したとはいえないとして雇止めの効力否定］，立教女学院事件・東京地判平成20・12・25労判981号63頁［雇用継続の合理的期待が生じた後に，使用者が一方的に雇用継続3年上限方針を導入した事例につき，継続雇用に対する期待利益を侵害するものとして，雇止めを無効］，明石書店事件・東京地判平成21・12・21労判1006号65頁［問題なければ更新が予定されていた有期契約の2回目の更新につき，労使で更新を合意の後，使用者が追加提案した不更新予定条項を受諾しなければ更新しないとして不更新となった事案につき，雇止めを無効］，市進事件・東京高判平成27・12・3労判1134号5頁［専任講師について50歳を超えて不更新とする就業規則変更と，その代償措置として特嘱就業規則で60歳到達年度末まで特嘱等として更新するという制度変更後，10年の経過措置とされた特嘱制度を廃止しても，60歳までの更新の合理的期待は失われないとした］，山口県立病院機構事件・山口地判令和2・2・19労判1225号91頁［契約が長期に更新される中で5年更新限度条項が導入され，労働者が異議を付して契約に署名した事例につき，更新の合理的期待は消滅しないとした］，博報堂事件・福岡地判令和2・3・17労判1226号23頁［30年にわたり29回更新されてきた後に5年更新限度が導入されるも，その例外も認められている事案につき，更新の合理的期待を認めた］等。

90)　施行通達・前掲注39・第5の5(2)ウ。

91)　新基本法コメ労基・労契法454-455頁［山川隆一］，龔敏「法定化された雇止め法理（法19条）の解釈論上の課題」ジュリ1448号49頁（2012年），第一東京弁護士会労働法制委員会編『改正労働契約法の詳解』126頁（2013年）等。

92)　このような事案として明石書店事件・前掲注89。

93)　近畿コカ・コーラボトリング事件・大阪地判平成17・1・13労判893号150頁［1年契約を7年にわたり更新して雇用継続期待が生じていた労働者が，最終更新契約であることを告げ

のような結論に至っているとも解される。第2に，更新限度条項受諾の合意について，その効力を認めるためには合意の成立の厳格な吟味が必要とする立場がある94)。第3に，労働者が更新限度条項を受諾しても，雇用継続への合理的期待を消滅させるという効果を認めない立場がある95)。

第3の立場に属する見解には，雇止め法理に強行性を認めることができれば，更新限度条項が有効に成立していても，同法理の適用は否定されないとするもの96)がある。しかし，強行規定によって与えられた権利を事後に放棄することが可能なように，雇用継続の期待が一旦発生した後にそれを放棄することが禁止されていると解することは困難であろう97)。

また，更新限度条項の評価を，第1段階の雇止め法理の適用審査（雇用継続の合理的期

られ，不更新条項を含む契約書に署名押印し，確認印まで押印し，従来60％だった有給休暇消化が不更新通知後は100％消化となったこと等から，契約終了に合意していたもので，もはや雇用継続への期待はないとした]，本田技研工業事件・東京地判平成24・2・17労経速2140号3頁［従前の最長1年に達する直前の不更新と異なり，リーマン・ショック後，説明会を開いた上で雇止めせざるを得ない経緯や理由等について説明を尽くして納得を得ようと努めたとの状況下で，労働者が不更新条項に署名・拇印し，不満・異議を述べたり雇用継続を求めることもなかった事案につき，雇用継続への期待利益なしとした]。

94)　例えば，不更新条項合意についての意思表示の瑕疵を問題とする立場（小西康之「不更新条項に基づく雇止めと解雇法理の類推適用の可否」ジュリ1324号131頁〔2006年〕），十分な説明と情報提供を行い，労働者が客観的に見てその自由意思に基づいて合意したものと認められることを必要とする立場（土田・契約法779頁以下），不更新条項についての確定的合意を吟味する立場（山川隆一「労働条件変更における同意の認定」菅野古稀257頁）等が主張されている。本田技研工業事件・東京高判平成24・9・20労経速2162号3頁は，不更新条項について，これに合意せずに契約不締結となるか，合意して次回以降不更新となるかという二者択一の立場に置かれることから，「半ば強制的に自由な意思に基づかずに有期雇用契約を締結する場合も考えられ」不更新条項の効力が意思表示の瑕疵等により否定されることもあり得るとする。

95)　不更新条項を端的に公序良俗違反で無効とする，あるいは単なる次期の契約更新は行わないという雇止め予告にすぎないと解する立場（西谷499頁，川田知子「有期契約の更新拒否」百選〔8版〕163頁等），不更新条項があっても，雇用継続の合理的期待の消滅とは評価せず，なお雇止め法理の適用があることを肯定し，（第2段階の）雇止めの効力審査に移行して，不更新条項は更新拒絶の合理性・相当性の要素として理解する立場（毛塚勝利「改正労働契約法・有期労働契約規制をめぐる解釈論的課題」労旬1783＝1784号25頁〔2013年〕，唐津博「改正労働契約法第19条の意義と解釈」季労241号11頁〔2013年〕等），あるいは不更新条項は権利濫用の評価障害事実として総合考慮の一内容と位置づける立場（明石書店（製作部契約社員・仮処分）事件・東京地決平成22・7・30労判1014号83頁。鴨田哲郎「不更新合意を強いてはならない」労旬1735＝1736号18頁〔2011年〕はこの立場を高く評価する）等。

96)　吉田美喜夫ほか編『労働法Ⅱ』（3版）312頁［根本到］（2018年）。

97)　本田技研工業事件・前掲注93は，労働者が次回は更新されないことを真に理解して契約を締結した場合には，雇用継続に対する合理的期待を放棄したものであり，不更新条項の効力を否定すべき理由はないとしている。

待）の場面で判断せずに，第2段階の雇止めの効力審査において総合的に考慮するという立場は，穏当な結論を導くための苦心の策とも解される。しかし，有期契約は本来期間満了により自動終了し，雇用継続の合理的期待の存在が肯定されて初めて，例外的に第2段階審査に入る，という理解に立てば，第1段階の判断を保留して第2段階審査に入ることは，理論的には不可解な処理ということになる。

この問題は，期待利益を放棄する合意の効力を形式的な受入れの行為の存在から直ちに肯定するのではなく，当該行為が労働者の自由な意思に基づいてされたものと認めるに足りる合理的な理由が客観的に存在するか否かという観点を踏まえた合意の効力問題[98]として検討すべきであろう。その際には，更新限度条項を受諾しなければ雇用関係が終了するという状況下での受諾という点も十分に考慮されるべきである[99]。

▩有期労働契約の締結，更新および雇止めに関する基準　2003年の大臣告示「有期労働契約の締結，更新及び雇止めに関する基準」（平成15厚労告357号）は，有期契約締結に際し，更新の有無，更新があり得る場合その判断基準，そしてこれらの事項を変更する場合にはその変更内容について明示すべきことを定めていた。しかし，2012年労働契約法改正の際に，この部分は省令に格上げされた。すなわち，「期間の定めのある労働契約を更新する場合の基準に関する事項」は契約締結時に書面明示すべき事項として規定されるに至っている（労基則5条1項1号の2）。

その結果，現在の同基準（平成24厚労告551号による改正後）は，契約を3回以上更新し，または雇入れ日から1年を超えて継続勤務している労働者の雇止めに際しては30日前の予告をすべきこと（1条，平成20年改正で「3回以上更新」部分付加），1条の場合，労働者の請求により雇止め理由についての証明書を交付すべきこと（2条）等を定めている。

Ⅶ　不合理な労働条件の相違の禁止

2012年労働契約法改正で導入された20条（2013年4月1日施行）は，無期雇用労働者と有期雇用労働者との不合理な労働条件の相違を禁止した。同条は，正規・非正規労働者間の労働条件格差を是正する規定として大いに注目され，多くの裁判例そして最高裁判例も出された。しかし，2018年にパート労働法

98）　山梨県民信用組合事件・最二小判平成28・2・19民集70巻2号123頁参照。菅野340頁も同旨。

99）　もちろん事案に則した検討が必要である。東芝ライテック事件・横浜地判平成25・4・25労判1075号14頁［3ヶ月の有期契約が19年にわたって更新され，「今回をもって最終契約とする」記載のある労働契約書を交わして雇止めされた事案において，雇用継続への期待には合理性があるが，事業所の閉鎖時期が決まってからは更新の都度，契約終了の見込みを告げられた上で，最終契約書に署名押印したことに鑑み，雇用継続に対する期待利益の合理性は高くないとし，業績悪化，正社員削減の事情も踏まえて雇止めを有効とした］。

がパート有期法に改正され，労契法20条の規制もパート有期法8条に吸収され，労契法20条は削除された（→574頁以下）。

第3節　パートタイム労働

パート労働者については，1993年に制定されたパート労働法が累次の改正を経て規制を展開してきたが，2018年の働き方改革関連法で，パート労働者のみならず有期雇用労働者をも対象とする「短時間労働者及び有期雇用労働者の雇用管理の改善等に関する法律」（パート有期法）に改正された。以下，パート労働者の実情と各種制度における位置付け，およびパート有期法に至る過程を概観する。

Ⅰ　パート労働者の多様な定義とその実態

パート労働者はその把握目的により多様な定義がある。大別すると，①国の「労働力調査」上用いられてきた「週間就業時間が35時間未満の非農林業雇用者」という絶対的短時間把握による定義，②パート労働法（2020年からはパート有期法）にいう1週間の所定労働時間が同一事業所の通常の労働者より短い労働者という相対的短時間把握による定義，そして，③企業においてパート労働者と呼称される者という呼称による把握（正社員と所定労働時間が同じである「疑似パート〔フルタイムパート〕」等も含むいわゆる「身分としてのパート」），の3つに整理できる。

②の定義によるパート労働者は増大しており，1995年に全労働者に占めるパート労働者の割合は14.9％であったが，2001年には22.1％，2016年には27.3％に達している[100)]。2016（平成28）年パートタイム労働者総合実態調査（令和2年9月30日再集計）によるとパート労働者のうち74.8％は女性である。また，パート労働者を雇用する理由については，多い順に「一日の忙しい時間帯に対処するため」（41.6％），「人件費が割安なため（労務コストの効率化）」（41.3％），「仕事内容が簡単なため」（36.0％）となっている[101)]。

100）　労働政策研究・研修機構『ユースフル労働統計2021』36頁（2021年）。

101）　厚生労働省「平成28年パートタイム労働者総合実態調査」の毎月勤労統計調査の再集計を反映した2020年10月20日「雇用の構造に関する実態調査」。

Ⅱ　パート労働者と労働法制・社会保険・税制

1　労働法制とパート労働者

労働法上，パート労働者も労働者であり，特別規制がない限り（年休の比例付与等），一般労働者と同様に労働法の保護が全面的に適用される。したがって労契法，労基法，最低賃金法[102]，労安衛法，男女雇用機会均等法，労組法なども当然に適用となる。

雇用保険については，1週間の所定労働時間が20時間未満のパート労働者は被保険者とならない。かつては週所定労働時間20～30時間のパート労働者は「短時間労働被保険者」として一般被保険者と区別して特例適用されてきたが，2007（平成19）年雇用保険法改正により，短時間労働被保険者の区分が廃止され，週20時間以上のパート労働者は一般被保険者と一本化して適用対象とされることとなった。

2　パート労働者と社会保険

すべての法人事業所，および5人以上の従業員を使用する個人事業所（農林水産業など一定の事業種を除く）は，社会保険（健康保険・厚生年金保険）の強制適用事業所となる。そして，適用事業所のパート労働者については，所定労働時間が週30時間以上の場合に加えて，2016（平成28）年10月から，①週20時間以上[103]，②月額賃金8.8万円以上（年収106万円以上），③雇用期間が1年以上見込まれること，④学生以外，⑤常時500人を超える被保険者を使用する企業，の5条件をすべて満たす場合は，健康保険・厚生年金保険の適用対象とすることとなった（健保平成24年附則46条，厚年12条5号，同平成24年附則17条）。そして，2017（平成29）年4月からは，被保険者数500人以下の企業でも，労使合意[104]があれば，同様に適用対象とすることができるようになった。

102）2007（平成19）年改正前最賃法ではパート労働者（所定労働時間の特に短い者）について都道府県労働局長の許可を条件に最低賃金の適用除外が可能とされていたが，実際には除外されていなかった。2007年最賃法改正ではパート労働者に対する適用除外について定めた部分（改正前8条4号）が削除された（現7条4号参照）。

103）所定労働時間が通常労働者のおおむね4分の3以上とされていたが，雇用保険の基準と揃えられた。

104）同意対象者の2分の1以上の同意ないし対象労働者の過半数を組織する労働組合や過半数代表者と使用者の同意。

なお，社会保険の適用基準とは別に，国民年金の3号被保険者として，配偶者の拠出により，自らは保険料負担なく国民年金制度の適用を受けられる被扶養者認定基準は，年収130万円であるため（これを超えると自らの保険料負担が生ずる），「130万円の壁」といわれる就業調整が生じている[105]。

3　パート労働者と税制

年収が103万円以上となると給与所得控除額と基礎控除額の合算額を超え，所得税の課税対象となることから，パート労働者の給与が上がった結果，世帯としての手取り収入が減少する現象を回避すべく，年収103万円を超えないように就業調整をする例が多い（いわゆる「103万円の壁」）。これに対しては，配偶者の所得増加に従って控除額が漸減する配偶者特別控除の適用により，税制上の世帯としての「手取りの逆転現象」は解消されている。しかし，企業が配偶者手当・家族手当等の支給基準を非課税限度額の103万円とする実務なども影響して，就業調整は継続している。

Ⅲ　パート労働法の制定・改正と2018年パート有期法

1993（平成5）年に制定された「短時間労働者の雇用管理の改善等に関する法律（パート労働法）」は，パート労働者に関する適切な労働市場政策を施すことを目的としたものであったが，その内容はすべて努力義務であった。しかし，パート労働者の増加とその正規従業員との処遇格差問題への関心が高まり，2007（平成19）年に同法は全面改正されるに至った（2008年4月1日施行）。2007年法は労働条件全般にわたって通常労働者との均衡のとれた待遇の確保を強調し，特に，通常労働者と同視すべきパート労働者に対する差別禁止を定める等，パート労働者に対する本格的な規制を開始した。さらに2014（平成26）年改正では，差別禁止規制の要件を緩和し規制の適用拡大，パートタイム労働者とフルタイム労働者の労働条件相違が不合理なものであってはならない旨の均衡規制の導入等が行われた。

2018年には，働き方改革関連法により，パート労働法がパート有期法に改正された。パート有期法では，均衡・均等待遇規定の明確化，待遇に関する説明義務の強化等がなされ，また，同法におけるパート労働者に対する規制は，

105）厚生労働省年金局「短時間労働者の就労行動と社会保険適用の在り方について」（2019年5月31日）（https://www.mhlw.go.jp/content/12601000/000514042.pdf）参照。

ほぼそのまま有期雇用労働者に対しても適用されることとなった（2020年4月1日〔中小企業については2021年4月1日〕より施行）。

第4節　パート有期法

I　対象労働者

パート有期法にいう「短時間労働者」とは「1週間の所定労働時間が同一の事業主に雇用される通常の労働者……に比し短い労働者」（短時有期2条1項）をいう。したがって，パートと呼称されていないアルバイトや臨時社員，契約社員，嘱託社員，準社員等もこの定義に該当すれば名称を問わず，同法の短時間労働者（以下，「パート労働者」という）にあたる。これに対して，所定労働時間が通常労働者と同じいわゆる「疑似パート」「フルタイム・パート」は同法にいう「短時間労働者」（パート労働者）ではなく，同法の適用もないが，事案に応じて類推適用の可否が検討されるべきであろう。

有期雇用労働者とは，事業主と期間の定めのある労働契約を締結している労働者をいう（短時有期2条2項）。

パート有期法は，パート労働者と有期雇用労働者をあわせて「短時間・有期雇用労働者」と称している（同3項。以下「パート・有期労働者」という）。

II　労働条件明示・就業規則

パート・有期労働者に対しても当然，労基法の労働条件明示の規制（労基15条，労基則5条）が及ぶ。しかし，パート・有期労働者の労働条件は多様で，就業規則上も明確な規定がなく，その位置付けや労働条件も不明確になりがちである。そこで，パート労働法の時代から，労基法上の労働条件明示事項に加えて，特定事項（昇給の有無，退職手当の有無，賞与の有無〔以上2007年改正で導入〕，パート労働者の雇用管理改善等の相談窓口〔2014年改正で導入〕）について，文書交付（労働者が希望する場合はファクシミリまたは電子メール送信でも可）を義務付けていた。2018年パート有期法では，かかる規制が有期雇用労働者にもそのまま適用されることとなった（短時有期6条1項，短時有期則2条）。この明示義務違反には過料（10万円以下）の制裁がある（短時有期31条）。

また，一般労働者に対する就業規則がパート・有期労働者に適用される場合も，その作成・変更にあたって，意見聴取の相手方となるのは事業場の（正規・非正規を含めた）全労働者の過半数代表である（労基90条）。しかし，パート労働者や有期雇用労働者にかかる事項について就業規則を作成・変更[106]するにあたっては，これに加えて，当該事業場のパートまたは有期雇用労働者の過半数を代表するものの意見聴取の努力義務が設けられている（短時有期7条1項，2項）。

なお，使用者は，パート・有期労働者を雇入れ後，速やかに，パート有期法8条から13条によって講ずべき雇用管理上の措置について説明しなければならない（14条1項→詳細は590頁）。

Ⅲ　パート・有期労働者の通常労働者との均衡・均等規制

1　正規・非正規雇用の格差是正規制の展開

正規・非正規の処遇格差について，同一労働同一賃金原則に反する等として訴訟になった事例は少なくないが，2007年改正パート労働法が差別的取扱い禁止を導入するまで，裁判所は，同一労働同一賃金を定めた実定法規範はないとして基本的に救済を否定してきた[107]。

106）パート労働者や有期雇用労働者に関する条項を，一般労働者に適用される就業規則の中で新設・変更する場合も含むと解される。

107）正規・非正規格差問題において，同一労働同一賃金原則は存在せず，公序を形成しているわけでもないというのが裁判所の一般的な態度であった。正規・非正規格差について救済を行った唯一の例として注目された丸子警報器事件・長野地上田支判平成8・3・15労判690号32頁では，女性正社員と女性臨時社員（形式的に正社員より15分所定労働時間が短い有期雇用の労働者）の賃金格差が問題となった。同判決は，同一（価値）労働同一賃金原則を明言する実定法の規定はなく，同原則はこれに反する賃金格差が直ちに違法となるという公序ともみなしえないとしつつも，臨時社員の賃金が正社員の8割以下になる場合は，労基法3条，4条の根底にある均等待遇の理念に反し，公序良俗違反であるとして正社員の賃金の8割との差額相当額の損害賠償を認めた。しかしこの判示については，賛否両論があり，その後の裁判例では，非正規という雇用形態による賃金格差は契約の自由の範疇の問題で違法とはならないとする態度がとられた（日本郵便逓送事件・大阪地判平成14・5・22労判830号22頁等）。なお，同一（価値）労働であるにもかかわらず許容できないほどの著しい賃金格差がある場合，均衡の理念に基づく公序良俗違反として不法行為成立の余地ありとしつつも，当該事案では救済を否定した例もあった（京都市女性協会事件・大阪高判平成21・7・16労判1001号77頁）。学説・判例状況については大木正俊「パートタイム労働と均等・均衡処遇」争点158頁参照。

(1) 2007年改正パート労働法8条

既述のように非正規雇用の社会的問題が認識されるようになり，努力義務を超える法規制を開始したのが2007年改正パート労働法であった。同法は，①職務内容同一，②職務内容・配置の変更範囲同一（「人材活用の仕組み」の同一ともいわれる），③契約期間の同一（無期契約または無期契約と同視できる有期契約）の3要件を満たしたパート労働者（通常労働者［正社員］と同視されるパート労働者）に対して，通常労働者との「差別的取扱い禁止」を規定した（2007年改正パート労働法8条）。同法の規制は①～③の状況が正社員と同じ場合に初めて「差別的取扱い禁止」という効果をもたらす，差別禁止規制の手法（等しき者に等しきものを与えよ）を採用するものだったが，かかる3要件をすべて満たすパート労働者は全パート労働者のわずか1.3％にすぎなかった[108)]。

(2) 2012年改正労働契約法20条（労契法旧20条）

正規・非正規格差問題は，非正規労働者が正社員と同一の労働，同一の人材活用の仕組みに服しているにもかかわらず差別されているというより，多くの場合は，労働等が同一ではなくともその処遇格差が不合理に大きすぎて納得できないという問題と解された。また，そもそも年功賃金や職能資格制度に服している正社員について，労働や人材活用の仕組みが同一なら同一の賃金を支払うという制度はとられていない。これが職務の価値で賃金が決まる職務給制を採る欧州との顕著な相違である。このような事情を考慮して，2012年改正労働契約法20条は，無期契約労働者と有期契約労働者の処遇格差問題について，労働が同一なら同一取扱いを要求するという差別的取扱い禁止（人権的差別禁止）の手法ではなく，日本の雇用システムにおける非正規問題に即した政策的格差是正規制として「不合理な相違禁止」という独自の規範を導入した[109)]。

2012年労契法20条[110)]では，パート労働法とは異なり，職務内容，職務内

---

108)　第110回労働政策審議会雇用均等分科会（2012年1月13日）資料No. 2「差別的取扱いの禁止（論点）」2頁は，3要件をすべて満たすパート労働者の比率は1.3％，③契約期間の同一要件を除いた2要件を満たすパート労働者の比率は2.1％としている（https://www.mhlw.go.jp/stf/shingi/2r985200000204n5-att/2r985200000204ql.pdf）。

109)　荒木尚志「定年後嘱託再雇用と有期契約であることによる不合理格差禁止――労働契約法20条の解釈」労判1146号5頁，12頁以下（2017年），櫻庭涼子「非正規雇用の処遇格差規制」講座再生4巻166頁等参照。

110)　2012年労契法20条（現在削除）は「有期労働契約を締結している労働者の労働契約の内容である労働条件が，期間の定めがあることにより同一の使用者と期間の定めのない労働契約

図表 18-8　正規・非正規格差是正規制の展開

	差別的取扱い禁止：均等規制 （人権的差別禁止の手法）	不合理な相違禁止：均衡規制 （政策的格差是正規制）
2007 年以前の裁判例	同一労働同一賃金原則不存在	
2007 年パート労働法 （パート労働者）	①職務内容同一 ②職務内容・配置の変更範囲（人材活用の仕組み）同一 ③契約期間同一 ⇒差別的取扱い禁止（8 条）	
2012 年労働契約法 （有期雇用労働者）		・職務内容 ・職務内容・配置の変更範囲 ・その他の事情 を考慮し不合理な相違禁止（20 条）
2014 年パート労働法 （パート労働者）	①職務内容同一 ②職務内容・配置の変更範囲（人材活用の仕組み）同一 ⇒差別的取扱い禁止（9 条）	・職務内容 ・職務内容・配置の変更範囲 ・その他の事情 を考慮し不合理な相違禁止（8 条）
【*2016 年の同一労働同一賃金導入の提言*】	①同一労働⇒同一賃金111）➡	合理的理由のない相違禁止112） ⬇ 不合理な相違禁止（ガイドライン案）113）
2018 年パート有期法 （パート労働者，有期雇用労働者）	①職務内容同一 ②職務内容・配置の変更範囲（人材活用の仕組み）同一 ⇒差別的取扱い禁止（9 条）	・職務内容 ・職務内容・配置の変更範囲 ・その他の事情 を考慮し［考慮方法を詳細化］不合理な相違禁止（8 条）

（筆者作成）

容・配置の変更の範囲等は規制適用の「要件」とはされず，不合理な相違を判

を締結している労働者の労働契約の内容である労働条件と相違する場合においては，当該労働条件の相違は，労働者の業務の内容及び当該業務に伴う責任の程度（以下この条において「職務の内容」という。），当該職務の内容及び配置の変更の範囲その他の事情を考慮して，不合理と認められるものであってはならない。」と規定していた。

図表18-9　差別禁止規制と不合理禁止規制

差別（差別的取扱い）禁止規制

	労働	賃金
正規	100	100
非正規	100	80＝違法
非正規	80	60＝適法：同一労働でないので規制適用されず

不合理な相違禁止規制

	労働	賃金
正規	100	100
非正規	100	80＝不合理なら違法，不合理でなければ適法
非正規	80	60＝不合理なら違法，不合理でなければ適法

※下線部が差別禁止との相違

（筆者作成）

断する「要素」に留まる。さらに，不合理性判断にあってはこれら2要素に「その他の事情」を加えた3要素を考慮して判断する枠組みが採用された。この規制の下では，労働の同一性がなくとも，その格差（相違）が不合理と評価されれば違法となりうる。逆に，労働が同一であってもその格差（相違）が不合理と評価されるものでなければ，違法とはならない（図表18-9）。

(3) 2014年改正パート労働法8条・9条

2014年改正パート労働法では，パート労働者についても2012年労契法20

111)「同一労働同一賃金の推進について」一億総活躍国民会議第5回（2016年2月23日）水町勇一郎教授提出資料「4 同一労働同一賃金原則を導入する意義 ○同一または同等の職務内容であれば同一賃金を支払うことが原則であることを法律上明確にする（労働契約法，パートタイム労働法，労働者派遣法等）。」

112)「同一労働同一賃金の推進について」（補足【Q & A】と【参考文献】）厚生労働省「同一労働同一賃金の実現に向けた検討会第3回」（2016年4月22日）水町勇一郎委員プレゼンテーション資料2−2 Q1「正規労働者と非正規労働者間の処遇格差については，『同一労働同一賃金』そのものを法律上規定するのではなく，『合理的理由のない処遇格差（不利益取扱い）の禁止』という形で条文化されることが多い。」，Q2「職務内容が同じであれば常に同じ賃金を支払うことが求められるわけではなく，『合理的理由』のあるものであれば賃金格差も許容されうる」。

113) 働き方改革実行計画（2017年3月28日働き方改革実現会議決定）同一労働同一賃金ガイドライン案「同一労働同一賃金は，いわゆる正規雇用労働者（無期雇用フルタイム労働者）と非正規雇用労働者（有期雇用労働者，パートタイム労働者，派遣労働者）の間の不合理な待遇差の解消を目指すもの」（https://www.kantei.go.jp/jp/headline/pdf/20170328/03.pdf）。

条と同様の「不合理な相違禁止」がパート労働法8条として採用された。2007年パート労働法8条の差別的取扱い禁止規定については廃止し，不合理な相違禁止に統一する議論も労働政策審議会雇用均等分科会の審議過程では有力だったが，行政にとって格差是正の主要手段である行政指導が困難となるとの懸念もあってか[114]，3要件のうち③契約期間同一を廃止して，①②が通常労働者と同一であるパート労働者について「差別的取扱い禁止」が存続することとなった[115]。

⑷　2016年同一労働同一賃金導入論と2018年パート有期法

こうした中で，2016年1月に安倍首相が非正規雇用の待遇改善のために同一労働同一賃金の実現に踏み込む旨を宣言し，にわかに同一労働同一賃金導入論が沸き起こった[116]。同一労働同一賃金は，世界的に男女差別禁止において議論されている法規範であり，典型的な人権的差別禁止規制である[117]。差別禁止規制の手法を採用した2007年パート労働法8条が実効性を欠き，かつ，日本における正規・非正規格差問題に必ずしも適合していないとの反省に立って，2012年労契法改正，2014年パート労働法改正と，差別禁止規制から「不合理な相違禁止」という新たな規制手法へと展開してきただけに，同一労働同

114)　菅野和夫『労働法』（第11版補正版）358頁（2017年）参照。

115)　これによって対象となるパート労働者は若干拡大するが，それでも全パート労働者の2.1％と推計された（前掲注108）。

116)　水町勇一郎『「同一労働同一賃金」のすべて』（新版）1頁以下（2019年）。

117)　EUにおいては，同一労働同一賃金原則が唱えられてきた性差別の他に，人種，民族，宗教又は信条，障害，年齢，性的指向を理由とする差別禁止規制が発展してきている。当事者の合意によっては変えない，あるいは変えることを要求すべきではない（宗教や信条等）人権に関わる事項についての人権差別禁止規制においては，有利にも不利にも異別取扱いが禁止され（両面的異別取扱い禁止），間接差別も禁止される。これに対して，契約（合意）によって設定し変更できる非正規雇用という雇用形態に起因する処遇格差について，EUは人権差別禁止とは別の指令（パート労働指令，有期労働指令，派遣労働指令）を採択し，その規制内容は不利益取扱いのみを禁止し（片面的不利益取扱い規制），間接差別も問題とされない。日本における非正規雇用の格差是正に，人権差別禁止で用いられている「同一労働同一賃金」という概念を持ち込むことには，その法規制の意味と効果について，混乱をもたらすことが懸念された。ちなみに，人権差別規制で世界をリードしてきたアメリカでは，契約によって設定される地位である非正規雇用にかかる処遇格差問題についての法規制は存在せず，転職という市場調整によって対応すべき問題と捉えられている。詳細は，荒木尚志「諸外国の非正規雇用労働者の処遇の実態に関する比較（総論）」労働政策研究・研修機構『諸外国における非正規労働者の処遇の実態に関する研究会報告書』5頁以下（2016年）。同様の懸念を示すものとして中窪＝野田137頁，菅野361頁以下。

一賃金導入論は意外感を持って受け止められる政策提言であった。その提言は，当初は文字通り同一労働同一賃金原則を法律上明定するとしていたが，その後，条文化にあたっては「合理的理由のない処遇格差禁止」として立法化すべきものとの説明がなされ，最終的には，労契法20条同様，「不合理な相違の禁止」という政策的格差是正規制に落ち着くこととなった[118]（**図表18-8**）。

政府は「同一労働同一賃金」というスローガンによって，正規・非正規雇用の格差是正の法改正を行った。しかし，この表現は法的には不正確で，誤解を招きかねない[119]ことから，厚労省は，いわゆる同一労働同一賃金ガイドラインでも，パート有期法施行通達でも，「我が国が目指す同一労働同一賃金は……通常の労働者と短時間・有期雇用労働者との間の不合理と認められる待遇の相違及び差別的取扱いの解消等を目指すもの[120]」とし，各種マニュアル等も「同一労働同一賃金」という表現を極力避けて「不合理な待遇差解消のための点検・検討マニュアル」等と表現している。

こうした経緯を経て，パート労働法は2018年改正でパート有期法となり，パート有期法8条は，パート労働者と有期雇用労働者双方について，通常労働者との待遇の不合理な相違を禁止する条文となり，労契法20条は削除されることとなった。パート有期法9条は，2014年パート労働法9条の表現を若干修正した上で，「差別的取扱い禁止」の規制のなかった有期雇用労働者に対しても同条を適用することとした（2020年4月1日〔中小企業へは2021年4月1日〕より施行）。

2　不合理な相違禁止：均衡規制（短時有期8条）

(1)　不合理な相違禁止規定の趣旨

パート有期法8条は，「通常の労働者」（無期雇用フルタイム労働者，すなわち，いわゆる正社員を指すと解されている）[121]の待遇とパート労働者ないし有期雇用労働

---

118)　荒木尚志「働き方改革について」NBL 1141号12頁，28頁以下（2019年），同「『同一労働同一賃金』の位置づけと今後――特集にあたって」ジュリ1538号14頁（2019年）。

119)　制定された正規・非正規の不合理な格差是正のための規制は，「同一労働同一賃金」という表現とは違って，賃金にとどまらないすべての処遇に関するものであること，同一労働でなくとも，同一取扱いすべき場合があること（通勤手当や福利厚生施設利用等），そもそも同一労働を要件とすることなく不合理な相違を禁止しようとする規制であること（均衡規制）など，その多くの場面において「同一労働同一賃金」と称するのはミスリーディングである。

120)　パート有期法施行通達（平成31・1・30基発0130第1号等）第3の3(9)。

121)　パート有期法施行通達・前掲注120は「『通常の労働者』とは，いわゆる正規型の労働者

者の待遇とに「不合理な相違」を設けることを禁止している。既述のように，この不合理な相違禁止規制は，2007年パート法8条の3要件に合致した場合に差別的取扱いを禁止するという「差別禁止規制」アプローチの反省に立って，職務内容，職務内容・配置の変更範囲，その他の事情という3つの要素を総合考慮して，不合理な相違と評価される場合に，これを違法・無効とするものである。同趣旨を定めていた2012年労契法20条（以下「労契法旧20条」という）について，最高裁[122)]は，有期・無期契約労働者間で労働条件相違がありうることを前提に3つの要素を考慮して，その相違が不合理と認められるものであってはならないとするもので，「職務の内容等の違いに応じた均衡のとれた処遇を求める規定である」と判示しており，パート有期法8条にも妥当すると解される[123)]。

▩「違いに応じた均衡のとれた処遇」の意味　ハマキョウレックス事件最高裁判決のいう「職務の内容等の違いに応じた均衡のとれた処遇」は，職務内容等が正規と非正規で100対80であれば，処遇も100対80であること（いわば「強行的比例均衡」）を要求する判示であろうか。最高裁は「違いに応じた処遇」ではなく「違いに応じた均衡のとれた処遇」を要求しているのであり，処遇が100対80でなくても（例えば100対70であっても）均衡がとれていればよいと理解しうる判示である[124)]。長澤運輸事件最高裁判決[125)]は，職務内容，職務内容・配置の変更範囲が同一とされているにもかかわらず，基本賃金や各種手当についての格差（年収ベースでは正規〔定年前〕と非正規〔定年後嘱託再雇用〕とで2割程度の格差が認定されている）について，ごく一部を除き不合理ではないと判断している。「不合理な相違禁止」という枠組みからすると，（職務内容，職務内容・配置の変更範囲が同一でも同一扱いが当然には要求されないのであれば）職務内容等に違いがある場合に，その相違に比例した処遇しか許容されないとする解釈は当然には導かれない。学説には，ハマ

及び事業主と期間の定めのない労働契約を締結しているフルタイム労働者（……『無期雇用フルタイム労働者』……）」としている。2018年改正前は，パート労働者のみを対象としていたため，通常労働者はフルタイムの基幹的労働者とされ，有期雇用労働者であっても，通常労働者となりえたが，2018年改正により，有期雇用労働者も適用対象とすることとなったため，改正後の通達は（有期雇用労働者との関係では）基幹的な有期雇用労働者を通常労働者から除いた。

122)　ハマキョウレックス事件・最二小判平成30・6・1民集72巻2号88頁。

123)　パート有期法8条について，ハマキョウレックス事件最高裁判決の労契法旧20条についての判示を参照して判断した例として，独立行政法人日本スポーツ振興センター事件・東京地判令和3・1・21労判1249号57頁。

124)　荒木尚志「働き方改革時代の労働法制の動向と展望」司法研修所論集127号29頁，58頁〔2018年〕参照。

125)　長澤運輸事件・最二小判平成30・6・1民集72巻2号202頁。

キョウレックス事件および長澤運輸事件最高裁判決が，いわゆる均等・均衡説（職務内容など前提事情が同じなら同一待遇〔均等待遇〕を求め，職務内容等の前提事情が異なる場合は前提事情の違いに応じた待遇〔均衡待遇〕を求める考え方）をとることを明らかにしたとする見解もあるが126)，少なくとも最高裁がこのような強行的比例均衡を要求する立場を明らかにしたとはいえまい。

実際，最高裁は，学校法人大阪医科薬科大学（旧大阪医科大学）事件判決127)で，アルバイト職員への賞与の不支給を不合理ではないとし，メトロコマース事件判決128)でも，契約社員への退職金の不支給を不合理ではないとして，比例的救済も行っていない。もっとも，このことは比例的均衡が常に強行的に求められるわけではないというにとどまり，比例的均衡を欠いた場合に違法と評価される可能性や比例的救済の余地が否定されているわけでもないことには留意すべきである129)。

この労契法旧20条に関する解釈は，改正後のパート有期法8条にも妥当すると解される。学説には，同一労働同一賃金ガイドラインが，基本給（ないし賞与等）につき，その相違に応じた支給をしなければならないと述べていることを根拠に，パート有期法8条を強行的比例均衡を要求するものと解すべきとする見解がある130)。しかし，ガイドラインは，これらの記述を強行的規範として論じたものではなく，あくまで不合理と認められる等の可能性があることを記述したに留まると整理しており（→584頁），ガイドラインのこれらの記述を根拠に，パート有期法8条では強行的比例均衡の立場が採用されていると解することはできない。

(2) 不合理な相違の禁止

パート有期法8条が禁止するのは，通常の労働者の待遇とパート労働者ないし有期雇用労働者の待遇との「不合理な相違」を設けることである。合理と不合理の間には，いずれとも言えない領域があるが，いずれとも言えない領域は

126)　水町勇一郎「有期・無期契約労働者間の労働条件の相違の不合理性」労判1179号12頁（2018年）は，「違いに応じた待遇（均衡待遇）」の意味を労働が100対80であれば，賃金も100対80でなければならないという割合に比例した均衡を要求するようである。水町・前掲注116・98-99頁も「職務遂行の難易度や職務の価値が100対80の場合，正社員の8割に相当する職務給の支給……が求められ〔る〕」とする。

127)　学校法人大阪医科薬科大学（旧大阪医科大学）事件・最三小判令和2・10・13労判1229号77頁。

128)　メトロコマース事件・最三小判令和2・10・13民集74巻7号1901頁。

129)　同旨，山川隆一「旧労契法20条をめぐる最高裁5判決」ジュリ1555号40頁（2021年），山本陽大「労働契約法（旧）20条を巡る裁判例の理論的到達点(2)」季労274号117頁（2021年）等。

130)　水町・詳解労働法365-366頁。相違に応じた取扱い（論者のこれまでの議論からは「強行的比例均衡」を指すと解される）が実現されていなければ，不合理な待遇の相違としてパート有期法8条違反になるとする。

違法ではなく，不合理と認められる相違が違法となる[131]。労契法旧20条の不合理な相違禁止について，「不合理と認められるもの」とは合理的でないものと同義である（合理的といえなければ不合理＝違法となる）との主張を最高裁は明確に否定して，あくまで「労働条件の相違が不合理であると評価することができる」ことと判示し[132]，このことを確認している。パート有期法8条においても同様と解される[133]。

「不合理と認められる」ことは規範的評価を伴う，いわゆる規範的要件であるので，不合理禁止違反を主張する当事者（労働者）が，不合理であるとの評価を基礎付ける事実（評価根拠事実）を主張立証し，不合理禁止違反とならないことを主張する当事者（使用者）が，不合理であるとの評価を妨げる事実（評価障害事実）を主張立証することとなる[134]。

(3)　比較対象となる「通常の労働者の待遇」

パート有期法8条の不合理な相違禁止は，同一労働の比較対象者が存在・確定しなければ，同一取扱いという規範を適用できない差別禁止規制とは異なる。あくまで，パート・有期労働者と通常の労働者（無期フルタイム労働者＝正社員）の待遇の相違が不合理であることを禁止するものであり，どの通常の労働者との待遇の相違が不合理と主張するかは，当該パート・有期労働者の選択に委ね

131）　荒木・前掲注118・NBL1141号28-29頁。なお労働契約法は10条で，就業規則の不利益変更の拘束力では「合理的」であることを要求し，旧20条では「不合理」と認められるものであってはならないと，合理と不合理を明確に使い分けていたことにも留意すべきである。

132）　ハマキョウレックス事件・前掲注122。同旨，学校法人大阪医科薬科大学（旧大阪医科大学）事件・前掲注127。

133）　2018年改正の過程では，欧州に倣って立証責任を労働者から使用者に転換する「合理的理由のない処遇格差の禁止」を明定することも提唱された（→577頁注112参照）。しかし，立証責任については日本では不合理性という規範的要件については双方当事者に主張立証責任を負わせていること，欧州のように職務給制が採られておらず，正社員の賃金についても同一労働同一賃金が妥当していない日本で，正規・非正規の労働条件の相違の合理的理由の立証を求めることは，非正規から正規へのキャリア展開を阻害する正規と非正規の職務分離や，訴訟リスクを回避するためにその合理的理由の説明が容易な職務給制を，事実上，強いることになりかねないなどの懸念もあり，採用されなかった。労働法は，これまで，いかなる賃金制度を採るべきかについては，より望ましい仕組みを労使双方が創意工夫を凝らして模索すべきものと考え，最低賃金規制や人権差別規制を除き，直接的介入を控えてきた。ガイドラインも，基本給について当事者が様々な制度を選択しうることを前提としている。パート有期法8条についてハマキョウレックス事件最高裁判決を参照して不合理性を基準に判断したものとして独立行政法人日本スポーツ振興センター事件・前掲注123。

134）　ハマキョウレックス事件・前掲注122。

られていると解される。職務内容や，職務内容・配置の変更の範囲が大きく異なる正社員の待遇と比較するより，それらの相違が僅少な正社員との待遇差を捉えて不合理とする主張の方が認められやすいと思われるが，それは主張者の選択の問題である[135]。この点で，パート有期法9条の「通常の労働者」（職務内容，職務内容及び配置の変更の範囲が同一の通常の労働者）（→3），およびパート有期法14条の説明義務における「通常の労働者」（職務内容，職務内容及び配置の変更の範囲等がパート・有期労働者のそれと最も近いと事業主が判断する通常の労働者）（→Ⅵ）と異なる。

(4)　不合理性の判断要素

パート有期法8条によると，不合理性の判断は，**職務内容**（「業務の内容＋当該業務に伴う責任の程度），**職務内容・配置の変更範囲**（「人材活用の仕組み」とも説明されている），**その他の事情**，の3要素を考慮して行われる。これは2014年パート労働法8条当時から同様であったが，2018年改正で，不合理性判断は，「基本給，賞与その他の待遇のそれぞれについて」，3要素「のうち，当該待遇の性質及び当該待遇を行う目的に照らして適切と認められるもの」を考慮して行われることが明記された（「　」部分が2018年改正）。

「待遇のそれぞれについて」という表現は，労契法旧20条の「不合理な相違禁止」に関する最高裁判決の中で，個々の賃金項目に係る労働条件の相違の不合理性判断に当たっては，「両者の賃金の総額を比較することのみによるのではなく，当該賃金項目の趣旨を個別に考慮すべき[136]」とされたことに対応す

135)　同旨，水町・詳解362頁，山川隆一ほか「〔座談会〕『同一労働同一賃金』と人事管理・雇用システムの今後」ジュリ1538号24-25頁［山川隆一発言］（2019年）大竹敬人・メトロコマース事件判解・ジュリスト1555号54頁（2021年）。ちなみに，パート有期法8条の立法過程でも比較対象者は訴える側が選択可能と繰り返し説明されていた（加藤勝信厚生労働大臣平成30年5月16日第196回国会衆議院厚生労働委員会答弁等）。最高裁も，学校法人大阪医科薬科大学事件（旧大阪医科大学）事件・前掲注127，メトロコマース事件・前掲注128で，原告により比較対象として選択された無期契約労働者を比較対象者とした上で，その他の無期契約労働者の状況は「その他の事情」として考慮する立場をとっている。なお，学説では裁判所が客観的に設定する比較対象者と比較すべきとする立場も有力に主張されている（土田道夫「有期・パート労働者の均衡待遇を考える」季労273号38頁（2021年），山本・前掲注129・121頁等。

136)　長澤運輸事件・前掲注125。この判示は，日本郵便（佐賀）事件・最一小判令和2・10・15労判1229号5頁［夏期冬期休暇の相違が争点］，日本郵便（東京）事件・最一小判令和2・10・15労判1229号58頁［病気休暇の相違が争点］で，賃金以外の労働条件の相違について

るものである。ただし，最高裁は，学説で指摘されていたように[137]，ある賃金項目の有無・内容が，他の賃金項目の有無・内容を踏まえて決定される場合もあり得るところ，そのような事情も不合理性判断にあたり考慮されるとしている[138]。原告が個別の労働条件の相違を主張する以上，その個別の相違（例えばA手当の支給の有無）の不合理性が問題となるが，その不合理性判断に当たっては，関連する労働条件（例えばA手当の支給はないが別の手当が支給されているとか基本給が増額されている等）も「その他の事情」として考慮すべきことから，妥当な解釈である[139]。

3要素「のうち，当該待遇の性質及び当該待遇を行う目的に照らして適切と認められるもの」を考慮するとした点については，それぞれの待遇の性質・目的に照らして不合理性を判断することを明らかにしたものとされている[140]。

▩同一労働同一賃金ガイドライン　2018年パート有期法の格差是正規制については，その解釈の明確化のために，「同一労働同一賃金ガイドライン」（正式名称は「短時間・有期雇用労働者及び派遣労働者に対する不合理な待遇の禁止等に関する指針[141]」）が策定され，待遇の相違が不合理と認められるか否かの原則となる考え方および具体例を示している。

もっとも，官邸主導で策定されたガイドライン本体（第3～第5）は，文字通りの同一労働同一賃金的発想で，合理的理由のない相違を禁止するという考え方で策定されたもののようで，各所で「……通常の労働者と同一の［基本給，賞与，手当等］を支給しなければ

も同様に妥当するとされた。

137）　荒木・前掲注109・17-18頁。

138）　長澤運輸事件・前掲注125。

139）　この点は，平成29年6月9日の労働政策審議会「同一労働同一賃金に関する法整備について（報告）」2(1)でも要請されていた。長澤運輸事件・前掲注125でも，正社員に支払われた能率給・職務給が有期の嘱託乗務員には不支給であったが，正社員の基本給より嘱託乗務員の基本賃金が上回っていること，正社員の能率給より嘱託乗務員の歩合給の係数が約2-3倍に設定されていた等の事情を総合考慮した上で，職務内容・変更範囲が同一であっても，嘱託乗務員に能率給・職務給を支給せずに歩合給を支給するという労働条件相違は不合理でないとされ，住宅手当や家族手当についても，定年後再雇用者には厚生老齢年金や調整給の支給による補填がありうることを考慮して，不合理ではないとされている。

140）　水町・詳解366-367頁。労契法旧20条について，学校法人大阪医科薬科大学（旧大阪医科大学）事件・前掲注127およびメトロコマース事件・前掲注128は，賞与あるいは退職金の「性質やこれを支給することとされた目的を踏まえて」不合理性を検討すべきと述べ，改正法の文言を踏まえたような判断を行っており，改正後のパート有期法8条に妥当すべきことを意識した判示と言えよう。なお，判例で用いられている「趣旨」「性質」「目的」の意味については山川・前掲注129・35頁参照。

141）　平成30・12・28厚労告430号。

ばならない」「相違がある場合においては，その相違に応じた［基本給，賞与，手当等］を支給しなければならない」といった表現がとられている。しかしこれは，最終的に成立したパート有期法8条が「合理的理由のない相違禁止」ではなく「不合理な相違禁止」に落着したことと必ずしも整合しない側面がある。そこで，厚労省労働政策審議会（職業安定分科会，雇用環境・均等分科会）同一労働同一賃金部会の審議を経て，ガイドラインは，「第2　基本的な考え方」において，「事業主が，第3から第5まで［原則となる考え方と具体例を示した本体部分］に記載された原則となる考え方等に反した場合，当該待遇の相違が不合理と認められる等の可能性がある。」としている。すなわち，ガイドラインが「しなければならない」と，それに違反すれば直ちに違法となる強行的規範であるかのような表現をとっている部分は，法的には不合理と判断される「可能性」を示した叙述であることを確認している。ガイドラインが不合理な正規・非正規格差を是正する社会変革のための行為規範として果たす役割は重要であるが，賃金制度等にどのように法が介入すべきかについての省察の結果，「不合理な相違禁止」という整理に落着した事実は，法規範の客観的位置づけにあたって留意すべき点である142)。

また，ガイドラインは，「第3の1　基本給」の叙述の後に「（注）1　通常の労働者と短時間・有期雇用労働者との間に賃金の決定基準・ルールの相違がある場合の取扱い」について述べていることから，それ以前の，同一の基本給等を支給しなければならない旨の叙述は，正規・非正規雇用双方に，共通の賃金の決定基準・ルールが採用されている前提であったことが判明する。したがって，日本の多くの企業におけるように，正規労働者と非正規労働者とで異なる賃金決定ルールが採用されている場合に，先のガイドラインの叙述は直接適用されるものではない143)。ガイドラインの（注）1は，正規・非正規労働者間の賃金決定基準・ルールに相違がある場合の取扱いについて「通常の労働者と短時間・有期雇用労働者との間で将来の役割期待が異なるため，賃金の決定基準・ルールが異なる」等の主観的又は抽象的な説明では足りない，とするほかは，法文内容を再述するにとどまる。したがって，労働条件は労使交渉によって設定するという労働関係の基本に立ち返って，不合理と評価されない労働条件設定を非正規を含めた労使で協議すべきこととなる。

142)　最高裁は長澤運輸事件・前掲注125で「労働者の賃金に関する労働条件は，労働者の職務内容及び変更範囲により一義的に定まるものではなく，使用者は，雇用及び人事に関する経営判断の観点から，労働者の職務内容及び変更範囲にとどまらない様々な事情を考慮して，労働者の賃金に関する労働条件を検討するもの」とし「有期契約労働者と無期契約労働者との労働条件の相違が不合理と認められるものであるか否かを判断する際に考慮されることとなる事情は，労働者の職務内容及び変更範囲並びにこれらに関連する事情に限定されるものではない」旨，判示している。

143)　厚生労働省の解説動画「改正後のパートタイム・有期雇用労働法で求められる企業の対応について」（https://part-tanjikan.mhlw.go.jp/reform/）も，「正社員と非正規雇用労働者との間で賃金の決定基準・ルールに違いがある場合は，ガイドラインには直ちに当てはまらない」と解説している。

(5) 不合理とされた場合の効果

2012年の労契法旧20条以来，この不合理な相違禁止の規制は，民事的効力（強行的規範）を持つと理解されている。しかし，無効となった後の契約内容を直接規律する直律効については，労基法13条のような補充的効力は定められておらず，認められないと解されている[144)]。他の規範（協約，就業規則，労働契約の合理的解釈等）によって補充解釈が可能であれば，それによることがありうるが，そのような合理的に契約を補充する規範を確定し得ない場合には，契約上の請求は認められず，不法行為責任が生ずるに留まる。パート有期法8条においても同様と解される。

不合理とされた場合の不法行為の損害賠償額については，正規との格差すべての救済を認める裁判例[145)]と，格差が大きすぎることが不合理と評価される場合には，正規との格差すべてではなく，不合理とならない程度までの救済を認める裁判例[146)]が分かれている。

3　差別的取扱い禁止：均等規制（短時有期9条）

パート有期法9条は，通常の労働者（正社員）と①職務内容（業務の内容＋当該業務に伴う責任の程度），および②雇用関係終了までの全期間における職務内容・配置の変更範囲（いわゆる「人材活用の仕組み」）が同一であることが見込まれるパート労働者・有期雇用労働者（「通常の労働者と同視すべき短時間・有期雇用労働者」）について，「短時間・有期雇用労働者であることを理由として」「基本給，賞与その他の待遇のそれぞれについて」通常労働者との差別的取扱いを禁止している。本条は，2014年パート労働法9条を基本的に維持し，対象労働者を有期雇用労働者に拡大したものである。

本条適用の要件のうち，②職務内容・配置の変更範囲が通常労働者と「雇用関係が終了するまでの全期間において」同一であることは，2007年パート労働法当時から存在する（旧8条）。2007年当時は，①職務内容の同一，②職務内

144）　ハマキョウレックス事件・前掲注122。

145）　例えば日本郵便（大阪）事件・大阪地判平成30・2・21労判1180号26頁。

146）　日本郵便（東京）事件・東京地判平成29・9・14労判1164号5頁［差異の程度が大きいことによって不合理である場合の損害額の認定は極めて困難とし，民訴法248条により相当な損害（年末年始手当について8割，住居手当について6割）を認定］。しかし同控訴審・東京高判平成30・12・13労判1198号45頁は，一審判断を取り消し，正規との差額全額を損害とした。

容・配置の変更範囲の同一，③契約期間の同一（無期契約または無期と同視できる有期契約）の3要件をすべて満たすことが要求されていたので，「雇用関係が終了するまでの全期間」は通例，無期契約労働者の定年までを想定してその同一性を議論できた。しかし，2014年に③契約期間の同一要件が削除された（**図表18-8**参照）。そこで，施行通達は，「雇用関係が終了するまでの全期間」とは，「当該事業所における慣行その他の事情からみて，当該事業主との雇用関係が終了するまでの全期間」を指し，変更範囲が同一と「見込まれる」とは，将来の見込みも含めて判断するとする。そうすると，1年有期契約で，労契法19条の雇止め法理の適用のない労働者の場合，無期契約正社員との1年間における②の同一性を判断するのか，それとも，更新の合理的期待が生じていない場合でも，更新を仮定して無期契約との同一性を判断するのかが問題となる。仮に前者だとすると，「ある一時点において短時間・有期雇用労働者と通常の労働者が従事する職務が同じかどうかだけでなく，長期的な人材活用の仕組み，運用等についてもその同一性を判断する必要があるため[147]」に設定されたフレームワークが合理的に機能しないのではないかと懸念される[148]。

パート有期法施行通達は，本条は，「就業の実態が通常の労働者と同じ短時間・有期雇用労働者については，全ての待遇について通常の労働者と同じ取扱いがなされるべきであり，法第9条において，そのような場合の差別的取扱いの禁止を規定したものである[149]」としている[150]。

147）パート有期法施行通達・前掲注120・第3の4(5)。

148）例えば，正社員がローテーション人事による3年ごとの配転に服しており，期間1年の有期雇用労働者の雇用期間中に，当該正社員の配転は予定されていない場合等。

149）パート有期法施行通達・前掲注120・第3の4(1)。

150）この叙述は，就業の実態（①②）が同一である場合に，通常の労働者と「同じ取扱い」を要求しているようである。これが，有利にも不利にも異別取扱いを禁止し，同一の処遇を要求する差別禁止規制（両面的規制）を指しているとすると，疑問がある。EUの非正規雇用に関する指令は，逆差別を禁止する人権差別禁止規制とは区別して，非正規雇用を理由とする「不利益取扱い」を禁止するもので，有利な取扱いは禁止しない「片面的規制」である（労働政策研究・研修機構『雇用形態による均等処遇についての研究会報告書』〔座長荒木尚志東京大学教授〕Ⅱ頁以下〔2011年〕，同『諸外国における非正規労働者の処遇の実態に関する研究会報告書』〔同〕4頁以下〔2016年〕参照）。合意によって設定される非正規雇用という地位に由来する処遇を改善するために，政策的に介入する規制であれば，人権差別禁止規制とは異なり，非正規雇用を正規雇用より有利に扱うことを禁止する必要はない。その意味では，「差別的取扱い禁止」（両面的規制）ではなくEU同様「不利益取扱い禁止」（片面的規制）がより適切であった。現行法の解釈としては，有利な取扱いはパート有期法9条の「差別的取扱い」に該当

「基本給，賞与，その他の待遇のそれぞれについて」とは，賃金，教育訓練，福利厚生施設，休憩，休日，休暇，安全衛生，災害補償，解雇等の（労働時間および労働契約の期間を除く）すべての待遇をいうとされている[151]。

本条で禁止される差別的取扱いは「短時間・有期雇用労働者であることを理由とし［た］」ものである。通常労働者との異別取扱いがパート労働者，有期雇用労働者であることを「理由とし」たものではなく，例えば，意欲，能力，経験，成果等の公正・客観的な評価による場合のように，別の理由によるものであれば，本条違反とはならない。また，パート労働の場合，労働時間の短さに比例した賃金の少なさも違法ではない[152]。

2018年改正労働者派遣法30条の3第2項は「正当な理由がなく」と明記して，正当理由がある場合に不利益取扱い禁止の例外を予定している（→610頁）。また，EUの非正規雇用に関する3つの指令の不利益取扱い禁止は，いずれもそれが「客観的な根拠によって正当化されない限り」で妥当するものである[153]。これに対して，パート有期法9条には①②の要件が満たされた場合に，他の客観的事由によって正当化する余地を正面から規定していない。しかし，長澤運輸事件がそうであったように，多様な非正規雇用においては，その正規雇用との相違がパートや有期雇用であること以外に由来し，それが相違を正当化すると解すべき場合が想定される。したがって，これらの正当化の余地を考慮すべき場面では，同条の「理由として」の解釈で受け止めるのが妥当と解される。例えば，長澤運輸事件判決[154]では，定年後，継続雇用された有期雇用労働者について，①②が無期契約労働者と同一であると認定された上で，一部の手当を除き，賃金の大部分について労契法旧20条違反とはされなかった。パート有期法9条では，労契法旧20条やパート有期法8条の「その他の事情」は考慮することなく，①②が正社員と同一の有期雇用労働者には「差別的取扱

しないと解して（水町・詳解357-358頁），実質的に妥当な帰結を導くほかない。しかし，労基法3条や4条の「差別的取扱」については「当該労働者を有利又は不利に取り扱うこと」（労基局（上）82頁，88頁），すなわち両面的規制と解する解釈が確立しており，混乱を招くこととなるので，パート有期法9条の文言は「差別的取扱い」ではなく「不利益取扱い」をしてはならないという文言に改められるべきである。

151）　パート有期法施行通達・前掲注120・第3の4(9)。

152）　以上につき，パート有期法施行通達・前掲注120・第3の4(9)。

153）　労働政策研究・研修機構・前掲注150（2016年）・47頁以下［濱口桂一郎］。

154）　前掲注125。

い禁止」が直ちに妥当するかのようであるが[155]，労契法旧20条にはない「理由として」が要件として明記されている。よってパート有期法9条では，その処遇の相違が有期契約を「理由とし［た］」ものかが吟味されるべきで，定年後継続雇用の場合の処遇の相違は，有期契約を理由とするものではないと解することが可能である[156]。

パート有期法9条は，その「差別的取扱いをしてはならない」という文言および規制趣旨に照らしても，民事上の効力のある規定と解される。したがって，9条違反の行為は不法行為の違法性を備え，損害賠償責任を生ぜしめ，法律行為は無効となる[157]。

労働契約上の労働条件が本条違反によって無効となった後の契約内容がどうなるかについては，パート有期法8条と同様，労基法13条のような補充的効力を定めた規定がないことから，契約の合理的・補充的解釈に委ねられると解される[158]。

Ⅳ　均衡処遇の努力義務・実施義務・配慮義務

通常労働者と同視すべきとされなかったパート・有期労働者については，通常労働者との均衡のとれた処遇（均衡処遇）を確保すべく，努力義務等が課され

155)　長澤運輸事件（一審）・東京地判平成28・5・13労判1135号11頁は，2018年改正前労契法20条の判断において，まさに，正規・非正規間で①②が同一なら差別的取扱いを禁止するパート労働法9条を参照して，賃金について相違を設けることは特段の事情のない限り，不合理との評価を免れないとしていた（同判決の問題点については荒木・前掲注109・11頁以下）。

156)　同旨，水町・詳解358頁注21。長澤運輸事件最高裁判決は，労働者の賃金に関する労働条件は，①②により一義的に定まるものではないとし，①②が同一なら同一取扱いが妥当すべきとはしていない（前掲注142参照）。

157)　現パート有期法9条の前身である2007年パート労働法8条以来，多くの学説はこのように解していた。2007年パート労働法8条下の事件としてニヤクコーポレーション事件・大分地判平成25・12・10労判1090号44頁［所定労働時間が正社員より1時間短い貨物自動車運転手につき，職務内容が同一，無期契約と同視できる反復更新された有期契約で雇用され，転勤・出向等や役職への任命等でも正社員と大差ないという事実認定に基づき，賞与，週休日数（休日割増賃金に反映）等につき旧パート労働法8条違反とし，不法行為による損害賠償請求認容］，京都市立浴場運営財団ほか事件・京都地判平成29・9・20労判1167号34頁［正規職員と職務内容が同一で，人材活用の仕組み・運用が異ならず，1年契約が5回ないし13回更新された嘱託職員に，正規職員に支払われる退職金を支給しないことが旧パート労働法8条の差別的取扱いに当たるとして，不法行為に基づく損害賠償として退職金相当額を認容］。

158)　同旨，水町・詳解359頁。

ている。すなわち，賃金については，均衡を考慮した賃金決定の努力義務（短時有期10条），教育訓練については，上記①職務の内容が同一の「職務内容同一短時間・有期雇用労働者」には，原則として実施義務が，そうでないパート・有期労働者に対しては実施の努力義務が課されている（同11条）。福利厚生施設のうち，健康の保持や業務の円滑な遂行に資するものとして省令が定めた給食施設，休憩室，更衣室の3施設（短時有期則5条）については，すべてのパート・有期労働者に対して，利用機会を与えなければならない（同12条。従来の配慮義務から2018年改正で強化された）。

V　通常労働者への転換

通常労働者への転換推進のため，事業主は①通常労働者を募集する場合，募集内容を雇用するパート・有期労働者に周知する，②通常労働者の配置について社内公募する場合，雇用するパート・有期労働者に応募機会を与える，③パート・有期労働者から通常労働者への転換試験制度等の転換推進措置を講ずる，のいずれかの措置を講じなければならない（短時有期13条）。2018年改正で対象者がパート労働者のみならず有期労働者に拡大された。

VI　雇用管理上講ずべき措置に関する説明義務

パート有期法は，同法上，事業主が雇用管理上講ずべきとされている措置に関して，労働者に対する説明義務を課し，それによって労働者の納得性を高め，さらには，納得を得られないような説明しかできなければ，そのことを自ら認識すべき契機となることも期待して，使用者に説明義務を課している。説明義務の内容は2007年改正，2014年改正で順次拡充されてきたが，2018年改正では，さらに規制が強化され，また，対象者が有期雇用労働者にも拡大された。

まず，使用者は，労基法15条およびパート有期法6条1項（→573頁）で明示義務が課されている事項に加えて，パート・有期労働者を雇入れ後，速やかに，不合理な待遇の禁止（8条。2018年改正で新たに対象となった），差別的取扱いの禁止（9条），賃金（10条），教育訓練（11条），福利厚生施設（12条），通常の労働者への転換（13条）について講ずべきとされている雇用管理上の措置の内容を説明しなければならない（14条1項）。2007年改正では労働者からの求めに基づき使用者に説明義務を課したが（旧13条），講ずべきこととなっている措置内容を労働者が知らなければ，説明を求めることも容易でないため，2014年改正で，雇入れ後に（労働者からの求めを要せず）使用者から説明すべきこととされた。なお，10条，11条2項で努力義務が課されている事項も説明対象となる。また，有期雇用労働者の契約更新は14条1項にいう雇入れにあたるため，その都度，同項による説明が必要となる[159]。

そして，パート・有期労働者から求めがあった場合，2007年パート労働法で導入された説明義務事項に加えて，2018年改正では，通常労働者との待遇の相違の内容およびその理由についても説明義務が課されることとなった（14条2項）。待遇の相違の説明の際に比較対象となる「通常の労働者」とは，職務内容，職務内容および配置の変更範囲等が，パート・有期労働者のそれに最も近いと事業主が判断する通常の労働者をいうとされている[160]。「待遇の相違の内容及び理由」に関しては，通常労働者とパート・有期労働者間の待遇に関する基準の相違の有無，基準が同一で違いが生じているのであればその理由（成果，能力，経験の違いなど），基準が異なる場合は，基準に違いを設けている理由（職務内容，職務内容・配置の変更の範囲の違い，労使交渉の経緯など），およびそれぞれの基準を通常の労働者およびパート・有期労働者にどのように適用しているのか，また，待遇の相違が複数の要因による場合は，それぞれの要因について，説明が求められる[161]。

なお，14条2項の説明を求めた労働者に対する不利益取扱い禁止も2018年改正で新設された（同3項）。

14条違反には，次述する企業名公表等の行政上の履行確保措置が設けられている（18条2項，30条）。

事業主は，パート・有期労働者からの雇用管理改善等に関する相談に対応するための体制（相談窓口等）の整備義務を負い（16条），相談窓口については，雇入れ時の文書明示事項とされている（短時有期則2条）。

159） パート有期法施行通達・前掲注120・第3の10(2)，(3)。

160） パート有期法施行通達・前掲注120・第3の10(6)。この点で，パート有期法8条違反の訴訟においては，原告となったパート・有期労働者が比較対象として主張する通常の労働者との相違が判断対象となるのとは異なる。

161） パート有期法施行通達・前掲注120・第3の10(7)。

Ⅶ　行政上の履行確保・紛争解決

厚生労働大臣は，パート・有期労働者の雇用管理の改善等を図るため，必要があると認めるときは，事業主に対して報告を求め，助言・指導・勧告を行うことができる（短時有期18条1項。この権限は3項で都道府県労働局長に委任可能）。そして，法的義務，実施義務，配慮義務の課された規定の違反（努力義務違反は対象とされていない）については，企業名公表も可能とされている（同2項）。

また，労働条件に関する文書交付義務（同6条1項），パート・有期労働者に対する不合理な待遇の禁止（同8条），通常の労働者と同視すべきパート・有期労働者に対する差別的取扱い禁止（同9条），教育訓練実施義務（同11条1項），福利厚生施設（同12条），通常の労働者への転換措置義務（同13条），パート・有期労働者への説明義務（同14条）に関する苦情については，まずは事業主を代表する者と労働者を代表する者によって構成される苦情処理機関による自主的解決が図られるべきである（同22条参照）。そして，パート・有期労働者と使用者間の紛争については，個別労働関係紛争解決促進法の規定にはよらずに，パート有期法に用意された紛争解決手続で処理される（同23条）。すなわち，都道府県労働局長による助言・指導・勧告（同24条），そして，当事者双方または一方から調停の申請があった場合，個別労働関係紛争解決促進法6条1項の紛争調整委員会に調停を行わせるものとされている（同25条）。この手続には均等法の調停手続の規定が準用される（同26条）。

第5節　労働者派遣法

Ⅰ　労働者派遣規制の変遷

派遣労働は1985（昭和60）年に労働者派遣法が制定されるまでは，労働者供給事業の一形態として職安法44条によって全面禁止されていた（**図表18-10①**）。しかし，実務界においては1970年代後半から80年代にかけて，適法性に疑いのある人材派遣業が急成長していた。

この背景には一方で，企業の側に人件費削減の必要から，一定の業務を外部労働力利用に切り替えようとする動きがあり，他方で労働者，とりわけ女性労

図表 18-10　労働者派遣規制の変遷

①1985年まで：労働者供給事業の一部として派遣労働の全面禁止
↓
②1985年労働者派遣法制定：労働者派遣の部分解禁（ポジティブ・リスト方式＝専門業務型派遣として対象業務を13業務＋追加3業務に限定）
↓
③1996年政令改正：労働者派遣法施行令改正による規制緩和（対象業務の拡大：26業務まで増加〔労派遣令2条改正〕）
↓
④1999年改正：労働者派遣の原則解禁（ネガティブ・リスト方式＝対象業務の全面的自由化：26の専門的業務以外は，1年以内の短期派遣）
↓
⑤2003年改正：さらなる緩和と新たな規制（製造業への派遣解禁，短期派遣の期間1年→3年に延長，派遣先の直接雇用申込み義務の導入）
↓　2008年秋：リーマンショック→日比谷公園の「年越し派遣村」
⑥2012年改正：日雇派遣原則禁止，グループ企業内派遣比率8割制限，マージン率公開義務付け，違法派遣の場合の派遣先による労働契約申込みみなし等（当初の法案にあった登録型派遣原則禁止，製造業派遣原則禁止は立法せず）
↓
⑦2015年改正：派遣事業の抜本的見直し（特定派遣事業・一般派遣事業の区別を廃してすべて許可制），派遣期間見直し（事業所単位・個人単位で3年），キャリアアップ推進等。同時に「待遇確保法」も成立。
↓
⑧2018年改正：働き方改革関連法により，派遣先均等・均衡方式または労使協定方式の導入

（筆者作成）

働者の側で，自らの高度の技能を活用して，ワーク・ライフ・バランスのとれた主体的な職業生活を展開したいとする要求があり，派遣労働という働き方がこれらのニーズを満たしたという側面があった。

しかし，派遣の場合，現実に労働力を使用する受入企業は労働契約上の使用者ではないため，その法的責任の所在が不明確であるといった問題があった。そこで，派遣労働の一律禁止の政策を見直し，一定の派遣事業を認め，同時にこれを適正に規制するという方針の下に，1985年労働者派遣法が制定された。

当初，労働者派遣法は派遣の許される対象業務を限定列挙したいわゆるポジティブ・リスト方式を採用していた（**図表 18-10②**）が，90年代には規制緩和が進み（同③），対象業務を原則自由化し，禁止される業務だけを列挙するネガテ

ィブ・リスト方式へと移行した（同④）。しかし2000年代になると，規制緩和の推進と派遣先による直接雇用申込み義務等の規制強化とが同時進行するようになった（同⑤）。その後，規制緩和の行き過ぎ，日雇派遣の弊害等が指摘され，規制の強化に向けた議論が行われているなかで，2008年秋のリーマン・ショックによる世界不況により，派遣労働者は真っ先に雇用調整の対象となった。この，いわゆる派遣切りで雇用のみならず住む場所をも失った派遣労働者に対して，同年末の日比谷公園に，ボランティアが食事やテントを供給する「年越し派遣村」が設置され，メディアでも大きく取り上げられた。自公政権下で既に労働者保護強化のための改正法案は提出されていたが，政権交代後，曲折を経て，民主党政権下の2012年3月に労働者保護の強化を主旨とする派遣法改正が行われた（同⑥）。しかし，2015年には自公政権の下で，再度，すべての派遣事業を許可制とする，派遣期間の上限を事業単位・個人単位で設定する等の抜本的改正がなされ，同時に野党提案の法案を修正した「労働者の職務に応じた待遇の確保等のための施策の推進に関する法律」（待遇確保法162)）が成立した（同⑦）。その後，働き方改革関連法によって，2018年改正派遣法は同一労働同一賃金（正規・非正規の不合理な格差是正）政策の一環として，派遣労働者と派遣先企業の正規雇用労働者との不合理な格差禁止のために大改正が行われた（施行は2020年4月1日）（同⑧）。

Ⅱ　労働者派遣と労働者供給・業務処理請負

1985年に派遣法が制定される前の職安法4条6（現8）項は，労働者供給を「供給契約に基づいて労働者を他人の指揮命令を受けて労働に従事させること」と定義し，これを職安法44条で禁止していた。労働者供給では，土木建築，港湾荷役，鉱山労働などの人夫供給業・人足集めで典型的に見られたように，親分子分的支配関係の下で労働強制・ピンハネ等の弊害が見られたためである。

1　労働者供給と業務処理請負の区別

業務処理請負の場合，労働者は，直接の契約の相手方である請負業者の指揮

162)　野党提案の法案段階では「同一労働同一賃金法案」と称されたが，自民党・公明党の与党と野党の維新の党との合意により，「均等な待遇及び均衡のとれた待遇の実現を図る」という内容に修正の上，成立した。法律名どおり，職務に対応した待遇を確保するための施策の推進について定めたものであり，同一労働同一賃金に関する法的規範を設定したものではない。

命令を受けて発注企業（注文者）に労務を提供する。業務処理請負であれば，労働者供給事業禁止の対象とはならず自由に行えるため，両者の区別が問題となる。

職安法は，同施行規則4条で，次の4要件を満たさない限り，請負契約の形式をとっていても，労働者供給事業とみなされるとしている[163]。すなわち，その事業者が，①作業の完成について事業者としての財政上および法律上のすべての責任を負う，②作業従事労働者を指揮監督する，③労働者に対して，使用者として法律に規定されたすべての義務を負う，④自ら提供する機械，設備，器材もしくは作業に必要な材料，資材を使用し，または企画もしくは専門的な技術もしくは専門的な経験を必要とする作業を行うものであって，単に肉体的労働力を提供するものではないこと，の4要件である。

労働者派遣は，これらの要件を満たさない[164]。とりわけ，作業の指揮監督は派遣先企業が行い，派遣元は行わないので，業務処理請負か労働者供給かの区別では労働者供給に当たるのが通常である。

2　労働者派遣の定義

そこで，1985年派遣法制定の際には，職安法4条6（現8）項の労働者供給の定義が改正され，「『労働者供給』とは……〔労働者派遣法〕……第2条第1号に規定する労働者派遣に該当するものを含まない」として，労働者派遣を労働者供給から定義上除外した。派遣法2条1号は労働者派遣を，⑴自己の雇用する労働者を当該雇用関係の下に，かつ，⑵他人の指揮命令を受けて，当該他人のために労働に従事させることをいい，⑶当該他人に対し当該労働者を当該他人に雇用させることを約してするものを含まないもの，と定義している。

163）この4要件は，請負と労働者供給を法的性質によって区別する以上に，許容すべきでない請負（単なる肉体的労働力提供等）を労働者供給とみなして禁止する効果をも有している。こうした厳しい基準がGHQの指導の下に導入され，その後，若干緩和された経緯については濱口61頁参照。

164）職安法施行規則4条を基礎に，「労働者派遣事業と請負により行われる事業との区分に関する基準」（昭和61労告37号，いわゆる「37告示」）が出されている。そこでは，請負と認められるためには，①自己の雇用する労働者の労働力を自ら直接利用すること（業務遂行，労働時間，秩序維持についての指示を自ら行うこと），②請け負った業務を自己の業務として契約の相手方から独立して処理すること（資金を自ら調達し，法律上の事業主としての責任をすべて負い，単に肉体的労働力提供でないこと）のすべてを満たすことが必要であり，これを満たさない場合には労働者派遣事業を行う事業主とするとしている。

図表 18-11　多様な労働者供給形態と労働者派遣

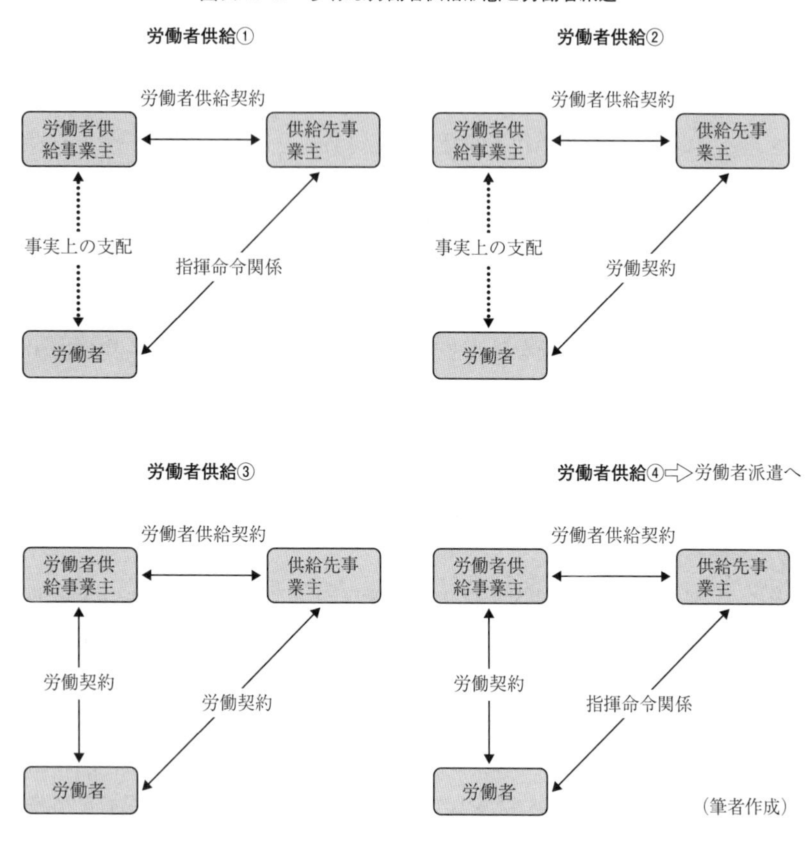

（筆者作成）

労働者派遣は，⑴自己の雇用する労働者を当該雇用関係の下に労働させる点で，労働契約関係のない**図表 18-11**①②タイプの労働者供給と区別される。また，⑵他人の指揮命令を受けて当該他人のために労働に従事させる点で，業務処理請負と区別される（職安則 4 条，**図表 18-12** 参照）。そして，⑶当該他人に対し当該労働者を当該他人に雇用させることを約してするものを含まないことから，派遣先との間で労働契約関係がなく，**図表 18-11**③タイプの労働者供給や出向と区別される。つまり，労働者派遣法が制定されるまで禁止されていた**図表 18-11**①～④の労働者供給形態のうち，④のみを労働者派遣として労働者供給概念から除外することとしたものである。

図表 18-12　派遣・労働者供給・請負の関係

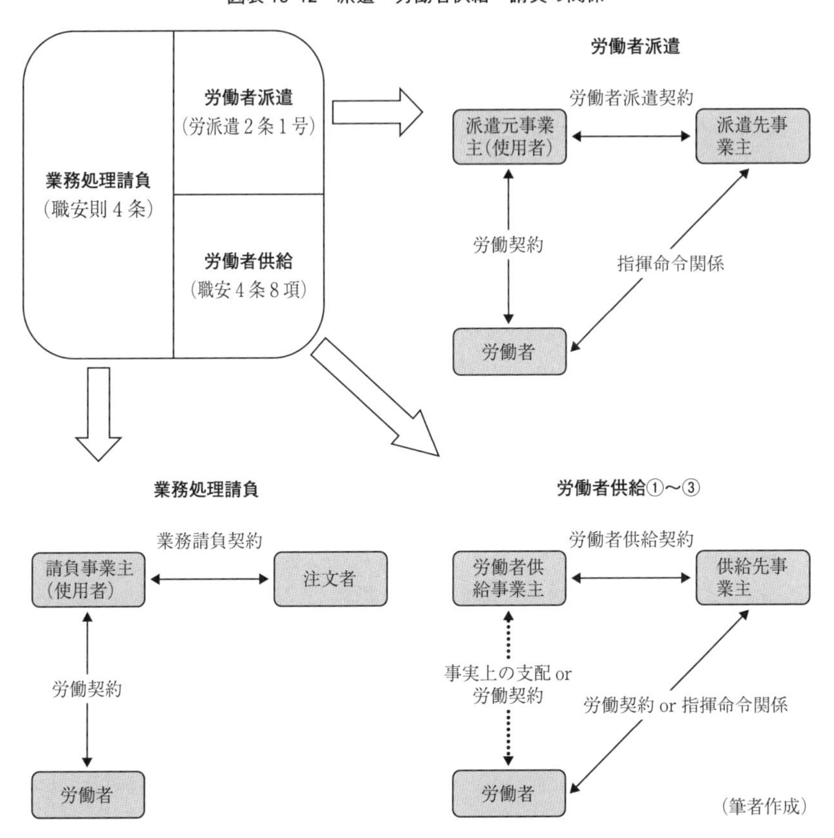

（筆者作成）

■図表 18-11③タイプの労働者供給と出向　労働者供給のうち③の形態は，労働者と供給元・供給先双方との間で労働契約が成立している点で，出向（在籍出向）をも含むものである。出向が禁止されずに広く行われているのは，職安法44条の禁止する労働者供給とは業として行われる「労働者供給事業」であり，出向は一般に，社会通念上，業として行われているものではなく，これに該当しないと解されているためである165)。

このように概念上労働者供給から除外された労働者派遣は，その「概念」に合致する限り，仮に労働者派遣法の規制に違反しても，そのことゆえに直ちに，

165)　厚生労働省職業安定局「労働者派遣事業関係業務取扱要領（令和4年7月）」9頁以下参照（https://www.mhlw.go.jp/content/11650000/000763204.pdf）。

労働者供給に該当することになるわけではない。

■偽装請負・違法派遣と労働者供給　適法な派遣のみが労働者供給の概念から除かれた，という解釈も主張されているが，派遣法2条1号および職安法4条8項にいう労働者派遣の概念は，適法か否かには関わらない。もし仮に，違法派遣は労働者供給に該当し，職安法44条の労働者供給禁止違反になる[166]とすると，例えば，派遣法4条により禁止されている港湾運送業務，建設業務等への労働者派遣は労働者供給となり，職安法44条違反に対する罰則（同64条10号：1年以下の懲役または100万円以下の罰金）に処されることとなるはずである。しかし，派遣法は，4条違反については，同法59条1号で，職安法44条違反と全く同じ刑罰を科している。このほかにも，派遣法は同法違反に対して独自に罰則等の規制を行っている。このことは，現行の派遣法は，同法違反の労働者派遣であるからといって職安法44条の禁止する労働者供給となるわけではないことを前提に，違法派遣については派遣法の枠組みの中で処理する制度設計となっていることを示している。そうすると，派遣法違反であれば当然に労働者供給に当たると解すること，さらには，そのことを根拠に派遣労働者と派遣先との間の労働契約成立を当然に導くことは困難というほかなく，最高裁も同様の判断を行った[167]。そこで，2012年改正で，一定の偽装請負・違法派遣の場合について，派遣先による派遣労働者への直接雇用申込みのみなし制度が創設された（→617頁）。

■二重派遣・多重派遣　これに対して，派遣先企業が派遣を受けた労働者をさらに別の派遣先に派遣する「二重派遣」「多重派遣」の場合には，最初の派遣先と派遣労働者の間には雇用関係が存しないため，前述の労働者派遣の定義である(1)の要件を満たさない。その結果，最初の派遣先が第2の派遣先に派遣することは，もはや労働者派遣の概念に適合していない。それゆえ，労働者供給として禁止されることとなる。

■労働組合による労働者供給事業　民間事業が労働者供給を行うことは職安法44条で

166）松下プラズマディスプレイ（パスコ）事件・大阪高判平成20・4・25労判960号5頁は，労働者派遣法に適合した労働者派遣たり得ない業務処理請負形式による就労について，脱法的な労働者供給契約であり，職安法44条違反とした。

167）パナソニックプラズマディスプレイ（パスコ）事件・前掲注62［①派遣法の趣旨，その取締法としての性質，さらには派遣労働者保護の必要性に鑑みると，派遣法違反の派遣が行われた場合も，特段の事情のない限り，そのことだけで派遣労働者と派遣元との雇用契約が無効となることはない，②派遣先が派遣元における派遣労働者の採用に不関与で，派遣元から支給される給与等の額を事実上決定した事情もなく，派遣元が配置を含む具体的就業形態を一定限度で決定しうる地位にあった本件では，派遣先と派遣労働者間に雇用契約関係が黙示的に成立したと評価することはできない］。なお，同最高裁判決の枠組みに立ちつつ，①の「特段の事情」を認め，派遣労働者と派遣先との黙示の労働契約の成立を認めた事例としてマツダ防府工場事件・山口地判平成25・3・13労判1070号6頁［派遣可能期間を超える場合に，いわゆるクーリング期間3ヶ月と1日を派遣先が直接雇用して，常用代替防止という派遣法の根幹を否定する施策を実施し，派遣先が指揮命令・出退勤，配置換に権限を有し，派遣先が導入したランク制度を通じて給与額も実質的に決定していた事案］（水町勇一郎・判批・ジュリ1461号119頁〔2013年〕参照）。

禁止されているが，その例外として，労働組合等が厚生労働大臣の許可を受けた場合には，無料で労働者供給事業を行うことが認められている（職安45条）。

労働組合による労働者供給における労働者と供給先の法律関係については法律上の規定もなく，未解明であった。裁判例は，かつては労働者と供給先の関係は，供給元（労働組合）と供給先企業との間の労働者供給契約が終了すれば当然に終了する関係と捉えており，供給契約解消に基づく供給先との関係解消も雇用関係における解雇には当たらないと解していた[168]。

しかし，近時の裁判例は，労働者と供給先の関係は特殊な労働契約関係であり，その契約関係解消にも解雇予告規制（労基20条）や有期契約の雇止め規制（労契19条）の適用もあり得ることを認めている[169]。

Ⅲ　労働者派遣法の規制の視点

労働者派遣法は，労働力需給調整システムの一つとしての労働者派遣事業を規制する，いわゆる「業法」としての側面と，派遣労働者の保護および正規従業員の雇用の安定を図るという労働法・雇用政策の側面を併有する法律である。従前は，業法の側面が強く，1990年代後半から，規制緩和が進められてきた。しかし，リーマン・ショック以降，派遣労働者保護の必要性が認識され，2012（平成24）年改正では労働者保護が強化され，法律の名称自体「派遣労働者の就業条件の整備等」とあった部分が「派遣労働者の保護等」に改められ，法の目的規定においても「派遣労働者の就業に関する条件の整備等を図り」が「派遣労働者の保護等を図り」と改められている（労派遣1条）。

また，労働者派遣規制の視点として，長期雇用システム下で雇用されている

168)　鶴菱運輸事件・横浜地判昭和54・12・21労判333号30頁［組合脱退により労働組合による労働者供給を打ち切られた労働者が供給先における地位確認を請求したところ，労働者供給が打ち切られれば，供給先と労働者との使用関係も当然終了するとして請求棄却］，渡辺倉庫運送事件・東京地判昭和61・3・25労判471号6頁［運転手として1年契約を10年にわたり更新し供給先で就労した労働者が，予告なく解雇されたとして解雇予告手当を請求した事件につき，労働者供給契約が終了すれば，供給先と労働者の使用関係も当然終了し，これは雇用関係における解雇には当たらないとして請求棄却］。

169)　泰進交通事件・東京地判平成19・11・16労判952号24頁［労働者と供給先の関係は，特殊な労働契約関係であり，労基法20条の解雇予告の適用はありうるとしつつ，本件では，労働者供給契約の解消に伴い，1年契約が期間満了したことにより雇止めされたもので解雇に当たらないとして予告手当請求は棄却］，国際自動車ほか（再雇用更新拒絶・本訴）事件・東京高判平成31・2・13労判1199号26頁［労働組合による労働者供給における供給先と労働者の関係に労契法19条を適用して有期契約の更新拒否を無効とし労働契約上の地位確認を認容］。

安定雇用を侵食しないという「常用代替防止」の考え方が当初より強調されてきた。2015（平成27）年改正過程でも，厚生労働大臣の派遣法運用に当たって，派遣就業が臨時的・一時的なものであることを原則とする旨の規定が明記されるなどした（労派遣25条）。しかし，派遣労働者には，正規雇用を得られずに不本意ながら派遣労働に従事する者と，派遣形態での就業を継続したいと希望する者とが存在すること170)に留意し，後者の利益にも適った規制を考える必要がある。

Ⅳ　労働者派遣事業の規制

1　一般・特定派遣事業の区別の廃止：すべて許可制へ

1985年の派遣法制定以来，労働者派遣事業には，「特定労働者派遣事業」（派遣労働者が派遣元に「常時雇用」される常用型派遣のみを行う事業）と「一般労働者派遣事業」（常用型派遣と登録型派遣〔派遣労働者が派遣事業者に登録だけしておき，派遣の都度，派遣期間だけ派遣元と労働契約を締結するというもの〕の双方を行う事業）の二種があり，常用型派遣のみを行う「特定労働者派遣事業」は，雇用の安定した派遣形態であるので問題が少ないと考えて，届出制とし，「一般労働者派遣事業」は許可制として厳格な規制の対象としていた。

ところが，実態は異なっており，特定労働者派遣における常用型派遣にいう「常時雇用」とは，無期契約のみならず，1年を超えることを予定される短期雇用も含むものとされていたところ，実態としては不安定な有期雇用が多い，行政処分を受けた事業者は特定労働者派遣事業の方が多い，許可要件を満たせないにもかかわらず「特定労働者派遣事業」と偽って届出のみで活動する悪質業者が存在する等の問題が生じていた。そこで，2015（平成27）年改正では，両事業の区別を廃止し，すべての派遣事業を許可制とすることとした（労派遣5条）。これにより，許可取消し（同14条）を含めた厳格な指導が可能となり，派遣法規制の実効性を高め，派遣事業の健全化を図ろうとするものである。

---

170)　厚生労働省「平成24年派遣労働者実態調査（派遣労働者調査）」では今後の働き方として「派遣労働者として働きたい」が43.1%，「派遣社員ではなく正社員として働きたい」が43.2%とほとんど同じ比率であった。なお，同・平成29年調査では，前者が26.7%，「派遣労働者以外（正社員，パート等）の就業形態で働きたい」が49.1%である。

2　派遣対象業務の規制

(1)　派遣禁止業務

労働者派遣を行うことが適当でないとされる業務について，法は派遣対象とすることを禁止している。具体的には，港湾運送，建設，警備（労派遣4条1項1号～3号），およびその他の業務として政令で定められている医師・看護師等医療関係[171]（同4条1項3号，労派遣令2条）である。

■対象業務規制の変遷　既述のように，派遣法は，1985年法施行時には，いわゆるポジティブ・リスト方式により，派遣対象とすることのできる業務を専門的業務（ソフトウェア開発，通訳等）と特別な雇用管理を必要とする業務（駐車場管理，ビル清掃等）の16業務に限定していた（**図表18-10②**）。しかし1990年代になると派遣規制は規制緩和政策のターゲットとなり，1996年改正では対象業務は26業務[172]に拡大された（同③）。これらはしばしば「専門26業務」と呼ばれた。

しかし，1999年改正では，規制の原則と例外が逆転し，いわゆるネガティブ・リスト方式により，派遣対象となしえない禁止業務のみを列挙し，それ以外についてはすべて派遣対象とすることを可能とした（派遣対象業務の自由化）。こうして解禁された業務（専門26業務以外の業務）の派遣は「自由化業務」と呼ばれた。そして，専門26業務については，派遣期間の制限は行わないのに対して，自由化業務についてはテンポラリー派遣と位置づけ，派遣期間の制限（1年上限）を行うこととされた（同④）。

2003年改正では，さらに規制緩和が進み，自由化業務の派遣期間制限が1年から3年に延長され，また，1999年改正では，当分の間の措置として派遣禁止業務とされていた製造業が，解禁されることとなった。また，専門26業務については，（一時期，3年を超えないよう指導していた時期があったが，派遣業務取扱要領も改められ）派遣期間制限は行わないことを徹底することとした（同⑤）。

民主党政権下の2012年改正では，日雇派遣を原則禁止とし，一定業務についてその例外を認める規制が導入された。

このように，派遣の対象業務規制は，専門26業務については，派遣期間の制限をせず，自由化業務についてはテンポラリー派遣として3年の派遣期間制限をする，というのが従前の規制であった。しかし，自公政権下の2015年改正によって，派遣期間の規制は対象

---

171)　その他の業務として，医療関係業務が政令で定められるに至った経緯については濱口92頁参照。

172)　26業務とは，ソフトウェア開発，機械設計，放送機器等操作，放送番組等演出，事務用機器操作，通訳・翻訳・速記，秘書，ファイリング，調査，財務処理，取引文書作成，デモンストレーション，添乗，建築物清掃，建築設備運転・点検・整備，案内・受付，駐車場管理等，研究開発，事業の実施体制の企画・立案，書籍等の制作・編集，広告デザイン，インテリアコーディネータ，アナウンサー，OAインストラクション，テレマーケティングの営業，セールスエンジニアの営業，放送番組等における大道具・小道具。

業務と関係なく行われることとなったため，派遣法制定以来存続した対象業務の区別の法的な意味は（派遣禁止業務，日雇派遣禁止の例外となる業務を除き）なくなることとなった。

(2) 対象業務の自由化

上述のように，1999年改正で，対象業務規制が自由化され，禁止業務以外のすべての業務が派遣対象となしうることとなった。そして，2015年改正で，派遣期間規制の関係でも，対象業務の別は問題とならないこととなった。その結果，今日なお対象業務の別が問題となるのは，派遣禁止業務の他は，2012年改正で導入された日雇派遣禁止規制との関係で，一定業務について原則禁止の例外が認められる場合である。

▩日雇派遣の原則禁止と例外　一日単位で派遣を行ういわゆる日雇派遣は，雇用が不安定で，技能形成にもつながりがたく，不透明な名目での賃金のピンハネや，人格を持った労働者に対する管理の面でも問題が指摘されるなど，派遣労働の負の側面が集約的に現れる派遣形態であるとの認識が広まった。そこで2012年改正法は，「日々又は30日以内の期間を定めて雇用する労働者」を日雇労働者と定義して，かかる日雇派遣を原則として禁止した（労派遣35条の4）。

ただし，①専門的業務のうち，日雇派遣を認めても日雇労働者の適正な雇用管理に支障を及ぼすおそれのない業務として政令の定める19業務（労派遣令4条1項173)），②雇用の機会の確保が特に困難と認められる労働者の雇用継続を図るために必要と認められる場合（労派遣令4条2項174)）については禁止規制の対象外とされている。

3　派遣可能期間

2015年改正まで，派遣可能期間は専門26業務は無制限，それ以外の自由化業務については3年上限と，派遣業務によって派遣期間の規制が異なっていた。そして実務では，期間制限のない専門26業務に該当するか（専門26業務と異なる作業を命じていた場合，専門26業務ではなく自由化業務扱いとなるのか，その場合，人単位ではなく派遣先の業務単位で判断する派遣期間3年上限規制がかかり，これに違反していると，2012年改正で導入された派遣先による直接雇用申込みみなしの対象となるのか）等をめぐって制度がわかりにくく，混乱を招くことが懸念された。

そこで，2015年改正では，従来の業務単位の規制を廃止し，派遣先事業所

173）　2015年改正まで存続したいわゆる専門26業務から，特別な雇用管理を必要とする業務および日雇派遣がほとんどみられない業務を除外した19業務が列挙されている。

174）　具体的には，60歳以上，雇用保険の適用を受けない学生，副業として日雇派遣に従事する者［生業収入500万円以上］，主たる生計者でない者［世帯収入500万円以上］（労派遣則28条の3）を指す。

図表 18-13　派遣先事業所単位の期間制限

同一の派遣先の事業所に対し，派遣できる期間は，原則，3年が限度となります。

派遣先が3年を超えて受け入れようとする場合は，派遣先の過半数労働組合等からの意見を聴く必要があります（1回の意見聴取で延長できる期間は3年まで）

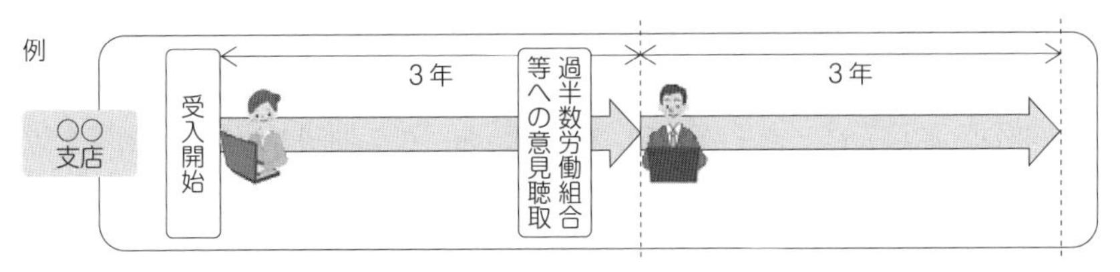

（出所：厚生労働省「派遣元事業主の皆様へ」）

図表 18-14　派遣労働者個人単位の期間制限

同一の派遣労働者を，派遣先の事業所における同一の組織単位（※）に対し派遣できる期間は，3年が限度となります。

※いわゆる「課」などを想定しています。

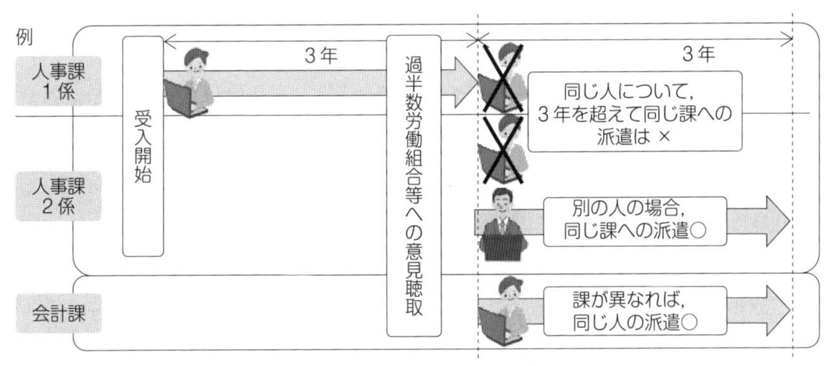

（出所：厚生労働省「派遣元事業主の皆様へ」）

単位の派遣期間規制と，派遣労働者個人単位の派遣期間規制を採用することとした[175]。

175）施行日（2015年9月30日）以後に締結・更新される労働者派遣契約では，すべての業務に対して，派遣期間にこの2種類の制限が適用される。施行日時点ですでに締結されている労働者派遣契約については，その労働者派遣契約が終了するまで，改正前の法律の期間制限が適

(1)　派遣先事業所単位の3年の派遣期間制限

派遣先事業所は，派遣元事業主から3年の派遣可能期間を超えて継続して派遣の役務提供を受けてはならない（労派遣40条の2第1項，2項）。

この派遣可能期間は，同期間満了の1ヶ月前までに，当該事業所の過半数代表（過半数組合，これがない場合は過半数代表者）の意見聴取を経て，3年を限度に，延長・再延長が可能である（同3項，4項）。そして，過半数代表が異議を述べたときは，派遣先は，過半数代表に対して，派遣可能期間の延長の理由等を説明しなければならない（同5項）。派遣可能期間を延長した場合，派遣先は，速やかに派遣元事業主に対し，当該事業所について派遣可能期間に抵触することとなる最初の日を通知しなければならない（同7項）。

(2)　派遣労働者個人単位の3年の派遣期間制限

事業所単位の期間制限に加えて，2015年改正は，派遣労働者単位の期間制限を設けた。すなわち，派遣元は派遣先の事業所における組織単位（課やグループに相当）ごとの業務に，3年を超える期間継続して同一の派遣労働者を派遣してはならず（労派遣35条の3），派遣先は，派遣可能期間が延長された場合，派遣先の事業所の組織単位ごとの業務に，3年を超える期間，継続して派遣労働者の役務提供を受けてはならない（同40条の3）。

個人単位の派遣期間制限は，組織単位（課に相当）で判断するので，組織単位が変われば，この規制にはかからず派遣就労が可能となる。

(3)　派遣期間制限の例外

(1)(2)の派遣期間制限は，①無期雇用派遣労働者（派遣元で無期雇用されている派遣労働者）（労派遣40条の2第1項1号），②60歳以上の者（同2号，労派遣則32条の4），③事業の開始，転換，拡大，縮小または廃止のための業務であって一定期間内に完了予定のもの（有期プロジェクト業務）（同3号イ），④1ヶ月間に行われる日数が通常の労働者に比し相当程度少なく（労働者派遣事業関係業務取扱要領によると，半分以下）かつ10日以下の業務（同3号ロ，平成15厚労告446号），⑤産前産後の休業および育児介護休業法上の育児休業・介護休業ないしこれに先行または後続する休業をする労働者（同4号，5号，労派遣則33条，33条の2）については，適用されない（労派遣40条の2第1項）。

用される。

2015年改正まで派遣期間に制限のなかった専門26業務の派遣にも規制がかかることとなったが，派遣元で無期契約で雇用されている①の派遣労働者には派遣期間制限はかからず，3年を超えても派遣が可能である。派遣という働き方を続けたい派遣労働者には派遣元で無期雇用化し，派遣としての安定的な就業を促すことが望まれる。

(4)　派遣期間制限違反による直接雇用申込みみなし

派遣可能期間制限に違反すると，派遣先は，その違反につき善意無過失を立証しない限り，当該派遣労働者（事業所単位の期間制限の場合は，当該事業所で受け入れている派遣労働者全員）に対して，直接雇用申込みをしたものとみなされることとなった（労派遣40条の6第1項3号，4号）。したがって，派遣労働者がこれに承諾の意思表示をすれば，当該派遣労働者は派遣先に直接雇用されることとなる。

なお，事業所単位の派遣期間制限（同40条の2第1項）の延長のための意見聴取手続（同4項）について，厚生労働省令（労派遣則33条の3）違反（具体的には書面通知等の違反）により法40条の2第1項違反となる場合は，直接申込みみなしの対象とはならない（労派遣40条の6第1項3号）。

4　紹介予定派遣

それまで，法律上明確でなかった紹介予定派遣（派遣終了後に職業紹介，つまり派遣先に直接雇用されることを予定した派遣）を2003年改正では，派遣法上，明確に定義し（労派遣2条4号），紹介予定派遣に関するルールを規定した。紹介予定派遣の場合，事前面接等の派遣労働者を特定する行為の禁止（ただし努力義務）が不適用とされた（同26条6項）。

5　グループ企業内派遣の8割規制

1999年改正で派遣対象業務が自由化された際に，常用（正規）雇用を派遣で代替することや労働条件引下げのための派遣利用を防止するため，「当該事業が専ら労働者派遣の役務を特定の者に提供することを目的として行われるもの……でないこと」が許可の要件とされた（労派遣7条1項1号）。また，このようないわゆる「専ら派遣」に対しては，厚生労働大臣が必要があると認めるときは，勧告を行うことができる（同48条2項）。しかし，「専ら派遣」を目的とするのでなければ，結果として1社しか派遣先が見つからなかったとしても，また，特定企業グループ内でのみ複数社に派遣していても，この要件に反することにはならないなど，規制の実効性について問題点が指摘されていた。

そこで，2012年改正で，グループ企業内の派遣会社が当該グループ企業（関係派遣先と称される）に派遣する割合を全体の8割以下となるようにしなければならないこととした（同23条の2）。具体的には，全派遣労働者のグループ企業での総労働時間から定年退職者のグループ企業での総労働時間を差し引いた時間を，全派遣労働者の総労働時間で除して8割以下としなければならない。

6　離職後1年以内の労働者派遣の禁止

直接雇用すべき労働者を派遣労働者に代替することを防止しようとする規制で，2012年改正で導入されたものである（労派遣40条の9，35条の5）。ただし，60歳以上の定年退職者は対象外とされている（労派遣則33条の10）。

7　マージン率等の情報提供

やはり2012年改正で導入されたもので，労働者や派遣先となる事業主がより適切な派遣会社を選択できるよう，インターネット等で，マージン率（派遣料金の平均額から派遣労働者の賃金の平均額を差し引き，派遣料金の平均額で除したもの）や教育訓練に関する取組み状況等の情報提供が義務づけられた（労派遣23条5項，労派遣則18条の2）。

派遣労働者に対しては，労働者派遣に関する料金額（派遣料金）（本人の派遣料金もしくは派遣労働者の所属事業所における派遣料金の1人当たり平均額のいずれか）の明示が義務化された（労派遣34条の2，労派遣則26条の3）。

V　派遣労働者の保護

1　労働者派遣契約

三者関係となる派遣関係において派遣労働者の就業条件，指揮命令関係等を明確化するために，派遣元が派遣先に対して労働者を派遣することを約する「労働者派遣契約」において，定めるべき事項が法定されている（従事する業務，就業場所，指揮命令者，派遣期間，就業日，就業時間，安全衛生，苦情処理に関する定め等）（労派遣26条1項）。特に，2015年改正により導入された個人単位の派遣期間制限の単位となる「組織単位」（課やグループ）については，就業場所に加えて明定することとされた（同1項2号）。

また，2018年改正で，不合理な待遇差解消のため，派遣労働者の派遣先における比較対象労働者に関する待遇情報を派遣先が派遣元に提供する義務が設けられた（同条7項〜11項→614頁）。

2　労働者派遣契約の中途解約と派遣先・派遣元の責任

派遣先による差別的派遣契約解除（派遣労働者の国籍，信条，性別，社会的身分，派遣労働者が労働組合の正当な行為をしたこと等を理由とするもの）は禁止されている（労派遣27条）。派遣元は，派遣先が派遣に関する法令に反した場合，派遣契約を解除できる（同28条）。派遣先の責めに帰すべき事由による解除の場合，①派遣先は派遣元に相当の猶予を持って申し入れること，②派遣先の関連会社での就業斡旋（あっせん）等，派遣労働者の新たな就業機会を確保すること，③②ができないときは，派遣先は，少なくとも30日前の予告または30日分の賃金相当額の損害賠償を行うこと等を指針（平成11労告138号）によって要請してきたが，法律上の規制は存しなかった。

2012年改正では，指針に示されていた諸点が法律上明文化されている。すなわち，労働者派遣契約の当事者は，労働者派遣契約の締結に際し，派遣労働者の新たな就業機会の確保，派遣労働者に対する休業手当等の支払に要する費用を確保するための費用負担に関する措置，その他の労働者派遣契約解除に当たって講ずる派遣労働者の雇用安定に必要な措置に関する事項を定めておかねばならない（同26条1項8号）。

さらに，派遣先は，派遣先の都合による労働者派遣契約の解除に当たって，当該派遣労働者の新たな就業機会の確保，派遣元による当該派遣労働者に対する休業手当等の支払に要する費用を確保するための費用負担，その他，当該派遣労働者の雇用安定に必要な措置を講じなければならない（同29条の2）。

▩労働者派遣契約の中途解約・派遣労働者の差替えと派遣労働者の賃金・休業手当・解雇

労働者派遣契約の解約は派遣先企業と派遣元企業間の問題であって，当然に派遣元と派遣労働者間の労働契約の解消を意味するものではない。常用型派遣はもちろん，登録型派遣においても，派遣元が労働契約を解除（つまり派遣労働者を解雇）しない限り，残存する労働契約期間（当初予定されていた派遣期間），契約は存続する[176]。したがって，労働者派遣契約解除が労働者の帰責事由による場合を除き，派遣元は別の派遣先に派遣するなどして労務提供を可能とすべきであり，その努力を怠った場合，派遣元（使用者）の責めに帰すべき事由による履行不能として賃金支払義務を負うと解される[177]。派遣元が努力

176）「労働者派遣契約が解約された場合，派遣元・派遣労働者間の労働契約も当然に解約される」といった合意は，労契法17条の「やむを得ない事由」の要求に照らし，原則として無効と解される。

177）浜野マネキン紹介所事件・東京地判平成20・9・9労経速2025号21頁。この点，三都企画建設事件・大阪地判平成18・1・6労判913号49頁は，派遣先による派遣労働契約の解除が，

したにもかかわらず，別の派遣先に派遣できず，当該派遣労働者が労務提供不能となった場合，派遣元は休業手当（労基26条）を支払わねばならないと解される178)。

また，派遣元による派遣労働者の解雇については，常用型で無期契約で雇用されている派遣労働者の場合，解雇権濫用法理（労契16条）が適用され，解雇の客観的合理的理由・社会的相当性が吟味される179)。常用型・登録型で有期契約で雇用された労働者の契約期間中途の解雇には，労契法17条の「やむを得ない事由」がなければならない180)。

3　派遣元の講ずべき措置

派遣法は30条から38条で派遣元が講ずべき措置を定めている。既述の事項と下記に論ずる事項のほかに，職務内容等を勘案した賃金決定の努力義務（30条の5），派遣労働者に係る事項についての就業規則作成・変更時の派遣労働者の過半数代表からの意見聴取努力義務（30条の6），派遣労働者の福祉の増進

派遣労働者の債務不履行によるものかどうかを派遣元企業が争うことなく，派遣先の差替え要請に応じて派遣労働者を交代させた場合，特段の事由のない限り，交代させられた派遣労働者の賃金請求権（民536条2項）は消滅するが，休業手当（労基26条）請求権はあるとする。しかし，派遣先・派遣元ともに，労働者に帰責事由のある場合を除き，派遣労働者の雇用の安定を図るべき義務があると解され（労派遣26条1項8号，29条の2，30条の7参照），派遣労働者の帰責事由の有無を確認することなく交代要求に応じた場合，派遣元には労働者の就労不能につき，民法536条2項の帰責事由を認め，賃金請求権を肯定すべきであろう（2012年改正前の議論であるが同旨，土田・契約法828頁，坂井岳夫・同事件判批・労働109号176頁〔2007年〕）。

178)　平成20・12・10基発1210009号，職発1210002号，土田・契約法828頁参照。

179)　シーテック事件・横浜地判平成24・3・29労判1056号81頁［常用型派遣労働者の解雇に整理解雇法理を適用し，解雇無効とした例］。

180)　労働者派遣契約解除を理由とする労働契約の期間中途解約をやむを得ない事由に当たらないとした事例として，ニューレイバー（仮処分）事件・横浜地決平成21・3・30労判985号91頁，プレミアライン（仮処分）事件・宇都宮地栃木支決平成21・4・28労判982号5頁，ワークプライズ（仮処分）事件・福井地決平成21・7・23労判984号88頁。社団法人キャリアセンター中国事件・広島地判平成21・11・20労判998号35頁は，同様の立場から出発しつつ，やむを得ない事由の存否を派遣元と派遣先を一体とした使用者側とみて，派遣先の派遣契約解消の正当理由を勘案するとするが疑問が多い（仲琦・同事件判批・ジュリ1421号127頁〔2011年〕参照）。アウトソーシング事件・津地判平成22・11・5労判1016号5頁は，登録型派遣契約解除による労働契約の中途解約の事例につき，整理解雇法理に即して判断し，整理解雇がやむを得ないとまでいえなかったことから解雇無効を導いているが，端的に労契法17条の「やむを得ない事由」の存否を論ずべきであった。これに対して，派遣労働者が派遣先の適法な命令に従わないこと等を理由に労働者派遣契約が解約された場合，解雇の合理的理由ないしやむを得ない事由と評価され得る。以上は，派遣先の要求によって派遣労働者の差替えが行われた場合についても同様に妥当する（中野麻美＝浜村彰編『最新労働者派遣法Q＆A』118頁〔2004年〕）。

(30条の7)，適正な派遣就業の確保（31条)，派遣労働者であることの明示（32条)，派遣終了後，派遣労働者が派遣先に雇用されることを禁ずる契約の禁止（33条）[181]，就業条件の派遣労働者への明示（34条)，派遣先への通知（35条)，派遣可能期間の遵守（35条の2および35条の3)，派遣元責任者の選任（36条)，派遣元管理台帳の作成（37条）等が定められている。

(1)　雇用安定化措置

2015年改正では，派遣元は，同一の組織単位に継続して3年間派遣される見込みのある派遣労働者に対して，派遣終了後の雇用を継続させる措置（雇用安定措置）を講ずる義務（1年以上3年未満の見込みの場合，努力義務）を負うこととされた（30条1項，2項)。

具体的には①派遣先への直接雇用の依頼，②新たな派遣先の提供[182]（合理的なものに限る)，③派遣元での（派遣労働者以外としての，つまり派遣元スタッフとしての）無期雇用，④その他安定した雇用の継続を図るための措置，のいずれかを採る必要がある。①を講じても，派遣先による直接雇用に至らなかった場合，別途②～④の措置を講ずる必要がある。

(2)　キャリアアップ措置

派遣労働者のキャリアアップ支援のために，派遣元は計画的な教育訓練および希望者に対するキャリア・コンサルティングを実施する義務を負う（労派遣30条の2)。労働者派遣事業の許可・更新要件として，キャリア形成支援制度を有することが定められている（同7条1項2号，労派遣則1条の5)。

また，派遣先は，体系的キャリアコンサルティング，派遣先の通常の労働者との均等・均衡確保のための措置，労使協定に基づく待遇確保のための措置，派遣労働者と比較対象労働者との待遇の相違等に関する説明が適切に講じられるようにするため，派遣元事業主の求めに応じ，派遣先の労働者に関する情報や，派遣先の指揮命令の下に労働させる派遣労働者の業務の遂行の状況（仕事の処理速度や目標の達成度合いに関する情報）等の情報を派遣元事業主に提供する等，

---

181)　派遣業者が派遣労働者に対して契約期間中および契約終了後1年間，派遣先と契約を締結することを禁止し，派遣先に対して派遣労働者と契約期間中および契約終了後6ヶ月以内に契約を締結することを禁止した条項を，それぞれ派遣法33条違反で無効とした例としてサハラシステムズ事件・東京地判平成28・5・31 LEX/DB25534056。

182)　派遣元で無期雇用とすれば，派遣期間制限はなくなるため，現在の派遣先においてそのまま派遣就労の継続が可能となるが，これもこの②の措置に含まれると解される。

必要な協力をするように配慮しなければならない（労派遣40条5項）。

(3)　派遣労働者に関する不合理な格差解消規制

ⅰ）「派遣先均等・均衡方式」と「労使協定方式」　2018年改正前の労働者派遣法は，派遣労働者と派遣先労働者の均衡に配慮すべきこと（配慮義務）を定めるのみで（2015年労派遣30条の3），不合理な格差解消についての強行的規範は存しなかった。2018年の働き方改革では，派遣労働者についてもいわゆる同一労働同一賃金を及ぼす立場がとられた。すなわち，派遣労働者について，パート有期法8条，9条に対応した，派遣先の通常の労働者との不合理な待遇の禁止（30条の3第1項：均衡規制）と，不利な取扱いの禁止（同2項：均等規制）が導入された。しかし，派遣労働者について，派遣先の通常労働者との同一労働同一賃金（均等・均衡規制）をそのまま実施することは，当該派遣労働者の能力や業務が同一であっても派遣先が変わるごとに，派遣先企業の通常労働者の賃金水準によって賃金が変動するなど，必ずしも適切とは限らない。そこで，2018

図表18-15　派遣労働者の不合理な待遇差解消の2方式

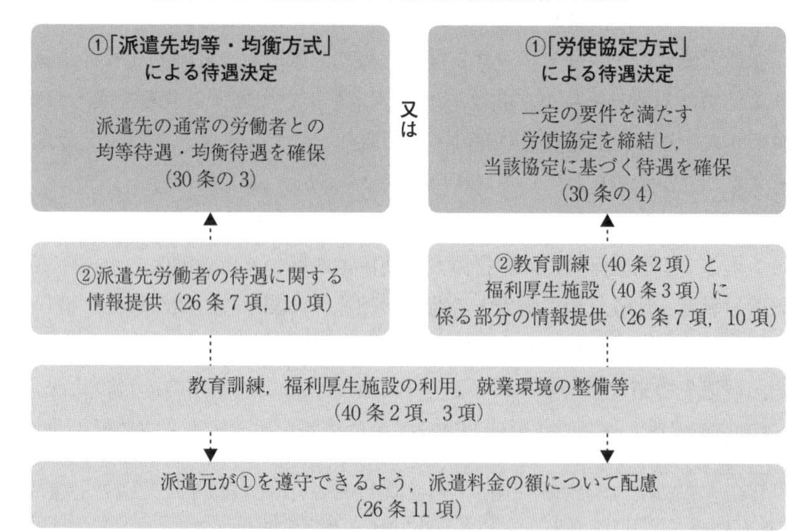

（出所：厚生労働省『不合理な待遇差解消のための点検・検討マニュアル～改正労働者派遣法への対応～』6頁〔2019年〕を加工）〔http://www.mhlw.go.jp/content/11909000/000501271.pdf〕

年改正労働者派遣法は，「派遣先均等・均衡方式」（30条の3）に加えて，一定要件を満たす労使協定を締結した場合には，均等・均衡規制を適用せずに，労使協定に定めたところにより待遇確保を図るという「労使協定方式」（30条の4）の2つの方式を導入した（図表18-15）。

そして，派遣元は比較対象労働者となる派遣先の通常の労働者の情報がなければ対応できないので，派遣先は，比較対象労働者の待遇に関する情報等を，労働者派遣契約締結時，およびその待遇に変更があった際に，派遣元に提供すべき義務が新設された（26条7項，10項）。また，派遣元が派遣先から，処遇改善のための十分な派遣料金を得られなければ，実効が上がらないので，派遣先は，派遣元が30条の3の規定又は30条の4の労使協定を遵守することができるように，派遣料金の額について配慮すべきことが規定された（26条11項）。

▩派遣先均等・均衡方式と日本の雇用システム　欧州のように職務・職種について産別協約が賃金相場を決定するジョブ型雇用においては，当該職務に応じた待遇確保のために，派遣先労働者との均等規制も合理的である。しかし，派遣労働者はジョブ型雇用で職務で賃金が決まり，派遣先労働者はメンバーシップ型雇用で職務ではなく属人的に賃金が決まっている日本においては，派遣先均等・均衡方式による対応が必ずしも合理的とは限らない。また，派遣元事業者に雇用責任や派遣労働者のキャリアアップ支援を義務付けている派遣法においては，派遣元事業主との労使協定方式の方が合理的処理となりうる。こうした事情が影響して，2020年6月時点で，派遣先均等・均衡方式のみを選択している事業所の割合は8.2%，労使協定方式を選択している事業所が87.8%，併用が4%と，ほとんどが労使協定方式を採用している状況にある[183]。

ⅱ）派遣先均等・均衡方式（労派遣30条の3）　派遣先均等・均衡方式は，派遣先の通常の労働者との均等・均衡待遇を実現しようとするものである。対象となるのは派遣労働者の「基本給，賞与その他の待遇」であり，これにはすべての待遇が含まれる[184]。派遣労働者と比較対象となる派遣先の通常の労働者との間で，①職務内容が同一で，②当該派遣先における派遣就業が終了するまでの全期間において，職務内容・配置の変更範囲が同一と見込まれる場合，「正当な理由がなく」「通常の労働者の待遇に比して不利なもの」とすることが禁止される（均等規制）（30条の3第2項）。パート有期法9条とは異なり，正当理由による相違の正当化が明記され，不利な待遇差に限って禁止するなど，欧州

183）以上について鎌田＝諏訪・派遣法185-191頁［鎌田耕一］参照。

184）厚生労働省職業安定局・前掲注165・171頁。

における非正規雇用に関する不利益取扱い禁止のアプローチとの共通性が見られる[185]。したがって，①②が同一でも，それを正当化する理由の有無の吟味が必要となり，また，その待遇差が不利なものかどうかも待遇内容によっては問題となりうる。

①②が同一でなければ，不合理な相違禁止（均衡規制）が適用される（30条の3第1項）。不合理な相違に該当するかどうかは，①職務内容，②職務内容・配置の変更の範囲，③その他の事情のうち，その待遇の性質・目的に照らして適切と認められるものを考慮して，個々の待遇ごとに判断される。なお，業務取扱要領は「派遣労働者の待遇については，派遣労働者と同一の事業所で就業する派遣先に雇用される通常の労働者や職務の内容が同一の通常の労働者との間だけではなく，派遣先に雇用される全ての通常の労働者との間で，不合理と認められる待遇の相違を設けることが禁止されるものであること[186]」としている。

派遣労働者についても同一労働同一賃金ガイドライン（→584頁）が問題となる例，問題とならない例を例示しているが，パート有期法に関するガイドラインと同様，これらは，派遣先の通常労働者と派遣労働者が同じルールに服する事を前提としたもので，両者のルールに相違がある場合は，派遣法30条の3第1項の考慮要素に照らして不合理と認められるものであってはならないとされるに留まる[187]。

派遣法30条の3第2項の均等規制も同第1項の均衡規制も，パート有期法9条，8条同様，私法上の効力を有する規定と解され，これに違反する待遇の相違を設ける契約部分は無効となり，不法行為の違法性を基礎付ける。しかし，無効となった契約部分を直律する効力までは認められないと解される[188]。

iii）労使協定方式（労派遣30条の4）　既述のように，派遣先の通常労働者との均等・均衡規制が，派遣労働者の待遇改善に必ずしも適切とも限らないこ

185）労働政策研究・研修機構・前掲注150（2016年）・4頁参照。もっとも，厚生労働省職業安定局・前掲注165・174頁は，派遣元事業主は，派遣先に雇用される通常の労働者の待遇を決定する立場にないため，パート有期法9条の「差別的取扱い」という文言を用いなかったもので，パート有期法9条と趣旨，内容が異なるものではないとする。

186）厚生労働省職業安定局・前掲注165・171頁。

187）同一労働同一賃金ガイドライン第4の1（注）。

188）同旨，厚生労働省職業安定局・前掲注165・172頁。

とから，派遣法30条の4は，労使協定方式を採用した場合，30条の3の均等・均衡規制は適用しないこととしている（労派遣30条の4第1項）。派遣元事業主が労使協定に基づき派遣労働者の待遇を決定することで，計画的な教育訓練や職務経験による人材育成を経て，段階的に待遇を改善するなど，派遣労働者の長期的なキャリア形成に配慮した雇用管理を行うことができることを考慮したものである[189]。ただし，労使協定で定めた事項を遵守していない場合，または，当該協定の定めによる公正な評価に取り組んでいない場合（下記②～⑤の不遵守の場合），労使協定方式は適用されず（同但書），30条の3の均等・均衡規制が適用されることとなる。特に，下記の②イにあるように，同種業務に従事する一般労働者の平均的な賃金額以上の賃金額を協定で定めることが必要とされている。

労使協定は派遣元事業主と労働者の過半数代表（過半数労働組合または過半数代表者[190]）との間で締結される。過半数代表の選出単位については，事業所単位との規定はなく，事業主単位または事業所単位での締結が可能とされている[191]。

協定で規定すべき事項は

①労使協定の対象となる派遣労働者の範囲（30条の4第1項1号）

②賃金の決定方法（次のイおよびロに該当するものに限る）

イ：派遣労働者が従事する業務と同種の業務に従事する一般の労働者の平均的な賃金（「一般賃金」）の額[192]と同等以上の賃金の額となるもの（同2号イ）

ロ：派遣労働者の職務の内容，職務の成果，意欲，能力または経験その他の就業の実態に関する事項の向上があった場合に賃金が改善されるもの（同2号ロ）

③派遣労働者の職務の内容，職務の成果，意欲，能力または経験等を公正に評価して賃金を決定すること（同3号）

④派遣労働者の賃金を除く待遇の決定の方法（派遣元事業主に雇用される通常の労働者（派遣労働者を除く）の待遇との間で，不合理な相違が生じることとならないものに限

189）厚生労働省職業安定局・前掲注165・178頁。

190）過半数代表者の選出方法，不利益取扱い禁止，協定に関する事務の円滑な遂行への配慮については労派遣則25条の6。

191）厚生労働省職業安定局・前掲注165・178頁。

192）厚労省はこの額を示すために，職種別に一般労働者の平均的な賃金額を毎年公表している。

る）（同4号）

⑤派遣労働者に対する段階的・体系的な教育訓練を実施すること（同5号）

⑥その他，省令の定める事項：有効期間（2年以内が望ましい）（労派遣則25条の10第1号），労使協定の対象となる派遣労働者を一部に限定する場合はその理由（同2号），特段の事情がない限り，一の労働契約の契約期間中に，当該労働契約に係る派遣労働者について，派遣先の変更を理由として，協定対象派遣労働者であるか否かを変更しないこと（同3号）

である。また，単に協定に定めるだけでは足りず，②，④，⑤については，協定規定事項を遵守すること，および③の公正な評価に取り組んでいることが必要である（30条の4第1項但書）。

ⅳ）派遣先による比較対象労働者の待遇情報提供　2018年改正前の派遣法40条5項は，派遣先の労働者の賃金水準等について，派遣元から求めがあった場合，当該情報を提供する配慮義務を定めていた。これに対して，2018年改正派遣法は，派遣元事業主が，派遣労働者と派遣先の通常労働者との均等・均衡規制を実施しうるようにするため，労働者派遣契約の締結に当たって，派遣労働者が従事する業務ごとに，派遣先事業主が比較対象労働者の待遇に関する情報を派遣元に提供することを義務付けた（労派遣26条7項）。かかる情報提供がない場合，派遣元は派遣先と労働者派遣契約を締結してはならない（同9項）。かかる情報に変更があった場合も，派遣先は同様に情報提供義務がある（同10項）。

ここで派遣先の「比較対象労働者」とは，以下の①から⑥の順位で（①がいなければ②等）選定するとされている（労派遣26条8項，労派遣則24条の5）[193]。

①「職務内容」「職務内容・配置の変更の範囲」が同じと見込まれる通常の労働者

②「職務内容」が同じと見込まれる通常の労働者

③「業務内容」又は「責任程度」のいずれかが同じと見込まれる通常の労働者

④「職務内容・配置の変更の範囲」が同じと見込まれる通常の労働者

⑤①から④に相当する短時間・有期雇用労働者

193）　厚生労働省職業安定局・前掲注165・139頁も参照。

⑥派遣労働者と同一の職務の内容で業務に従事させるために新たに通常の労働者を雇い入れたと仮定した場合における当該労働者

したがって，①～④のような通常の労働者がいない場合は，いわゆる正社員ではない，パート・有期労働者や，さらには仮想の労働者を措定して，情報提供を行うものとされている。

派遣先が派遣元に提供する「待遇に関する情報」とは，派遣先均等・均衡方式の場合，①比較対象労働者の職務内容，職務内容および配置の変更の範囲並びに雇用形態，②比較対象労働者を選定した理由，③比較対象労働者の待遇のそれぞれの内容（昇給，賞与その他の主な待遇がない場合には，その旨を含む），④比較対象労働者の待遇のそれぞれの性質および当該待遇を行う目的，⑤比較対象労働者の待遇のそれぞれを決定するに当たって考慮した事項，をいう。

労使協定方式の場合は，①派遣労働者と同種の業務に従事する派遣先の労働者に対して，業務の遂行に必要な能力を付与するために実施する教育訓練（40条2項の教育訓練），②給食施設，休憩室，更衣室（40条3項，労派遣則32条の3の福利厚生施設），となる[194]。

(4)　派遣労働者に対する待遇等の説明

派遣元事業主は，派遣労働者の雇入れ時に，労基法15条で明示すべき労働条件（→383頁）に加えて，昇給の有無，退職手当の有無，賞与の有無，労使協定の対象となる派遣労働者であるか否か（対象である場合は，労使協定の有効期間の終期），派遣労働者から申出を受けた苦情の処理に関する事項について明示義務がある（労派遣31条の2第2項1号，労派遣則25条の16）。明示は，書面（労働者が希望した場合はファクシミリ・電子メールも可）の交付で行う必要がある（労派遣31条の2第2項柱書，労派遣則25条の15）。また，派遣法30条の3，30条の4，30条の5の規定により講ずべきとされている措置の内容（不合理な待遇差解消のための措置）についても説明しなければならない（労派遣31条の2第2項2号）。

そして，派遣労働者を実際に派遣する時には，派遣法34条1項で明示すべき就業条件のほかに，①賃金（退職手当および臨時に支払われる賃金を除く。）の決定等に関する事項，②休暇に関する事項，③昇給の有無，④退職手当の有無，⑤賞与の有無，⑥労使協定の対象となる派遣労働者であるか否か（対象である場合

194)　図表18-15。厚生労働省職業安定局・前掲注165・144頁以下も参照。

には，労使協定の有効期間の終期）を明示しなければならない（労使協定方式の場合は⑥のみ）。また，不合理な待遇差を解消するための措置についても説明しなければならない（労派遣31条の2第3項）。

さらに，派遣労働者から求めがあった場合，当該派遣労働者と，派遣先の比較対象労働者との間の待遇の相違の内容および理由，ならびに派遣法30条の3から30条の6の規定により講ずべきとされている措置を決定するに当たって考慮した事項を説明しなければならない（31条の2第4項）。派遣労働者がこの説明を求めたことを理由とする不利益取扱いは禁止されている（同5項）。

具体的には，派遣先均等・均衡方式の場合，待遇の相違の内容として，①派遣労働者および比較対象労働者の待遇のそれぞれを決定するに当たって考慮した事項の相違の有無，②「派遣労働者及び比較対象労働者の待遇の個別具体的な内容」または「派遣労働者及び比較対象労働者の待遇に関する基準」を，待遇の相違の理由については，派遣労働者および比較対象労働者の職務内容，職務内容・配置の変更の範囲，その他の事情のうち，待遇の性質および待遇を行う目的に照らして適切と認められるものに基づき，説明する必要がある[195]。

労使協定方式の場合，協定対象派遣労働者の賃金については，労使協定で定めた事項および労使協定の定めによる公正な評価に基づき決定されていること，また，労使協定に定められた待遇の決定方法をどのように適用したか（例えば，能力をどのような方法でどのように評価して賃金を決定したか），を説明しなければならない。協定対象派遣労働者の待遇（賃金，40条2項の教育訓練および同3項の福利厚生施設を除く）については，当該待遇が労使協定で定めた決定方法に基づき決定されていること，教育訓練・福利厚生については，派遣先に雇用される通常の労働者との間で均等・均衡が確保されていることについて，派遣先均等・均衡方式の場合の説明の内容に準じて説明する必要がある[196]。

4　派遣先の講ずべき措置

派遣先が講ずべき措置として，労働者派遣契約の遵守等（39条），適正な派遣就業の確保，苦情処理（40条），派遣可能期間の遵守（40条の2，40条の3），組

195）「派遣元事業主の講ずべき措置に関する指針」（平成11労告137号，平成30厚労告427号）第2の9(1)，厚生労働省職業安定局・前掲注165・197頁以下。

196）30条の4第1項4号，「派遣元事業主の講ずべき措置に関する指針」（平成11労告137号，平成30厚労告427号）第2の9(2)，厚生労働省職業安定局・前掲注165・198頁以下。

織単位で継続して1年以上派遣受入れ後の新規雇用に際しての派遣労働者雇入れの努力義務（40条の4），派遣先に雇用される労働者募集に係る事項（直接雇用情報）の派遣労働者への周知（40条の5），派遣先責任者の選任（41条），派遣先管理台帳の作成（42条）等が規定されているほか，次述する派遣労働者の直接雇用義務が定められている。

5　派遣先による派遣労働者の直接雇用義務

⑴　派遣先による派遣労働者への直接雇用申込み義務

1999年改正で26業務以外に対象業務を自由化した際に，派遣終了後に派遣先が当該業務に労働者を雇い入れる場合，当該業務に従事していた派遣労働者を雇い入れる努力義務が定められ，現行法にも受け継がれている（労派遣40条の4）。この努力義務に加え，2003年改正ではさらに，自由化業務については派遣可能期間を超える場合（旧40条の4），専門26業務については同一業務について3年を超えて派遣労働者を受け入れる場合（旧40条の5）について，派遣先の派遣労働者に対する直接雇用申込み義務が定められた。

しかし，直接雇用申込み義務が発生していても，派遣先がその義務に違反して，現実に直接雇用を申し込まない場合，公法上の制裁等は用意されていたが，派遣労働者と派遣先との間で労働契約関係を設定することはできなかった[197]。

⑵　派遣先による派遣労働者への直接雇用申込みみなし

そこで，2012年改正では，次の4つの場合，すなわち，①禁止業務への派遣受入れ（40条の6第1項1号：4条3項違反），②無許可・無届けの派遣事業者か

197）立法過程において，派遣先の雇用契約申込み義務について，単なる申込みの義務づけではなく，雇用自体の義務化が必要ではないかとの質問に対し，政府は，当事者の意思に関わりなく雇用関係を成立させるような「みなし雇用制度」は，企業に認められている採用の自由との関係で，必要性，妥当性が果たしてあるのか，労働条件はどのように決めるのかという問題があるとし，雇用契約申込み義務は雇用自体の義務を課したものではないという趣旨の答弁をしている（平成15年5月14日第156回国会衆議院厚生労働委員会会議録第14号34頁［鴨下一郎厚生労働副大臣答弁］）。同旨の裁判例として，松下プラズマディスプレイ（パスコ）事件・大阪地判平成19・4・26労判941号5頁［労働者派遣法は，申込みの義務を課してはいるが，直ちに，雇用契約の申込みがあったのと同じ効果までを生じさせるものとは考えられず，直接雇用契約の申込み義務を履行しない場合に，労働者派遣法に定める指導，助言，是正勧告，公表などの措置が加えられることはあっても，直接雇用契約の申込みが実際にない以上，直接の雇用契約が締結されると解することはできないとした（富永晃一・同事件判批・労働111号165頁〔2008年〕参照）］，パナソニックエコシステムズ事件・名古屋地判平成23・4・28労判1032号19頁［黙示の労働契約成立を否定し慰謝料のみ認容］。

らの派遣受入れ（40条の6第1項2号：24条の2違反），③派遣可能期間の制限を超えた派遣受入れ（40条の6第1項3号・4号：40条の2第1項・40条の3違反），④偽装請負（40条の6第1項5号：法の適用を免れる目的での労働者派遣以外の名目による派遣労働者の受入れ）の場合に，派遣先は派遣労働者に直接，その時点における当該派遣労働者に係る労働条件と同一の労働条件を内容とする労働契約の申込みをしたものと「みなす」こととされた（40条の6第1項柱書）。

かかる規制は，派遣先が違法派遣であることを知らず，かつ，知らなかったことに過失がなかった場合，つまり善意無過失の場合に限り，適用されない。逆に言うと，派遣先が違法派遣と知りながら，あるいは，過失によりこれを知らずに，派遣労働者を受け入れている場合，違法状態が発生した時点において，派遣先が派遣労働者に対して直接，労働契約を申し込んだものとみなされる。この申込みは，当該申込みに係る行為（上記①~④）が終了した日から1年を経過する日までの間は撤回することができない（40条の6第2項）。したがって，この間に派遣労働者が当該申込みを承諾することにより，派遣労働者は派遣先に直接雇用される労働者となる[198)]。

③の派遣可能期間の制限を超えた場合に直接雇用申込みみなしという強力な効果が発生することから，派遣業務によって派遣可能期間が異なり，かつ，その規制がわかりにくく想定していない効果が発生しかねないことも懸念され，2015年改正では，派遣可能期間の考え方を抜本的に改めたところである（→602頁）。

④の偽装請負は，法律の規定の適用を免れる目的で労働者派遣以外の名目で派遣労働者を受け入れていたことが要件となるが，この法潜脱の目的が肯定されるためには，単に労働者派遣以外の契約締結やそれによる役務提供の認識では足りず，規制を回避する意図が必要とされている[199)]。

198)　日本貨物検数協会（日興サービス）事件・名古屋高判令和3・10・12労判1258号46頁は，偽装請負状態の認識があり，かつ，それにもかかわらず適用潜脱目的ではないことをうかがわせる事情が一切存在しない場合にも脱法意図が推認できるとして，直接雇用の申込みみなしの効果を認めたが，申込みみなしがなされていた1年間に労働者の承諾がなされず（みなし申込みに対して承諾をなしうる状態である事を知ったときから1年間を起算すべきとの労働者側の主張を斥けている），法違反状態は解消されていたとして派遣先における地位確認請求は棄却された。

199)　平成27・9・30職発0930第13号，安西愈＝木村恵子『実務の疑問に答える 労働者派遣のトラブル防止と活用のポイント』295頁（2016年），鎌田＝諏訪・派遣法340-341頁［山川

なお，厚生労働大臣は，派遣先または派遣労働者からの求めに応じて，派遣先の行為が上記①～④に該当するかどうかについて必要な助言をすることができる（40条の8第1項）。厚生労働大臣により，上記①～④に該当する旨の助言がなされた場合，派遣先は40条の6第1項の善意・無過失の主張をなし得なくなると解される[200]。また，直接雇用申込みみなしを派遣労働者が承諾したにもかかわらず，派遣先が当該派遣労働者を就労させない場合，厚生労働大臣は必要な助言，指導または勧告をすることができる（40条の8第2項）。そして，かかる勧告に派遣先が従わなかった場合，厚生労働大臣はその旨を公表することができる（同3項）。

6 労働保護法規の適用

労働保護法の適用については，派遣労働者の労働契約上の使用者たる派遣元が責任主体となるのが原則である。しかし，派遣労働においては，派遣労働者が現実に指揮命令を受け，労務を提供するのは派遣先であるので，労働者派遣法は特に規定（労派遣44条以下）を設け，労働保護法の適用関係を整序している。これは次の3つの類型に整理される。

(1) 派遣元・派遣先双方が責任を負う事項

労基法上の均等待遇（労基3条），強制労働禁止（同5条），徒弟の弊害排除（同69条）（以上につき労派遣44条1項），申告を理由とする不利益取扱い禁止（労基104条2項），法令規則の周知義務（同106条1項），記録の保存（同109条）（以上につき労派遣44条5項），労安衛法上の安全衛生確保に関する事業者の一般的責務や衛生管理（労派遣45条），男女雇用機会均等法上の妊娠・出産等を理由とする解雇その他不利益取扱いの禁止（雇均9条3項），職場におけるセクシュアル・ハラスメント，マタニティ・ハラスメントの措置義務等（同11条1項，11条の2第2

隆一］，岩出・153頁等），ハンプティ商会事件・東京地判令和2・6・11労判1233号26頁。なお，40条の6により派遣先との直接雇用の成立を初めて認めた東リ事件・大阪高判令和3・11・4労判1253号60頁（令和4・6・7上告棄却で確定）は，「偽装請負等の目的という主観的要件が特に付加された趣旨に照らし，偽装請負状態の発生から直ちに脱法意図を推認することは相当ではない」が，「日常的かつ継続的に偽装請負等の状態を続けていたことが認められる場合には，特段の事情がない限り，労働者派遣の役務の提供を受けている法人の代表者又は当該労働者派遣の役務に関する契約の契約締結権限を有する者は，偽装請負等の状態にあることを認識しながら，組織的に偽装請負等の目的で当該役務の提供を受けていたものと推認するのが相当」とし，40条の6の適用を認めた。

200） 同旨，菅野412頁。

項，11条の3第1項，11条の4第2項），妊娠中・出産後の健康管理に関する措置（同12条，13条1項）（以上につき労派遣47条の2），育児介護休業法上の，育児・介護休業を理由とする不利益取扱いの禁止（育介10条，16条），子の看護休暇・介護休暇を理由とする不利益取扱いの禁止（同16条の4，16条の7），所定外労働の制限，時間外労働の制限を理由とする不利益取扱いの禁止（同16条の10，18条の2），深夜業の制限（同20条の2），妊娠・出産等の申出を理由とする不利益取扱いの禁止（同21条2項），所定労働時間の短縮措置等（同23条の2），職場における育児休業，介護休業等に関するハラスメントに関する雇用管理上の配慮等（同25条，25条の2第2項）（以上につき労派遣47条の3），労働施策総合推進法上のパワー・ハラスメント関連規制（労働施策推進30条の2第1項，30条の3第2項）（以上につき労派遣47条の4）については，派遣先の事業も派遣労働者を使用する事業として，派遣元・派遣先双方が使用者とみなされる。

⑵　派遣先のみが責任を負う事項

労基法の定める公民権行使の保障，労働時間・休日，年少者・女性・妊産婦の労働時間・休日・深夜業・危険有害業務・坑内労働，女性の育児時間・生理休暇に関する規制については，現実の就労に関わる事項であるので，派遣先のみが責任を負うこととされている（労派遣44条2項前段）。

ただし，このうちの労働時間・休日の枠組みに関係する事項（フレックスタイム制，変形労働時間制，時間外・休日労働における就業規則や労使協定），割増賃金支払義務は，派遣元が責任を負う（同44条2項後段）。

なお2007（平成19）年最賃法改正により，派遣労働者の最低賃金については派遣先における地域最低賃金を適用することとなった（最賃13条）。

⑶　派遣元のみが責任を負う事項

以上の特例によって特に派遣先に責任を負わせる事項以外は，原則に戻ってすべて労働契約上の使用者たる派遣元が責任を負う。

7　派遣先の団体交渉義務

派遣労働者の労働契約上の使用者は派遣元であって派遣先は使用者ではない。しかし，派遣労働者は派遣先で就労することから，派遣労働者を組織した労働組合が派遣先に対して就業上の諸問題について団体交渉を要求することがある。近時，派遣先の団体交渉義務について労働委員会命令の展開があり，一定の場合に派遣先の使用者性を認める判断を示しており注目される（→763頁）。

第19章　個別的労働紛争処理システム

第1節　概　説

労働紛争は個別的労働紛争と集団的労働紛争に大別されるが，集団的労働紛争については，労働争議の調整（→749頁）および不当労働行為救済手続（→782頁以下）の箇所で検討することとし，本章では，個別的労働紛争処理システムについて概観する。

労働諸法令や労働契約によって設定された権利の実現は，国家による刑事罰や行政監督を通じた履行確保のほか，労働者自身が訴訟を提起することによっても可能である。しかし，一審レベルで数十万件の労働訴訟が提起されている諸外国と比較すると日本の労働関係訴訟数は1990年に約1000件と，著しく少なかった。その背景には，長期雇用システムの下で，企業内において紛争が顕在化されず処理されてきたという実態があった。ところが，1990年代初頭にバブル経済が崩壊して以降，雇用保障が揺らぎ，従前の雇用関係から離脱した労働者は，より積極的に自己の権利を公的機関を通じて主張するようになった。また，1990年代に増大した非典型（非正規）雇用労働者は，もともと流動性が高いことに加えて，従来の企業内紛争処理制度ではその不満が解消されにくいため，その苦情解決を各種の外的紛争解決機関に求めることとなった[1)]。

こうして，1990年代には個別労働紛争が急激に増加することとなった。すなわち，裁判所の労働関係民事事件（その多くは個別紛争と推測される）の新受件数は1990年当時は約1000件だったものが，2002年以降は3倍の3000件を超えるまでになった（**図表19-1**参照）。都道府県における労働相談件数も増加した。

1)　個別労働紛争増加の背景要因の分析については山川・紛争処理法20頁以下，菅野1069頁等参照。

図表 19-1　地方裁判所における労働民事事件新受件数

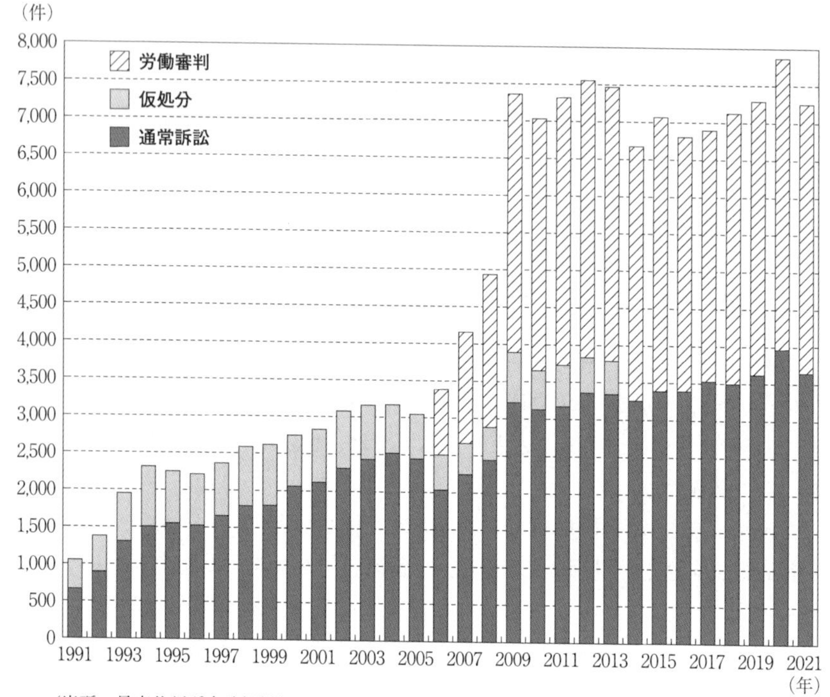

(出所：最高裁判所事務総局行政局「労働関係民事・行政事件の概況」曹時)
注) 2006年の労働審判件数は4月～12月の数値。
注) 2014年以降の仮処分の新受件数は公表されていないので，グラフに反映されていない。

例えば，東京都の場合，1991年には31,712件であった相談件数が2001年には52,445件と増加している。

このような個別労働紛争の増加に対応するため，個別労働紛争処理制度の整備が求められるようになった。2001（平成13）年には個別労働関係紛争解決促進法が制定され，1998（平成10）年労基法改正により労働省の都道府県労働基準局が開始していた労働条件紛争解決援助の制度が，個別紛争処理システムとして本格的に整備された。都道府県労働局（国〔厚生労働省〕の機関である）における民事上の個別労働紛争相談件数は，2010年代には25万件前後と高止まりの状態にある。また，2004（平成16）年には労働審判法が制定され，裁判所に

図表 19-2　労働紛争処理システムの全体像

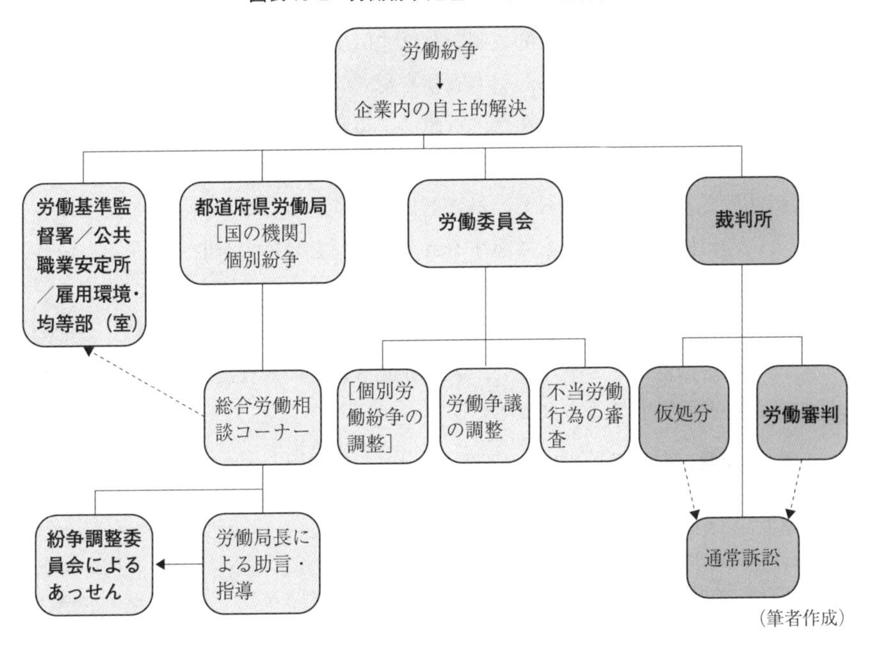

（筆者作成）

非職業裁判官（労働審判員）が参加する新たな個別労働紛争処理システムとして労働審判制度が導入された。労働審判制度は制度発足直後から活発に利用され，現在では通常訴訟件数を凌ぐほどの件数が申し立てられている（図表 19-1）。集団的労働紛争処理を含めた現在の紛争処理システムの全体像は図表 19-2 のようになっている。

第2節　行政による個別労働紛争処理制度

Ⅰ　罰則・行政監督による履行確保

労働保護法や労働市場法（職業安定法や労働者派遣法等）の実効性を確保するために，罰則や行政監督制度が用意されている。こうした公法上の履行確保制度が，法の実効性を担保する強力な装置であることは疑いない。しかし，このような公権力の行使による権利の実現（紛争の解決）は，それぞれの法律が罰則や行政監督による履行確保を規定している場合に限られる。また，今日の労働法の規制は，違反に対して直接的規制を及ぼす伝統的なハードローのみならず，ソフトローの手法，すなわち，努力義務や配慮義務等を設定し，助成金等の経済的インセンティブを付与したり，行政による助言・指導・勧告等を通じて実施を促す等のアプローチ，さらには，市場の評判機能を利用するなど，多様な手法が活用されるようになっている。そして権利紛争のほか利益紛争が少なくないという労働紛争の特質を考慮すると，法違反を公権力が取り締まるという公法上の履行確保措置のみでは紛争解決制度として十分ではなくなっている。

そこで，増加の一途をたどってきた個別労働紛争に対処するために，公権力の行使や判定機能にとどまらない，調整機能も視野に入れた，利用しやすい制度の整備が要請されるようになった。

▩権利紛争と利益紛争　紛争の性質に着目すると，労働紛争は権利紛争と利益紛争に区別できる。権利紛争とは当事者間の権利義務の存否に関する紛争であり，利益紛争とは，当事者間の権利義務をどのように設定するのかをめぐる紛争である。裁判所における訴訟は，当事者間の権利義務の存否，すなわち権利紛争を判定によって解決する手続である（判定的解決）。これに対して，利益紛争は当事者間の権利義務をどう設定するのかが紛争の対象であるため，訴訟のように現在の権利義務関係を明らかにしても，紛争の解決とはならない。利益紛争は，当事者が将来の権利義務をどのように設定するかについて，納得し，合意することによって解決される。そこで，利益紛争については，当事者が自主的に紛争解決に合意することを支援するあっせん，調停，仲裁等の調整手続が活用されることとなる（調整的解決）。労働関係は継続的関係であるため，現在の権利義務関係ないし労働条件を将来に向けて調整する必要が生じ，利益紛争が常に問題となる法律関係である2)。

Ⅱ　個別労働関係紛争解決促進法

個別労働関係紛争の予防と自主的解決促進のために2001（平成13）年に制定された個別労働関係紛争解決促進法は，以下のような新たな体制を整えた。なお，「個別労働関係紛争」とは個々の労働者と事業主との間（労働契約の当事者

2)　就業規則の不利益変更による労働条件変更問題は，その実質は利益紛争であるが，変更に同意しない労働者が現在の労働条件維持・確認を求める形で権利紛争として訴訟で争われているものと捉えることができる。変更の合理性によってその拘束力を決するというルールもこの紛争の特質と関係している（諏訪康雄「就業規則法理の構造と機能」労働71号25頁〔1988年〕，荒木・雇用システム248頁）。

間）の紛争であるが，労働契約成立前の募集・採用に関する求職者と事業主の間の紛争も含むと定義されている（個別労紛1条）。

同法は情報提供，助言・指導，あっせんにより個別労働関係紛争の迅速・適正な解決を図ることを目的としている。したがって，そうした自主的解決に応じない当事者に対する強制力を持った解決制度ではないが，費用がかからず，簡易迅速な解決が試みられるメリットがある。

同法の紛争解決促進制度は以下の3つに整理できる。

1　総合労働相談コーナー

第1に，同法制定前はそれぞれの法律毎に紛争解決促進制度が分立し，紛争を抱えた当事者はどの窓口に相談すべきかもわかりづらい状態にあった。そこで，いわゆる「ワンストップ・サービス」を提供する「総合労働相談コーナー」を設置し，広く労働関係相談を受け付け，単なる知識・情報不足による不満については情報を提供し，法令違反問題については，所轄の行政機関の処理に委ね，その他の個別紛争については，労働局長の助言・指導，紛争調整委員会のあっせんの対象とするなど，当該紛争解決のために対応することとした。

2　都道府県労働局長による助言・指導

第2に，都道府県労働局長（都道府県の機関ではなく，厚生労働省の機関）は，個別労働関係紛争の当事者の双方または一方から求められた場合，必要な助言・指導をすることができる（個別労紛4条1項）。事業主は労働者が紛争解決の援助を求めたことを理由とする不利益取扱いをしてはならない（同3項）。なお，均等法，障害者雇用促進法，パート有期法，育児介護休業法のもとでの紛争については，これらの法律の定める下記の特例による。

なお，裁判所において係争中，あるいは確定判決が出されている紛争等は，助言・指導の必要がないと判断される。

■男女雇用機会均等法・障害者雇用促進法・パート有期法・育児介護休業法に関する特例

男女雇用機会均等法，障害者雇用促進法，パート有期法および育児介護休業法における紛争については，個別労働関係紛争解決促進法の定める助言・指導ではなく，これらの法律の定める労働局長の助言・指導そして（個別労働関係紛争解決促進法では規定されていない）勧告の制度が適用され，また，紛争解決援助を求めたことを理由とする不利益取扱いが禁止される（雇均16条，17条，障害雇用74条の5，74条の6，短時有期23条，24条，育介52条の3，52条の4）。

なお，均等法では，当事者の求めによる助言・指導・勧告の権限とは別に，厚生労働大臣には，必要があると認めるときに，事業主に対して報告を求め，助言・指導・勧告する権限（一般的指導権限）が与えられている。この権限は都道府県労働局長に委任され得る（雇均29条1項，2項）。差別禁止規定（同5条～7条，9条1項～3項），事業主の講ずべき措置等（同11条1項，同2項，11条の3第1項，12条，13条1項）の違反に対する勧告に事業主が従わない場合，企業名の公表が可能となる（同30条）。パート有期法にも同様に，当事者の求めによらない厚生労働大臣の報告徴収，助言，指導，勧告，不遵守の公表の権限が規定されている（短時有期18条）。

3　紛争調整委員会によるあっせん

第3に，当事者の双方または一方から申請があった場合，都道府県労働局長が必要と認めるときは，紛争調整委員会にあっせんを行わせるものとされている（ただし，労働者の募集・採用に関する紛争を除く）。また，この申請をしたことに対する不利益取扱いも禁止されている（個別労紛5条）。なお，均等法，障害者雇用促進法，パート有期法，育児介護休業法のもとでの紛争については，後述のように，これらの法律の定める紛争調整委員会の調整制度が適用される。

紛争調整委員会は都道府県労働局に置かれ，その委員は学識経験者から厚生労働大臣が3名～36名を任命する（同6条，7条）。あっせんは，紛争調整委員会会長が事件毎に指名する3名のあっせん委員によって行われる（同12条）。もっとも，施行規則（7条1項）により，あっせん手続の一部を1名が担当できることとされており，実際には1名のあっせん委員による事例が多い。

紛争調整委員会のあっせん手続は，紛争当事者等から事情を聴取し，双方の主張を確認し，実情に即して事件が解決するように努めるものである（個別労紛12条2項）。ただし，当事者の出席を強制する手段は特段設けられていない。必要に応じて参考人から意見を聴取し，事件の解決に必要なあっせん案をあっせん委員の全員一致で作成・提示することができる（同13条）。あっせん案を当事者が受け入れて合意が成立した場合，民法上の（裁判外の）和解契約として扱われる。したがって，裁判上の和解のように確定判決と同一の効力はないが，執行証書を作成することにより債務名義となる。

あっせんによって紛争解決の見込みがない場合，あっせん委員は手続を打ち切ることができる（同15条）。あっせんが打ち切られた場合，当該あっせん申請をした当事者があっせん打切りの通知を受けた日から30日以内にあっせんの目的となった請求について訴えを提起したときは，時効の完成猶予に関しては，あっせん申請の時に訴えの提起があったものとみなされる（同16条）。

紛争調整委員会へのあっせん申請件数は制度発足以来，年々増加し，2008（平成20）年度には8000件を超えたが，その後減少し2014年以降はほぼ5000件程度，コロナ禍の影響は不明であるが，2020（令和2）年は4255件，2021（令和3）年度は3760件となっている。解決率は約4割弱である。

▩男女雇用機会均等法・障害者雇用促進法・パート有期法・育児介護休業法における調停

均等法・障害者雇用促進法・パート有期法・育児介護休業法においては，個別労働関係紛争解決促進法の助言・指導，あっせん手続は適用せずに，これらの法律の定める助言・指導および紛争調整委員会の調停（あっせんと異なり調停案を作成し，当事者に受諾を勧告できる）によることとし，また，調停申請に対する不利益取扱いを禁止している（雇均16条～27条，障害雇用74条の5～74条の8，短時有期23条，25条～27条，育介52条の3～52条の6）。

調停については，均等法の場合，均等法16条に規定する紛争（差別禁止規定〔雇均5条～7条，9条〕，事業主の講ずべき措置〔同11条，11条の3，12条，13条〕）のうち募集・採用に関するものを除く紛争について，当事者双方または一方から調停の申請があった場合で，都道府県労働局長が必要と認めるときは，個別労働関係紛争解決促進法の紛争調整委員会に調停を行わせる（雇均18条）。紛争調整委員会は調停案を作成し，関係当事者にその受諾を勧告することができる（同22条）。

均等法のこれらの規制を準用する形で同様の規制が，障害者雇用促進法では，賃金決定，教育訓練，福利厚生施設の利用その他の待遇についての不当な差別的取扱い禁止（同35条），募集・採用段階を除く雇用における合理的配慮の提供（36条の3）に関する紛争について，パート有期法では，労働条件文書交付義務（短時有期6条1項），通常労働者との不合理な相違の禁止（同8条）［2018年改正までは調停の対象外だったものが対象となった（同22条）］，通常労働者と同視されるパート・有期労働者の差別的取扱い禁止（同9条），教育訓練に関する措置義務（同11条1項），福利厚生施設の利用機会付与（同12条），通常労働者への転換措置義務（同13条），事業者が講ずる措置の内容等の説明義務（同14条）について，また，育児介護休業法では，育児休業，介護休業，子の看護休暇，介護休暇，所定外労働の制限，時間外労働の制限，深夜業の制限，妊娠または出産等についての申出があった場合における措置等，所定労働時間の短縮等の措置，職場における育児休業等に関する言動に起因する問題に関する雇用管理上の措置等，育児介護の責任を負った労働者の配転配慮（育介52条の3参照）について，それぞれ適用される。

Ⅲ　労働委員会による個別労働関係紛争の調整手続

1999（平成11）年の地方自治法改正により，当時の地方労働委員会（現在の都道府県労働委員会）の事務は地方公共団体の「自治事務」とされ（地方自治法180条の5第2項2号），地方労働委員会は地方公共団体の長の判断でその事務の一部を委任できる委員会となった（同180条の2）。そして，2001年の個別労働関係紛争解決促進法20条1項で，地方公共団体は個別労働紛争の解決促進のための必要な施策の推進に努めるものとされたことから（同20条3項も参照），2022年時点で東京，兵庫，福岡をのぞく44の道府県労働委員会が個別紛争の解決援助を行っている。

あっせんの結果，合意が成立した場合，都道府県労働局の紛争調整委員会のあっせんと同様，民事上の和解（民695条）として扱われる。しかし，紛争調整委員会の場合（個別労紛16条）と異なり，あっせんが不調で打ち切られた場合，時効完成猶予の効果が定められていない。

Ⅳ　都道府県の労政主管部局による相談・あっせん等

地方公共団体たる各都道府県には労政問題を主管する部局が，従前より行政サービスの一環として，個別労働紛争についても相談・あっせん等の業務を行っている（例えば，労政事務所等）。現在では，個別労働関係紛争解決促進法20条1項の地方公共団体の努力義務として規定された施策でもある。

各都道府県によってその活動状況は様々である。

第3節　裁判所による紛争解決

Ⅰ　労働審判

1　労働審判法の制定

個別労働紛争の増加に対しては，上述のように行政部門での対応がなされたが，さらに司法部門での対応の必要性についても認識が高まっていった。他方，1990年代後半には，規制の重心を国家による事前規制から，紛争解決制度を整備して事後規制に移行すべきとの考えから，国は司法制度の大改革に取り組むこととなった。そして，1999年に設置された司法制度改革審議会の議論の中で，労働関係事件についての検討も具体的な対象とされるに至った。すなわち，2001年の司法制度改革審議会最終報告では，雇用労使関係に関する専門的知識を有する者の参加する労働調停制度を導入すべきこととされた。また，雇用労使関係に関する専門的知識を有する者の関与する裁判制度の導入の当否，および労働関係事件固有の訴訟手続整備の要否について検討すべきとされた。

これらの課題について，司法制度改革推進本部の下に設置される検討会の一つとして労働検討会が設けられ，困難な意見対立や議論のデッドロックを克服して，労働審判制度の骨格についての合意が成立した[3)]。この合意を受けて，2004（平成16）年労働審判法が制定され，2006年4月から施行されている。

2　労働審判の特徴と内容

労働審判とは，(1)地方裁判所に設置される裁判官1名と労働関係専門家2名からなる労働審判委員会が，(2)原則3回以内の期日で，(3)権利関係を踏まえつつも事案の実情に即した解決のための審判を下し，(4)当事者が異議を申し立てれば通常訴訟に移行する，(5)個別労働関係民事紛争に関する非訟事件手続である。労働審判は，当事者が管轄権を有する地方裁判所に，その趣旨・理由を記

図表19-3　労働審判手続の流れ

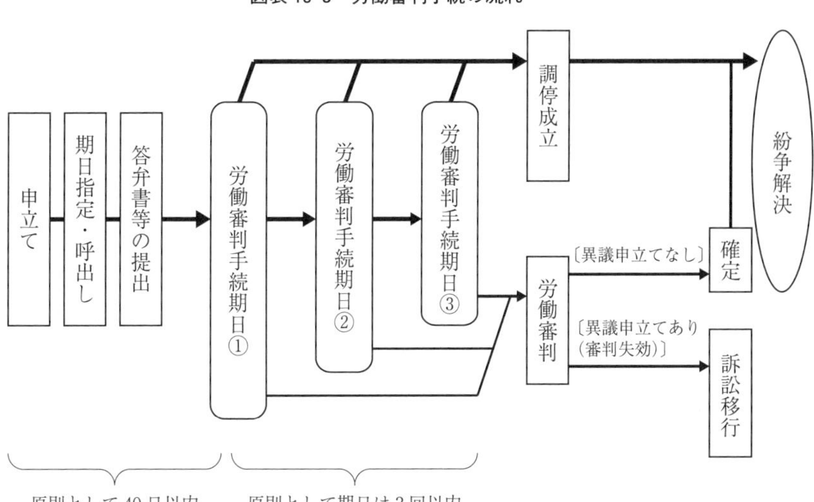

(出所：裁判所「労働審判手続」https://www.courts.go.jp/saiban/syurui/syurui_minzi/roudousinpan/index.html)

3)　労働審判法制定に至る経緯の詳細については菅野和夫ほか『労働審判制度』（2版）13頁以下参照（2007年）。

載した書面により申し立てることによって開始する（労審5条）。以下，この労働審判の特色に従って，労働審判制度について敷衍する（制度の全体像については図表19-3）。

■労働審判の管轄裁判所　労働審判事件の管轄裁判所は，①相手方の住所，居所，営業所もしくは事務所の所在地を管轄する地方裁判所，②個別労働関係民事紛争が生じた労働者と事業主との間の労働関係に基づいて当該労働者が現に就業し，もしくは最後に就業した当該事業所の所在地を管轄する地方裁判所，③当事者が合意で定める地方裁判所，である（労審2条1項）[4]。

(1)　労働関係の専門家の参加する労働審判委員会

労働審判は職業裁判官たる労働審判官1名と，労働関係に専門的知識を持つ非職業裁判官たる労働審判員2名（実務上，労働側と経営側から推薦された者，各1名が指名される）からなる労働審判委員会が行う紛争処理手続である。労働審判員は，中立かつ公正な立場において職務を行うものであり（労審9条），決して労働側・使用者側の利益を代表するものであってはならない。労働審判員と労働審判官は平等の表決権を有し，労働審判委員会の決議は過半数の意見による（同12条1項）。審判手続の指揮は労働審判官が行う（同13条）。

労働審判員の参加を認めたのは，雇用労働関係の専門的知識・経験を持つ専門家を紛争解決手続に参加させることにより，事案の争点発見，事実認定，解決案の策定等において，その知見を活用し，実情に即した解決を迅速に図りたいという労働審判制度の趣旨によるものである。労働審判員の参加は，他の労働審判制度の特色と相まって，有効に機能していると高く評価されている[5]。

---

4)　2011（平成23）年非訟事件手続法改正に伴い，日本国内に相手方の住所および居所がない，または知れないときは最後の住所地を，相手方が法人その他の社団または財団で日本国内にその事務所・営業所がない，またはその所在が知れないときは代表者等の住所地を，相手方が外国の社団・財団で日本国内にその事務所・営業所がないときは日本における代表者等の住所地を，それぞれ管轄する地方裁判所の管轄権が定められた（労審2条2項～4項）。

5)　菅野和夫ほか「〔座談会〕労働審判制度1年」ジュリ1331号6頁（2007年），難波孝一ほか「〔座談会〕労働審判1年を振り返って」判タ1236号4頁（2007年），中西茂ほか「〔特別座談会〕労働審判制度の運用状況」別冊NBL119号1頁（2007年）等。なお，高橋陽子＝水町勇一郎「労働審判制度利用者調査の分析結果と制度的課題」労働120号45頁（2012年）では，労働者側に比して（特に小規模企業の）使用者側の労働審判結果への評価が相対的に低い実態調査結果が示され，労働審判が大企業の規範で運用されていることへの不満である可能性が指摘されている。菅野和夫ほか編『労働審判制度の利用者調査』184頁［水町勇一郎］（2013年）も参照。

⑵　3期日以内の迅速処理

労働審判手続は，特別の事情がある場合を除き，「3回以内の期日において，審理を終結しなければならない」とされている（労審15条2項）。従来，労働訴訟は長期化する問題が指摘されており，1990年当時の労働事件の平均審理期間（全国地裁，既済事件）は25.2ヶ月であった[6]。裁判所の迅速化努力により通常労働訴訟の平均審理期間は2004年には11ヶ月にまで短縮されたが，2010年からは長期化の傾向に転じ，2020年には15.9ヶ月となっている[7]。労働者の生活のかかった労働事件の処理は迅速さが極めて重要である。使用者にとっても，解雇事件では解雇無効となった場合，解雇期間中も使用者の責めに帰すべき事由による履行不能として賃金が発生することから，処理が長引くほどに解決は困難となる。迅速処理は労使双方にとって紛争解決を容易化させる大きな要因となる。

この点，労働審判は構想通りに平均審理期間は2ヶ月半程度と，迅速な処理がなされ，高く評価されてきたが，2020年は107.5日と長期化した（ただし，コロナ禍の影響とも考えられる）[8]。

労働審判手続では，書面提出は申立書・答弁書その他の最小限の補充書類，証拠書類にとどめ，口頭主義を原則とする運用がなされている。相手方の答弁に対する反論は口頭でするものとし，書面は口頭の主張の補充書面と位置づけられている（労審規17条）。

■期日の設定と関係人の呼出し　第1回期日は，原則として申立後40日以内に指定しなければならない（労審規13条）。第1回期日には，当事者の陳述を聴いて争点および証拠の整理をし，可能な証拠調べも行う（同21条）。補充的主張や証拠書類の提出は原則，第2回期日までに制限される（同27条）。

労働審判官は定めた期日に事件の関係人を呼び出す（労審14条）。呼出しを受けた関係人が正当な理由なく出頭しない場合，裁判所は5万円以下の過料に処する（同31条）。

⑶　権利関係を踏まえつつ，事案の実情に即した解決

労働審判は，紛争の実情に即した迅速，適正かつ実効的な解決を図ることを目的としている（労審1条）。そのため，まず，調停成立による解決が試みられ，

6）　最高裁判所編『裁判所データブック2015』73頁（2015年）。
7）　最高裁判所事務総局『裁判の迅速化に係る検証に関する報告書（第9回）』99頁（2021年）。
8）　最高裁判所事務総局・前掲注7・106頁。

調停で解決しない場合には，労働審判が下される。そして，労働審判は，「当事者間の権利関係を踏まえつつ事案の実情に即した解決をするために必要な審判」（同条）と定義され，「労働審判においては，当事者間の権利関係を確認し，金銭の支払，物の引渡しその他の財産上の給付を命じ，その他個別労働関係民事紛争の解決をするために相当と認める事項を定めることができる」（労審20条2項）とされている。

したがって，当事者間の権利関係を踏まえることは必要だが，紛争解決のために相当と認められる場合には，権利関係を離れた審判が可能と解されている。例えば，解雇紛争について，合理的理由のない解雇であることを確認しつつ，解雇無効ではなく一定の金銭支払を命ずるといった裁判は通常の民事訴訟では現行法上困難であるが，労働審判においては可能と解され，実際にそのような審判がなされている[9]。

調停が成立した場合，裁判所書記官はこれを調書に記載し（労審規22条），この調書の記載は裁判上の和解（すなわち確定判決）と同一の効力を有する（労審29条2項，民事調停法16条）。また，労働審判が異議を申し立てられずに2週間経過すると効力が確定し，裁判上の和解と同一の効力を有する（労審21条4項）。

2020年においては労働審判は68.1％が調停成立で終結し，労働審判が出されて異議申立てがなされずに終結したものが7.0％，これに取下げ終結の9.7％にも和解的なものも含まれていることからすると，労働審判手続において約8割の事件が終結するという高い解決率を達成している[10]。(1)(2)の要因に(3)の実情に即した審判をなし得ることがあいまって高い解決率に貢献しているものと思われる。

⑷　通常訴訟との連携

調停は両当事者が受諾しないと成立せず，また，労働審判は，当事者の一方

---

9)　ただし，X学園事件・さいたま地判平成26・4・22労経速2209号15頁は，「本件解決金として144万円を支払え」という労働審判について地位確認請求を排斥する判断を示したものではないとして，地位確認請求の訴えについて訴権の濫用にあたらないとした。事案に照らすと，「解決金」の解釈に雇用関係解消の趣旨を読み込み，終局的解決を図る余地もあったのではないかと思われる。解雇・雇止めの金銭解決事案について，同種の文言で下されている労働審判も少なくないと思われるので，今後は労働審判が当該紛争の終局的解決となるよう，労働審判の主文において，その余の申立てを棄却する等，その記載方法に留意すべきであろう。濱口桂一郎・判批・ジュリ1478号111頁（2015年）参照。

10)　最高裁判所事務総局・前掲注7・106頁。

が2週間内に異議を書面で申し立てれば失効する（労審21条3項）。その意味で労働審判自体は強制的な紛争解決制度ではない。

しかし，労働審判に異議が申し立てられると，労働審判の申立てに係る請求については，労働審判手続の申立ての時に，当該労働審判事件が係属していた地方裁判所に訴えの提起があったものとみなされる（労審22条1項）。なお，異議により訴訟に移行した場合，労働審判は民訴法23条1項6号にいう「前審の裁判」には当たらない[11]。したがって，労働審判に関与した審判官が通常訴訟に移行した当該事件を担当しても差し支えない。このように異議申立てにより自動的に費用と時間のかかる通常訴訟に移行する仕組みは，当事者に労働審判手続内で終局的解決を図ろうとするインセンティブを与えることにもなる。

▩労働審判によらない事件の終了（24条終了）　事案の性質に照らし，労働審判手続を行うことが紛争の迅速かつ適正な解決のために適当でない場合，労働審判委員会は事件を終了させることができる。この場合，労働審判に対する適法な異議申立てがあった場合と同様に，労働審判の申立てに係る請求については，申立時に当該地方裁判所に訴えの提起があったものとみなされる（労審24条）。

(5) 個別労働関係民事紛争に関する非訟手続

労働審判手続の対象となるのは，「個別労働関係民事紛争」すなわち「労働契約の存否その他の労働関係[12]に関する事項について個々の労働者と事業主との間に生じた民事に関する紛争」である（労審1条）。したがって，個別紛争ではない，使用者と労働組合との間の集団的労使関係をめぐる紛争は対象とはならない。もっとも，個別労働者が労働関係に関する事項として争う限りは，その根拠が労働協約であっても，あるいは，労働組合法の不当労働行為禁止規定であっても（例えば，不当労働行為解雇の無効や損害賠償），対象となる[13]。また，男女差別，雇用形態差別，労働条件変更，整理解雇などのように，多数の者に関係する紛争であっても，個別の労働者が自己の労働契約上の権利義務に関する事項として主張する限りは，労働審判の対象となりうる。もっとも，事案の

11）小野リース事件・最三小判平成22・5・25労判1018号5頁。

12）ここにいう「労働関係」とは純然たる労働契約に基づく関係に限られず，事実上の使用従属関係から生ずる労働者と事業主との関係を含み，事実上の使用従属関係の存否は労働審判手続により解決を図ることが適当と考えられる状況の存在について一応の根拠を明らかにすることを要し，それで足りる（大阪高決平成26・7・8判時2252号107頁）。

13）菅野1150-1151頁。

性質によって，労働審判法24条により，迅速かつ適正な解決に適当でないとして終了となる可能性がある。

なお，民事紛争であることが必要で，公務員の懲戒処分取消しを求める紛争や労災保険給付の不支給処分の取消しを求める紛争等は，行政事件訴訟において争われるべきもので労働審判の対象とはならない。

Ⅱ　民事通常訴訟

裁判所は，法令の適用により解決し得る権利義務関係に関する紛争（法律上の争訟）について，審判を行う機関である（裁判所法3条1項）。日本には，諸外国ではしばしば設けられている労働裁判所のような労働事件を専属的に管轄する裁判所は存せず[14]，労働事件についても通常の民事訴訟の一つとして，裁判所に訴えを提起できる。通常訴訟を提起する前に労働審判手続を経ていることも要求されておらず，直接，通常の民事訴訟の提起が可能である。

第一審の受訴裁判所としての裁判権に関する事物管轄は，訴額140万円以下の事件は簡易裁判所の，それ以外の事件（訴額の算定できないときを含む，民訴8条2項参照）は地方裁判所の管轄に属する（裁判所法33条1項，24条1号）。

いずれの地の裁判所が管轄権を有するのかに関する土地管轄については，民事訴訟法4条以下の規定による。労働事件では，被告の普通裁判籍所在地（民訴4条），財産上の訴えに関して義務の履行地（同5条1号），不法行為に関する訴えについて不法行為地（同9号）などを管轄する裁判所が管轄裁判所となることが多い。

▩諸外国の労働裁判　諸外国では，労働事件を通常裁判所に委ねる国（例えばアメリカ）もあるが，労使が参加する労働裁判所が設置されている国が多い。ドイツの労働裁判所（Arbeitsgericht）やイギリスの雇用審判所（Employment Tribunal）は，職業裁判官に労使の審判官が加わる三者構成，フランスの労働審判所（Conseil de prud'hommes）は労使の審判官のみからなる二者構成である。多くの国で年間数十万件という膨大な数の労働事件訴訟に苦慮しており，ADRや和解処理促進等を通じた事件数の削減が課題となっている。

▩個別労働関係紛争を対象とする仲裁合意の効力　仲裁法附則4条は，当分の間，将来において生ずる個別労働関係紛争を対象とする仲裁合意を無効とすると規定している。こ

14)　なお，東京，大阪等の大都市の地方裁判所には，専ら労働事件を扱う労働専門部や主として労働事件を扱う労働集中部が置かれている。

れは，情報量や交渉力において劣位にある労働者が，不利な内容の仲裁合意をしてしまうことや，訴訟提起を含む紛争解決手段の選択の自由を放棄する帰結となることを防止する趣旨で設けられたものである[15]。なお，将来生ずる個別労働関係紛争を対象とする事前の仲裁合意ではなく，紛争発生後になされた仲裁合意（事後的仲裁合意）は，本条によって無効とはならない。

仲裁合意による個別労働関係紛争解決の評価は国によって異なる。アメリカのように資力のない一般労働者が提訴することの困難な国では，中立で専門性を持った仲裁人による仲裁裁定による処理を裁判所と並ぶ公正な紛争解決システムとして評価する立場も有力だが，労働裁判所が設置され，労働者が簡易・迅速・安価に公的な紛争処理制度を利用可能な国では，仲裁合意はそうした公的紛争処理の選択肢を放棄させる合意として無効とする国も少なくない。日本では司法制度改革において仲裁検討会と併行して，労働審判制度の導入が検討されていたことが仲裁法附則4条の存在の背景にあると理解できる[16]。

Ⅲ　保全訴訟

保全訴訟は，本案訴訟における権利を保全するために，簡易迅速な審理によって裁判所が仮の措置（仮差押え，仮処分）を命ずる訴訟手続である。保全訴訟においては，①被保全権利（本案訴訟で実現されるべき権利・法律関係）の存在と，②保全の必要性（著しい損害または急迫の危険を避けるため，暫定的な措置をとる必要性があること），の疎明が必要である（民事保全法13条2項）。

労働事件では，解雇の場合に労働契約上の地位を仮に定める仮処分（地位保全仮処分）や，賃金仮払いの仮処分等が数多く提起されてきた。しかし，地位保全仮処分は任意の履行に期待するもので強制執行を予定していない。かつては地位保全仮処分も多く発令されていたが，最近では，地位保全仮処分については保全の必要性を容易に認めず，賃金仮払いのみを認容する傾向が顕著である。

仮処分は，保全異議や本案訴訟によって取り消される可能性がある。仮処分が取り消された場合，裁判所は，債権者の申立てにより，仮処分命令により支払った金銭の返還等，原状回復を命ずることができる（民事保全法33条，40条1

15)　出井直樹「消費者仲裁・労働仲裁」法時87巻4号25頁（2015年）参照。

16)　出井・前掲注15・28頁。アメリカにおける雇用仲裁の中立性に関する議論や実情，比較法的視点からの評価については，荒木尚志「アメリカの雇用仲裁とその機能についての覚書」毛塚古稀757頁，775頁以下参照。

項）。解雇事件で仮処分により賃金仮払いが認められ，後に仮処分が取り消された場合，労働者は仮払い賃金を返還すべきことになるかが争われた事件で，最高裁[17]は，労働者が仮払い賃金と対価的関係に立つ現実の就労をしたなどの事情のない限り，仮払金返還義務があるとしている。

Ⅳ　少額訴訟

訴額60万円以下の金銭請求事件については，簡易裁判所における少額訴訟の利用が可能である（民訴368条1項）。少額訴訟は，特に簡易迅速な手続（原則1回の口頭弁論）で審理され，未払賃金請求や解雇予告手当請求等の労働関係紛争に関してもよく利用されている。

第4節　国際的労働関係と労働保護法・労働契約法の適用

社会経済の国際化・ボーダーレス化により，労働関係でも国際的な側面（渉外性）が問題となる場面が増えてきている。すなわち，労働者が外国人である場合，使用者（企業）が外国（法）人である場合，労働関係が国外で展開される場合等に，日本の裁判所が管轄権を有するか，管轄権を有する場合に，どの国の法律をどのように適用して紛争を処理するのかが問題となる。

Ⅰ　労働事件の国際裁判管轄

国際的側面（渉外性）を持った労働事件については，日本の裁判所が管轄権を有するかどうか，すなわち国際裁判管轄が問題となる。

▩裁判権免除（主権免除）　国際裁判管轄として議論される司法管轄権の対物的制約（具体的事件を前提とした裁判権の制限）のほかに，対人的制約として，被告が外国国家である場合，日本の裁判所の裁判権が及ぶかどうか，すなわち裁判権免除（主権免除）の問題がある。かつて判例は，国家は他国の司法管轄権に服することはないという「絶対免除主義」を採用していた[18]。しかし近時，世界の趨勢に従い，主権免除は，国家の非主権的な私法的，業務管理的行為には及ばないという「制限免除主義」に転じた[19]。労働関係

17）宝運輸事件・最三小判昭和63・3・15民集42巻3号170頁。

18）大決昭和3・12・28民集7巻1128頁。

19）パキスタン・イスラム共和国・国防省関連会社（東京山陽貿易・貸金請求）事件・最二小判平成18・7・21民集60巻6号2542頁。

でも米国の州に雇用された労働者の解雇問題について，制限免除主義の適用が問題となった事例がある[20]。

なお，2009（平成21）年4月に「外国等に対する我が国の民事裁判権に関する法律」が成立・公布された。同法は制限免除主義の立場に立ち，外国等の裁判権免除が及ばない一類型として労働契約を挙げている。すなわち，外国等と個人との労働契約において，日本国内で労務の全部または一部が提供され，または提供されるべき場合，当該労働契約に関する裁判手続に，原則として日本の裁判権を認めた（同9条1項）。例外的に裁判権が免除される場合として，採用・再雇用に関する（損害賠償請求以外の）訴え・申立て（同2項3号），解雇その他の労働契約の終了の効力に関する訴え・申立てで，外国等の元首，政府の長，または外務大臣によって，その裁判手続が当該外国等の安全保障上の利益を害するおそれがあるとされた場合（同4号）等が列挙されている。

2011（平成23）年民事訴訟法改正により，従来解釈に委ねられてきた国際裁判管轄についての法整備がなされ，労働事件についても明文の規定が置かれた。そこでは，労働者がアクセスしやすい地での訴訟提起を広く認め，他方，労働者が法令や言語の異なる外国で応訴する不利益を防止することが考慮されている。すなわち，個別労働関係民事紛争に関する労働者からの事業主に対する訴えは，原則として労務の提供の地（その地が定まっていない場合は雇入れ事業所の所在地）が日本国内にあるときは，日本の裁判所に提起できる（民訴3条の4第2項）。「労務の提供の地」は，労働者が外国を転々とした場合（例えば国際線航空機乗務員），複数認められる。労働者の訴訟提起を容易にする必要と事業主にとって予測可能性を害されることもないことが考慮されたものである。

他方，使用者が労働者に対して訴訟を提起する場合については，労働者の応訴負担を考慮して，被告である労働者の住所地に限定している。すなわち，一般管轄によっては国際裁判管轄が認められない場合であっても日本の裁判所に管轄を認める特別管轄に関する規定（民訴3条の3）の適用は排除されている（同3条の4第3項）。日本国内に住所等を有しない労働者が，特別管轄の規定によって日本の裁判所における応訴を余儀なくされる事態を防止したものであ

20）　米国ジョージア州（解雇）事件・最二小判平成21・10・16民集63巻8号1799頁は，外国国家またはこれに準じる主体の私法的ないし業務管理的な行為については，わが国による民事裁判権の行使がその主権的な権能を侵害するおそれがあるなど特段の事情がない限り，わが国の民事裁判権から免除されないと解するのが相当として，制限免除主義の立場を採用し，主権免除を認めた原審（東京高判平成19・10・4労判955号83頁）を破棄差戻しとした。

る[21]。

渉外的事件においても合意管轄は可能であるが（民訴3条の7第1項），労使間では交渉力・経済力に格差のあることから，管轄権に関する事前の合意[22]を一定範囲に限定している。すなわち，将来の個別労働関係民事紛争を対象とする国際裁判管轄合意は，①労働契約終了時の合意であって，その時における労務の提供の地がある国の裁判所に訴えを提起できる旨を定めたものであるとき，②労働者が国際管轄合意に基づき合意された国の裁判所に訴えを提起したとき，または事業主が訴えを提起した場合において，労働者が当該管轄合意を援用したとき，のいずれかである場合に限り有効とされている（同3条の7第6項）。なお，かかる管轄合意により日本の裁判所が管轄権を有する場合であっても，裁判所は特別の事情があるときは訴えを却下することが可能である（同3条の9）。

Ⅱ　適用法規の決定

日本の裁判所に裁判管轄が肯定された場合，次に，いかなる法規を適用して裁判を行うかが問題となる（適用法規の決定）。適用法規の決定は，伝統的理論に従うと，公法と私法とでアプローチが異なる。公法の場合は，公法の属地的適用，属地主義が妥当し，主権領域内については，当事者の国籍や準拠法選択にかかわらず，公法が直接適用され，主権領域外には原則として適用されない（公法の地域的適用範囲の問題）。これに対して，私法の場合，法廷地の抵触法ルールに従って適用法規が決定される（国際私法による準拠法決定の問題）。労働法規のうち，労働基準法や最低賃金法のような労働保護法には刑事罰や行政監督等の公法的規制があり，しかし同時に，私法上の効力（強行的直律的効力）も認められているので，その適用法規決定についてどのように解すべきかが問題となる。これに対して，（広義の）労働契約法の場合は，純粋に私法的規定として，国際私法の準拠法決定の問題となる。

21）　以上につき，日暮直子ほか「民事訴訟法及び民事保全法の一部を改正する法律の概要（下）」NBL 959号103頁（2011年），伊藤眞『民事訴訟法』（7版）55頁以下（2020年），村上愛「国際労働関係と法」争点254頁等参照。

22）　2011年民訴法改正前の事件であるが，労働者の居住しないマン島の裁判所にのみ専属的裁判管轄を認める合意を無効とした例としてスカイマークほか2社事件・東京地判平成24・11・14労判1066号5頁。なお，紛争が生じた後の合意については，労働者も慎重に判断して合意するものとして，特別の規制は設けられなかった。

1　労働契約に関する準拠法

まず，労働契約の成立，労働条件の内容，安全配慮義務，解雇等の純然たる私法上の問題に関する労働契約法の準拠法決定については，2006（平成18）年制定の「法の適用に関する通則法」（法適用通則法）が従来の「法例」[23]に代わって新たなルールを定めている。

法律行為の効力については，当事者が準拠法を選択でき（法適用7条，「準拠法選択の自由」ないし「当事者自治の原則」と呼ばれる），選択がない場合は当該法律行為の当時において最も密接な関係がある地の法による（同8条1項）というのが一般原則である。しかし，労働契約の準拠法選択において，当事者自治を無制約に認めると，交渉力に勝る使用者の有利に準拠法選択がなされ，労働者保護に欠けるおそれがある。そこで労働契約については，従来解釈論で当事者自治の原則の修正が種々論じられてきたが，法適用通則法12条は労働契約についての特例を設け，議論の相当部分を立法的に解決した。

具体的には次のような処理となる[24]。第1に，当事者が最密接関係地法（原則として労務提供地）[25]を選択した場合は，原則通りに，法適用通則法7条により選択地の法が準拠法となる。第2に，最密接関係地法以外の法選択がなされた場合（例えば日本で労務を提供する労働者の労働契約についてアメリカ法が選択された場合），選択地の法（アメリカ法）に加えて，労働者が最密接関係地法中の特定の強行規定を適用すべき旨，使用者に意思表示をしたとき（例えば，労働者が労務提供地である日本の労契法16条の解雇権濫用法理を適用すべき旨意思表示したとき）は，その強行規定（労契16条）も適用される（法適用12条1項）[26]。第3に，準拠法選

23）法例の下での理論状況については山川隆一『国際労働関係の法理』14頁以下（1999年），注釈労基法（上）161頁以下［山川隆一］，米津孝司「グローバリゼーションと国際労働法の課題」講座21世紀1巻275頁以下。

24）神前禎『解説　法の適用に関する通則法』102頁以下（2006年）参照。

25）労働契約の最密接関係地法の認定に当たっては，原則として労務を提供すべき地（労務提供地）の法が最密接関係地法と推定され，労務提供地が特定不能の場合，雇入事業所の所在地の法が最密接関係地法と推定される（法適用12条2項）。

26）労働者が，選択した法と異なる最密接関係地法の強行法規の適用を主張し認められた例として，ブルースター・シリコーンズ・ホンコン事件・東京地判平成28・5・20LEX/DB 25543053［準拠法として香港法が選択されたが，労務提供地は日本であり，法適用通則法12条2項により最密接関係地法は日本法と推定され，同法12条1項により強行法規たる労契法16条の適用ありとした。］，BGCキャピタルマーケッツジャパンLCCほか事件・東京地判平成28・9・26LEX/DB25543877［当初英国法を準拠法として選択していたが，その後，日本で3

択がなされなかった場合，最密接関係地法が適用されるが，労働契約の場合，最密接関係地法は同8条2項の常居所地法でなく，労務提供地法と推定され（法適用12条3項），労務提供地が特定できない場合は雇入事業所の所在地の法と推定される（同2項）。

これに対して，不法行為については，加害行為の結果発生地の法が原則的準拠法となる（法適用17条）。

なお，法適用通則法12条にいう強行法規とは別に，準拠法選択如何にかかわらず適用されるべき「絶対的強行法規」については，次述するように，解釈に委ねられている。

2　労働保護法の適用

(1)　労働保護法の公法上の規制

労働保護法の刑事罰や行政監督の発動については，公法の地域的適用範囲の問題として処理される。したがって，事業が国内に存在すれば，労働者が外国人であっても（労基3条参照），あるいは使用者が外国法人であっても，労働基準法の公法上の規制は適用される。労基法は現実に展開する労働関係について保護を与えようとするものであり，労働契約関係が適法に成立・展開しているかどうかは問題とならない。したがって，不法就労者であっても労基法上の労働者であれば，労基法をはじめとする労働保護法は適用される。

公法の属地適用によると，労基法の公法上の規制の適用は，事業が日本の主権領域内に存するかどうかによる。日本企業の国外の支社，支店等において労働者が就労する場合，当該就労場所が独立の事業としての実態を備えていれば，事業は国外に存することとなり，属地主義の原則により労基法の適用はない。

年2ヶ月にわたり就労するようになり，労働者が日本法（雇止めに関する労契法19条）を適用すべき旨主張した事案で，労務提供地である日本法が最密接関係地法であるとされた。土田道夫「国際的労働関係と労働法規の適用」百選10版14頁参照]。これに対して，中国出身で日本に帰化した職員につき，法人が労働条件の決定等に関する事務を日本で行っていたことなどから，中国事務所長としての労働契約に関する最密接関係地法が中国法であるとの推定が覆され，準拠法は日本法であるとし，有期契約の雇用継続期待には合理性がないとして地位確認請求を棄却した事例として，国立研究開発法人理化学研究所事件・東京高判平成30・10・24労判1221号89頁。なお，香港法を指定する条項があったが，日本法人へ出向した労働者の準拠法を最密接関係地法である日本法としたが，法適用通則法12条等との関係が明確でないものとしてTulett Prebon (Hong Kong) Limited事件・東京地判平成25・12・18労働判例ジャーナル24号6頁。村上愛・判批・ジュリ1512号139頁（2017年）参照。

しかし，当該就労場所が独立の事業とみなし得ない出張所等の場合，その出張所は直近上位の国内の事業に属すると解される結果，労基法の適用もあると解されている。もっとも，刑法1条の属地主義により，実行行為者（労基10条参照）が国外でなした犯罪の場合，その違反行為者に対して罰則は適用されない[27]。

(2) 労働保護法の私法上の規制・絶対的強行法規

これに対して，労働保護法の私法上の効力に関する規定については，従来，私法の準拠法決定アプローチにより，労働者保護についてはその枠内の公序理論で対処する説と，公法の地域的適用範囲画定アプローチによる説，絶対的強行法規として適用されるとする説（強行法規の特別連結理論）等が対立していた[28]。

労働者保護については，上述のように，法適用通則法12条1項が，労働者の意思表示により最密接関係地の強行法規の適用を保障するに至った。これに対して，当事者による特定の強行法規適用の主張によらずに適用される絶対的強行法規については規定が設けられなかった。しかしこれは，絶対的強行法規を排除する趣旨ではないことが立法過程で確認されている[29]。したがって，法適用通則法12条とは別に，何が当然に適用される絶対的強行法規に該当するのかについては，さらに検討する必要があり，これは解釈論に委ねられている。

Ⅲ　外国人労働者

外国人が日本国内で適法に就労するためには，出入国管理及び難民認定法（入管法）の就労が認められる在留資格を得ている必要がある[30]。諸外国では入

27）昭和25・8・24基発776号，注釈労基法（上）163頁［山川隆一］等参照。

28）荒木尚志「国内における国際的労働関係をめぐる法的諸問題」労働85号91頁（1995年），米津孝司『国際労働契約法の研究』183頁（1997年），山川・前掲注23・17頁，西谷祐子「契約の準拠法決定における弱者保護」法律のひろば59巻9号29頁（2006年）等参照。

29）法務省「国際私法の現代化に関する要綱中間試案」第4の6の（注）は，「労働者保護に関する法廷地の絶対的強行法規が契約準拠法のいかんにかかわらず適用されるとの解釈は否定されない」としていた。議論の経緯については，西谷・前掲注28・29頁参照。

30）外国人労働問題については手塚和彦『外国人と法』（3版）243頁以下（2005年），野川忍「外国人労働者法制をめぐる課題」季労219号4頁（2007年），早川智津子『外国人労働の法政策』34頁以下（2008年），同「改正入管法と労働法政策」季労265号2頁（2019年）等参照。

国許可と労働許可を別個に規制している例が多いが，日本の在留資格制度は滞在資格と滞在中の活動の両者を在留資格として一元的に管理する点に特徴がある。

就労が認められる在留資格として，まず，「永住者」「日本人の配偶者等」「永住者の配偶者等」「定住者」は日本国内における活動に制限がないため，就労も可能となる。ブラジル，ペルーなどの二世，三世の日系人は，「日本人の配偶者等」または「定住者」の在留資格により，活動資格の制限がなく，その結果，単純労働を含む就労も可能とされている[31)]。

そのほかの外国人については，原則として在留資格で認められた活動しかなし得ない[32)]。日本は単純労働に従事する外国人労働者については制限し，他方，高度の技能を持った外国人労働者については積極的に受け入れるという政策を展開してきた。就労の認められる在留資格としては，入管法別表第1の1の「教授」「芸術」「報道」等，同第1の2の「経営・管理」「医療」「研究」「教育」「技術・人文知識・国際業務」「企業内転勤」「興行」「技能」「特定技能」（2018年改正で新設→644頁）「技能実習」等，同第1の5の「特定活動」がある。しかし，観光ビザで来日し，単純労働等に従事する不法就労者が増加したため，入管法は1989（平成元）年に大改正され，不法就労あっせん業者と不法就労者を雇用する者について，不法就労助長罪（入管73条の2）を設ける等，不法就労についての取締りを強化した。

労働保護法の公法的規制（刑事罰や行政監督）については，公法の属地適用により日本で就労する外国人労働者にも当然に適用される[33)]。この場合，当該外国人が不法就労者（資格外活動と不法残留）であっても，日本国内において就労する以上は，労働保護法は適用される[34)]。労働保護法は，その就労が適法か否かにはかかわらず，現実に展開する労働関係に対して保護を与えるものだか

---

31)　第二次世界大戦前から日本に在留する外国人（在日韓国人・朝鮮人など）で，平和条約発効により日本国籍を離脱した者およびその子孫は「特別永住者」（入管特例法2条，3条）として活動に制限がなく，もちろん就労も可能である。

32)　もっとも，出入国在留管理庁長官の許可を受けて資格外活動に従事することも一定範囲で認められており（入管19条2項），例えば，留学・就学の在留資格で在留する者も，一定時間に限り就労すること（いわゆるアルバイト）が認められている。

33)　労基法3条は労働者の国籍による差別禁止を明記している（→99頁）。

34)　不法就労者に対する労働法の適用および裁判例については，手塚・前掲注30・267頁以下，早川・前掲注30『外国人労働の法政策』・68頁以下。

らである。不法就労者が労働災害[35]にあい，また，使用者が保険料を納付していなかったとしても，労災保険法の適用があり，保険給付がなされる。使用者は保険料を事後に追徴されることになる。

■外国人研修・技能実習制度　外国人研修生制度は，日本の技術・技能・知識を諸外国に移転し，相手国の人材養成および社会経済の発展を促す等，国際協力に貢献する目的で設けられ，外国人を就労は認められない「研修」の在留資格で受け入れてきた。現場で業務に従事する実務研修は，労働ではないものとして扱われ，研修手当は労働の対価としての意味を持つものであってはならないとされた。要するに，外国人研修生は労働者ではなく，労働法規の適用もないとされていた。

1993年からは研修終了後，研修を受けた機関との間で雇用契約を締結し，研修で修得した技術等を実践的に修得する「技能実習制度」が創設された。在留資格は「特定活動」となり，研修と合わせて3年が上限とされた。技能実習生は労働者として労働法規が全面的に適用されることとなった。

しかし，研修・技能実習制度については，外国人単純労働力の受入れを制限する政策の下で，高まる低賃金労働力への需要を代替的に満たす方途として濫用される等，制度趣旨と実態の乖離が問題とされるようになる[36]。実際，一部の受入れ機関において不適正な受入れが行われ，研修生・技能実習生が実質的に低賃金労働者として扱われるなど問題のある事例が多発した[37]。そこで，2009年7月8日に入管法が改正され，研修生・技能実習生の保護の強化を図るべく，実務研修を伴うものについては原則として雇用契約を締結した上で実施させ，実務研修中の研修生が労働関係法令上の保護を受けられるようにした。在留資格についても，従来「特定活動」として在留が認められてきた技能実習活動につき，実務研修と技能実習を共に行いうる「技能実習」という新たな在留資格を創設した。

しかし，技能実習制度については人権侵害，賃金未払い，長時間労働等の問題が指摘され，監督体制の強化が課題となった。そこで，2015（平成27）年には，技能実習制度の適正化と技能実習制度の拡充を目指して，外国人技能実習法（外国人の技能実習の適正な実施及び技能実習生の保護に関する法律）案が提出され，難航したものの2016年11月に成立，2017年11月施行に至った。外国人技能実習法では，制度の適性化のために実習実施者が

35）労働災害に関する民事損害賠償で逸失利益の算定が問題となった事例として改進社事件・最三小判平成9・1・28民集51巻1号78頁［不法就労外国人の逸失利益を，失職後3年は日本におけるそれとし，以後は母国での平均収入額を基準とした］。

36）手塚・前掲注30・71頁以下，労働112号57頁以下（2008年）の小宮文人，野川忍，早川智津子，片桐由喜論文参照。2007年5月11日の「研修・技能実習制度研究会中間報告」（座長今野浩一郎学習院大学教授）は，研修・技能実習を統合して，最初から労働関係法令の適用のある雇用関係の下での実習とする改革案を提案していた。

37）三和サービス（外国人研修生）事件・名古屋高判平成22・3・25労判1003号5頁［外国人技能実習生の研修につき，労働者に該当するとして，最低賃金規制の適用を認めた］，スキールほか（外国人研修生）事件・熊本地判平成22・1・29労判1002号34頁，プラスアパレル協同組合（外国人研修生）事件・福岡高判平成22・9・13労判1013号6頁等。

届出制，監理団体が許可制とされ，技能実習計画の認定や監理団体の許可等の事務を行う外国人技能実習機構が新設された。また，従来の技能実習1号（1年），2号（2年）に加えて，優良な実習実施者・監理団体に限定して，技能実習3号として2年間の受入れが可能（計最大5年の実習期間が可能）とされた。

▩「特定技能」新設による外国人材受入れ　上述のように，日本は単純労働のための外国人労働力の受入れは制限してきたが，2018年入管法改正による「特定技能」という在留資格新設により，この方針が大きく変更された。すなわち，特定産業分野に属する相当程度の知識または経験を必要とする技能を要する業務に従事する外国人を「特定技能1号」として，特定産業分野（介護，建設，造船・舶用工業，宿泊，農業，外食業等の14分野）について，上限5年までの在留を認めることとした。そして特定技能1号の場合，家族の帯同は基本的に認められない。また，熟練した技能を要する業務に従事する外国人を「特定技能2号」として，在留期間の更新の制限はなく，家族の帯同も認めることとした[38)]。

38）　早川智津子「外国人労働者をめぐる政策課題」労研715号10頁（2020年），上林千恵子「特定技能制度の性格とその社会的影響」労研715号20頁（2020年）参照。

第3部　集団的労働関係法

第20章　労働組合

第1節　労働組合の種類

日本の民間部門の労働組合の9割以上がいわゆる企業別組合で，労働組合員の9割近くが企業別組合に所属している[1)]。労働組合の主要形態が企業別組合であることは日本の労使関係の特徴を形成しており，諸外国では決して一般的な組織形態ではない。労働組合の組織形態には様々な種類がある。

I　組織対象労働者による分類

まず，労働組合を組織する組合員の種類に着目すると，同一職種（例えば印刷工，旋盤工等）に属する労働者が企業の枠を超えて組織する「職能別組合（craft union）」があり，労働組合の原初的形態であった。やがて，欧米では同一産業（鉄鋼産業，自動車産業，海運業など）に属する労働者を企業の枠を超えて，また，職種の枠を超えて横断的に組織する「産業別組合（industrial union）」が一般化する。その他，職種・産業に関係なく組織された「一般組合（general union）」，企業単位で企業の従業員を職種に関係なく組織する「企業別組合（enterprise union）」などがある。

---

1)　厚生労働省・労働組合基礎調査の民営企業の企業規模別分類では，複数の企業の労働者で組織されている労働組合は企業規模を特定できないので「その他」に分類されている。調査の注記では企業規模不明も「その他」に含まれているような書きぶりであるが，厚生労働省大臣官房統計情報部によると，企業規模不明の場合，全数を確認しており，「その他」に不明が紛れていることはないとのことである。したがって，「その他」は複数企業を組織している労働組合（企業別組合以外の組合）を捕捉しているといってよい。そうすると，2021（令和3）年労働組合基礎調査（総括表 第2表）によると，民営企業の組合のうち企業別組合は93.3%，これに所属する組合員は全民営企業組合員の87.9%となる。

日本の労働組合法は労働組合の組織形態について特段規制を行っておらず，いずれの種類の労働組合も労組法上の適法な労働組合となり得る。実際の日本の労働組合の組織状況としては，産業別組合は数えるほどしか存在せず（全日本海員組合〔全日海〕や全国建設労働組合総連合〔全建総連〕等），労働組合の大多数は企業別組合の形態をとっている。企業別組合は，長期雇用システムの下で形成された内部労働市場における労働者のニーズや企業の実情に迅速・的確に対応できるというメリットがあり，これが企業別組合が戦後から今日まで主流を占めてきた大きな理由といえる。しかし，企業別組合には，①その組織基盤を企業に置いているため，企業への帰属意識が強く，所属企業の競争力への配慮から使用者に対して強い要求を控えがちである，②非正規従業員を組織化してこなかったため，正規従業員の利益のみを代表し，正規・非正規の格差を助長してきた，③企業を超えた社会規範を設定したり，国の労働政策に労働組合の要求を反映させる機能に乏しい，といった問題点も指摘されている。

日本では地域単位で企業の枠を超えて労働者を組織する一般組合（しばしば「合同労組」，最近は「コミュニティ・ユニオン」と称される）も存在する（某地域一般労働組合，管理職ユニオン等）。その規模は限られているが，被解雇労働者の紛争処理等について活発な活動を行っている2)。

Ⅱ　労働組合の組織単位・結合による分類

労働組合の組織単位に着目すると，個人が構成員となって組織する基本的組織は「単位労働組合」と呼ばれる（労組5条2項3号参照）。これに対して，単位労働組合が結合した連合団体（連合組合）も労組法の予定した労働組合である（同2条）。

連合組合には，企業別組合が産業規模で結集する全国単産（電機連合，私鉄総連，自動車総連等）や，企業の複数の事業所にそれぞれ単位労働組合が組織され，その単位労働組合が企業レベルで結合した「企業連」などがある。

なお，全国単産や全国的企業連が加入する全国レベルの労働組合中央組織（ナショナル・センターとも呼ばれる）として，日本労働組合総連合会（連合），全国労働組合総連合（全労連），全国労働組合連絡協議会（全労協）等がある。このナ

2)　呉学殊『労使関係のフロンティア』（増補版）（2012年），名古道功「コミュニティ・ユニオンと労働組合法理」労働119号23頁（2012年），菅野824頁参照。

ショナル・センターはそれ自体団体交渉を行い得る労働組合ではなく，連絡協議機関に留まる。

Ⅲ　労働組合の現状

労働組合の組織率は戦後直後の1950年頃までは50％前後，1970年には35.4％（以下，統計数値は厚生労働省「労働組合基礎調査」による）であったが，以後，長期低落傾向にある。1995年頃までは，雇用者数が急増したにもかかわらず，労働組合員数が横ばいだったことによるが，1990年代後半以降は組合員数自体も減少を始めた。2021年の推定組織率は16.9％で，労働者の5人のうち4人以上は労働組合に加入していない状況である（図表20-1）。

企業別組合がこれまで正規従業員を組織対象とし，非正規従業員の組織化に熱心でなかったこと（非正規雇用が正規雇用の雇用安定のための緩衝装置として機能して

図表 20-1　労働組合　推定組織率の推移

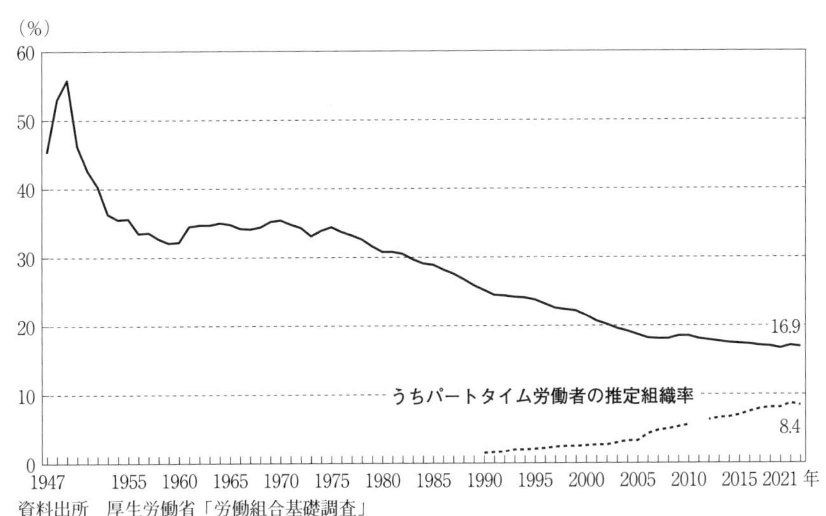

資料出所　厚生労働省「労働組合基礎調査」

注1）1951年以前は単位労働組合員数を用いて計算されている。

2）パートタイム労働者の推計組織率は2012年分までは旧定義，2013年分から新定義によるもの。2011年は作成されていない。

（出所：労働政策研究・研修機構ホームページ〔https://www.jil.go.jp/kokunai/statistics/timeseries/html/g0701_01.html〕）

きた背景）から，例えばパート労働者の組織率はさらに低く，2021年の推定組織率は8.4%である。もっとも，最近，労働組合は非正規労働者の組織化に努力しており，パート労働者自体の組織率は年々増大している。

企業規模間格差も顕著である。2021年の労働組合基礎調査によると1000人以上規模の民間企業の推定組織率は39.2%であるが，100人～999人規模では11.1%，99人以下では僅か0.8%に過ぎない。

こうした状況は，最低労働条件を法定し，より高い労働条件は労働組合と使用者との団体交渉に委ねることとした伝統的労働法システムの再検討を要請している。従業員代表制に関する立法論[3)]はこの一つの試みといえる。

なお，労働組合とは異なる団体である労働者協同組合については→680頁参照。

第2節　労働組合の法的概念と要件

I　労働組合の自由設立主義

現行の労組法は組合結成について，その形態，単位，人数について何ら規制を行っておらず，官庁の許可や届出も要求していない（自由設立主義）。これは歴史的・比較法的に見ると自明のことではない。例えば，1949（昭和24）年に全面改正される前の旧労組法（1945年12月制定，1946年3月1日施行）は「届出制」を採用しており，官庁には組合規約の変更命令，解散命令の権限があった。また，アジア諸国では最近でも組合設立に関して登録制度等を通じて国家が規制する傾向が見られる[4)]。

先進国でもアメリカでは法によって保護される団体交渉権を享受するためには原則として交渉単位の過半数の支持を得る必要がある排他的交渉代表制を採

3)　学説の状況については労働政策研究・研修機構編『労働条件決定システムの現状と方向性』234頁以下［内藤忍］（2007年），大内・代表49頁以下。労働政策研究・研修機構『様々な雇用形態にある者を含む労働者全体の意見集約のための集団的労使関係法制に関する研究会報告書』（座長荒木尚志東京大学教授，2013年）は，各国の労働組合・従業員代表制を包括的に検討した後，まず取り組むべき課題として，過半数代表の複数化・常設化等を提言している。

4)　T. Araki & R. Yamakawa (ed.), *The Process of Industrialization and the Role of Labour Law in Asian Countries*, 34 Bulletin of Comparative Labour Relations (1999)，香川孝三編著『アジア労働法入門』6頁以下［香川孝三］（2022年）参照.

用している（→684頁）。フランスでも協約締結には代表性を証明した組合であることが必要である5)。この点，日本では組合結成については国家の関与をミニマムとし，結成された労働組合には憲法の労働三権の保障の下で団結権・団交権・団体行動権を認める法政策を採っており，特に，複数組合併存等の独特の法律問題を生じさせている。

Ⅱ　法適合組合・規約不備組合・憲法組合

既述のように，労働組合には様々な組織形態があり，また，単位労働組合が上部団体に加盟したり，支部を有したりと垂直的にも多様な組織が存する。法的には，こうした様々な種類の組織が，憲法そして労組法が与えている種々の保護を与えられる団体か否かが問題となる。この点，労組法は，①2条本文（労組法上の労働組合となるために満たすべき積極要件），②2条但書（これに該当すると労組法上の労働組合とならないことになる消極要件），③5条2項（労組法の手続を利用するための規約整備の要件）の3つの基準を設けており，それによって3種類の労働組合に分類可能である6)（図表20-2）。

第1に，①～③のすべてを満たす組合は「法適合組合」ないし「適格組合」

図表20-2　法適合組合・規約不備組合・憲法組合

	法適合組合（適格組合）	規約不備組合	憲法組合（自主性不備組合）
①2条本文	○	○	○
②2条但書（自主性）	○	○	×
③5条2項（規約）	○	×	×

（筆者作成）

5)　Roger Blanpain, Hiroya Nakakubo & Takashi Araki (ed.), *System of Employee Representation at the Enterprise*, 81 Bulletin of Comparative Labour Relations (2012). 2016年改正により，直近の従業員代表選挙で過半数の支持を得た組合であることが要件とされるに至っている（桑村裕美子『労働者保護法の基礎と構造』251頁〔2017年〕）。

6)　石川・労組法28頁以下，菅野827頁以下，労政参事官室268頁以下。ただし，学説には，②について独立の要件（基準）を設定したものではないとして，形式的に自主性不備組合であっても，実質的に自主性が確保されていれば労組法上の労働組合と位置づける見解もある（外尾・団体法40頁，西谷・労組法82頁以下）。

と呼ばれ，憲法・労組法上のすべての保護（民刑事免責，不利益取扱いの司法救済，協約規制，不当労働行為制度による保護，労組法の規定する手続参加）を享受し得る労組法上の組合である。

これに対し，第2に，①と②は満たすが，組合内部の民主性を担保する規約整備を要求する③を満たしていない組合は，「規約不備組合」と呼ばれる。この組合は，労組法5条により同法が創設した手続（不当労働行為制度等）は利用できない[7)]が，2条の定義は満たしており労組法上の組合には該当し，憲法に由来する保護（民刑事免責，不利益取扱いの司法救済）および労組法の協約の規範的効力（労組18条を除く）の規制は及ぶ。

第3に，①の要件のみを満たし，②③を満たさない組合は，「憲法組合」ないし「自主性不備組合」と呼ばれる（法外組合ということもある）。この組合は，自主性の要件を欠き労組法2条の要件を満たした労組法上の組合に該当しないため，労組法の創設した保護は享受し得ないが，憲法上の保護（民刑事免責，不利益取扱いの司法救済）は与えられる。

Ⅲ　法適合組合

法適合組合とみなされるためには，上記3つの基準から導かれる5つの要件を満たしている必要がある。すなわち，労組法2条本文は，「この法律で『労働組合』とは，労働者が主体となつて自主的に労働条件の維持改善その他経済的地位の向上を図ることを主たる目的として組織する団体又はその連合団体をいう」として，①主体，②自主性，③目的，④団体性の要件を設定している[8)]。さらに労組法5条により，2条の要件に加えて5条2項を満たすこと，すなわち，⑤規約整備（民主性）が要求されている。

1　主体（労組法上の労働者）

第1に，「労働者が主体となつて」組織された団体でなければならない。「主体となつて」とは，当該団体の構成員中，その大部分が労働者であること（量

7)　もっとも，労働委員会の資格審査においては，規約の不備については補正指導がなされ，是正されるのが通常であるため，不当労働行為の救済手続で規約不備組合が実際に問題となることはほとんどない。

8)　労組法2条但書1号，2号は「自主性」についてより厳格な付加的要件を設定したものである。なお，同3号，4号は本文の「目的」の要件から当然に導かれるものであり，独自の意味はない。

的面），そしてその活動の主要な地位を労働者が占めていること（質的面）を要求する[9]。逆にいうと，労働者が主体となっていれば，構成員の一部に労働者でない者が参加していてもかまわない。

■混合組合　地方公共団体において，地方公務員法58条により労組法が適用されない非現業の一般職公務員と，労組法が適用される公務員（地方公営企業職員，単純労務者，特別職職員）の双方が加入する組合を「混合組合」という。前者が多数を占める混合組合について，後者の労働者に関して，当該組合を労組法上の労働組合として取り扱えるかが問題となった。中労委は本来労組法の適用のあるこれら労働者の保護を重視して，これを肯定してきた。過去の裁判例には，これを否定したものもあったが[10]，近時の裁判例は，混合組合は，地公法適用組合員と労組法適用組合員とのいずれが主たる地位を占めているかにかかわらず，労組法適用組合員に関する事項については，労組法上の労働組合に当たり，不当労働行為救済命令の申立適格を有するとして，中労委と同じ立場を採るに至っている（国・中労委（大阪教育合同労組）事件・東京高判平成26・3・18労判1123号159頁，大阪府（大阪教育合同労組）事件・大阪高判平成27・1・29労判1114号161頁，大阪府・府労委（泉佐野市・チェック・オフ）事件・大阪地判平成28・5・18労判1143号35頁，同・大阪高判平成28・12・22労判1157号5頁）。

問題はここにいう「労働者」すなわち「労組法上の労働者」とは何かである。労組法3条は「この法律で『労働者』とは，職業の種類を問わず，賃金，給料その他これに準ずる収入によつて生活する者をいう」と定義している。労基法上の労働者（労基9条）とは異なり，使用されていることは要求されておらず，賃金等の収入によって生活する者[11]であればよく，例えば，現に賃金を得ていない失業者も含まれ得る。

このように労組法上の労働者概念は労基法上のそれとは別の，より広範な概念であることについては，ほぼ異論がない[12]。しかし，労組法上の労働者概

9）労政参事官室259頁，菅野837頁。

10）大阪教育合同労組事件・大阪高判平成14・1・22労判828号73頁。

11）賃金等を主たる収入源とすることが要件のようにも読めるが，通説はこれに限定せず，主婦パートや学生アルバイト等，賃金が生活の一部を占めるに過ぎない者も労組法上の労働者となりうると解している（注釈労組法（上）227頁，西谷・労組法76頁，菅野和夫『労働法』（8版）478頁〔2008年〕）。

12）かつては，個別法・集団法を通じて「労働の従属性」ないし使用従属関係の有無によって労働者概念を統一的に把握しようとする立場（例えば，片岡曻「映画俳優は『労働者』か」季労15巻3号156頁〔1965年〕，青木宗也「特殊勤務者の労働者性」ジュリ619号94頁〔1976年〕等）もあった。しかし，労組法と労基法の労働者の定義自体が異なっていること，かかる定義を規定した1945年の旧労組法と1947年の労基法の間で統一的概念を立法化しようとする

念が，労基法上のそれよりどこまで広いのか，その外延を画する基準は何かについて，必ずしも明らかでなかった[13)]。また，労組法上の労働者について判断を行った最高裁判例はCBC管弦楽団事件判決[14)]があるのみであったが，同判決は一般論を展開せずに事例判断を行ったに過ぎなかった。こうした状況下で，2000年代末に労組法上の労働者性を肯定した労働委員会命令を，下級審裁判所が相次いで取り消す事態が生じ，このことを契機として学説の議論も深まった。

近時の学説・裁判例は次の3つに整理することができる[15)]。すなわち，(1) 2000年代後半から最高裁で覆されるまで下級審裁判例の採った立場で，経済的従属性[16)]は考慮せず，労基法上の労働者性判断と同様の使用従属性判断（人的従属性）[17)]が法的に，ないし労働契約上要請されていることを基準に判断するもの（法的使用従属性説）[18)]，(2)学説により主張されている立場で，(1)と対照的

意図は確認できないこと，旧労組法制定過程では，請負等の契約形態下にあって自己の労務による報酬によって生活する者に対しても労組法の適用があることが確認されていること（1945年12月13日第89回帝国議会衆議院労働組合法案委員会会議録3号38-39頁［芦田均国務大臣答弁］），不当労働行為制度を設定した1949年の現行労組法への改正時には，文語を口語に改めたのみで労働者概念について変更する意図は見出せないことからも，両概念の相対性は肯定すべきものである。菅野和夫「業務委託契約者の労働者性――労組法上の労働者の範囲に関する最高裁2判決」ジュリ1426号5頁（2011年），厚生労働省「労使関係法研究会報告書（労働組合法上の労働者性の判断基準について）」1-2頁（座長荒木尚志東京大学教授，2011年）参照。

13)　野田進「就業の『非雇用化』と労組法上の労働者性」労旬1679号6頁（2008年），島田陽一「労組法上の労働者性についての労働委員会命令および裁判例一覧の掲載にあたって」労旬1710号6頁（2009年），竹内(奥野)寿「労働組合法上の労働者性について考える」季労229号99頁（2010年）等参照。

14)　CBC管弦楽団事件・最一小判昭和51・5・6民集30巻4号437頁。

15)　水町勇一郎「労働組合法上の労働者性」ジュリ1426号19頁（2011年），荒木尚志「労働組合法上の労働者」NBL 964号18頁（2011年），「〔特集〕労働者性の判断と労働者保護のあり方」ジュリ1426号4頁（2011年），「〔特集〕労働組合法上の労働者性」中労時1135号4頁（2011年）等参照。

16)　経済的従属性の意味は論者により異なるが，労働力を売る以外に生活手段を持たないという社会的・経済的地位と，そのことから交渉上不利な地位に置かれ，労働条件ないし契約内容を相手方によって一方的に決定される状態にあることなどを指すのが一般である。

17)　ここでいう使用従属性とは，労基法上の労働者性判断（昭和60年12月19日労働基準法研究会報告「労働基準法の『労働者』の判断基準について」）で用いられている人的従属性の趣旨である。

18)　国・中労委（新国立劇場運営財団）事件・東京地判平成20・7・31労判967号5頁，同控訴審・東京高判平成21・3・25労判981号13頁，国・中労委（INAXメンテナンス）事件・

に，使用従属性（人的従属性）判断を排除し，経済的従属性のみによって判断すべきとするもの（経済的従属性説）[19]，(3)学説の多数および労働委員会の採用する立場で，経済的従属性に，緩和された使用従属性（人的従属性）を加味して判断するもの（複合的判断説）[20]があった。

こうした中で，最高裁は，2011年から12年にかけての3判決[21]で，(1)の立場を採った東京高裁判決を覆し，(3)の複合的判断説の立場を採った。そして，相当に性格の異なる事案であるにもかかわらず，共通する判断要素に触れていることから，最高裁は，労組法上の労働者性について，一定の判断方法を示していると理解できる。この点を整理すると，労組法上の労働者性判断においては，基本的判断要素として，①事業組織への組入れ，②契約内容の一方的・定型的決定，③報酬の労務対価性，があり，補充的判断要素として，④業務の依頼に応ずべき関係，⑤広い意味での指揮監督下の労務提供・一定の時間的場所的拘束，が挙げられ，労働者性に否定的に働く要素として，⑥顕著な事業者性があると解される[22]。

④⑤は労基法上の労働者性判断では基本的判断要素であるが，④については，労基法上の労働者性判断では，業務の依頼に応ずべき義務が労働契約上設定されていることが想定されているのに対して，労組法上の労働者の場合，そのような義務が労働契約上設定されていなくとも，実際の労働関係において業務の依頼に応じざるを得ない状況があればよく，そのことを示したのが「業務の依頼に応ずべき関係」である[23]。⑤については，労組法上の労働者性判断では，

東京高判平成21・9・16労判989号12頁等。

19）　川口美貴「労働者概念の再構成」季労209号133頁（2005年），同『労働者概念の再構成』36頁（2012年），古川景一「労働者性判断基準＝経済的従属関係」労委労協643号2頁（2009年），西谷・労組法80頁，野田・前掲注13・12頁，竹内・前掲注13・109頁注41等。

20）　菅野和夫『労働法』（9版）513頁（2010年），山川隆一「労働者概念をめぐる覚書」労委労協651号6頁以下（2010年），土田道夫「『労働組合法上の労働者』は何のための概念か」季労228号137頁注21および注21a（2010年）等。

21）　国・中労委（新国立劇場運営財団）事件・最三小判平成23・4・12民集65巻3号943頁，国・中労委（INAXメンテナンス）事件・最三小判平成23・4・12労判1026号27頁，国・中労委（ビクター）事件・最三小判平成24・2・21民集66巻3号955頁。

22）　以上は「労使関係法研究会報告書（労働組合法上の労働者性の判断基準について）」（前掲注12）による。菅野832頁以下も同様の立場である。

23）　前掲注18の2つの東京高裁判決が，業務の依頼に応ずべき義務が契約上設定されていなかったことから法的使用従属性がないとして労組法上の労働者性を否定したのに対して，最高裁

広い意味での指揮監督下，一定の時間的場所的拘束であってもよく，まさに「緩和された使用従属性」でよい。労組法上の労働者概念は，労基法上のそれを包摂し，さらに広義に捉えられる概念であるところ，その外延を画する判断要素が，労基法上の労働者概念では考慮されなかった新たな要素①②である。①は業務遂行に量的・質的に不可欠な労働力として組織内に確保されている場合，そのような労働力の利用条件については，団体交渉によって解決すべき適切性が認められ，②の契約内容の一方的・定型的決定がなされている場合，これを団体交渉によって解決すべき必要性が認められることに対応したものと理解できる[24]。それに，労組法3条の定義によって要請される③と，実際の争訟で問題となる⑥事業者性を消極的要素として整理したものが上記の諸要素といえる。

▩労組法上の労働者性判断の具体例　例えば，有名な中央労働委員会の資格再審査決定は，自宅でヘップサンダルの賃加工を行う職人が，補助材料や機械を自己負担し，不良品買収制を採られ，家族や近隣の内職者を補助労働者として使用していても，「自己の計算に基づいて事業を営む」程度に達しておらず，「毎日業者のところに出頭し，その指図による仕事を受け，その事業計画のままに労働力を提供して，対価として工賃収入を得ている」として，労組法上の労働者性を認めた[25]。

プロ野球選手についても，労基法上の労働者性に該当するとはにわかにいえないが，1985年11月14日に東京都地方労働委員会はプロ野球選手会につき労働組合の資格認定を行っており[26]，また，裁判所も労組法上の労働者性を前提とする判断を行っている[27]。

最高裁は放送会社との間で自由出演契約という名称の契約で演奏活動を行っていた管弦楽団員について，予め会社の事業組織に組み入れられ，放送事業遂行に不可欠の演奏労働力として確保され，原則的に発注に応ずる義務があること，会社は指揮命令権を有すると

前掲注21の3判決は，業務の依頼に応ずべき「義務」という表現を採らず「業務の依頼に応ずべき関係」とし，結論としても労組法上の労働者性を肯定したものである。法的使用従属性説が，CBC管弦楽団事件判決に関する誤った調査官解説に依拠した可能性も含めて，荒木・前掲注15参照。

24）　菅野・前掲注20・513頁の「労働契約によって労務を供給する者およびこれに準じて団体交渉の保護を及ぼすべき必要性と適切性が認められる労務供給者」という判断基準に対応した視点である。

25）　東京ヘップサンダル工組合事件・中労委決昭和35・8・17中労時357号36頁。

26）　松田保彦「日本プロ野球選手会の労働組合の結成について」季労139号155頁（1986年）。

27）　日本プロフェッショナル野球組織事件・東京高決平成16・9・8労判879号90頁［プロ野球選手会が労組法7条2号の団体交渉をする権利（被保全権利）を有することの疎明は十分なされているとした上で，保全の必要性がないとした］。プロスポーツ選手の労働者性一般については川井圭司『プロスポーツ選手の法的地位』（2003年）参照。

いえること，出演報酬は労務提供自体への対価といえること等から，労組法上の労働者性を認めた[28]。

本文で触れたように最高裁は2011年から12年にかけての3判決で，1年単位の基本契約と個別の公演出演契約によりオペラ公演に出演する劇場の合唱団員[29]，業務委託契約を締結して就労する住宅設備機器の修理補修業務従事者（カスタマー・エンジニア）[30]，音響機器の修理補修業務を委託された個人代行店[31]について，いずれも労組法上の労働者性を肯定した[32]。

これに対して，近時，中労委は，フランチャイズ契約を締結してコンビニエンスストアを経営する加盟者（コンビニ・オーナー）について，独立した小売事業者であり，フランチャイザーの事業組織に組み入れられ，労働契約に類する契約によって労務を供給しているとはいえず，労務供給の対価として報酬を受け取っているともいえず，事業者性は顕著で，労組法上の労働者には当たらないとした[33]。

■労組法上の労働者の労務供給契約と労組法上の労働契約　労基法・労契法上の労働者(A)には該当しないが労組法上の労働者と評価される者(B)の労務供給契約は，労基法・労契法上の労働契約ではないが，労組法16条にいう労働契約には該当するのであろうか[34]。

仮に，労組法16条の労働契約が労基法・労契法上の労働契約と同一概念であるとすると，協約の規範的効力はAには及ぶがBには及ばないこととなる。しかしこのように解した場合であっても，規範的効力が生じ得ないがゆえに団体交渉が無意味となるわけではない。団体交渉は債務的効力しかない労働協約のためにも行われ得，また，協約締結に至らない団体交渉であっても，労使関係上は団体交渉がなされること自体に意義が認められ得るからである。

---

28)　CBC管弦楽団事件・前掲注14。

29)　国・中労委（新国立劇場運営財団）事件・前掲注21。ちなみに，同一原告について，労基法上の労働者には該当しないことが確定しており（新国立劇場運営財団事件・東京高判平成19・5・16労判944号52頁，最二小決平成21・3・27 LLI/DB L06410276で上告棄却・上告不受理決定），労基法上の労働者概念と労組法上の労働者概念が相対的なものであることが具体的に確認された。

30)　国・中労委（INAXメンテナンス）事件・前掲注21。

31)　国・中労委（ビクター）事件・前掲注21。

32)　その後，NHKの受信契約業務を行う地域スタッフの労組法上の労働者性を肯定した例として国・中労委（NHK〔全受労南大阪（旧堺）支部〕）事件・東京高判平成30・1・25労判1190号54頁。

33)　セブン－イレブン・ジャパン事件・中労委平成31・2・6労判1209号15頁，ファミリー・マート事件・中労委平成31・2・6命令集未登載。島田陽一・同命令解説・労判1209号5頁（2019年）参照。

34)　この問題を本書初版476頁（2009年）で論じた頃はほとんど議論がなかったが，「労使関係法研究会報告書」・前掲注12で取り上げられたこともあり，学説でも本格的に論じられるようになった（新基本法コメ・労組法190頁［土田道夫］，菅野・前掲注20・597頁，野川忍「労組法16条の労働契約の意義」菅野古稀551頁等）。

これに対して，労組法上の労働契約概念は，労組法上の労働者の締結する労務供給契約であると解すれば，Bの労務供給契約にも労組法16条が適用され，協約の規範的効力が及ぶこととなる。この立場に立てば，Bについて団体交渉を行うべきことは，Aの場合と何ら違いがないことになる。労組法上の労働者概念を労基法・労契法より広く解する以上，これに対応して労組法16条の労働契約概念も労基法・労契法より広義に解するという考え方も成り立ち得よう。そのように解しても労働契約・就業規則・労働協約の効力関係に関する労基法92条および労契法13条との関係で，特段問題は生じないと思われる。そうであれば，団体交渉を助成して労働協約による労働条件設定を本旨とする労組法の解釈としては，むしろ労基法・労契法上の労働者に該当しないが労組法上の労働者に該当する者の労務供給契約も，労組法16条にいう「労働契約」には該当するとの考え方が妥当であろう。この問題を論じた近時の学説はいずれもこの立場に立っている[35]。

2　自 主 性

第2の自主性の要件は，労組法2条本文の労働者が「自主的に……組織する」という文言と，同条但書1号，2号によって要求されている。

(1)　自 主 性

労働者が自ら組織し，使用者の支配から独立した組織であることが必要である。しかし，独立性については，実質的独立性（実質的に使用者から独立しているといえるか）によるとする見解と，制度的独立性（組織的・制度的観点から独立しているといえるか）によるとする見解がある。後者の見解は，役員が制度上使用者の指名による場合は自主性に欠けるが，「制度上は組合員による選挙制となっていて実際上職制の指名通りに投票されているという組合」の場合，自主性要件は満たし，使用者による指名の問題は，支配介入の問題として対処すれば足りるとする[36]。また，組合幹部の独裁によらず組合員の総意によって民主的に組織運営されることも，自主性の一内容と解される[37]。

---

35)　野川・協約法158頁，菅野928頁。

36)　下井隆史ほか『労働法再入門』91頁（1977年），菅野838頁。

37)　労政参事官室260頁，労働関係法令立法史料研究会『労働組合法立法史料研究Ⅳ』111頁（JILPT国内労働情報17-03，2017年）参照。なお，組合費を無料とし，大会への参加等も求めず，組合員の組合運営に係る負担を金銭的にも活動的にも軽減することによって，多数の組合員を結集し，事実上，組合を運営しているのは役員6名という団体について，その6名の役員を除く万単位の組合員は，制度的にも実態としても，組合を自主的に組織する主体であるとみることはできず，「労働者が主体となって自主的に……組織する団体」ということはできないとして，不当労働行為救済申立を却下した例としてグランティア事件・東京都労委決定・令和2・6・16 https://www.mhlw.go.jp/churoi/meirei_db/mei/m12108.html。

なお，2条本文の自主性要件と但書1号・2号の関係について，但書は本文に加重して消極要件を定めたとする「消極要件説」と，本文の自主性を例示したに過ぎず実質的に判断すべきとする「例示説」とが対立的立場として論じられることがある[38]がミスリーディングである。裁判例は，両説のいずれかに立つということではなく，現行法の解釈としては但書1号・2号は文理上，消極要件を定めたものと解さざるを得ないことから，消極要件説の枠組みを採用し，ただ，但書1号・2号の解釈に当たっては，実質的内容に照らして個別具体的にその消極要件該当性を限定的に判断すること（例示説の主張の判断における取り込み）により，組合員の範囲についての組合自治への不当な制限とならない解釈を行っていると解される[39]。

■多様な労使関係モデルと自主性　自主性についてどう判断すべきかは，多様な労使関係モデルについての理解の違いも関係する難しい問題である。使用者の意のままに操られる，いわゆる「御用組合（company union）」が跋扈した反省から1935年のワグナー法以来これを厳しく禁止するアメリカでは，その結成・運営に使用者が何らかの関与をした団体は，従業員参加のためのプログラム（例えば使用者のイニシャティブで設置された労働条件改善のための労使からなる委員会や小集団活動）でも，禁止される。その結果，労使関係は必然的に敵対的，対決的なものとなる[40]。

ドイツでは，経済的武器を行使して対立する利害の調整を図る団体交渉を担うのは，産業別に組織された労働組合（つまり企業外の存在）であり，企業内には，事業場の労使共通の利益を増進するパートナーとしての事業所委員会（Betriebsrat）という協力的労使関係主体が別に存在する。

これに対して，企業別組合が主流で長期雇用システムの下で内部労働市場を発展させた日本の労使関係は，労使間に共通の利害の存在を承認し，敵対的労使関係から協力的労使関係へと転換していった。また，労基法等で，過半数組合に従業員代表としての任務を負わせたこととも相まって，日本の企業別組合は，団体交渉で使用者と対決する労働組合の任務と，企業・事業場における労使共通の利害の増進を図る従業員代表の任務という，2つの機能を担う存在として今日に至っている。上記の解釈の対立の背後には，国によって

---

38)　例えば，労政参事官室260頁は実質説と形式説に整理する。

39)　詳細については新基本法コメ・労組法30頁以下［荒木尚志］参照。

40)　ワグナー法制定前のアメリカの御用組合の状況や，ワグナー法については，道幸哲也「経営参加と不当労働行為（上）」判時1325号3頁（1989年），中窪・アメリカ59頁参照。アメリカ法における労働者参加制度の状況およびこれに対する新たな改革案については荒木尚志「日米独のコーポレート・ガバナンスと雇用・労使関係」稲上毅＝連合総合生活開発研究所編『現代日本のコーポレート・ガバナンス』219頁以下（2000年），水町・集団180頁以下（2005年），中窪裕也「アメリカ労使関係法の黄昏」手塚和彰＝中窪裕也編『変貌する労働と社会システム』407頁（2008年）等参照。

多様な労使関係モデルの展開があり得る場合に，法がいかなる視点からいかなる規制を行うべきかに関する考え方の違いがある。この問題については，従業員代表制度を本格的に構想する場合には，より根本的に検討する必要が生じよう。

(2)　使用者の利益代表者の不参加

労組法2条但書1号は使用者の利益代表者の参加を許す団体を労組法上の労働組合（法適合組合）たり得ないとしている[41]。これは，使用者の利益代表者が組合に加入していると，使用者の意向を体して労働組合の意思決定等に影響を及ぼし，労働組合の自主性が損なわれるからである。

労組法2条但書1号の想定する会社の利益代表者とは，具体的には，役員（取締役，監査役，理事，監事など），雇入れ，解雇，昇進，異動について直接の権限を持つ監督的地位にある労働者（人事権を持った上級管理職），職務上の義務と責任が労働組合員としての誠意と責任と直接抵触する監督的地位にある労働者（労務・人事部署の管理職等），その他使用者の利益を代表する者（社長秘書，警備担当の守衛等）である。

これらの使用者の利益を代表する者は，決して管理職一般ではなく，管理職でも特定の人事権を直接に有する者等に限定されている。実務では労基法上の管理監督者等（労基41条2号）と労組法2条但書1号の使用者の利益代表者を同一に取り扱う例が少なくないが，両者は一致しなければならないものではない。また，労働組合が自ら規約で組合員の範囲を定めており，係長までは組合員，課長以上は非組合員とする例も少なくない。この場合，使用者の利益代表者と評価されない者を組織対象外としても組合自治の問題で特段問題は生じない[42]。しかし，こうして組織対象外とされた労働者（いわゆる「非組」）を，自

41)　労組法2条但書1号は，しばしば，使用者の利益代表者を非組合員とした規定と表現されることがあるが，これら利益代表者が組合に参加していれば法適合組合と認められないため，法適合組合であり続けようとすると，これらの者を排除することが必要となるということである。労組法自身が，利益代表者となれば組合はその者の組合員資格を剥奪しなければならないとか，使用者は組合員を利益代表者たる地位（例えば一定の管理職の地位）につけてはならないと定めているわけではない。大阪相互タクシー事件・大阪地決平成7・9・4労判682号42頁では，2条但書1号の使用者の利益代表者に当たるにもかかわらず組合を結成したとしてなされた懲戒解雇の効力が争われた事案であるが，同号が自主性不備組合の結成を禁止したものではないことを確認している（当該事案については実質的に使用者の利益代表者にも該当しないとされた）。

42)　労働組合が組合員の範囲を拡大する目的で，組合員の範囲を限定した協約を一部解約したが，協約の一部解約は認められないと考えて行った使用者の言動の支配介入の成否が争われ，

動的に労働時間規制の適用除外とする取扱いは，それらの者が労基法41条2号の管理監督者の要件（→231頁）を満たさない限り，労基法違反となるので注意を要する。

(3) 管理職組合

1990年代に企業リストラの対象が非組合員の「管理職」に及ぶようになると，これらの管理職が自ら労働組合を結成して，あるいは企業外の組合に加入して，権利擁護を図る動きが出てきた。この「管理職組合」問題は，当該組合に加入する「管理職」とされる者が，労組法2条但書1号の使用者の利益代表者に該当するか否かで分けて考える必要がある。

ｉ）**利益代表者の加入しない管理職組合**　まず，使用者の利益代表者に該当しない管理職（下級管理職）や名称だけの管理職（一般従業員）が加入した組合（**図表20-3⑤**），あるいは下級管理職のみが集まって組織した組合（**図表20-3④**）は，労組法2条但書1号の利益代表者が参加する団体ではないので，問題なく「法適合組合」である[43]。

ⅱ）**利益代表者の加入する管理職組合**　これに対して，労組法2条但書1号にいう「使用者の利益を代表する者」が加入した組合（**図表20-3②**および**③**）は，法不適合組合となる。使用者の利益代表者が，それ以外の労働者とは別の独立した組合を結成した場合（**図表20-3①**）については議論が分かれるが，一般労働者の団体に対する自主性阻害防止という趣旨を重視すれば，そのような弊害が生じない以上，法適合組合と考えてよい[44]。

なお，上記のような判断は，問題となる使用者との関係で行われるべきである。例えば，複数の企業の労働者を組織する管理職組合の場合，仮にＰ企業

これを否定した都労委命令が維持された事例として，東京地労委（日本アイ・ビー・エム）事件・東京高判平成17・2・24労判892号29頁。

43）中労委（セメダイン）事件・最一小決平成13・6・14労判807号5頁［原審（東京高判平成12・2・29労判807号7頁）の結論を維持したもの］。なお，原審判断には，使用者の利益代表者の参加を許す労働組合であっても労組法7条2号の「労働者の代表者」に含まれるとするなど問題のある判示が含まれているので注意を要する（菅野・前掲注11・526-527頁参照）。

44）大内伸哉「管理職組合をめぐる法的問題」労働88号113頁（1996年），西谷・労組法85頁，本久洋一「管理職組合」角田邦重ほか編『労働法の争点』（3版）28頁（2004年）。また，盛・総論151頁は，利益代表者は管理職でない一般従業員との関係で定まる相対的概念であるとして，一般従業員の存しない組合での利益代表者性否定を示唆する。なお，山川隆一＝荒木尚志「ディアローグ労働判例この1年の争点」労研473号33頁以下（1999年）も参照。

図表 20-3　いわゆる管理職組合の法的地位

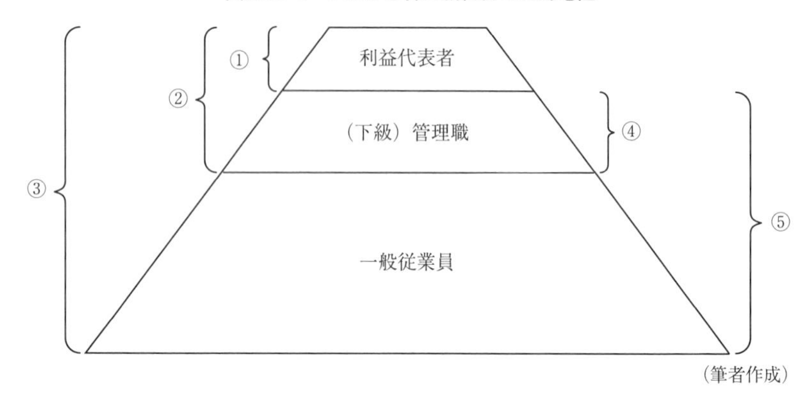

（筆者作成）

の利益代表者が当該組合に加入していたとしても，Q 企業との関係で利益代表者が加入していなければ，P 企業の利益代表者は Q 企業にとっては使用者の利益代表者ではないので，当該組合は Q 企業との関係では，**図表 20-3**②や③の状態と評価されるわけではなく，④ないし⑤として法適合組合と評価されうる[45]。

⑷　経理上の援助の排除

組合専従者（従業員で職務を免除されて専ら組合業務に従事する者）が会社から給与を支給されている場合等，使用者が団体の運営のために経理上の援助を行う場合も，法適合組合の要件を満たさない（労組2条但書2号）。ただし，同号は，①労働時間中に賃金を失うことなく交渉すること，②組合の福利厚生基金への使用者の寄付，③最小限の広さの組合事務所の供与は，ここにいう「経理上の援助」に当たらないとしている。このほか，就業時間中の組合活動に対する賃金の不控除や，組合事務所の光熱費・電話代の使用者負担等についても，学説は①～③の例外に準ずるものとして[46]，あるいは本文の自主性が実質的に確保されている限り[47]，許容されると解している。

45)　同旨，辻秀典「管理職と労働法」講座21世紀1巻190頁注26。

46)　菅野839頁。

47)　西谷・労組法83頁参照。

3　目　的

第3に,「労働条件の維持改善その他経済的地位の向上を図ることを主たる目的」とする団体でなければならない。労組法2条但書3号と4号は, 共済事業その他福利事業のみを目的とするもの, および主として政治運動または社会運動を目的とするもの, を除外しているが, 本文を敷衍したもので, 本文に加えて新たな要件を課したものではない。

労働者の経済的地位の向上を主たる目的とすることが要件であるので, 付随的にそれ以外の活動を目的としてもかまわない。

4　団 体 性

労働者の組織する「団体又はその連合団体」であることが必要である。団体というためには, 複数の者が結合し, 規約を有し, その運営のための組織（意思決定機関, 執行機関, 役員), 財政を有していることが必要である。したがって1人では団体性に欠け, 組合とはいえない。もっとも, 組合切り崩しによって, 組合員1名になった場合には, 増員の可能性があれば, 団体性を失わないと解されている。

5　規約整備による民主性確保

法適合組合となる第5の要件は, 労組法5条2項の規定に適合した組合規約を備えていることである（労組5条1項)。ここでかかる規約整備が要求されている趣旨は, 組合の名称や事務所所在地を別とすれば, 組合内部の公正で民主的な運営を確保させることである。すなわち, 組合規約では, 組合員の均等取扱い（労組5条2項3号), 人種, 宗教, 性別, 門地, 身分による資格剥奪禁止（同4号), 役員の直接無記名投票選挙（同5号), 年1回の総会開催（同6号), 年1回の会計報告（同7号), スト開始の直接無記名投票の過半数による決定（同8号), 組合規約改正の直接無記名投票（同9号）について定める必要がある。

Ⅳ　資格審査

法適合組合の要件を満たしていない場合,「この法律に規定する手続に参与する資格を有せず, 且つ, この法律に規定する救済を与えられない」(労組5条1項)。この審査が労働委員会による資格審査である。

資格審査で労組法上の労働組合と認められると, 第1に, 労組法の手続への参与（労働協約の地域的拡張適用の申立て〔労組18条〕, 労働委員会の労働者委員の推薦

〔同19条の3第2項，19条の12第3項〕，不当労働行為救済の申立て〔同27条〕など），第2に，不当労働行為制度における救済（同27条以下），第3に，法人登記（同11条）が可能となる。

制度上は，例えば不当労働行為の救済手続を利用し得るか否かは，資格審査で法適合組合と認められることが前提となっている[48]。しかし，第5の規約具備の要件については書面審査で判定できる（不備については労働委員会の指摘に応じて補正されるのが通常である）が，第1ないし第4の労組法2条本文の要件については，実際に審理をしてみないと判断は困難である（例えば経費援助と支配介入の成否）。そこで，実務では，不当労働行為の命令を発するまでの間に資格審査を完了させるという，いわゆる「併行審査」が行われており，判例もこれを認めている[49]。

なお，判例[50]は，資格審査は労働委員会が国家に対して負う責務であり，使用者に対する関係において負う義務ではないから，資格審査の方法・手続に瑕疵があり，または審査の結果に誤りがあっても使用者はそのことのみを理由に命令取消を求めることはできないとしている。

ただし，判例は，「使用者は，組合が〔労組法〕第2条の要件を具備しないことを不当労働行為の成立を否定する事由として主張することにより救済命令の取消を求め得る場合のあるのは格別」として，法適合組合に該当しないことを不当労働行為がそもそも成立しないことの論拠として救済命令の取消を求め得ることは否定していない[51]。

48）なお，資格審査において一度適法と認められると永続的に法適合組合と認められるものではなく，不当労働行為申立てのたびに審査される。

49）東京光の家事件・最二小判昭和62・3・20労判500号32頁。

50）日通会津若松支店事件・最三小判昭和32・12・24民集11巻14号2336頁，阪神観光事件・最一小判昭和62・2・26労判492号6頁。

51）最高裁調査官室編・最高裁判所判例解説（民事篇）昭和32年度302頁も，労組法2条但書3号，4号に該当するような，まったく労働組合でない団体については不当労働行為の問題そのものが起こらないわけであるから，かかる組合については不当労働行為がそもそも成立しないという理由で救済命令の取消を求めることができるとする。ただし，同解説は自主性にかかわる2条但書1号，2号については同様に解すべきではないとしている。

第3節　労働組合の性格と組合加入・脱退・組織強制

I　労働組合の任意団体性と組合民主主義の要請

労働組合は基本的に私的任意団体としての性格を有する。例えば趣味のサークルのような任意団体であれば，その資格要件や内部関係をどのように規律しようと，公序良俗に反しない限り，基本的に当該団体の内部自治に委ねられる。

しかし，労働組合に対しては法が種々の権限（協約の規範的効力，一般的拘束力，一定のユニオン・ショップ協定の許容）や便益（民刑事免責，不当労働行為制度による救済）を与え助成していることから，純然たる私的任意団体よりも強度の法的コントロールに服すべきこととなる[52]。その主たる内容は労組法5条2項が組合規約具備を通じて要求する組合民主性の確保としても現れているが，規約に書かれているだけではなくその運用も含めて実質的に組合民主主義が確保されることが要請されている（組合民主主義の法原則）。具体的には，組合員の平等，組合員の言論の自由，組合運営への参加の保障[53]，適正手続の保障等が要請され，組合民主主義の要請に反する規約は公序違反として無効となると解される。また，組合の統制処分についての司法審査でも組合民主主義の観点からのコントロールが行われる。

II　加入資格

任意団体であれば，原則としてその加入資格を自由に設定できる。労働組合についてもこのことは原則として妥当する。したがって，組合は規約等により加入資格（当該企業の従業員のみ，正規従業員のみ，パート労働者のみ等）を定めることも原則として可能である。

しかし，組合民主主義の要請に反するような資格要件設定は無効と解される。例えば，労組法5条2項4号にあるような，特定の人種，宗教，性別，門地，

52)　この点を労働組合の（準）公的団体としての性格と捉える立場（浜田冨士郎「労働組合内部問題法の基礎理論的考察」久保敬治教授還暦記念論文集『労働組合法の理論課題』32頁〔1980年〕）と，これを批判する立場（西谷・個人と集団97頁）で議論がある。

53)　対立候補者の組合大会への入場を拒否して行われた選挙で選出された組合長の当選の有効性が争われ，選挙を無効とする重大な手続上の瑕疵はないが，入場拒絶は違法とした例として全日本海員組合事件・東京高判平成24・9・27労経速2164号22頁。

身分を理由に加入を拒むことは，違法無効と解される。

もっとも，このように違法な加入拒否を受けた者の救済は不法行為に基づく損害賠償に限られ，加入強制はできないと解される[54]。なお，違法に加入拒否された労働者にユニオン・ショップ協定を適用した解雇はなし得ないと解される。

Ⅲ　脱退の自由

労働者が労働組合からの脱退の自由を有する点についてはほぼ異論を見ない。その論拠については，憲法28条の積極的団結権としての組合選択の自由に求める立場（積極的団結権説）[55]，憲法28条は組合に加入しないという消極的団結権を保障していると解する立場（消極的団結権説）[56]，労働者の自発的結合に基づく結社として，脱退の自由は団体の性質上当然の論理的帰結とする立場[57]等がある[58]。

この点，判例はその論拠については触れることなく，脱退の自由を承認している[59]。そして，脱退に執行委員会の承認を要する旨の組合規約にかかわらず，脱退届提出により有効に脱退したことになるとされ[60]，労働者と使用者の間の特定組合に所属し続ける旨の合意は，脱退の自由という重要な権利を奪い，組合の統制への永続的な服従を強いるもので公序良俗に反し無効としている[61]。また，争議中の脱退を制限する規定についても，裁判例[62]・学説[63]で

54)　全ダイエー労組事件・横浜地判平成元・9・26労判557号73頁，菅野847頁，中窪＝野田・世界173頁。

55)　石井303頁（脱退のうちに組合選択の自由という積極的団結権を行使しているともいえるとする），注釈労組法（上）176頁参照。日本鋼管鶴見製作所事件・東京高判昭和61・12・17労判487号20頁も同旨。

56)　西谷・労組法92頁以下。

57)　有泉亨「組合員の加入・脱退・除名」大系1巻264頁（1963年）［社団の性質を根拠］，菅野847頁等。水町勇一郎・東芝労組小向支部・東芝事件判批・ジュリ1343号123頁（2007年）は，これを「結社の自由」説と呼んでいる。

58)　自発的・任意的加入団体であることから脱退の自由を説明すると，ユニオン・ショップ協定がそもそも認められないことになりはしないかという問題も生ずる。西谷・労組法93頁は，消極的団結権を否定する通説・判例によっては，脱退自由を制約する規約条項より脱退自由が優越する結論は十分根拠づけられていないとし，消極的団結権説を主張する。

59)　国労広島地本事件・最三小判昭和50・11・28民集29巻10号1634頁，東芝労組小向支部・東芝事件・最二小判平成19・2・2民集61巻1号86頁。

60)　日本鋼管鶴見製作所事件・最一小判平成元・12・21労判553号6頁。

は無効とする立場が多数である[64]。

なお，脱退時に一定の手続（脱退届の提出や一定日数前の予告）を要求することは，実質的に脱退の自由の制限となる場合を除き許容される[65]。

Ⅳ　組織強制

労働力の集団的売止め（ストライキ）という経済的圧力を背景に団体交渉を行う労働組合は，その数的圧力を強化するために，また，その財政基盤を充実するためにも，組合員数の拡大を目指すことになる。その手段として，組合は使用者に対して従業員が特定組合に加入することを強制することを要求するようになった。これが組織強制（ショップ制）といわれるものである。

1　組織強制の種類

組織強制には，クローズド・ショップ（当該企業に雇用されるためには，当該労働組合に加入していなければならず，当該組合員でなくなれば使用者が解雇すべき旨を定めるもの），ユニオン・ショップ（当該企業に雇用された労働者は，当該組合に加入しなければならず，加入しない者および当該組合の組合員でなくなった者を使用者が解雇すべき旨を定めるもの），エイジェンシー・ショップ（組合加入は強制しないが，加入しない労働者は組合費相当額を組合に支払う義務を負い，支払わない者は使用者が解雇すべき旨を定めるもの）等がある。これらの組織強制のない職場をオープン・ショップという。

企業別組合が主流の日本ではユニオン・ショップ協定が普及しており，厚生労働省「平成30年労働組合活動等に関する実態調査」によると労働組合の66.2%がユニオン・ショップ協定を締結している。しかし，組合に加入しない場合等に厳格な解雇義務を定めるものではなく「原則として解雇する」「会社が必要と認める場合は解雇しないことができる」等の規定が多い（不完全ユニオ

61)　東芝労組小向支部・東芝事件・前掲注59。同判決は組合脱退の自由を強調しており，ユニオン・ショップ協定との関係が問題となる。しかし，この事件では特定組合へ所属し続けることの強制は，自らの選ぶ組合に所属するという積極的団結権の侵害と捉えれば，三井倉庫港運事件最高裁判決・後掲注69と矛盾するものではない（三井正信「脱退の自由」百選〔8版〕177頁，長屋文裕・同事件判解・ジュリ増刊『最高裁　時の判例Ⅵ』422頁〔2010年〕参照）。

62)　浅野雨龍炭鉱労組事件・札幌地判昭和26・2・27労民集3巻6号524頁等。

63)　石井308頁，石川・労組法115頁，菅野847頁，山口・労組法41頁等。

64)　もっとも，学説では脱退の自由の濫用として脱退の効力が否定されうるとする立場も有力である。注釈労組法（上）176頁，西谷・労組法93頁等。

65)　注釈労組法（上）176頁，菅野847頁。

ン，尻抜けユニオンなどと呼ばれる）。

2　ユニオン・ショップ協定の効力

ユニオン・ショップ協定は，使用者に，自ら雇用する労働者のうち，協定締結組合に加入しない労働者および当該組合の組合員でなくなった労働者を解雇する義務を課すものである[66]。このようなユニオン・ショップ協定の効力については，まず，組合に加入しない自由（消極的団結権）を侵害するがゆえに無効とならないかが問題となった。しかし，憲法28条は団結権，すなわち組合に加入する権利（積極的団結権）を保障しているが，消極的団結権は保障していない[67]と解する通説の立場からは，憲法28条を根拠にユニオン・ショップ協定を無効とすることは困難であった。

しかし，ユニオン・ショップが別の組合ではなく当該組合への加入を強制している点に着目すると，これは組合選択の自由を侵害することを意味する。そこで，ユニオン・ショップ協定のうち，特定組合への参加を強制する部分は，自らが選択した組合に加入する自由を侵害するがゆえに無効であるとする議論が生じた[68]。この議論は組合選択の自由という積極的団結権を論拠とするものであり，通説の憲法28条の理解とも整合的で多数の支持を得て通説化する。そして，判例もこの立場を採用することとなる。

すなわち，判例[69]は，「ユニオン・ショップ協定によって，労働者に対し，解雇の威嚇の下に特定の労働組合への加入を強制することは，それが労働者の組合選択の自由及び他の労働組合の団結権を侵害する場合には許されない」「ユニオン・ショップ協定のうち，締結組合以外の他の労働組合に加入している者及び締結組合から脱退し又は除名されたが，他の労働組合に加入し又は新たな労働組合を結成した者について使用者の解雇義務を定める部分」は民法90条により無効となるとした。

66）　ユニオン・ショップ協定の有効性とこれに基づく解雇の有効性は直結するものではない。しかし，ユニオン・ショップ協定の有効性を認める通説・判例は，ユニオン・ショップ協定上の義務が発生している場合に行うユニオン・ショップ解雇は，客観的に合理的理由があり社会通念上相当なものとして，権利濫用とはならないと解している。日本食塩製造事件・最二小判昭和50・4・25民集29巻4号456頁。

67）　ちなみに，消極的団結権ではなく積極的団結権を保障している点で，憲法28条は，結社しない自由を包含する憲法21条の結社の自由との違いがあるとされた。

68）　石井79頁。

69）　三井倉庫港運事件・最一小判平成元・12・14民集43巻12号2051頁。

これによって，ユニオン・ショップ協定は一般に有効だが，ユニオン・ショップ解雇を解雇権濫用の評価から免れさせる効果は（当該組合を脱退して他組合に加入した者を含め）他の組合に所属する組合員との関係では認められないことが確認された。つまり，使用者はユニオン・ショップ協定により，どの組合にも入らない労働者についてのみ解雇義務を負う[70]という解釈が確立する。

ユニオン・ショップ協定は，除名によって組合員籍がなくなった者についても使用者に解雇を義務づけるものだが，その除名が無効であった場合，ユニオン・ショップ解雇も無効となるかどうかが問題となった。組合の行った当該組合員の除名の有効無効を使用者は探索する術がないことを根拠に，除名が無効であってもユニオン・ショップ解雇の効力には影響せず，解雇有効とする見解（切断説）[71]もあったが，通説・判例[72]は，除名が無効なら解雇も無効と解している（牽連説）。使用者は，ユニオン・ショップ協定を締結した時点で，除名が無効となった場合，ユニオン・ショップ解雇も無効となるリスクをも引き受けていると解され，また，除名無効と考える使用者は，（組合からの協定違反による損害賠償請求のリスクを伴うが）組合の解雇要求を拒否する選択肢もあるので，通説・判例の立場が妥当である。また，この場合，解雇期間中の賃金についても民法536条2項の使用者の責めに帰すべき事由による履行不能として使用者に支払義務が生ずる[73]。

なお，ユニオン・ショップ協定はドイツ，フランスでは禁止され，アメリカでも極めて制限的にしか認められていない。日本の学説でも，憲法13条の自己決定の理念と憲法21条の結社の自由を踏まえた憲法28条は消極的団結権をも保障しているとして，ユニオン・ショップ協定無効論を主張する見解が有力に主張されており[74]，近時，これを支持する者も増えてきている[75]。

---

70)　ユニオン・ショップ協定締結組合を脱退後，契約期間満了までに他組合に加入しなかった有期契約労働者の雇止めを適法とした例として，トヨタ自動車事件・名古屋地岡崎支判令和3・2・24労判1265号83頁。

71)　石川・労組法81頁。

72)　菅野853頁，西谷・労組法101頁，日本食塩製造事件・前掲注66。

73)　清心会山本病院事件・最一小判昭和59・3・29労判427号17頁。

74)　西谷・労組法101頁以下。

75)　大内伸哉「ユニオン・ショップ協定が労働団体法理論に及ぼした影響」神戸法学雑誌49巻3号461頁（2000年），鈴木隆「ユニオン・ショップへのレクイエム」島大法学47巻2号79頁（2003年），三井正信「ユニオン・ショップ」角田邦重ほか編『労働法の争点』（3版）36

第4節 組 合 費

I　組合費納入義務

組合員は組合加入によって，意思決定に参画する等の権利を取得すると同時に，一定の義務をも負担する。その主たるものの一つが組合費納入義務[76]であり，他の一つが統制処分に服する義務である。

組合員は規約に従い組合費納入義務を負い，その不払いは正当な除名事由となる。これに対して，臨時組合費徴収に関しては，その目的が政治的あるいは組合の目的と関連の薄い場合につき，納入義務の存否が争われた。この問題について判例[77]は，まず，労働組合の活動の範囲は本来の経済的活動の域を超えて政治的・社会的・文化的活動に拡大しており，これらの活動を労働組合の目的の範囲外で，労働組合の行い得ない行為とすることはできないとする。しかし，組合員の市民的自由との矛盾衝突も生ずるので，「多数決原理に基づく組合活動の実効性と組合員個人の基本的利益の調和という観点から，組合の統制力とその反面としての組合員の協力義務に合理的な限定を加えることが必要である」とし，これを組合活動の内容・性質，組合員に求められている協力の内容・程度・態様等を比較考量して判断するという基本的枠組みを示した。そして，一部に違法な争議行為を含む闘争資金，違法争議行為で処分を受けた組合員の救援資金，他の組合への争議支援資金，安保反対闘争の被処分者への救援資金，水俣病患者救済資金については，納入義務を認めている。最後の例からもわかるように，労働組合の目的の範囲を広く解し，組合員の政治的自由に対する制約が軽微な場合は協力義務を肯定している。

これに対して，安保反対闘争への資金，組合出身の衆議院選挙立候補者への選挙応援資金については，納入義務を否定している。労働組合が多数決によっ

頁（2004年），水町・詳解1077頁等。

76）　厚生労働省「令和3年労働組合活動等に関する実態調査」によると，1人平均月間組合費は3,736円である。

77）　国労広島地本事件・前掲注59，同・最三小判昭和50・11・28民集29巻10号1698頁，国労四国地本事件・最二小判昭和50・12・1労判240号52頁［ただし，前記2判例と異なり一般論は示さずに，違法争議実施と直接結び付けて徴収決定されたものではないスト資金，水俣病患者救済を含む支援資金への協力義務を肯定］。

て政治活動を決定しこれと異なる政治的見解を持つ組合員に協力を義務づけることは，金銭の出捐に過ぎないとしても，組合員に一定の政治的立場に対する支持の表明を強制するに等しく許されないこととなる。

Ⅱ　チェック・オフ

チェック・オフとは，労働組合と使用者間の協定に基づき，使用者が組合員である労働者の賃金から組合費を控除して，直接組合に引き渡すことをいう。2018年の調査[78]によると，非正規従業員組合員のいる組合の85.9％がチェック・オフを実施している。

チェック・オフについて法的に問題となるのは，次の2つの点である。

1　全額払い原則との関係

第1に，チェック・オフは，労働者に生じた賃金の一部を控除して支払うことになるので，労基法24条の定める賃金の全額払い原則に違反しないかが問題となる。労基法24条1項但書の過半数代表との労使協定が締結されていれば全額払い原則違反とはならないが，学説では，チェック・オフは組合との関係で労働者の利益のために行われるものであるので，全額払い原則の例外となり，労使協定の締結を要せずに許されるとの説が有力であった。しかし，判例[79]はチェック・オフも労働者の賃金の一部を控除するものにほかならないから，労基法の要求する労使協定の締結が必要とした。

労基法の条文を素直に解する限り，判例の立場は自然な解釈である。過半数に達しない組合しか存しない場合[80]には，①少数組合が連名で過半数協定を締結する，②少数組合が，他の従業員の賛同を得て過半数代表者として協定を締結することによって，対処すべきことになる[81]。

しかし学説では，事業場の全従業員に効力の及ぶ労使協定を，組合員にしかその効力が及ばないチェック・オフの場面に機械的に要求するのは必ずしも合理的ではないとして，チェック・オフ協定が労働協約としての要件を備えてい

---

78)　連合＝連合総合生活開発研究所「第19回労働組合費に関する調査報告」(2018年10月実施)。

79)　済生会中央病院事件・最二小判平成元・12・11民集43巻12号1786頁。

80)　過半数組合が存し，その組合がチェック・オフ協定を締結していれば，労基法24条の労使協定の効力が発生し，当該事業場に関しては少数組合のチェック・オフも可能となる。

81)　安枝英訷「チェック・オフの中止と不当労働行為」法教115号96頁（1990年)。

れば，労基法24条の例外としてその効力を認めるべきであるとの見解もなお有力である[82]。立法論としては，チェック・オフの場合，労働協約による全額払い原則の例外を認めることが考えられてよい。

2　個々の組合員のチェック・オフ中止の申入れ

第2に，労基法24条の全額払い原則の例外を認める労使協定が締結されていても，個々の労働者が，使用者にチェック・オフの中止を申し入れた場合，使用者はチェック・オフを中止し，組合費相当額を労働者に支払わねばならないか。判例[83]は，使用者が有効にチェック・オフを行うためには，使用者が個々の組合員から，賃金から控除した組合費相当分を労働組合に支払うことにつき委任を受けることが必要であり，組合員は使用者に対していつでもチェック・オフの中止を申し入れることができ，その申入れがされたとき，使用者はチェック・オフを中止すべきものとした。チェック・オフは労働者から使用者に対する組合費の弁済（支払）委任なので，その委任を労働者が解除した場合（民651条）には，チェック・オフは中止すべしと解するわけである。

しかし，学説の多数は判例の立場に批判的である。チェック・オフ協定が労働協約であれば，その内容（労働者が組合費弁済を使用者に委任し，使用者がその取り立てた組合費を組合に支払うことを労働者に約束する）は「労働者の待遇に関する基準」（労組16条）に当たると解することができ，規範的効力をもって使用者・労働者間の契約を規律することになる。そうであれば，その労働者が当該労働組合に留まっている限り，協約の規範的効力に反する中止申入れは効力を否定されるべきものとなる。チェック・オフが歴史的に見ても労働協約の重要な部分であり，組合費納入が組合員の基本的義務であること等を考えると，労働協約たるチェック・オフにこのような規範的効力を認めてよいと解される[84]。

なお，組合の内部抗争の結果，組合が分かれて2組合が併存するに至り，A組合とその組合員からのチェック・オフ中止要求に反して使用者がB組合へ

82）西谷・労組法270頁以下，中窪＝野田・世界176-177頁。

83）エッソ石油事件・最一小判平成5・3・25労判650号6頁［A組合の組合員が組合執行部と対立し，脱退してB組合へ加入し，A組合へのチェック・オフ中止を申し入れたにもかかわらず，使用者がA組合へのチェック・オフを継続したため，本件チェック・オフを不法行為として損害賠償を請求した事案］。

84）同旨，野川853頁。西谷・労組法272頁，菅野858頁も結論同旨。反対，水町・詳解1065頁。

のチェック・オフを継続したことが支配介入の不当労働行為に当たるとされた事件では，労働委員会の救済命令のあり方が問題となった。労働委員会は，組合費相当額をA組合の組合員個人ではなく，A組合に支払うことを命じたが，判例[85]は，A組合との間にチェック・オフ協定の締結もなく，組合員からのその旨の委任もない以上，本件命令によって作出される事実上の状態は私法関係から著しくかけ離れるものであるのみならず，その実質において労基法24条1項の趣旨にも抵触すると評価され得る状態であるとして，労働委員会の裁量権の合理的行使の限界を超え違法としている。

第5節　労働組合の統制権

I　統制権の意義・根拠とその司法審査

労働組合は，使用者に対抗する組織力・交渉力を保持するために組合員に対する統制権を必要とする。例えば，ストライキによって使用者に圧力をかけて団体交渉を有利に展開しようとするときに，組合員がスト指令に従わずに脱落したのでは，労働組合の目的を達することができない。そこで，労働組合は，組合規約で組合員が組合の統制を乱したときは制裁する旨を規定し，「除名，権利停止，罰金，譴責，戒告」等の統制処分を掲げるのが通常である。

統制権の根拠[86]については，労働組合の団体としての性格を論拠とする立場（「団体説」と呼んでおく）と，組合員の合意に論拠を求める立場（「合意説」と呼んでおく）に大別できる。団体説は，団体一般に認められる権利とする見解（団体固有権説）[87]と団結権を保障する憲法28条に求める見解（団結権説）[88]に分かれる。合意説には，組合規約についての合意を根拠とする見解[89]や，組合加入

85）　ネスレ日本（東京・島田）事件・最一小判平成7・2・23民集49巻2号281頁。

86）　学説の詳細については島田陽一「統制権論」学説史144頁以下，西谷・個人と集団163頁以下，鈴木隆「労働組合の統制権」争点168頁参照。

87）　有泉・前掲注57・266頁，秋田成就「労働組合の統制権――その法的根拠に関連して」恒藤武二編『論争労働法』36頁（1978年）。

88）　三井美唄労組事件・最大判昭和43・12・4刑集22巻13号1425頁［憲法28条の団結権保障の効果として，労働組合はその目的を達成するために必要かつ合理的な範囲で統制権を有する］，中里鉱業所事件・最二小判昭和44・5・2裁判集民事95号257頁。

89）　久保＝浜田68頁，盛・総論185頁。

時の合意を根拠とする見解[90]等がある。団体説の説くところも，労働組合からの脱退の自由を前提にしてみると，その団体に加入しそこに留まる意思によって説明することも可能であり，実際，その後の判例[91]の説くところはそのように解することができる。そうすると，統制権の根拠は組合員の合意に求めるのが理論的には妥当であり，組合規約に処分事由が明定されているべきことも，この点から要請されると解すべきであろう。

組合の統制権が根拠づけられ，統制処分が可能としても，統制権行使は，組合員に組合における権利行使上の不利益や組合員としての精神的不利益，ユニオン・ショップ協定の下で除名された場合には雇用までも奪われる等，多大の不利益を及ぼす。そこで，統制権行使に対して司法審査が要請される。単なる私的任意団体の内部問題であれば，団体自治に委ねられ，法律上の争訟に当たらないと解される可能性がある。しかし，組合の統制処分は，憲法の保障した労働者の労働基本権の侵害となる可能性があり，また，憲法および労組法が労働組合に対して特別の労働条件規制権限を付与している団体であることも考慮すると，統制処分は裁判所の審査すべき「法律上の争訟」に当たり，司法審査に服すると解すべきである[92]。

具体的には，処分事由の存否，処分の相当性（処分事由と処分内容の均衡），処分手続の適正さ（規約上の手続遵守のほか，意思決定の適正さ，弁明機会の付与，一事不再理原則）等が審査される。

Ⅱ　統制権の限界

処分事由の存否との関係では，次のような事由による処分の可否が議論され

90)　西谷・個人と集団213頁（ただし，憲法28条による団結権保障と加入時の統制処分容認の合意の両者に根拠を求める説），島田・前掲注86・205頁。

91)　国労広島地本事件・前掲注59は「労働組合の組合員は，組合がその目的を達成するために行う団体活動に参加することを予定してこれに加入するものであり，また，これから脱退する自由も認められているのであるから，右目的に即した合理的な範囲において組合の統制に服すべきことは，当然である」とする。また，東芝労組小向支部・東芝事件・前掲注59は「労働組合は，組合員に対する統制権の保持を法律上認められ……るものであるが，それは，組合からの脱退の自由を前提として初めて容認される」とする。このように，統制処分が可能なことを脱退の自由と結び付けて説明する判例の立場は，脱退せずに組合に留まることのうちに，統制権に服する旨の合意を見出し，それを統制権の論拠としていると解し得る。

92)　西谷・労組法123頁，菅野866頁等も参照。

ている。

1　組合員の政治的自由と統制処分

公職選挙において，労働組合が特定の政党ないし候補者を支持する旨決定し，この決定に違反して行動する（例えば他の政党や候補者を支援する）組合員に統制処分を行うことができるか。

判例は，このような統制処分は組合員の政治的自由を侵害するもので，許されないとの立場を確立している。例えば，労働組合の統一候補の選に漏れたため，独自に市議会選挙に立候補した組合員に対し，組合が立候補を思い留まるように勧告または説得することは許されるが，その域を超え，立候補を取りやめることを要求し，これに従わないことを理由とする統制処分は統制権の限界を超えるとされ[93)]，組合の特定候補の推薦決議に反して別の候補者の支援活動を行った組合員に対する除名処分も無効とされた[94)]。ただし，組合員の権利・利益に直接関係する立法・行政措置に関する組合活動については組合員の協力義務を肯定しており[95)]，かかる組合決定違反には，統制処分も可能となることを示唆している。

学説も判例の原則・例外を支持する立場が多数のようであるが[96)]，経済的利益に直結する立法等に関する政治活動についても，やはり政治活動の自由の問題として統制の範囲外とする説も有力に主張されている[97)]。

2　言論の自由・分派活動と統制処分

組合の執行部や組合方針を批判する言動（批判ビラの配布や独自の学習会開催等）を理由に統制処分を行うことが可能か。

組合の民主的運営のための言論の自由は最大限尊重すべきであり，基本的に，事実に基づいた批判であれば統制処分はなし得ないというのが裁判例の立場である[98)]。

93)　三井美唄労組事件・前掲注88。

94)　中里鉱業所事件・前掲注88。

95)　国労広島地本事件・前掲注77（民集29巻10号1698頁）。

96)　菅野868頁，西谷・労組法120頁。

97)　石川・労組法105頁，島田・前掲注86・206頁。

98)　全日産自動車労組事件・横浜地判昭和62・9・29労判505号36頁，名古屋・東京管理職ユニオン事件・名古屋地判平成12・6・28労判795号43頁。統制処分ではなく，組合役員選挙ビラの記載削除についての慰謝料請求を認容した事例として全日通労組事件・大阪高判平成22・2・25労判997号94頁。

もっとも，言論の自由は，労働組合が正規の手続を経て決定を行うまでは最大限尊重すべきだが，一旦，そうした決定がなされた後は，これに反する組合員の言動も統制処分が可能となる余地が認められている[99]。裁判例は，個々的にどの程度団結を乱したかという観点から，統制処分の有効性を慎重に吟味している[100]。特にユニオン・ショップ協定の下での除名処分は，解雇という重大な結果をもたらすため，処分事由該当性のほかに，処分の相当性について，裁判所は厳格な審査を行っている。

3　違法争議指令への不服従

組合の発した違法争議指令に従わない組合員を統制処分できるか。

正当なロックアウトに対抗する強行就労指令に組合員が従わなかったことを理由とする除名処分が争われた事案で，裁判所は，争議中の組合員は指令が重大明白な違法を犯していない限り服従義務があるとの主張を斥け，指令が客観的に違法であれば服従義務はないとしている[101]。客観的に違法な指令であれば，それに従わない（つまり法を守った）者への制裁を許すことは適切でなく，妥当な判断である[102]。

---

99)　菅野868頁，土田・概説365頁，名古屋・東京管理職ユニオン事件・前掲注98。

100)　例えば，統制処分を無効とした例として，東海カーボン事件・福岡地小倉支判昭和52・1・17労判273号75頁［労災事故の損害賠償支援活動につき，組合方針に反する「守る会」からの脱退勧告に応じない組合員の除名処分につき，組合方針と全く相容れない程度・態様ではなかったとし除名無効］，泉自動車労組事件・東京地決昭和53・2・24労判293号48頁［執行部を批判する組合員有志の会を組織し，同会が，懲戒解雇者を支援しない旨の組合大会決議に反して解雇撤回闘争を支援したことに対する権利停止処分を無効］。他方，統制処分を有効とした例として，信州名鉄運輸事件・長野地松本支判昭和43・3・27労判68号10頁［加盟上部団体につき組合員全員の信任投票を行うことになり，組合執行委員会がその間組織を混乱に陥れるようなビラ配布，オルグ活動は一切行わない旨の決定をした場合において，同決定に違反してビラ配布などの分派活動を行った役員の除名処分を有効］，東京税関労組事件・東京高判昭和59・4・17労判436号52頁［対立組合の講師を招いた学習会開催等で，執行委員会の注意にもかかわらず積極的役割を果たした青年部役員が「組合の統制を乱したもの」に当たるとして除名有効］等がある。

101)　大日本鉱業発盛労組事件・秋田地判昭和35・9・29労民集11巻5号1081頁，国労広島地本事件・前掲注59。

102)　菅野870頁，注釈労組法（上）216頁，山口・労組法51頁。違法性が明白でなく，正規の手続を経た指令には服従義務があるとする見解（盛・総論191頁，西谷・労組法122頁）があるが，結果的に違法な指令と評価された場合，服従義務違反に対して統制処分はなし得ないとするようである（盛・同上）。

第6節　組合財産の帰属と組織変動

I　組合財産の帰属

労働組合が，労働委員会の法人登記のための資格審査により法適合組合と認められた場合，登記することにより法人格を取得する（労組11条1項）。法人となった労働組合に関しては，一般法人法（一般社団法人及び一般財団法人に関する法律）制定に伴う2006（平成18）年労組法改正により，労組法12条以下で，代表者とその権限，権限委任，利益相反行為，代表者の行為についての法人の損害賠償責任等について，規定が置かれた。また，法人である労働組合が解散した場合の清算についても労組法13条以下で詳細な規定が設けられた。

法人となった労働組合の財産はその組合の単独所有となる[103]。したがって，除名・脱退により組合員が財産の分割請求等をすることはできない。また，労働組合が法人格を持たない場合，その資産は組合員の「総有」に属すると解されている[104]。これによると，組合員は使用収益権（組合事務所などの利用権）は有するが，財産の持分権を有せず，除名・脱退によっても，分割請求をなし得ないことになる。そして，これを変更するには組合員全員の同意を必要とする[105]。

このようにいずれにしても組合員は組合財産に対して分割請求をなし得ないと解されている。ただし，規約上の定めによって持分権を留保した積立金の場合には払戻請求が可能である[106]。

103）菅野864頁，西谷・労組法127頁。

104）品川白煉瓦事件・最一小判昭和32・11・14民集11巻12号1943頁，国労大分地本事件・最一小判昭和49・9・30民集28巻6号1382頁。

105）学説では，「総有」の廃止は，解散に準じて4分の3以上の多数決によって可能と解すべきとの見解が有力に主張されている（菅野865頁）。同旨の裁判例として，全金徳島三立電機支部事件・徳島地判昭和62・4・27労判498号50頁。

106）全金大興電機支部事件・最三小判昭和50・2・18判時777号92頁［退職・死亡等により組合員資格を喪失したときに組合員に払戻しが定められた「闘争資金積立金」を個人の積立預託金と解し，払戻請求認容］。

Ⅱ　労働組合の解散・組織変更

1　解　散

労働組合の解散については労組法10条に規定があり，規約所定の解散事由の発生（同1号），または，組合員または構成団体の4分の3以上の多数[107]による総会の決議（同2号）によって解散する。

解散した法人である労働組合は，清算目的の範囲内で，清算結了まで存続する（労組13条）。原則として労働組合の代表者が清算人となる（同13条の2）。清算人の職務は現務の結了，債権の取立ておよび債務の弁済，残余財産の引渡しである（同13条の6）。

解散した法人である労働組合の残余財産は規約で指定した者に帰属し，帰属者の指定がない場合は，代表者は総会決議を経て当該労働組合の目的に類似する目的のために，その財産を処分できる。処分されない財産は国庫に帰属する（以上労組13条の10）。

法人格のない労働組合の解散の場合，総有の廃止の問題となる[108]。

2　分　裂

既述のように，法人格の有無にかかわらず，脱退する組合員は組合財産について分割請求できないと解されている。しかし，組合員の例えば半分が集団で脱退したときにも，財産の分割請求が一切認められないのかが問題となり，これを認めるために「分裂」という概念を導入して処理すべきとの主張がなされた。「分裂」概念の導入には賛否両論がある中で，判例[109]は，「分裂」概念を否定はしないものの，これを認めるためには極めて厳格な要件を満たす必要があるという判示を行った。すなわち，多数が脱退して新組合を作った場合も，旧組合は組織的同一性を損なうことなく残存組合として存続しているのが通常

107）　解散決議に必要な4分の3の多数決を規約によって緩和し得るかについて議論があり，労組法10条2号は1号の補充規定であり，規約で別段の規定が可能だが，過半数を下回ることはできないとする補充規定説（石崎政一郎『改訂増補版労働法講義（上）』134頁〔1963年〕，岩出604頁），緩和不可とする強行規定説（西谷・労組法137頁参照），3分の2まで緩和可能とする折衷説（菅野871頁）もある。詳細は注釈労組法（上）612頁以下，岩出602頁以下参照。

108）　前掲注105参照。

109）　名古屋ダイハツ労組事件・最一小判昭和49・9・30労判218号44頁。

であり，「旧組合の内部対立によりその統一的な存続・活動が極めて高度かつ永続的に困難となり」，その結果，新組合が成立したという場合に初めて「分裂」という法理の導入の余地が生ずる，としている。

なお分裂が認められたとしても，その場合に財産が人数比例で分配されるのか等，その効果については明らかでなく，それゆえ，判例は分裂概念導入に慎重な態度をとっているものと思われる。しかし，最近では，従来とは異なるタイプの分裂が問題となる事例も生じてきている110)。従前の労働組合内の2集団のいずれもが，従前の労働組合と同一性のある組合と認定できない場合には，分裂を認めざるを得ず，その場合には，分裂時の組合員数の割合による財産分割請求が可能と解すべきであろう111)。

3　組織変更

労働組合の組織変更（組合員の範囲の変更，組織形態の変更〔連合体から単位組合へ，およびその逆〕，上部団体への加入や離脱）について，労組法上の規定はなく，それぞれについて解釈によって処理されている。学説は以下の議論を組織変更によって変更前後で組合の同一性が認められ，組合財産，労働協約等が承継されるための要件として論じている。

まず，組織変更のうち，組合員の範囲の変更については，規約変更によって可能である。単位組合を連合体に改組する場合，逆に，連合体を単位組合に改組する場合，そして単位組合が連合体から脱退する場合，総会での決定と規約の改正が必要である。この決定は規約改正の要件（労組5条2項9号）に準じて，直接無記名投票による過半数で足りると解されている。

これに対して，単位組合が別組合の下部組織に組織変更する場合は，組織の根本的変更を伴うので，解散に準じて構成員の4分の3以上の多数決による総会決議が必要であると解されている112)。

110)　対立する2集団がそれぞれ新たな組織を整え，双方が従前の組合との連続性・同一性を主張するというネッスル日本労組事件・神戸地判昭和62・4・28労判496号41頁では，分裂に当たるとされた。しかし，同控訴審・大阪高判平成元・6・14労判557号77頁は，分裂を否定し，一方集団が元の組合と同一性を有するとした。

111)　菅野876頁。

112)　以上につき，菅野872頁以下，西谷・労組法134頁参照。

4　合併（合同）

2つの労働組合が1つの労働組合に併合される合併（合同）[113]についても労組法上規定はない。合併の要件としては，両組合における合併協定の締結と，それぞれの組合において合併（合同）の決議が必要と解されている。決議要件は解散に準じる（構成員の4分の3以上の多数）とするのが通説である。

合併（合同）により，旧組合の債権債務関係は包括的に新設組合（または存続組合）に承継されると解されている[114]。

■労働者協同組合　構成員が自ら出資し，その事業を自主的に運営し，事業にも従事するワーカーズ・コレクティブ等と呼ばれる団体は，これを正面から認める根拠法がないため，他の法人格を利用したり，あるいは法人格なしに活動せざるをえなかった。また，裁判例では，その組合員の労基法上の労働者性を否定した例がある（企業組合ワーカーズ・コレクティブ轍・東村山事件・東京高判令和元・6・4労判1207号38頁）。

こうした中，2020（令和2）年12月に国会の全会一致で労働者協同組合法が制定された（施行日は2022年10月1日）。同法は，1）組合員が出資し（出資原則），2）その事業を行うに当たり，組合員の意見が適切に反映され（意見反映原則），3）組合員が組合の行う事業に従事する（従事原則），という3つを基本原理とする組織であって，法所定の要件を充たす団体を「労働者協同組合」という新たな法人として認めることとした（労協3条1項）。労働組合とは別個の団体である。法所定の要件として，組合員の任意の加入・脱退，組合と組合員との間での労働契約締結，出資口数にかかわらない平等な組合員の議決権・選挙権，組合との間で労働契約を締結する組合員が総組合員の議決権の過半数を保有，余剰金配当は（出資配当ではなく）事業に従事した程度に応じて行うこと，が定められている（以上同3条2項）。労働者協同組合は，要件を充たし登記することによって法人格を認められる（同26条）。労働者派遣事業を除くあらゆる事業が可能である（同7条）。

組合は，その事業に従事する組合員との間で原則として（代表理事・専任理事・監事は例外）労働契約を締結しなければならず（同3条2項2号，20条1項），かかる組合員には労働法の適用があり，組合員が労働組合を結成することも可能である。このことと関連して組合が特定の組合員との労働契約を終了させることを企図して恣意的に組合から脱退させる事態を防ぐため，組合員の脱退は労働契約を終了させるものと解してはならない旨が規定されている（同20条2項）。

113）2組合が新たな1つの組合となる新設合併（合同）と，一方の組合が他方に吸収される吸収合併（合同）がある。

114）菅野878頁。ジブラルタ生命労組（旧エジソン労組）事件・東京地判平成29・3・28労判1180号73頁［2以上の労働組合の合同（合併）は，これらの労働組合における合同の決議により可能で，その場合，独断の意思表示がなされない限り，従前の財産，契約上の地位は合同後に存続する労働組合に承継されるとした］。

第21章 団体交渉

第1節 団体交渉の意義と機能

I 団体交渉の意義

団体交渉とは労働組合または労働者の集団[1]が，代表者を通じて，使用者または使用者団体と，構成員たる労働者の労働条件その他の待遇，または当該団体と使用者との集団的労使関係上のルールについて行う交渉をいう（憲28条，労組1条1項，6条，7条2号，14条，16条参照）。団体交渉はあくまで「代表者を通じて」なされるべきもので，「大衆交渉」といわれるような交渉担当者の定まっていない交渉は，団体交渉には当たらず，そうした団交申入れを拒否しても団交拒否の不当労働行為とはならない[2]。また，団体交渉は，双方が経済的圧力行為（ストライキやロックアウト）を背景として交渉・取引によって合意を模索するプロセスであるが，譲歩や合意すること自体は強制されない[3]。

---

1) 憲法上の保護の及ぶ団体交渉を考える場合，ここでいう労働組合には，法適合組合のほか労組法の要件を満たしていない憲法組合（→651頁）も含まれる。さらに，社団性を備えていない争議団のような労働者の集団の行う交渉にも憲法上の保護は及ぶと解されている（菅野891頁，西谷・労組法290頁）。これに対して，不当労働行為制度による保護の対象となる団体交渉は，法適合組合によるそれに限られる。

2) 菅野882頁。この原則を確認した上で，組合員参加型団体交渉の労使慣行が成立していたとして，組合員参加型の団体交渉に応じなかったことを団交拒否の不当労働行為とした事例として国・中労委（函館厚生院）事件・東京地判平成20・3・26労判969号77頁。

3) その意味で，団体交渉は，合意に達しなければ使用者も一方的措置をとり得ないドイツの事業所委員会（Betriebsrat）の共同決定（Mitbestimmung）制度とは異なる。なお，ドイツの共同決定制度にはこの事業所における共同決定とは別に，企業レベルの監査役会におけるそれ（監査役会の構成が株主代表と従業員代表から構成されているという意味での共同決定）があるが，両者は別の制度である。詳細については荒木尚志「日米独のコーポレート・ガバナンス

団体交渉を求める行為や団体交渉の席における言動が，刑事・民事の責任を惹起する可能性がある。例えば，団体交渉を求める行為が不退去罪（刑130条）として，団体交渉席上での発言が名誉毀損罪（同230条）や侮辱罪（同231条）等として処罰対象となり得，また不法行為を構成し得る。これに対して，憲法28条は，正当な団体交渉権行使について，刑事・民事免責を設定し，また，不利益取扱いからの保護も公序（または憲法28条の直接適用）を通じて与えている。

労組法はこのような憲法上の保護に加え，団体交渉の結果締結される労働協約に特殊な私法上の効力を付与し（労組16条～18条），さらに，不当労働行為制度を通じて使用者に団体交渉義務を課し（同7条2号），その違反に対して労働委員会が行政救済命令を発出できることとしている（同27条の12）。このように，現行法は団体交渉を集団的労働関係の中核的理念である「労使自治」の要をなすものと位置づけ，国家がこれを積極的に助成する制度を採用している。

Ⅱ　団体交渉の機能

団体交渉は，様々な機能を担っており，また，その役割は国によっても異なる。第1に，原初的機能として，個別交渉に代えて，労働力の集団的売止め（ストライキ）による交渉力強化を背景に統一的集合的取引を行い，使用者と対等な立場で労働条件を設定するという機能がある（労働協約の規範的効力に対応）。ヨーロッパでは産業別組合が一般的であるため，個別企業を超えた産業レベルで労働条件設定が行われ，それは法律にも類似した労働条件の最低基準，社会規範を設定する機能を持つ。これに対して，企業別組合が主流である日本では，団体交渉も企業ないし事業場レベルで行われ，各企業の実情に適合した（最低基準ではない）実質的労働条件が設定される。しかし，社会規範を設定する機能に欠け，また，交渉力に劣るという問題点もある（→648頁）。

■春　闘　企業別交渉の弱点を克服すべく，ナショナル・センターや産業別連合組織の指導の下，賃金交渉を春の同時期に設定し，好調な主要産業の労働組合（パターン・セッター）が春闘相場を形成する団体交渉を行い，他の産業の労使交渉をリードするという交渉戦術が「春闘（春季闘争）」であり，1956年から本格的に始まった。春闘相場は，人事

と雇用・労使関係」稲上毅＝連合総合生活開発研究所編『現代日本のコーポレート・ガバナンス』234頁以下（2000年）参照。

院勧告で考慮され公共部門に影響するほか，毎年の法定最低賃金改定でも考慮され，全産業に波及効果を及ぼしてきた。

第2に，労使合意による労使自治ないし労使平和の達成手段という側面がある（労働協約の債務的効力に対応）。

第3に，以上のように労働協約に結実しなくとも，団体交渉は労使コミュニケーションの手段たる機能を持つ。日本では，企業別組合が主流であることから，企業・事業場レベルでの労使の意思疎通のための機能が重視され，これをさらに進めてフォーマルな団体交渉という形式を採らない，よりインフォーマルな労使協議制の活用も広がった。

▩労使協議制　労働組合が企業を超えた産業レベルで組織されている欧州では，企業・事業所レベルで従業員代表との労使協議が法律によって制度化されている。これに対して，日本では法律上の義務はないにもかかわらず，労使が自発的に労使協議制を採用し発展させてきた。日本の労使協議制は，欧州のそれと異なり，その当事者（企業別組合が労使協議の主体となる例が多い）も，取り扱う事項も団体交渉と共通することが少なくない。しかし，労使協議では争議行為に訴えることを予定しておらず，協議不調のときは，次の段階としてフォーマルな団体交渉に移行することとなる。日本の労使は，力と力の対決である団体交渉ではなく，インフォーマルながら，義務的団交事項にこだわらずに早い段階で密で建設的な意思疎通により企業の方針決定に影響を与え得る労使協議を発展させ，これが協力的労使関係定着の大きな要因となった。しかし，最近では労使協議の形骸化も指摘されている。

第4に，日本では，後述するように，少数の組合員を組織する労働組合も多数組合と同等の団体交渉権を有する「複数組合主義」を採用している。その結果，ある労働者が企業外の地域合同労組に加入した場合等に，当該組合が事実上，当該労働者個人の紛争を解決するために団体交渉制度を利用するということも広く行われており，個別紛争解決の代替手段としても機能している。

第2節　団体交渉の当事者・担当者

団体交渉の「当事者」とは，自らの名において団体交渉を行い，その成果としての労働協約の締結主体となるもの（具体的には労働組合と使用者）をいう。団体交渉の「担当者」とは，団体交渉の当事者のために団体交渉を実際に担当する自然人（組合側は組合役員や組合の委任を受けた者，使用者側は，代表者あるいは労務担当重役など）をいう。

I　労働者側の当事者

労働組合は，上部団体－単位組合－支部・分会－職場組織といった階層構造をなしていることが少なくなく，これらのいずれが団体交渉の当事者（主体）となるかが問題となる。

1　単位組合

連合団体・上部団体ではない法適合組合である単位組合（労組5条2項3号）は，基本的な団体交渉の当事者である。

アメリカのような排他的交渉代表制を採用していない日本では，同一企業・事業場内に複数の法適合組合たる単位組合が存在し得る。これらの法適合組合は，その組合員数の多寡にかかわらず，それぞれ独自の団体交渉権が認められる（複数組合主義）。したがって，使用者がそのうちの一つの組合と「唯一交渉団体条項」を結んでも他の組合の団体交渉権を侵害し得ず，使用者は他の組合からの団体交渉要求を拒否できない[4]。

▩アメリカの排他的交渉代表制（exclusive representation system）　アメリカでは，交渉単位において過半数の労働者の支持を得た労働組合のみが団体交渉権を取得し，かつ，その組合が交渉単位内の全労働者を代表する。排他的交渉代表たる組合が選出されると，当該組合のみが交渉権を持ち，個別交渉も排除される。個別交渉は排他的代表組合を軽視し，組合の交渉権を侵害するものとして不当労働行為となる。かかる制度の下では，複数組合主義の下で生ずる複雑な団体交渉義務や組合間差別の問題は生じないが，排他的代表を選出する選挙手続は複雑で，また，使用者と労働組合がお互いにネガティブキャンペーンを行うなど，労使関係が敵対的なものとなりやすい[5]。

▩複数組合主義と憲法上の団体交渉権　複数組合主義は憲法上の要請であり，排他的交渉代表制はこれに反して違憲となるとする見解[6]と，違憲とはならず立法政策に委ねられるとする見解[7]とが対立している。この問題は，少数組合の労働基本権について（不当労働行為制度による保護を除く）憲法28条による保護（民刑事免責等）についてどう解する

4）住友海上火災事件・東京地決昭和43・8・29労判67号87頁，アヅミ事件・東京地判昭和63・8・8労判524号19頁。

5）詳細は中窪・アメリカ104頁以下。

6）中山和久ほか『注釈労働組合法・労働関係調整法』124頁［萬井隆令］（1989年），盛・総論121頁，西谷・労組法57頁。

7）菅野38頁，新基本法コメ・労組法73頁［野川忍］。後掲注9の論者も同様の立場と解される。

かという問題と，不当労働行為制度による保護をどう解するかを分けて論ずべきと思われる。前者は憲法28条からそのまま導かれる効果であり，この保護を奪うことは違憲問題を生ずる。しかし，後者の団体交渉義務違反に対する不当労働行為制度による行政救済制度は労組法によって創設されたもので，同制度の立法なしに憲法28条から行政命令による救済を与えることはできない[8)]。だとすれば，団体交渉義務違反の行政救済の範囲をすべての労働組合に及ぼすという意味での複数組合主義を採るか否かは立法政策の問題と解される。最近は，複数組合主義の見直し論も有力に主張されている[9)]。ちなみに，憲法28条の下でも，1948年から1956年まで，公共企業体労働関係法は排他的交渉代表制を採用しており，1949年の労組法改正の際には，排他的交渉代表制度の導入が検討された。

2　上部団体

単位組合が上部団体に加入している場合，この上部団体が単なる連絡協議機関に過ぎないときは，上部団体は独自の団体交渉権を持たない。これに対し，労働組合の定義を満たし，規約を具備すれば，上部団体は固有の団体交渉権を持つ。さらに，規約の定めや慣行があれば，単位組合限りの事項（各企業・各工場の労働条件等）についても，単位組合と競合して上部団体も団体交渉権を持つ[10)]。

単位組合と上部団体が競合して団体交渉権を有し，両者が共同で交渉を申し入れる場合（共同交渉），両団体間で交渉権限が統一されている限り，使用者は団体交渉を拒否できないと解されている。これに対して，単位組合と上部団体とが同一事項について，それぞれの団体交渉権を根拠に別個に団体交渉を申し入れる場合，二重交渉のおそれが生ずるので，使用者は単位組合と上部団体と

8)　西谷・労組法58頁は，憲法28条の団交権保障は「団体交渉に応じるという使用者の積極的な行為を要求する権利」を含むとする。仮にそう解しても，これを行政命令で救済すべきか否かは立法政策の問題であろう。なお，西谷・労組法57頁注29は，現在，判例が団体交渉を求めうる地位確認を認めていることを根拠に，筆者の立場では，「少数組合は団交拒否について私法上の救済は受けられるが行政救済は拒否されるという奇妙な結果をもたらす」とする。しかし，判例は，あくまで複数組合主義を採用している現行法における解釈を行ったものであり，仮に労組法を改正して，排他的交渉代表制を採用した場合に，裁判所が，排他的代表たり得なかった少数組合に団体交渉を求めうる地位確認を認容することはおよそ考えられず，なんら「奇妙な結果」は生じないであろう。判例は，憲法28条のみを根拠に少数組合の団体交渉を求めうる地位確認を認めたものではなく，制定法たる労組法7条を根拠としたものだからである（→694頁注39）。

9)　國武輝久「組合併存状態と不当労働行為」講座21世紀8巻243頁，小嶌典明「労使関係法と見直しの方向」労働96号123頁（2000年）。

10)　菅野893頁，西谷・労組法289頁。

で団体交渉権の調整・統一がなされるまで団体交渉を拒否できると解される。

3　支部・分会・職場組織

単位組合には支部，分会といった下部組織があることが少なくない。これらの下部組織も一個の労働組合としての組織実体（独自の規約，組織，財政基盤）を備えていれば，当該下部組織限りの事項についてはそれ自身の団体交渉権を持つ[11]。この場合，単位組合の団体交渉権と競合が生じ得るが，単位組合の組合規約や組合内の権限配分，慣行等によって整序されるべき問題である。同一事項について二重交渉となる場合には，全社的制度問題は単位組合で，当該事業場特有の問題は支部で扱うなど，交渉権限が調整されるまで使用者は団体交渉を拒否できると解される。

労働組合としての組織実体を有しない支部・分会・職場組織は，独自の団体交渉権を持たない。ただ，単位組合より一定事項につき交渉権限の委任を受けた場合，その代表者等が団体交渉の担当者とはなり得るが，当該組織が交渉の当事者となるわけではないと解される[12]。

4　争議団（未組織労働者集団）

労働組合の組織実体を持たない労働者集団も代表者を選んで交渉の体制を整えれば，憲法上は団体交渉権の保護（民刑事免責，不利益取扱いからの保護）は享受すると解されている[13]。しかし，法適合組合ではなく労組法の不当労働行為制度の保護は受けない。

Ⅱ　使用者側の当事者

団体交渉の使用者側当事者は個人企業であれば個人事業主，法人企業であれば法人となる。協約の権利義務の主体となり得るものでなければならず，企業の一機関や一組織（例えば，取締役や支店・工場等）が当事者となるのではない。

使用者団体が当事者となるためには，規約に基づき構成員たる使用者のために統一的団体交渉を行い，協約締結権限を構成員使用者から委任されていることが必要である。

11）　三井鉱山三池鉱業所事件・福岡高判昭和48・12・7判時742号103頁［本文のような一般論を展開した上で，当該職場組織は独自の規約・財政的基礎がなく独立した組合実体を備えていないとした］。大和田敢太「職場交渉」百選（5版）186頁参照。

12）　西谷・労組法288頁参照。

13）　前掲注1。

なお，労組法7条2号は「使用者が雇用する労働者の代表者」との団体交渉を拒むことを禁じている。団交拒否事件として労働委員会に持ち込まれる事件には，労働者が解雇後に加入（いわゆる「駆け込み訴え」）した労働組合からの団体交渉要求に対して，使用者が，その労働組合は自らが「雇用する労働者」の代表ではないとして拒否したという例が少なくない。しかし，解雇された労働者も，雇用契約上の地位を争っている以上，労組法上の雇用関係は完全に消滅したとはいえず，なお7条2号にいう「雇用する労働者」に当たることについては解釈上も実務上も確立している（詳細は→760頁）。

Ⅲ　労働者側の担当者

1　団体交渉の担当者

労組法6条により，「労働組合の代表者」および「労働組合の委任を受けた者」が交渉権限を有する。これが団体交渉の担当者である。「労働組合の代表者」とは，規約上の代表者（通常は，組合委員長）のほか，副委員長，書記長，執行委員も含むと解されている。「労働組合の委任を受けた者」については格別制限はないので，自然人であれば上部団体の役員，組合員以外の弁護士等，誰でもなり得る。

2　交渉権限と妥結・協約締結権限

団体交渉担当者が交渉権限を有するとしても，当然に妥結・協約締結権限までも有することにはならない。組合規約や組合大会で妥結・協約締結権限まで委任されていない場合には，交渉の結果を組合大会に持ち帰り，その承認を得る必要があるとするのが学説・裁判例の多数説である[14]。

14）大阪白急タクシー事件・大阪地判昭和56・2・16労判360号56頁，中根製作所事件・東京高判平成12・7・26労判789号6頁［協約締結を組合大会付議事項とする規約の下で，長年，代議員会決議で協約が締結されてきたとしても，給与減額について代議員会決議で協約締結権限を付与することはできない］，山梨県民信用組合事件・最二小判平成28・2・19民集70巻2号123頁［執行委員長には組合を代表して業務を統括する権限がある旨の組合規約をもって〔労働条件を不利益に変更する〕協約締結権限ありと解することはできない］，菅野898頁，西谷・労組法335頁等。これに対し，箱根登山鉄道事件・東京高判平成17・9・29労判903号17頁は，かかる手続的瑕疵は協約の有効性を左右しないとする。交渉権限者の妥結・締結権限がないとして協約の効力を覆すのは妥当でないとする説（下井・労使関係法110頁），交渉権限には一般に妥結権限まで含まれるが，協約締結権限は含まれないとする説（山口・労組法158頁）もある。

Ⅳ　使用者側の担当者

使用者個人，法人の代表者が担当者となり得るのは当然だが，その他の者（労務担当役員，人事部長，工場長等）が担当者たり得るか（交渉権限を有するか）は，当該企業内の権限配分による。交渉権限を持つ担当者は，妥結権限・協約締結権限がないということを理由に団体交渉を拒否できるわけではなく，権限者と諮りつつ適宜の処理を行う必要がある15)。

第3節　団体交渉義務

Ⅰ　義務的団交事項・任意的団交事項

団体交渉の対象事項には，義務的団交事項と任意的団交事項とがある。義務的団交事項とは，労働組合の団交要求を使用者が正当な理由なく拒否した場合，不当労働行為（労組7条2号）となり，労働委員会の救済命令により団体交渉が義務づけられる事項をいう。これに対して，法によって団体交渉義務を課せられておらず，当事者が任意に団体交渉のテーマとして取り上げる事項を任意的団交事項という。

Ⅱ　義務的団交事項の範囲

憲法および労組法が労働協約締結に向けて団体交渉権を保障した趣旨を踏まえると，義務的団交事項とは「団体交渉を申し入れた労働組合の構成員（組合員）たる労働者の労働条件その他の待遇，または当該労働組合と使用者との団体的労使関係の運営に関する事項であって，使用者に処分可能なもの」をいうと解される16)。

まず，日本の法制はアメリカのような排他的交渉代表制ではないので，労働組合は「構成員たる労働者」，つまり当該組合員の労働条件についてのみ交渉

15)　都城郵便局事件・最一小判昭和51・6・3労判254号20頁参照。

16)　菅野901頁，中窪＝野田・世界193頁，川田琢之「団体交渉の対象事項」角田邦重ほか編『労働法の争点』（3版）74頁（2004年），エス・ウント・エー事件・東京地判平成9・10・29労判725号15頁，根岸病院事件・東京高判平成19・7・31労判946号58頁，国・中労委（東京都専務的非常勤）事件・東京地判平成24・12・17別冊中労時1439号34頁。

権限を有する。したがって，非組合員労働者の労働条件は基本的に「義務的団交事項」ではない。しかし，非組合員労働者の労働条件が組合員の労働条件・待遇に密接に関連し，重要な影響を及ぼす場合には，その限りで義務的団交事項になる場合がある[17)]。

次に，「労働条件その他の待遇」は，労組法16条により団体交渉の帰結たる労働協約の規範的部分に対応した規範的効力が認められる事項なので，当然に義務的団交事項と解される。具体的には，労働時間，賃金，安全衛生，災害補償，教育訓練等の典型的な労働条件や，人事に関する事項（配転，懲戒，解雇，人事考課の基準等），およびその手続等がこれに当たる。

なお，集団的労働条件設定ではない，個々の労働者（組合員）の解雇，懲戒処分，配転・出向，昇降格，賃金決定等に関する紛争も，団体交渉と区別された苦情処理手続が定着していない日本では，義務的団交事項と解されている[18)]。

経営・生産に関する事項（新機械の導入，生産方法の変更，事業所の移転，会社組織の変更，業務の外注化等）は，しばしば「経営権」に属する事項として義務的団交事項ではないと主張される。しかし，これらが労働者の労働条件・待遇（特に雇用）に関係する場合，その限りで義務的団交事項となる[19)]。

「団体的労使関係の運営に関する事項」としては，ユニオン・ショップ，便宜供与，団体交渉ルール，労使協議，争議行為の手続等が該当する。これらは，労働協約化された場合，協約の「債務的部分」（→708頁）となる事項である。

そして，これらの事項は「使用者に処分可能なもの」でなければならない。したがって，労働条件に影響しうる事項であっても，例えば労基法を改正して

---

17)　根岸病院事件・東京地判平成18・12・18判時1968号168頁は，非組合員の初任給引下げ問題は，組合員の労働条件に「直接関連するなど特段の事情」はないとして義務的団交事項に当たらずとしたが，同事件控訴審判決・前掲注16は，非組合員の労働条件も「それが将来にわたり組合員の労働条件，権利等に影響を及ぼす可能性が大きく，組合員の労働条件との関わりが強い事項」は義務的団交事項に当たるとして，一審判断を覆した（最一小決平成20・3・27別冊中労時1359号46頁で上告不受理）。なお，この事件では初任給をもとに以後の労働条件が決定される仕組みがあり，少なからぬ新規採用者が短期間に当該組合に加入していたという事情が認定されている。

18)　注釈労組法（上）303頁，菅野904頁，西谷・労組法297頁等。

19)　栃木化成事件・東京高判昭和34・12・23労民集10巻6号1056頁，日本プロフェッショナル野球組織事件・東京高決平成16・9・8労判879号90頁［プロ野球球団の統廃合問題に伴う選手の労働条件問題を義務的団交事項に当たるとした］。

労働者保護を強化せよといった使用者が処分し得ない事項は，義務的団交事項とはならない。

Ⅲ　団体交渉義務の内容

1　誠実交渉義務

労組法7条2号は「使用者が雇用する労働者の代表者と団体交渉をすることを正当な理由がなくて拒むこと」を不当労働行為として禁止している。「団体交渉を……拒むこと」には，実際に団体交渉を拒否することだけでなく，団体交渉の場には出席しても誠実に交渉しないこと（不誠実交渉）も含まれる[20]。すなわち，団体交渉は単に組合の主張や要求を聞くだけでは足りず，使用者は，組合の要求・主張の程度に応じて，回答し，あるいは回答の論拠・資料を示す等して誠実に対応し，合意達成の可能性を模索する義務（誠実交渉義務）がある[21]。最高裁も令和4年の山形県・県労委（国立大学法人山形大学）事件判決で，「使用者は，必要に応じてその主張の論拠を説明し，その裏付けとなる資料を提示するなどして，誠実に団体交渉に応ずべき義務」（誠実交渉義務）を負い，この義務違反は労組法7条2号の不当労働行為に該当することを明言するに至っている[22]。

誠実交渉義務違反の具体例としては，最初から組合と合意する意思はないと宣言する場合，組合の要求を拒否するのみで，その根拠となる資料や対案を示さない場合[23]，合理性の疑われる回答に論拠を示さずに固執する場合[24]など

20）　母法たるアメリカの全国労働関係法8条(d)は，団体交渉を単に会見するだけではなく「誠実に協議すること（confer in good faith）」と定義しており，日本法でも同様の解釈が採用されている。誠実交渉義務の形成・内容については道幸・誠実と公正96頁以下。

21）　菅野906頁。この定義を採用した裁判例として，カール・ツアイス事件・東京地判平成元・9・22労判548号64頁，シムラ事件・東京地判平成9・3・27労判720号85頁，ソクハイ事件・東京地判平成27・9・28労判1130号5頁等。

22）　山形県・県労委（国立大学法人山形大学）事件・最二小判令和4・3・18民集76巻3号283頁。

23）　例えばシムラ事件・前掲注21，宮崎紙業事件・東京地判平成18・1・30労経速1933号3頁，国・中労委（モリタほか）事件・東京地判平成20・2・27労判967号48頁［会社分割後の新設会社の経営見通し等について，財務諸表等の客観的な資料に基づいて収益見込みの根拠を具体的に説明していないことが不誠実団体交渉とされた］，国・中労委（共和出版販売・団交拒否）事件・東京高判平成20・3・27労判963号32頁［定年延長後の嘱託給の根拠につき客観的な資料を提示しなかったことが不誠実とされた］，国・中労委（田中酸素）事件・東京

が挙げられる。

しかし誠実交渉義務は，譲歩して合意する義務ではない。労働組合の要求に対して，使用者がそれを受け入れられない論拠を示し，十分に議論しても合意に達しない場合（交渉の行詰まり）には，交渉を打ち切っても誠実交渉義務違反とはならない[25]。

■一方的変更と誠実交渉義務　アメリカ法では排他的交渉代表が存する場合に，使用者が団体交渉を申し入れることなく労働条件を一方的に変更することは当然に誠実交渉義務違反の不当労働行為となる[26]。これに対し，日本法においては，排他的交渉代表にのみ交渉権を付与する制度を採用しておらず，また，労働組合に団体交渉義務[27]を課していないため，アメリカのように一方的変更が，それ自体で当然に（per se），つまり不誠実の認定を要せずに不当労働行為となるという解釈を採ることは困難である[28]。もっとも，労使関係の展開の中で，一方的変更が不誠実ないし組合弱体化の事情として考慮され不当労働行為を基礎づけることもあり得るほか，統一的労働条件の不利益変更を就業規則変更で行う場合，労働組合との交渉態様は変更の合理性判断において十分に考慮されることに留意すべきである（→443頁以下）。

なお，団体交渉において合意に達した（団体交渉が妥結した）場合に，その書面化を拒むことは原則として団体交渉拒否の不当労働行為になると解される[29]。しかし，問題は合意自体が成立したといえるかどうかであり，多様な事項を包括的に協議する団体交渉において，一部の事項について一定の意見の一致を見たとしても，他の交渉事項と切り離して書面化に適した合意が確定的に成立していた，すなわち団体交渉が妥結したといえるかは慎重な判断を要す

地判平成26・1・20労判1093号44頁［組合からの賞与・昇給に関する資料提供に応じなかったことが不誠実とされた］。誠実交渉義務違反を否定した例として，兵庫県・兵庫県労委（テーエス運輸）事件・大阪高判平成26・1・16労判1092号112頁［子会社が，自ら所持せず，開示を求める地位にもない親会社の連結財務諸表についての組合からの開示要求に応じなかったことが誠実交渉義務違反とならないとした］。

24）　例えばエス・ウント・エー事件・前掲注16。

25）　池田電器事件・最二小判平成4・2・14労判614号6頁，シムラ事件・前掲注21。

26）　荒木・雇用システム43頁以下およびそこに掲記の文献参照。

27）　アメリカ法では使用者のみならず労働組合の団交拒否も不当労働行為とされている。

28）　同旨，山口・労組法143頁，菅野910頁，新基本法コメ・労組法110頁［森戸英幸］。反対，西谷・労組法315頁。道幸・誠実と公正172頁は，原則として労組法7条2号違反とみなすべきとする。

29）　菅野908頁，西谷・労組法313頁，文祥堂事件・大阪地判平成2・10・26労経速1409号3頁，商大八戸ノ里ドライビングスクール事件・大阪地決平成4・12・25労経速1488号25頁。

る[30]。

2　団体交渉の手続

団体交渉の入口の場面で，団体交渉手続に関して紛争となり，団体交渉が行われずに団体交渉拒否事件として争われる例が少なくない。

まず，交渉の当事者，担当者，交渉事項は，労働組合が「団体交渉申入書」において明確にすべきである。この点について紛争が生じたときは，労働委員会であっせんや不当労働行為手続で対処することになる。

交渉の日時，場所，時間，交渉員の人数[31]も事前に合意されるべきであるが，合意不成立により団体交渉が行われない場合，やはり労働委員会であっせんや不当労働行為手続により対処することになる。不当労働行為手続では，それぞれの事案の双方の対応を見て正当な理由のない団体交渉拒否に該当するか否かが判断されることとなる。

3　団体交渉の態様

既述のように，団体交渉はあくまで代表者を通じた交渉であり，いわゆる「大衆交渉」（交渉担当者を定めないで不特定多数の労働者が参加する交渉）とか「つるし上げ」はこの意味で団体交渉とはいえない。使用者は，交渉権限を持った担当者が選任され交渉の体制が整うまで交渉を拒否しても不当労働行為とはならない。

また，暴行・脅迫・監禁など社会的相当性を超える態様で交渉が行われる場合，使用者は交渉を打ち切っても正当な理由が認められ，団体交渉拒否の不当労働行為とはならない[32]。

---

30)　文祥堂事件・最三小判平成7・1・24労判675号6頁では，全体的な合意の成立を条件とする暫定的ないし仮定的な譲歩は，個別的事項について合意成立があったとはいえず，当該書面化要求拒否は不当労働行為とならないとされた。

31)　使用者が団交出席者を7名以内とするよう求め，これに組合が応じなかったことを理由に団体交渉の議題に入らないことは，出席人数制限の客観的必要性および合理性を勘案し，当該求めが相当と認められる等特段の事情のない限りは，許されないとした例として暁星学園事件・東京地判平成30・1・29判時2385号84頁。

32)　菅野911頁，新基本法コメ・労組法107頁［森戸英幸］，寿建築研究所事件・東京高判昭和52・6・29労民集28巻3号223頁［多数の組合員による強要・暴力行為があったため，組合が文書で謝罪し，今後暴力行為を行わない旨を誓約しない限り団交に応じないとの態度をとった使用者について，団交拒否の正当理由があるとされた。同上告審・最二小判昭和53・11・24労判312号54頁で維持］，マイクロ精機事件・東京地判昭和58・12・22労判424号44頁［労使間の折衝の場において組合側に暴力的言動が繰り返され，将来の団体交渉の場において

第4節　団体交渉拒否の救済

I　労働委員会による行政救済

使用者が団体交渉を拒否し，あるいは誠実交渉義務に違反した場合，団交を拒否された労働組合[33]は労組法7条2号違反として労働委員会に救済を申し立てることができる[34]（労組27条）。労働委員会が申立てに理由があると判断した場合，「当該事項に関する団体交渉を拒否してはならない」「当該理由によって団体交渉を拒否してはならない」「当該事項について理由を示して誠実に団体交渉に応ぜよ」といった内容の救済命令を発出することとなる。申立後に使用者が誠実に団体交渉に応ずるようになった場合，通常は団体交渉を命ずる救済利益が消滅する[35]が，労使関係正常化の観点から，申立時点における団交拒否の事実を確認する文書掲示や文書手交等の救済はなされ得る。

また，団交拒否は，労働関係調整法上の「労働争議」（労調6条，労働関係に関する主張が一致しないで，争議行為が発生するおそれがある状態）として，あっせん申請（同12条）も可能である。

暴力行使の蓋然性が高いと認められる場合には，過去の暴力行為の陳謝や将来において暴力を行使しない旨の保証のない限り，団体交渉を拒否することは，正当の理由となる（当該事案では正当理由なしとした)〕。

33）ここにいう労働組合は法適合組合（→652頁）に限られる。この点，労組法7条2号が「労働組合」ではなく「労働者の代表者」という文言を用いていることを根拠に，使用者の利益代表者の参加する労働組合も7条2号の「労働者の代表」に含まれ7条2号の不当労働行為救済の対象となるとする裁判例（中労委〔セメダイン〕事件・東京高判平成12・2・29労判807号7頁，最一小決平成13・6・14労判807号5頁で結論維持）もあるが，労組法2条，5条の要件を満たした法適合組合のみが不当労働行為制度を利用可能とした労組法の体系を無視するものであり，支持し得ない（菅野892頁。なお，「労働者の代表者」の文言が，1949〔昭和24〕年改正時の混乱による不正確な表現であることにつき同書891-892頁）。

34）団体交渉の主体はあくまで労働組合であるので，個々の労働組合員に申立適格はないと解される。同旨，塚本重頼『不当労働行為の認定基準』171頁（1989年），山川・紛争処理法74頁，菅野1107頁。

35）黒川乳業事件・東京地判平成元・12・20労判554号30頁。

Ⅱ　裁判所による司法救済

1　私法上の団交請求権

労働委員会による救済のほかに，裁判所に「団交応諾仮処分」（団体交渉に応ぜよ，団体交渉を拒否してはならない，という仮処分）を求める訴訟が提起され，昭和40年頃まではこれを認める裁判例が多かった。団交応諾仮処分は簡易迅速に出され，その強制執行は間接強制によることから，団交拒否に対する有効な救済手段と考えられたためである。

しかし昭和40年代になると，これを否定する裁判例が増え出し，昭和50年の新聞之新聞社事件東京高裁決定[36]が否定説を採用して以降，裁判所は被保全権利としての私法上の団体交渉請求権を否定し，団交応諾仮処分を認めない方向に収斂している。その論拠は，憲法28条は団体交渉に関する具体的権利義務を設定したとは解せないこと，労組法7条2号は，使用者に公法上の義務を課しているに過ぎないこと，私法上の団体交渉請求権を認めるとしても，使用者の債務の給付内容特定が困難なこと，団体交渉の履行を裁判上強制しても実効性確保に疑問があることなどである[37]。

2　団体交渉を求め得る法的地位の確認

その後，学説では誠実交渉という具体的な行為を請求する権利たる「私法上の団体交渉請求権」は否定しつつも，団体交渉に応ずべきことを求め得る法的地位の確認は可能とする見解が主張され[38]，判例もこれに影響を受けて，団体交渉を求め得る法的地位の確認を認める立場を採っている[39]。

3　損害賠償請求

団体交渉権の憲法上の保障は，団体交渉拒否に違法性を帯びさせ，不法行為

36）　新聞之新聞社事件・東京高決昭和50・9・25労民集26巻5号723頁。

37）　菅野和夫「団体交渉拒否および支配介入と司法救済」鈴木忠一＝三ヶ月章監修『新・実務民事訴訟講座⑾労働訴訟』97頁（1982年），中窪＝野田・世界197頁等参照。なお，西谷・労組法318頁は，私法上の団体交渉請求権肯定説を採る。

38）　山口浩一郎『労働組合法』（初版）129頁（1983年），菅野和夫『労働法』（初版）430頁（1985年）。

39）　国鉄事件・東京高判昭和62・1・27労民集38巻1号1頁，同・最三小判平成3・4・23労判589号6頁［労働者への乗車証交付廃止問題につき，組合が団体交渉を求め得る地位にあることの確認を認容］。なお，裁判所は，労組法7条2号を私法上の根拠規定と見るが，菅野914頁は，7条2号ではなく6条や1条1項，14条，16条にその根拠を求めている。

として損害賠償請求（慰謝料）が認められる余地がある[40]。ただし，損害賠償が認められるのはあくまで民法709条の要件を満たして不法行為が成立する場合であり，労組法7条2号の団体交渉拒否の不当労働行為が成立すれば直ちに不法行為が成立するわけではない。なお，損害賠償請求は，円滑な団体交渉関係を樹立するための手続ではなく，過去の違法行為に対する補償措置であり，あくまで副次的な救済措置と位置づけるべきとの指摘がある[41]。

---

40)　損害賠償を認めた例として，東洋シート事件・広島地判昭和63・11・16労判529号6頁，清和電器産業事件・福島地いわき支判平成元・11・15労判570号66頁，佐川急便事件・大阪地判平成10・3・9労判742号86頁［組合帰属問題を口実として1年半に11回の団体交渉拒否を組合の社会的評価・信用毀損として損害賠償認容］，スカイマーク事件・東京地判平成19・3・16労判945号76頁［一般労組に対する団体交渉拒否に慰謝料認容］，エクソンモービル事件・東京高判平成24・3・14労判1057号114頁［合理性に問題のある調査結果提示による実質的交渉機会を奪った誠実団交義務違反に10万円の損害賠償認容］。

41)　菅野916頁。

第22章　労働協約

第1節　労働協約の成立要件

Ⅰ　当事者

労働協約の当事者は「労働組合と使用者又はその団体」（労組14条）であり，団体交渉の当事者で述べたところが妥当する。なお，労組法5条2項に適合しない規約不備組合は，資格審査を要する労組法上の手続を利用し得ないが，労働協約に関する規定（労組18条を除く）の適用はあると解してよい。これに対して，労組法2条本文は満たすが，同条但書を満たさない自主性不備組合（憲法組合）については見解の対立があるが，労組法上の労働組合といえない以上，労組法16条の適用もないと解するのが自然である。

Ⅱ　要式性

労働協約は，労働組合と使用者（使用者団体）との間で「書面に作成し，両当事者が署名し，又は記名押印することによつてその効力を生ずる」（労組14条）。このように要式性が定められているのは，後述するように労働協約に特別の効力（規範的効力や一般的拘束力）が与えられており，協約の成立，当事者そしてその内容を書面で明確にしておく必要があるからである。

1　書　面

口頭の合意では労働協約としての効力は認められない。判例は，「書面に作成され，かつ，両当事者がこれに署名し又は記名押印しない限り，仮に，労働組合と使用者との間に労働条件その他に関する合意が成立したとしても，これに労働協約としての規範的効力を付与することはできない」としている。その理由は,「労働協約は複雑な交渉過程を経て団体交渉が最終的に妥結した事項につき締結されるもの」であり，口頭合意や必要な様式を備えない合意では,「後日合意の有無及びその内容につき紛争が生じやすいので，その履行をめぐる不必要な紛争を防止するために，団体交渉が最終的に妥結し労働協約として結実したものであることをその存在形式自体において明示する必要がある」からである[1]。都南自動車教習所事件では，不当労働行為的側面も見受けられたが，その救済は不当労働行為制度や不法行為に基づく損害賠償等で図るべきで，労組法14条の明文に反して書面化されていない合意に規範的効力を認めることによって対処すべきものではない。判例の立場は妥当であり，現在では多数の学説が支持している[2]。

債務的効力について最高裁判決は未だないが，合意内容の不明確さに起因する紛争防止の必要性を考えると，特段の事情のない限り，同様に書面化等の様式を備えることが必要と解すべきであろう。債務的効力については労組法14条は適用されず，様式を欠いても合意としての効力が認められ，裁判において履行請求も可能であるとする学説もある[3]。しかし，労組法14条は「労働条件その他に関する労働協約」に適用され,「その他に関する労働協約」は規範的効力を持つ協約には限られないこと[4]にまず留意すべきである。そして，実質的に考えても，合意内容自体が「存在形式自体において明示」(上記都南自動車教習所事件判決）されていない事項につき裁判において履行請求を認めるとす

1)　都南自動車教習所事件・最三小判平成13・3・13民集55巻2号395頁［ベースアップの引上額5000円については合意があったが，新賃金体系を前提とする基準額に5000円を加算してベースアップを行う趣旨の協定書作成につき，新賃金体系に反対していた組合が，新賃金体系を承認することになるとして協定書が作成されなかった事案につき，書面化がされていない以上，5000円のベースアップ合意に規範的効力は認められないとした]。この点，秋保温泉タクシー（一時金請求）事件・仙台地判平成15・6・19労判854号19頁は，書面化されていない労使合意につき，代理構成で労働契約の内容となるとして請求を認容したが，労組法14条の意義を没却することとなり，疑問である。

2)　菅野924頁，西谷・労組法338頁以下，水町・詳解135頁等。古い反対説として，石井432頁，外尾・団体法594頁。

3)　西谷・労組法339頁，水町・詳解135-136頁等。

4)　規範的効力を定めた労組法16条が「労働条件その他の労働者の待遇に関する基準」としているのと異なる。労政参事官室603頁以下も,「労働条件その他」は本来的な労働条件のほか，団体交渉開始手続，争議開始手続等を含む，として債務的部分に関する協約も労組法14条の対象と解している。

ると，そのことが大きな労使紛争を惹起し得るし，労組法14条の規定にもかかわらず，履行請求の可否を裁判所の解釈に委ねることの当否も問題となる。他方，様式を欠いた合意に債務的効力を認めなくとも，労使関係上の妥当な処理は可能である。すなわち，様式を欠いた合意に反する状態が，労使間の信義にもとると解される場合，不当労働行為制度においては，契約（協約）の成立に厳格に拘ることなく労使関係を踏まえた救済が可能である。また，様式を欠いた合意違反に損害賠償を認めるべきと解される場合も，債務的効力を肯定した上でその債務不履行と構成しなくとも，不法行為として損害賠償を認めることも可能である。そうすると，協約の成立に要式性を定めた労組法14条は，特段の事情のない限り，協約の債務的効力についても及ぶと解すべきものと思われる[5)]。なお，合理的理由もなく書面化を拒否することは不当労働行為となり得る（→691頁）。

2　両当事者の署名または記名押印

合意内容についての最終的意思の確認を十全にするためのものである。1949（昭和24）年改正時の労組法は，両当事者の署名を要求していたが，署名の社会的慣行がなかったため記名押印のみで署名のない協約が少なくなかった。ところが，最高裁[6)]が記名押印のみで署名を欠いた協約の効力を否定したため，1952（昭和27）年改正で署名または記名押印でよいこととされた。

第2節　労働協約の効力

Ⅰ　規範的効力と債務的効力

労働協約には組合員の労働契約を規律する「規範的効力」と，協約当事者である労働組合と使用者（使用者団体）間の契約としての効力である「債務的効力」という2つの異なった効力がある（**図表22-1**）。規範的効力が認められる協約部分を「規範的部分」と呼ぶが，かかる部分には同時に債務的効力（協約当事者間の契約としての効力）も認められる。これに対して，債務的効力のみが認められる部分を「債務的部分」と呼ぶ（**図表22-2**）。

5）結論同旨，注釈労組法（下）711頁以下。

6）トヨタ自動車工業事件・最大決昭和26・4・2民集5巻5号195頁。

図表 22-1　労働協約の効力

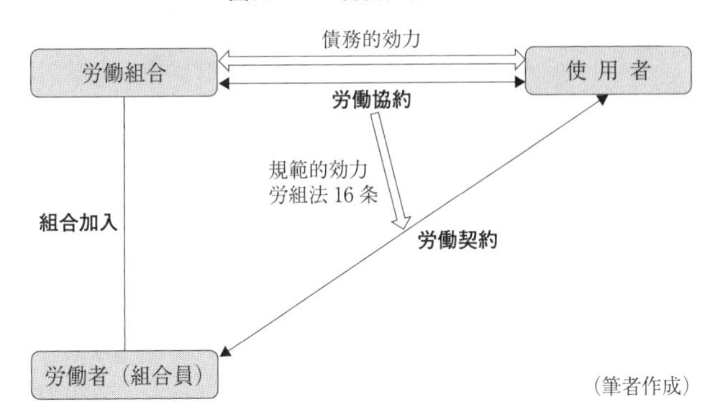

（筆者作成）

図表 22-2　規範的部分・債務的部分

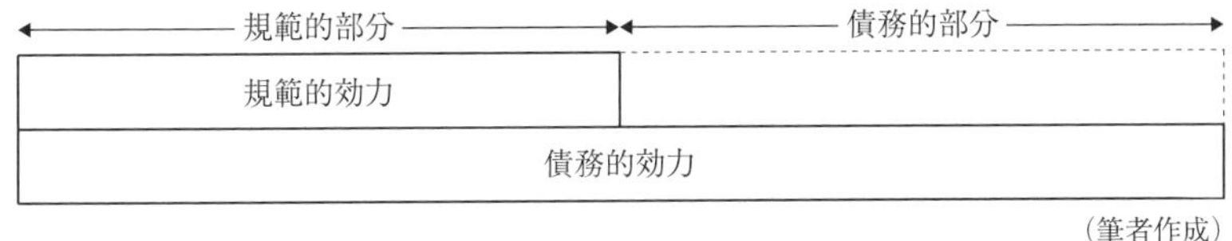

（筆者作成）

Ⅱ　規範的効力

1　規範的効力の内容

規範的効力とは，労組法 16 条が労働協約に付与している効力で，具体的には，「労働協約に定める労働条件その他の労働者の待遇に関する基準」に違反する労働契約の部分を無効とする「強行的効力」，並びに当該無効となった労働契約部分および労働契約に定めがない部分を労働協約の基準によって直接規律する「直律的効力」を指す。

なお，就業規則との関係については労基法 92 条が，就業規則は当該事業場について適用される労働協約に反してはならないとしており7)，協約に反する就業規則は当該組合員との関係では効力を否定される。

7)　事業場の一部の労働者にしか適用されない労働協約と就業規則の関係等については→404 頁以下参照。

労働協約は基本的に労働組合と使用者（使用者団体）間の契約であり，組合員は協約当事者ではなく第三者である。第三者たる組合員の労働契約に対してなぜこのような規範的効力が認められるのか，ドイツでは種々の私法理論によって説明が試みられたが，結局，成功せず[8]，立法によって対処することとなった。日本でも労働協約の法的性質をめぐる議論があるが，労組法16条が規範的効力を法定している現行法下では，労組法が労働協約に付与した特殊な効力と解しておけば足りる。法的性質論の実益があるのは，むしろ余後効（→720頁）等法律の規定のない場面である。

規範的効力が労働契約を規律するメカニズムについては，労働契約が無効となり空白となった部分に個々の労働協約の基準が入り込み，労働契約の内容となる（化体する）と解する「化体説（内容説）」[9]と，労働契約の中に化体してしまうのではなく，あくまで外部から規律しているに過ぎないとする「外部規律説」[10]の対立がある。外部規律説が多数説とされてきたが，最近は化体説の支持も増えてきている。議論の実益は，組合から離脱した者の労働契約や，協約失効後の労働契約の内容をどう解するかである。化体説は，この場合，協約内容が契約内容に化体して維持されると解するが，外部規律説だと，いずれも当該契約の合理的意思解釈の問題となる。外部規律説における合理的意思解釈は多くの場合，これまで適用されてきた協約が参照されるであろうから，実際には化体説との大きな違いは生じないが，より柔軟に実情に即した合理的意思解釈が可能となる点で外部規律説が妥当である[11]。

---

8)　労働組合が組合員の労働契約を一括代理して締結したとする代理説では，協約締結後の組合加入者への規範的効力を説明し得ず，また，組合が権利義務の主体でなくなる。労働協約上の労働条件は労働契約の内容になるという慣行があるとする説は，協約に反する特約があればこれが優先することとなり規範的効力の強行性を説明し得ない。第三者のためにする契約説では，組合員は受益のみで義務を負わず，また，組合は権利義務の主体とならない（菅野927頁，諏訪康雄「労働協約の規範的効力」蓼沼謙一ほか編『労働法の争点』〔新版〕92頁〔1990年〕参照）。

9)　西谷・労組法341頁，中窪＝野田・世界205頁，久保＝浜田188頁，土田・概説391頁，野川902頁等。

10)　注釈労組法（下）807頁，山口・労組法176頁，菅野927頁，水町・詳解140頁等。

11)　これまでの議論は，有利な協約が失効した場合に余後効を認めることに主眼があったが，現在では労働条件を不利益に変更したり労働者に義務を課す労働協約も少なくない。労働組合が不利益な内容の協約を解約した場合や，協約内容に不満があって労働者が当該組合を脱退した場合も，化体説だと，当該協約内容から当然には逃れられない。しかし，外部規律説だと協

2　有利原則の有無

「有利原則（Günstigkeitsprinzip）」とは，協約より有利な定めをした労働契約が協約の基準まで引き下げられることなく有効に存続することを認める考え方である。協約に有利原則を認める場合，協約は「片面的効力」（不利な契約を協約基準まで引き上げる効力）しかないことになる。有利原則を認めない場合，協約は有利にも不利にも拘束力を持つこととなり，これを「両面的効力（両面的拘束力）」という。

ドイツの労働協約法4条3項は有利原則を認めることを明記している。その背景には，ドイツの労働組合は産業別組織であり，団体交渉，協約締結も全国ないし地域の産業レベルで行われるという事情がある。この場合，当然ながら個々の企業の事情を協約に反映させることはできず，協約の内容は当該産業に一般的に妥当し得るような最低基準設定に留まらざるを得ない。そうすると，各企業においては，その協約を基礎として，さらに様々な労働条件の上積み契約を認める必要がある。こうした団体交渉実務が有利原則を必然化している。

これに対して，アメリカでは有利原則は認められない。すなわち，アメリカの排他的交渉代表制の下では，排他的代表組合が，その交渉単位内のすべての労働者を代表する権限を有しており，使用者が個々の労働者と協約より有利な契約を結ぶことは，排他的代表たる労働組合との交渉義務に反する不当労働行為として禁止されている（その代わり，組合は公正代表義務を負う）。この背景には，団体交渉が，企業，工場，あるいはより細分化された利害の共通性のある交渉単位で行われ，各現場の実情を反映した詳細・具体的な協約が締結されているということもある。

こうした諸外国の状況と比較すると，日本の労組法は有利原則を明文で要求しておらず，これを必然化する団体交渉慣行もない。他方，有利原則の否定を必然化する排他的交渉代表制も採用していない。そこで，この問題は当該協約

約の規範的効力は及ばず，当該労働者の労働契約の合理的意思解釈の基準となるのは，協約ではなく就業規則や個別合意や慣行ということもあり得，この立場の方が合理的処理となり得る（賃金の14％減額協定が組合脱退者に及ばないことを外部規律説を採って判示した近時の裁判例として永尾運送事件・大阪高判平成28・10・26労判1188号77頁）。これに対し，脱退による協約規範適用回避を認めない見解として，辻村昌昭「労働協約による労働条件の不利益変更と公正代表義務」労働69号70頁（1987年），道幸・誠実と公正296頁（不利益変更決定後の脱退の場合）。

の意思解釈の問題として処理すべきである。協約当事者が有利原則を認める趣旨であれば認められるし，協約当事者の意思が不明の場合[12]には，日本の企業別交渉の実態に照らすと，協約は両面的拘束力を認める（有利原則を認めない）趣旨と解するのが妥当であり，現在の多数説も同様に解している[13]。

3　協約自治の限界

以上のように，協約は両面的拘束力を持って労働契約を規律し得る。しかし，1970年代に経済が低成長期に入り，協約による労働条件の不利益変更や労働者に義務を課す協約条項の増加等に直面し，協約当事者の労働条件規制権限にも一定の限界があるのではないかということが「協約自治の限界」として論じられるようになった。これは次の2つの場面に整理できる。

(1)　組合の目的による限界——不利な協約の締結権限

まず，学説・裁判例の中には労組法2条本文が労働組合とは「労働条件の維持改善その他経済的地位の向上を図ることを主たる目的として組織する団体」と定義していることから，労働条件を不利に変更するような協約の拘束力（規範的効力）を否定する議論があった[14]。

しかし，こうした議論は，ギブ・アンド・テイクの取引である団体交渉における労働組合の任務の著しい縮減となり，憲法28条，労組法の予定する労使自治の理念に照らし妥当ではないとの批判を浴び[15]，このような立場に立つ裁判例は姿を消した。今日では，最高裁が労働条件を引き下げる労働協約の組合員に対する効力を承認した[16]ことにより，理論上も実務上も決着したといってよい[17]。

---

12)　より有利な労働条件の特約を交わしている労働者が存する場合等には，有利原則を認める趣旨と解することは許されよう。もっとも，有利性判断はいずれの国でも困難な問題であることについては，西谷・労組法345頁とそこに掲記の文献参照。

13)　菅野928頁，中窪＝野田・世界205頁，野川903頁，水町・詳解144頁以下等。なお，労働者が個別特約を結んでいた場合の解釈の詳細については荒木・雇用システム237頁以下。

14)　大阪白急タクシー事件・大阪地決昭和53・3・1労判298号73頁［オール累進歩合給制の導入］，北港タクシー事件・大阪地判昭和55・12・19労判356号9頁［定年を過ぎて雇用されていた高齢者を定年制に服させる旨の協約］。

15)　例えば菅野和夫『労働法』（初版）448頁（1985年）。

16)　朝日火災海上保険（石堂）事件・最一小判平成9・3・27労判713号27頁［当該協約が労働条件を不利益に変更することの一事をもってその規範的効力を否定することはできないと明言］。

17)　なお，最高裁は，朝日火災海上保険（石堂）事件・前掲注16の1年前に，朝日火災海上保

(2)　労働条件を不利益に変更する労働協約の効力

労働組合に労働条件を不利益に変更する協約締結権限があるとしても，判例・学説はそのような労働協約に裁判所の一定のコントロールが及ぶことを承認している。

第1に，当然ながら，強行法規違反，公序良俗違反の協約規制は無効とされる。労基法や労組法で保障された権利行使を抑制し，権利保障の趣旨を実質的に失わせる協約規制[18]や組合員の思想信条の自由を侵害するような規制はこれに該当しよう。

第2に，個々の労働者の処分に委ねられるべき事項については，そもそも協約当事者に処分権限がなく，協約によって規制したとしても効力が認められない。いかなる権利義務がこれに属するかは解釈問題となるが，既に発生した個人の債権[19]や個々の労働者の雇用契約の成立（採用）・終了は協約で処分し得ないことでほぼ争いがない。これに対して，配転に応ずる義務や時間外労働義務についても個人に委ねられるべきで協約で義務を課し得ないとする見解[20]もあるが，これらの事項はまさに労働条件事項そのものであり，協約の集団的規制の対象となると解すべきである[21]。

険（高田）事件・最三小判平成8・3・26民集50巻4号1008頁で，労働条件を不利益に変更する協約の拡張適用の拘束力を，原則として肯定していた（当該事案では拘束力否定）。

18）　日本シェーリング事件・最一小判平成元・12・14民集43巻12号1895頁［労基法または労組法上の権利を行使したことにより経済的利益を得られないこととすることによって権利の行使を抑制し，各法が労働者に権利を保障した趣旨を実質的に失わせるものと認められる場合，当該制度を定めた労働協約条項は，公序違反として無効となる］。

19）　朝日火災海上保険（高田）事件・前掲注17は，香港上海銀行事件・最一小判平成元・9・7労判546号6頁を参照しつつ「具体的に発生した賃金請求権を事後に締結された労働協約や事後に変更された就業規則の遡及適用により処分又は変更することは許されない」とする。平尾事件・最一小判平成31・4・25労判1208号5頁も，経営不振に対応し，賃金カットに応じつつカット分を労働債権として確認する旨の第1～第3協約が順次締結され，その後，組合・使用者間でカット分の賃金債権について放棄合意がなされた事案につき，当該放棄合意は，具体的に発生した賃金債権を放棄する効果を組合員に帰属させる事情はうかがわれず，賃金債権が放棄されたとはいえないとし，また，第1，第2協約締結時に具体的に発生していた賃金請求権につき，組合員の特別の授権がない限り事後の協約により支払を猶予することもできないとした。

20）　西谷・労組法358頁以下。

21）　同旨，下井隆史「労働協約の規範的効力の限界――『有利性の原則』，『協約自治の限界』等の問題に関する若干の考案」甲南法学30巻3＝4号359頁（1990年），土田・労務指揮権344頁等。

第3に，労働契約上設定された権利について有利原則を承認するかどうかという問題がある。これについては，既に検討したように，協約が有利原則を認める趣旨であれば労働契約上の権利はそのまま存続するが，協約当事者が新たな規制を両面的拘束力をもって適用しようとする場合には，有利原則は認められない。

第4に，従前の労働協約により設定されていた労働条件を新たな協約によって不利益に変更することの可否が問題となる。これについては，協約の効力について化体説を採り，さらに有利原則を認めて，労働契約の内容となった協約規制を新たな協約によって引き下げることはできないとする立論があり得る。しかし，このような立場には，上述の労働組合の目的による協約自治の限界論と同様，協約自治を著しく制約することになり適切ではなく，もはや一般に支持されていない。

むしろ問題は，協約による労働条件の不利益変更が原則として可能としても，例外的に裁判所によってその効力が否定される場合があるか，その場合の裁判所の審査はいかなる観点からなされるべきかである。

この点について，下級審裁判例は協約の内容審査を行うもの，協約の締結過程の手続審査を行うものなどに分かれていたが，最高裁は，朝日火災海上保険（石堂）事件[22]で，次のような判示を行った。すなわち，「労働協約に定める基準が……労働条件を不利益に変更するものであることの一事をもってその規範的効力を否定することはできない」とし，さらに当該協約が締結されるに至った経緯，当時の会社の経営状態，協約に定められた基準の全体としての合理性に照らせば，「同協約が特定の又は一部の組合員を殊更不利益に取り扱うことを目的として締結されたなど労働組合の目的を逸脱して締結されたものとはいえず，その規範的効力を否定すべき理由はない」としている。これは，不利益な労働条件を課す労働協約の効力（両面的拘束力）を一般的に承認するとともに，特定または一部の組合員をことさらに不利益に取り扱うことを目的とする等，労働組合の目的を逸脱したと評価される場合には，例外的に協約の規範的効力を否定することを示唆している[23]。

22）　朝日火災海上保険（石堂）事件・前掲注16。

23）　中央建設国民健康保険組合事件・東京高判平成20・4・23労判960号25頁は，朝日火災海上保険（石堂）事件・前掲注16を参照して，正面からこのような定式化を行っている。

学説では，組合内の意見集約・調整プロセスの公正さに焦点を当てた手続審査を中心とすべきとする立場[24]，内容審査を広範に認める立場[25]，手続・内容の両面の審査を認める立場[26]等がある。

まず，手続審査と内容審査の問題については，以下のように解される。将来にわたる労働条件を規律すべく団体交渉を通じた利益調整の末に到達した労働協約に裁判所が直接広範に介入することは，労使自治による労働条件規制を基本に据える憲法28条および労組法の本旨に照らして妥当ではない。このような観点からは，労使交渉の過程で瑕疵のない意見集約・利益調整がなされたか，という手続審査を中心に考える立場が妥当である。協約締結に至る手続が適正なものであれば，原則として裁判所は協約内容に介入すべきではあるまい。もっとも，手続審査といっても，そこで要求される手続は必然的に，変更内容の不利益の程度に応じたものとなる。つまり，大きな不利益を課す協約（これは協約内容の相当性を疑わせる）であればより慎重な集団的意思確認・利益調整が要請されることになる[27]。そうすると，手続審査を重視する立場と内容審査を重視する立場の実際上の差異は必ずしも大きくないようにも思われる[28]。

次に，上記の不利益の大きさを踏まえた手続審査でも瑕疵がない場合に，不利益の内容に照らして協約自治を否定すべき場合があるかが問題となる。上述のように，判例[29]は「特定の又は一部の組合員を殊更不利益に取り扱うことを目的として締結されたなど労働組合の目的を逸脱して締結されたもの」と評

24）菅野931頁。

25）下井・労使関係法135頁。

26）西谷・労組法360頁以下。

27）野川・協約法407頁もほぼ同旨か。

28）手続的瑕疵を認めて協約の拘束力を否定した例として中根製作所事件・東京高判平成12・7・26労判789号6頁（最三小決平成12・11・28労判797号12頁で維持）［不利益の程度の大きさを踏まえて，従来行われてきた職場会における意見聴取，代議員会における決議による意思決定では足りず，規約所定の組合大会に付議すべきであったとして協約を無効とした］，鞆鉄道事件・広島高判平成16・4・15労判879号82頁（最二小決平成17・10・28 LLI/DB L06010230上告不受理）［希望退職に応じなかった56歳以上の労働者の基本給を30％減額する協約につき必要な組合大会の決議を欠き，意見集約の努力も認められず，協約締結権限に瑕疵ありとした］，山梨県民信用組合事件・最二小判平成28・2・19民集70巻2号123頁［執行委員長に組合を代表して業務を統括する権限を付与する組合規約から，同委員長に当該〔退職金を大幅に不利益に変更する〕協約締結権限が付与されていると解することはできず，組合大会または執行委員会の授権が必要とした］。

29）朝日火災海上保険（石堂）事件・前掲注16。

価される場合は，協約の効力を否定する立場のようである。これが，一部組合員の犠牲の上に多数が利益を享受する多数決の濫用ともいえる状況を指しているとすると，是認し得る判断といってよい。もっとも，労働組合は，組合員間に利害の対立を抱えつつ，民主的討議・手続により，その利害を調整する権限を有していると解される。例えば年功賃金カーブをよりフラットにし，現在の実績（貢献）に近づける賃金制度を協約で設定することは，必然的に高齢組合員に不利益に，若年組合員に有利に作用するが，そうした組合員相互の利害調整を労働組合がなし得ないと解すべきではないであろう[30)]。

そうすると，差別禁止にも該当せず[31)]，手続的瑕疵もなく下された組合の意思決定が，なお裁判所によって否定される場合とは，判例自身が示唆するように「特定の又は一部の組合員を殊更不利益に取り扱うことを目的として締結されたなど労働組合の目的を逸脱し」たような極めて例外的場合に限られると解すべきことになる。特に留意すべきは，この場面における労働協約の内容審査は，使用者が一方的に作成・変更する就業規則における内容審査（合理性審査）とは全く異質のものであることである。この点，裁判例の中には，協約についても就業規則の合理性審査と同じような内容審査を行っている例が散見されるが適切でない[32)33)]。

30）　これに対し，西谷・労組法362頁は不利益な労働協約の内容審査の根拠を組合員の実質的平等の原則に求め，これは（「組合員は，その労働組合のすべての問題に参与する権利及び均等の取扱を受ける権利を有する」旨の規約条項を求める）労組法5条2項3号からも間接的に裏づけられるとし，この平等原則は，組合内部関係における選挙権・被選挙権，決定参加権の平等に尽きるものではなく，協約内容についても妥当するとする。この点，道幸・誠実と公正291頁は，特定グループの労働条件設定には，組合員全体と特定グループの二重の多数による決定と，それが可能となる組合規約上の定めが必要とする。

31）　不利益取扱いの対象者が性別や国籍によって画されているなど，差別禁止規制に抵触する場合は，前記第1（→703頁）で触れた強行法規違反の問題となる。

32）　同旨，菅野931頁。典型的な例として，日魯造船事件・仙台地判平成2・10・15労民集41巻5号846頁。

33）　なお，桑村裕美子「労働協約の規範的効力」講座再生5巻118-119頁は，(1)多数決の濫用（少数派の保護）の事例に加えて，(2)使用者との関係で労働者利益に明らかに反する協約（組合員に一律に不利益を及ぼす協約など）についても内容審査を肯定する（(2)について同様の観点に立つ例として新潟鐵工管財人事件・新潟地判平成16・3・18労経速1894号10頁，竹中工務店（賃金差別等）事件・東京地判平成16・5・19労判879号61頁を挙げる。もっともいずれも協約を有効とした例である）。そしてかかる内容審査は，必要性と不利益性のバランスが労働組合の権限濫用といえるほどに著しく不当かを審査するもので，就業規則の不利益変更の合理性判断とは峻別され，憲法28条の理念にも抵触しないとする。

4　規範的効力の認められる部分（規範的部分）

労働協約の規範的効力については，「労働条件その他の労働者の待遇」とそれに関する「基準」の2つが問題となる。

(1)「労働条件その他の労働者の待遇」

これは既に義務的団交事項として言及した事項である（→688頁）。すなわち「労働条件」としては，賃金，労働時間，休日，休暇，安全衛生，職場環境，災害補償，職業訓練等，「その他の労働者の待遇」としては，人事条項（服務規律，懲戒，表彰，転勤，配転，出向，昇進，休職，解雇，定年制等），福利厚生（社宅，保養施設，医療・保健施設等の利用）等が挙げられる。

(2)「基準」

労働条件に関するものであっても協約が定めたものが「基準」といえなければ規範的効力は生じない。「基準」とは，それによって労働契約の内容を規律するに相応しい客観的水準をいうと解される。したがって「会社は厚生施設の充実に努める」「時間外労働の削減に努める」というものは基準といえない。

解雇，懲戒，配転等について労働組合との事前協議や同意を要件とするいわゆる「人事協議・同意条項」が規範的部分を構成し，規範的効力が与えられるかも争われている。学説・裁判例の多数は規範的効力を認め，人事協議・同意条項違反の人事措置を無効とする[34]。しかし，これらの人事措置についてはそれぞれ権利濫用法理が確立していることから，規範的効力ではなく，濫用法理の枠組みで判断するのが妥当とする説も有力に主張されている[35]。当該協議・同意義務は直接には労働者ではなく労働組合に対する義務であること，組合が当該措置についての協議を拒否した場合，人事協議（同意）条項違反となるかなど，労働条件の基準としての明確性も問題となること[36]，労働条件の基準に当たると解すると，労組法17条の拡張適用も認められる（非組合員の人事措置について組合との協議等が義務づけられる）ことになり妥当でないこと[37]を考

34)　盛・総論337頁，西谷・労組法351頁。

35)　菅野933頁，下井・労使関係法137頁。

36)　正当な理由なき協議拒否について協議義務違反を否定した例として，池貝鉄工事件・最一小判昭和29・1・21民集8巻1号123頁，労働組合の同意権の濫用を認めた例として，化学工業日報社事件・東京地判昭和51・2・13判時812号108頁，安田生命事件・東京地判平成9・6・12労判720号31頁［ただし，労働条件一般の変更に関する協議約款の事案］。

37)　下井・労使関係法137頁。

えると，規範的部分とは位置づけず，権利濫用の枠組みで判断するのが適切であろう。

5　規範的効力の人的範囲

規範的効力は，当該協約の当事者となった使用者（使用者団体の場合は，その構成員）と，労働組合の組合員にのみ及ぶのが原則である[38]。そして，労働者が組合から脱退した場合には，ドイツのような明文による規制[39]のない日本法の解釈としては，協約の効力も及ばなくなると解される（→700頁）。

この例外が労組法17条や18条の協約の拡張適用（一般的拘束力）制度である（→710頁以下）。

Ⅲ　債務的効力

1　債務的効力・債務的部分

労働協約の債務的効力とは，労働協約の締結当事者である使用者と労働組合の間の契約としての効力をいう。債務的効力のみが認められる部分（債務的部分）としては，集団的労使関係のルールに関わる事項，具体的には，組合員・非組合員の範囲，ユニオン・ショップ協定，組合活動条項（在籍専従，時間内組合活動，組合事務所，掲示板の貸与等），団体交渉の手続・ルール（団交の時間，場所，人数，録音の可否等），労使協議制，争議行為に関するルール（平和義務，スキャッブ〔スト破り雇用〕禁止協定等），さらには配転・出向・解雇等の人事協議・同意条項や苦情処理手続等がある。

労組法はこれらの債務的効力について特段の定めを置いていないが，協約当事者は協約で合意された事項について履行義務を負い，その不履行によって損害が生じた場合，相手方は損害賠償請求も可能と解される。しかし，労働協約は集団的労使関係を規律する独特の契約であることから，その成立要件（労組

---

38)　これはドイツの労働協約法と同じ考え方であり，アメリカの排他的交渉代表制やフランスの協約制度（使用者が協約に拘束される場合，非組合員も含め当該使用者と労働契約を結んでいるすべての労働者がその協約の適用を受ける）とは異なっている。

39)　ドイツの労働協約法3条3項は「労働協約の拘束力は，労働協約が終了するまで継続する」と規定しており，協約当事者たる団体から脱退しても，協約終了まで当該協約に拘束される。ドイツでは1990年代に，使用者が高い協約賃金の拘束を嫌って，使用者団体から脱退する「協約からの逃避」が問題となったが，上記規定等により離脱は容易には認められなかった（荒木・雇用システム165頁）。

14条)，期間・解約（同15条）について特別の規制が行われていることに留意する必要がある。

以下，債務的効力として特に議論のある点について検討する。

2　平和義務

⑴　相対的平和義務・絶対的平和義務

平和義務とは，協約当事者が協約の有効期間中に当該協約に定められた事項の改廃を目的とした争議行為を行わない義務をいう。以下に述べる「絶対的平和義務」と区別して「相対的平和義務」ともいう。このような（相対的）平和義務は協約に明示されていなくとも平和協定たる意義をもつ協約には当然に生じる義務と解されている。なお，次期協約の内容に関する争議行為は，既存の協約条項の変更を目指したものではないので，次期協約の交渉期間内であれば（相対的）平和義務違反とはならない[40]。

これに対して，「絶対的平和義務」とは，協約に定められていない事項も含めて協約期間中の一切の争議行為を禁止するものをいう。これは協約上明示される必要がある。

⑵　平和義務違反の効果

労働組合が平和義務に違反して争議行為を行った場合，次のような法的効果が問題となる。

ⅰ）損害賠償　まず，平和義務違反行為によって惹起された相当因果関係のある損害について，協約の他方当事者が損害賠償を請求し得ることについては，ほぼ異論がない。なお，労働組合による平和義務違反の争議行為の賠償義務者は協約当事者たる組合であり，個々の組合員ではない（ただし，平和義務違反が争議行為の正当性を失わせると解する場合については，下記ⅲ）および→728頁）。

ⅱ）差止請求　理論的には，平和義務という不作為義務の履行請求としての違反行為の差止めも可能であり，労使関係の安定を目的とする協約の機能からしても，肯定されるべきであろう。ただし，仮処分の場合，保全の必要性を満たすことが要件となる。

ⅲ）争議参加者に対する懲戒処分　平和義務に違反して争議行為を行った個々の組合員に対して，使用者が懲戒処分をなし得るか。判例[41]は，「平和義務

40）菅野937頁，西谷・労組法368頁，山口・労組法178頁。

41）弘南バス事件・最三小判昭和43・12・24民集22巻13号3194頁。

に違反する争議行為は……たんなる契約上の債務の不履行であつて，これをもつて，……企業秩序の侵犯にあたるとすることはできず，また，個々の組合員がかかる争議行為に参加することも，労働契約上の債務不履行にすぎないものと解するのが相当である」とし，懲戒処分に付し得ないとしている。

前半部分は，平和義務の違反は単に協約当事者たる労働組合と使用者間の契約上の債務不履行に過ぎず，平和義務違反ゆえに秩序違反としてその争議行為の正当性が当然に否定されることはないという趣旨とすれば一応了解可能である。また，後半部分の「労働契約上の債務不履行」が，平和義務違反が労働契約上の債務不履行に当たるという意味ではなく，争議行為が労働義務を履行していないという意味での労働契約の債務不履行に当たるとする趣旨であれば，これも特段問題はない。債務不履行に該当しても，正当性のある争議行為であれば，民事免責・不利益取扱いからの保護が与えられるはずである。

ただし，平和義務違反の争議行為は，その正当性に影響すると解する立場[42]もあり，この見解によると，争議参加者への懲戒処分は，平和義務違反ゆえに直ちにではなく，正当性のない争議行為を行ったことにより不利益取扱いからの保護も失われる結果，懲戒処分の可能性が残ることとなる（→728頁）。

3　平和条項・争議条項

「平和条項」とは，労使間で紛争が生じた場合に，協議，あっせん，調停，予告等の一定の手続を経なければ争議行為を行わないことを定めた条項である。「争議条項」とは，争議行為予告条項，企業施設保全条項，争議行為不参加者条項等，争議行為の実施ルールを定めた条項である。これらに違反した争議行為については，平和義務違反に準じて考えてよい。

第3節　労働協約の拡張適用（一般的拘束力）

労働協約の規範的効力は，協約当事者である労働組合の組合員にしか及ばないのが原則である。これに対して，ある協約が多数の労働者に適用されている場合，これを当該組合員以外の労働者にも及ぼそうとするのが労働協約の拡張適用（一般的拘束力ともいう）の制度である。事柄の性質上，拡張適用されるのは，

42)　中嶋士元也『労働関係法の解釈基準（上）』198頁以下（1991年），菅野967頁等。

規範的効力のみである。

労組法は事業場単位の拡張適用（労組17条）と地域単位の拡張適用（同18条）の2つの制度を設けている。地域単位の拡張適用はドイツの制度にならったものであるが，事業場単位のものは日本に独特の制度であり，次に触れるようにその趣旨について議論がある。

I　事業場単位の拡張適用

労組法17条は，「一の工場事業場に常時使用される同種の労働者の4分の3以上の数の労働者が一の労働協約の適用を受けるに至つたときは，当該工場事業場に使用される他の同種の労働者に関しても，当該労働協約が適用されるものとする」と規定している。

1　制度の趣旨

事業場単位の拡張適用制度の趣旨については立法過程からも明らかでなく，学説・裁判例では，①非組合員による労働力の安売りを防止し，多数組合の組織強化を図る制度，②少数労働者の労働条件を多数組合の協約レベルまで引き上げ，少数労働者を保護する制度，③4分の3以上の多数組合の獲得した労働条件を事業場の公正労働基準とみなして事業場の労働条件を統一し紛争を防止する制度，等の見解が主張されていた[43]。

①はドイツの地域的拡張適用の制度趣旨をそのまま転用するものであるが，事業場単位の拡張適用が多数組合に利益となることはあまりなく，むしろ，多数組合が団体交渉の末にようやく獲得した労働条件に非組合員がフリーライドすることを許すこととなり，かえって多数組合の組織強化にはマイナスに作用しかねない。また，後述のように拡張適用は少数者にとって常に有利になるとは限らないこと（→713頁）も踏まえると，②は制度の捉え方として狭きに失する。③の公正な労働基準による労働条件統一化による紛争防止を趣旨としたものと解するのが適切であろう。

判例[44]は，「右規定〔労組17条〕の趣旨は，主として1の事業場の4分の3以上の同種労働者に適用される労働協約上の労働条件によって当該事業場の労

43）学説については西谷・労組法374頁，新基本法コメ・労組法206頁［村中孝史］，野川・協約法333頁以下等参照。

44）朝日火災海上保険（高田）事件・前掲注17。

働条件を統一し，労働組合の団結権の維持強化と当該事業場における公正妥当な労働条件の実現を図ることにあると解される」とした。これは，これまで指摘された制度趣旨をただ列挙したようにも見えるが，前記①②を包摂し，かつ，①②のみからは説明困難な拡張適用による労働条件の不利益変更問題をも視野に入れた包括的な制度趣旨である③（公正妥当な労働条件による当該事業場の労働条件統一のための制度）を中心に据えて整理したものと理解することが可能である[45]。

このような制度趣旨の理解に立つと，拡張適用制度は多数組合の利益のための制度には限定されない労働条件統一のための制度であり，仮に多数組合が拡張適用を排除する条項を設けたとしても無効と解すべきである[46]。

2　要　件

「一の工場事業場」とは，企業単位ではなく，文字通り工場・事業場を指す[47]。「常時使用される」労働者に関しては，日雇労働者や有期契約で雇用される労働者が問題となるが，実質的に判断し，短期契約が反復更新されていれば「常時使用」していると解される。また，週3日勤務のパート労働者であっても，無期契約や反復更新される有期契約で雇用されている場合，常時使用される者に該当すると解してよい。

「同種の労働者」とは，上述の公正妥当な労働基準による労働条件統一という制度趣旨に照らして考察する必要がある。ホワイトカラーとブルーカラーで人事管理や労働条件が異なっている場合は，ブルーカラーを対象とした労働協約の拡張適用に際してホワイトカラーはブルーカラーと同種の労働者とはいえない。労働組合が組織対象としていない労働者（例えば，使用者の利益代表者〔労組2条但書1号〕や，正規従業員のみを組織対象としている組合にとっての非正規従業員）

45）荒木・雇用システム278頁。菅野940頁は，判例は①と③を融合したものとして，これに賛成している。

46）注釈労組法（下）860頁，菅野940-941頁。反対，久保＝浜田200頁。

47）学説（例えば，久保＝浜田199頁）には企業単位と解するものもあるが，最高裁は，朝日火災海上保険（高田）事件・前掲注17で労働者の4分の3の算定単位を「一の事業場」とし，実際に九州支店を単位としている。なお，出向関係において「一の事業場」をどう解するかは難問であるが，親会社から子会社に転籍した労働者が親会社の複数の事業場に出向していた事案において，転籍従業員の賃金維持（賃下げ防止）を定めた協約の拡張適用につき，出向元の子会社（1事業場しか存しない）を「一の工場事業場」と解した例として都市開発エキスパート事件・横浜地判平成19・9・27労判954号67頁。

は，公正な労働基準による労働条件統一の観点から，異なる規制に服していると解される場合には同種の労働者ではないが，当該協約がこれらの非組合員への適用を想定していると解される場合には，同種の労働者たり得る[48]。

「4分の3以上の数の労働者が一の労働協約の適用を受けるに至つたとき」という場合の「適用を受ける」とは，当該協約が直接に適用されることであり，使用者が事実上協約の基準によっている場合や拡張適用により適用されている場合[49]は入らない。

3　効　果

以上の要件が満たされた場合，当該協約は地域単位の拡張適用（労組18条）と異なり，労働委員会の決議等の手続を経ることなく，自動的に拡張適用される。また，これらの要件は，一般的拘束力の発生要件であるとともに，効力存続の要件でもある。したがって，上記の要件が欠けるに至ったときは，拡張適用も終了する[50]。

要件が満たされた場合の拡張適用の効力については非組合員と別組合員で区別して論ずる必要がある。

(1)　非組合員（未組織労働者）に対する効力

協約の拡張適用制度によって，非組合員の労働条件が有利に変更される場合には，特段問題はなかった。しかし，労働条件を不利益に変更する協約が拡張適用される事例が増えてくると，当該協約の締結について何ら発言の機会のなかった非組合員の利益を考慮しなくてよいのかが問題となってきた。学説では，拡張適用による労働条件の引下げを否定する（有利原則を認め，両面的拘束力を否定する）立場が有力であった。

このような理論状況の中，最高裁は朝日火災海上保険（高田）事件[51]で，不利益な労働協約の非組合員への拡張適用につき，原則としてこれを肯定（両

---

48)　朝日火災海上保険（高田）事件・前掲注17は，定年年齢や退職金規程の拡張適用に関して，組合員の範囲から除外されていた中間管理職を組合員と「同種の労働者」に該当することを前提とした判断を行っている。

49)　例えば，拡張適用要件を満たしていたが，組合から脱退者が出て直接適用者が4分の3以下になった場合，拡張適用者を4分の3要件の判断における「協約の適用を受ける者」に含めることはできず，拡張適用の要件が欠けたことになる。

50)　注釈労組法（下）851頁。

51)　朝日火災海上保険（高田）事件・前掲注17。

面的拘束力を肯定・有利原則を否定）する判断を示した。その理由として，①労組法17条は文言上，規範的効力が同種労働者に及ぶ範囲について何らの限定もしていないこと，②労働協約の締結に当たっては総合的に労働条件を定めていくのが通常であるから，その一部を捉えて有利，不利をいうことは適当でないこと，③労組法17条の制度趣旨，を挙げている。①は文理解釈を根拠とし，②は協約の規範的効力一般に共通する論拠である。したがって，不利益な協約の拡張適用を承認した実質的根拠は先に検討した③の公正妥当な労働基準による統一的な労働条件設定のためという制度趣旨にあるといってよい。

同判決は，同時に，「未組織労働者は，労働組合の意思決定に関与する立場になく，また逆に，労働組合は，未組織労働者の……ために活動する立場にないこと」を考慮して，「当該労働協約を特定の未組織労働者に適用することが著しく不合理であると認められる特段の事情があるときは，労働協約の規範的効力を当該労働者に及ぼすことはできない」とし，拡張適用が例外的に否定される場合を認めた。

結局，朝日火災海上保険（高田）事件最高裁判決は，拡張適用に原則として両面的拘束力を認め，事業場単位の統一的労働条件設定制度と位置づけ，同時に，当該協約の設定する労働条件規範が，非組合員にとっては他者の設定した規範であることから，裁判所が著しく不合理か否かという内容審査を行い，例外的に拡張適用の拘束力が及ばない余地を認めたもの[52)]ということができる。かかる解釈は労組法17条の文言から直ちに導かれるものではないが，同様に事業場における統一的労働条件設定のために他者の設定した規範の拘束力問題を扱う就業規則法理[53)]に照らして支持できる。

52）「著しく不合理」な場合に例外を認めるとした点は，学説上指摘されていた未組織労働者に対して両面的拘束力を全面的に及ぼす不当性に配慮し，同時に，学説が不利益な拡張となる場合に有利原則を肯定することによって対処する結果，未組織労働者のいわゆる「いいとこどり」を常に認める帰結に至るという問題点をも克服したもの（判旨によると「著しく不合理」でなければ不利益な拡張適用も両面的に拘束力を持つ）と評することができよう。

53）事業場の同種の労働者の4分の3以上の労働者を組織する労働組合の同意した労働条件は，それと同一内容を就業規則変更によって実施した場合も，その就業規則変更の合理性判断（当時は判例法理，現在では労契法10条）に当たって重要な要素となり得る。そうすると，拡張適用の拘束力が否定されるのが「著しく不合理」といえる例外的場合に限られることも了解できる。労契法制定前における議論として，荒木・雇用システム280頁以下参照。

⑵　別組合員に対する効力

これに対して，事業場の同種の労働者の４分の１以下の少数組合に所属する別組合員に対する拡張適用の可否については，なお最高裁判例はなく，大別して次の３つの学説・裁判例が対立している。第１に，多数組合協約の完全な拡張適用を肯定する（両面的拘束力を認める）完全肯定説がある[54)]。この見解は，労組法17条は少数者が組合を結成している場合に適用を除外する旨の何等の規定もないこと，次述の条件付肯定説は，多数組合が代償をはらって獲得した条件の有利な部分だけを少数組合が何の負担もなく享受するのはおかしく，これを認めれば多数組合の団結が崩れ，制度の趣旨に反することを論拠とする。

第２に，原則として拡張適用を肯定し，ただ，少数組合が協約を締結している場合，あるいは締結された協約の有利な部分に対しては拡張適用は及ばないとする条件付肯定説がある。同説は，労組法17条は少数組合員への適用を除外する何等の規定もないので原則として拡張適用は肯定するが，完全肯定説によると少数組合の団結権・団交権の侵害が生ずる場合について拡張適用を否定することで，少数組合の自主性を尊重しようとするものである。

第３に，少数労働者が別組合を結成している場合に拡張適用を一切否定する完全否定説がある。

完全肯定説では，１つの組合が事業場の同種の労働者の４分の３以上を組織するに至ると，排他的交渉代表たる資格を持つということになるが，現行法がアメリカのような排他的交渉代表制を採用せず，すべての組合に平等に団交権を認めていることと矛盾し，少数組合の団体交渉権を侵害することとなり妥当でない。また，条件付肯定説に対しては，少数組合は多数組合の獲得した労働条件を享受しつつ，さらに有利な労働条件を求めて団体交渉することが可能となり，団体交渉システムにおいて４分の１以下の少数組合が最も優遇されることとなり妥当でない。したがって，完全否定説を採るべきであり，これが現在の多数説の立場といってよい[55)]。

---

54)　学説・裁判例については注釈労組法（下）854頁，西谷・労組法382頁参照。

55)　注釈労組法（下）854頁，山口・労組法199頁，下井・労使関係法161頁，菅野945頁，西谷・労組法382頁，野川921頁，水町・詳解159頁。裁判例では，佐野安船渠事件・大阪地判昭和54・5・17労民集30巻3号661頁，同控訴審・大阪高判昭和55・4・24労民集31巻2号524頁，大輝交通事件・東京地判平成7・10・4労判680号34頁。

Ⅱ　地域単位の拡張適用

労組法18条は一の地域において従業する同種の労働者の大部分が一の労働協約の適用を受けるに至ったときに，地域単位での協約の拡張適用制度を定めている。この制度はドイツの労働協約法における制度にならったもので，一定地域で大多数の労働者に適用される協約を非組合員およびその使用者に拡張適用することによって，未組織労働者の労働条件を引き上げ労働者間および使用者間の労働条件切き下げ競争を防止すると同時に，協約締結組合の団結の維持強化をも目的としたものと解される[56]。この制度は産業別や職業別の労働組合の存在を前提としており，企業別組合が主流の日本で適用される可能性は極めて限られている[57]。

拡張が認められるための要件は，①一の地域において従業する同種の労働者の大部分が一の労働協約の適用を受けるに至ったこと，②当該労働協約の当事者の双方または一方からの申立て，③労働委員会の（拡張適用すべき旨の）決議，④厚生労働大臣または都道府県知事の決定と公告，である（労組18条1項，3項）。

①の「一の地域」も同種の労働者の「大部分」も不明確な概念であるが，③の決議の際に労働委員会が裁量によって判断することとなる。また，労働委員会は決議に際して，当該労働協約に不適当な部分があるときはこれを修正する

56） 例えば，失業した組合員と非組合員が求職活動を行う場合，組合員の労働条件は協約以下とすることはできないが，非組合員については協約を下回る労働条件で雇用することも可能であり，非組合員の方が雇用されやすいという事態が生じ得る。また，協約の適用を受けない使用者は労働者を協約以下の労働条件で使用することにより企業の市場競争力を高めることも可能となる。そこで，これらの事態を防止することにより，協約締結組合からの脱退防止，公正な労働条件での企業間競争の確保を図ったものといえる。

57） 日本における地域単位の拡張適用の実例については注釈労組法（下）863頁以下，古川景一＝川口美貴『新版労働協約と地域的拡張適用』77頁以下（2022年）参照。なお，中労委の決議を経た戦後初めての厚生労働大臣決定による地域単位の拡張適用が2021年9月22日に発令された。当該事案ではUAゼンセン傘下の3組合と大型家電量販店3社が連名で正社員の休日を年間111日とする協約を締結し，労働組合が地域単位の拡張適用を申請した。当該協約は茨城県全域の他，千葉・福島・栃木の一部も含めて適用地域としていたが，中労委は「一の地域」を，客観的に確定でき明確性を備え，地域別最低賃金等，労働条件の最低基準を画する地域として，労使に対する説得性も高い都道府県を単位とすることが適当として，茨城県単位に修正し，茨城県では90％を超える大型家電量販店の正社員が当該協約の適用を受けていることから，拡張適用を認めるべきことを決議し，これに基づき大臣決定がなされた（中労委決議：https://www.mhlw.go.jp/churoi/futou-kumiai/pdf/futou-kumiai-01.pdf）。

ことができる（労組18条2項）。

以上の要件を満たして拡張適用の公告がなされた場合，当該地域における同種の労働者およびその使用者は，拡張される労働協約（規範的部分に限られる）の適用を受けることとなる。なお，拡張される労働協約が失効したときは，拡張適用の効力も終了する。

拡張適用された協約に両面的拘束力が認められるか否かも解釈問題となるが，企業を超えた地域的な公正労働条件の拡張適用という趣旨を考慮すると，事業場単位の拡張の場合とは異なり，有利原則が認められるべきである[58]。

第4節　労働協約の終了

Ⅰ　協約の終了事由

労働協約は次の場合に終了する。

1　期間の定めのある労働協約の有効期間満了

労働協約は期間の定めがあれば，その満了によって終了する。ただし，労組法15条1項は3年を超える期間の定めをすることはできないとしている。これは，ある時点の労使合意である労働協約にあまりに長期にわたる拘束力を認めると，その間の労使双方の状況の変化，社会経済状況の変化等により，かえって妥当性を欠き，紛争の原因ともなりかねないからである。そこで，本来当事者自治に委ねてもよいはずの協約期間について政策的に上限を設定したものである。

その結果，3年以下の期間の定めのある協約は，その期間満了により終了する。3年を超える期間を定める協約は，労組法15条2項により3年の有効期間の定めをした労働協約とみなされるため，3年の期間満了時に終了する。

実務上，期間満了により無協約状態となることを避けるため，多くの期間の定めのある協約で，自動延長条項や自動更新条項が用いられている。

(1)　自動延長条項

「自動延長条項」とは，期間満了後，新協約の交渉が妥結しない場合に，新

58）注釈労組法（下）876頁。

協約成立まで協約の有効期間を延長するというものである。これが，期間の定めのない自動延長（例えば「新協約成立までの期間，延長する」）の場合には，期間の定めのない協約と同様に，90日の予告期間をおいて解約が可能となる（労組15条3項後段，4項）。これに対して，期間の定めのある自動延長の場合（例えば，「協約期間満了後，新協約が締結されるまでの1年間，本協約の効力は自動的に延長される」），労組法15条3項後段の適用はなく，元の協約期間と期間の定めのある延長部分を合算して，3年を超えることは許されないと解されている。延長は，新規協約の締結ではなく，新協約締結までの間，暫定的に現協約の期間を延長するものだからである。

⑵　自動更新条項

「自動更新条項」とは，協約期間満了前の一定期日までに両当事者のいずれからも協約の改定または破棄の通告がない限り，当該協約を同一期間（または一定期間）存続させるという条項である。

自動更新の場合，当初の協約の期間満了までにいずれの当事者も更新への異議を提起することにより協約を終了させることができる[59]。これは換言すれば，異議を提起しないことによって，両当事者が新協約を現協約と同一内容で再締結したということになる。したがって，更新後の期間については，現協約との合算の問題は生じず，独立して最長期間の制限（労組15条1項）に服する。

2　期間の定めのない労働協約の解約

期間の定めのない労働協約は，当事者の一方が，署名または記名押印した文書によって少なくとも90日前に解約を予告することにより解約される（労組15条3項，4項）。

協約の全体を解約することについては，特段，制約はない[60]。これに対して，協約の一部解約については，原則として許容されないと解すべきである。労働協約はギブ・アンド・テイクの団体交渉を経て到達した一体的な労使間の合意であるのが通常である。したがって，一部解約も自由にできるとすると，一旦成立した一体的協約の不利な部分（譲歩した部分）のみを一方当事者が解約

59)　この点で，自動延長の場合，新協約締結まで，当事者は現協約を終了させ得ないのと異なる。

60)　ただし便宜供与等を定めた協約の解約等が場合によっては不当労働行為の問題を惹起することはある。駿河銀行事件・東京地判平成2・5・30労判563号6頁［組合専従協定の解約を不当労働行為とした］。

することも可能となり，適切でない。裁判例も協約の一部解約は原則として許されないとし，例外的に一部解約が許される場合をかなり厳格に限定している[61]。

3　労働協約の合意解約

協約当事者が合意によって協約を解約することは可能であり，この場合，一方的解約のように90日の予告期間の規制もかからない。ただし，協約の要式性に鑑みて，合意解約は書面により両当事者の署名または記名押印を要すると解されている。

4　当事者の消滅・変動

企業の解散により使用者が消滅した場合，あるいは労働組合の解散，分裂によって組合が消滅した場合，協約も終了する。

これに対して，会社が合併した場合，労働協約も他の債権債務と同様に新設会社（存続会社）に承継される。

会社分割の場合は，労働契約承継法6条により，労働組合員の労働契約が新設会社（承継会社）に承継される場合は，新設会社と労働組合の間で同一内容の労働協約が締結されたものとみなされる（同3項）。なお，債務的部分については，分割会社と労働組合の間でその全部または一部について承継に関する合意を行うことができる（同1項，2項）。

事業譲渡の場合，協約は当然には承継されず，譲渡契約に承継の合意がなければならない。

労働組合の組織変更の場合は，協約は同一性を有する組合に，合併（合同）

61）東京地労委（日本アイ・ビー・エム）事件・東京高判平成17・2・24労判892号29頁は，その条項の独立性の程度・定める事項の性質を考慮したとき，締結後の予期せぬ事情変更によりその条項を維持することができなくなり，またはこれを維持させることが客観的に著しく妥当性を欠くに至っているか否か，その合意解約のための十分な交渉を経たが相手方の同意が得られず，しかも協約全体の解約よりも労使関係上穏当な手段であるか否かを総合判断し，例外的に一部解約が許される場合があるとした。これに対し，ソニー事件・東京高決平成6・10・24労判675号67頁［協約自体の中に客観的に他と分別することのできる部分があり，かつ分別して扱われることもあり得ることを当事者としても予想し得たと考えるのが合理的であると認められる場合には，協約の一部解約も可能］，および黒川乳業（労働協約解約）事件・大阪高判平成18・2・10労判924号124頁［一部解約部分が，ほかの条項と対比して独立しており，一部のみを解約することによって他方の当事者に労働協約の締結当時に予想していなかった不利益を与えないなどの特段の事情が認められることで足りる］は，やや緩やかに過ぎるように思われる。

の場合は，新設組合（存続組合）に承継されることとなる（→679頁以下）。

Ⅱ　労働協約終了後の労使関係

1　債務的効力

労働協約の債務的効力は，協約終了により法的根拠を失うため，例えば，組合事務所の利用権，労働時間内の組合活動の許容等は根拠を失う。

しかし，このように法的な根拠が失われたとしても，そのような取扱いが継続してなされていたという事実は，不当労働行為の判断においては意味を持つ。例えば，協約を根拠に長年にわたり組合事務所を貸与していたところ，何らかの理由から新協約妥結に至らず，組合事務所の利用権限が失われたような場合に，そのことのみを根拠に組合事務所の利用を禁ずることは，不当労働行為意思を推認させることとなり得る。

2　規範的効力（余後効）

ドイツの労働協約法は，明文で「協約終了後，その法規範は，別の合意[62)]によって置き換えられるまで適用される」（ドイツ労働協約法4条5項）とし，労働協約の余後効（Nachwirkung）を定めている。しかし，日本の労組法は余後効について規定しておらず，解釈問題となる[63)]。また，労働組合から脱退した組合員の労働条件についても同様の問題が生ずる。

協約が終了してそれまで協約が規律していた労働条件が空白になるのは継続的労働関係においては妥当でない。そこで，何らかの形でこの空白を埋める理論構成が模索された。まず，協約の規範的効力に関する化体説（内容説）は，協約の労働条件基準が個々の組合員の労働契約の中に入り込み，その内容となると考えるため，協約自体が失効しても，労働契約を変更しない限り協約の労働条件はそのまま存続すると解する。これに対して，外部規律説によると，規範的効力は労働協約が労働契約に対し外部から規律する効力であるから，労働協約が失効すれば外部から規律する効力も消滅する。しかし，外部規律説は，

62）　別の合意（andere Abmachung）は，協約以外に事業所協定や使用者と労働者の個別合意であってもよい。

63）　日本における余後効をめぐる議論は1949年改正労組法15条2項により，自動延長条項により延長中の協約を使用者が一方的に破棄可能となり，無協約状態が生じたことを契機として展開されたものである。当時の労組法15条は1952年に全面改正され，現行の規定となった。注釈労組法（下）763頁，西谷敏「労働協約論」学説史424頁以下参照。

その場合に労働関係の継続性を考慮した契約解釈を行い，継続的労働契約関係に空白が生ずることを回避する。その際には，従前の協約の定めた労働条件のほか，就業規則[64]，慣行，個別契約等が考慮されることとなる。

外部規律説でも協約の労働条件が存続するとの合理的解釈がなされることが多いため，有利な協約が失効した後の処理においては，化体説との明確な相違は生じないであろう。しかし，例えば時間外労働義務や配転義務など労働者に義務を課す労働協約を労働組合が解約した場合の処理等も考えた場合，これらの義務が契約内容となって残存する化体説より，外部規律説の方がより柔軟で合理的な契約解釈を可能とする点で妥当である[65]。

64）香港上海銀行事件・前掲注19は，「就業規則は……労働協約が失効して空白となる労働契約の内容を補充する機能を有すべきもの」とし，その限りでは外部規律説に親和的な立場を採っている。立命館（未払一時金）事件・京都地判平成24・3・29労判1053号38頁も協約失効後，就業規則が契約内容を補充するとする。

65）外部規律説に立つものとして，菅野952-953頁，水町・詳解140頁，鈴蘭交通事件・札幌地判平成11・8・30労判779号69頁，京王電鉄事件・東京地判平成15・4・28労判851号35頁，音楽之友社事件・東京地判平成25・1・17労判1070号104頁等。なお，協約内容に不満で組合を脱退した労働者の労働契約内容の解釈に当たって化体説より外部規律説の方が合理的な処理となることにつき前掲注11。

第23章　団体行動

第1節　団体行動の法的保護

憲法28条は労働者の「団体行動をする権利」を保障している。これは，団結権，団体交渉権でカバーされていない行為すなわち，争議行為権と組合活動権を保障したものと解される。かつては団体行動権はすなわち争議権と考えられていた[1]。しかし，近時の学説では組合活動権も争議権とは別個にこの団体行動権によって保障されていると考えられている[2]。

Ⅰ　争議行為の法的保護

1　刑事免責

労組法1条2項は「刑法……第35条の規定は，労働組合の団体交渉その他の行為であつて前項に掲げる目的を達成するためにした正当なものについて適用があるものとする」と定め，正当な争議行為は刑法上の正当行為として違法性を阻却され，刑事責任を問われないことを明らかにしている[3]。

2　民事免責

労組法8条は，「使用者は，同盟罷業その他の争議行為であつて正当なものによつて損害を受けたことの故をもつて，労働組合又はその組合員に対し賠償を請求することができない」として，正当な争議行為に民事免責を定めてい

1)　石井68頁，法学協会編『註解日本国憲法（上)』545頁（1953年)。

2)　外尾・団体法9頁，山口・労組法11頁，西谷・労組法59頁，菅野38頁，水町・詳解1133頁等。

3)　なお，労組法1条2項は当該行為が「労働組合の」行為と規定しているが，同条項は憲法28条の確認規定であり，労組法上の労働組合とはいえない憲法組合（→651頁）や争議団（→686頁）にも刑事免責が及び得ることは，立法過程でも確認されている（菅野956頁参照)。

る[4]。

3　不利益取扱いからの保護

正当な争議を理由とする不利益取扱いは，それが法律行為として問題となる場面では公序違反（あるいは，憲法28条の私人間直接適用）により無効となり，事実行為として問題となる場面では不法行為の違法性を備える。また，不当労働行為制度によって救済命令の対象となる。

Ⅱ　組合活動の法的保護

組合活動にも争議行為と同様，刑事・民事免責および不利益取扱いからの保護があると解されている。

まず，刑事免責については，労組法1条2項は「労働組合の団体交渉その他の行為」として，争議行為に限定していない。したがって，組合活動にも及ぶことには争いがない。

また，不利益取扱いからの保護についても，憲法の設定する労働基本権あるいは公序の保護の対象から，組合活動のみを除外する根拠はない。また，不当労働行為の保護が及ぶことも明らかである（労組7条1号参照）。

これに対して，民事免責については，労組法8条が，「同盟罷業その他の争議行為であつて正当なもの」と，争議行為に限定して民事免責を定めているようにも読める。そこで学説では，争議行為以外の団体行動権（具体的には組合活動）に民事免責は及ばない，そして，争議行為と異なり損害賠償責任を生ぜしめない形で行い得る組合活動については，民事免責は実際上も必要ないとする有力説が登場した[5]。しかし通説は，憲法28条は団体行動について民事免責を設定していると解され，これを労組法8条の文言だけを根拠に組合活動について否定したと解することは，労組法の立法過程からも労組法の規定の整備の程度からも適切ではない，実際上も，正常な日常的組合活動（ビラ貼り，ビラ配布等）も使用者の施設管理権の侵害や信用の毀損等を理由とする損害賠償責任を生ぜしめることはあり，これらの場合に免責の保護を与える必要性はある，

4)　民事免責も憲法28条の争議権の保障から要請されるものであり，労組法8条はその確認的規定である。したがって，憲法組合や争議団の争議行為についても認められる（菅野956頁）。

5)　松田保彦「労働組合活動と民事上の免責」判タ282号16頁（1972年），山口浩一郎「争議行為綺論三則」石井照久先生追悼論集『労働法の諸問題』39頁（1974年），下井・労使関係法82頁。

と反論している。

Ⅲ　争議行為の概念

これらの議論を通じて組合活動と区別される「争議行為」とは何かが議論された。伝統的見解[6]は，「争議行為とは労働者の団結体が団結目的を達成するためにその統一的意思決定に基づいてなす集団的行為であって業務の正常な運営を阻害するもの」とする「業務阻害説」を採っている。この見解は，争議行為について行為類型の絞りをかけず，ストライキ，職場占拠，ピケッティング，怠業等以外でも，種々の業務阻害行為が争議行為となり得るとする。例えば，リボン闘争も業務を阻害する限りで争議行為となるとし，争議行為としての保護を認める。

これに対して有力説[7]は，争議権を業務阻害権と捉える説は労働関係調整法7条，行政執行法人労働関係法17条，地方公営企業等労働関係法11条にいう「争議行為」の定義（「業務の正常な運営を阻害する行為」→750頁）に影響を受けたものであり，そこにいう争議行為は憲法や労組法にいう法的保護を受け得る行為としての争議行為のみならず，そもそも保護の対象とならないような行為をも含めて業務阻害行為一切を調整手続ないし禁止の対象としたもので，これを根拠に争議行為を定義することに疑問を呈する。そして，争議行為を集団的労務不提供（ストライキ・怠業）と，その経済的圧力を維持強化するための付随的行為（ピケッティング，ボイコット等）と定義すべきであるとしている（仮に「労務不提供中心説」と呼ぶ）。

業務阻害説は，法的保護の対象となるかどうかは争議行為自体の定義で絞るべきではなく，「正当性」という次のステップの問題と考えれば足りると解しているのに対して，労務不提供中心説は保護の対象となり得ない行為を定義の場面で除外しているという判断の段階の相違に過ぎないようにも見える。しかし，両者の相違は，法の保障する争議行為権とは何かを定義することの行為規範上の意義に加えて，争議行為と組合活動とで正当性の判断枠組みが異なる場合，ある団体行動がいずれの正当性判断に服するのかを決するという点で重要

6）石井366頁，外尾・団体法398頁，西谷・労組法400頁，盛・総論380頁。

7）菅野40頁，954頁，959頁，下井・労使関係法169頁，渡辺章（上）79頁，野川932頁以下。

である[8)]。争議行為と組合活動の区別を業務阻害性に依拠する場合の判断の不明確さをも考慮すると行為類型の観点から争議行為を一定の類型の行為に限定する労務不提供中心説の立場が妥当であろう。

第2節　争議行為の正当性

争議行為の正当性は，争議行為の主体，目的，手続，態様（手段）の4つの観点から判断される。

I　争議行為の主体

争議行為は，経済的に弱い立場にある労働者に集団的労務停止の権限を与えることにより，団体交渉上，使用者と対等の立場を与えて労使自治を機能させるために保障された権利と解される。そうすると，争議行為の主体も団体交渉の主体となり得るものであることが必要となる[9)]。したがって，団体交渉の主体たり得ない集団が，団体交渉を求め，その事項のために争議行為を行っても（例えば，労働組合の一部集団が組合全体の意思に基づかずに行う「山猫スト（wildcat strike)」等）争議行為の主体の点で正当性を欠くこととなる。

II　目　的

憲法28条が団体交渉による労使自治を機能させるために団体行動権として争議権を保障しているという理解，換言すれば，争議権は団体交渉のための手段的権利であり，団体行動（争議行為）自体は目的ではないとする立場[10)]に立つと，争議行為は，団体交渉の目的事項のために遂行されること[11)]，あるい

8)　例えば業務阻害説によるとリボン闘争が業務を阻害していれば争議行為となり，そうでなければ組合活動となるのに対して，労務不提供中心説では組合活動と把握され組合活動の正当性判断に服することとなる。

9)　ただし，争議団や自主性不備組合などの憲法組合も，憲法上の団体交渉権の主体とはなりうるため，これらの団体も憲法28条の争議権の保障は受けうる。三和サービス事件・津地四日市支判平成21・3・18労判983号27頁は，外国人研修生5名による作業方法やノルマ変更に抗議して行った作業拒否を憲法28条によって保護されたストライキとしている。

10)　石井70頁，石川・労組法12頁，菅野32頁等。

11)　学校法人甲大学事件・大阪高判令和3・1・22労経速2444号3頁は，大学教員たる組合員らが週6コマを超える授業担当，一定の委員会業務を拒否し，譴責処分されたことにつき，業

は，争議行為の目的事項が団体交渉によって解決可能であることが必要である[12]。この点，政治的要求や立法政策実現のために使用者ではなく政府や国家を名宛人とする「政治スト」は，目的において正当性を欠くこととなる。これに対して，純粋政治ストは保護されないが経済的政治スト（労働者の経済的利益に直接関係ある立法や政策に関するストライキ）は正当性のあるストライキとして保護されるとする見解も有力である[13]。確かに，労働組合がこれらの政策に取り組むことは重要で，判例も組合員の協力義務を肯定している（→670頁）。しかし，労働組合は，このような政治的要求・政策実現のためには，表現の自由としての集会，デモ，宣伝活動等の手段を既に市民法上保障されている。これを超えて，労働者の経済的利益に関係するとはいえ，使用者が団体交渉によって解決できない政治目的を掲げたストライキにより労働契約上の就労義務を放棄して損害を与えた場合にまで民事免責を認めるという特別の保護を与えることは，妥当とは解されない[14]。判例も政治ストの正当性を否定している[15]。

また，自己の労働関係についての要求を提起せずに，ある使用者と争議状態にある他の労働者の要求の実現を支援するために行われる「同情スト」（支援スト）も，団体交渉による解決を目的としていない点で正当性を欠くこととなる[16]。なお，使用者の団交拒否や協約違反に抗議する目的で行われる「抗議

務拒否は争議行為として行ったものであるとして，処分無効，不法行為による損害賠償等を請求した事案につき，当該争議行為は団体交渉によって要求事項の実現を図るというよりも，自らの要求事項を自力執行の形で実現する目的で行ったもので，目的および態様において正当性を欠くとした［最三小決令和3・10・5上告不受理決定で確定］。

12）　これに対して，争議権保障は，団体交渉の手段的権利より広く，労働者の生活利益の擁護という団結活動をそれ自体として保障していると解する学説は，客観的に労働者の経済的地位の向上ないし生活利益の擁護という労働者団結の目的活動に向けられているかどうかを正当性判断の基準とする。

13）　外尾・団体法422頁，西谷・労組法415頁，盛・総論388頁等。

14）　菅野962-963頁。

15）　全農林警職法事件・最大判昭和48・4・25刑集27巻4号547頁［警察官職務執行法の一部改正反対のための職場集会参加を呼びかけ争議行為をあおったとされた事例］，三菱重工業事件・最二小判平成4・9・25労判618号14頁［原子力船むつ入港に抗議するストで30分～1時間職場放棄した事例］等。

16）　菅野963頁，水町・詳解1138頁。これに対し，西谷・労組法417頁は，原ストと同情スト労働者の労働条件が直接・間接に関係している場合，労働市場構造・組合組織関係から労資の対抗関係における連帯行動とみられる場合は憲法28条の保護を受けるとする。同旨，盛・総論388頁。

スト」「防衛スト」は当該労使関係における労使自治を機能させるという観点から，目的についての正当性が認められると解される。

二次的争議行為，すなわち，労働組合が団体交渉の相手である企業との争議行為を有利に解決するために，当該企業の取引先企業や親企業に対して行う争議行為も，その取引先企業等が団体交渉の相手方でない以上，争議行為の目的の正当性が認められない[17]。取引先企業との関係では，組合活動としてその正当性判断に服すべきことになるが（→749頁），その態様の面から正当性が問題となる例が多い[18]。

Ⅲ　手　続

争議行為は開始の時期や手続の点からも正当性が問題となり得る。

1　対外的な手続の瑕疵

⑴　団体交渉を経ない争議行為

争議権を団体交渉の手段的権利と解する立場からは，団体交渉を経ない争議行為は正当性がないことになる。

⑵　行き詰まりに達する前の争議行為

ドイツでは，争議行為は団体交渉の可能性が尽くされた後の最後の手段（Ultima ratio）としてのみ認められている。しかし日本では，団体交渉の折衝開始後，どの段階で争議を行うかは労働組合が戦術として決することができ，最後の手段としてのみ許されると解すべきではないとされている[19]。団体交渉が行き詰まりに達したかどうかは極めて微妙な判断を要する問題であり，この判断のリスクを労働組合に負わせることは，組合の争議戦術をあまりに制限することになるためである。

17）菅野963頁。

18）同旨，水町・詳解1138頁。態様の面での行き過ぎから差止めや損害賠償が認められた例として関西地区生コン支部等（眞壁組）事件・大阪地決平成4・1・13労判623号75頁，大沢生コン事件・東京地決平成8・1・11労経速1611号22頁，全日本建設運輸連帯労組関西地区生コン支部（関西宇部）事件・大阪地判平成25・11・27労判1087号5頁，フジビグループ分会組合員ら（富士美術印刷）事件・東京高判平成28・7・4労判1149号16頁［直接労使関係に立つ者との団体交渉に関係する行為ではなくても，憲法28条の団体行動の保護対象となるとしつつ，取引先等への文書の記載が真実・真実と信ずるに足る相当な理由なしとして，損害賠償請求を認容した］等。

19）注釈労組法（上）524頁，菅野965-966頁。

(3) 予告を経ない争議行為

団体交渉を一旦開始した後，予告を経ないで抜き打ち的に行う争議行為も正当性が問題となる。争議行為に予告が要求されるのは，労調法37条による公益事業の場合（→753頁）と，協約に平和条項・争議条項が置かれている場合である。実務上は協約または慣行上，予告が必要とされている場合が多い。

多数説は，上記以外の場合は予告義務がなく，抜き打ちストも正当性を失わないとしている。もっとも，予告を経ないことが当然に正当性がないことにはならないとしても，抜き打ちストが労使間の信義則に反する濫用的なものであるか否かというフェア・プレーの原則に照らして正当性に影響する場合もあり得よう[20)]。

(4) 平和義務・平和条項違反の争議行為

平和義務に違反して協約当事者が争議行為を行った場合，債務的効力の帰結として，損害賠償の問題が生ずることは既に述べた（→709頁）。問題は，その争議行為自体が平和義務違反ゆえに正当性を失うことになるかである[21)]。

弘南バス事件最高裁判決[22)]は，平和義務違反の争議行為参加者の懲戒処分を結論として否定しており，正当性に影響しないとの考えに立つかのようである。これに対して，学説では，平和義務違反の争議行為は当然に正当性を失うとする立場[23)]，平和義務違反は労使間の債務的効力の問題であって，争議行為の正当性には影響しないとする立場[24)]，平和義務・平和条項違反は正当性の評価に影響する瑕疵であるが，個別的に判断すべきとする立場[25)]などがある。

労働協約締結によって労使平和をもたらそうとした趣旨に鑑みると，平和義

20）　一旦予告したスト開始時刻を12時間前倒しして実施5分前に通告し実施したストライキについて正当性を否定した例として国鉄千葉動労事件・東京高判平成13・9・11労判817号57頁。

21）　協約の債務的効力違反としての損害賠償は協約当事者たる労働組合が負うのみであるが，争議行為に正当性がないことになると，それに参加した個々の組合員の損害賠償責任や懲戒処分が問題となる。

22）　弘南バス事件・最三小判昭和43・12・24民集22巻13号3194頁。

23）　石井384頁。

24）　西谷・労組法369頁。水町・詳解154頁は，平和義務違反から直ちに争議行為の正当性が否定されるわけではないとし，1142頁では個別に判断する立場を説く。

25）　菅野967頁参照。

務違反は，原則として正当性を失い，例外的に，相手方の背信的行為等，労使関係の実態に照らして正当性を失わない場合があると解するのが適切であろう。また，争議開始前に一定の紛争解決手続を採ることを定めた平和条項違反については，平和義務違反ほど重大ではないにせよ，正当性判断に影響し得ると解されよう。

2　対内的な手続の瑕疵（組合規約違反の争議行為）

法適合組合は，組合規約上，ストライキ（同盟罷業）の開始について，組合員または代議員の直接無記名投票による決定を経ることになっている（労組5条2項8号）。この規約上の手続に違反した争議行為の正当性について，多数説は組合の内部的な手続の瑕疵に過ぎず，対外的責任としての正当性には影響しないとしている[26]。これに対して，重大な手続違反として正当性が失われるとする見解も有力に主張されている[27]。

争議行為という重大な決定について労組法が民主的手続を履践すべきことを要求しているのは，争議行為が惹起する社会的なコストを踏まえつつも労働組合に対して各種の特別の保護を与えているためである。そうすると，法が要求する内部手続は，単なる内部問題に留まらず，正当性判断にも影響すると解すべきであろう。もっとも，組合規約違反の成否自体は慣行等を踏まえて実態に即した判断を行うべきである。

Ⅳ　態　様

一般的には，労務の完全・不完全な不提供に留まる限り，正当性が認められる。

1　一般的基準

(1)　労務の完全・不完全な停止

まず，労務の完全な停止，例えば，全面スト，部分スト，特定組合員のみを指名した指名スト，短時間のストライキを繰り返す波状スト，時限ストなど，労務の不提供に留まる限り原則として正当性がある。また，定時出勤，定時退社，時間外労働拒否なども時限ストの一種で正当性が認められる。

次に，労務の不完全な停止として，使用者の指揮監督下に入りつつ，作業能

26)　注釈労組法（下）525頁，西谷・労組法426頁，盛・総論390頁。
27)　菅野966頁。

率を低下させる怠業（スローダウン）も日本では正当性ありとされている[28]。しかし，怠業の場合，その労務提供の不完全さに応じて賃金を控除することは実際上不可能であるため，賃金を失うことなく経済的圧力をかけることが可能となる。この点で，次のフェア・プレーの観点から正当性に影響し得ると考える。ちなみに怠業はアメリカでは団体行動としての保護が否定されている[29]。

(2)　フェア・プレーの原則

団体交渉という集団的取引を機能させるために認められた争議権の行使は，団体交渉後に再び労使関係が継続してゆくことを前提としているため，労使関係の信義則に由来するフェア・プレーの原則に服すると解される。したがって，労使関係の将来に禍根を残すような態様の争議行為（例えば職場復帰を不可能にするような争議行為）は正当性を否定される。そして，争議行為の開始の際には，内容，開始時期，期間等を相手方に明らかにすべきであり，終了についても同様に，明確な通告が要請されるとされている[30]。

(3)　使用者の財産権との調和の要請

従来，争議行為を業務阻害行為と定義づける見解が一般的であったため，あたかも争議中はあらゆる業務阻害行為が可能となるような誤解がないではなかった。しかし，争議中でも使用者の企業施設に対する所有権が害されてよいはずはない。生産管理（組合が使用者から経営権を奪って独自に生産活動を行うこと）[31]や，使用者の占有を排除し，その操業も妨げる排他的職場占拠は，この観点から正当性が否定される[32]。また，タクシー・バス事業において，車両，エンジンキー等を組合の排他的占有下に置き，操業を妨げる「車輛確保戦術」も，同様に正当性が否定される[33]。

---

28)　石井393頁，外尾・団体法447頁。

29)　中窪・アメリカ85頁，152頁。

30)　菅野968頁。裁判例として日本テキサス・インスツルメンツ事件・浦和地判昭和49・12・6労民集25巻6号552頁［使用者に通告なしになされた怠業の正当性を否定］。

31)　山田鋼業所事件・最大判昭和25・11・15刑集4巻11号2257頁［生産管理の正当性を否定し，争議期間中の賃金に充てるため会社所有の鉄板売却目的の搬出行為を窃盗罪とした］。

32)　最近の事例として岡惣事件・東京高判平成13・11・8労判815号14頁［ミキサー車1台を占有し，会社の重要な設備の近くに停車させ，設備使用を6時間40分にわたり阻害したことにつき正当性を否定］。なお，職場滞留により会社の占有を完全に排除したとまではいえず，争議行為の正当性を欠くとはいえないとした例として，きょうとユニオン（iWAi分会・仮処分）事件・大阪高決平成28・2・8労判1137号5頁。

33)　御國ハイヤー事件・最二小判平成4・10・2労判619号8頁。

(4) 暴力その他，人身の自由・安全の侵害

労組法1条2項但書は刑事免責について，「いかなる場合においても，暴力の行使は，労働組合の正当な行為と解釈されてはならない」と規定するが，これは刑事免責に留まらず，民事免責，不利益取扱いからの保護においても同様に妥当する。病院等で患者等の生命・身体・健康に対して危険を生ぜしめるような争議行為も正当性が否定される[34)]。

また，経営者の私宅において私生活の自由や平穏を侵害する行為も正当性がない[35)]。

2 ピケッティング

使用者はスト期間中も操業継続の自由を有する。そこで，使用者による代替就労者の導入や，製品の出荷・資材の搬入等の阻止，さらにはスト参加者の脱落防止など，ストライキを補強するためにストライキに付随して行われる行為がピケッティングである。ピケッティングは，言論による説得，スクラム，座り込み，有形力の行使等様々な態様で行われ，有形力の行使に至った場合等につき，刑事免責の有無が，そしてピケ行為を理由とする懲戒処分の効力等が争われてきた。

学説は，①平和的説得（言論による説得）に限り正当性を認める立場，②平和的説得に加えて，団結の示威（人垣を作る，スクラムを組む，労働歌を高唱する等）までは正当性を失わないとする立場，③ある程度の実力行使（スクラムで押し返すとか，説得の機会を作るために立ち止まらせる等）も許されるとする立場，などに分かれている[36)]。しかし，最高裁は，刑事事件・民事事件のいずれについても，①の厳格な立場を採っているといってよい[37)]。

---

34) 新潟精神病院事件・最三小判昭和39・8・4民集18巻7号1263頁［病院職員は平常業務を放棄する争議行為をなし得るが，患者の生命・身体の安全を脅かし，病状に相当の悪影響を及ぼすような行為はなし得ず，緊急事態発生の場合には，善後措置に協力すべき義務があり，これを故なく拒否すれば，争議行為は正当性を失うとした］。なお，病院における夜勤シフト6名によるストについて，保安要員2名が用意されたこともあり，入院患者に支障なく実施されたとして正当性を認めた例としてK病院経営者事件・津地判平成26・2・28労判1103号89頁。

35) 東京ふじせ企画労組事件・東京地決平成元・3・24労判537号14頁。

36) 当該ストライキの第三者である顧客や非組合員に対しては①の平和的説得のみが，使用者側の者に対しては②の平和的説得＋示威行為までは正当性があるとするものとして菅野971頁。

37) 刑事事件につき，国鉄久留米駅事件・最大判昭和48・4・25刑集27巻3号418頁，山陽電気軌道事件・最二小決昭和53・11・15刑集32巻8号1855頁等，民事事件につき，朝日新聞

3　ボイコット

ボイコットとは，労働者が争議手段として争議の相手方たる使用者の製品を買わないように顧客や公衆に訴えかける戦術である。これは，暴行，脅迫，虚偽の宣伝[38]にわたらない限り正当と解されている。

第3節　正当性のない争議行為と法的責任

正当性のない争議行為（違法争議行為）が行われた場合，参加組合員は刑事免責を受けられず，刑事責任を負うことがあるほか，使用者からの民事上の責任追及として，損害賠償請求や解雇・懲戒処分等の不利益取扱いを受けることとなる。

I　損害賠償責任

1　契約理論による帰結

正当性のない争議行為を行った労働者には民事免責が及ばないことから，契約理論の帰結として，労働契約上の労働義務を履行しなかった労働者は，民法415条の債務不履行責任を負うことになる。また，正当性のない争議行為は，債権侵害，操業権侵害，所有権侵害等の不法行為責任を生じさせる（同709条，719条）。

そして，組合の不法行為責任は，個人の不法行為責任が団体に帰属する形で発生すると解され[39]（労組12条の6，一般法人78条，民715条1項），伝統的理解に立つと労働組合と個々の組合員の損害賠償責任は，不真正連帯責任となり，個々の組合員が労働組合と並んで違法争議の全損害について責任を負うことになる。

2　個人責任の有無

以上が伝統的契約法の帰結であるが，個々の組合員が使用者に対してこれらの損害賠償義務を負うかという点について学説は対立している。

社小倉支店事件・最大判昭和27・10・22民集6巻9号857頁，御國ハイヤー事件・前掲注33参照。

38）　岩田屋事件・福岡高判昭和39・9・29労民集15巻5号1036頁［顧客に対する「岩田屋の食料品は腐っている」「赤痢菌が入っている」等の発言は違法行為とした］。

39）　注釈労組法（上）548頁以下参照。

まず，個人責任否定説（団体単独責任説）は，争議行為の本質は，組織化された団体性にあり，違法争議行為が労働組合の正規の意思決定を経て行われた以上，それは労働組合の行為として評価され，労働組合のみが不法行為責任を負い，集団的行為の構成部分に過ぎない個々の組合員は責任を負わないとする[40]。

これが通説的見解であった中で，個人責任肯定説が主張された[41]。同説は，違法争議の意思決定にも個々の組合員が拘束されるとの立論にまず疑問を呈する。次に，争議行為の団体性についても，個人の埋没ではなく，個人の実行行為者性を意味し得るとする。また，個々の組合員が責任を負うということになると，労働者の組合活動への参加による労使自治を奨励する労組法の基本政策に合致しないとする考えに対しては，労組法が民事免責を与えて保護しているのはあくまで「正当性のある」団体行動であって，正当性のない争議にまで責任を免除することはかえって法の趣旨に反するとする。したがって，争議行為は組合の行為であると同時に，個々の組合員の行為でもあり，違法争議については，組合も個々の組合員も責任を負うと主張する[42]。

もっとも個人責任肯定説は，個人責任と団体責任の関係について，組合決議による違法な争議行為については，労働組合が第一次的責任を負い，個々の組合員は第二次的な責任を負うと解している[43]。

その結果，実際上は，団体単独責任説はもちろん，個人責任肯定説においても，不法行為責任の主要な担い手は労働組合であるという点では一致している。実際にも使用者が個々の組合員に対して損害賠償請求をするという事例は多くない。むしろ頻繁に行われるのは解雇や懲戒処分等の不利益取扱いである。

40）蓼沼謙一「争議行為のいわゆる民事免責の法構造」一橋論叢40巻2号16頁（1958年），浅井清信「団体行動としての争議行為」労働15号10頁（1960年）等。なお，西谷・労組法442頁以下は，労働組合自体を対外的責任主体とする労働組合・労働者の意思を使用者も承認する義務があるとして，同様の結論を導く。

41）菅野和夫『争議行為と損害賠償』（1978年）。

42）裁判例でこの立場を採ったものとして，書泉事件・東京地判平成4・5・6労判625号44頁，本山製作所（争議行為損害賠償）事件・仙台地判平成15・3・31労判858号141頁等。

43）菅野・前掲注41・234頁，菅野987-988頁。団体の不法行為責任（民715条1項，一般法人78条等）に関するオーソドックスな考え方からは，両者は不真正連帯債務となり，個々人も一人一人が団体と並んで違法争議の全損害について責任を負うこととなるが，このような帰結は明らかに妥当性を欠くとして，組合が一次的責任を負うものと主張する。

Ⅱ　懲戒処分

違法争議が企業秩序を乱すものであれば，参加組合員の懲戒処分が問題となる。しかしこれについても，学説は，争議行為が団体の行為であることを理由に個々の組合員の懲戒処分を否定する説と，これを肯定する説とが対立している[44]。この点，裁判例の大勢は，個々の組合員の懲戒処分を肯定している。学説でも，懲戒処分は規律上の行為者その人の責任を問うものであり，その行為が団体にとってどういう意味があるかとは無関係である[45]，団体が引き受ける責任は損害賠償責任のみであり，団体責任が個人の懲戒処分の可否に影響を及ぼし得るはずがない[46]，との指摘がなされている。個人の懲戒処分は可能と解すべきであるが，当然ながら懲戒権の濫用に及んではならない。

第4節　争議行為と賃金

争議行為の正当性の問題は，刑事免責，民事免責，不利益取扱いからの保護を受けるかどうかという問題であり，争議行為が正当であっても，労働者の賃金の帰趨は別個の考察を要する。これは争議参加者と争議不参加者に分けて考察する必要がある。

Ⅰ　争議行為参加者の賃金

1　ノーワーク・ノーペイの原則

争議行為に参加して，労務を提供しなかった労働者は，争議行為が正当であろうとなかろうと，「ノーワーク・ノーペイの原則」の帰結として賃金請求権を有しないのが原則である。しかしこのノーワーク・ノーペイの原則はあくまで，契約解釈の原則に過ぎず，特約によって異なる合意がなされていればそれに従った処理がなされるべきこととなる（→142頁）[47]。

44）注釈労組法（下）369頁参照。

45）山口・労組法263頁。

46）菅野988頁。

47）ノーワーク・ノーペイの原則とストライキの関係につき，菅野990頁，西谷・労組法458頁。

2　賃金カットの範囲

争議行為を行った労働者に対して，ノーワーク・ノーペイの原則に従ってその期間の賃金を控除することを一般に「賃金カット」と称している。法的には発生した賃金を差し引くものではなく，そもそも賃金が発生しないために支払わないに過ぎないが，予定されていた賃金額からストライキがなされた日数・時間数分の賃金を差し引いて支払うので「賃金カット」といわれている。

賃金カットの範囲については，かつて，「賃金二分説」という考え方[48]が主張された。すなわち，賃金には交換的部分（労働時間に応じて支払われる部分，日々の労務の対価としての性格を有する部分）と保障的部分（従業員たる地位に対応する部分で労働時間に関係なく支払われる部分，家族手当が典型的）があり，後者は賃金カットの対象とはならないと主張した。判例でも一見，この説を採用したかのような判断を示したものが現れ[49]，下級審では賃金を交換的部分と保障的部分に分け，賃金カットは交換的部分についてしか許されないとするものが続いた。

しかし，争議行為によりどの部分が賃金カットの対象となるかは，第一次的には契約解釈の問題であり，契約解釈を離れてアプリオリに賃金には交換的部分と保障的部分が存するとする賃金二分説は適切でないとする議論が有力となり，現在の判例[50]は，「ストライキ期間中の賃金削減の対象となる部分の存否及びその部分と賃金削減の対象とならない部分の区別は，当該労働協約等の定め又は労働慣行の趣旨に照らし個別的に判断するのを相当」として，原告の主張した賃金二分説を明確に否定している。したがって，賃金カットの範囲は，賃金二分説のように，当事者の意思解釈を離れた賃金の本質論によって決すべきものではなく，労働協約，就業規則，契約，慣行等に照らして，ノーワーク・ノーペイの原則に対する例外が契約上設定されているか否かという意思解釈によって決する必要がある。

48）本多淳亮「労働契約と賃金」季労25号101頁（1975年），窪田隼人「争議中の労働関係」労働18号12頁（1961年）等。

49）明治生命事件・最二小判昭和40・2・5民集19巻1号52頁［勤務手当および通勤費補助は，労働の対価として支給されるものではなく，職員に対する生活補助費の性質を有することが明らかであるから当然には控除できないとした］。

50）三菱重工長崎造船所事件・最二小判昭和56・9・18民集35巻6号1028頁［スト期間中はその期間に応じて家族手当を含む時間割り賃金を削減する旨の就業規則規定および従来の取扱いに従い，会社が家族手当も賃金カットの対象としたところ，労働者が賃金二分説を根拠に不支給となった家族手当を請求した事件］。

3　怠業と賃金カット

労務の完全な停止である全部ストの場合は，ノーワーク・ノーペイの原則が比較的単純に妥当するが，労務の不完全な停止による争議行為の場合は，ノーワーク・ノーペイの原則がどのように適用されるのか問題となる。この点，通説・裁判例は，労務の不完全な停止に応じた賃金カット（割合的カット，応量カット）が可能となると解している51)。

しかし，実際には，裁判所は不完全履行の割合の算定に極めて厳格な態度を採っており，使用者がどの程度の不完全履行がなされたかを客観的に明らかにして割合的に賃金カットすることはほとんど不可能に近い。事実上賃金カットできないような争議形態については，フェア・プレーの原則からして，正当性に影響すると解する余地もある（→730頁）が，怠業を正当な争議行為と認めるのであれば，使用者の労務受領拒否を緩やかに認めるべきか否かも問題となる52)。

Ⅱ　争議行為不参加者の賃金

争議に参加しなかった労働者が，ストライキの結果，就労できなかった場合，賃金（民536条2項）・休業手当（労基26条）を請求し得るかどうかが問題となる53)。

1　スト不参加者が就労した場合

まず，使用者がスト不参加者を就労させた場合には，仮にストライキの結果，本来なすべき労務が消滅ないし無価値となっていても，これら就労した労働者には完全な賃金が発生する54)。

51)　注釈労組法（上）559頁，西谷・労組法461頁。これに対し，山口・労組法250頁は怠業の場合も通常のストライキ同様，全額の賃金カットが可能で，受領した労務については不当利得の問題であるとする。

52)　割合的賃金カットの困難に対しては，使用者がロックアウトで対抗できるとする裁判例（東武鉄道事件・東京地判昭和41・9・20労民集17巻5号1100頁）もあるが，これは現在のロックアウト法理では困難である。この点，JR東海（新幹線減速闘争）事件・東京地判平成10・2・26労判737号51頁は，新幹線運転士の減速走行を予告しての就労は債務の本旨に従った労務の提供とはいえず，使用者はその受領を拒否して賃金支払拒否ができるとした。

53)　ストライキによる就労不能を民法536条の問題として処理すべきか否か自体について学説上は大きな争いがあったが，ノース・ウエスト航空事件・最二小判昭和62・7・17民集41巻5号1350頁で，民法536条の危険負担の問題として処理することが確認された。それまでの学説状況については荒木尚志・同事件判批・法協106巻9号1739頁（1989年）参照。

2　就労が無価値となっていないのに使用者が就労を拒否した場合

当該スト不参加労働者の労働がストライキによって客観的に無価値となっていないにもかかわらず，使用者がスト不参加労働者の就労を拒んだ場合，その労働者が労働できなかったのは，使用者がその責に帰すべき事由により就労させなかったためということになる。したがって，正当なロックアウトと評価される場合を除き，民法536条2項における債権者（使用者）の帰責事由が認められ，労働者は反対給付たる賃金を失わない[55]。

3　就労が無価値となり使用者が就労を拒否した場合

ストライキの結果，当該スト不参加労働者の就労が社会観念上不能である場合，あるいは，当該就労が社会観念上無価値で使用者が休業命令を発して労働不能となった場合[56]については，「部分スト」（その争議不参加者からみて，自組合の行うスト）と「一部スト」（その争議不参加者からみて，他組合の行うスト）の場合で分けて議論されている。

(1)　賃金請求権の存否

ｉ）**部分ストの場合**　　労働組合のストライキの結果，就労が不能または無価値となった場合の賃金請求権の帰趨については，ストライキによる履行不能（就労不能）を民法536条2項の帰責事由と評価すべきか否かが問題となる。

この問題については，ノース・ウエスト航空事件最高裁判決[57]が一応の決着をつけている。この事件は，羽田空港の組合員がストライキに入り，大阪，沖縄に飛行機が飛ばなくなり就労が無価値となったため，使用者が大阪，沖縄の組合員について休業命令を出し就労を拒絶したという部分ストの事案であった。

判旨は，「ストライキは労働者に保障された争議権の行使であつて，使用者がこれに介入して制御することはできず，また，団体交渉において組合側にい

---

54)　高知県ハイヤータクシー労組事件・高松高判昭和51・11・10労民集27巻6号587頁。

55)　日本油脂王子工場事件・東京地判昭和26・1・23労民集2巻1号67頁。

56)　就労が社会観念上無価値であることと履行不能とは必ずしも直結しない。無価値であっても，使用者が労働者を受け入れて労働力を受領すれば（例えば，スト解除に備えて待機させていた場合），労働者は労務を履行したことになるからである（上述の1の場合）。就労が無価値であることから使用者が休業命令を発したことにより就労不能となったのであり，この全体のプロセスが使用者の帰責事由評価の対象となる点に留意すべきである。詳細は荒木・前掲注53・1744頁以下参照。

57)　ノース・ウエスト航空事件・前掲注53。

かなる回答を与え，どの程度譲歩するかは使用者の自由であるから，団体交渉の決裂の結果ストライキに突入しても……使用者に帰責さるべきものということはできない」とし，「労働者の一部によるストライキが原因でストライキ不参加労働者の労働義務の履行が不能となつた場合……右ストライキは民法536条2項の『債権者ノ責ニ帰スヘキ事由』には当たらず，当該不参加労働者は賃金請求権を失う」とした。

ⅱ）**一部ストの場合**　一部ストについても，賃金請求権については部分ストの場合と同様に考えてよい[58]。学説には，一部ストの場合は，当該労働者はストライキについて全くの第三者であることから，その労働者の生活保障に配慮して，ストライキを使用者に近い領域の事象として使用者の帰責事由を肯定すべきとする見解もある[59]。しかし，このような労働者の生活保障への配慮は，次述する労基法上の休業手当において考慮されるべき事柄であり，故意過失および信義則上これと同視すべき事由と解されている民法536条2項の帰責事由を，特段緩やかに解するのは適切ではない[60]。

⑵　労基法26条の休業手当の存否

民法536条2項の帰責事由は一般に故意過失および信義則上これと同視すべき事由と解されているのに対して，労基法26条の帰責事由は，民法536条2項では帰責事由とされないような経営上の障害をも含むと解されている。この点は，ノース・ウエスト航空事件最高裁判決[61]でも，労働者の生活保障という観点から設けられた労基法26条の「『使用者の責に帰すべき事由』とは，取引における一般原則たる過失責任主義とは異なる観点をも踏まえた概念というべきであつて，民法536条2項の『債権者ノ責ニ帰スヘキ事由』よりも広く，使用者側に起因する経営，管理上の障害を含む」と確認された。そこで，賃金請求権（民法536条2項の帰責事由）は否定されても，休業手当（労基法26条の帰責事由）が認められることはあり得る。

ⅰ）**部分ストの場合**　部分ストの場合は，スト不参加労働者は，ストライキを行っている組合の組合員であり，スト参加者と組織的一体性がある。この

58）　ノース・ウエスト航空事件・前掲注53の賃金請求権に関する判断は一部ストをも射程に入れた判示と解し得る。荒木・前掲注53・1746頁参照。
59）　山口・労組法255頁，下井・労使関係法220頁等。
60）　注釈労組法（上）566頁，菅野995頁。
61）　ノース・ウエスト航空事件・最二小判昭和62・7・17民集41巻5号1283頁。

ような者についてストライキによる不就労を労働者の生活保障の配慮から使用者の帰責事由と解するのは明らかに妥当でない。判例も，部分ストの場合は労基法26条の帰責事由も認められないとして休業手当請求を斥けている[62]。

ⅱ）一部ストの場合　これに対して，一部ストの場合，まさに労働者の生活保障への配慮が働く。ストライキは使用者の故意過失と同視できるような帰責事由とはいえないが，ストライキについて全くの第三者である一部ストの争議不参加労働者との関係では，労働者の生活保障的配慮から，いずれかといえば使用者に近い領域での事象として労基法26条の帰責事由と認めることができる。したがって，一部ストの場合，スト不参加労働者には休業手当が認められると解してよい[63]。

第5節　争議行為と第三者

争議行為が使用者以外の第三者（例えば使用者の取引先や顧客，同一・近隣ビルの入居者等）に対して損害を生じさせた場合，労働組合ないしその組合員は法的責任を負うであろうか。労組法はこの点について規制を行っていないので解釈問題となるが，一般に，争議権保障の趣旨に照らし，正当な争議行為であれば，損害賠償義務を負わないと解されている[64]。これに対して，正当性のない争議行為の場合は，損害賠償責任を免れない[65]（なお，第三者に向けられた団体行動について→727頁，749頁）。

次に，争議行為により使用者が取引先に対する債務を履行できずに損害を発生させた場合，使用者は当該取引先に対して損害賠償義務を負うか。この点についてかつては，争議行為は企業内部の問題であり，かつ，不可抗力に該当し

62）ノース・ウエスト航空事件・前掲注61。

63）同旨，明星電気事件・前橋地判昭和38・11・14労民集14巻6号1419頁，菅野994-995頁，荒木・前掲注53，水町・詳解1170頁等。

64）菅野961頁，山口・労組法269頁，オーエス映画劇場事件・大阪地決昭和23・6・24労裁集1号80頁，東京急行電鉄事件・横浜地判昭和47・8・16判タ286号274頁［ストライキによる電車運行停止により年休取得のやむなきに至ったことは鉄道会社と労働組合の共同不法行為であるとする慰謝料請求を棄却］。

65）菅野961頁，山口・労組法270頁，下井・労使関係法222頁。労働組合・組合員は第三者に対して争議行為による違反が問題となる不法行為法上の注意義務を負わない等として反対する説として西谷・労組法465頁，新基本法コメ・労組法148頁［盛誠吾］等。

ないので，使用者は争議行為が正当なものであれ不当なものであれ，損害賠償責任を免れないという考え方が支配的であった。しかし，最近では，正当な争議行為の場合，第三者もその損害を甘受すべきであり，使用者に対して損害賠償請求はできないとする見解が有力である[66)]。正当な争議行為により使用者のサービスを受け得なかった者が使用者と労働組合に対して共同不法行為に基づく損害賠償を請求した事案では，使用者の責任も否定されている[67)]。

第6節　使用者の争議対抗行為

労働組合の争議に対する使用者の対抗手段には種々のものがあるが，既に触れた賃金カット，違法争議に対する懲戒や解雇，損害賠償請求等の措置のほか，争議中の操業継続およびロックアウトが重要である。

Ⅰ　操業の継続

使用者はストライキ中も操業を継続することができる。この使用者の操業の自由は最高裁でも繰り返し確認されている[68)]。したがって，管理職，非組合員を用いて操業継続することも，さらには代替労働者を雇い入れて操業継続することも特段制約されていない。

判例によると，組合側は，ピケッティングの正当性で触れたように，基本的に平和的説得によって，これらに対抗し得るのみで，これを超えて実力をもって使用者の操業を阻止することはできない。

▩スキャップ禁止協定　スト期間中の代替労働者（スキャップ）雇入れを禁止する労使間の協定をいう。こうした協定が締結されている場合，代替労働者の雇入れは協約違反として損害賠償請求や差止請求が可能となる。

Ⅱ　ロックアウト

一般にロックアウトとは「使用者が労働争議を有利に導くために労務の受領

66）石川・労組法258頁，下井・労使関係法226頁，西谷・労組法465頁，菅野961頁等。

67）東京急行電鉄事件・前掲注64。

68）朝日新聞社小倉支店事件・前掲注37，羽幌炭鉱事件・最大判昭和33・5・28刑集12巻8号1694頁，山陽電気軌道事件・前掲注37，御國ハイヤー事件・前掲注33等。

を拒否し，あるいは労働者を事業場から閉め出し，立入を禁止する行為」とされている。特に問題となるのは，ロックアウトにより使用者が賃金支払義務を免れ得るのはいかなる場合かである。

1　ロックアウト権の有無

労働組合には憲法上も労組法上も明確に争議権が付与されているが，使用者の争議権を根拠づける規定は存しない[69]。そこで，ロックアウト権の存否について種々の見解が主張されたが，そのアプローチには，「市民法的考察」の立場（ロックアウト権なるものを認めず，賃金請求権の問題は，すべて使用者の受領拒否〔遅滞〕論，危険負担論等の市民法的考察に委ねられるとする立場）と「労働法的考察」の立場（労働法上ロックアウト権なる使用者の争議行為概念を認め，賃金支払義務の存否は，そのロックアウトの正当性如何によるとする立場）の対立があった。

こうした中で，最高裁は労働法的考察の立場を採り，ロックアウト権を承認した[70]。すなわち，憲法28条や法律が「労働者の争議権について特に明文化した理由が専ら……労使対等の促進と確保の必要に出たもので，窮極的には公平の原則に立脚するものであるとすれば」「個々の具体的な労働争議の場において，労働者側の争議行為によりかえつて労使間の勢力の均衡が破れ，使用者側が著しく不利な圧力を受けることになるような場合には，衡平の原則に照らし，使用者側においてこのような圧力を阻止し，労使間の勢力の均衡を回復するための対抗防衛手段として相当性を認められるかぎりにおいては，使用者の争議行為も正当なものとして是認される」とした。

そして，使用者の争議行為の一態様としてのロックアウト（作業所閉鎖）の正当性は「個々の具体的な労働争議における労使間の交渉態度，経過，組合側の争議行為の態様，それによつて使用者側の受ける打撃の程度等に関する具体的諸事情に照らし，衡平の見地から見て労働者側の争議行為に対する対抗防衛手段として相当と認められるかどうか」によって判断され，この相当性が認められる場合には，ロックアウト期間中の対象労働者に対する労働契約上の賃金支払義務を免れるとした。

69）労調法7条，行政執行法人労働関係法17条2項，地方公営企業等労働関係法11条2項には「作業所閉鎖」として登場するが，これらは労働委員会の調整の対象となる事項や禁止される行為として挙げられたに過ぎず，ロックアウト権の根拠とはならない。

70）丸島水門事件・最三小判昭和50・4・25民集29巻4号481頁。

本判決により，ロックアウトを労働法上の権利として認め，ロックアウトと賃金の関係についても，ロックアウトの正当性により判断する枠組みが確立された。

2　ロックアウトの正当性

判例によると，著しく不利な圧力を受けた使用者が，労使間の勢力の均衡を回復するための対抗防衛手段として行う受動的・防衛的ロックアウトのみが正当とされる。したがって，労働組合の業務阻害行為に先駆けて行う「先制的ロックアウト」や，自己の主張をのませるための「攻撃的ロックアウト」は正当性が認められない[71]。また，正当性の要件はロックアウトの開始時のみでなくロックアウト継続のための要件である[72]。

判例におけるロックアウトの正当性判断は相当に厳格なもので，正当性が認められる例は少ない。比較的認められやすいのが，怠業や時限スト，波状ストなどの反復によって業務が麻痺し，労務給付があっても使用者が賃金負担に見合う事業運営が期待できないような場合である[73]。

正当性が認められないロックアウトの場合，就労を拒絶された労働者には，賃金請求権が発生する。

第7節　組合活動

労働組合は，団体交渉，争議行為のほかにも，ビラ貼り，ビラ配布，リボン・腕章・鉢巻の着用，組合集会の開催，デモ等種々の活動を行う。これらの活動は，団体交渉権や争議行為としての法的保護の対象とならないものである

71）　日本原子力研究所事件・最二小判昭和58・6・13民集37巻5号636頁では，使用者が導入しようとする新交替制を組合に承認させるために，組合側がストライキを解除した後も21日間継続してなされたロックアウトの正当性を否定している。

72）　第一小型ハイヤー事件・最二小判昭和52・2・28判時850号97頁では，約1年にわたるロックアウトにつき，最初の2ヶ月を除く期間の正当性が否定された。

73）　ロックアウトの正当性を認めた近年の事例として，安威川生コンクリート事件・最三小判平成18・4・18民集60巻4号1548頁［ストライキが暴力を伴わないものであっても，時限ストの反復で甚大な損害が生じ，また，組合員が組合鞍替えにより，自ら締結した労使合意を覆すなど，労使間の信義に反する交渉経緯の下でなされたロックアウトの正当性を肯定］。怠業について比較的緩やかにロックアウトの正当性を認めた近時の裁判例として日光産業ほか1社事件・大阪地堺支判平成22・5・14労判1013号127頁［平均43％しかゴミ収集しない怠業に対するロックアウトを正当とした］。

が，団体行動権の一つである組合活動として争議行為と同様に刑事免責，民事免責，不利益取扱いからの保護の対象となり得る（→723頁）。しかし，争議行為は団体交渉を労働組合が有利に進めるための手段的権利であるのに対し，組合活動は，労働者の団結体の活動を日常的に維持強化するためのものという目的の相違がある。組合活動の正当性は主体，目的，態様に照らして判断されるが，主体や目的については，争議行為よりも緩やかに正当性が認められる一方，態様についてはより厳格な判断が行われる。

I　組合活動の正当性に関する一般的基準

1　主　体

団体交渉の圧力手段である争議行為の場合，その主体は団体交渉の主体たることが要請されるのに対し，組合活動を行う主体についてはこのような限定は必要なく，当該主体が団結体の統制下にある活動に従事したといえることで足りる。組合員が組合の具体的な指令に基づかずに行った行為でも，組合の運動方針に従ったものであれば，黙示の承認があるものと認め組合活動として扱ってよい。

■組合内少数派の活動　組合内少数派の活動が「組合活動」に当たるかどうかは微妙な問題である。組合役員選挙過程での言論や，組合大会における言論等は組合の民主的運営に資するものとして組合活動としての保護が及ぶと考えられる。これに対して，一旦組合の機関決定や指令がなされたのにこれに反する活動を行う場合（例えば，組合決定や執行部を批判するビラを配布），対内的に統制処分が可能なものであれば（→675頁），対外的にも組合活動としての保護が失われると解される[74]。

2　目　的

争議行為では団体交渉の要求を実現させるためという目的に関する限定があるが，組合活動については，そうした限定は不要で，労働者の相互扶助を目的としてもよいと解される。

最も問題となり訴訟でも争われたのは政治活動の組合活動としての正当性である。判例[75]は，政治活動資金のために支出される組合費納入義務について，組合が多数決によって政治活動を決定し，これと異なる見解を持つ組合員に協

74）　菅野973-974頁。

75）　国労広島地本事件・最三小判昭和50・11・28民集29巻10号1698頁。

力を義務づけることは，組合員個人の政治的自由を侵害し許されないが，組合員の権利利益に直接関係する立法や行政措置の促進または反対のための活動については，政治活動としての一面を持つが，それとの関連性は希薄であり，むしろ労働組合本来の目的を達成するための経済的活動ないしはこれに付随する活動とも見られるもので，組合員の協力を要求しても，政治的自由に対する制約の程度は極めて軽微であり，組合員は協力義務を負うとしている。そうすると，組合の決定した活動が政治的性質を帯びるものであることゆえに直ちに目的の面から正当性が否定されるわけではなく，「労働者の権利利益に直接関係する立法，行政措置等に関する活動」については，労働組合の目的の範囲内のものとして，組合活動の保護も及ぶと解される[76)]。

3　態　様

争議行為では，労働契約や企業秩序と抵触するような行為も団体交渉の圧力手段として許容され得るが，組合活動では，労働義務違反，誠実義務違反，業務の阻害等は原則として許されないと解される。その結果，組合活動の態様に関しては次の3つの点が一般に問題となる。

(1)　就業時間外の原則

就業時間内の組合活動は労働契約上の労働義務と抵触し，原則として正当性を否定される。例外は，労働協約，就業規則，慣行，使用者の承認により許容されている場合である。これらの場合は，労働契約自体がそのようなものに修正されており，労働契約上の義務との抵触が生じないからである。

さらに労働契約上，労働者は職務に専念する義務がある（職務専念義務）。この内容の理解如何によって，就業時間中の組合活動の正当性も変わってくる（後述のリボン闘争参照）。

(2)　企業秩序の遵守

組合活動が，企業施設を利用して行われる場合には，企業施設管理権および企業秩序維持との関係から，問題が生じる。

企業別組合が主流であるわが国では，組合活動が企業の施設内で行われることになるのはある意味で自然である。そこで，学説では，組合員は団結権や組合活動権に基づき企業施設を一定限度で利用する権限を有し，使用者はこれを

---

76)　同旨，菅野974頁。これに対し，水町・詳解1151頁は，労働者の経済的地位の向上と間接的または中長期的につながりをもつような政治活動も目的として広く正当性をもつとする。

受忍する義務があるという「受忍義務説」が有力に主張された[77]。

しかし，判例[78]はこの「受忍義務説」を否定している。すなわち，国鉄札幌運転区事件判決は，組合活動による企業施設の利用は，本来使用者との団体交渉による合意に基づいて行われるべきもので，利用の必要性が高いから利用権限が生じたり，使用者が受忍義務を負ったりするものではない，としている。ただし，利用を許諾しないことが施設管理権の濫用と認められる特段の事情がある場合はこの限りでないとする（許諾説）。

⑶　誠実義務の遵守

組合活動が上記⑴⑵の問題をクリアーしているとき，すなわち，就業時間外かつ事業場外でなされた場合にも，労働者が労働契約上の一般的義務として負う誠実義務との関係で，一定の制約がある。例えば，使用者の営業を積極的に妨害するようなビラを配る行為等がそうである。このような行為が正当として免責されるのは，ストライキに付随するボイコット，すなわち争議行為として正当とされる場合に限られる。

Ⅱ　具体的判断

1　就業時間中の組合活動――リボン闘争等

わが国では，リボン・ワッペン・プレート・腕章・鉢巻等に「要求貫徹」や「大幅賃上げ」等の文字を書き入れて，これを着用して就労するという形態の組合活動がしばしば行われる。

従来の学説の多数は，これらのリボン等の着用が労務の提供に何ら支障なく，使用者の業務を阻害しない場合には，組合活動としての正当性が認められるとした（業務阻害説）。そして，業務阻害となるかどうかは，リボンの大小，記載の内容，着用目的，勤務場所，労働者の身分，業種等を考慮して判断するとし，裁判例にもこの立場を採るものが相当あった。

これに対して，裁判例では，就業時間中のリボン着用は，業務の支障に関係なく，労働者が労働契約上負っている職務専念義務に違反し，正当な組合活動とは認められないとするものが増えてきていた（職務専念義務説）。こうした中

77）　学説については深谷信夫「組合活動論」学説史 301 頁以下，新基本法コメ・労組法 57 頁以下［浜村彰］，中村和夫「組合活動の正当性⑴」争点 194 頁等参照。

78）　国鉄札幌運転区事件・最三小判昭和 54・10・30 民集 33 巻 6 号 647 頁。

で，最高裁は，大成観光事件判決[79]で特段の判断枠組みを示すことなく，リボン闘争の正当性を否定した原審判断を維持した。職務専念義務の内容について，最高裁は目黒電報電話局事件[80]で，電電公社法の解釈としてではあるが，「注意力のすべてをその職務遂行のために用い職務にのみ従事しなければならない」義務というように，極めて高度の義務と捉えていた。しかし，大成観光事件では，「職務専念義務といわれるものも，労働者が労働契約に基づきその職務を誠実に履行しなければならないという義務であって，この義務と何ら支障なく両立し，使用者の業務を具体的に阻害することのない行動は，必ずしも職務専念義務に違背するものではない」とする伊藤正己裁判官の補足意見が付され，学説の大勢もこの伊藤補足意見の立場を支持している。労働義務に何らの支障もない活動を，その実態を精査することなく一律・形式的に職務専念義務違反と解するのは妥当ではなく，リボン闘争については，その態様を具体的に判断する必要があるというべきであろう。そして，大成観光事件のように労働者の職務を誠実に履行する義務と両立せず，ホテル業務に具体的支障を生ぜしめたことから正当性が否定されることもあるが[81]，逆に，その態様が労務の遂行に支障がなく，業務を阻害しないことから，正当性が認められる場合もあると解される。

2　企業施設・企業秩序との関係

(1)　ビラ貼り

i）刑事罰　　ビラ貼りについては，まず，建造物等損壊罪（刑260条），器物損壊罪（同261条）の成否が問題となる[82]。これは，これらの犯罪の構成要件である「損壊」について，物理的有形的損壊説を採るか，効用減損説を採るかによって判断が分かれるが，判例[83]は，効用減損説に立っていると考えられる。具体的には，ビラの枚数，貼付場所，外観（美観），施設の効用の支障，

79)　大成観光事件・最三小判昭和57・4・13民集36巻4号659頁。

80)　目黒電報電話局事件・最三小判昭和52・12・13民集31巻7号974頁。原審の同旨の判断を是認した最高裁判決として，国鉄鹿児島自動車営業所事件・最二小判平成5・6・11労判632号10頁，JR東海（新幹線支部）事件・最二小判平成10・7・17労判744号15頁参照。

81)　大成観光事件・前掲注79伊藤補足意見参照。

82)　さらに，軽犯罪法1条33号（「みだりに他人の家屋その他の工作物にはり札をし……た者」）も問題となる。

83)　金沢タクシー事件・最一小決昭和43・1・18刑集22巻1号32頁。

原状回復の難易等が考慮されることとなる。

ⅱ）**懲戒処分**　学説の多数説は「受忍義務説」すなわち，憲法28条の団結権，団体行動権の保障によって使用者の施設管理権は一定の制約を受け，その結果，労働者による使用者の承認を得ないでなされた企業施設へのビラ貼りも，それが正当とされる範囲で使用者は受忍義務を負うとの立場を採っている。具体的には，組合活動としての必要性とそれにより使用者が被る業務運営上・施設管理上の支障との比較衡量がなされ，その際には，貼付場所，範囲，ビラの枚数，形状，文言，貼り方などが総合考慮される。これに対し，「違法性阻却説」すなわち，使用者の禁止に反して使用者の施設にビラを貼るのは施設管理権の侵害であり，原則として違法であるが，実質的支障を生ぜしめない限りは，違法性が阻却されるとする見解もある[84]。

しかし，判例[85]は，前述の「許諾説」と呼ばれる立場を採っている。

ⅲ）**撤去請求・損害賠償**　基本的に懲戒処分に関する正当性判断と同様で，正当性のないビラ貼りに対して使用者は，組合に撤去請求ができる。そして，組合が撤去請求に応じない場合には，使用者の自力救済も可能であり，不当労働行為にもならないと考えられている。その費用（ビラ撤去費用，壁の修繕費用等）は組合・組合員に損害賠償として請求することができる。

(2)　ビラ配布

ビラ配布が事業場内で行われた場合は，ビラ貼りと同様，使用者の施設管理権との関係が問題となり得る。しかしビラ貼りと比較するとビラ配布は，直接従業員に手渡す，机に置く等の方法であるため，企業施設の物的侵害になることはほとんどない（したがって，刑法上の問題や損害賠償はまず問題とならない）が，職場秩序との関連から懲戒処分の可否が問題となる。

判例の立場では，職場秩序との抵触について，事業場の「秩序風紀を乱すおそれのない特別の事情」[86]の有無が問題となる。具体的には，ビラ配布の態様とビラの内容に着目した判断がなされる。ビラ配布の態様について判例は，形式的に就業規則の許可制違反であっても，平穏な態様のものには特別事情を認め，懲戒事由該当性を否定することが少なくない。例えば，会社の敷地内であ

84)　下井・労使関係法80頁，山口・労組法294頁。

85)　国鉄札幌運転区事件・前掲注78。

86)　目黒電報電話局事件・前掲注80。

る正門前広場でのビラ配布につき，作業秩序や職場秩序を乱されるおそれのない場所であったとして，懲戒処分を無効とした例[87]や，休憩時間中の食堂での「赤旗」号外および日本共産党参議院選挙法定ビラを平穏に配布した場合について，工場内の秩序を乱すおそれのない特別の事情が認められるとして許可制に違反はないとした例[88]などがある。また，無許可のビラ配布を理由とする懲戒処分について特別の事情を認め，不当労働行為に当たるとした例[89]もある。

他方，ビラ貼り，ビラ配布双方に共通するが，そのビラの内容（その内容が真実でない，誹謗中傷に当たる，違法行為をそそのかす等）の点から正当性が否定される場合がある。目黒電報電話局事件[90]では，ビラ配布の態様に問題はなかったが，その内容において，上司の適法な命令に抗議し，違法行為をあおり，そそのかすものであったことから職場規律違反とされた[91]。

⑶　街宣活動

労働組合が労働組合の主張・要求を使用者たる企業や当該企業の親会社・取引銀行等関係企業にて，あるいは個人たる役員の私宅付近にて，拡声器やビラ配布等により訴える街頭宣伝活動（街宣活動）の正当性が裁判例で争われている。

企業の社屋付近での街宣活動については，社会的相当性を超えて企業の名誉・信用や平穏に事業を営む権利を侵害していると認められる場合，組合活動の正当性が否定され，差止請求，損害賠償請求が認められている[92]。そして，個人の私宅付近での街宣活動については，組合活動であっても私生活の領域に立ち入るべきではなく，その正当性はより厳格に審査される。すなわち，企業経営者・役員の私生活の平穏や地域における名誉・信用を侵害する組合活動は，

87）　住友化学名古屋製造所事件・最二小判昭和54・12・14労判336号46頁。

88）　明治乳業事件・最三小判昭和58・11・1労判417号21頁。

89）　倉田学園事件・最三小判平成6・12・20民集48巻8号1496頁。

90）　目黒電報電話局事件・前掲注80。

91）　最近の事例としてフジビグループ分会組合員ら（富士美術印刷）事件・前掲注18。

92）　東京・中部地域労働者組合（街宣活動）事件・東京高判平成17・6・29労判927号67頁，東京・中部地域労働者組合（第二次街宣活動）事件・東京地判平成25・5・23労判1077号18頁［解雇有効判決が最高裁で確定した後，その撤回を求める会社本店前の街宣活動につき正当性を否定］，西川産業ほか（関西生コン支部）事件・大阪地判平成25・10・30労判1086号67頁，NPO法人A（介護ヘルパー）事件・東京地判平成26・9・16労判1104号87頁，ミトミ建材センターほか事件・大阪高判平成26・12・24労経速2235号3頁等。

その正当性が否定され，差止請求，損害賠償請求が認められている[93]。

■第三者（非使用者）に対する団体行動（組合活動）　労組法上の使用者と認められない者に対する組合活動としての街宣活動等は憲法28条ないし労組法の保護を受ける余地がないとした裁判例（教育社労働組合事件・東京地判平成25・2・6労判1073号65頁）があるが批判が強い。労働組合が労働条件の改善を目的として行う団体行動である限りは，直接労使関係に立たない者との関係でも憲法28条の保護対象となりうるとしつつ，具体的判断において組合の団体行動は社会通念上相当とは認められないとして損害賠償責任を肯定した例として東海商船（荷役）事件・東京高判平成11・6・23労判767号27頁，フジビグループ分会組合員ら事件・東京高判平成28・7・4労判1149号16頁がある。

第8節　労働争議の調整

集団的労働関係は労使自治によって規律されるのが原則であり，そのために，労働組合が法認され，団体交渉が争議行為の担保を伴って予定されている。しかし，争議行為は企業の操業を停止させ，労働者側は賃金を失い，また，社会にも大きな損失をもたらす。そこで，労働関係調整法（労調法）は，労働争議（後述するように争議行為よりは広い概念である）の調整手続を定め，これを労働委員会に担わせている（労働委員会の個別労働紛争解決サービスについては→627頁）。

I　労働委員会

労働委員会は，労組法によって設置された独立の専門的行政委員会[94]であり（国家行政組織法3条2項，4項，別表第1，地方自治法138条の4第1項，180条の5第2項，202条の2第3項），都道府県に置かれ，都道府県知事の所轄する都道府県労働委員会（2004年労組法改正までは地方労働委員会と呼ばれた）と，中央（東京）にあり厚生労働大臣所轄の中央労働委員会（中労委）から成る。

労働委員会は，使用者委員，労働者委員，公益委員各同数から成る三者構成を特色とする（労組19条1項，19条の3第1項，19条の12第2項）。委員は労使関係の専門的知識を有することが期待されているが，法律家であることや法曹資格

93）東京・中部地域労働者組合（街宣活動）事件・前掲注92，丙川産業ほか（関西生コン支部）事件・前掲注92等。

94）したがって，労働委員会は所轄機関（厚生労働大臣，都道府県知事）の指揮命令を受けずに，独立にその権限を行使する。

は要件ではない。労働者委員は労働団体の，使用者委員は使用者団体の推薦を受けて任命され[95]，公益委員[96]は労使委員の同意を得て任命される（同19条の3，19条の12）。任期は2年で，再任も可能である。

労働委員会の二大任務は，労調法の規定する労働争議の調整と労組法の規定する不当労働行為の審査・救済（詳細は→782頁以下）である。労働委員会はこのほかに，労働組合の資格審査（労組5条1項）や労働協約の地域的一般的拘束力の決議（同18条）を行う権限，労働委員会の事務に必要な臨検・検査等の強制権限（同22条），そして個別労働関係紛争の調整手続（→627頁）も行うことができる。

Ⅱ　争議調整手続

1　自主的解決の基本原則

労働委員会による争議行為の調整手続について定めた労調法は，労働関係の当事者の自主的解決を基本原則としている（労調2条，4条）。政府はこの労使当事者による自主的調整を援助し，争議行為防止に努めなければならず（同3条），労調法は，あっせん，調停，仲裁等の調整手続を定めている（同10条以下）。しかし，こうした労調法上の手続も，労使当事者による自主的解決努力の責務を免除するものではなく（同4条），あっせん，調停，仲裁の各手続においても，労使当事者による自主的解決を妨げるものでないことが確認されている（同16条，28条，35条）。

2　調整対象となる「労働争議」

労調法の調整手続の対象となる「労働争議」とは，「労働関係の当事者間において，労働関係に関する主張が一致しないで，そのために争議行為が発生してゐる状態又は発生する虞がある状態」とされている（労調6条）。

まず，「労働争議」とは争議行為とは異なる概念であり，争議行為が発生している状態のみならず，争議行為が発生するおそれのある状態をも指すことに注意を要する。

労調法にいう「争議行為」とは「同盟罷業，怠業，作業所閉鎖その他労働関

95）　労働団体の推薦する候補者の中から誰を任命するかは，労働者一般の利益ないし労働委員会制度の適正な運営に関する任命権者の健全な裁量に委ねられる（菅野1084頁）。

96）　中労委の公益委員については両議院の同意も要件とされている（労組19条の3第2項）。

係の当事者が，その主張を貫徹することを目的として行ふ行為及びこれに対抗する行為であつて，業務の正常な運営を阻害するものをいふ」と定義されている（7条）。労調法上の争議行為は，労組法において保護の対象となり得る「争議行為」よりは広く，労組法上の争議行為概念には含まれない使用者の作業所閉鎖をも含み，争議調整を要する労使の集団的業務阻害行為を広範に把握しようとしたものと解される97)。

「労働関係の当事者」とは，集団的労働関係における当事者，具体的には労働組合または労働者集団と使用者（使用者団体）を指す。労調法は労働組合とはいえない争議団等の労働者集団と使用者の集団的労使紛争をも規制するために，「労働組合」ではなくあえて「労働関係の当事者」「関係当事者」という文言を用いている（労調2条～7条，12条，13条，18条，24条～26条，30条，31条の2，31条の5，32条，37条，38条参照）98)。また，「労働関係に関する主張」とは，集団的労働関係と個別的労働関係の双方における主張を含み，また，労働協約や労働契約上規定された権利の履行をめぐる「権利紛争」のみならず，権利や手続の新たな設定をめぐる「利益紛争」に関する主張も含まれる。

争議行為が発生したときは，その当事者は直ちに労働委員会または都道府県知事に届け出なければならない（労調9条）とされているが，罰則はなく遵守されていない状況である。

3　労働争議の調整

労調法は労働争議の主たる調整手続としてあっせん，調停，仲裁を用意している。これらの調整手続は手続の拘束力が弱ければ，手続開始要件も緩やかに，拘束力が強ければ，開始要件も厳格に設定されている。また，争議行為が国民経済・日常生活に甚大な影響を与える場合について，厳格な要件の下で緊急調整という特別の調整手続が用意されている。

(1)　あっせん

あっせんとは，あっせん員が関係当事者双方の主張の要点を確かめ，事件が解決されるように努める手続である（労調13条）。あっせん案が出されることもあるが，当事者はこれを受け入れる義務はない。このように当事者に対する拘束力はない緩やかな調整手続であるので，労働争議が発生した場合，あっせん

---

97)　菅野1091頁。

98)　労政参事官室1016頁。

は当事者の双方もしくは一方の申請，または労働委員会の会長の職権によって（つまり関係当事者の合意を要せず）開始される[99]（同12条）。

あっせん員は労働委員会が予め作製するあっせん員候補者名簿の中から労働委員会会長が指名する。通例，労働委員会委員，労働委員会事務局職員が委嘱され名簿に記載されている（同10条～12条）。

一方当事者の申請で開始できるあっせんは，労働委員会の争議調整手続の主役であり，近年では，新規係属争議調整件数の約98％をあっせんが占めている[100]。もっとも，他方当事者にあっせんで解決する意思がない場合には不調として手続も終了する。

⑵　調　停

調停は，労働委員会に設けられる公労使三者構成（労使は同数）の調停委員会が関係当事者から意見を徴して調停案を作成し，その受諾を両当事者に勧告する手続である（労調19条，20条，26条）。

調停案を受諾するかどうかは当事者に委ねられており，調停案には拘束力はない。調停手続の開始は，双方当事者の申請が原則であり，一方当事者の申請で開始するのは，その旨が労働協約に定められている場合に限られる（同18条1号，2号）。なお公益事業については後述のような特別の規制がある。

調停は，三者構成の調停委員会による調停案の提示が制度上予定されている点であっせんと異なるが，拘束力のない解決案提示という点ではあっせんにおいても同様の機能を果たし得るため，あえて調停を利用する実益に乏しく，利用は全調整事件の2％程度と少ない。

⑶　仲　裁

仲裁は3人以上の奇数の仲裁委員から成る仲裁委員会が，労働協約と同一の効力のある仲裁裁定を下す手続である（労調31条，34条）。このように両当事者に対して拘束力のある仲裁裁定が下される手続であるので，その開始要件は厳格で，双方当事者からの申請または労働協約の仲裁申請を義務づける規定に基づいて一方当事者が申請した場合に限られる。

99）　ただし，当事者の申請があっても，労働委員会会長があっせんを不必要・不適当と認めたときはあっせんを行わないことができるとされている（労委規65条2項）。

100）　中央労働委員会「調整事件取扱状況」（https://www.mhlw.go.jp/churoi/chousei/sougi/sougi05.html）参照。

仲裁委員は，公益委員または公益を代表する特別調整委員[101]の中から当事者が合意により選定した者につき会長が指名する（労調31条の2）。

仲裁は双方当事者の仲裁付託の合意に基づいて開始され，拘束力を持つ裁定によって労働争議を終了させる手続であるが，実際にはほとんど利用されていない。

(4) 緊急調整

緊急調整とは，「公益事業に関するものであるため，又はその規模が大きいため若しくは特別の性質の事業に関するものであるために，争議行為により当該業務が停止されるときは国民経済の運行を著しく阻害し，又は国民の日常生活を著しく危くする虞があると認める」ときに，内閣総理大臣が，中労委の意見を聴いて，50日間争議行為を禁止する効果を伴う「緊急調整の決定」を行い，その間，中労委がすべての事件に優先して，その事件の解決のために努力するという手続である（労調35条の2～35条の4）。争議禁止の違反は20万円以下の罰金刑の対象となる（同40条）。

緊急調整下において中労委は事件解決のため，あっせん，調停，仲裁，実情調査，解決案勧告の措置を講ずることができる。ただし，仲裁については労調法30条各号の仲裁開始要件が満たされていなければなし得ない（労調35条の3）。

緊急調整は争議行為を中止させるという集団的労働関係への国家の強力な介入であり，その発動は慎重になされるべきものである。過去には，1952年10月下旬からの60日に及ぶ炭労ストの際に，極度の石炭不足による国民生活の圧迫を回避すべく12月17日に一度発動されたのみで，その後，発動されたことはない。

4　公益事業についての特別規制

公益事業とは，①運輸事業，②郵便，信書便，電気通信事業，③水道，電気，ガス供給事業，④医療，公衆衛生事業で，公衆の日常生活に欠くことのできないものをいう（労調8条1項）。また，内閣総理大臣は，このほかに国会の承認を経て，業務の停廃が国民経済を著しく阻害し，または公衆の日常生活を著しく危うくする事業を，1年以内の期間を限り，公益事業に指定できる（同8条2

101）特別調整委員とは，労働争議の調停または仲裁に参与させるための委員で，使用者代表，労働者代表，公益代表の各委員から成る。任命手続は労働委員会の公労使委員と同様である（労調8条の2）。

項）が，指定された前例はない。

公益事業については労調法上，次の3つの特別の規制がある。

⑴　職権調停・請求調停制度

公益事業に関する労働争議は公衆の日常生活に多大の障害を及ぼすので，当事者による労働委員会への申請等，自主的解決のみに委ねることなく，労働委員会の職権による調停および厚生労働大臣または都道府県知事からの労働委員会への請求による調停が予定されている（労調18条4号，5号）。

⑵　緊急調整

公益事業は緊急調整の対象となり得る（労調35条の2）。

⑶　争議行為の予告

公益事業の関係当事者が争議行為を行う場合は，その争議行為をしようとする日の少なくとも10日前までに，労働委員会および厚生労働大臣または都道府県知事にその旨を通知しなければならない（労調37条）。違反については10万円以下の罰金に処される（同39条）。

厚生労働大臣または都道府県知事がこの争議予告を公表すること（労調令10条の4第4項）により，突然の争議行為による公衆の日常生活への不測の損害等を最小とし，同時に，予告期間中，労働委員会の調整手続の機会を確保し争議行為の未然防止を図ろうとしたものである。

第24章　不当労働行為

第1節　不当労働行為制度の概要

I　不当労働行為制度の意義

不当労働行為制度とは，使用者の集団的労使関係における一定の不公正な行為を不当労働行為（unfair labor practice）として禁止し，その違反があった場合には，労働委員会という行政委員会が行政救済命令を発し，正常な集団的労使関係秩序の回復・確保を図る制度である。具体的に禁止される不当労働行為には3つの類型がある。すなわち，①労働組合員であることや労働組合の正当な行為をしたこと等を理由に不利益取扱いをすること（不利益取扱い，労組7条1号，4号），②正当な理由なく団体交渉を拒否すること（団交拒否，同2号），③組合の結成や運営を支配しそれに介入すること（支配介入，同3号）である。

労働委員会は，権利義務の存否について判断を行う裁判所によってはなし得ないような，柔軟な救済措置を命ずる裁量権を持っている。これが不当労働行為の救済を裁判所とは異なる労働委員会という行政委員会に委ねた意義である。ヨーロッパ諸国でも，公正な労使関係を形成させるために，労働組合，組合員に対する使用者による不利益取扱いや支配介入的行為（反組合的行為）を禁止するような制度は見られるが，国家が行政委員会を通じて救済命令を発する制度ではない。不当労働行為制度を，世界で最初に作り出し，発展させたのはアメリカである[1)]。

日本の現行の不当労働行為制度は，アメリカの1935年の全国労働関係法

---

1)　アメリカの不当労働行為制度の概要については中窪・アメリカ36頁以下。

（National Labor Relations Act，いわゆる〔1947年タフト・ハートレー法による改正前の〕ワグナー法）の制度を範としつつも独特の制度として1949（昭和24）年改正労組法で導入され，その後，独自の発展を遂げたものである。

Ⅱ　不当労働行為制度の沿革[2)]

1　旧労組法下の科罰主義の不当労働行為制度

終戦直後，日本国憲法制定前の1945（昭和20）年12月に制定された旧労組法は，使用者が労働者に対して，労働組合の組合員であることのゆえをもって解雇その他の不利益取扱いをなすこと，および，労働組合に加入しないことまたはそれを脱退することを雇用条件とすること（黄犬契約）を禁止していた。しかし，現行の不当労働行為制度とは異なり，その違反については6ヶ月以下の禁錮（こ）または500円以下の罰金を設け，その罪は労働委員会の請求を待って論ずるとしていた。この旧労組法の制度は，戦前の立法化に至らなかった労働組合法案に由来するもので，「科罰主義の不当労働行為制度」と呼ばれている。

旧労組法の科罰主義は，刑罰の謙抑性から，実際に労働委員会が処罰請求をすることは稀で，これを受けて検察官が起訴し，有罪に至ることはさらに稀であった。したがって，旧労組法の科罰主義は十分な効果をあげることができなかった。また，組合員ゆえの解雇についても，使用者が仮に有罪となっても，それだけでは被解雇労働者は救済されず，別に民事訴訟を提起しなければならないことも制度的な欠陥であると認識された。

2　現行制度への改正

連合国軍総司令部（GHQ）は，旧労組法の制度が，現行労組法7条1号に当たる不利益取扱いと黄犬契約の禁止を規定するのみで，規制範囲も，また，救済手段も不十分であると考えた。そこで，アメリカの1935年全国労働関係法（ワグナー法）の不当労働行為制度をモデルとした制度を導入することが企図され，1949（昭和24）年の労組法全面改正によって，団交拒否（7条2号），支配介入（同3号）も規制対象とする現行の行政救済主義の不当労働行為制度が創設された。

その後，1952（昭和27）年改正で労調法の争議調整中の発言を理由とする不

2)　不当労働行為制度の沿革については道幸・行政救済10頁以下とそこに掲記の文献，中窪裕也「不当労働行為制度の趣旨・目的」講座再生5巻217頁等参照。

利益取扱いの禁止が削除され，代わりに労組法7条4号の報復的不利益取扱いの禁止が設けられ，現行の不当労働行為制度が完成した。

▩アメリカの不当労働行為制度との違い　日本は，アメリカの全国労働関係法を範に不当労働行為制度を導入したが，アメリカの制度とは重要な相違がある。

第1に，アメリカでは労働組合も不当労働行為の主体となり得る。アメリカでは，第二次世界大戦後，大争議が頻発するようになり，労働者側を一方的に保護し過ぎているとの反省から，1947年のタフト・ハートレー法（Labor Management Relations Act）により全国労働関係法が改正され，労働組合の不当労働行為（労働組合の団体交渉義務違反等）が導入された。これに対して，日本法は使用者の不当労働行為のみを禁止している[3]。

第2に，アメリカでは，団体交渉法制として排他的交渉代表制が採られているので，（法によって保護される）団体交渉権を持つ組合は，1つの交渉単位には1つしか存しない。また，排他的交渉代表制の下では，単位内の非組合員をも含めたすべての被用者を代表組合が代表する（個別交渉も排除される）ので，代表組合は非組合員を含めて単位内のすべての被用者に対して「公正代表義務（duty of fair representation）」を負うという判例法理が確立している。こうした排他的代表組合の選出は，使用者が当該組合を任意承認しない場合，交渉単位内の過半数の労働者の支持を確認する代表選挙によって行われる。これに対して，日本では，排他的交渉代表制が採られておらず，組合員数ないし支持の多寡を問わずすべての組合が同等の権利を持ち，その設立も容易であるが，複数組合併存下で複雑な法律問題が生ずる。

第3に，救済機関は日米ともに行政機関であるが，そこには大きな違いがある。アメリカの全国労働関係局（NLRB：National Labor Relations Board）の主たる任務は，排他的代表選出のための代表選挙の実施，不当労働行為の訴追，そして何より不当労働行為の審査である。不当労働行為審査は，不当労働行為が行われたと考える者（当事者に限らない）による申立て（charge）を受けたNLRBの地方支局長（最終的にはNLRBの訴追部門の長である事務総長〔General Counsel〕）が，申立てに理由があると認めた場合，刑事手続でいえば起訴に相当する救済請求状（complaint）を発することによって開始する。不当労働行為の成否を判断するのは，NLRBの5名からなる局委員会（Board）であるが，局委員会の判断の前に，多数の常勤の行政法審判官（administrative law judge）が各地で審問を行い当該事件について一応の決定を行い，この決定に異議申立てがなされた場合に，局委員会が判断を下す。NLRBは，公労使三者構成ではなく，局委員はすべて法曹資格者であるが，日本の労働委員会は公労使の三者構成であり，非常勤が原則で，委員に法曹資格は

3）日本でも1952年改正時には，アメリカ法と同様に労働組合に団交義務を課し，労働組合の団交拒否を不当労働行為とすること，労働者のために責任をもって交渉する労働組合がいずれの組合かについて争いがある場合，全国労働関係委員会が排他的交渉権を有する労働組合を決定でき，その場合，使用者は当該排他的交渉代表組合に対してのみ団交義務を負う，という制度の導入が提案されていたが，採用されなかった（労政参事官室78頁，165頁，濱口926頁以下）。

必要ない。日本の労働委員会は，アメリカのNLRBと異なり，不当労働行為審査のほかに争議調整権限を持っている。三者構成という組織の特色と相まって，不当労働行為についても調整的手法により和解で解決する事案が多い。

Ⅲ　不当労働行為制度の目的

不当労働行為制度の目的に関しては，憲法28条との関係をどのように解するかにより，見解が対立している。

学説の名称は様々に用いられているが，「憲法具体化説[4)]」と呼ぶことのできる見解（団結権侵害説，団結権保護説等とも呼ばれる）は，不当労働行為制度は，憲法28条の団結権保障を具体化した制度で，労組法7条は憲法28条の保障する団結権等に対する使用者の一連の侵害行為を類型化して禁止したものと理解する。これに対して，「創設的制度説[5)]」と呼ぶことのできる見解は，不当労働行為制度は憲法28条の立法授権的効果を受けて，団体交渉の円滑な実現，あるいは労使関係の将来に向けての正常化を目的として労組法が政策的に創設した制度と理解する。両説の相違は，不当労働行為の制度趣旨について，団結権を中心に理解するか（憲法具体化説），団体交渉権を中心に理解するか（創設的制度説）という点に見られる。さらに，具体的解釈論においても，憲法具体化説が，不当労働行為制度の保護は法適合組合のみならず憲法組合にも及ぶとし，また，労組法7条の設定する不当労働行為禁止規範は憲法28条に元来含まれていた規範であり，したがって，7条は行政救済の根拠規定に留まらず私法上も強行規定であると解するのに対して，創設的制度説は，不当労働行為制度の保護を受け得るのは法適合組合に限られ，労組法7条は労働委員会が行政救済を行うための判断基準を創設的に規定したものであり，労組法7条違反行為が直ちに私法上無効となるものではないとするなど，相違が見られる。

両者の中間説として，不当労働行為制度は，確かに憲法の団結権保障を実効あらしめるための制度ではあるが，これを憲法の団結権保障の単なる具体化とは見ずに，その上に確立されるべき「公正な労使関係秩序」ないし団結権保障

4)　この立場に整理できる見解として，籾井常喜『経営秩序と組合活動』71頁（1965年），本多淳亮「日本法上の不当労働行為制度」新講座6巻32頁（1967年），片岡(1)268頁，外尾・団体法193頁，中山和久『不当労働行為論』57頁（1981年），西谷・労組法143頁等。

5)　石川・労組法277頁，菅野1001頁以下。水町・詳解1180頁以下はこの立場を立法政策説と呼び，これを支持する。

秩序の形成を目的としたものとする説が主張されている[6]。

現行の不当労働行為制度の目的については，団結権，団体交渉権，団体行動権をいずれも保護するものである点で，中間説や最高裁判決[7]が説くように公正な集団的労使関係秩序の確保を目的としたものと広義に捉えるのが適切であろう。ただ，その目的実現のために労組法の用意した不当労働行為制度は，行政救済制度という独特の制度（その特色については→784頁以下）であり，憲法28条に内在する規範がそのまま具体化されたものではなく，一つの立法政策として選択された創設的制度と理解すべきである。もっとも，不当労働行為制度が創設的制度としても，労組法7条が，私法上の規範として機能するかどうかは別に考察すべきであり，沿革に照らし[8]，7条1号を強行規定と解し，2号や3号についても，団体交渉を求める私法上の地位を基礎づけるものと解したり，その違反について不法行為の違法性を基礎づけるもの等と解することは十分可能である。ただ，労組法7条の私法上の効力を解釈するに当たっては，同条が行政救済のための規範として設けられたという点から出発すべきであろう。

第2節　不当労働行為の主体

労組法7条は「使用者は，次の各号に掲げる行為をしてはならない」としている。ここにいう「使用者」，すなわち，不当労働行為の禁止の名宛人となる「使用者」とは何かが，不当労働行為の主体の問題である。

労働契約の一方当事者たる使用者（個人企業の場合は企業主たる個人，法人企業の場合は法人）がこれに当たることはいうまでもない。問題となるのは，第1に，労働契約上の使用者以外の法主体をも使用者とみなし得るか（不当労働行為における使用者概念），第2に，いかなる場合に使用者以外の個人の行為を使用者へ帰責できるか，である。

---

6)　岸井貞男『不当労働行為法の原理（上）不当労働行為の法理論』16頁（1978年），山口・労組法75頁，下井・労使関係法240頁，道幸・行政救済59頁以下。団結権保障秩序維持説などと呼ばれている。

7)　第二鳩タクシー事件・最大判昭和52・2・23民集31巻1号93頁は労働委員会の救済命令制度について「正常な集団的労使関係秩序の迅速な回復，確保を図る」ことを挙げている。

8)　労組法7条1号の不利益取扱い禁止については，旧労組法の科罰主義の下でも罰則付きで禁止され，例えば同規定違反の解雇は強行法規違反として無効となると解されていた。

Ⅰ　不当労働行為における使用者概念

かつては，不当労働行為制度は使用者の契約責任を追及するものではないから，厳密に労働契約上の当事者としての使用者に限定する必要はなく，労働関係が現実的かつ具体的に存在する場合，あるいは労働条件の決定・労務の指揮に直接的具体的な支配力・影響力を及ぼすことができる地位にある場合には使用者と認めてよいとする「支配力説」が有力であった9)。

しかし，行政罰・刑罰によって担保される救済命令の名宛人を画定する点においても，また，「使用者」という文言の解釈としても，契約関係を全く無視してよいということはできず，「労働契約関係またはこれと近接ないし同視し得る関係」10)という枠付けは必要であろう（「労働契約基準説」ないし「労働契約基本説」ということができよう）11)。直接の労働契約上の使用者以外の者の不当労働行為法上の使用者性が問題となるのは，次のような場合である。

1　労働契約関係に近接した関係

労働契約関係の存在について，過去あるいは近い将来に労働契約関係が存在する場合にも，「使用者」たる地位が認められる。

例えば，被解雇者の属する労働組合が，解雇撤回や退職条件（懲戒解雇か普通解雇か等）について，団体交渉を申し入れてきた場合に，これを従前の使用者が拒否することは，団体交渉拒否（労組7条2号）の不当労働行為となると解されている。ここでは，旧使用者は，現在は労働契約関係がないにもかかわらず，なお「使用者」とみなされている12)13)。また，継続して使用してきた季節工

9)　例えば岸井・前掲注6・148頁は，「被用者の労働関係上の諸利益に何らかの影響力を及ぼし得る地位にある一切の者」という広範な定義を行う。同旨，片岡(1)274頁。

10)　菅野1006頁は「労働契約関係に近似ないし隣接する関係」とする。

11)　竹内(奥野)寿「労働組合法7条の使用者」季労236号211頁以下（2012年），最高裁調査官室編・最高裁判所判例解説（民事篇）平成7年度224頁［福岡右武］参照。不当労働行為法上の使用者概念についての基本文献として菅野和夫「会社解散をめぐる不当労働行為事件と使用者」安西古稀511頁，池田悠「不当労働行為における使用者」講座再生1巻115頁。

12)　しかし，解雇後，長期間（例えば10年）交渉の対象とされることなく経過した場合には，解雇を行った企業は，もはや「使用者」の立場に立たないと解されている（三菱電機事件・東京地判昭和63・12・22労判532号7頁，日立メディコ事件・中労委昭和60・11・13命令集78集643頁等）。ではどの程度経過すればそうなるかという基準は確立しておらず，日本鋼管鶴見造船所事件・最三小判昭和61・7・15労判484号21頁では，解雇後6年10ヶ月経過して申し入れられた団体交渉についてもなお使用者としての地位に立つとする労働委員会命令が適

の再採用について，当該企業は，「使用者」として不当労働行為禁止の対象となる[14]。会社合併に際して，合併後使用者になることが予定されている会社が，吸収される会社の労働組合や組合員に対して組合潰し等の行為を行えば，その合併する存続会社は不当労働行為法上の使用者として責任を負う[15]。

■企業組織変動と不当労働行為責任の承継　企業の組織再編に伴って，不当労働行為責任がどう承継されるかも問題となる。合併の場合，包括承継の効果として不当労働行為責任も，吸収合併では存続会社が，新設合併では新設会社が承継する。会社分割の場合も，部分的包括承継の効果として，分割会社の承継事業にかかる不当労働行為責任は，吸収分割では承継会社が，新設分割では新設会社が承継する[16]。事業譲渡の場合は，特定（個別）承継であるので，譲受会社が当然に不当労働行為責任を承継するわけではないが，譲渡会社と譲受会社の実質的同一性が認められる場合（偽装解散〔→65頁〕はその典型例である），譲受会社は譲渡会社の不当労働行為責任を承継すると解される[17]。

2　労働契約関係と同視し得る労使関係

現在の実務は，雇用主（労働契約上の使用者）以外の事業主であっても，雇用主と部分的とはいえ同視できる程度に，労働者の労働条件を現実的かつ具体的

法とされた。なお，曝露して長期間を経て発症する石綿関連疾患については，その特殊性もあり，退職後長期間を経た元従業員らの労働組合による団体交渉申入れについて，雇用関係に密接に関連した紛争で，旧雇用主に当該紛争を処理することが可能かつ適当であり，団体交渉申入れが雇用関係終了後，社会通念上合理的期間内になされた場合には，旧使用者に団交義務があるとした例がある（住友ゴム工業事件・大阪高判平成21・12・22労判994号81頁〔上告不受理で確定〕）。ちなみに，一般論としては団体交渉義務の成立を肯定しつつ，当該事案における団体交渉義務違反を否定した例としてニチアス事件・東京地判平成24・5・16労経速2149号3頁がある。なお，石綿健康被害については，2006年に労災保険法で救済されない労働者・遺族に加え，付近住民も救済対象とする石綿健康被害救済法が制定されている。

13)　会社分割により組合員の労働契約が新設会社に承継された後も分割会社の使用者性を肯定した事例として国・中労委（モリタほか）事件・東京地判平成20・2・27労判967号48頁［会社分割によって組合員がいなくなっても，近接する過去の時点における労働契約関係の存在から使用者性が基礎付けられるとして，分割会社に対する文書交付命令を適法とした］。

14)　万座硫黄事件・中労委昭和27・10・15命令集7集181頁。

15)　日産自動車事件・東京地労委昭和41・7・26命令集34＝35集365頁。同旨を説いて，派遣先会社が，直接雇用を予定している派遣労働者との関係で労組法7条の使用者に当たるとした例として国・中労委（クボタ）事件・東京地判平成23・3・17労判1034号87頁。

16)　国・中労委（モリタほか）事件・東京地判平成20・2・27労判967号48頁［会社分割により組合員の労働契約関係が分割会社から新設会社に承継されたことから，新設会社は分割会社の不当労働行為責任を承継するとし，新設会社に対する組合事務所貸与・誠実団交命令を適法とした］。

17)　山川・紛争処理法78頁，菅野1016頁参照。

に支配，決定することができる地位にある場合には，その限りで労組法7条の使用者に当たる，との最高裁判決[18]に従って処理している。もっともその意味については，類型を分けて考える必要がある。

(1)　直接の雇用主が実体のない場合

まず，業務処理請負契約や労働者派遣契約により提供企業の労働者が受入企業において労務を提供するという社外労働者受入れの関係で，社外労働者の直接の雇用主が法人格があるのみで実体を有しない場合には，労働条件を実質的に支配・決定している受入企業の使用者性が肯定されている[19]。このような直接の雇用主に実体がないケースでは，真の使用者は一人しかおらず，労働条件につき実質的に支配力を及ぼしている者を使用者とすることで問題は生じない。

親子会社において子会社が形骸化している場合も同様に解される。

(2)　社外労働者の受入関係で派遣（請負）企業に実体のある場合

次に，社外労働者受入れや構内請負の関係において，(1)の場合とは異なり，派遣（請負）企業に企業としての実体がある（すなわち既に不当労働行為法上の使用者が存在する）場合（**図表24-1**）に，別の法主体を使用者とみなし得るのかが問題となったのが朝日放送事件[20]である。この事件では，労働者を派遣（ただし派遣法制定前の事案である）していた企業が雇用主としての実体を持つ場合でも，「雇用主から労働者の派遣を受けて自己の業務に従事させ，その労働者の基本的な労働条件等について，雇用主と部分的とはいえ同視できる程度に現実的かつ具体的に支配，決定することができる地位にある場合には，その限りにおいて，右事業主は同条〔労組7条〕の『使用者』に当たる」とし，いわゆる「部分的使用者概念」を認めた。

この事案で争われたのは，受入企業が団体交渉義務を負う使用者かどうかと

18)　朝日放送事件・最三小判平成7・2・28民集49巻2号559頁。

19)　油研工業事件・最一小判昭和51・5・6民集30巻4号409頁［労働者を派遣していた設計所が法人格のみで，実体がなく，受入企業が事実上Xらを個人としての技能，信用に着眼して人物本意に受入れを決定し，指揮監督していたとして使用者性を肯定］，阪神観光事件・最一小判昭和62・2・26労判492号6頁［必要な楽団演奏者としてその営業組織に組み入れられ，演奏料は楽団演奏という労務の提供それ自体の対価と見られ，楽団員は対価を得てその演奏労働力を受入企業の処分に委ねており，受入企業は演奏力に対する一般的な指揮命令の権限を有していたとして使用者性を肯定］。

20)　朝日放送事件・前掲注18。

図表 24-1

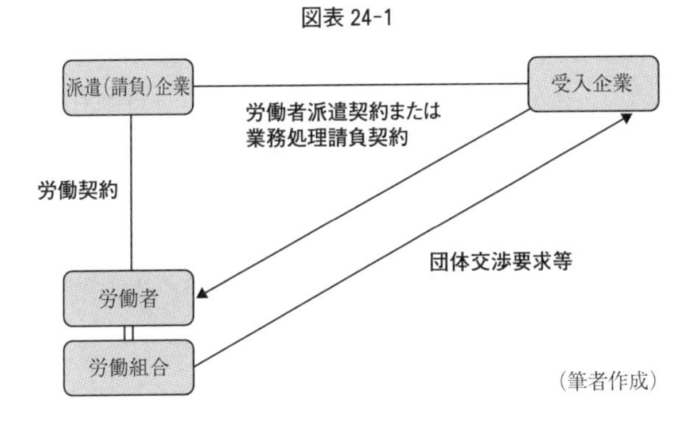

（筆者作成）

いう点であり，具体的に問題となった労働条件には，受入企業での勤務割りや休憩室設置等，直接の雇用主が決定し難い条件が含まれており，これを実際に決定し得る受入企業を団体交渉当事者とする必要があった。

▩労働契約関係のない受入企業に団交義務を課す意味　団体交渉によって労働協約締結に至っても，労働組合員の労働契約が派遣（請負）企業としか結ばれていなければ，受入企業との労働協約は当該組合員の労働契約に規範的効力を及ぼし得ないため，意味があるのかも問題となる[21]。しかし，協約の規範的効力に関して言えば，労働組合が派遣（請負）企業および受入企業と連名で労働協約を締結すれば，組合員の労働契約へ規範的効力を及ぼすことができる。また，団体交渉は規範的効力をもつ協約締結のみのために行われるものではなく，債務的効力をめざしたものもありうる。加えて，当該事項を現実的・具体的に支配決定できる相手方との間で団体交渉が行われること自体，労使関係上の問題解決に意味がある。

(3)　労働者派遣法下における派遣先の使用者性

労働者派遣法制定および改正過程では，派遣労働者の組合との団体交渉に応ずべき使用者は一般的には派遣元であること[22]，ただし，個別具体的な事案

21）　この点も踏まえて朝日放送事件の控訴審・東京高判平成4・9・16労判624号64頁は，団交義務を否定していた。

22）　1985年制定時における谷口隆志政府委員（労働省労政局長）答弁（1985年6月6日第102回国会参議院社会労働委員会），1996年改正時における征矢紀臣政府委員（労働省職業安定局長）答弁（1996年6月5日第136回国会衆議院労働委員会），1999年改正時における渡邊信政府委員（労働省職業安定局長）答弁（1999年6月10日第145回国会参議院労働・社会政策委員会），2003年改正時における青木豊政府参考人（厚生労働省大臣官房審議官）答弁（2003年5月21日第156回国会衆議院厚生労働委員会）等。

について誰が団体交渉に応ずべき立場にあるかは労働委員会または裁判所で判断される[23]，との政府答弁がなされ，派遣先の使用者性は明らかではなかった。しかし，近時，中労委は，①派遣法の枠組みまたは労働者派遣契約で定められた基本的事項を逸脱して労働者派遣が行われている場合や，②派遣法上派遣先事業主に一定の責任や義務が課されている部分を履行していない場合等については，派遣先事業主が労組法7条の使用者に該当する場合があり得るとし[24]，実際に，労働者派遣法44条により責任を負うべき労働時間管理を行っていなかった派遣先に，労働時間管理に関する団体交渉につき，労組法7条の使用者性を肯定している[25][26]。

⑷　親子会社関係

親会社が株式所有，役員の派遣，受注の独占，下請等の関係から子会社を支配しており，子会社の労働者の労働条件について，「現実かつ具体的に支配力を及ぼしている」場合には，その親会社も，子会社とともに不当労働行為法上の使用者と解され得る（**図表24-2**）。

親子会社で，子会社が形骸化して実体がない場合は上述の⑴の問題となる。子会社に実体がある場合，⑵と同様に親会社が「基本的労働条件等について雇用主と部分的とはいえ同視できる程度に現実的かつ具体的に支配，決定することができる地位」にあるか否かで判断すべきかが問題となる。この点は，親会社が子会社の労働者の基本的労働条件に現に支配力を及ぼしている場合には，その事実によって使用者性が肯定され，あえて雇用主と同視できるかどうかを問題とする必要はないであろう（現に支配力を及ぼしている以上，雇用主と同視し得るといってもよいとすれば同じこととなるが）。これに対して，当該団交事項について，

23）　1985年制定時における山口敏夫労働大臣および谷口隆志政府委員（労働省労政局長）答弁（1985年6月6日第102回国会参議院社会労働委員会），1996年改正時における征矢紀臣政府委員答弁（1996年6月5日第136回国会衆議院労働委員会）等。

24）　ショーワ事件・中労委平成24・9・19別冊中労時1436号16頁，パナソニック・ホームアプライアンス事件・中労委平成25・2・6別冊中労時1451号37頁。ただし，いずれも当該事案については使用者性を否定した。

25）　阪急交通社事件・中労委平成24・11・7別冊中労時1437号1頁。同命令は東京地判平成25・12・5労判1091号14頁で支持されている。

26）　派遣先の使用者性のより詳細については菅野417頁以下参照。かかる学説や中労委の立場は，朝日放送事件判決による使用者性判断を，派遣労働者について，①②の要件を満たす場合に不当に限定しているとして反対する学説として，争点9頁［本久洋一］，水町・詳解1189-1190頁。

図表 24-2

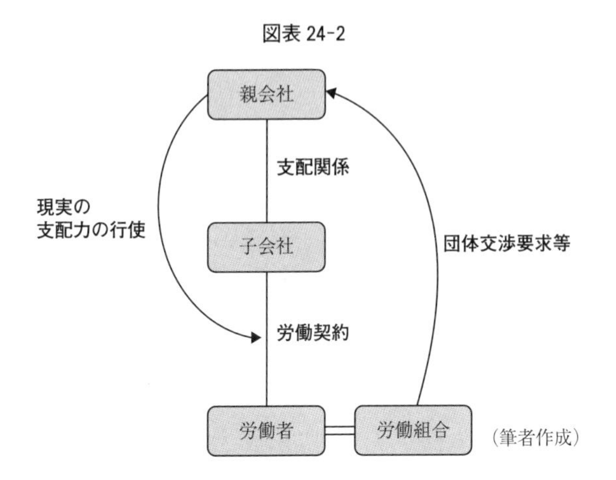

（筆者作成）

支配力・決定力を及ぼしている限りで，使用者性を認めてよいかが問題となる。これを肯定する見解[27]もあるが，労働委員会実務はより限定的な態度をとっている[28]。

親子会社関係で留意すべきは，親会社が子会社を株主として支配しているとしても，現実に子会社の労働者の労働条件に対して支配力を及ぼしていない場合には，使用者性は原則として肯定されないという点である。株式保有比率によって定まる株主としての支配と，現実の労使関係における支配力の行使とは区別して把握されるべきである[29]。もっとも，現実の労使関係における支配力行使は，形式的にではなく実態に照らして判断される必要がある。

27）竹内（奥野）寿「企業組織再編と親会社の『使用者』性・団体交渉義務」毛塚勝利ほか編『企業組織再編における労働者保護』127 頁（2010 年），水町・詳解 1186-1187 頁。

28）山川隆一編著『不当労働行為法――判例・命令にみる認定基準』41 頁以下（2021 年）参照。

29）荒木尚志「持株会社をめぐる労働法上の諸問題」商事法務 1431 号 34 頁以下（1996 年）参照。菅野・安西古稀 555 頁は，子会社が実質上親会社の一部門として経営上全面的に親会社の支配を受け，子会社の労働条件も親会社が決している場合は，親会社の使用者性が肯定されやすいのに対して，子会社が親会社とは別個の経営体として自主的な管理運営をしており，労働条件についても親会社の介入なく独自に決している場合，子会社の解散・再編成が最終的には株主としての親会社の決定によるものであるにもかかわらず，子会社の解散や事業再編成に当たっての子会社従業員の雇用問題に関する親会社の団交義務を否定するのが労委命令の大勢となっているとする。親会社の使用者性を否定した例として高見澤電機製作所ほか 2 社事件・東京高判平成 24・10・30 別冊中労時 1440 号 47 頁。

このような考え方は純粋持株会社とその傘下の被持株事業会社の労働者・労働組合の関係，あるいは投資ファンドと被買収企業の労働者・労働組合の関係にも基本的に妥当すると解される[30)]。

(5) 偽装解散

労働組合を消滅させるために，会社を解散し，新会社を設立して，従来と同様の事業を行う，いわゆる「偽装解散」の場合，実質的に同一性を有する新会社は，旧会社の行った不当労働行為について，使用者としての地位に立ち，責任を承継する。

Ⅱ　使用者への帰責

解雇や配転，懲戒処分といった不利益取扱いや団体交渉拒否は，通常，使用者の名においてなされる行為であるので，行為主体と帰責主体は一致し格別問題は生じない。しかし，組合員に対する残業割当差別や労働組合からの脱退を促す言動など，管理職や同僚労働者個人によってなされる行為について，いかなる場合に当該行為を使用者の行為として使用者に帰責できるかが問題となる。

まず，会社役員（社長，取締役）の行為は，その職責上，当然に使用者の行為とみなされる。次に，工場長，部長，課長などの使用者の利益を代表する上級職制の行為も，特に，職務と全く関係のない個人的立場においてなされたといった特段の事情が存する場合を除き，使用者との具体的な意思の連絡が認められなくても，使用者の意を受けたものとして使用者の行為と評価される。判例[31)]は「使用者の利益代表者に近接する職制上の地位にある者が使用者の意を体して労働組合に対する支配介入を行った場合には，使用者との間で具体的な意思の連絡がなくとも」その職制の行為を使用者に帰責できるとした。

---

30)　なお，持株会社については労働省（当時）「持株会社解禁に伴う労使関係懇談会中間とりまとめ」（1999年12月24日）（座長山口浩一郎上智大学教授〔当時〕），投資ファンドについては，厚生労働省「投資ファンド等により買収された企業の労使関係に関する研究会報告書」（2006年5月26日）（座長西村健一郎京都大学教授〔当時〕）がある。中労委（大阪証券取引所）事件・東京地判平成16・5・17労判876号5頁は，原告証券取引所は，仲立証券会社の再建策に関する関与，制度面，資本関係，人事面，基本的労働条件の各観点から見て，その事業再開と従業員の雇用または再雇用につき（部分的であれ，という観点ではなく）「雇用主と同視できる程度に現実的かつ具体的に支配，決定することができる地位にある」とは認められないとして，その使用者性を否定した。

31)　東海旅客鉄道事件・最二小判平成18・12・8労判929号5頁。

これに対し，下級職制（係長や班長等）や一般従業員の場合，自らが同一組合員ないし別組合員である場合もあり，慎重な判断が必要となる。下級職制による職務権限を利用したと評価できる行為については，使用者には下級職制が不当労働行為となるような権限行使をしないよう労務管理すべき義務があると解されることから，下級職制が独自に（使用者の意に反して）行った場合を除き，使用者に帰責することができよう。これに対して，下級職制の職務権限と無関係の言動や，一般従業員の言動については，使用者や管理職からの指示や要請等の下になされた場合に，その行為が使用者に帰責されると解される[32]。

第3節　不当労働行為の成立要件

労働委員会には不当労働行為の救済について裁量権（効果裁量）が認められているが，使用者のいかなる行為が不当労働行為となるか，という不当労働行為の成立要件についての裁量（要件裁量）は認められていないと解されている[33]。したがって，以下に検討する要件を満たさないのに労働委員会が不当労働行為の成立を認めた場合には，当該命令は取消訴訟によって取り消されることとなる。

I　不利益取扱い

労組法7条1号，4号は，1 不利益取扱い禁止事由（(1)労働組合の組合員であること，(2)労働組合に加入し，もしくは，結成しようとしたこと，(3)労働組合の正当な行為をしたこと〔以上労組7条1号〕，(4)不当労働行為の申立てや労働委員会手続における言動〔同4号〕）による，2 不利益取扱いを，3 不当労働行為意思により（1ゆえに2を）行うことを禁止している。

32)　西谷・労組法148頁参照。

33)　寿建築研究所事件・最二小判昭和53・11・24労判312号54頁［労働委員会はその裁量により使用者の行為が労組法7条に違反するかどうかを判断して救済命令を発することができると解すべきではないとする］，菅野1141頁，山川隆一『不当労働行為争訟法の研究』148頁以下（1990年）等参照。これに疑問を呈する見解として道幸・行政救済28頁以下，要件裁量も認める見解として水町・詳解1236-1237頁。

1　不利益取扱い禁止事由

⑴　労働組合の組合員であること

「労働組合」とは原則として労組法2条，5条の要件を満たす法適合組合である必要がある。ただし，憲法組合（2条本文のみを満たし，但書を満たさない自主性不備組合→651頁）もこれに該当するか否かについては争いがある。不当労働行為制度を憲法28条の保護を確認したものと理解する学説（憲法具体化説）は，これを肯定する。これに対し，不当労働行為制度は憲法28条の授権を受けて労組法が創設的に設けた制度と理解する立場（創設的制度説）からは，労組法7条の保護は，原則として法適合組合しか利用し得ないと解することとなる。ただし，法不適合組合を適合状態に至らしめようとしている途上の労働者に対する不利益取扱いは，労働組合自体は未だ法適合組合ではないが，例外的に7条1号の保護が及ぶと解される[34)]。

「組合員であること」については，組合役員に対する不利益取扱いも当然に包含される。また，複数組合が併存する場合に少数組合員であることを理由とする場合はもちろん，協調的組合内の少数派も当然ながら「組合員」であり，その執行部批判等を理由とする不利益取扱いも不当労働行為制度の保護の対象となる。

⑵　労働組合に加入し，労働組合を結成しようとしたこと

「加入し……ようとした」とは，加入に至らない，すなわち組合員になる前の時点での不利益取扱いであり（加入後は，「組合員であること」を理由とする不利益取扱いとなる），「結成しようとした」とは，組合結成の準備活動ゆえの不利益取扱いである。労働組合と認められない争議団でも，それが組合結成を目指した活動を行っており，そのことゆえに不利益取扱いを受けたのであれば，ここで例外的に保護される。

⑶　労働組合の正当な行為

「労働組合の正当な行為」における正当性については，団体行動における正当性と同様に解してよい。問題は，「労働組合の……行為」の範囲である。

「労働組合の……行為」と評価されるためには，組合員が個人として行う行為ではなく，労働組合の決定ないし授権に基づく行為と評価されることが必要

34)　石川・労組法301頁，菅野1017頁。

である。授権は明示のものである必要はなく，組合方針に従った諸活動には，黙示の授権があると解される35)。例えば組合加入の勧誘行為や組合の団結強化のためのサークル活動等がそうである36)。政治活動についても現在の判例法理37)に従うと，当然に労働組合の行為となり得ないわけではなく，組合員の権利利益に直接関係する立法や行政措置の促進・反対のための活動であり，それが組合の意思決定に従ったものであれば「労働組合の……行為」たり得ることになろう。

組合内少数派が，執行部批判や運動方針批判のビラを配布したり，集会を開いたりしたことに対して，使用者が不利益取扱いを行った場合，これを「労働組合の……行為」ゆえの不利益取扱いとして不当労働行為の保護の対象となし得るかも問題となる。民主的意思決定過程における批判の自由は尊重されるべきであり，例えば組合役員選挙における現執行部批判等は労働組合の行為と評価し得る。これに対して，民主的になされた労働組合の意思決定に反する行動で統制違反と評価される行為は，もはや労働組合の行為と評価するのは困難で当該労働者の独自の行動と見るべきであろう38)。ただし，これら組合内少数者に対する使用者の不利益取扱いは，支配介入（労組7条3号）の不当労働行為となる余地がある。

(4)　労働委員会への申立てその他の労働委員会手続における言動

労働者が労働委員会に不当労働行為・再審査の申立てをしたこと，または労働委員会の不当労働行為の審査手続もしくは労働争議の調整手続において，証拠を提示しもしくは発言したこと，を理由とする不利益取扱い（報復的不利益取扱い）は，1952（昭和27）年改正で設けられた労組法7条4号で禁止されている39)。

---

35)　千代田化工建設事件・東京高判平成7・6・22労判688号15頁（最二小判平成8・1・26労判688号14頁で支持）は，「労働組合の正当な行為」といえるためには（組合機関による意思決定や授権に基づいていない場合でも）組合員の行う行動が労働条件の維持その他の経済的地位の向上を目指して行うもので，かつ，それが所属組合の自主的，民主的運営を志向する意思表明行為であると評価できることが必要であり，かつそれで足りる，とした。

36)　これに対し，不当労働行為の目的を団体交渉中心に考える立場から，「労働組合の……行為」も団体交渉に関連するものに限られるとする少数説もある（石川・労組法302頁）。

37)　国労広島地本事件・最三小判昭和50・11・28民集29巻10号1698頁。

38)　ほぼ同旨，菅野1018頁。

39)　労働委員会の証人出頭につき会社側証人は有給扱いとし，組合側証人については無給扱い

2　不利益取扱いの態様

不利益取扱いに該当する措置には，雇用関係上の地位に関するもの（解雇や再採用拒否等），人事上の処遇に関するもの（配転，出向，昇級・昇格差別，懲戒処分，基本給・諸手当・ボーナス・退職金等の賃金差別，残業差別等），その他の処遇全般に関わるもの（会社行事からの排除等各種の嫌がらせ）等，種々の形態がある。

また，栄転の形をとって，組合活動家を配置転換したり，組合員資格を失う管理職に昇格させるといった措置も，組合活動上の不利益の点から不利益取扱いに該当し得る。これらの行為は同時に支配介入にも該当し得る。

組合員であることなどを理由とする採用拒否が労組法7条1号の禁止する不利益取扱いに該当するかについて，通説はこれを肯定してきた[40)]。ところが近時，最高裁[41)]は，採用の自由を強調した後，労組法7条1号は解雇その他の不利益取扱い（7条1号本文前段）と黄犬契約（同後段）を禁止しているが，雇入れにおける差別的取扱いが前者に含まれる旨を明示的に規定しておらず，雇入れとその後の段階を区別したもの（雇入れ段階については黄犬契約のみを禁止したもの）という解釈を根拠に，雇入れ拒否は「従前の雇用契約関係における不利益な取扱いにほかならないとして不当労働行為の成立を肯定することができる場合」等の特段の事情がない限り，7条1号の不利益取扱いに当たらないとした[42)]。しかし，労組法が企業別組合のみならず産別組合や一般組合等の企業外の組合の存在を前提としており（つまり，当該使用者に雇用される前から産別組合等の組合員であることがある），これから組合に加入しないことや組合から脱退することを雇用条件とする黄犬契約すら禁止している労組法7条が，採用前から組合員である者の採用差別を禁止しない趣旨であるとは解し難いとして，学説の批判が強い[43)]。また，文理解釈としても批判が強い[44)]。三菱樹脂事件判決と

としたことが労組法7条4号に違反する不当労働行為とした例として大阪地労委（日本貨物鉄道）事件・大阪高判平成11・4・8労判769号72頁。

40）　学説の状況については，水町勇一郎・JR北海道・日本貨物鉄道事件判批・法協122巻5号239頁，257頁（2005年）参照。

41）　JR北海道・日本貨物鉄道事件・最一小判平成15・12・22民集57巻11号2335頁。

42）　学説では石井465頁，塚本重頼『不当労働行為の認定基準』91頁（1989年）等がこの立場を採っていた。

43）　菅野1024頁，西谷・労組法166頁，水町・詳解1193頁等。ちなみにアメリカの全国労働関係法は明文（8条(a)(3)）で採用についての不利益取扱いを禁止している。

44）　7条1号の前段は雇入れ後の，後段（黄犬契約）のみが雇入れ前の労働関係を規律したと

の関係では，判旨自身が認める採用の自由の例外となる「法律その他による特別の制限」[45]を労組法7条1号が定めたものと解すべきである。

3　不当労働行為意思

労組法7条1号，4号が禁止するのは，不利益取扱いを上記1(1)〜(3)の「故をもつて」あるいは(4)を「理由として」行うことである。この「故をもつて」（4号では「理由として」）という要件が一般に「不当労働行為意思」と呼ばれている。そして不当労働行為意思とは，「反組合的意図ないし動機」のことであるとされている。

(1)　不当労働行為意思の要否

不当労働行為の成立のために不当労働行為意思が必要か否かをめぐって議論があり[46]，必要説と不要説が対立している[47]。しかし，理論の外観上の対立にもかかわらず，実質的に両者の相違はほとんどないといってよい。すなわち，不当労働行為意思不要説[48]は，「故をもつて」とか「理由として」という文言は，労働者の行った労働組合の正当な行為等と不利益取扱いに当たる使用者の行為との因果関係のことであり，不当労働行為意思は不要であるとする。これに対して，不当労働行為意思必要説[49]も，不当労働行為意思の直接的証拠を必要とするものではなく，「反組合的意図ないし動機」は，間接事実（＝諸事

する文理解釈について，青山会事件・東京地判平成13・4・12労判805号51頁は，前段は解雇以外のすべての不利益取扱いが含まれ，かつ，雇用関係にない労組法上の労働者（労組3条参照）にも適用され，また，後段は雇入れ後の黄犬契約（雇い入れた後に組合脱退を新たに雇用条件とすること）も禁止していると解されることから，7条1号は前段を雇入れ後，後段を雇入れ前に分けて規定したと解する根拠とはなしえないと批判する。

45)　三菱樹脂事件・最大判昭和48・12・12民集27巻11号1536頁。

46)　労組法7条1号，4号の不利益取扱いについては「故をもつて」「理由として」という表現があるのに対して，7条3号の支配介入についてはそのような文言がないため，支配介入に不当労働行為意思が必要か，必要ないとすると，7条1号，4号の不利益取扱いにおける「故をもつて（理由として）」は何を意味するのかが問題となった。

47)　このほかに，文言に忠実に，労組法7条3号の支配介入については不当労働行為意思は不要だが，1号，4号の不利益取扱いについては必要とする見解として籾井常喜「不当労働行為意思」峯村光郎教授還暦記念『法哲学と社会法の理論』339頁（1971年）。

48)　代表的な見解として石川・労組法297頁（不当労働行為制度は使用者の行為を悪としてその責任を追及する制度ではなく，円滑な団体交渉実現のための制度であることを強調する），久保＝浜田111頁，道幸・行政救済81頁，小宮文人「不当労働行為の認定基準――いわゆる不当労働行為意思論と不利益取扱の態様」講座21世紀8巻90頁等。

49)　石井471頁，外尾・団体法222頁，岸井貞男『不当労働行為法の原理（下）団結活動と不当労働行為』143頁（1978年），山口・労組法105頁，菅野1019-1022頁。

情）から推認される意思でよいとするからである。

労働組合の正当な行為等と，不利益取扱い等の使用者の行為とは，一個の自然的経過ではなく[50]（労働組合の行為を認識した使用者が反組合的意図や組合嫌悪の情を有しているだけで，例えば組合委員長の解雇という結果が発生するわけではない），不利益取扱いは，あくまで使用者の主体的な意思決定によって発生するものである。その意味で，やはり使用者の意思決定を問題とせざるを得ないといえよう。

実際の労働委員会における判断に即していうと，使用者の意思決定の評価のためには，第1に，使用者が当該労働者に関する不利益取扱い禁止事由（前記1(1)～(4)の当該労働者が組合員であること等）を認識していることが必要である。第2に，使用者が，その認識「故に」当該不利益取扱いを行う意思決定をしたことが必要である。具体的には，使用者の不利益取扱い禁止事由の認識に加えて，使用者が組合を嫌悪していた事情が間接事実から認定できる場合[51]には，禁止事由を理由とする不利益取扱いが推認される。そこで，使用者は，当該不利益取扱いを正当化する別個の事由（例えば勤務成績不良や非違行為の存在等）を主張するのが通常である。その結果，第3に，不利益取扱い禁止事由と，不利益取扱いを正当化する別の事由のいずれが当該結果をもたらしたのかを判断することとなる。これが「理由の競合」ないし「動機の競合」といわれる問題である。この点を次述するような枠組みの下で判断して，不当労働行為の成否を決することとなる。

(2)　理由の競合と不当労働行為の成否

「理由（動機）の競合」については，決定的動機説[52]（不利益取扱い禁止事由と不利益取扱い正当化事由のいずれが決定的〔優越的〕であったかにより判定）と相当因果関係説[53]（不利益取扱い禁止事由〔組合所属等〕がなければ不利益取扱いがなされなかったの

50)　山口・労組法106頁は，意思不要説がこの問題を因果関係ということは言葉の誤用であるとする。

51)　道幸・行政救済81頁および道幸・基本構造43頁は，この第1段階のみで，つまり，具体的，個別的反組合的意思の立証も，さらには一般的な反組合的感情や組合嫌悪の情の立証も不必要で，組合員であること等の「認識」の立証で十分とするが，この認識のみから不当労働行為の成立を認める趣旨とすれば疑問である。

52)　千種達夫「不当労働行為意思の認定」大系4巻48頁，塚本・前掲注42・154頁，東京焼結金属事件・東京高判平成4・12・22労判622号6頁［配転につき反組合活動の意思が業務上の必要性より優越する決定的動機であることを要求。最三小判平成10・4・28労判740号22頁で結論維持］等。

であれば不当労働行為肯定）が対立しているといわれてきた。しかし，決定的動機説の立場は正確には「相対的有力動機説」と呼ぶのが適切だと思われ，また，相当因果関係説も当該行為の決定的動機が何であったかを問題とするので，不当労働行為の成否にあたって何が決定的動機であったかを問題とする点では共通している[54]。両説が異なるのは，何を基準に決定的動機を判定するかである。この点については，以下に敷衍するように，決定的動機説（相対的有力動機説）ではなく相当因果関係説の立場を採るのが妥当と解される。

決定的動機説（相対的有力動機説）が，（a）不利益取扱い禁止事由（例えば懲戒において，組合員であることを考慮）と（b）別の不利益取扱い正当化事由（例えば客観的に懲戒事由が存すること）のいずれがより優越的であったかという判断枠組みとすると，例えば，a＞b ではあるが，b 単独でも処分は行ったという場合，不当労働行為が成立することになる。しかし，これは妥当でない。当該処分は a がなくともなされていたのであるから，a の認識と不利益取扱いという結果は因果関係がない。にもかかわらず不当労働行為の成立を認めることになるからである[55]（労組7条1号，4号の解釈では特に困難であろう）。

裁判所は不利益取扱いに相当な理由があると認定されれば，不当労働行為意思を詮索することなく不当労働行為の成立を否定する傾向にあるとの指摘がある[56]が，これが不利益取扱いを相当とする理由，例えば就業規則違反の事実（b）だけで（組合員であるという事情が加わらなくても）処分が実際になされたと認定される場合であれば，不当な判断とはいえない。これに対して，従来の慣行に照らすと当該理由では組合員でなければ処分に至っていないと判断される場合（使用者は処分理由があっても裁量により処分しないことはよくあることである）には，b 単独で当該不利益取扱いがなされたとはいえないのであるから，就業規則違反の成立（処分「可能」という事実）のみから不当労働行為不成立と即断してはな

53）　外尾・団体法258頁，片岡(1)284頁。

54）　それゆえ労働委員会や裁判実務は，決定的動機説を採っているといわれるのは間違いではないが，その判断内容は決定的動機説（相対的有力動機説）の基準ではなく，相当因果関係説の基準によるものも少なくないことに注意を要する。これらの点は，両角道代「動機の競合と不当労働行為」ジュリ1527号134頁の基となった両角教授の研究会報告に負っている。

55）　同旨，西谷・労組法192頁。これに対し，盛・総論228頁は，別の正当化事由が認められる場合であっても，不当労働行為が一因と認められる限り，不当労働行為の成立を認め，柔軟な救済命令で妥当な処理を図るべきとする。

56）　道幸・基本構造42頁。

らない。この例のように，aまたはb単独では不利益取扱いがなされないが，aとbが併存したがゆえに処分がなされるという場合，どのように判定すべきか。決定的動機説（相対的有力動機説）の定義によるとa，bの大小（不利益取扱いの意思決定への寄与度）が問題となり，a>bであることを要することになりそうである。しかし，aという事由がなければ不利益取扱いに至っておらず，aゆえに不利益取扱いがなされたと判定できる以上，aがbより大きく寄与したといえずとも不当労働行為の成立を認めてよいと解する。

(3)　第三者の強要による不利益取扱い

取引先企業が，当該企業の組合活動を嫌悪して，組合活動のリーダーを解雇しないと取引を打ち切る，融資しない等の圧力をかけ，当該企業がやむなくこれに応じてその組合幹部を解雇したというように，第三者の強要による不利益取扱いは不当労働行為となるか。

最高裁[57]は，たとえ当該解雇の意思表示が自発的なものでなかったとしても，組合委員長の正当な組合活動を嫌忌して解雇させようとする取引会社の意図は，「その意図が奈辺にあるかを知りつつやむなく……解雇した上告会社の意思に直結し，そのまま上告会社の意思内容を形成したとみるべき」として不当労働行為の成立を認めている。

4　黄犬契約

黄犬契約（yellow-dog contract）とは「労働者が労働組合に加入せず，若しくは労働組合から脱退することを雇用条件とする」約定である。労組法7条1号本文後段は，このような組合所属による不利益取扱いにつながる契約を結ぶこと自体を不当労働行為として禁止している。組合一般ではなく特定の組合に加入しない趣旨の約定もこれに該当する。

▩労組法7条1号但書の趣旨　7条1号但書は「労働組合が特定の工場事業場に雇用される労働者の過半数を代表する場合において，その労働者がその労働組合の組合員であることを雇用条件とする労働協約を締結することを妨げるものではない」と規定する。つまり，使用者が事業場の過半数組合とユニオン・ショップ（ないしクローズド・ショップ）協定を締結することは不当労働行為とならない旨規定している。本来，但書であれば，それに対応する本文があるはずで，それは少数組合とユニオン・ショップ協定を締結することは不当労働行為となる，という内容であり，7条1号但書はその例外を定めたものという理解もある[58]。しかし，労組法7条1号は不利益取扱いに関する規定であり，少数組合

57)　山恵木材事件・最三小判昭和46・6・15民集25巻4号516頁。

とのユニオン・ショップ協定が不利益取扱いとは考えにくい。したがって，この規定は本来の但書ではなく，規定の位置としても不備はあるが，ユニオン・ショップ協定の有効要件として過半数組合であることが必要であることを規定したと解すべきであろう[59)]。

Ⅱ　団交拒否

労組法7条2号は使用者が雇用する労働者との団体交渉を正当な理由なく拒むことを不当労働行為として禁止している。その内容については既に検討した（→688頁以下）。

Ⅲ　支配介入

労組法7条3号は，「労働者が労働組合を結成し，若しくは運営すること」について使用者が支配し介入すること（支配介入），または経理上の援助を与えること（経費援助）を不当労働行為として禁止している。支配介入は，その現実の行為が使用者のみならず，管理職，従業員，第三者等多様な主体によって行われ，その行為が使用者に帰責し得るかが問題となるほか（→766頁），それとも関連して支配介入の意図の要否が明らかでない点や，支配介入の構成要件が不明確である点等，その不当労働行為の成否をめぐって多様かつ困難な論点が含まれている。

1　支配介入の概念と支配介入の意図

支配介入といえるためには，使用者の行為が，労働組合を懐柔ないし弱体化し，または，労働組合の自主的運営・活動を妨害し，もしくは，労働組合の自主的決定に干渉しようとする行為と評価することができることが必要で，かつ，それで足りると解される[60)]。支配介入の意思が，しばしば組合弱体化意図と言い換えられることがあるが，労組法7条3号の不当労働行為の成立に組合弱体化という結果やそのおそれといった要件は特段付されていない。

支配介入の意図については，7条1号，4号のように「故をもつて」「理由として」といった文言がなく，不当労働行為意思の要否が問題となる。判例[61)]

58）　石川・労組法83頁，塚本・前掲注42・373頁。

59）　菅野1004頁，山口・労組法91頁。

60）　千代田化工建設（昇給・昇格差別）事件・東京地判平成9・7・23労判721号16頁参照。

61）　山岡内燃機事件・最二小判昭和29・5・28民集8巻5号990頁。

は使用者の言論が，支配介入に当たるかが問題となった事案で「客観的に組合活動に対する非難と組合活動を理由とする不利益取扱の暗示とを含むものと認められる発言により，組合の運営に対し影響を及ぼした事実がある以上，たとえ，発言者にこの点につき主観的認識乃至目的がなかつたとしても，なお労働組合法7条3号にいう組合の運営に対する介入があつたものと解するのが相当」としている。不当労働行為意思不要説は，この判決を，客観的団結権侵害の事実があればよく，まさに意思不要説を判示したものと解し，他方，意思必要説は，本件では発言自体から不当労働行為意思が当然に推定され，したがって，結果の発生まで認識し，それを欲したという意思（意欲）までは不要としたに過ぎないと理解している62)。このように判例の立場は明らかでないが，例えば組合結成活動の中心人物に業務上の必要から配転を命じた場合や，企業施設の組合活動への利用の拒否等が支配介入に該当するかという問題においては，使用者の意思決定（組合結成活動の中心人物であることや組合活動への施設利用であることの認識と意思決定の関連）を評価して支配介入の成否を判断することとなる。その意味では，なお，使用者の意思を問題とせざるを得ないといえよう63)。

2　支配介入の態様

支配介入の態様は，多種多様である。例えば，組合の結成に関するものとしては，労働組合を結成することや，組合そのものを非難する使用者の言動，組合結成の中心人物を解雇・配転する措置，組合結成に先んじて，御用組合や親睦団体を結成するといった行為があり得る。組合の行動・運営に関するものとしては，組合活動に対する嫌がらせ・非難，活動家を解雇・配転する等による組合活動の妨害，あるいは逆に幹部を買収する，組合からの脱退勧奨，別組合の結成援助や，複数組合が併存する場合の差別等，多様な形態があり得る64)。

---

62)　中窪裕也「支配介入と不当労働行為意思」百選（5版）160頁参照。

63)　西谷・労組法197頁参照。ただし，西谷説は使用者の介入が当然に禁止される領域（組合の結成や内部運営など）への介入には不当労働行為意思の存否にかかわりなく支配介入の成立を認める。

64)　国・中労委（JR東日本〔千葉動労・褒賞金〕）事件・東京高判平成19・5・17労判948号23頁［ストライキに際して臨時勤務に就いた労働者に3000円から5000円の褒賞金を支給することは，スト組合の争議行為の効果を減殺し，これの牽制または抑制をし，その弱体化を図る支配介入とした］。

なお，労組法7条1号の不利益取扱い（例えば賃金差別や昇格差別による組合弱体化）や2号の団体交渉拒否（例えば，組合との団交を拒否することによる組合弱体化）が，同時に組合弱体化措置等として3号の支配介入と評価されることも少なくない。

3　使用者の言論の自由と支配介入

使用者の言論の自由と支配介入の成否は，困難な問題となる。この問題はアメリカでも大議論となったが，結局，1947年のタフト・ハートレー法によって，その表現が「報復もしくは暴力の威嚇，または利益の約束」を含まない限り，不当労働行為とならないという条項が新設され，言論の自由を尊重する立法対応がなされた。

日本にはこのような規定がないので解釈問題となる。アメリカと同様に，報復，暴力の威嚇，利益の供与を含まないものであれば，支配介入とならないとする見解65)もあるが，判例・通説は，報復・威嚇等の要素が含まれていなくても支配介入となり得るとし，発言内容，発言のなされた状況，組合活動への影響等を総合的に判断して支配介入の成否を決している。

▩使用者の言論と支配介入に関する判例　山岡内燃機事件66)では，社長が従業員とその父兄の集会で，工場労組が，企業連に加入したことを非難し，それより脱退しなければ人員整理もあり得ると述べた事案につき，支配介入を肯定した。プリマハム事件67)では，組合が団体交渉決裂を宣言した後，社長が「従業員の皆さん」という宛名で「組合幹部の皆さんは会社の誠意をどう評価されたのか判りませんが，団交決裂を宣言してきました。これはとりもなおさず，ストライキを決行することだと思います。……会社も現在以上の回答を出すことは絶対不可能でありますので，重大な決意をせざるを得ません。お互いに節度ある行動をとられんことを念願いたしております」との声明文を掲示後，組織内に動揺が生じ，スト中止，交渉妥結に至った事案であり，支配介入の成立が認められた。全逓新宿郵便局事件68)では，使用者にも言論の自由が保障されていることに言及しつつ，使用者の利益代表者が労使対立の見られる時期に労使関係上の具体的問題に発言することは公正を欠くとの非難を免れないが，郵便局長が自宅で職員らと歓談中に「全逓の闘争主義者」という言葉を含む発言を行ったこと等につき，支配介入に当たるとまでいえないとした。

更生管財人であった再生支援機構のディレクターらによる，争議権が確立すれば更生計

65)　山口・労組法103頁。

66)　山岡内燃機事件・前掲注61。

67)　プリマハム事件・最二小判昭和57・9・10労判409号14頁。

68)　全逓新宿郵便局事件・最三小判昭和58・12・20労判421号20頁。

画は頓挫し，会社は破綻に至ることを示唆する発言が支配介入にあたるとした労働委員会命令は，裁判所でも支持されている69)。

4　施設管理権の行使と支配介入

企業別組合が主流の日本では，組合による企業施設利用を拒否したり，許可を得ずに利用した場合に警告書を発する等の使用者側の対応が支配介入となるかどうかが問題となった。

最高裁は，施設利用の組合活動に対する懲戒処分に関して判示した「許諾説」の枠組みをそのまま不当労働行為制度の判断に転用した。すなわち，最高裁は支配介入が問題となった全逓新宿郵便局事件70)で，国鉄札幌運転区最高裁判決71)の「許諾説」を引用し，企業施設を用いた無許可の組合集会に対し，使用者が解散命令を出すことも支配介入とならないとしている。その後，最高裁72)は，施設管理権と支配介入の成否について，この「許諾説」の枠組みで判断し，施設使用を許可しないことが施設管理権の濫用となる「特段の事情」がない限り支配介入に当たらないとする立場を維持している。

5　経費援助

経費援助とは「労働組合の運営のための経費の支払につき経理上の援助を与えること」であり，原則として禁止されている（労組7条3号）。しかし，例外として，労働時間中に賃金を失うことなく使用者と協議すること，労働組合の厚生資金・福利基金に対する使用者の寄付，最小限の広さの事務所の供与は，明文で許容されている（同但書）。

これらの例外に該当しない限り「経費援助」は不当労働行為となる。例えば，在籍専従者に使用者が給与を支給すること，組合用務の経費を会社が負担することなどがそうである。

しかし学説は一般に，これらの経費援助について，形式的には不当労働行為

---

69)　東京都・東京都労働委員会（日本航空乗務員組合等）事件・東京高判平成27・6・18労判1131号72頁。

70)　全逓新宿郵便局事件・前掲注68。

71)　国鉄札幌運転区事件・最三小判昭和54・10・30民集33巻6号647頁。

72)　池上通信機事件・最三小判昭和63・7・19労判527号5頁［ただし，原審判断を維持したもの］，日本チバガイギー事件・最一小判平成元・1・19労判533号7頁，済生会中央病院事件・最二小判平成元・12・11民集43巻12号1786頁，オリエンタル・モーター事件・最二小判平成7・9・8労判679号11頁［集会等への食堂利用を許諾しないことに権利濫用と認めるべき特段の事情はなく，拒否は不当労働行為に当たらないとした。反対意見あり］。

に該当するように見えても，実質的に組合の自主性を阻害しないものはこれに該当しないとする見解が多数を占めている。これは，自主性阻害の有無の問題とともに，企業別組合が従業員代表の側面と労働組合の2つの側面を併有していることも踏まえて今後検討すべき課題である（→659頁）。

Ⅳ　複数組合の併存と不当労働行為

日本では，一企業内に複数の組合が併存することは決して珍しくない。そして，複数組合が存するのは，戦闘的組合についていけない者が，穏健な第二組合を作る場合，あるいは既存の組合が協調的に過ぎ，労働者の真の利益を代表していないと考える者が少数組合を作ったり，企業外の一般労組に加入する，という場合が多い。したがって，このように複数組合が併存する場合，組合の路線に大きな違いがあり，使用者が穏健な協調路線をとる組合を支持し，戦闘的組合を差別し，弱体化を図る等の紛争が生じがちで，複雑な不当労働行為問題を生起させている。特に問題となるのは以下の点である。

1　使用者の中立保持義務

労組法は排他的交渉代表制を採らず，複数組合主義を採用しており，各組合は平等な団結権，団体交渉権，団体行動権を保障される。この帰結として，複数組合が併存する場合，使用者は一つの組合を厚遇し，他の組合を冷遇することなく，「中立保持義務」を負う。中立保持義務は最高裁で次のように定式化されている。

「同一企業内に複数の労働組合が併存している場合には，使用者としては，すべての場面で各組合に対し中立的な態度を保持し，その団結権を平等に承認，尊重すべきであり，各組合の性格，傾向や従来の運動路線等のいかんによって，一方の組合をより好ましいものとしてその組織の強化を助けたり，他方の組合の弱体化を図るような行為をしたりすることは許されない」[73]。

2　集団的賃金・昇格差別

賃金や一時金，昇格について組合所属ゆえに差別することは許されず，不当労働行為となる。しかし，賃金の決定については人事考課，勤務評定といった使用者の評価があり，使用者は，その組合員の賃金等が低いのは，組合所属ゆ

73)　日産自動車（組合事務所）事件・最二小判昭和62・5・8労判496号6頁。なお，日産自動車（残業差別）事件・最三小判昭和60・4・23民集39巻3号730頁も参照。

えではなく，客観的な能力，勤務態度の評価の結果に過ぎないと主張する。また，その資料については，人事の秘密，個人情報の保護等を理由に提出に応じない例が多い。その結果，賃金差別の立証には困難が伴う。

そこで，組合間の賃金等に関する集団的差別について，労働委員会は，いわゆる「大量観察方式」と呼ばれる手法を採用して対処してきた[74]。大量観察方式とは，申立組合による①非組合員や他組合員と比較して，当該組合員の賃金や格付けが全体的に低位であること（外形的格差），および，②使用者の当該組合嫌悪，弱体化の言動等の事実の立証から，不利益取扱いの不当労働行為事実を一応推認し，③使用者が当該組合員の賃金等の格差は勤務成績や勤務態度等に基づく合理的な理由があることを立証してこの推認を覆さない限り，不当労働行為の成立を認めるというものである。このような労働委員会の実務は，最高裁でも支持された[75]。

大量観察方式は比較される2つの集団の同質性（均質性），とりわけ賃金・格付けが年功的に運用されていたことが前提となっていた。しかし，この前提は，最近の個別人事管理，成果主義賃金の導入等により変化してきたため，大量観察方式にも見直しが必要となってきている[76]。こうした事態を踏まえ，中央労働委員会は，申立人側に，申立組合員の能力・勤務成績が比較対象集団の労働者と比して劣っていないことを，入手できる資料により可能な限りで立証することを求めるという修正された大量観察方式を提唱している[77]（賃金・昇格差別に対する救済方法については→796頁）。

3　団体交渉を経た異別取扱いと不当労働行為

困難な問題が生ずるのは，複数組合ないしその組合員の異別取扱いが，団体交渉の結果もたらされる場合である。各組合に団体交渉権が保障されていることは，それぞれの組合の判断で，使用者と取引を行い，異なる結果が生ずることを予定している。そして，使用者と組合がいかなる条件で妥結するかは力関

74）　大量観察方式自体は，複数組合併存状況以外にも組合員と非組合員の大量査定差別でも用いられる。

75）　紅屋商事事件・最二小判昭和61・1・24労判467号6頁。

76）　中労委（オリエンタルモーター）事件・東京高判平成15・12・17労判868号20頁。

77）　中央労働委員会「労働委員会における『大量観察方式』の実務上の運用について」中労時1055号16頁（2006年），山川隆一「査定差別事件における不当労働行為の認定と大量観察方式」慶応法学7号3頁（2007年），菅野1042-1043頁参照。

係によって決せられることも，取引という団体交渉の基本的性格から当然のことである。したがって，多数組合が有利な条件で妥結し，少数組合が不利な条件で妥結しても，あるいは妥結できずに終わっても，それは組合の選択ないし取引の結果であり，不当労働行為の問題は生じないとも考えられる。

ところが，このような団体交渉の結果としての異別取扱いが，団体交渉の結果を装いながら，実は，少数組合を弱体化するためになされたと評価すべきか否かが困難な問題となる。

(1) 同一条件の提示

日本メール・オーダー事件[78]では，使用者の同一条件提示が不当労働行為となるかが争われ，肯定された。すなわち，年末一時金交渉において，使用者が，併存する2つの組合に対して，等しく，交渉妥結には「生産性向上に協力すること」という条項の受入れを条件としたところ，多数組合はこれを受け入れて妥結した。しかし，少数組合はこの条項に反対し，使用者もあくまでこの条件に固執し，結局妥結しなかった。学説には，同一条件提示はまさに中立保持義務を果たしたものとする見方[79]もあるが，最高裁は，「生産性向上に協力すること」という前提条件は必ずしも合理性があるとはいえず，会社は少数組合が，いわゆる生産性向上運動が深刻な労使紛争に発展した状況下で上記条件を受け入れないことを十分予測し得たのにあえてそれに固執したのは，組合弱体化の意図に出たものとして，労組法7条1号，3号の不当労働行為に当たるとした。

同様に賃上げの妥結月実施条項に使用者が固執し，妥結時期の差によって組合間に賃金格差が生じた事案においても，同様に不当労働行為の成立が認められている[80]。

(2) 残業差別

日産自動車（残業差別）事件[81]では，少数組合がかねてより深夜勤務や計画残業に反対する立場をとってきたため，会社が一切残業を命じないこととしたところ，残業代の賃金格差問題に直面した当該組合は，残業させるように申し

78）日本メール・オーダー事件・最三小判昭和59・5・29民集38巻7号802頁。

79）山口・労組法114頁は，同一条件提示を不当労働行為というなら，使用者は逆に複数組合を差別して扱わなければならなくなるとする。

80）済生会中央病院事件・東京高判昭和61・7・17労民集37巻4＝5号307頁。

81）日産自動車（残業差別）事件・前掲注73。

入れた。しかし，残業条件等について交渉は物別れに終わり，結局残業を命じられないままとなった。そこで組合は，使用者が残業を命じないのは不利益取扱いに当たるとして救済を申し立て，労働委員会は不当労働行為の成立を認めた。

最高裁は，使用者の中立保持義務を確認した後，各組合の組織力，交渉力に応じた合理的対応が可能で，圧倒的多数組合との合意を重視し，それと同内容で，少数組合とも妥結しようとし，強い態度に出ても，非難すべきことではなく，そのことから少数組合弱体化の意図を推認すべきではない，と中立保持義務を団体交渉の実際に照らして具体的に述べている。そして，一方組合が一定の労働条件の下で残業する協約を締結し，他方の組合がより有利な労働条件を主張し協約締結に至らず，残業を命ぜられないということとなっても，自由な取引として選択した結果の相違に過ぎず，これを一般的，抽象的に論ずる限り，不当労働行為の問題は生じないとした。日本メール・オーダー事件最高裁判決に従うと，少数組合が反対することを予見しつつ使用者が多数組合と妥結した条件に固執することは直ちに不当労働行為と評価されることになるか，という点について，最高裁として中立保持義務と自由な団体交渉との関係を改めて整理したものと解される。その上で，例外として，当該交渉事項について「既に当該組合に対する団結権の否認ないし同組合に対する嫌悪の意図が決定的動機となつて行われた行為があり，当該団体交渉がそのような既成事実を維持するために形式的に行われているものと認められる特段の事情がある場合」には，団体交渉の結果とられている使用者の行為についても支配介入の不当労働行為が成立するとし，本件でも不当労働行為の成立を認めた。

第4節　不当労働行為の救済手続

不当労働行為の救済手続には，労働委員会による行政救済と，裁判所による司法救済の2つのルートがある。

I　概　説

1　救済手続の概要

労働委員会（→749頁）における救済手続の概要は**図表24-3**に示した通りであ

図表 24-3　不当労働行為の救済手続

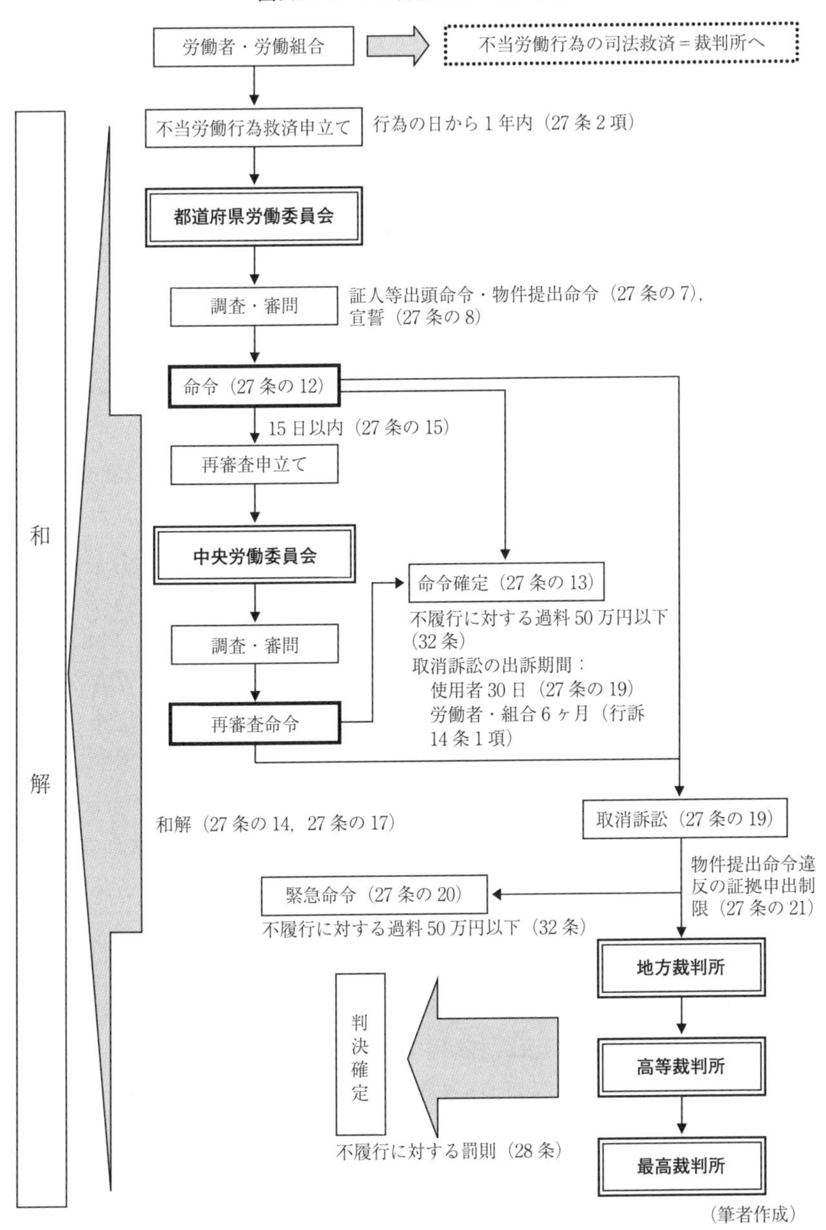

（筆者作成）

る。不当労働行為の救済手続は，都道府県労働委員会による初審手続と，中央労働委員会による再審査手続，そして，労働委員会命令の裁判所における取消訴訟（労働委員会命令の司法審査）の3つのステージに大別できる。労働委員会の救済命令は，再審査や取消訴訟が提起されずに確定すると，その違反には過料の制裁がある（労組32条）。また，救済命令が確定判決によって支持されると，その違反には刑事罰が科される（同28条）。

労働委員会は，使用者委員，労働者委員，公益委員同数から成る三者構成の行政機関であるが，不当労働行為の成否を審査し，救済命令を発する権限は公益委員のみに与えられている（労組24条1項）。しかし，労使委員は不当労働行為の調査・審問手続に参与することができ（同但書），実際の事件の処理，とりわけ和解による解決に非常に重要な任務を果たしている。

2　労働委員会による救済手続の特色

⑴　救済手続における申立主義（当事者主義）と救済内容における労働委員会の裁量

まず，救済手続は職権では開始せず，当事者の申立てがあって初めて開始する（労組27条1項）。また，申立ての取下げがあれば事件は初めから係属しなかったことになる（労委規34条4項）。

次に，審査の対象についても，救済を申し立てられた事実（「不当労働行為を構成する具体的事実」〔労委規32条2項3号〕）に限定される。このことは労組法27条の12第1項の「申立人の請求に係る救済の全部若しくは一部を認容し，又は申立てを棄却する命令」を発するとの文言に現れている。

しかし，救済内容については労働委員会は，当事者の申立てに拘束されず，その裁量権に基づき，当該事案に適切な是正措置を命じ得ると解されている。そして，裁判所は労働委員会命令の取消訴訟において，この救済内容についての労働委員会の裁量権を尊重すべきものとされている（→791頁）。

⑵　手続の進行，資料収集についての労働委員会主導

一旦申立てによって救済手続が開始されると，その手続の進行や審査資料の収集については，労働委員会が主導権を発揮する。

審査は会長が指揮し（労委規35条2項），当事者に釈明を求め，立証を促すことができる（同6項）（審査委員が選任された場合，会長の権限は審査委員または審査委員長が行使。労委規37条2項）。審査期日の決定，書証・証人の採否，証人尋問の指揮，和解の勧試，審問の終結・再開，審査の併合・分離は会長（審査委員）の権

限であり，また，審査の実効確保措置，当事者の追加，申立ての却下，命令の決定は公益委員会議の決定事項である。

また，2004（平成16）年労組法改正によって，審理の迅速化・的確化のため，審査計画書の策定，審問における証人の宣誓，審問廷の秩序維持に必要な措置等について定めが置かれた。

2004年改正前の労組法においても，労働委員会は職権により証人の出頭を求め，質問することができ（労組旧27条3項），職権により証拠調べができる（労委規旧33条5項，現41の9第1項）とされていたが，改正によって，「当事者の申立てにより又は職権」による証人等出頭命令（労組27条の7第1項1号），物件提出命令（同2号）の制度が導入された。両命令の発動は三者構成の総会事項ではなく公益委員会議（審査委員単独ではない。労組24条の2第4項，労委規41条の14第1項，41条の19第1項）の決定事項とされている。両命令に不服がある場合，1週間以内に中労委に審査申立てが可能である（労組27条の10）。両命令の違反に対しては30万円以下の過料の制裁がある（同32条の2）。そこで，両命令については裁判所に取消訴訟の提起が可能とされている[82]。

▩物件提出命令　労組法27条の7第1項2号により，「事件に関係のある帳簿書類その他の物件であつて，当該物件によらなければ当該物件により認定すべき事実を認定することが困難となるおそれがあると認めるもの」について，当事者の申立てまたは職権で所持者にその提出を命じ得ることとされた。正当な理由なく物件提出命令に反して物件を提出しない場合，30万円以下の過料に処される（労組32条の2第2号）ほか，裁判所に対し，当該物件提出命令に係る物件により認定すべき事実を証明できなくなる（同27条の21）。したがって，労働委員会段階で物件提出命令に反して提出しなかった物件を，救済命令等の取消訴訟で裁判所に提出して立証することはできないこととなった。労働委員会審査の実効を高める制度ではあるが，その物件によらなければ不当労働行為の成否を判断するのが困難なおそれのある事実に関するものであるので，所持者が提出を拒み，物件提出命令に対する取消訴訟が提起されると，それが決着するまで事実上労働委員会手続が停止する問題もはらんでいる。

(3)　民事訴訟における厳格な主張立証責任ルールの不適用

労働委員会の事実認定に当たっては民事訴訟におけるような厳格な主張立証責任ルールや事実認定ルールは適用されない。

---

82)　平成16・12・1厚労政発1201001号（第3の5(4)）。

Ⅱ　初審手続

1　管　轄

原則として，当事者（労働者，労働組合または使用者）の住所地もしくは主たる事務所の所在地，または不当労働行為が行われた地を管轄する都道府県労働委員会が管轄権を有する（労組令27条1項）。

▩不当労働行為事件の国際審判管轄　国際的な不当労働行為事件についての審判管轄については，当該労使紛争が国内において発生しているのか否かが基準となると解され，労働委員会実務もそのように処理している[83]。また，申立人適格については，労働者個人は外国人であっても問題なく認められる。労働組合については，資格審査が問題となるところ，国内に所在する労組に限定するという説もある。仮に，当該組合が労組法2条，5条2項の要件を満たし，申立人適格が認められたとしても，労使紛争が国内で発生していなければ管轄は否定されることとなる。被申立人適格については，日本国籍を有しない使用者にも認められうることで実務は確立している[84]。国内に存しない使用者に不当労働行為制度を及ぼし，命令の名宛人となし得るかは，労組法の属地主義との関係で問題となるが，外国に所在する親会社に対して命令を発した例がある[85]。

2　申 立 て

不当労働行為の救済申立ては，申立人・被申立人の氏名・住所，不当労働行為を構成する具体的事実，請求する救済の内容，申立ての日付を記載し，氏名または名称を記載した申立書を，管轄する都道府県労働委員会に提出して行う。

---

83)　インターナショナル・エア・サービス事件・東京地労委昭和40・2・23命令集32＝33集62頁［申立人・被申立人ともに日本国籍を有しない事件であっても，当該事件は日本国内で発生したものであるから，東京地労委に管轄権があることは自明とした］，ガルーダ・インドネシア航空事件・東京地労委平成6・2・15労経速1524号14頁［2人乗務制から1人乗務制への変更をめぐる紛争が日本国内で発生していることは明らかであるとして，東京地労委の審判管轄肯定］。他方，日本の外国現地法人の労使紛争について日本企業に団体交渉を申し入れて拒否された事件について，その実質において労働組合法の適用のない外国における労使関係に関するものとして労働委員会の管轄に属しないとした事例としてトヨタ自動車ほか1社事件・中労委平成18・12・6命令集136集1258頁があり，裁判所でも支持されている（東京高判平成19・12・26労経速2063号3頁）。

84)　塚本・前掲注42・389頁，393頁。

85)　日本リーダーズダイジェスト事件・東京地労委平成元・9・5別冊中労時1080号78頁［アメリカリーダーズダイジェスト社は日本リーダーズダイジェスト社の100％株主であり，経営の基本に関わる事項を許可・承認しており，本件会社閉鎖についても最終的に決定したものとして日本リーダーズダイジェスト社とともに使用者性を肯定しうるとされた］，ガルーダ・インドネシア航空事件・前掲注83。

申立ては口頭によることも可能で，この場合事務局が録取した書面が申立書とみなされる（労委規32条）。

⑴　申 立 人

申立人となり得る者は，団体交渉拒否（労組7条2号）については，団体交渉の主体は労働組合であり個々の組合員ではないので，労働組合のみであるが，不利益取扱い（同1号，4号）および支配介入（同3号）については労働者および労働組合である。

不利益取扱いについては，不利益取扱いを受けた労働者が救済を求める意思がない場合も，不利益取扱いは個人に対すると同時に労働組合に対する侵害でもあるので，労働組合も救済申立てが可能と解される。ただしこの場合，救済は労働組合に対するものに限定されることになる[86]。

支配介入（労組7条3号）については，組合に限るとする説もあるが，労働組合と組合員の双方が申立て可能と解すべきであり，判例もこの立場を採用している[87]。使用者の支配介入により労働組合の結成が阻害された場合や，組合が御用組合化して支配介入を争わない場合，昇進措置等により労働者個人の組合員資格を奪う場合等に，労働者個人による救済申立てを認める必要があるからである。

なお，組合が申立人となるときは，資格審査があり，法適合組合であることが必要である（労組5条。実務上，「併行審査」がなされていることにつき→664頁）。労働者の申立てについては，資格審査はないが，その不当労働行為の成否の判断に当たり，所属労働組合が法適合組合であるか否かが問題となり得る。

⑵　被申立人

被申立人となるのは，労組法7条にいう「使用者」である。7条の使用者は不当労働行為の責任主体として救済命令を履行する公法上の義務を負い，確定命令を履行しないときは過料の制裁を受けるものであるので，法律上独立した権利義務の帰属主体である必要がある。具体的には，個人企業なら企業主，法人企業なら法人となる。したがって，法人企業の部分組織は法的当事者となり

86）　菅野1107頁。

87）　京都地労委（京都市交通局）事件・最二小判平成16・7・12労判875号5頁［職制上非組合員とされるポストに昇任させられ組合員資格，支部長資格を失った労働者からの支配介入の救済申立てにつき，支配介入の救済申立ては特段の事情がある場合を除き労働組合に限られるとした判断を覆し，労働組合のほか，その組合員も申立適格を有するとした］。菅野1108頁。

得ない88)。また，不当労働行為を現実に行った個人（部長，課長等）も，被申立人たる使用者ではなく，救済命令の名宛人とはならない89)。これらの者の行為が，集団的労使関係の当事者である使用者に帰責されるのみである。

(3) 申立ての期間

労組法27条2項は「労働委員会は，前項の申立てが，行為の日（継続する行為にあつてはその終了した日）から1年を経過した事件に係るものであるときは，これを受けることができない」としている。これは，1952（昭和27）年改正により導入された規制であるが，労働紛争の特質から，不当労働行為後，1年以上経過すると証拠収集・実情把握が困難となること，行為後に形成された労使関係の安定をかえって阻害すること，救済の実益がない場合もあること等を理由に，秩序回復の早期実現の必要を考慮して，申立てを行為後1年以内に限ったものである90)。行為後1年を経過した申立ては労組法27条2項では「受けることができない」とされているが，不受理という措置がないので，労働委員会規則で「却下」事由とされている（労委規33条1項3号）。

この1年は除斥期間と解されている。したがって，時効と異なり援用を要せず，完成猶予や更新もない。

(4) 「継続する行為」

申立期間との関係で重要なのは，「継続する行為にあつてはその終了した日」（労組27条2項）から起算するとされている点である。特に，昭和40年代から，複数組合が併存し，一方組合員に対する差別的意図による低い査定に基づき，昇給・昇格差別がなされ，それに従って低い賃金が支払われてきた場合，同一の不当労働行為意思に基づく1個の継続する行為と見ることができるか否か（できるとすると救済対象期間ははるか以前に遡ることが可能となる）が議論されている。

昇給差別については，①低査定に基づく昇給額決定，②毎月の賃金の支給，③年度を超えた①②の繰り返し，について，①と②を，さらには③までも継続する1個の行為と見ることができるかが問題となる91)。判例は，差別的な不

88) 済生会中央病院事件・最三小判昭和60・7・19民集39巻5号1266頁［労組法7条の「使用者」は，法律上独立した権利義務の帰属主体であることを要し，法人組織の構成部分に過ぎないものは「使用者」に当たらず，これを救済命令の名宛人として命令を発することは許されないとした］。

89) 菅野1108頁。

90) 労働省労政局編『改正労働関係法の詳解』170頁（1952年），注釈労組法（下）974頁。

利益査定（①）とそれに基づく（当該年度の）毎月の賃金支払（②）とは一体としての1個の（継続する）不当労働行為をなすので，同査定に基づく賃金上の差別的取扱いの是正を求める救済申立てが，同査定に基づく（当該年度の）最後の賃金支払の時から1年以内にされたときは，申立期間内として適法としている[92]。例えば，①の低査定に基づく昇給額決定が2000年3月になされ，②の賃金が同年4月から翌2001年3月まで支払われる場合，2002年3月までに申立てをすれば，1年以内に②2001年3月の賃金支給があり，この②と①は継続する1個の行為とみなされるので，2000年3月以降の①②が適法に審査対象となる。

これに対して，使用者が年度を超えて繰り返し，昇給・一時金・昇格等の査定において差別を行っている場合，これらの行為を相互に「継続する行為」として全体を救済申立ての範囲に含めることができるか（③の問題）について明確に判断した最高裁判例はない。労働委員会命令には，一貫した不当労働行為意思に基づく意図的な差別の積み重ねである限り「継続する行為」といえるとするものも少なくない[93]。賃金または格付け上の累積された格差が申立て前1年間において解消されないまま存在しているときは，その格差も将来に向けて一括して解消することができるとする救済レベルの工夫で対処する命令もある[94]。

3 審　査

申立てを受けた労働委員会は，遅滞なく調査を行い，必要があると認めたときは，当該申立てが理由があるかどうかについて審問を行わなければならない（労組27条1項）。この調査・審問の手続を「審査」という。審査は会長（審査委員または審査委員長）[95]が指揮して行う（労委規35条2項）。

「調査」は，争点を整理し，立証方法を明らかにさせ，審査の計画を立てる

91）　奥山明良「継続する行為」百選（7版）262頁参照。

92）　紅屋商事事件・最三小判平成3・6・4民集45巻5号984頁［向後1年間の毎月の賃金額の基準となる査定で，組合員であることを理由に低査定した場合，その差別的取扱いの意図は，賃金支払によって具体的に実現されるのであって，同査定と毎月の賃金支払とは一体として1個の不当労働行為と見るべきとした］。

93）　日本計算器事件・京都地労委昭和47・11・17命令集48集153頁がその嚆矢とされる。

94）　長野鍛工事件・長野地労委昭和52・4・18命令集61集388頁。

95）　会長は公益委員の中から審査委員を選び審査を担当させることができ，この場合，審査委員または審査委員長は会長の権限を代行する（労委規37条）。

審問の準備手続である。調査において争点，証拠の整理，証人申請が出そろうと，審問開始前に審査の計画を定め，審問はこれに基づいて行うことになる(労組27条の6)。

「審問」は，当事者立会いの下で，原則として公開で行われる（公益委員会議が必要と認めたときは例外的に非公開とできる。労委規41条の7第2項)。審問は会長(審査委員）が指揮して行うが，労使委員は予め会長に申し出た上で参与することができる（同41条の6第4項)。

▩審問を経ない命令発出　2012（平成24）年労働委員会規則改正により，「委員会は，事件の内容に照らし，申立書その他当事者から提出された書面等により，命令を発するに熟すると認めるときは，審問を経ないで命令を発することができる」(労委規43条4項）こととなった。従来，却下の場合を除き，審問を経ずに命令を発することはできないと解されていた（揖斐川電工事件・岐阜地判昭和26・7・2労民集2巻2号215頁参照）が，当事者間に主要な事実関係に争いがない場合を想定して，これを可能としたものである（初審審査を経た再審査においては同55条2項で従来から可能)。なお，「命令を発するに熟する」かどうかは，当事者双方の意向および参与委員の意見も聴取して総合的に判断すべきである（平成24・10・1厚労発中1001第1号参照)。

審問の中心は，証拠調べであり，証人尋問，書証等の物件の取調べが行われる。2004（平成16）年労組法改正で，証人には宣誓をさせなければならず，当事者には宣誓をさせることができることとされた（労組27条の8)。宣誓した証人が虚偽の陳述をすると3月以上10年以下の懲役（同28条の2)，宣誓した当事者が虚偽の陳述をした場合，30万円以下の過料の制裁がある（同32条の3)。なお，同改正で労働委員会は審問廷の秩序維持に必要な措置をとることができるようになり（同27条の11)，その処分に違反して審問を妨げた者は10万円以下の過料に処せられる（同32条の4)。

4　合　議

審問が終結したときは，会長は公益委員全員による公益委員会議を開き合議を行うこととなる（労委規42条1項)。この合議では，参与した労使委員の意見を聴いた上で，事実認定を確定し，不当労働行為の成否を判断し，いかなる命令を出すかが決定される。

合議の結果，申立ての理由の有無を判定するに不十分であると判断された場合は審問を再開することができる（労委規42条4項)。

Ⅲ　命令の内容

命令には「救済命令」と「棄却命令」の2種類がある。労働委員会（公益委員会議）が，申立事実に理由がある（不当労働行為が成立する）と判断した場合は「救済命令」を，理由がないと判定した場合は「棄却命令」を発する。申立事実の一部に理由があるときは，その一部についてのみ救済命令を出し，その余について，棄却命令を出す（労組27条の12，労委規43条1項）。

既述のように，労働委員会には，不当労働行為の成否に関する要件裁量は認められていない（→767頁）。これに対して，不当労働行為の成立が認められる場合には，いかなる内容の救済を命ずるかについて，以下に見るように，労働委員会に広範な効果裁量が認められている。

1　労働委員会の裁量権

救済命令には，不当労働行為の類型により，一応次のようなタイプが典型的なものとして挙げられる。不利益取扱いたる解雇の場合，原職復帰命令とバックペイ（不利益取扱いがなかったら得られたであろう賃金相当額の支払）が，配転の場合，原職復帰命令が，懲戒処分の場合，効力停止命令等が発せられる。団交拒否については，一定事項について団体交渉せよとの団交命令，あるいは，当該事項について団体交渉を拒否してはならない旨の命令がなされる。支配介入については，支配介入行為を差し止める命令，今後同じ支配介入を行わないことを文書にして掲示させる「ポスト・ノーティス」，複数組合間の差別の場合は，端的にその差別を解消する具体的措置も命じられ得る（例えば，便宜供与命令）。

しかし，不当労働行為の救済内容については，法律上特に定めがなく，いかなる内容の救済命令を発するかは，労働委員会の裁量に委ねられている。申立人は申立書に「請求する救済の内容」を記載する（労委規32条2項4号）が，労働委員会はこれには拘束されない。また，労働委員会は，私法上の権利義務関係から一応離れて，また，上述の典型的な救済命令の類型にとらわれずに，将来の良好な労使関係構築に向けて不当労働行為を是正するために個々の事案に応じた適切な措置を命じ得る。このような労働委員会の救済命令の内容に関する裁量権は，判例上も承認されている。すなわち，第二鳩タクシー事件[96]で

96）　第二鳩タクシー事件・前掲注7。

最高裁は，法が労組法7条違反行為に対して「労働委員会という行政機関による救済命令の方法を採用したのは，使用者による組合活動侵害行為によつて生じた状態を右命令によって直接是正することにより，正常な集団的労使関係秩序の迅速な回復，確保を図るとともに，使用者の多様な不当労働行為に対してあらかじめその是正措置の内容を具体的に特定しておくことが困難かつ不適当であるため，労使関係について専門的知識経験を有する労働委員会に対し，その裁量により，個々の事案に応じた適切な是正措置を決定し，これを命ずる権限をゆだねる趣旨に出たもの」と解して，労働委員会の広範な裁量権を認め，したがって「裁判所は，労働委員会の右裁量権を尊重し，その行使が右の趣旨，目的に照らして是認される範囲を超え，又は著しく不合理であつて濫用にわたると認められるものでない限り，当該命令を違法とすべきではない」としている。

2　救済命令と裁量権の限界

問題は，いかなる場合に救済命令が「是認される範囲を超え，又は著しく不合理であつて濫用」となるかであるが，第二鳩タクシー事件最高裁判決の救済命令制度の趣旨に関して述べられた点，すなわち「救済命令……は，使用者による組合活動侵害行為によつて生じた状態を……直接是正することにより，正常な集団的労使関係秩序の迅速な回復，確保を図る」ものであることを要し，また，「不当労働行為による被害の救済としての性質をもつものでなければなら」ないとする判示が参考となろう。

要するに，不当労働行為によって生じた事態を直接に是正し，将来の正常な労使関係，円滑な団体交渉関係の形成という不当労働行為制度の趣旨に照らして，必要かつ相当な命令か否かが，労働委員会に一次的裁量権があることを踏まえた上で判断されるべきこととなる。

令和4年の山形大学事件最高裁判決[97]では，誠実団体交渉を命じた県労委命令の裁量権逸脱が問題となった。高裁判決[98]は，団交事項（昇給抑制と賃金引下げ）に係る改正が実施されて4年前後経過しており，団体交渉をしても有意な合意を成立させることは事実上不可能として，誠実団体交渉を命じた県労委命令を裁量権の範囲を逸脱したものとして取り消した。これに対して最高裁は，

97）山形県・県労委（国立大学法人山形大学）事件・最二小判令和4・3・18民集76巻3号283頁。
98）仙台高判令和3・3・23労判1241号5頁。

第二鳩タクシー事件最高裁判決の判示を確認した後，団体交渉において合意成立の見込みがなく，労働組合が労働条件等の獲得の機会を現実に回復することが期待できない場合であっても，使用者が誠実団体交渉に応ずれば，労働組合は使用者から十分な説明や資料の提示を受けるとともに，組合活動一般についても労働組合の交渉力の回復や労使間コミュニケーションの正常化が図られるから，合意成立の見込みがないことをもって誠実交渉命令を発することが直ちに救済命令制度の本来の趣旨，目的に由来する限界を逸脱するということはできないとし，原判決を破棄し，差戻しとした。誠実交渉を命ずることの労使関係における意義を踏まえた労働委員会命令について，裁判所が自らの一次的判断で代替したような原審判決を，最高裁として第二鳩タクシー事件判決の労働委員会の裁量権尊重の立場を踏まえて是正した事例と言えよう。

なお当該命令の適法性判断は，行政処分の適否の観点からなされるものであり，私法上適法かどうかという観点からなされるべきものではない（私法上義務のないことを命ずる救済命令は少なくない[99]）。しかし，行政処分といえども，国の法体系の枠組みの中で行われるべきものであるので，労基法などの強行法規に違反する救済命令は裁量権の限界を超えることになると解すべきであろう[100]。

(1)　バックペイからの中間収入控除

労働委員会の裁量権について争われた最も著名な論点はバックペイからの中間収入控除の可否である。

不当労働行為として解雇が行われた場合，労働委員会は原職復帰とともに，解雇がなかったならば取得したであろう賃金を支払うこと（バックペイ）を命ずるのが通常である。そして，解雇された労働者が他所で就労して得た賃金（中間収入）があっても，労働委員会はこれを控除せずに全額のバックペイを命じていた。しかし，最高裁は在日米軍調達部事件判決[101]で，中間収入不控除は

99)　例えば，日産自動車（組合事務所）事件・前掲注73において適法とされた組合併存下で少数組合に組合事務所を貸与せよという命令は，何ら私法上の貸与義務がないにもかかわらず命じられたものである。

100)　ネスレ日本（東京・島田）事件・最一小判平成7・2・23民集49巻2号281頁では，チェック・オフして他組合に引き渡していた組合費相当額を，当該組合に支払うよう命ずることは，私法的法律関係から著しくかけ離れ，労基法24条1項の趣旨にも抵触するとして裁量の範囲を超えるとしている。

101)　在日米軍調達部事件・最三小判昭和37・9・18民集16巻9号1985頁。

原状回復という救済命令の目的を逸脱するとして，不適法とした。しかし労働委員会はこの立場に従わず，中間収入を控除しない命令を出し続けたところ，最高裁は第二鳩タクシー事件大法廷判決[102]で判例変更を行った。

第二鳩タクシー事件判決は，上述の労働委員会の救済命令内容に関する裁量権尊重の一般論を述べた後，バックペイと中間収入控除の問題について，次のような二面的考察を示した。すなわち，法が正当な組合活動を理由とする解雇を特に不当労働行為として禁止しているのは，「解雇が，一面において，当該労働者個人の雇用関係上の権利ないしは利益を侵害するものであり，他面において，使用者が右の労働者を事業所から排除することにより，労働者らによる組合活動一般を抑圧ないしは制約する故なのである」とし，救済命令の内容も労働者の「個人的被害の救済」の面と，「組合活動一般に対する侵害除去」の面の両面からする総合的な考慮を必要とし，そのいずれか一方の考慮を怠り，または救済の必要性の判断において合理性を欠くときは，裁量権の限界を超え，違法となるとした[103]。

この判決以降，労働委員会実務は，二面的考慮を払った上で，その裁量権の行使としてバックペイから中間収入を控除しないとするものがほとんどである。判例には，二面的考慮における「組合活動一般に対する侵害」について，経済的打撃が軽微なら（当該事案では従前の給与以上の中間収入があった）組合活動への制約的効果も通常とはかなり異なる（軽微である）として，中間収入控除をしなかった労働委員会の救済命令を違法としたものもある[104]。他方，民事訴訟において確定した遡及払い賃金額を上回るバックペイ命令も，救済命令の目的から許容されるとしたものもある[105]。

(2)　抽象的不作為命令

抽象的不作為命令とは，例えば，単に，労組法7条の文言をそのままに，

---

102)　第二鳩タクシー事件・前掲注7。

103)　当該事件については，再就職先が同じタクシー運転手であり，解雇直後から再就職しており，従前に近い賃金を得ていたことから個人的被害の救済としては当然に中間収入を控除すべきで，組合活動一般に対する侵害の除去についても，上記事実と当時のタクシー業界における運転手の雇用状況，転職の頻繁さ容易さに照らすと，解雇の組合活動意思に対する制約的効果も通常の場合とはかなり異なるとし，バックペイ命令において中間収入を全く不問に付すことは合理性を欠くとし，結論としては原審同様，救済命令を違法とした。

104)　あけぼのタクシー事件・最一小判昭和62・4・2労判500号14頁。

105)　広島県・県労委（平成タクシー）事件・広島高判平成26・9・10労判1120号52頁。

「被申立人は申立人組合の運営を支配し，もしくは介入してはならない」，もっと極端には「被申立人は不当労働行為をしてはならない」というように，禁止される行為を具体的に特定することなく，包括的・抽象的に不作為を命ずるものをいう。

これに関しては問題が2つある。第1は，将来にわたる禁止であるという点である。これは救済命令が原状回復でなければならないとすると許されないこととなるが，不当労働行為の救済が原状回復でなければならないという議論は，格別根拠のあるものではなく，最近の学説はそのような限定に反対している。その一つの根拠が具体的な不作為命令を命ずることの必要性である。反復して同種の不当労働行為を行う蓋然性のある事件においては，禁止される行為を具体的に特定して救済命令を発することが適切と考えられるからである。判例も，将来にわたる，具体的に行為の特定された不作為命令は適法としている106)。

第2は，禁止される義務・行為の不特定・不確定性である。労組法7条各号と同内容の抽象的な命令は，将来にわたり制裁の裏付けをもった法規を設定する（立法を行う）に等しく，労組法が7条違反行為については労働委員会が審査の上，救済命令を発し，これに違反した場合に制裁の対象とすることとした制度枠組みに反し，違法と解される107)。また，命令違反には罰則が科されることを考えても，構成要件の明確性の要求から，主文は禁止される行為を具体的に特定しておくべきである。もっとも，理由と合わせ読めば主文の禁止事項が特定される場合には，当該命令は違法とはいえないと解されている108)。

(3)　条件付救済命令

条件付救済命令とは，不当労働行為が行われるに際し，労働者側にも行き過ぎがあったような場合，労働者側が陳謝等一定の行為をなすことを条件に救済を命ずるものである。労働者・組合に一定行為を命ずるのは制度趣旨に反する

---

106)　栃木化成事件・最三小判昭和37・10・9民集16巻10号2084頁［過去の不当労働行為と同種もしくは類似の行為が再び繰り返されるおそれが多分にある場合には，将来の不当労働行為を禁止する不作為命令も許されるとした］。

107)　日本食糧倉庫事件・京都地判昭和28・4・3労民集4巻2号95頁，山川・紛争処理法99頁参照。

108)　第一小型ハイヤー事件・札幌高判昭和47・10・17労民集23巻5＝6号575頁，国・中労委（社会福祉法人全日本手をつなぐ育成会）事件・東京地判平成28・10・26別冊中労時1509号7頁。

とする見解もあるが，このような命令は，申立人がこれに従わなかったとしても，何らの制裁もなく，申立人に当該行為を命じるものではない。

むしろ，労使関係の実態に照らすと，両者の非を指摘し是正させることを通じて，将来に向けて正常な労使関係を形成しようとすることも不当労働行為制度の趣旨に合致する。したがって，かかる命令も労働委員会の裁量権の範囲内と考えてよい[109]。

⑷　昇給・昇格差別等に関する救済命令

昇給・昇格差別については使用者に再査定を命ずることもありうるが，その再査定の公正さが新たな紛争を生じさせかねない。そこで，労働委員会が命令において昇給・昇格を命ずる直接的是正命令を出しうるかが問題となる。

まず，昇給差別については，労働委員会の直接的是正命令について比較的広い裁量権が認められている[110]。

昇格差別に関しても，職能資格制度の格付けが，賃金（職能給）にのみ関する場合（職位とは切り離された格付けの場合）には，昇格命令を発することも労働委員会の裁量権の範囲内と解される。職能資格が年功的運用となっているにもかかわらず，組合員故に昇格差別を受けた場合には，同期・同学歴の中位者を基準に昇格を命ずることも適法とされる。

これに対して，職能資格制度の格付けが，職位（役職）と連動する場合には，昇進命令と同様となる。この場面では，使用者の組織運営に関する裁量権との調整が必要となる。この場合，比較的低位の職位（役職）への昇格・昇進が機械的・年功的になされている場合には，昇格・昇進命令を発することも労働委員会の裁量権の範囲内と解されている。これに対して，経営判断にかかわる組織上の枢要な地位への昇格・昇進が使用者による適格性判断に基づきなされている場合，とりわけ，使用者の利益代表者（労組2条1号）たる地位への昇格を命ずることは原則としてできないと解されている[111]。

⑸　ポスト・ノーティス

ポスト・ノーティスとは，労働委員会が命じた内容の文書を従業員の見やす

109）　延岡郵便局事件・東京高判昭和53・4・27労判298号32頁。

110）　査定に基づく一時金差別についてであるが，組合員・非組合員間の平均考課率の差に相当する差別があったとみて，その差額に相当する支払いを命じた命令を適法とした例として，紅屋商事事件・前掲注75。

111）　菅野1126頁，山川・紛争処理法100頁以下参照。

い場所等に掲示させる命令をいう。通常は，申立事実が労働委員会によって不当労働行為と認定されたことの掲示，あるいは，今後かかる不当労働行為をしない旨の誓約文であることが多い。しかし，陳謝文，謝罪文であることもある。

特に，「陳謝します」とか「謝罪します」といった文言を含むポスト・ノーティスについては，使用者の思想・良心の自由（憲19条）を侵害するかが問題となるが，違憲とはいえないとされている[112]。

⑹　金銭賠償命令

労働委員会が不当労働行為によって生じた損害の金銭賠償を命じ得るかについて議論がある。不当労働行為を事実上是正する救済命令が金銭の支払いを含むことは当然あり得る（例えば，不当労働行為による解雇についてのバックペイは当然認められる。また，残業差別で残業を割り当てられなかった組合員に残業手当相当額の支給を命ずることも可能とされている）が，問題はそれではカバーされない慰謝料や相当因果関係が微妙な損害（特に積極損害）等について，労働委員会が不当労働行為ゆえに生じた損害として金銭賠償を命じ得るかである。

一般的には，不当労働行為制度は不当労働行為を事実上是正することを目的とするもので，私法上の損害賠償，損失補塡を目指した制度ではないとして，否定的に解されている。その理由としては，救済命令に懲罰的要素を含ませることは許されないこと，労働委員会は損害賠償の範囲の確定を適切に判断できる機関ではないこと[113]等が挙げられる。必ずしも金銭賠償一般を命じ得ないというよりも，損害賠償命令を一般に肯定すると，損害の認定基準が不明確なため，懲罰的な損害賠償となりかねないこと，また，労働委員会が相当因果関係の範囲内の損害か否かを判断することは，労使関係の正常な展開に向けて行政救済を図るという制度趣旨から見て，適切とは思われないこと等が実質的根拠であるように思われる。裁判所で不当労働行為を不法行為として損害賠償を認めることが一般化した現在，労働委員会が救済命令として金銭賠償を命じ得ないとする根拠は乏しいと言うべきであろう[114]。

112）最高裁も亮正会高津中央病院事件・最三小判平成2・3・6労判584号38頁，オリエンタルモーター事件・最二小判平成3・2・22労判586号12頁で，陳謝等の文言は，同種行為を繰り返さない旨の約束を強調したに過ぎないとして，違憲の主張を斥けている。

113）塚本・前掲注42・420頁。

114）同旨，司法研修所編『救済命令等の取消訴訟の処理に関する研究』（改訂版）154頁（2009年）。

もっとも，理論上，金銭賠償命令が可能であるとしても，救済命令として妥当かは別途問題となる。労働委員会としては不当労働行為の事実上の是正・回復措置では対処し得ない場合に初めて金銭賠償の可否を考慮すべきであろう[115]。この点，バックペイや一時金に利息（遅延損害金相当額）の支払いを命ずる例は実務でもよく見られるが，他の不当労働行為の是正措置では回復できず，かつ，損害の認定基準が明確であることを考慮すると，労働委員会の裁量の範囲内と解される[116]。

3　救済の必要性（救済利益）

過去に不当労働行為が存しても，その後，当該不当労働行為によって生じた労使関係の歪みが既に是正されている場合（不当労働行為による解雇を撤回した，団体交渉拒否の後，団体交渉に応じた，支配介入的差別を既に是正した等）には，労働委員会はもはや救済の必要性がないとして，申立てを棄却することができる[117]。しかし，将来の良好な労使関係構築のために過去の不当労働行為事実を確認する必要が認められれば，ポスト・ノーティスや文書交付等が命じられ得る。

労組法7条1号の不利益取扱いの場合，本人が不利益取扱いを是正する意思を失うと，この個人についての救済利益はなくなる。そして，労働組合の求める救済内容が，組合員個人の雇用関係上の権利回復という形をとっている場合，判例[118]によると，当該組合員が積極的に権利利益の放棄の意思表示をし，または，労働組合の救済申立てを通じて権利利益の回復を図る意思のないことを表明したときは，組合が固有の救済利益を有するとしても，当該組合員の意思を無視して救済を求めることはできない。しかし，そうした意思表示がない限り，その固有の利益を有する労働組合は，組合員が組合員資格を喪失したかどうかにかかわらず，救済を求めることができ，また，ポスト・ノーティスについては当該組合員の組合員資格喪失や個人的意思にかかわらず，組合は救済利

115）　同旨，山口・労組法129頁。

116）　亮正会高津中央病院事件・前掲注112も，支給の遅延した一時金額に年5分の遅延損害金を支払う命令が適法であることを前提に判断している。これに対して，大阪府・府労委（泉佐野市・チェック・オフ）事件・大阪高判平成28・12・22労判1157号5頁は，不当労働行為救済手続において損害賠償のような民事上の権利義務の存否を判断することは予定されていないとして，チェック・オフ廃止により生じた組合員らの振替手数料相当額の支払命令は，労働委員会の裁量権の範囲を超えるとする。

117）　全逓新宿郵便局事件・前掲注68。

118）　旭ダイヤモンド工業事件・最三小判昭和61・6・10民集40巻4号793頁。

益を持つ。

4　命令の効力

命令は交付の日から効力を生ずる（労組27条の12第4項）とされ，使用者は命令書の交付を受けたときから遅滞なくその命令を履行しなければならない（労委規45条1項）。労働委員会の会長は，使用者に対し，命令の履行に関して報告を求めることができる（同2項）。もっとも，命令違反に対して具体的な制裁が科されるのは確定後である（ただし緊急命令については→801頁）。命令は，再審査申立ても取消訴訟提起もされずに30日が経過すると確定し（労組27条の13），不履行については50万円（作為を命ずる命令の不履行日数が5日を超える場合，その超える日数1日につき10万円を加えた金額）以下の過料に処される（同32条）。なお，救済申立てに対して棄却命令が出された場合は，労働者・労働組合側もこれに不服であるときは，再審査申立て（15日以内）または取消訴訟（6ヶ月以内，行訴14条1項）を提起しないと確定し，争えなくなる。

Ⅳ　再審査手続

都道府県労働委員会の命令を受けた当事者は，命令の交付を受けた日から15日以内に，中央労働委員会に再審査の申立てが可能である（労組25条2項，27条の15，労委規51条1項）。救済命令を受けた使用者のみならず，棄却命令・却下決定を受けた申立組合ないし労働者も再審査を申し立てることができる（労組27条の15第2項）。再審査申立ては初審命令の効力を停止するものではない（同1項但書）[119]。

中央労働委員会は申し立てられた不服の範囲内で，都道府県労働委員会の処分を取り消し，承認し，または変更する完全な権限を有する（労組25条2項，労委規54条，55条）。また，中労委は職権（公益委員会議の議決）により再審査を行うことも可能である（労組25条2項，労委規52条）が，実例はない。

再審査の結果，中労委が初審命令を取り消しまたは変更したとき，初審命令はその効力を失う（労組27条の15第1項但書）[120]。

119）中労委は必要があると認めるときは，違反に対する制裁はないものの，初審命令の履行勧告をなし得る（労委規51条の2）。

120）なお，再審査命令で一部が変更された場合，初審命令のすべてが効力を失うのかという問題について，住友重機械工業事件・東京高判平成19・10・4労判949号20頁は，複数の当事者について発せられた命令は，当事者毎に発せられた命令が1通の命令書に記載されたものと

再審査手続においてはほぼ初審手続が準用される（労組27条の17，労委規56条1項）。

■再審査の範囲　中労委が初審の処分を取り消し，承認，変更する完全な権限をもって再審査する範囲が，申し立てられた不服の範囲に限定されるとすると，その不服申立ての範囲の解釈が問題となる。この点について，申し立てられた不服の範囲は，救済申立事実を単位に考えるべきであり，各個の救済方法単位で捉えるべきでない[121]（例えば，不当労働行為による解雇の救済方法についての再審査申立ては，救済方法のみならず解雇の不当労働行為該当性自体も判断の対象となる）とする見解がある。

■認定和解　2004年改正以前は，和解が成立しても，取下げ等による事件の終了の効果しか生じず，救済命令等の効力が失われることはなかった（和解した場合は，初審命令が救済命令であっても，労働委員会実務は使用者が当該命令を履行しなくても，命令の不履行として扱わないこととするにとどまった）。しかし，2004年改正により，労組法27条の14で和解について新たに規定を設け，労働委員会が和解の内容が当事者間の労働関係の正常な秩序を維持させ，または確立させるため適当と認定した和解（認定和解）は，当該事件を終了させる効果を持つとともに，既に救済命令等が発せられている場合には（つまり初審命令が発せられており，中労委段階で認定和解がなされた場合），その命令は効力を失うものとされた（労組27条の14第2項，3項）。なお，労委命令に対して取消訴訟が提起された場合も，命令確定前であれば，当事者間に和解が成立し，当事者双方が労働委員会に認定和解の申立てをした場合，労働委員会が当該和解内容を適当なものと認めるときは，救済命令は失効すると解されている[122]。また，和解に金銭の支払い等が含まれている場合，当事者双方の申立てにより和解調書を作成でき，当該和解調書は民事執行手続において債務名義とみなされ，会長が執行文を付与する（労組27条の14第4項～6項）。

V　取消訴訟（労働委員会命令の司法審査）

行政庁の処分および裁決については行政事件訴訟法上，当該処分または裁決の取消しを求める法律上の利益を有する者に限り，取消訴訟の提起が可能である（行訴9条1項）が，行政委員会である労働委員会の命令についても同様であ

解し，複数の当事者に関する命令の一部の当事者に関する命令部分が変更されても，変更のなかった当事者について初審命令が失効するものではないとする。なお，このように解すると，初審命令の一部当事者について取消し・変更した再審査命令が出されても，初審命令の他の当事者に関する取消し・変更されていない部分について使用者の提起した取消訴訟は存続する。その結果，この使用者の提起した取消訴訟と，労働組合・労働者が，再審査命令に対して提起した取消訴訟が併存することになり得るが，同裁判例は，こうした事態は労組法が許容しているとする。

121）　菅野1132頁。

122）　司法研修所編・前掲注114・113頁参照。

る（都道府県労働委員会命令は「処分」に，中労委の再審査命令は「裁決」に当たる。行訴3条2項，3項）。ただし，使用者，労働組合，労働者が中労委に再審査の申立てをしたときは，再審査命令に対してのみ取消訴訟を提起できる（労組27条の19第2項，3項）。したがって，裁判所に取消訴訟を提起後に中労委に再審査を申し立てた場合，取消しの訴えは却下となる[123]。

1　出訴期間

使用者は都道府県労働委員会，中央労働委員会の命令交付の日から30日以内（労組27条の19第1項）に，労働者・組合は通常の取消しの訴えと同様に，原則として処分があったことを知った日から6ヶ月以内（行訴14条1項）に取消しの訴えの提起が可能である。取消しの訴えの提起は命令の効力を停止しない（行訴25条1項，29条）。しかし，既述のように，命令は確定するまでその違反に対して制裁を加えることができない。そこで，命令確定前でも命令に実効性を持たせるために，命令を強制履行させる「緊急命令」という手続が設けられている。

2　緊急命令

緊急命令とは使用者が裁判所に訴えを提起した場合において，受訴裁判所が，当該救済命令を発した労働委員会の申立てにより，決定をもって，使用者に対し判決の確定に至るまでその労働委員会の命令の全部または一部に従うべき旨を命じることができるという制度である（労組27条の20）。

この緊急命令については，労組法32条により，その違反に50万円以下の過料が科せられるので，緊急命令が発せられた時点で，命令が確定したと同様の強制力が生ずる。

緊急命令を発するに当たって要求される実質的要件としては，暫定的に履行を強制する必要性が存すること（直ちに履行させなければ救済命令の目的を達しないという切迫した事情の存在），および救済命令の適法性に重大な疑義が存しないこととされている[124]。

3　取消訴訟の司法審査の範囲

(1)　事実認定と証拠提出制限

アメリカの全国労働関係局（NLRB）の命令におけるような実質的証拠法

123)　住友重機械工業事件・前掲注120参照。

124)　吉野石膏事件・東京高決昭和54・8・9労判324号20頁。

則[125]（substantial evidence rule），すなわち，行政機関の事実認定が実質的証拠に支えられた合理的なものである限り，裁判所は自ら事実認定を行えば，異なる認定を行ったであろうという場合でも，行政機関の事実認定に拘束されるというルールは，労働委員会命令の司法審査については存しない。その結果，裁判所は労働委員会の事実認定に縛られることなく，独自に事実認定を行うこととなる。この点について，実務や学説では問題が指摘されていたが，2004年労組法改正で物件提出命令制度が導入され，物件提出命令が出されたにもかかわらず提出しなかった者は，正当な理由のない限り，裁判所で当該物件にかかる証拠の申出をなし得なくなった（労組27条の21）。

(2)　不当労働行為の成否

既述のように労働委員会は効果裁量（労働委員会命令の内容についての裁量）は認められているが，不当労働行為の成立要件についての要件裁量は認められていない[126]。したがって，不当労働行為の成否については，裁判所の完全な司法審査に服する。

(3)　命令の内容

救済命令の内容については既述のように，最高裁も，専門的行政機関である労働委員会の裁量を尊重する枠組みを立てている。しかし，労働委員会が将来の良好な労使関係を築く上で必要として発している，私法上はなし得ないような救済命令を，裁判所は私法上の権利義務関係を判断するような態度で審査しているのではないかという批判が少なくない[127]。

▩命令の適法性判断の基準時と発令後の事情　命令の適法性は通常の行政処分と同様，判決（口頭弁論終結）時ではなく，処分時を基準に判断される。しかし，救済命令発令後，労働組合が自然消滅したり，命令の履行を客観的に不可能ならしめる事情が発生した場合には，当該命令はその基礎を失って拘束力を失うと解される。その結果，当該命令の取消しを求める訴えの利益も消滅し，当該訴えは却下される[128]。しかし，組合員が退職等に

125)　日本では，2013（平成25）年改正前の独占禁止法には実質的証拠法則の規定（旧80条～82条）があったが，2013年改正で廃止されている。

126)　前掲注33参照。

127)　中窪裕也「労働委員会制度に関する一考察」労研473号49頁以下（1999年），中嶋士元也「裁判所の手法と労働委員会の苦境」労研473号56頁（1999年），道幸・行政救済28頁以下等参照。

128)　ネスレ日本・日高乳業（第2）事件・最一小判平成7・2・23民集49巻2号393頁［控除組合費相当額支払命令につき，支払を受けるべき労働組合が自然消滅し，命令の拘束力は消滅

より当該企業に存しなくなっても，命令内容により，なお命令の履行可能性があり，無意味となっていない場合には，救済命令の拘束力は失われない[129]。

4　確定判決によって支持された命令の効力

救済命令が裁判所の確定判決によって支持された場合，当該命令に違反した者は1年以下の禁錮（こ），もしくは100万円以下の罰金に処され，またはこれを併科される（労組28条）。なお，確定した救済命令に違反した場合に過料の対象となるのは「使用者」である（同32条）が，救済命令が確定判決によって支持された場合の処罰の対象は「使用者」ではなく，違反の「行為をした者」すなわち，現実の行為者たる自然人である（同28条）[130]。

Ⅵ　不当労働行為の司法救済

学説（憲法具体化説）・裁判例の多数は，労組法7条各号は，労働委員会の行政救済規範であるとともに，司法救済の根拠規定でもあると解し，労組法7条を直接の根拠として司法救済を認めている[131]。これに対して，学説の有力説（創設的制度説）は，不当労働行為制度が労組法の創設にかかるものであり，労組法7条を直接の根拠として司法救済を求めることは原則としてできないが，7条違反の行為が私法上の一般的規定（公序良俗違反や不法行為）に照らして救済

しているとし取消しの訴えが却下された］。司法研修所編・前掲注114・30頁以下，菅野1141頁。

129）国・中労委（ネスレ日本島田工場・団交）事件・東京高判平成20・11・12労判971号15頁［団交命令発出後，組合員の退職により現に使用する労働者が存在しなくなったとしても，そのことのみで救済命令の履行が客観的に不可能となるわけではなく，救済命令の拘束力の喪失は救済命令の内容により判断すべきとした］，広島県・広島県労委（熊谷海事工業）事件・最二小判平成24・4・27民集66巻6号3000頁［当該企業に雇用される組合員がいなくなっても，当該企業および産業別組合が存続している状況下では，命令の効力は失われないとして，取消しを求める訴えの利益を肯定］，広島県・県労委（平成タクシー）事件・前掲注105［懲戒処分を無効とした救済命令は，当該組合員が退職しても取消しの訴えの利益ありとした］。

130）労政参事官室903頁，注釈労組法（下）1092頁。なお，労組法32条の過料額の方が28条の罰金額より高額となり得ることや，対象者の違い等については，命令の履行確保のあり方として検討の余地があろう。

131）労組法7条1号の不利益取扱い違反の解雇については，医療法人新光会事件・最三小判昭和43・4・9民集22巻4号845頁が当然に無効と判示し，同条項を私法上の強行規定でもあると解している。2号につき国鉄事件・最三小判平成3・4・23労判589号6頁（ただし原審維持），3号につき，横浜税関事件・最一小判平成13・10・25労判814号34頁等。

対象となることは認めている[132]。

司法救済においては，通常の裁判と同様，私法上の権利義務の存否を基準に判断がなされるので，労働委員会による不当労働行為の救済とは種々の面で異なったものとなる。

例えば，不利益取扱いたる解雇について，労働委員会命令では，原職復帰とバックペイが命じられ，中間収入については前述した裁量が認められ得る（→793頁）。これに対して，司法救済では，解雇無効による労働契約上の地位の確認（就労請求権は一般に認められていないので，現実に原職復帰できないこともあり）と民法536条2項に基づき賃金から，中間収入の控除がなされる（ただし平均賃金の6割は確保される→360頁）。

昇給差別について，労働委員会命令では，端的に昇給自体を命ずることも一定範囲で可能である。これに対し，司法救済では過去の損害賠償は可能だが，将来の賃金是正は困難である。便宜供与差別についても，労働委員会命令では，端的に便宜供与を命じ得るのに対して，司法救済では，労働組合にそのような（例えば組合事務所の貸与を受けるような）私法上の権利がない以上，便宜供与を与えるという救済はできない。ただ，不法行為に該当すれば損害賠償が可能となるのみである。

しかし，司法救済には損害賠償請求や仮処分手続の利用が可能であるなど，行政救済とは異なるメリットも見られ，特に最近は不法行為に基づく損害賠償請求を認容する裁判例が増加している。

なお，団交拒否の司法救済については団体交渉の章で触れた（→693頁）。

132）　石川・労組法15頁。菅野1050頁以下もほぼ同旨であるが，沿革的理由から，労組法7条1号については強行法規性を認める。

第4部　労働市場法

第25章 労働市場法総論

第1節 労働市場（雇用）政策とその展開

I 受動的労働市場（雇用）政策と積極的労働市場（雇用）政策

受動的（消極的）労働市場（雇用）政策（passive labor market policies）とは，失業保険や失業救済事業などの既に発生した失業に対して受動的に対応する労働市場政策をいう。これに対して，積極的労働市場（雇用）政策（active labor market policies）とは，消極的・受動的施策を超えて，（国家が）労働市場（労使，求職者・求人者）に積極的な働きかけを行う政策一般をいい，具体的には，各種の職業紹介・訓練制度，失業予防，職業訓練・能力開発，雇用助成金等による採用・再就職へのインセンティブ付与，労働力需給調整機能の強化，就職困難者の就職促進等その他の雇用創出措置の積極的施策をいう。

諸外国の労働市場政策の展開[1]は，まず，職業紹介，失業保険を中心とする古典的な事後的失業政策，すなわち消極的労働市場政策から出発した。第二次世界大戦後は，ケインズ理論に基づく完全雇用政策が採用されるが，やがて，コスト・プッシュ・インフレにより物価が上昇し，「雇用水準の維持」と「物価の安定」という国家政策にとっての主要課題が両立しないという問題が生じた。

その後，各国では，構造的失業[2]の問題に対処するため，失業保険などの失

1） 山川隆一「諸外国における労働市場政策」講座21世紀2巻118頁，諏訪康雄「労働市場法の理念と体系」同2頁，馬渡淳一郎「労働市場の法的機構」同43頁参照。

2） 「構造的失業」とは，市場全体としては需給のバランスがとれているにもかかわらず，需給の質の違い，すなわち，企業の求める人材と求職者の持っている特性とが合致しないというミスマッチによって生ずる失業をいう。失業概念には，ほかに，「需要不足失業」（景気後退期に

業者に対する収入保障を中心とした消極的・受動的施策ではなく，より積極的に労働市場に働きかける積極的労働市場政策が課題として論じられるようになる。しかし，例えば欧州では既に発生している大量の失業者に対する伝統的な消極的施策を打ち切ることはできず，積極的労働市場政策への転換はそれほど進んでいないと指摘されている。

Ⅱ　日本の労働市場政策の展開

日本の労働市場政策は，以下のような展開をたどってきた[3)]。

1　戦前期

まず，戦前は，1921（大正10）年に職業安定法の前身である「職業紹介法」が制定されたが，当時の法政策は，失業保険も職業訓練の制度も欠いており，受動的労働市場政策としても不十分なものであった。その後，昭和期に入ると，戦時体制に向けて一連の労務統制法令が制定され，特殊な「積極的市場政策」が採られたことがあった[4)]。しかし，労働市場政策が体系性を備えて展開するのは戦後になってからであった。

2　経済復興期（終戦～昭和30年）：職業安定3法の時代

戦後の日本の労働市場政策も，基本的には職業紹介と失業保険を中心とした「受動的（消極的）労働市場政策」として始まった。すなわち，「職業安定3法」と呼称される，1947（昭和22）年の職業安定法，失業保険法，1949（昭和24）年の緊急失業対策法（失業保険の切れた失業者を失業対策事業に吸収）が制定された。

需要が減少して生ずる失業），「摩擦的失業」（解雇された者や転職者，新規就職者などの労働力移動の際に生ずる失業）がある（樋口美雄『労働経済学』119頁以下〔1996年〕）。

3)　以下については，荒木尚志「労働市場と労働法」労働97号56頁（2001年）。より詳細には，現代講座13巻『雇用保障』の諸論文，菅野44頁以下，諏訪康雄「雇用政策法の構造と機能」労研423号7頁（1995年），濱口51頁以下，209頁以下，鎌田・市場法16頁以下，島田陽一「これからの雇用政策と労働法学の課題」講座再生6巻69頁以下，野川768頁以下等参照。

4)　1938年の国家総動員法の下で，同年，技術者不足に対応するため，学校卒業者使用制限令による割当制が始まり，以後，1939年の国民職業能力申告令，軍需工業の労働力確保のため厚生大臣が国民に徴用命令を出し得ることとした同年の国民徴用令（その徴用令状は軍隊の召集令状「赤紙」に対して，「白紙」などと呼ばれた），さらには1940年の青少年雇入制限令，従業者移動防止令等が制定された。1941年には青少年雇入制限令，従業者移動防止令を廃止して労務調整令が，1944年には女子挺身勤労令，学徒勤労令等，国家の直接的労務統制のための施策が展開された。法政大学大原社会問題研究所編・日本労働年鑑特集版『太平洋戦争下の労働者状態』2頁以下，59頁以下（1964年），濱口58頁以下等参照。

これは，市場に失業者があふれるという当時の厳しい失業状況に対応した典型的な受動的施策であった。

3　経済成長始動期（昭和30年代）：積極的労働市場政策の萌芽

日本経済が成長を開始する昭和30年代になると，国は労働市場に対して積極的な働きかけを開始し，受動的労働市場政策から積極的労働市場政策への転換の萌芽が見られるようになる。すなわち，経済成長と技術革新の進展によって，技能労働者不足が問題となり始めたため，1957（昭和32）年に雇用審議会設置法によって「雇用審議会」が設置され，受動的失業対策から脱却し，完全雇用達成を目標とすることが謳われる。

その翌年の1958（昭和33）年には，職業訓練法（旧職業訓練法）が制定され，職業訓練所の設置，技能検定制度の創設など，職業訓練制度の整備が開始された。さらに，特定分野の労働力需給の不均衡，大量失業に対応するため，1958（昭和33）年に駐留軍関係離職者等臨時措置法が，1959（昭和34）年に炭鉱離職者臨時措置法が制定されるとともに，1960（昭和35）年には職業安定法が改正され「広域職業紹介」が導入された。

4　高度成長期（昭和40年代～昭和48年〔オイルショック〕）：積極的労働市場政策の基盤整備

昭和40年代の高度経済成長期には，若年労働者を中心とした労働力不足の進展と，中高年労働者の就職難などの，年齢間の労働力需給の不均衡，そして地域間の不均衡が顕著となる。そこで，国は労働力需給調整に向けた積極的な労働市場政策に取り組むこととなる。

積極的労働市場政策は，例えば，炭鉱離職者に対する手帳交付，手帳所持者への訓練手当支給，炭鉱離職者を雇い入れた事業主への助成金支給などに具体的に現れることになるが，さらにこの方向を明確に示したのが，1966（昭和41）年制定の雇用対策法であった。同法は，1条1項で国の労働市場政策の目標を「労働者の職業の安定と経済的社会的地位の向上」および「国民経済の均衡ある発展と完全雇用の達成とに資すること」と述べ，そのための基本方針を「国が，雇用に関し，その政策全般にわたり，必要な施策を総合的に講ずることにより，労働力の需給が質量両面にわたり均衡することを促進して」労働者がその能力を有効発揮できるようにすること，としている。労働力需給調整において量的側面のみならず質的側面に言及しているのが注目される。そして同法は

4条で国に対して雇用対策基本計画を作成し，完全雇用政策の具体的施策を定めることを義務づけた。

さらに，1969（昭和44）年には旧職業訓練法を全面改正した職業訓練法が制定され，生涯訓練の設定，公共職業訓練と認定職業訓練の基準統合等が行われた。

5　低成長期（昭和49年～昭和50年代）：積極的労働市場政策の本格化

1973（昭和48）年末のオイルショックにより，日本経済は深刻な不況に見舞われた。企業では大規模な雇用調整が実施され，中小企業の倒産も相次ぎ，以後日本は低経済成長期に入る。

国は，低成長下でインフレなき完全雇用の達成・維持を目指して，種々の積極的施策を実施する（第3次雇用対策基本計画）。1974（昭和49）年には失業保険法に代わって「雇用保険法」が制定され，失業給付体系が整備・合理化（上薄下厚，高齢者厚遇）されたほか，雇用改善事業，能力開発事業，雇用福祉事業のいわゆる雇用保険3事業[5]を創設して，「雇用調整給付金」（後の雇用調整助成金）（→841頁）の各種助成金を用いて機動的・弾力的に積極的市場政策を実施する体制が整えられた。

この時期，労働市場政策は外部市場の既発生の失業に向けた施策から，内部市場に向けた事前的予防的施策により雇用を維持し失業を生じさせない方策へと転換し，積極的労働市場政策が本格的に展開されることとなる。

また，構造的失業問題に対処するために特定不況業種離職者臨時措置法（1977〔昭和52〕年），特定不況地域離職者臨時措置法（1978〔昭和53〕年），特定不況業種・地域雇用安定法（1983〔昭和58〕年）など，特定の市場に向けた施策が相次いで実施された。

6　産業構造変化への対応（昭和60年～バブル経済期）：市場政策の多様化

1980年代になると，大幅な対外収支黒字による日米貿易摩擦，1985年9月のプラザ合意による急激な円高とそれに伴う輸出産業の収益悪化等に対処するため，日本経済は輸出依存型から内需主導型へと経済の体質改善を迫られる。こうした経済産業の構造変化とともに，労働市場は少子・高齢化の進展という

5）1977（昭和52）年改正で雇用安定事業が追加され4事業となるが，その後，1989（平成元）年に雇用改善事業が雇用安定事業に統合され，さらに2007（平成19）年には雇用福祉事業が廃止され，現在は雇用安定事業・能力開発事業の2事業となっている。

構造変化に直面し，労働市場政策は新たな課題への対処を必要とした。

労働力の急速な高齢化に対応して，1986（昭和61）年には高年齢者雇用安定法（中高年齢者雇用促進特別措置法の改正）が立法され，1990（平成2）年，1994（平成6）年改正では60歳定年制の普及に向けた措置がとられた。また，1994（平成6）年には厚生年金支給開始年齢の引上げ，および高年齢雇用継続給付制度の創設等が行われた。

また労働力の多様化に対しては，労働者派遣法の制定（1985〔昭和60〕年），男女雇用機会均等法の制定（1985〔昭和60〕年），パート労働者に対する失業給付を定めた「短時間労働被保険者」制度の導入（雇用保険法の改正）（1989〔平成元〕年），育児休業法の制定（1991〔平成3〕年）などが行われた。この労働者の多様化に対応した施策は，次の規制緩和の時代にも，発展・充実を続けることとなる。

特定の市場に向けた施策として，障害者雇用促進法（身体障害者雇用促進法の改正）（1987〔昭和62〕年），港湾労働法（1988〔昭和63〕年），中小企業労働力確保法（1991〔平成3〕年），介護労働者雇用改善法（1992〔平成4〕年）等が登場した。

この時期は，積極的労働市場政策を維持しつつも，多様化する労働者や産業構造転換の必要に対処するため，市場政策メニューの多様化が図られた。

7　バブル後の新たな雇用政策の展開（平成6年頃～平成21年）：規制緩和と新規制による外部労働市場の機能強化策

1990年代初頭のバブル経済崩壊以後，長期化する不況を克服するため，国は規制緩和政策を推進した。労働市場政策では，外部労働市場の規制緩和，とりわけ民間有料職業紹介事業と，労働者派遣事業の規制緩和が大きくクローズアップされることとなった。雇用流動化へ対処すべく，職安法施行規則改正（1996〔平成8〕年）および職安法改正（1999〔平成11〕年）による有料職業紹介事業対象業務のネガティブ・リスト化，労働者派遣事業の対象業務のネガティブ・リスト化（1999〔平成11〕年）が実施される。

さらに2003（平成15）年の労働者派遣法改正では，1999年改正で自由化された（従来許されていた26業務以外の）業務につき，1年の期間制限を3年までは「臨時的・一時的」とみなし得ることとした。また，当分の間，自由化の対象外となっていた「物の製造」の業務への派遣を，上限を1年として認めた。この製造業への派遣は，2006年からは他の派遣業務同様，上限3年となった。

▩ILO（国際労働機関）の政策転換　有料職業紹介・派遣事業の規制緩和は，日本の内発的要請もあったが，実際に法改正にまで至った大きな要因は，1997年のILOの政策転換であった。

ILOは，職業紹介問題について，当初は，1933年の34号条約によって，有料職業紹介所の原則廃止を定めていた。その後，1949年の96号条約では，国家独占原則を宣明し民間有料職業紹介の漸進的廃止を求める条約第2部か，一定の規制の下で例外的にこれを容認する条約第3部のいずれかの批准を求めていたところ，日本は，第3部を選択して1956（昭和31）年に同条約を批准した。

しかし，ILOでは1994年から96号条約見直しの議論が起こり，1997年に，国家独占原則を改め国と民間の職業紹介併存を承認する181号条約を採択した。同条約は，民間職業紹介事業のほかに，労働者派遣事業その他の雇用関連サービスをも含む「民間職業事業所（private employment agency）」を公共職業安定所と並ぶ労働力需給調整機関として承認し，これらの雇用関連サービスの基本ルールの設定を求めた。この基本ルールの内容は，労働者の均等待遇，労働者の個人データの保護，労働者からの手数料徴収の原則禁止等である[6)]。

国の雇用政策も雇用の維持中心の施策から，失業なき労働移動促進（1995年の第8次雇用対策基本計画），2001（平成13）年雇用対策法改正による雇用維持等計画から再就職援助計画への改変，同年の雇用保険法改正による労働移動支援助成金の創設等，労働移動を前提とした外部労働市場の機能をサポートする施策へと転換した。

また，能力開発についても企業によるそれを支援するのではなく，直接，労働者の主体的な能力開発を支援すべく，1998（平成10）年には「教育訓練給付」制度（労働者自身が費用を負担して行った教育訓練に対して，その費用の一部を雇用保険から当該労働者に直接支給する制度）が創設された。支援主体を使用者から労働者に変更する新たな施策として注目されたが，その後，利用実態が本来の趣旨から逸脱している問題（職業能力と関係のない一般英会話レッスンの受講に利用されるなど）も指摘された。

他方，従来の規制の再編や新たな規制の導入も行われている。

まず，失業者に対する求職者給付については，2000（平成12）年の雇用保険法改正により，年齢画一的な給付日数を改め，離職が予期されていた者への給付を圧縮し，倒産・解雇等により離職を余儀なくされた者（特定受給資格者）へ

---

6)　鎌田耕一「民間職業紹介所に関するILO条約（第181号）の意義」労働91号108頁以下（1998年）参照。

の給付を手厚くするなどの改正が行われた。

また，2001（平成13）年雇用対策法改正では，再就職の援助の努力義務，募集・採用における年齢差別をしない努力義務が設けられ，労働移動支援助成金（求職活動のための休暇付与や，職業紹介事業者に対象労働者の再就職支援を委託することに対する助成）が創設された。2007（平成19）年改正では，募集採用時の年齢差別をしない努力義務が義務規定に強化された。

そして，高年齢者雇用については，2004（平成16）年の高年齢者雇用安定法の大改正により，公的年金支給年齢の引上げに連動して，一般化している60歳定年から65歳の年金支給開始年齢までの雇用をつなぐべく，定年年齢の引上げ，継続雇用，定年の廃止のいずれかの雇用確保措置をとることが義務づけられ，2006（平成18）年から施行された（→368頁）。

2006年頃から，非正規雇用の比率の増大とそれがもたらす格差問題に注目が集まり，これを象徴するように派遣業者による日雇派遣労働者からの不透明な費用徴収問題や，「ネットカフェ難民」などと呼ばれ，不安定・低賃金の日雇派遣で生活する貧困層の増加等，日雇派遣が社会問題化した。

8　民主党政権下の雇用政策（平成21年～平成24年）：労働者保護強化のための法改正

2009（平成21）年からは，政権交代により登場した民主党政権の下で，労働者保護強化のための施策が展開された。

すなわち，自公政権下で展開された労働市場の規制緩和の施策については，2008年秋のリーマン・ブラザーズ倒産に端を発する世界金融危機（リーマン・ショック）により，雇用情勢は急激に悪化し，いわゆる派遣切りや有期切りといった非正規雇用問題が顕在化した。そして，2008年末の「年越し派遣村」等を通じて，派遣労働に集約的に現れた非正規雇用の問題点が一般国民にも認識されることとなった。

こうした状況の下で，2012年3月には，派遣労働者の保護強化のための労働者派遣法の大幅改正（→594頁），2012年8月には，有期労働契約についての5年無期転換ルール，雇止め法理の明文化，有期契約を理由とする不合理な労働条件禁止を定めた労契法改正，そして，同年9月には，60歳定年以降の継続雇用措置において，労使協定で対象者の選別を許容する制度を改め，希望者全員を継続雇用措置の対象とする等の高年齢者雇用安定法改正（→368頁）等，非正規雇用に関わる大きな法改正が行われた。

また，最も保護の必要な失業した非正規雇用者に対するセーフティネットが不十分であることも顕在化し，自公政権末期から始まった雇用保険の適用拡大が，民主党政権下ではさらに進められた（→833頁）。また，2011年には，雇用保険の受給資格のない求職者（特定求職者）の職業訓練・求職支援と，その間の生活給付を支給する求職者支援制度が創設された（→843頁）。

9　アベノミクス下の労働市場改革（平成24年末～令和2年）：外部労働市場活性化に向けた施策から働き方改革へ

2012（平成24）年末の政権交代により，自民党・公明党連立の安倍政権が復活し，アベノミクスといわれる大幅な金融緩和によりデフレ脱却・経済成長を目指した経済政策が開始された。円安傾向も作用して，失業率の低下（2012年の4.3％から2015年の3.4％），有効求人倍率の増加（2012年の0.8倍から2015年の1.2倍）など，労働市場の状況は好転することとなった。

安倍政権は，行き過ぎた雇用維持政策を転換し，労働移動支援型政策を目指すとし，リーマン・ショック後に拡充された雇用調整助成金を縮小し，労働移動を促進させるべく労働移動支援助成金等が拡充された。そして，人口・労働力減少問題に対処すべく，全員参加型社会・一億総活躍社会に向けて，労働市場への参加を促す諸施策が積極的に展開された。すなわち，2013（平成25）年には，障害者の差別禁止・合理的配慮の提供義務等を導入した障害者雇用促進法の大改正（→104頁），2014（平成26）年には教育訓練給付や育児休業給付を拡充した雇用保険法改正，および仕事と子育て両立支援のための次世代育成支援対策推進法の延長，2015（平成27）年には女性活躍推進のための多様な手法を駆使する女性活躍推進法，若者雇用促進のために勤労青少年福祉法等を改正して立法された青少年雇用促進法，ジョブ・カードの法制化等を盛り込んだ職業能力開発促進法改正，派遣事業規制の抜本的見直しとなる労働者派遣法改正（→600頁），そして2017（平成29）年には求人者についての労働条件明示義務規制を強化する職業安定法改正が行われた。

安倍政権下では，2016（平成28）年から働き方改革が政権の中心政策に位置づけられ，2018（平成30）年には長時間労働の是正，正規・非正規労働者間の不合理な格差を是正するためのいわゆる「同一労働同一賃金」規制などを盛り込んだ働き方改革関連法が成立した。その際，雇用対策法はより広い労働施策を対象とした労働施策総合推進法（正式名称は「労働施策の総合的な推進並びに労働者の雇用の安定及び職業生活の充実等に関する法律」）に改正された（→821頁）。

10　コロナ禍における雇用政策（令和2年～）

新型コロナウイルス感染症は2020（令和2）年初頭から日本でも急速に拡大し，同年4月には緊急事態宣言が発令された。事業活動，消費行動に重大な制約が生じ，雇用への悪影響が懸念され，世界各国で雇用維持政策が展開されることとなった。日本でも雇用調整助成金の対象期間，申請期限の延長，助成率の引上げ等がなされた。しかし，雇用調整助成金制度は，使用者が休業手当を支払い，申請することで事業主に助成金が支払われる仕組みであり，こうした手続をとっていない事業主に雇用される労働者はその恩恵を受け得ない。そこで，中小企業の労働者および大企業に雇用されるシフト制労働者等（労働契約上，労働日が明確でない者）であって，休業に対する賃金（休業手当）を受け取っていない者に対しては，国が直接労働者に支給する「休業支援金」制度が導入・実施された。これらの施策により，リーマン・ショックの時と比較すると，コロナ禍における雇用への悪影響は限定的なものにとどまっている。

他方，コロナ禍は，フリーランスやプラットフォームワークに従事する者など，独立自営業者として働く者が，労働者に用意されたセーフティネットの保護を受け得ないという問題を認識させた。これらの雇用類似就業者は，感染症拡大により，特に大きな影響を受けた事業者に対して用意された持続化給付金が利用可能であった。しかし，個人として役務を提供する多様な就業者に対して，社会全体としての十分なセーフティネットが用意されているのかという観点から，雇用政策の守備範囲も検討する必要性が高まっている。

11　小　括

日本の労働市場政策は，外部労働市場に向けた事後的・救済的な受動的労働市場政策から出発したが，長期雇用システムの確立に呼応して，内部労働市場へ向けた事前的・予防的な積極的労働市場政策へと展開していった。構造的失業に対処する積極的市場政策では，能力開発政策が重要となるが，これについても内部市場におけるOJTを中心とした政策が実施され，公共職業訓練所を中心とした欧州の制度とは好対照をなした。しかし，労働市場の構造変化とバブル経済崩壊後の日本型雇用システムの動揺を受け，1990年代からは，再び外部労働市場に向けた施策が開始された。すなわち，ILOをはじめとする国際的な労働市場規制緩和の動向と呼応して，日本でも外部労働市場活性化のために，有料職業紹介と労働者派遣の規制が大幅に緩和された。

もっとも1990年代からの労働市場政策は，規制緩和一辺倒ではなく，同時に，雇用保険制度の再編等の市場の底支えの強化，多様化した労働力構造に対応した新たな規制の導入等も進められた。その結果，市場規制の緩和と，再規制，新規制が同時進行するという状況になった。そして，2008年頃からは，市場規制の緩和の弊害が認識され，一旦緩和された規制の再強化策が議論されるようになり，2009年以降，民主党政権の下で，労働者保護のための諸規制が実施された。2012年末の自公政権復活後は，民主党政権下の一部の施策の見直し（典型的には2015年労働者派遣法改正）とともに，その承継・発展も見られる（2012年労契法20条を受けた2014年パート労働法改正）。そして，人口・労働力減少社会における労働市場政策として労働市場参加の促進，外部労働市場の活性化を目指した諸施策が積極的に展開されるとともに，内部労働市場についても，2018年に働き方改革関連法が成立し，長時間労働規制や正規・非正規労働者間の均衡・均等規制など，雇用システムに大きな変革を迫る新たな政策展開が始まっている。また，コロナ禍は，ICTの発展と相まって，新たな働き方を急速に拡大させ，雇用類似就業者への施策をも視野に入れた雇用政策のあり方の検討を要請している。

第2節　労働市場法と労働法学

以上のように展開してきた労働市場法を労働法学はどのように捉えてきたのかを，以下，概観する7)。

I　勤労権をめぐる議論

労働法学における労働市場法に関する議論としては，まず，憲法27条1項が「すべて国民は，勤労の権利を有し，義務を負ふ」と定めたため，この勤労

7)　以下については荒木・前掲注3・62頁以下，諏訪康雄「労働市場法の理念と体系」講座21世紀2巻2頁，島田陽一「労働市場政策と労働者保護」角田邦重ほか編『労働法の争点』（3版）253頁（2004年），小西康之「労働市場の法政策」争点240頁，鎌田・市場法24頁，有田謙司「雇用・就労保障法」有田謙司ほか編『ニューレクチャー労働法』（3版）349頁以下（2020年），島田・前掲注3・69頁等。

権規定が，国民に具体的な権利を保障したものかどうかをめぐって解釈論が展開された。

学説の一部では，勤労権規定により国民に具体的権利ないし立法請求権が認められたとする議論もあった8)。しかし，通説的見解は，憲法27条1項は，そのような具体的権利を保障したものではなく，2つの政策義務，すなわち，①労働者が自己の能力と適性を活かした労働の機会を得られるように労働市場の体制を整える義務，②そのような労働機会を得られない労働者に生活を保障する義務，を国に課したものと解している9)。

ただし，憲法の勤労権規定は，全く何の法律効果も伴わないものではなく，勤労権を積極的に侵害する立法は憲法27条1項に反して違憲無効となるという「自由権的効果」は認められると解されている10)。

Ⅱ　「雇用保障法」論

学説の関心は，やがて憲法上の勤労権論から，勤労権に直接関わる労働市場規制を労働法体系の中でどのように位置づけるべきかに移っていった。具体的には，労働法体系の中で，個別的労働関係法，集団的労働関係法とは独立の「雇用保障法」という法領域を構想し確立しようとする学説が有力に展開された。その内容は論者により異なるが，①憲章的事項，②労働力市場の国家的規整，③失業者に対する就労保障，④失業中の生活保障，⑤職業訓練，⑥解雇規制等の雇用維持，から構成される法領域を雇用保障法として一括して把握しようとする試みといえよう11)。

「雇用保障法」論は，元来，政府の広域職業紹介等の労働力流動化策が勤労

---

8)　学説については松林和夫『労働権と雇用保障法』11頁以下（1990年），清正寛『雇用保障法の研究』1頁以下（1987年）等参照。雇用保障法の論者によっては，憲法27条1項は「適職選択権」を保障したものという主張が行われた（松林・同書2頁以下）。これは，ある意味では，量としての雇用保障から質としての雇用保障の発想を示したもので，諏訪教授の「キャリア権保障」論（→819頁）と共通する面があるが，これを国家の直接的義務と構想する点に特徴がある。

9)　石井照久『労働法の研究Ⅰ　労働基本権』63頁（1967年），菅野29頁等。

10)　石井・前掲注9・64頁以下，菅野29頁。

11)　片岡曻「『雇用保障法』の概念について」有泉亨先生古稀記念『労働法の解釈理論』499頁（1976年），荒木誠之「労働権保障と雇用保障法の展開」蓼沼謙一ほか編『労働法の争点』（新版）12頁（1990年）。

権を侵害しているのではないかという問題意識から出発したこともあり，当時の雇用政策について，次のような批判を加えた。第1に，国は職業紹介や職業訓練を完全雇用達成のための政策手段としており，国に対する労働者の権利として保障していない，第2に，解雇・教育訓練等について使用者の自由を制限していない，第3に，失業給付等の失業者の生活保障が不十分で就職促進給付としての性格が強い，などである[12]。

「雇用保障法」論の主張には，個人の適職選択権の尊重，雇用保障のための解雇制限法の制定の必要など，現在の政策論にもつながる重要な指摘を含んでいた。しかし，国家の労働市場（雇用）政策が，ミクロの労働者保護，権利保障を超えてマクロの市場政策，産業政策とどのように整合すべきかという点の考察において，なお課題を内包していた[13]。

Ⅲ　勤労権と契約自由の緊張関係に立つ労働市場法論

その後，学説には，労働市場法の基本原則を，憲法の保障する2つの法原則の緊張関係の中で把握しようとする見解[14]が体系書の中で示された。

この見解は，労働市場の法規整の原則としては，一方に，契約自由，憲法22条1項の職業選択の自由に由来する使用者および労働者の自由があり，これは，法規整の限界（法による労働市場規制の限界）を定める自由主義的原則であるとする。そして他方に，憲法27条1項の勤労権があり，これは，法規整の方向（目標）を定めた社会国家的原則であるとする[15]。

その後の労働市場法に関する議論は，この自由主義的原則と勤労権規定に見られる社会国家的原則の緊張関係を前提として，その調整問題としての政策論を展開するものが増えてきている。そして，その際には，労働市場政策を指導すべき憲法上の理念として，単に憲法27条1項の勤労権だけではなく，憲法

12）　黒川(両角)道代「雇用政策法としての職業能力開発(1)」法協112巻6号768頁以下（1995年）参照。

13）　黒川（両角）・前掲注12・769-770頁は,「雇用政策法の課題は，むしろ労働市場全体の改善を図ることと労働者の勤労権の保障という2つの目的をどう調整するかにある」として，雇用保障法論の議論の一面性を指摘する。

14）　菅野和夫『労働法』(初版）31頁以下（1985年)。現在では，菅野43頁以下。

15）　雇用対策法（現労働施策総合推進法）1条2項は1966（昭和41）年制定以来,「この法律の運用に当たつては，労働者の職業選択の自由及び事業主の雇用の管理についての自主性を尊重」することと両者の緊張関係を踏まえた規定を置いている。

25条の生存権，26条の教育権，13条の幸福追求権その他，基本的人権関連の多様な条項が援用されている[16]。特に，個人の自己選択，自己決定の尊重を重視する点が特徴的である。ここでは，かつて契約自由の根拠として，勤労権規定との緊張関係において援用された憲法22条1項の営業・職業選択の自由が，むしろ勤労権の「質」を高めるべき理念として援用されている点が注目される。また，勤労権保障の政策理念実現には，市場への介入が必要であるが，同時に，法による過度の介入は市場機能を硬直化させるため，市場介入には勤労権保障という観点からも政策的限界があるとの指摘[17]も注目される。いわば，ミクロの勤労権とマクロの勤労権の緊張関係を指摘する見解であり，労働市場政策と勤労権の関係を考える際の重要な視点といえよう。

Ⅳ　市場メカニズム活用論

1990年代後半になると，諸外国における労働市場に関する規制緩和論の高まりやILOの方針転換を受けて，日本でも，有料職業紹介，労働者派遣事業等の規制の見直しを主張する論考が現れるようになった。例えば，「労働は商品ではない」として労働力の特殊性を強調し，国家が労働市場を独占的に管理することは，最適な需給バランスを決定する市場としての機能も失うことになるとして，市場メカニズムの積極活用を主張する論考[18]や，営業の自由について，〈企業の営業の自由〉対〈労働者の保護〉という従来の単純な図式に疑問を呈し，営業の自由には，〈企業の営業の自由＋労働者の利益〉が含まれているとして，営業の自由の複合的性格を指摘する論考[19]も現れた。

Ⅴ　キャリア権保障の構想

労働市場政策が大きな転換を示し始める1990年代半ばには，労働市場法の理念を「雇用の安定」よりも広い「キャリアの安定」「キャリア権の保障」に求めて労働市場法制を体系化し直すべきであるとする新たな見解が提示されて

16）　諏訪・前掲注3・6頁。
17）　黒川（両角）・前掲注12・766頁，769頁。
18）　小嶌典明「労働市場をめぐる法政策の現状と課題」労働87号5頁（1996年）。
19）　例えば馬渡淳一郎「職業紹介事業・労働者派遣事業の規制緩和」労研446号33頁（1997年）。

いる[20]。

キャリア権論の骨子は，次の通りである。職業・雇用に対する理念は，19世紀には「職務は財産（Job is property.）」というものであった。しかし，20世紀になると，そのような職務の保障は不可能となったため，「雇用は財産（Employment is property.）」，日本流にいうと「雇用の安定」という理念へと変化した。しかし，今日の社会経済環境の変化，産業構造の変化，技術革新の変化の中では，雇用も生涯を通じて安定的に維持することは困難となった。そこで，今後の雇用政策を支配する新たな理念は「職業経歴＝キャリアは財産（Career is property.）」と理解すべきである。

このキャリア権論は労働市場政策の方向を示すのみならず，具体的な法解釈においても勤労権の内実に「質」的要素を含む就労機会が読み込まれる結果，就労請求権や，職業選択の自由等に関して，新たな解釈論の展開を示唆する。

Ⅵ　広義の労働市場法構想

以上の議論は，主として勤労権から出発して，勤労権の具体化を目指した諸施策を労働市場法と観念し，労働法体系の一部に組み込もうとする議論であった。これを「狭義の労働市場法」論とすると，1990年代からは「広義の労働市場法」論も提示されるようになってきている。すなわち，1994年末に発表された菅野・諏訪教授連名の論文[21]は，外部労働市場規制と内部労働市場規制にまたがる労働市場法を構想し，労働法全体を「労働市場での労働者の取引行為（交渉）をより円滑に機能させるために諸種の支援制度（サポートシステム）を用意する法体系」として再構成するという注目すべき議論を展開した。

その後，労働法全体を労働市場との関係で捉え直そうとする論考が登場することとなる[22]。例えば，諏訪教授は，労働法を「労働市場における交渉力の

20）　諏訪康雄教授の一連の著作（諏訪康雄「雇用関係の変化と労働法の課題」中労時901号10頁〔1996年〕，同「キャリア権の構想をめぐる一試論」労研468号54頁〔1999年〕，同・前掲注3，同「キャリア権をどう育てていくか？」季労207号40頁〔2004年〕，同「労働市場と法――新しい流れ」季労211号2頁〔2005年〕，同「キャリア権を問い直す」季労238号59頁〔2012年〕等）。また，諏訪キャリア権論がどう受け止められているかについては，両角道代「職業能力開発と労働法」争点244頁，諏訪康雄「構想の視点」季労252号233頁（2016年）等参照。

21）　菅野和夫＝諏訪康雄「労働市場の変化と労働法の課題――新たなサポート・システムを求めて」労研418号2頁（1994年）。

弱さを補うために労働者を様々に支援する法の体系」と位置づけ，そこでは，労働市場法を，①能力形成（学校教育・社会教育・職業教育などをめぐる諸法），②就職（職業紹介・派遣労働・就職情報・就職支援・雇用創出などをめぐる諸法），③労働関係の形成・展開・終了（雇用関係・雇用管理・雇用継続・能力開発・労使関係），④失業（失業給付・就職促進・能力再開発），⑤引退（退職金・引退生活・年金制度・生活保護），⑥企業経営（企業設立運用・市場参入・事業展開・市場退出），の諸分野に整理する。ここでは，伝統的な個別的・集団的労働関係法は労働市場法の一分野③に取り込まれている。そして，広義の労働市場法に対して，狭義の労働市場法は，①②④および「内部・外部市場の接合領域」を取り扱う法領域と位置づけられている[23)]。

もっとも，こうした広義の労働市場法論は，労働市場の視点から労働法全体を把握し直して，従来看過されていた事象の発見や新たな位置づけのための試論であり，労働法の体系をそのように構築すべきだという趣旨のものでは必ずしもないと思われる。

第３節　労働市場法の体系

Ⅰ　雇用対策法から労働施策総合推進法へ

労働市場法の基本体系を基礎づけてきたのが，1966（昭和41）年に制定された雇用対策法（2018〔平成30〕年に労働施策総合推進法に名称変更）であった。雇用対策法は，雇用政策に関する国の責務を列挙しており（同４条），これが労働市場法の全体構造を示すものともなっていた。2018年改正まで，雇用対策法は，国が，雇用に関し，その政策全般にわたり，必要な施策を総合的に講ずることにより，労働市場の機能が適切に発揮され，労働力の需給が質量両面にわたり均衡することを促進して，労働者がその有する能力を有効に発揮することができるようにし，これを通じて，労働者の職業の安定と経済的社会的地位の向上とを図る

22）　土田道夫「変容する労働市場と法」岩村正彦ほか編・岩波講座　現代の法12『職業生活と法』43頁（1998年），諏訪・前掲注3，荒木・前掲注3，森戸英幸「雇用政策法――労働市場における『個人』のサポートシステム」労働103号3頁（2004年）等。

23）　諏訪・前掲注3・18頁以下。

とともに，経済および社会の発展ならびに完全雇用の達成に資することを目的とし（雇対1条1項），その運用に当たっては，労働者の職業選択の自由および事業主の雇用の管理についての自主性を尊重することにも言及していた（同2項）。

もっとも，1974（昭和49）年に失業保険法に代わって雇用保険法が制定され，雇用保険3事業によって雇用安定（維持）政策が展開されている間は，むしろ雇用保険法が雇用政策の中核立法であり，雇用対策法は雇用対策基本計画の根拠法であるに過ぎない存在であったと評されている[24)]。しかし，2001（平成13）年の雇用対策法改正により，新たに基本的理念の規定（雇対3条）が設けられ，「労働者は，その職業生活の設計が適切に行われ，並びにその設計に即した能力の開発及び向上並びに転職に当たつての円滑な再就職の促進その他の措置が効果的に実施されることにより，職業生活の全期間を通じて，その職業の安定が図られるように配慮されるものとする」と規定された。これは，一企業における雇用の安定から転職しても職業生活の設計（キャリア設計）に従って，職業生活の全期間を通じて（雇用ではなく）職業の安定が図られるべきとする，キャリア権の思想（→819頁）を容れたものである。また，再就職援助計画が従来の雇用等維持計画に代わって盛り込まれ，募集・採用における年齢差別をしない努力義務を設けるなど，雇用維持中心の施策から労働移動を前提とした労働市場政策への転換を明らかにした。

さらに，2007（平成19）年の大改正により，雇用対策法は労働力減少時代，団塊世代の引退期の到来を踏まえた雇用政策として，働く希望を持つすべての若者，女性，高齢者，障害者等の就業しやすい環境を整備し，全員参加型の社会を作るべく，国の施策項目として，新たに女性（雇対4条1項5号〔現労働施策推進（以下現法律名は略）7号〕），青少年（同6号〔現8号〕），障害者（同8号〔現11号〕），外国人（同10号〔現13号〕），そして地域雇用（同11号〔現14号〕）を追加した。雇用政策の基本法としての陣容がさらに強化されたといえる。

2007年雇用対策法改正で注目されるのは，募集・採用時に年齢にかかわりなく「均等な機会を与えるように努めなければならない」という努力義務（2001年改正による雇対旧7条）が「均等な機会を与えなければならない」と義務規定に改正され，募集・採用場面に限って年齢差別禁止の規制を導入したこと

24）濱口235頁。

である（雇対10条〔現9条〕）（→380頁）。

また，外国人の雇入れ・離職の際の，在留資格，在留期間等の確認・届出の義務づけがなされたことも重要である（雇対28条〔現28条〕，外国人雇用状況届出制度）。

▩大量雇用変動届　事業の縮小等により，地域の労働力需給に影響を与えるような大量の雇用変動が生ずる場合には，職業安定機関等が迅速的確に対応する必要がある。そこで，事業主には大量雇用変動届を厚生労働大臣に提出することが義務づけられている（労働施策推進27条）。具体的には，一の事業所において有期契約労働者，試用期間労働者，常時勤務に服することを要しない者等を除き，自己都合または自己の責めに帰すべき理由によらずに離職する者が1ヶ月に30人以上生ずる場合には，この届出義務が発生する（労働施策推進則8条）。届出義務違反には罰則もある（労働施策推進40条1項1号）。この届出を受けて，国は職業安定機関における雇用情報の提供・広範囲にわたる求人開拓・職業紹介，公共職業能力開発施設における必要な職業訓練を講じて，当該届出にかかる労働者の再就職促進に努めるものとされている（同27条3項）。

雇用対策法は，2018年の働き方改革関連法によって，労働施策総合推進法（労働施策の総合的な推進並びに労働者の雇用の安定及び職業生活の充実等に関する法律）に改正され，狭義の労働市場法から労働施策全体を対象とした法律となった。そこで，同法の目的規定（労働施策推進1条）には，労働市場機能の適切な発揮に加えて「労働者の多様な事情に応じた雇用の安定及び職業生活の充実並びに労働生産性の向上」が謳われ，これを受けて，国の施策（同4条）や事業主の責務（同6条）にも，労働時間短縮や雇用形態・就業形態の異なる労働者間の均衡待遇確保等の個別的労働関係法における事項も列挙されることとなった。また，2019（令和元）年改正により，いわゆるパワハラ防止措置義務に関する規定も導入され（同30条の2），国の施策にもパワハラ問題の解決促進のための施策が追加された（同4条1項14号〔現15号〕）。このように，労働施策総合推進法は内部労働市場と外部労働市場の双方をカバーするに至っている。しかし，労働施策総合推進法は，依然として雇用対策法を受け継いだ（外部）労働市場法の基本法である。2020（令和2）年改正では，外部労働市場の施策として中途採用者に関する情報公表促進措置が追加されている（同4条1項6号，27条の2）。

Ⅱ　労働市場法の体系

現行法としての労働市場法の体系は，図表25-1のように整理することができ

図表 25-1　労働市場法の体系

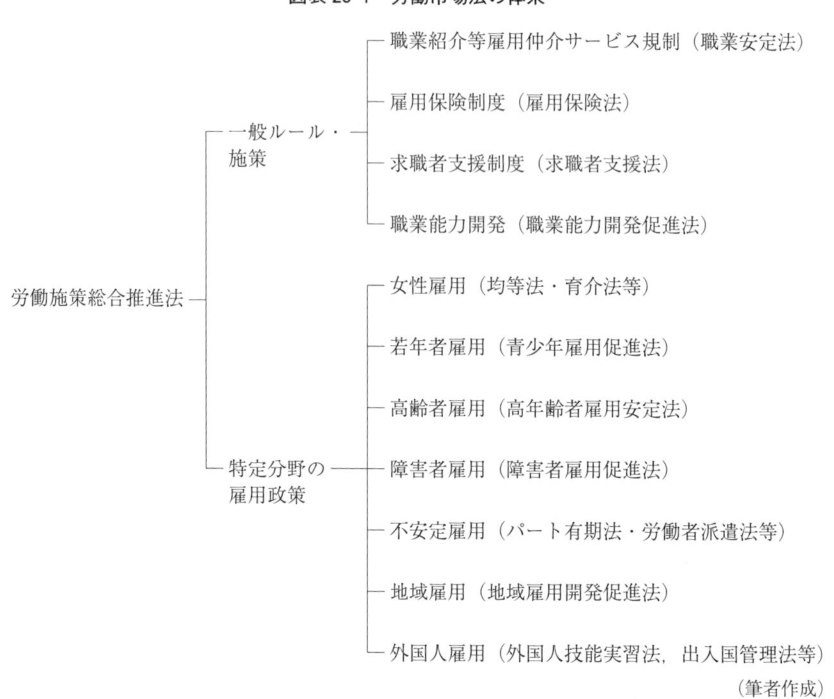

る[25]。

労働施策総合推進法の下で展開されている労働市場法制はその性格により，労働市場法の一般ルールないし施策を規律する法と，特定分野の課題に対処するための法とに大別できる。

前者の労働市場法の一般ルール・施策としては，労働施策総合推進法4条

25)　菅野56頁以下を大いに参考とした。なお，濱口桂一郎『労働法政策』57頁以下（2004年）は，労働市場法政策を，①労働力需給調整システム，②雇用保険制度，③一般雇用政策法制，④特定の人々を対象にした雇用就業対策，⑤職業能力開発法政策の5領域に整理していた。水町・詳解1261頁は，①雇用仲介事業の規制，②雇用促進・援助の法政策（雇用政策法：ここに雇用保険制度，職業能力開発・求職者支援，特定雇用促進政策を位置付ける）の2領域による体系を，鎌田・市場法40頁以下は，①職業仲介法，②雇用保険法，③雇用政策法，④職業能力開発法の4領域による体系を，有田ほか編・前掲注7・352頁は，①雇用政策の基本法，②マッチングの法，③就職促進の法，④失業防止の法，⑤失業中の生活保障の法，⑥雇用創出の法の6領域による体系を提唱する。

(国の施策）に列挙された事項に対応して，求職者と求人者のマッチングを行う職業紹介等の雇用仲介サービス規制（職業安定法）（労働施策推進4条1項2号），失業者の求職活動を支える雇用保険等の諸制度（雇用保険法・求職者支援法）（同4号），職業訓練・職業能力開発の諸施策（職業能力開発促進法）（同3号），そして雇用安定等2事業による雇用維持・雇用促進の諸施策（4号，5号）がある。

後者の特定分野についても，やはり労働施策総合推進法4条の掲げる施策に対応して，対象者・対象地域ごとに具体的な立法が制定されている。すなわち，若年者については青少年雇用促進法（労働施策推進4条1項8号），高齢者については高年齢者雇用安定法（同9号），障害者については障害者雇用促進法（同11号），地域雇用問題については地域雇用開発促進法（同14号）等が定められている[26]。

26）なお，労働施策総合推進法4条1項に列挙されている主として個別的労働関係法に関連する事項については，本書の各所で取り上げた（女性〔同4条1項7号：第5章〕，不安定雇用〔同12号：第18章〕，外国人〔同13号および4条3項：第19章第4節〕，パワー・ハラスメント〔同15号：第4章第5節〕）。

第26章　労働市場法各論

労働市場法の具体的な諸政策は，第25章第3節（→821頁）で述べたように労働市場法の基本法たる雇用対策法を改正し，名称変更した労働施策総合推進法の下に2群の性格の異なる法制度が展開されていると整理できる。本章ではこの体系を踏まえつつ，労働市場法の一般ルール・施策を第1節～第4節で，特定分野における雇用政策については第5節でまとめて叙述する。

第1節　職業紹介等雇用仲介サービス規制（職業安定法）

職業安定法は，外部労働市場を通じた求職者と求人者のマッチング等の雇用仲介サービス全般を規律する基本法である。職安法は，①総則で外部労働市場の原則的ルールを規定し，②国の職業安定所の行う職業紹介，職業指導，③民間の有料職業紹介事業および無料職業紹介事業，④労働者募集，⑤労働者供給の禁止等を定めている。職安法は，当初，民間の有料職業紹介を原則禁止，派遣事業も労働者供給の一形態として禁止するという立場を採っていたが，1985（昭和60）年の派遣法制定時に労働者派遣関係を労働者供給の概念から除外し，さらに1999（平成11）年の大改正で，有料職業紹介の対象事業の自由化（そして派遣法でも対象業務の自由化）が行われている。なお，2016（平成28）年の第6次地方分権一括法で，地方公共団体が国の監督なしに，通知のみで行える「地方版ハローワーク」が可能となった。また，2022（令和4）年改正では，求人メディア等について，求人等の情報的確表示の義務付け等が導入されたほか，求人メディア等のうち，労働者になろうとする者（求職者）に関する情報を収集して募集情報等提供を行う事業者には届出義務を課した上で「特定募集情報等提供事業者」（同4条7項，同11項参照）として，個人情報保護・秘密保持義務や，事業概況報告義務等が課されることとなった（→831頁）。

I　外部労働市場の原則的ルール

職安法は総則で，求人者と求職者の結合（マッチング）に関して共通に適用される次のような原則的ルールを定めている[1]。

第1に，職業選択の自由を確認している（職安2条）。これは憲法22条1項の職業選択の自由を受けたものである。

第2に，職業紹介，職業指導等における差別的取扱いの禁止を定めている（職安3条）。これは憲法14条を受けたものであるが，職安法3条は憲法14条よりも広く差別禁止事由として「人種，国籍，信条，性別，社会的身分，門地，従前の職業，労働組合の組合員であること等」を列挙している。ただし，労働協約で別段の定めがあればこの例外が認められる（同但書）。

第3に，公共職業安定所，特定地方公共団体[2]，職業紹介事業者，募集者，募集受託者，労働者供給事業者の労働条件明示義務がある（職安5条の3）。業務内容，契約期間，試用期間，就業場所，労働時間，賃金，労働・社会保険，使用者の氏名・名称等については，書面（求職者が希望する場合はファクシミリ・電子メール等）で明示する必要がある（職安則4条の2）。そして，これら明示された労働条件を変更する場合も，変更内容を明示しなければならない（職安5条の3第3項〔2017年改正で追加〕，職安則4条の2）。

第4に，求人等の情報の的確な表示が，公共職業安定所，特定地方公共団体，職業紹介事業者，募集者，募集受託者，募集情報等提供事業者（→831頁参照），労働者供給事業者に義務付けられている（職安5条の4）。

第5に，個人情報の保護がある（職安5条の5）。個人情報とは，個人に関する情報で特定の個人を識別することができるもの（他の情報と照合することで識別可能となるものを含む）をいう（職安4条13項）。公共職業安定所等は，求職者等の個人情報を収集，保管，使用するに当たり，「その業務の目的の達成に必要な範囲内で」当該目的を明らかにして収集し，目的の範囲内で保管，使用しなければならない。また，その個人情報を適正に管理するための措置を講じなけれ

1）　菅野67頁以下参照。

2）　2016年職安法改正で地方版ハローワークが導入されたが，この無料職業紹介を行う地方公共団体を「特定地方公共団体」という（職安4条9項）。

ばならない。

第6に，公共職業安定所，特定地方公共団体および職業紹介事業者は，求人・求職の申込みを拒否せずにすべて受理するのが原則である（職安5条の6第1項，5条の7第1項）。ただし，法令違反の求人，通常の労働条件と比べて著しく不適当な労働条件の求人，労働法規違反につき処分等の措置が講じられた者（法令違反を繰り返した者）からの求人，法5条の3により明示すべき労働条件等を明示しない求人，暴力団員等からの求人等については，例外として受理しないことができる（職安5条の6第1項但書）。また，適職紹介の努力義務も定められている（同5条の8）。

▩いわゆるブラック企業からの求人不受理　2015年の青少年雇用促進法（→848頁）により，求人申込みは原則としてすべて受理すべきとする職安法の原則（職安5条の5〔現5条の6〕）の特例として，一定の労働関係法令違反について処分，公表その他の措置を受けた求人者については，新卒者の求人申込みを不受理とすることを可能とする法改正がなされた（青少年雇用促進法11条）。その後，2017（平成29）年改正（2020〔令和2〕年3月30日施行）で，求人申込みを受理しないことができる場合が，職安法5条の5（現5条の6）第1項但書1号ないし6号で列挙され，労働法令違反で処分された企業等からの求人については，新卒者の求人申込みに限定されない形で同3号に規定され，2022（令和4）年改正で青少年雇用促進法11条は削除された。

第7に，職安法の各所に，ストライキまたはロックアウト中の事業所への紹介・募集を禁止する，労働争議への不介入原則が定められている（職安20条，34条，42条の2）。

Ⅱ　職業紹介の規制

1　職業紹介の国家独占から民間職業紹介との併存へ

かつて，職業紹介規制は，職業紹介事業の国家独占を原則とし，民間職業紹介についてはこれを厳しく制限し，有料職業紹介の原則禁止（1999年改正前職安旧32条），無料職業紹介の許可制（同旧33条），学校による職業紹介の届出制（同旧33条の2）を採用していた。この背景には，民間の有料職業紹介事業者は，報酬を得るために労働者（求職者）の利益を顧慮することなく契約成立に邁進し，労働者を不利益な労働関係に入らせるおそれが大きいという考慮があった[3]。

3）　最大判昭和25・6・21刑集4巻6号1049頁参照。

しかし，1990年代に諸外国で職業紹介の国家独占原則を定めたILO 96号条約の批准撤廃の動きが生じ，ILOも1997年には96号条約に代わるILO 181号条約を採択し，民間職業事業所（private employment agency）を公共職業紹介所と並ぶ労働力需給調整機関として活用することを承認するに至った（→812頁）。これに対応して，日本でも1999（平成11）年に職安法が改正され，従来，原則禁止とされていた民間有料職業紹介事業が原則自由化された。こうして，官民の職業紹介事業が併存し，それぞれの特性を活かして求職者への適職紹介の機能を高める体制に移行することとなった。

2　国の職業安定機関による職業紹介

国の職業安定機関として，厚生労働省に職業安定局があり，その傘下に都道府県労働局，そして公共職業安定所（通称ハローワーク[4]）が置かれている。

公共職業安定所においては，「職業紹介業務」（職業紹介，職業相談，求人開拓等）のほかに，「雇用保険・求職者支援業務」（失業認定，失業給付，職業訓練の受講指示・受講給付金の支給等），「雇用対策業務」（障害者の雇用率達成指導，雇用維持に係る支援・指導，求職者に対する住宅・生活支援等）を行っている。この点が国の職業安定機関の民間職業紹介事業との大きな相違であり，民間ビジネスとして採算の取れない，しかし労働市場のセーフティネットとして不可欠の業務を提供している[5]。もとより公共職業安定所の職業紹介等の業務は無料である（職安8条）。

3　民間の職業紹介事業

上記の経緯から1999（平成11）年改正により，民間有料職業紹介について原則自由化され，法が禁止した業務（港湾運送業務，建設業務〔職安32条の11〕）以外については，有料職業紹介が可能となった。もっとも，有料職業紹介の対象職業の限定は原則なくなったが，不適格業者の参入排除のため，許可制自体は維持されている（職安30条1項）。

民間の有料職業紹介事業における紹介手数料は，原則として求職者からは徴収してはならず[6]（職安32条の3第2項），求人者および関係事業主（求職者の現・

4）2022年4月1日現在，全国に544所設置されている。厚生労働省職業安定局「公共職業安定所（ハローワーク）の主な取組と実績」（2022年4月）。

5）OECDやG8労働大臣会合等でも職業紹介・失業給付・雇用対策の3機能は統合されるべきとされている。厚生労働省職業安定局・前掲注4参照。

6）例外として，芸能家，モデル，科学技術者，経営管理者，熟練技能者の職業に紹介した求職

旧使用者が再就職を援助する場合）からは，厚生労働省令所定の手数料（上限制手数料：11％，同1項1号，職安則20条1項，別表）か，予め厚生労働大臣に届け出た手数料表の手数料[7]（届出制手数料）以外は徴収してはならない（職安32条の3第1項2号）。

▩地方版ハローワーク　従来より，地方公共団体が無料職業紹介を行うことは可能であったが，その際には国への届出を要し，また，国の監督も受けた。しかし2016年の地方分権一括法による職安法改正で，地方公共団体は通知のみで，国の監督も受けることなく無料職業紹介が可能となった（いわゆる「地方版ハローワーク」）。地方公共団体が民間とは異なる公的な立場から無料職業紹介を実施できるようにするものである。そして，地方公共団体が希望すれば，国のハローワークの求人情報・求職情報をオンラインで提供できるようにする等，国との連携強化も図られている。

Ⅲ　募　集

労働者募集とは「労働者を雇用しようとする者が，自ら又は他人に委託して，労働者となろうとする者に対し，その被用者となることを勧誘すること」（職安4条5項）をいう。文書による募集（新聞や就職情報誌等の刊行物への広告掲載や文書の掲示・頒布，インターネット上の記載）や，直接募集（使用者が自らまたはその被用者を用いて行う募集）は自由である。これに対して，第三者に有償で募集を委託する場合（有償委託募集）は，厚生労働大臣の許可が，無償委託募集については届出が必要となる（同36条）。なお，募集を行う者および募集受託者が募集に応じた労働者から報酬を受けることは禁止されている（同39条）。

者から，就職後6ヶ月以内に支払われた賃金の11.0％以下の手数料徴収が可能とされ（職安則20条2項），また，当分の間，芸能家，家政婦（夫），配膳人，調理士，モデル，マネキンについて，1件につき710円（ただし，同一求職者の1ヶ月3件を超える申込みの受理の場合，3件分相当額を上限とする）の受付手数料徴収が可能とされている（職安則附則4項）。詳細は厚生労働省職業安定局『職業紹介事業の業務運営要領』参照。

7）　かつては一律に上限制手数料の規制があったところ，上限制手数料以上の手数料を払っても，付加的なサービスのついた職業紹介を得られるメリットを認めるべきとの議論があり，1999年改正で導入されたものである。特定の者に対し不当な差別的取扱いとなる場合，または手数料の種類，額等の定めが不明確で当該手数料が著しく不当である場合には，厚生労働大臣は手数料表の変更を命じ得る（職安32条の3第4項）。ちなみに，1999年改正前の法制下で，上限制手数料以上の手数料支払約定が無効とされた事案として東京エグゼクティブサーチ事件・最二小判平成6・4・22民集48巻3号944頁がある。

▩求人メディア等（募集情報等提供事業者）についての規制　2022（令和4）年職安法改正（一部を除き，2022年10月1日施行）で，求人メディア，求人情報誌，ビジネスSNS，クローリング型（依頼を受けることなくインターネット上の公開情報を収集して提供）データベース等，インターネットを通じた就職・転職の主要なツールとなっている募集情報等提供事業について，募集情報等提供の定義を拡大して規制対象とし（職安4条6項），他の職業紹介機能を担う機関と同様，職業安定機関との連携（相互協力）の努力義務（同5条の2），求人等の情報の的確表示義務（虚偽または誤解を生じさせる表示をせず，最新かつ正確な内容に保つための措置を講ずる義務。同5条の4，65条9号〔罰則〕），事業情報の公開の努力義務（同43条の6），苦情の適切迅速処理義務（同43条の7）等が定められた。

また，募集情報等提供事業者のうち，労働者になろうとする者〔求職者〕に関する情報を収集して募集情報等提供を行う事業者には届出義務が課され（同43条の2，66条7号，8号〔罰則〕），かかる届出をした者は「特定募集情報等提供事業者」（同4条7項，同11項参照）として，以下のようにより厳しい規制に服する。すなわち，個人情報保護（同5条の5），秘密保持（同51条，66条11号〔罰則〕）が義務付けられるとともに，募集に応じた労働者からの報酬受領の禁止（同43条の3，65条〔罰則〕），個人情報・報酬受領・守秘義務に関する法違反および改善命令違反の場合の事業停止命令（同43条の4，64条9号〔罰則〕），事業概況報告義務（同43条の5）等の規制が適用される。

Ⅳ　労働者供給事業の禁止

労働者供給とは，「供給契約に基づいて労働者を他人の指揮命令を受けて労働に従事させること」と定義されている（職安4条8項）。労働者供給は，供給業者による中間搾取や強制労働の弊害が早くから指摘されたところであり，原則禁止されている（同44条）。1985年以前は，労働者派遣は労働者供給の一類型として禁止されていた。しかし，同年の労働者派遣法の制定に伴って，労働者派遣が労働者供給の概念から明示的に分離除外され（職安法4条8項で，労働者供給の概念には，派遣法2条1号〔労働者派遣の定義規定〕に規定する労働者派遣に該当するものを含まないとされた），労働者派遣法の規制に服することとなった（労働者供給と労働者派遣，業務処理請負の区別については→594頁以下）。

例外的に労働者供給が可能なのは，労働組合が厚生労働大臣の許可を受けて無料で行う場合である（供給労働者と供給先の関係についてはしばしば法律関係について紛争が生じている。詳細は→598頁）。

第2節　雇用保険制度（雇用保険法）

労働者が解雇や辞職，合意解約によって職を失った場合，次の仕事を見つける求職活動期間中，生活を保障する制度がなければ，適職を選択することができず，勤労権の保障（憲27条1項）の趣旨が実現できない。そこで，終戦直後の1947（昭和22）年に失業保険法が制定され，失業者に失業給付を行ってきた。受動（消極）的労働市場政策の中心的施策である。

失業保険法は1974（昭和49）年に雇用保険法に改編され，現在は受動（消極）的市場政策に加えて，いわゆる雇用保険3事業（2007年改正で雇用福祉事業が廃止され，現在は雇用安定事業と能力開発事業の2事業）による雇用促進・失業予防を目指した積極的労働市場政策が展開されてきた。そして，1994（平成6）年の大改正で，雇用保険制度は失業状態のみならず雇用継続の困難な事由の生じた労働者に対する「雇用継続給付」，さらに1998（平成10）年改正では労働者に対する「教育訓練給付」をも創設するなど，「失業等給付」を行う制度となっている。すなわち，雇用保険制度は，失業者に求職者給付を支給して求職活動を支援することを中核としつつも，雇用保険の財源を活用して，労働者の生活・雇用の安定，就職の促進，労働者の職業の安定等の諸施策を実施する制度へと発展を遂げている（雇保1条）。

I　雇用保険制度

雇用保険制度は，その規模に関係なく，労働者が雇用されるすべての事業が強制的に適用対象となる（雇保5条1項）[8]。対象となる被保険者は，対象事業で雇用される労働者[9]であるが（同4条1項），一定の労働者は適用除外とされている（同6条）。適用除外となるのは①週所定労働時間20時間未満のパート労働者（同6条1号），②同一事業主の事業場に継続して31日以上雇用されることが見込まれない者（同2号），③季節的に雇用される者で38条1項各号のいずれか（4ヶ月以内の期間を定めて雇用される者，週所定労働時間が20時間以上30時間未満

8）ただし，農林・畜産・水産事業の労働者5人未満の個人経営事業は，暫定的に任意適用事業とされている（雇保附則2条1項，雇保令附則2条）。

9）「雇用される労働者」とは，労契法2条1項（したがって労基法9条の労働者）と同義と解されている。菅野88頁，西村健一郎『社会保障法』390頁（2003年），菊池馨実『社会保障法』（3版）285頁（2022年），水町・詳解1285頁等。

の者）に該当するもの（同3号，平成22厚労告154号），④学校教育法上の学生で①～③に準ずる者（同4号），⑤1年を通じて雇用されるのではない漁船員（同5号），⑥公共部門に雇用され，離職後，他の法令等により，求職者給付および就職促進給付の内容を超える給与を受け取る者（同6号），である。この適用除外に該当しなければ，有期，パート，派遣等の非正規労働者も被保険者となる。

被保険者は，一般被保険者（雇保13条1項）[10]，高年齢被保険者（同37条の2），短期雇用特例被保険者（同38条），日雇労働被保険者（同43条1項），に分かれる。

▩非正規労働者への適用拡大　かつては，所定労働時間が週30時間未満の者（パート労働者，派遣労働者の非正規労働者）は，1年以上の雇用見込みがあることが被保険者資格の要件とされていたため，景気変動によって失職しやすいこれらの非正規労働者に，十分なセーフティネットが用意されていない状態であった。この問題は2008年秋のリーマン・ショック後の派遣切りや有期切り等で広く認識され，非正規労働者への雇用保険適用拡大が図られた。すなわち，2009年3月末より，1年以上雇用見込みの要件が6ヶ月以上雇用見込みに緩和され，さらに2009年8月の政権交代後，除外事由「週30時間未満」は「週20時間未満」に変更され（上記①），また，業務取扱要領に規定されていた「6ヶ月以上雇用の見込み」は，法律上「31日以上の雇用見込み」で足りることとされた（上記②）。

▩65歳以上の者への雇用保険適用　高齢者の雇用実態の変化，生涯現役社会実現の観点を受けて，2016年改正により，従来，適用除外とされてきた65歳以降に新規に雇用される者[11]について，適用除外規定（旧6条1号）が削除され，65歳以上の者が一般に雇用保険の適用対象となった。もっとも，一般被保険者の規定は適用されず（雇保37条の2），高年齢被保険者の求職給付が，勤続年数1年以上の場合，基本手当日額50日分，1年未満の場合30日分が支払われる（同37条の4）。さらに2020年改正では2以上の事業主に雇用される65歳以上の者に対する高年齢被保険者の特例（いわゆるマルチジョブホルダー制度）が設けられた（同37条の5）。

雇用保険事業に要する費用は，事業主と被保険者の負担する雇用保険料と国庫によってまかなわれる。雇用保険料率は，従来，労働保険徴収法12条4項で1.75％とされ，同5項のいわゆる弾力条項で上下0.4％の範囲で増減可能であった。雇用情勢の着実な改善を踏まえ，2016年改正では，労働保険徴収法12条4項を改正し，本則の保険料率が1.55％に引き下げられ，雇用保険料

10)　2007（平成19）年改正で，週20～30時間のパート労働者と一般被保険者の区別をなくし，受給資格も加入期間12ヶ月（倒産・解雇等の場合6ヶ月）に統合した。

11)　従来は，同一事業主の適用事業に65歳以前から引き続いて雇用されている者のみが，高年齢継続被保険者として適用対象とされていた。

率は原則1.2％（これから0.4％増減可），雇用保険2事業に係る保険料率（いわゆる2事業率）が0.35％となった。2017年改正では2017年度から3年間の時限措置として，雇用保険率は一般の事業の場合，失業等給付の保険料率は0.6％（これを労使折半），雇用保険2事業の保険料率は0.3％（全額事業主負担）となった。しかし，新型コロナウイルス感染症拡大に対して，巨額の雇用調整助成金等が投入された結果，保険財政が急激に悪化し，2022年改正では，労使で折半する失業等給付・育児休業等給付の保険料率が1％（労働者負担0.5％，事業主負担0.5％），事業主のみが負担する雇用保険2事業の保険料率が0.35％と増額された。労働者負担分については，賃金から控除できる（労保徴32条）。

Ⅱ　失業等給付

失業等給付は，①求職者給付，②就職促進給付，③教育訓練給付，④雇用継続給付の4種の給付から成る（雇保10条1項，**図表26-1**参照）。失業等給付と「等」が入っているのは，失業状態にある被保険者に支払われる①のほかに，②～④のように失業状態にない被保険者に支払われる給付を含むからである。

1　求職者給付

求職者給付は，被保険者の種類に応じて，一般求職者給付（雇保13条以下），高年齢求職者給付（同37条の2以下），短期雇用特例求職者給付（同38条以下），日雇労働求職者給付（同42条以下）の4種類に分かれるが（**図表26-1**），最も基本的な給付は一般求職者給付の中の「基本手当」である（同13条以下）。基本手当は，離職日における年齢，被保険者期間，離職理由によって，その所定給付日数が決まる。一般の離職者については，被保険者期間により所定給付日数が定められている（**図表26-2 A**）。倒産，事業縮小，（労働者に重大な帰責事由のない）解雇等により再就職の準備の余裕なく離職を余儀なくされた「特定受給資格者」は，より手厚い給付日数が定められている。2017（平成29）年雇用保険法改正で30歳～35歳，35歳～45歳の給付日数が90日からそれぞれ120日，150日に延長された（同23条，**図表26-2 B**参照）。なお，リーマン・ショック後の雇用情勢悪化を受けて2009（平成21）年雇用保険法改正により，「特定理由離職者」（期間の定めのある労働契約の不更新，その他やむを得ない理由により離職した者）（同13条3項）の基本手当については，2009年から2017年まで暫定的に特定受給者とみなす措置がとられてきたが，2017年改正で廃止され，代わって，雇

図表 26-1　雇用保険制度の体系

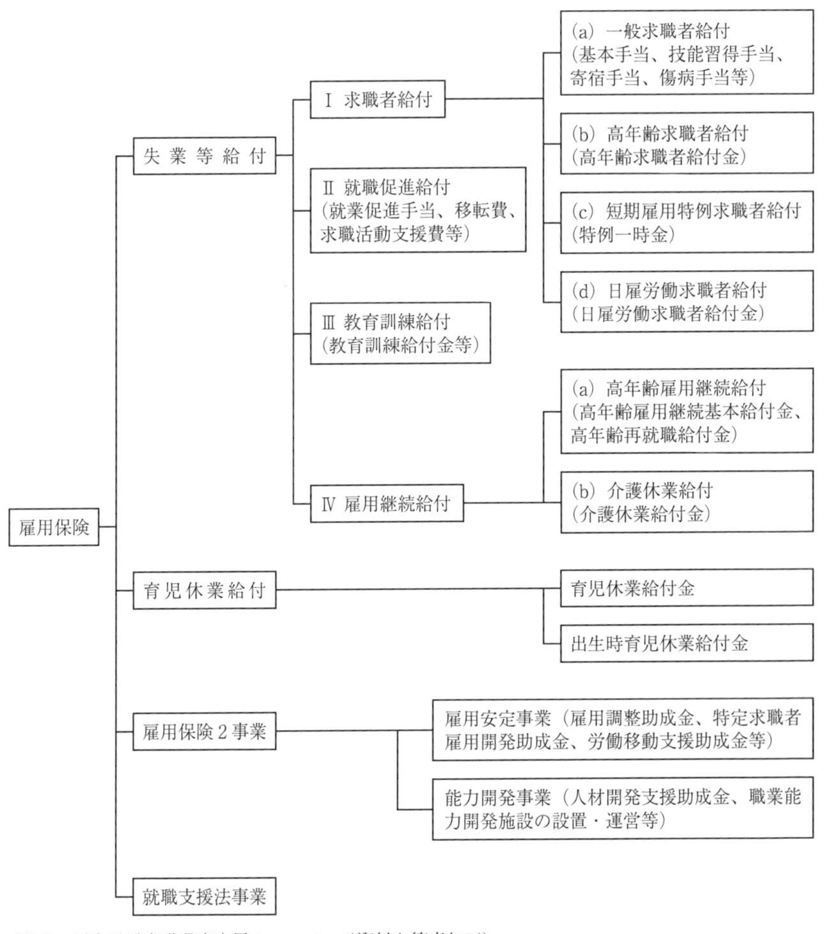

(出所：厚生労働省職業安定局ホームページ資料を筆者加工)

用情勢の悪い地域の居住者の給付日数を60日延長，有期雇用労働者の雇止めについて特定受給資格者と同様の給付日数（いずれも5年の暫定措置とされたが，2022〔令和4〕年雇用保険法改正で2025〔令和7〕年3月31日まで延長。雇保附則4条，5条)），災害離職者の給付日数を原則60日延長できる措置の導入（同24条の2）が行われた。また，障害者など一定の就職困難者については，さらに手厚い所

図表 26-2　基本手当の給付日数

A　一般の離職者

区分＼被保険者であった期間	1年未満	1年以上 5年未満	5年以上 10年未満	10年以上 20年未満	20年以上
全年齢	──	90日		120日	150日

B　倒産・解雇等による離職者（特定受給資格者および一部の特定理由離職者）

区分＼被保険者であった期間	1年未満	1年以上 5年未満	5年以上 10年未満	10年以上 20年未満	20年以上
30歳未満	90日	90日	120日	180日	—
30歳以上35歳未満		120日	180日	210日	240日
35歳以上45歳未満		150日		240日	270日
45歳以上60歳未満		180日	240日	270日	330日
60歳以上65歳未満		150日	180日	210日	240日

※特定理由離職者のうち雇止め対象者については令和7年3月31日までBを暫定適用

C　就職困難者

区分＼被保険者であった期間	1年未満	1年以上 5年未満	5年以上 10年未満	10年以上 20年未満	20年以上
45歳未満	150日	300日			
45歳以上65歳未満		360日			

（出所：厚生労働省職業安定局ホームページ資料を筆者加工）

定給付日数の定めがある（同22条2項，**図表26-2 C**）。

受給資格が認められるためには，第1に，被保険者が失業していることが必要である（雇保13条1項）。失業とは，「被保険者が離職し，労働の意思及び能力を有するにもかかわらず，職業に就くことができない状態にあることをいう」（同4条3項）。労働能力が要件となるので，例えば，病気・けが・妊娠・出産・育児等ですぐに就職できない場合は，受給要件を満たさない。また，労働の意思が必要なので，定年退職後しばらく休養しようと思っている場合等は，やはり受給要件を満たさない。失業の認定は，離職後，公共職業安定所（ハローワーク）に出頭し，求職の申込みを行い，求職活動を行ったことを確認してなされる（同15条2項，5項）。第2に，離職日以前2年間に，被保険者であった月（賃金支払の基礎となった日数が11日以上ある雇用保険に加入していた月）が，通算して12ヶ月以上あることが必要である（同13条，14条）。ただし，特定受給資格者および特定理由離職者については，離職前1年間に被保険者期間が通算6ヶ月以上あればよい（同13条2項）。

支給額は，1日当たりの「基本手当日額」で決まるが，これは，離職日の直前の6ヶ月の賃金（賞与は除外）の合計額を180で除した額の50～80％（60～64歳については45～80％）であり，賃金の低い者ほど高い率で算定される（雇保16条，17条）。基本手当日額には年齢区分により上限が設定され，頻繁に改定されている。

▩給付制限　以下の場合には，基本手当の給付が制限される。①受給資格者が公共職業安定所の紹介した職業に就くこと，同所長の指示した職業訓練等を受けることを，法所定の事由（紹介職業が能力から見て不適当である，賃金が不当に低い等）に該当しないにもかかわらず拒んだ場合，その拒んだ日から1ヶ月，職業指導拒否は1ヶ月を超えない範囲で不支給（雇保32条）。②被保険者が自己の責めに帰すべき重大な事由により解雇され，または正当理由なく自己都合退職した場合，待機期間（同21条）満了後1ヶ月以上3ヶ月以内の期間，不支給（同33条）。③不正受給の場合（同34条）。

▩高年齢求職者給付　従来は，65歳を労働市場からの引退年齢とみて，65歳を超えて新たに雇用された者は雇用保険制度の適用除外とされていた（65歳以前から雇用されて65歳を超えたものは高年齢継続被保険者とされた）。しかし労働市場の高齢化を受けて，2016年改正で，65歳以上の労働者も「高年齢被保険者」として，雇用保険の適用対象とし，失業した場合には高年齢求職者給付金が支払われることとなった（雇保37条の2以下）。給付金は算定基礎期間（勤続期間）が1年以上の場合，基本手当日額50日分，1年未満の場合，30日分である（同37条の4）。

なお，2020年改正で，複数就業者へのセーフティネットの整備として，①2以上の事業主の適用事業に雇用される65歳以上の者で，②1つの適用事業における1週間の所定労働時間が20時間未満で，③2つの適用事業における1週間の所定労働時間の合計が20時間以上，という要件を満たす場合には，申出により高年齢被保険者となり得ることとなった（同37条の5，2022年1月施行）。そして，1つの事業を離職した場合，高年齢求職者給付金等は，その離職した事業の賃金を基礎として算定される（同37条の6第2項）。

▩短期雇用特例求職者給付　季節的に雇用される者で，4ヶ月以内の有期雇用労働者にも週20時間以上30時間未満のパート労働者にも該当しないもの（いわゆる季節出稼ぎ労働者など）を対象とした給付で，離職日以前の1年間に6ヶ月以上の被保険者期間がある場合には，基本手当日額の30日（当分の間40日〔附則8条〕）分の特例一時金が支給される（雇保38条以下）。

■日雇労働求職者給付金　日々雇用者および30日以内の期間を定めて雇用される者を対象とする制度で，日雇労働被保険者手帳の交付を受け，失業の日の属する月の前の2ヶ月間に通算して26日分以上の印紙保険料を納付しているときにこの給付金が支払われる（雇保42条以下）。

2　就職促進給付

就職促進給付には，就業促進手当（再就職手当，就業促進定着手当，就業手当，常用就職支度手当），移転費，求職活動支援費がある。就業促進手当のうち，再就職手当，就業手当は，求職者給付の受給期間を残して早期に就職した者に支払われる手当で，早期の再就職のインセンティブを与えるものである。就業促進定着手当は，再就職手当を受けた者が，引き続きその再就職先に6ヶ月以上雇用され，かつ再就職先で6ヶ月の間に支払われた賃金日額が離職前の賃金の賃金日額に比べて低下している場合に支給され，再就職定着を図るものである（雇保56条の3）。常用就職支度手当は，障害者等，就職困難者が安定した職業に就いた場合に支払われる（同条）。移転費は，公共職業安定所の紹介・訓練のために住所を変更する場合に支給される（同58条）。求職活動支援費は2016年改正で導入されたもので，従来の広域求職活動費（公共職業安定所の広域職業紹介を受ける場合に支給）のほか，就職活動に際して子どもの一時預かりを利用する場合の費用等を支給対象とする（同59条）。

3　教育訓練給付

教育訓練給付は，既述のように，職業能力開発のイニシャティブを企業ではなく労働者自身に与えようとする新たな施策として始まった。しかし，当初はかかった費用の80％相当額（上限30万円）を支給するというもので，濫用事例が続出した。その結果，支給額をかかった費用の20％に抑えるなど厳格な運用へと移行した[12)]。

2012年末に誕生した自公政権下で，教育訓練給付は個人の能力開発等を支援する施策として再度注目され，従来の一般教育訓練にかかる「一般教育訓練給付」に加えて，より専門的・実践的教育訓練にかかる「専門実践教育訓練給付」を導入した。後者の場合，支給額は受講費用の40％，2017年改正では50％に引き上げられ，資格取得等により就職につながった場合はさらに20％の追加給付がなされるなど，制度の拡充が図られている[13)]。

---

12)　濱口198頁以下。

受講開始日において，被保険者期間が3年以上であることが必要とされているが，教育訓練給付金を初めて受給する場合は，当分の間，1年以上とされている（雇保60条の2，雇保附則11条）。

4　雇用継続給付

雇用継続給付には，高年齢雇用継続給付（雇保61条）および介護休業給付（同61条の4）の2つがある。従前，雇用継続給付の一つとされていた育児休業給付は2020年改正により失業等給付から独立した給付とされた（2020年4月施行）。

⑴　高年齢雇用継続給付

高年齢雇用継続基本給付金は，60歳から65歳までの被保険者が，60歳以降の賃金が60歳時点に比べて，75％未満に低下した状態で雇用される場合に支給されるものである。ここでいう60歳以降の雇用は同一企業であっても他企業であってもよい。支給額については，現行制度では賃金の原則15％であるが，65歳までの雇用確保措置の進展等を踏まえて，2020年雇用保険法改正で原則10％に縮小されることとなった（施行は2025年4月。以下，かっこ内は2025年4月以降の数値）。すなわち，60歳以上65歳未満の各月の賃金が60歳時点の賃金の61（64）％以下に低下した場合は，原則通り各月の賃金の15（10）％相当額となる。60歳時点の賃金の61（64）％超75％未満に低下した場合は，その低下率に応じて，各月の賃金の15（10）％相当額未満の額で，75％の時点で加算支給額がゼロとなるように逓減して計算される（雇保61条5項）。

一旦離職して，失業状態になり求職者給付の基本手当を受給し，60歳以後再就職した場合には，「高年齢再就職給付金」が支払われる（同61条の2）。

受給資格者は，雇用保険の被保険者であった期間が5年以上ある60歳以上65歳未満の一般被保険者である。

⑵　介護休業給付

家族（2020年改正で事実婚も含むとされた）を介護するために介護休業（最長93日）を取得した被保険者に支給される給付で，休業前賃金の40％とされていたが2016（平成28）年改正で67％に引き上げられた。受給資格が認められるのは，介護休業開始前2年間に，賃金支払基礎日数が11日以上ある月が12ヶ

13）　濱口200頁，菅野95頁参照。

月以上の場合である（雇保61条の4，雇保附則12条）。

介護休業期間中に事業主から賃金が支払われ，介護休業給付と賃金の合計が休業前賃金の80％を超える場合，合算額が80％止まりとなるように給付額が減額される（雇保61条の4第5項）。

Ⅲ　育児休業給付

当初，育児休業期間中と休業から復帰した後に支払われる2種の給付金であったが，2009（平成21）年雇用保険法改正により両給付金は「育児休業給付金」として統合され，休業中に支払われることとなった。給付額は，休業前賃金の40％であったものが，2007（平成19）年改正で50％，2014（平成26）年改正で67％（休業開始後6ヶ月間，その後は50％）と拡充されてきた。

2020（令和2）年改正までは，育児休業給付は失業等給付の中の雇用継続給付の一つと位置づけられ，失業等給付と一体的経理に服していた。しかし，育児休業給付は景気の動向にかかわらず，受給者数の増加および給付拡充によって，その給付総額は一貫して増加してきていた。そこで2020年改正では，育児休業給付を，失業等給付とは異なる，子を養育するために休業した労働者の雇用と生活の安定を図る給付と位置づけ，その給付と負担の関係を明確化し，的確な財政運営を図るべく，失業等給付から独立させた（雇保1条，61条の6参照）。保険料率は1000分の4とされ，労使が折半する（**図表26-1**参照）。

2021（令和3）年改正では，出生時育児休業制度（産後パパ育休制度）の導入（→134頁）に対応して，出生時育児休業給付金が新設された（雇保61条の6第1項，61条の8）。

受給資格が認められるのは，被保険者（男女を問わない）が，1歳[14]（保育所に入所できない等，雇用継続のために休業が特に必要な場合，1歳6ヶ月，2017年改正により1歳6ヶ月時点でも同様の場合は2歳）未満の子を養育するために育児休業を取得する者が，休業開始前2年間に賃金支払基礎日数が11日以上ある月が12ヶ月以上の場合である（雇保61条の7，14条）。

育児休業給付の額は休業開始後180日間（6ヶ月）は休業前賃金の67％，その後は50％である（雇保61条の7第6項）。出生時育児休業給付金は，休業前賃

14）　パパ・ママ育休プラス制度（→133頁）を利用する場合は1歳2ヶ月（雇保61条の7第8項）。

金の67％相当額である（同61条の8第4項）。なお，介護休業給付と同様に，休業期間中に事業主から賃金が支払われ，育児休業給付ないし出生時育児休業給付と賃金の合計が休業前賃金の80％を超える場合，合算額が80％止まりとなるように給付額が減額される（同61条の7第7項，61条の8第5項）。

Ⅳ　雇用保険2事業

既述のように，第1次石油危機後の1974（昭和49）年に，失業保険法が雇用保険法へと大改正された際に，雇用の維持と促進の積極的雇用政策を展開すべく雇用保険3事業が創設された。行政改革の中で，2007（平成19）年に雇用福祉事業は廃止され，現在は雇用安定事業および能力開発事業の2事業であるが，雇用政策を実施するために各種の助成金を機動的に提供するなど，重要な機能を営んでいる（保険料はすべて事業主負担）（**図表26-1**）。

特に，雇用安定事業による雇用調整助成金は，先進諸外国が石油危機後，軒並み失業率を高騰させたのに対して，日本だけは低失業率を維持できた大きな要因となった。

ところが，バブル崩壊後の経済停滞から抜け出せない状況が続くと，雇用流動化を促進する施策への転換が主張されるようになる。2008年のリーマン・ショック後の不況時には，雇用調整助成金が再度活用されたが，2012年末に自公政権が復活し，雇用情勢が改善される中で，「行き過ぎた雇用維持型から労働移動支援型への政策転換」が唱えられ，雇用調整助成金の縮小と労働移動支援助成金の拡充が進んだ。2017年改正では，雇用安定事業・能力開発事業は，労働生産性の向上に資するものとなるよう留意しつつ行われるべきことが規定された（雇保64条の2）。新型コロナウイルスによる未曾有の雇用危機において，雇用調整助成金は再びフル活用され，雇用のセーフティネットとしての役割が再認識されたが，特例的な活用をいつまで継続すべきかも議論を呼んだ。

▩雇用調整助成金　雇用調整助成金は，不況により事業活動の縮小を余儀なくされ，余剰人員を抱えた企業が，労使協定に基づき，一時休業，教育訓練，雇用調整のための出向を行う場合に，企業の支払う休業手当や出向先企業に支払う補助費の一定部分（大企業につき2分の1，中小企業につき3分の2）を国が助成金として支給するものである（雇保62条1項1号，雇保則102条の2，102条の3）。余剰人員を抱えた企業が解雇を回避し，雇用を維持する上で大いに効果があり，長期雇用システムを支える重要な施策であった。その後，一時は，重要性が低下したとの指摘もあったが，2008年のいわゆるリーマン・ショック以降，政府は雇用調整助成金制度を拡充し，一定期間解雇を行わない事業主に助成率の上乗せをする（上乗せ後は4分の3を国が助成）などして積極的に活用した。

コロナ禍による事業活動縮小を余儀なくされた場合の雇用維持のために，雇用調整助成金には特例措置が設けられ，リーマン・ショック時を大幅に上回る規模で活用されている。まず，雇用調整助成金について，特例措置により，助成率（大企業は2/3から3/4，中小企業は4/5から9/10，業況・地域特例を満たせば大企業・中小企業ともに10/10），助成上限（8330円から15000円）が引き上げられた。また，雇用保険の被保険者でない労働者（週20時間未満の短時間労働者等）を休業させた場合に対する緊急雇用安定助成金が，雇用調整助成金と同内容で活用された。さらに，2021年2月15日には，新たに産業雇用安定助成金が創設された。これは新型コロナウイルス感染症に伴う経済上の理由で事業活動の縮小を余儀なくされた場合に，雇用維持を図るために在籍出向によって労働者を送り出す事業主（出向元）と受け入れる事業主（出向先）に対して支給される。雇用調整助成金における出向と類似するが，出向先に対しても支給され，助成率・上限額が高く，出向初期経費が支給される等の違いがある。

なお，雇用調整助成金は使用者が手続を履践しなければ支給されないため，手続を取らない中小企業等の労働者が保護されない事態が生じた。また，大企業において，労働契約上，労働日が明確でないいわゆる「シフト制」で就労する労働者についても，休業手当が支払われない事態が生じた。そこで，これらの休業手当の支払を得られなかった労働者に対して，休業実績に応じて，休業前賃金の80％を直接支給する休業支援金が創設された。

▩労働移動支援助成金　労働移動支援助成金（再就職支援コース奨励金，早期雇入れ支援コース奨励金）は，事業規模の縮小等により離職を余儀なくされる労働者等に対する再就職支援を職業紹介事業者に委託したり，求職活動のための休暇を付与する事業主に，支給される助成金である（雇保62条1項2号，雇保則102条の4，102条の5）。「再就職支援コース奨励金」は，事業規模の縮小等に伴い離職を余儀なくされる労働者に対し，その再就職を実現するための支援を民間の職業紹介事業者への委託，再就職に資する訓練の実施，求職活動のための休暇付与のいずれか（複数を組み合わせることも可能）により実施し，再就職を実現させた事業主に対して支給される。「早期雇入れ支援コース奨励金」は，再就職援助計画または求職活動支援書の対象者を，離職日の翌日から3ヶ月以内に期間の定めのない労働者として雇い入れた場合や，その雇い入れた者に対して職業訓練を実施した事業主に対して支給される。

▩65歳超雇用推進助成金　雇用安定事業として，定年引上げ，高年法9条の規定する継続雇用制度の導入，同10条の2第4項の規定する高年齢者就業確保措置の実施（2020年改正で追加）等の高年齢者等に対する雇用安定措置を講ずる事業主に対する助成・援助が定められている（雇保62条1項3号）。これを受けて，「65歳超雇用推進助成金」が設けられている（雇保則103条，104条）。

▩地域雇用開発助成金　雇用安定事業として，雇用機会を増大させる必要がある地域への事業所の移転により新たに労働者を雇い入れる事業主，季節的に失業する者が多数居住する地域においてこれらの者を年間を通じて雇用する事業主その他雇用に関する状況を改善する必要がある地域における労働者の雇用の安定を図るために必要な措置を講ずる事業主に対して，必要な助成・援助が定められている（雇保62条1項5号）。これを受けて「地域雇用開発助成金」「通年雇用助成金」が設けられている（雇保則111条，112条，113条）。

▩キャリアアップ助成金　雇用安定事業として，被保険者等の雇用の安定を図るために必要な事業（雇保62条1項6号）が定められている。これを受けて，「特定求職者雇用開発助成金」「トライアル雇用助成金」「両立支援等助成金」等各種の助成金が設けられている。「キャリアアップ助成金」もその一つであるが，非正規雇用労働者（有期契約労働者，短時間労働者，派遣労働者）の企業内でのキャリアアップ等を促進するための助成金である。具体的には，非正規雇用労働者の正規雇用労働者・多様な正社員等への転換等を助成する「正社員化コース助成金」，非正規雇用労働者の賃金規程等を改定した場合に対する「賃金規定等改定コース助成金」，非正規雇用労働者に正規雇用労働者と共通の職務等に応じた賃金規定等を新設・適用した場合に対する「賃金規定等共通化コース助成金」，パート労働者の週所定労働時間を3時間以上延長し，当該労働者が新たに社会保険適用となった場合に対する「短時間労働者労働時間延長コース助成金」等がある（雇保則118条の2参照）。

もう一つの雇用保険事業である能力開発事業では，認定職業訓練その他の事業主等が行う職業訓練の振興に必要な助成等，求職者や退職予定者に対する再就職のための講習・訓練，教育訓練のための有給休暇を従業員に与える事業主に対する助成・援助，職業訓練（公共職業能力開発施設・職業能力開発総合大学校が行うものに限る）や講習を受ける労働者やその事業主に対する助成，技能検定の実施助成，労働者の能力開発・向上に必要な事業等が行われている（雇保63条）。

第3節　求職者支援制度（求職者支援法）

I　求職者支援法の制定

2008年秋のリーマン・ショックによって引き起こされた世界規模の不況は，日本の企業における大量の人員削減をもたらし，とりわけ派遣・有期労働契約等で雇用されていた非正規労働者の多くが職を失った。これらの非正規労働者は，労働市場のセーフティネットによって十分に守られない状況にあることが顕在化し，既述のように，雇用保険制度の適用拡大措置がとられたが（→833頁），現に雇用保険の失業等給付を受給できない求職者に対する支援の必要性が認識された。そこで，自公政権の下では，2009年7月から緊急人材育成支援事業として，雇用保険受給資格のない失業者に，無料の職業訓練を行うとともに，訓練期間中の生活支援給付を行う制度が時限措置として実施された。2009年9月に成立した民主党連立政権の下で，この制度を「求職者支援制度」として恒久化したのが，2011年5月20日制定，同年10月1日施行の「求職者支援法（職業訓練の実施等による特定求職者の就職の支援に関する法律）」である。

求職者支援制度は，雇用保険を受給できない求職者（「特定求職者」と呼ばれる。→次項参照）に対して，その就職促進を目的として，職業訓練の実施と，当該職業訓練を受けることを容易にするために給付金（職業訓練受講給付金）の支給その他の支援措置を行うものである（同1条）。

求職者支援制度は，能力開発事業として実施されるが，一般の能力開発事業とは区別して位置づけられている（雇保63条，64条参照）。職業訓練受講給付金の費用は2分の1が国の負担（雇保66条1項5号），残り2分の1を労使が折半し，各4分の1ずつ負担することとされているが，雇用保険と同様，国の負担を軽減する暫定措置が定められている（雇保附則13条ないし15条参照）。

Ⅱ　特定求職者

求職者支援制度の対象となる「特定求職者」とは，雇用保険法4条1項に規定する被保険者および同法15条1項に規定する受給資格者でなく，公共職業安定所に求職の申込みをしている者のうち，労働の意思および能力を有し，公共職業安定所長が職業訓練その他の支援措置を行う必要があると認めたものをいう（求職者支援2条）。具体的には，雇用保険に加入できなかった者，雇用保険受給中に再就職できないまま支給終了に至った者，雇用保険加入期間が不足して雇用保険を受給できない者，さらには自営業を廃業した者，学卒未就職者等がこれに該当しうる。

Ⅲ　求職者支援訓練（認定職業訓練）

厚生労働省は，申請に基づき，専門学校等の民間の訓練機関の実施する職業訓練が，法所定の要件（職業訓練実施計画に照らして適切なものであること，就職に必要な技能・知識を十分に有していない者の職業能力の開発・向上に効果的なものであること，その他，厚労省令で定める基準に適合すること）を充足していれば，その旨を認定する

（求職者支援4条）。この認定を受けた職業訓練は求職者支援法および同施行規則では「認定職業訓練」と称されているが，施行通達や政府の広報資料等では「求職者支援訓練」と呼んでいる。

求職者支援訓練の内容については，厚生労働大臣が，特定求職者の知識，職業経験その他の事情に応じた職業訓練を受ける機会を十分に確保するため，特定求職者数の動向，訓練実施目標，訓練の効果的な実施を図るための施策等について，関係者の意見を聴取して，実施計画を策定する（求職者支援3条）。

求職者支援訓練を行う者は，公共職業安定所長と密接に連携・協力して，就職支援を行うこととされている（求職者支援13条）。

Ⅳ　職業訓練受講給付金

特定求職者が，公共職業安定所の指示を受けて求職者支援訓練や公共職業訓練を受講し，次の支給要件を満たした場合，職業訓練受講給付金（具体的には職業訓練受講手当・通所手当）が支給される。支給要件は，①本人収入が月8万円以下，②世帯全体の収入が月25万円（年300万円）以下，③世帯全体の金融資産が300万円以下，④現在居住する土地・建物のほかに，土地・建物を所有していないこと，⑤すべての訓練実施日に出席していること（やむを得ない場合[15]であっても，8割以上出席），⑥同一世帯中に同時に本給付金を受給して訓練を受けている者がいないこと，⑦過去3年以内に不正行為によって特定の給付金支給を受けたことがないこと，とされている（求職者支援則11条1項）。

支給額は職業訓練受講手当が月額10万円，通所手当（交通費）については，最も経済的かつ合理的経路・方法による運賃等の額となる（求職者支援則11条2項，12条）。

なお，不正受給の場合，政府は支給した職業訓練受講給付金の全部または一部の返還を命ずることができ，また，厚生労働大臣の定める基準により，当該偽りその他不正の行為により受給した職業訓練受講給付金の額の2倍に相当する額以下の金額を納付することを命ずることができる（求職者支援8条1項）。その支給が認定職業訓練を行う者の偽りの届出，報告または証明によるものであ

15）　やむを得ない欠席に該当する例として，本人の疾病・負傷，親族の看護，求人者との面接やハローワークの指示した就職セミナーなどの受講，列車遅延・交通事故・天災その他のやむを得ない事由によるものが挙げられている。

る場合，当該認定職業訓練機関に対して連帯して返還・納付を命ずることもできる（同2項）。受給のためには，訓練開始から1ヶ月ごとに公共職業安定所に出頭して申請する必要がある（求職者支援則17条）。

V　就職支援

求職者支援訓練を効果的に就職につなげるため，訓練開始前から終了後にかけて，一貫した就職支援を行うべく，当該訓練受講者ごとに個別の就職支援計画を作成し（求職者支援11条），これに基づき，公共職業安定所長が，就職支援措置（職業指導，職業紹介，認定・公共職業訓練等）を受けることを指示する（同12条）。この指示に従わない特定求職者については，職業訓練受講給付金は支給しないこととなる（求職者支援則14条）。

第4節　職業能力開発（職業能力開発促進法）

職業能力開発[16)]については，1985（昭和60）年に，従前の職業訓練法を大改正して職業能力開発促進法が成立した。同法は，労働施策総合推進法と相まって，職業訓練および職業能力検定の充実強化等，職業能力の開発・向上のための施策を定めている。

元来，職業訓練は，労働市場政策の中では，失業者に就職に必要な技能を身につけさせるためのもので，これを国家が提供するのが公共職業訓練である。公共職業訓練は，国や都道府県の設置する施設（職業能力開発校，職業能力開発促進センター等）で，省令の定める職業訓練基準に基づいて実施される。

しかし，日本における職業教育・訓練の特徴は，仕事を実際に行うことを通じて技能の修得・伝承も行われるというOn the job training（OJT）にあった。職業能力開発促進法は，これを法律上も明確に位置づけ（能開9条），国や都道府県による公共職業訓練に先んじて事業主が行う職業訓練措置を規定した。かくして，職業訓練の主体が，国ではなく企業と見られるようになっていった。

ところが，1990年代になると，労働者の自己啓発の促進等，個人に着目した自発的職業能力開発が強調されるようになる。1998（平成10）年の雇用保険

16）　日本の職業能力開発の展開については濱口337頁以下，法的分析については菅野76頁以下，両角道代「職業能力開発と労働法」講座21世紀2巻154頁。

法改正で教育訓練給付が新設されたのもこうした個人主導の能力開発が重視されてきた中でのことである。1990年代末からは，キャリア権論が「職業生活」「職業生活設計」という表現によって，当時の雇用対策法（現労働施策総合推進法）や職業能力開発促進法の理念規定等に部分的に反映されていった[17]。

こうした変化を反映して，2015年職業能力開発促進法改正は，労働者本人が自発的な職業能力の開発および向上に努めるべきとの理念を新たに規定した（能開3条の3）。また，2007年以来展開されてきたジョブ・カード制度を「職務経歴等記録書」と名付け「労働者の職務の経歴，職業能力その他の労働者の職業能力の開発及び向上に関する事項を明らかにする書面」と定義し，その普及を国の努力義務と定めた（能開15条の4第1項）。そして，外部労働市場におけるキャリア展開に対応するキャリアコンサルティングの重要性が認識され，キャリアコンサルタントを国家資格化した（能開2条5項，30条の3～30条の29）。

第5節　特定分野の雇用政策

特定分野に着目した雇用政策として，人（若年者・高齢者・障害者・外国人）に着目した施策と地域に着目した施策がある。かつては深刻な雇用問題を抱える特定産業に着目した産業雇用対策（例えば1959〔昭和34〕年の炭鉱離職者臨時措置法，1977〔昭和52〕年の特定不況業種離職者臨時措置法等）もあった。しかし，2000年代初めには，石炭鉱業が終焉したことや，不況業種については業種の枠を超えて対策を講じていく必要があるという考え方により，特定の産業に向けた施策は，雇用対策法（現労働施策総合推進法）の再就職援助計画や地域雇用対策等の施策に吸収されることとなった。

I　若年者雇用（青少年雇用促進法）

1　日本における若年者雇用問題

諸外国は一般の失業率も高いが，とりわけ若年失業率が高く[18]，若年者雇

17）　キャリア権を提唱したのは諏訪康雄教授である。諏訪康雄「キャリア権の構想をめぐる一試論」労研468号54頁（1999年），同「職業能力開発をめぐる法的課題――『職業生活』をどう位置付けるか？」労研618号4頁（2012年）参照。

18）　2020年の各国の若年失業率（15歳～24歳）は，日本（4.6%）やドイツ（7.2%）を例外として，イギリス（13.6%），スウェーデン（24.0%），フランス（20.1%），イタリア（29.4

用問題が雇用政策の最大の課題となっている。これに対して，日本は労働者一般の失業率も低かったが，特に若年失業率も低かった。これは日本ではいわゆるメンバーシップ型雇用が一般的で，ジョブ型雇用の諸外国と比べると，職業能力を備えていない新規学卒者が新卒定期採用によって雇用されるという慣行によるところが大きかった[19]。

しかし，バブル経済崩壊後の1990年代半ばから新規学卒者の就職状況は非常に厳しくなり，就職氷河期といった言葉も登場するなどした。長引く景気低迷の中，企業は正規雇用を控え，非正規雇用の比率を増大させたため，新規学卒者が非正規雇用者となることも増えた。そして，一旦非正規雇用となると，正規転換の機会も乏しく非正規に固定化される現象も生じた。こうして，日本でも若年者雇用問題が大きな政策課題として浮上することとなった。しかし，若年者雇用問題に取り組む本格的法制が成立したのは，2015（平成27）年の「青少年の雇用の促進等に関する法律」（青少年雇用促進法，若者雇用促進法とも称される）によってである。

2　青少年雇用促進法

青少年雇用促進法は勤労青少年福祉法を改正する形で2015年9月に成立した。同法は，青少年について適性・技能・知識の程度にふさわしい職業（適職）の選択，職業能力の開発・向上に関する措置等を総合的に講ずることにより，青少年雇用の促進を図ることを通じて能力を有効に発揮できるようにすることを目的としている（青少年雇用1条）。

そして，青少年の適職選択に関する措置として以下を規定する。すなわち，公共職業安定所（ハローワーク）は，情報提供や青少年の状況に応じた職業指導・職業紹介等を行うべきものとし（同9条，10条），一定の労働関係法令違反があった求人者からの新卒者にかかる求人申込みを，職安法5条の5（現5条の6）（すべての求人申込み受理の原則）の規定にかかわらず，受理しないことができるとされた（青少年雇用11条。現在は削除されている事情につき→828頁）。また，新卒者等の募集を行うときは，労働者の募集を行う者や，ハローワークや職業紹介

%），スペイン（38.3%）といった深刻な状況である（労働政策研究・研修機構『データブック国際労働比較2022』168頁〔2022年〕）。ちなみに，2014年にはイタリア（42.7%），スペイン（53.2%）という状況であった（同『データブック国際労働比較2016』145頁〔2016年〕）。

19）　こうした日本の特殊事情については濱口桂一郎『若者と労働』（2013年）参照。

事業者を通じた求人者に，青少年雇用情報提供の努力義務ないし義務を課している（同13条，14条）。

他方，青少年に関する雇用管理の優良な中小企業については，「ユースエール認定企業」として認定する制度が設けられた（同15条）。

国は地方公共団体と連携して，青少年に対し，ジョブ・カード（職務経歴等記録書）の活用や職業訓練等の措置を講じ（同21条），いわゆるニート等の青少年に対しては，特性に応じた相談機会の提供，職業生活における自立支援のための施設（若者サポートステーション）の整備等の措置を講ずるよう努めるものとされている（同23条）。

Ⅱ　高齢者雇用（高年齢者雇用安定法）

少子高齢化の進展に伴って，高齢者の雇用政策の重要性が飛躍的に高まってきている。高齢者雇用の施策としては，1971（昭和46）年の中高年齢者雇用促進特別措置法が，中高年齢者（45歳以上）の雇用率制度を定めていた。これは外部労働市場を前提とした職種別の雇入れの際の雇用率制度であった。その後，同法の1976（昭和51）年改正で，高年齢（55歳以上）労働者を企業単位で常用労働者の6％以上雇用することが努力義務とされ，内部労働市場に向けた政策へと転換していった。そして，雇用率に関する努力義務の実効を確保するため，求人受理の特例や雇入れの要請に加えて，雇用率達成計画の作成命令や適正実施勧告の規定等，その後の定年延長の努力義務と同様の手法が採用されていた。しかし，高年齢者雇用率制度は1986（昭和61）年改正で廃止され，1970年代初頭から浮上した定年年齢の引上げへと政策の焦点が移動していった[20]。

1986年に中高年齢者雇用促進特別措置法を改正して成立した高年齢者雇用安定法は，当時一般的であった55歳定年を60歳に引き上げることを目指して，定年を定める場合「当該定年が60歳を下回らないように努めるものとする」との努力義務を法定した（86年法4条）。政府は1989年の高齢者等職業安定対策基本方針で1993年度の60歳定年完全定着の目標を定めていたが，上述の努力義務の設定と最終的には企業名公表というサンクションを伴う強力な行政措置，そして積極的に高齢者雇用を実施した企業に対する助成金の支給による総

20）これらの高齢者雇用政策の展開については濱口275頁以下参照。

合的な取組みにより，60歳定年制は相当の普及を見た。

こうした展開を受けて1994（平成6）年改正では，60歳以上定年制の努力義務規定が，60歳未満の定年制を禁止する強行的義務規定（定年の定めをする場合，「当該定年は，60歳を下回ることができない」）へと変更された（94年法4条。施行は1998年4月1日。その私法上の効力については→368頁）。

60歳未満の定年制禁止によって，高年齢者雇用の焦点は年金支給開始年齢引上げに対応した65歳までの雇用確保へと移っていく。1990（平成2）年改正では定年後65歳に達するまでの継続雇用の努力義務が新設され，2000（平成12）年には定年の引上げという選択肢が加えられ，さらに2004（平成16）年改正で，65歳未満の定年を定めている事業主は，①定年の引上げ，②継続雇用制度の導入，③定年の定めの廃止のいずれかの措置を講じなければならないとされ，努力義務が義務規定化された（高年9条）。もっとも，②継続雇用制度を採用した場合，過半数代表との労使協定によって対象者を選別することも許容されていたが，2012（平成24）年高年法改正は，そのような選別の可能性を廃止し，継続雇用制度においては，希望者は選別することなく全員を対象とすることを義務づけるに至った（→370頁）。

さらに2020（令和2）年高年法改正では，65歳から70歳までの高年齢者について雇用と雇用以外の措置を含む「就業確保措置」を採るべき努力義務が設定された（→371頁）。

そのほか，高年齢者雇用安定法は，高年齢者の再就職促進に関する諸施策，シルバー人材センターの制度化等を行っている。

Ⅲ　障害者雇用（障害者雇用促進法）

障害者雇用政策は，従来は①障害者雇用率制度を中心とする障害者の雇用促進措置に加えて，②障害者の職業リハビリテーションの推進，③障害者雇用に関する啓発等を行ってきた。しかし，2013（平成25）年の障害者雇用促進法大改正は，雇用関係における障害者差別禁止規制および合理的配慮提供義務を導入し，新たなステージに入った。

1　障害者雇用率制度の展開

日本において障害者雇用政策[21]が本格的に展開するのは，1960（昭和35）年制定の身体障害者雇用促進法が，一般雇用主に法定雇用率以上の障害者雇用の努力義務を課す障害者雇用率制度を導入して以降である。障害者雇用率制度は，1976（昭和51）年に努力義務から義務規定に変更された。

ヨーロッパ諸国で身体障害者の雇用法が制定され，1955年にはILOで「身体障害者の職業更生に関する勧告」が採択されたことなどに鑑み，日本でも1960（昭和35）年に身体障害者雇用促進法が制定され，身体障害者雇用率を設定し，障害者の雇用促進を図ることとされた。すなわち，国・地方公共団体，三公社，地方公営企業については，非現業機関1.5%，現業機関1.4%以上の身体障害者を雇用するため，身体障害者採用計画を作成しなければならないとされた（1960年法11条）。これに対して，一般雇用主に対しては，努力義務を課し，実効性確保のため，雇用率未達成の場合，公共職業安定所長が，雇用主に対し，身体障害者の雇入れ計画作成を命じることができるとされた（同14条）。民間事業所の雇用率は，施行規則により現場的事業所については1.1%，事務的事業所については1.3%，特殊法人についてはそれぞれ1.3%，1.5%とされた。その後，1968年には雇用率が引き上げられ，官公庁については現業機関が1.6%，非現業機関が1.7%，民間事業所については，現場的，事務的事業所の区分は明確でないことから廃止・統一され，純粋の民間事業所が1.3%，特殊法人が1.6%とされた。

本法制定以後，雇用率制度を柱として，職業指導，職業紹介の強化，雇用援護措置の拡充等により，身体障害者の雇用は相当に改善されたものの，1975年時点で全体の約3分の1の事業所が法定雇用率に達しておらず，特に大規模事業所の雇用達成状況が悪かった。1973年のオイルショック以降の低成長下での身体障害者雇用の促進には一層の困難が予想された。そこで，1976年には①法定雇用率以上の身体障害者雇用を従来の努力義務から法定雇用率「以上であるようにしなければならない」義務に強化し（1976年法14条1項）[22)23)]，ま

21)　障害者雇用政策の展開については，征矢紀臣『障害者雇用対策の理論と解説』49頁以下（1998年），濱口313頁以下等参照。

22)　正確には，雇用率に達していない状態自体が法違反ではなく，「労働省令で定める雇用関係の変動がある場合」，すなわち，フルタイム常用労働者の雇入れ・解雇（労働者の責めに帰すべき解雇を除く）の際には，雇用率を達成しているようにする義務があるというものである。征矢・前掲注21・433頁以下参照。

23)　この改正は，憲法22条の職業選択の自由や営業の自由との抵触も問題となり，労働省を中心に慎重に検討されたが，刑罰をもって強制するのでなければ問題なしとの一応の結論を得たとされる（征矢・前掲注21・88頁）。なお，征矢・前掲注21・437-439頁は，薬事法距離制限

た②身体障害者雇用納付金制度[24]が新設された。こうして法定雇用率の義務化（現障害雇用43条）と，未達成事業主からは障害者雇用納付金を徴収し，達成事業主には障害者雇用調整金を支給するという経済的インセンティブ制度（現障害雇用49条～56条）とを組み合わせた今日に至る法定雇用率制度が確立した。

その後，法定雇用率は1987（昭和62）年政令285号によりそれぞれ0.1％引き上げられ，官公庁（非現業）2.0％，官公庁（現業）1.9％，民間企業1.6％，特殊法人1.9％とされた。また，1987年改正により身体障害者雇用促進法は精神薄弱者，精神障害者を含むすべての障害者を対象とすることとなり，法律名も「障害者の雇用の促進等に関する法律（障害者雇用促進法）」に変更された。そして，精神薄弱者は身体障害者とみなして法定雇用率の対象に含められた。1997年以降，身体障害者雇用率は障害者雇用率に改められ，精神薄弱者は「知的障害者」と呼称することとなり，正面から雇用率の対象となった。さらに，2005（平成17）年の障害者自立支援法（現：障害者総合支援法）によって精神障害者（精神障害者保健福祉手帳所持者）も雇用率にカウント可能とされた。そして2013年の障害者雇用促進法改正で，精神障害者も正面から法定雇用率の算定対象とされる（算定式の分子に算入される）に至る（2018年4月1日施行。ただし施行後5年間は猶予期間）。

法定雇用率は，2008年には国・地方公共団体2.1％，民間企業1.8％とされていたが，2013年4月1日より，国・地方公共団体2.3％，民間企業2.0％，2018年4月1日からは，国・地方公共団体2.5％（2019年の国の実雇用率[25]2.31％[26]，都道府県の実雇用率2.61％），民間企業2.2％（実雇用率2.11％）とされ，2021

違憲判決（最大判昭和50・4・30民集29巻4号572頁）の立論に照らして，雇用率制度は障害者福祉に多大の寄与をなすものであり，事業主の採用の自由，営業の自由に対する規制は必要かつ最小限のものであり，公共の福祉のため必要かつ合理的な措置として憲法に抵触しないとしている。

24）　法定雇用率未達成の事業主から身体障害者雇用納付金を徴収し，法定雇用率以上の雇用を達成している事業主に対して身体障害者雇用調整金等の助成金を支給する制度。

25）　実雇用率については厚生労働省「令和元年障害者雇用状況の集計結果」（令和元年12月25日発表）。

26）　従来，国の実雇用率は法定雇用率を上回っているとされていたが，2018年に障害者にカウントできない職員等を違法にカウントしており，実雇用率は法定率の半分程度（1.22％）であることが判明し，大きな社会問題となった。国が障害者統一採用試験を実施する等の対応を行った結果，2019年の実雇用率は2.31％となった。2019年障害者雇用促進法改正では，国・地方公共団体の障害者の任免状況公表義務，雇用率の不適切な計上が発覚した場合，厚生労働省

年3月1日からさらに0.1%引き上げられた（平成29政175号）。

なお，2008年改正障害者雇用促進法の一部が2010（平成22）年7月1日より施行され，障害者の法定雇用率計算の分母に週所定労働時間20～30時間のパート労働者が0.5としてカウントされることになった。さらに，2019年改正では，国のいわゆる障害者雇用水増し問題への対策を講じたほか（前掲注26参照），パートタイムで就労する障害者のうち所定労働時間が一定範囲内にある者（特定短時間労働者）を雇用する事業主に対して，障害者雇用納付金の特例給付金支給の制度，障害者雇用状況の優良な中小企業事業主の認定制度等も導入された（2020年4月1日施行）。

▩親子会社・企業グループ・事業協同組合等の雇用率算定特例　一定の要件を満たし厚生労働大臣によって認定された「特例子会社」については親会社の一事業所とみなすことにより，親子会社で通算して法定雇用率を算定することが1987年身体障害者雇用促進法以来，認められてきた（障害雇用44条）。また，2002年障害者雇用促進法以来，親会社・特例子会社間のみならず，特例子会社以外の子会社も含めた雇用率通算も一定要件下で認められている（関係会社特例，障害雇用45条）。さらに2008年改正では，この雇用率通算の特例を特例子会社の存しない企業グループについても，一定の要件を満たし厚生労働大臣によって認定を受けた場合に認めることとした（企業グループ算定特例，同45条の2）。中小企業が事業協同組合を活用して協同事業を行い，一定の要件を満たすものとして厚生労働大臣の認定を受けた事業協同組合等（事業協同組合，水産加工業協同組合，商工組合，商店街振興組合）とその組合員たる事業主についても，同様に雇用率通算の特例が認められている（事業協同組合等算定特例，同45条の3）。

2　障害者差別禁止と合理的配慮の提供義務

以上のように，日本は，障害者雇用問題には，本書で言う（雇用）政策アプローチ（→100頁）を採用してきた。しかし，国連で2006年に障害者権利条約が採択され，日本は2007年にこれに署名し，同条約を批准するために国内法整備が必要となった。2011（平成23）年に障害者基本法を改正したのに次いで，2013（平成25）年には「障害を理由とする差別の解消の推進に関する法律」（障害者差別解消法）を制定するとともに，障害者雇用促進法を改正して，雇用分野においても障害者差別禁止を明定することとなった。

すなわち，事業主は，労働者の募集・採用について，障害者に対して障害者でない者との均等な機会を与えなければならず（障害雇用34条），また，賃金，

が勧告できる権限等が定められた。

教育訓練，福利厚生施設の利用その他の待遇について，障害者であることを理由として障害者でない者と不当な差別的取扱いをしてはならない（同35条）ことが明記された。

さらに，事業主は，労働者の募集および採用について，障害者と障害者でない者との均等な機会の確保の支障となっている事情を改善するため，障害者からの申出により，過重な負担とならない限り，当該障害者の障害の特性に配慮した必要な措置（いわゆる合理的配慮）を講じなければならない（同36条の2）。

これらの詳細についてはすでに検討した（→105頁）。

Ⅳ　外国人雇用

外国人労働者に関する労働政策については，国際的労働関係の検討において検討した（→641頁以下）。

Ⅴ　地域雇用（地域雇用開発促進法）

1980年代半ば以降の円高不況は，構造不況業種に一層の深刻化をもたらし，輸出依存型産業に大きな打撃を与えた。そして，これらの産業に依存した地域の雇用情勢を著しく悪化させ，地域の雇用問題に対する政策強化が望まれた。1987（昭和62）年に制定された地域雇用開発等促進法は，それまで時限立法であった1983（昭和58）年の「特定不況業種・特定不況地域関係労働者の雇用の安定に関する特別措置法」の雇用対策のうち，特定不況地域に関する施策を取り出して，総合的な恒久法に発展させたものである。

この法律を機に，条文上現れているわけではないが，労働行政は地域における雇用機会の創出政策，産業政策に踏み出したものと評されている27)。同法は，2001（平成13）年に地域雇用開発促進法に改称され，4つの地域類型（①雇用機会増大促進地域〔雇用情勢が厳しい地域〕，②能力開発就職促進地域〔能力のミスマッチが存在する地域〕，③求職活動援助地域〔情報のミスマッチが存在する地域〕，④高度技能活用雇用安定地域〔高度技能労働者を雇用する事業所が集積する地域〕）に分けた施策が展開された。そして，2007（平成19）年の改正では，4つの地域類型が「雇用開発促進地域」と「自発雇用創造地域」の2つに再編された。すなわち，雇用情勢

27)　濱口254頁。

が特に悪い地域を「雇用開発促進地域」とし，事業主に対する助成金支給や，自発雇用創造地域にも該当する地域には助成金の特例措置を講ずることとされている。他方，雇用創造に向けた意欲が高い「自発雇用創造地域」については，地域の協議会（市町村，経済団体等で構成）が提案する雇用創出・能力開発・就職促進等の事業のうち特に優れたものに対して委託金を支給する等の施策が盛り込まれている。

2014（平成26）年には，急速な少子高齢化の進展等による人口減少に対応し，東京圏への人口の過度の集中を是正し，豊かな地域社会を形成すること等を目的に，「まち・ひと・しごと創生法」が制定された。地方に仕事をつくり，安心して働けるようにする，地方への新しい人の流れをつくる，若い世代の結婚・出産・子育ての希望をかなえる，時代に合った地域をつくり安心な暮らしを守るとともに，地域と地域を連携する等を目標に，政府によるまち・ひと・しごと創生総合戦略が展開され，情報・人材・財政支援が図られた。2015（平成27）年には，第1期の「まち・ひと・しごと創生総合戦略」が策定され，厚労省も「厚生労働省まち・ひと・しごと創生サポートプラン」を策定し，実践型地域雇用創造事業の拡大，UIJターンの促進，地域雇用開発奨励金の対象要件緩和等の施策を展開した。2020（令和2）年からは第2期の総合戦略が策定されている。

第27章　雇用システムの変化と雇用・労働政策の課題

本章では，雇用社会の変化，特に伝統的な長期雇用システムを取り巻く構造的変化を概観し，さらに労働関係の当事者である労働者と使用者についてのより具体的な変化を確認する。その上で，こうした雇用システムの変化，とりわけ労働者の多様化・個別化に対して，最も中央集権的レベルで規範定立を行う国家法はいかなるルール（規範）を設定すべきか，そして，そうした新たな規範の実効性を確保するためにどのような施策がありうるのか，といった問題を検討し，今後の労働法および労働政策の方向性を展望する[1)]。

第1節　雇用社会の変化の諸相

I　長期雇用システムと雇用関係・労使関係・労働市場政策

戦後の混乱期を脱した日本では，1950年代後半から高度成長期に入り，良質の労働力を確保したいという企業の要求と，雇用喪失のリスクを避け安定的な雇用保障を享受したいという労働者の要求が合致し，また，「解雇権濫用法理」という合理性のない解雇を権利濫用として制限する判例法理の展開も相ま

1)　本章は，荒木尚志「雇用社会の変化と法の役割」荒木編・社会変化と法3頁，同「労働法政策を比較法的視点から考える重要性」労研659号98頁（2015年），同「労働法の現代的体系」講座再生1巻3頁の検討を基に，さらに発展させたものである。なお，いずれも筆者が研究代表を務めた科学研究費助成事業「ハイブリッド型労働法における実体規制・手続規制と労使関与メカニズム」（平成26年度～28年度），同「格差社会における総合的労働法政策――比較法研究を踏まえた日本型格差是正政策」（平成29年度～令和元年度）および同「労働者・使用者概念の変容・多様化に対応した実効的労働法システムの再構築」（令和2年度～令和5年度）の研究成果の一部でもある。

って，いわゆる「終身雇用制」と呼ばれる長期雇用慣行が形成された。長期雇用慣行の下では，労働者が一企業内で昇進を重ねてキャリアを展開する内部労働市場が生まれ，雇用関係に関わる諸制度が内部労働市場に適合的な形で展開することになる。例えば，採用については，特定の職務ポストに欠員が生じた場合に，その必要な技能を持った者を雇い入れるといういわゆるジョブ型採用ではなく，定年までの雇用保障を前提に，職務内容を特定せず特定の技能も要求することなく雇い入れる新卒定期採用が行われた。また，教育訓練についても企業外部の訓練機関に依拠するのではなく，雇用した正規従業員を柔軟な配置転換およびOJTを通じて企業自身が育成訓練した。賃金についても，かつては年功賃金制度，その後は，勤続年数と職務遂行能力の蓄積を基準とする，つまり職務（仕事）ではなく人に着目した賃金制度たる職能資格制度が普及した。近時，欧米型のジョブ型雇用と対比してメンバーシップ型雇用と呼ばれているが[2)]，まさにそうした特色を持った長期雇用システムが定着していった。

長期雇用システムは，使用者と労働者の個別的労働契約関係のみならず，集団的労働関係そして労働市場政策をも特徴づけることとなる。集団的労働関係に関しては，欧州で主流の企業外の産業別労働組合は日本では発展せず，個別企業における内部労働市場における労使の必要に迅速・柔軟に対応可能な企業別組合が主流となる。また，長期的雇用関係は，ゲーム理論にいう「繰り返しゲーム」を意味することから，労使双方が機会主義的行動を抑制し，協調行動をとるインセンティブを与えることにもなった。また，長期雇用慣行の下，従業員の中の成功者が役員として登用されることとなり，日本企業の経営者の多くは内部昇進者であるという，日本企業のガバナンスにとって特徴的な性格を与えることとなった[3)]。これは，経営陣と労働者層との間に利害の対立よりも企業コミュニティのメンバーとしての共通性を見出すことを容易にしたといえる。

---

2)　濱口桂一郎『新しい労働社会──雇用システムの再構築へ』（2009年）は，日本の雇用システムと諸外国の雇用システムの違いをメンバーシップ型とジョブ型という名称を与えて鮮やかに整理し，こうした名称が一般にも政策論においても使用されるようになっている。巷間の混乱した議論を整理したものとして，同『ジョブ型雇用社会とは何か──正社員体制の矛盾と転機』（2021年）も参照。

3)　荒木尚志「日米独のコーポレート・ガバナンスと雇用・労使関係」稲上毅＝連合総合生活開発研究所編『現代日本のコーポレート・ガバナンス』251頁（2000年）参照。

また，政府の労働市場政策も，当初は，既に発生した失業者に対する失業保険制度等の外部市場に向けた事後的・救済的施策であったが，やがて長期雇用システムが確立してくると，雇用を維持し失業を生じさせない，内部市場に向けた事前的・予防的施策へと転換していくこととなった[4)] (→808頁以下)。

Ⅱ　雇用システムをとりまく環境変化と雇用システムの変容

このように，長期雇用システムは，終身雇用・年功賃金（年功的人事管理）・企業別組合というわゆる日本型雇用システムの三種の神器をもたらしたのみならず，個別的労働関係，集団的労働関係，労働市場（雇用）政策全体に大きく作用した。同時に，長期雇用システムもこれらの労働関係・雇用政策の展開に支えられてきたといってよい。しかし，1980年代以降，日本の長期雇用システムを取り巻く環境には重要な変化が生じている。

第1に，経済情勢の大きな変化がある。1970年代の二度の石油危機を内部労働市場の強みを発揮して乗り切り，安定成長を維持した日本経済であったが，対外収支黒字による日米貿易摩擦や1985年のプラザ合意による急激な円高に直面し，輸出依存型から内需主導型への経済体質の改善を迫られることになる。国際社会から，日本は長時間労働によって不当に安く商品を製造して輸出しているとしてソーシャルダンピングの批判を浴びることにもなった。そこで日本政府は労働時間短縮を国際的に公約し，これが労働基準法の週48時間制から40時間制への改正（1987年）にもつながった。こうして円高不況を克服した日本経済は1980年代末からいわゆるバブル経済を謳歌するが90年代初頭にはバブル崩壊，その後，1990年代から失われた30年ともいわれる長期経済低迷期に入ることとなった。これは，より安価で調整の容易な非正規雇用の活用や，経済を刺激するための種々の規制緩和策や付加価値・創造性を高めるための新たな人事制度や規制の模索等を促すこととなる。

第2に，少子高齢化・人口減少による労働市場の構造変化がある。日本の長期雇用システムは，高齢者が少なく，若年労働力が豊富なピラミッド型の労働力構造を前提に展開・定着した。しかし，日本は先進国の中でも最も急速な少子高齢化社会の到来を経験しつつある。これは経済成長を維持し社会保障制度

---

4)　菅野44頁以下，濱口209頁以下参照。

を機能させるための労働力確保の施策を要請し，女性労働力・高齢労働力の活用，ワーク・ライフ・バランス法制の促進，さらには外国人労働力の活用についての議論を促すこととなる。そしてこれは多様な労働者が労働市場に参加することを意味する。

第3に，第2点とも密接に関連して，個人の価値観の多様化，家族構造の変化等も重要である。戦後労働法が成立したときに想定していた保護の必要な均質な集団としての労働者像が変容し，多様な交渉力と価値観を持った個性のある労働者像に目を向ける必要が生じている。また，戦後家族モデルが解体されている[5)]。伝統的な家族モデルであった夫が雇用され妻が無業（専業主婦）の世帯は1980年には1,114万世帯，夫婦共働き世帯は614万世帯だったのに対して，1992年頃から両者は逆転し，2021年には，夫の片働き世帯が566万世帯，共働き世帯が1,247万世帯と，後者が多数化している[6)]。

第4に，企業を取り巻く環境変化として，まず，産業構造の変化がある。産業構造の中核が工場労働を中心とする第二次産業から第三次産業へと転換し，サービス経済化の進展が著しい。2020年の労働力調査によると，産業別就業者数は，第一次産業が3.1%，第二次産業が22.8%，第三次産業が74.1%となっている[7)]。また第二次産業内部においても生産部門のブルーカラー業務がIT機器を操作するホワイトカラー類似業務へと変化し，製造業企業ではサービス部門の増大等も見られる。

さらに，経済のグローバル化の影響も顕著である。日本が高度経済成長を遂げ，世界経済のトップランナーとなると，先進国間との付加価値をめぐる国際競争とともに，急速に発展を遂げつつある新興国との価格競争にも直面し，企業はその体質改善，組織改革を迫られている。

Ⅲ　労働者の変化：多様化・個別化の進展と労働法

上述した雇用システムをめぐる環境変化は，男性正社員を暗黙裏に想定してきた長期雇用システムにおける労働者像を大きく変容させることになった。一

5)　両角道代「家族の変化と労働法」荒木編・社会変化と法133頁参照。

6)　労働政策研究・研修機構「専業主婦世帯と共働き世帯」(https://www.jil.go.jp/kokunai/statistics/timeseries/html/g0212.html)。

7)　労働政策研究・研修機構「産業別就業者数（第1次～第3次産業，主要産業大分類）」(https://www.jil.go.jp/kokunai/statistics/timeseries/html/g0204.html)。

言で言えば，雇用の多様化，労働者像の多様化が進んだ。労働法制の展開を見るために，労働者の属性に着目して整理すれば以下のようになろう。

1　非正規雇用の増大

第1に，伝統的な長期雇用システムの中核であった正規雇用（正社員）の比率が減少し，非正規雇用比率が急速に増加した。1990年当時，非正規雇用の比率は役員を除く雇用者全体の約20.2％であったが，2022年には36.5％と（2019年の38.3％から微減したとはいえ）3分の1以上を占めるに至っている（総務省「労働力調査〔詳細集計〕2022年〔令和4年〕平均〔速報〕」）。もとより，このすべてが不本意ながら非正規雇用に就いているもの（不本意非正規）ではないが，若年層での不本意非正規の増大，そして，家計補助型ではなく生計依存型の非正規雇用の増大が，社会問題として浮上してきた。特に，2008年の世界金融不況では，非正規労働者の多くが雇用を奪われることとなり，非正規雇用の不安定雇用や処遇格差が社会の注目を集めることとなった（→534頁）。

そこで，1985年制定以来，規制緩和が続いてきた労働者派遣法も，2012年改正では労働者保護のための規制強化に転じ，2015年には届出制（特定労働者派遣事業）と許可制（一般労働者派遣事業）の二本立てだった派遣事業規制をすべて許可制とする等の抜本的改正が行われた。パート労働法も2007年，2014年改正で正規雇用との格差是正規制を拡充・強化した。また2012年労働契約法改正は有期労働契約について無期契約への転換ルールや不合理な労働条件の禁止等の新たな規制を導入した。このように2000年代後半より，非正規雇用に対する本格的法政策が展開することとなり，2018年には，正規・非正規の不合理な格差是正を強力に推進すべく，「同一労働同一賃金」のスローガンの下に，働き方改革関連法によるパート有期法制定，労働者派遣法改正が行われた（→574頁以下）。

しかし，2020年から勃発したコロナ禍の下で，正規雇用に対しては雇用調整助成金の活用等で雇用維持が図られたのに対して，非正規雇用労働者に対しては十分な保護措置が用意されていないことが顕在化した。フリーランス等の雇用類似就業者へのセーフティネットの整備と共に，正規雇用中心に整備されてきたセーフティネットの再構築が課題となっている。

2　正規雇用の多様化・個別管理化

第2に，多様化・個別化は正規雇用労働者の内部でも進行している。かつては年功的・集団的・画一的雇用管理が一般的であったが，例えば労働時間については裁量労働制やフレックスタイム制等，個々の労働者によって異なる就業時間であったり，賃金についても，個別の目標設定，査定，交渉等による成果主義賃金や年俸制賃金など，個別化・多様化が進行している。このような多様化・個別化は，一方で労働者個々人の自由度を高める側面があるが，他方で，年功システムから脱却するための手段の如く導入された成果主義とも相まって，職場からゆとりを奪い，ハラスメントやメンタルヘルス問題等を，雇用関係における大きな課題として浮上させることにもなる。そこで，2018年働き方改革関連法では，長時間労働防止のために，労基法上初めて時間外労働に絶対的な上限規制を導入し（→189頁以下），2019年には労働施策総合推進法にパワー・ハラスメント防止措置義務が規定された（→86頁以下）。

また，勤務地限定社員や職務限定社員など，正社員と位置づけられている労働者が多様化してきており，近時は「多様な正社員」あるいは「限定正社員」という呼称も登場し，労働条件明示のあり方についても立法論の対象となっている[8]。

さらに，2020年のコロナ禍の下では，従来ほとんど進展しなかったテレワークが急速に普及し，また，政府の副業・兼業の促進政策（→217頁，521頁）も影響して，勤務場所・勤務時間・就業スタイルについて自由度の高い多様な働き方が急速に広がっている。

3　女性労働者の増加

第3に，女性労働者の増加も多様化の重要な側面である。男女雇用機会均等法が制定されたのが1985年であるが，男女雇用平等は，労働法政策の大きな課題となっている。そして非正規雇用の多数が女性労働者であることから，非正規雇用問題も女性労働問題と重なりつつ政策課題を提起することとなる。

男女雇用機会均等法は1997年および2006年に大改正され，両性に対する雇用平等法として強化発展を遂げる。しかし，男女差別禁止規制のみでは，実際に家庭責任を負っている女性の実質的平等は実現できないことや，出生率低下問題の認識も進み，育児・介護休業法等，男女を問わずワーク・ライフ・バラ

8）例えば，厚生労働省「『多様な正社員』の普及・拡大のための有識者懇談会報告書」（座長今野浩一郎学習院大学教授）（2014年），同「多様化する労働契約のルールに関する検討会報告書」（座長山川隆一東京大学教授）（2022年）参照。

ンスの実現を支援する法政策が展開されるようになった。また，2005年に閣議決定された第2次男女共同参画基本計画で，2020年までに，社会のあらゆる分野において，指導的地位に占める女性の割合を30％とする数値目標[9]を設定し，2015年には，その実現のために行動計画策定や実情公表等の新たな手法を用いる女性活躍推進法が制定されている（→123頁）。

4　少子高齢化と高齢者雇用

第4に，少子高齢化の進展は，定年制を設け，定年到達までの雇用維持を図るという伝統的雇用システムの見直しを余儀なくしている。高齢化に伴い引き上げられる年金支給開始年齢と定年の関係について，欧州は定年が年金支給開始年齢と一致する場合に限り適法とすることで，アメリカは定年制を年齢差別として禁止することで対応している。これに対して，日本は2004年および2012年改正高年齢者雇用安定法で，60歳定年を維持しつつ，年金支給開始年齢まで再雇用で継続雇用するという独特の対応を許容し，大多数の企業がこの方策を採用している（→367頁以下）。しかし，将来もこのような対応が維持されるのか，年齢差別という観点からの見直しが不可避なのか等，検討すべき課題は多い。

5　外国人・障害者雇用

第5に，これまで日本の雇用システムにおいてはごく少数の存在であった外国人や障害者の雇用も多様化の重要な側面として指摘できる。少子高齢化による労働力減少への対応策として外国人労働者導入が検討されてきたが，これまでは基本的に高度技能者は受け入れるが単純労働力については受入れに慎重な態度を維持してきた。しかし，外国人研修・技能実習制度が，実態として低賃金労働力として濫用される例が後を絶たず，2009年には実務研修が伴う場合には，研修生も雇用契約を締結させ，労働関係法令の保護が受けられるよう，入管法の改正がなされた。さらに，2018年入管法改正では「特定技能」という在留資格を新設し，人材不足の産業分野に，従来は認められていなかった単純労働力の受入れに踏み出すという大きな政策展開が見られた（→644頁）。

他方，障害者雇用については，従来，障害者雇用率を設定して，障害者雇用の促進に取り組んできたが，近時，世界の趨勢を反映して，障害者の差別を禁

9）　この数値目標が達成できず，2020年代の早期達成を目指して再設定されたことについては後掲注39。

止するアプローチが併用されるようになった。2013年の障害者雇用促進法改正では，障害者差別禁止が明定され，障害者の特性に配慮した必要な措置（合理的配慮）を講ずる義務も設けられた（→105頁）。

Ⅳ　使用者の変化：コーポレート・ガバナンスと労働法

他方，社会経済環境の変化は使用者に対しても様々な影響をもたらしているが，労働法にとって注目されるのが，1990年代後半以降の企業組織再編をめぐる法改正，およびコーポレート・ガバナンスをめぐる法改正である。

1　企業組織再編をめぐる動き

1990年初頭にバブル経済が崩壊して以降，日本企業は，競争力の回復を目指して様々な企業組織再編に取り組むことになった。しかし，既存の法制度が迅速かつ効率的な企業再編を阻害しているという認識が広がり，1990年代後半からは相次いで企業組織再編を促進する法改正が行われた。

まず，1997年に，企業グループ単位の効率的経営を可能とするために，従来，独占禁止法によって禁止されていた純粋持株会社の解禁，市場に敏感な経営を誘導するストックオプション制度の導入，合併手続簡素化・合理化のための商法改正等がなされた。1999年には，事業の再構築を支援する産業活力再生特別措置法の制定，完全親子会社関係・持株会社の円滑な創設を可能とする株式交換・株式移転制度の導入，破産予防と企業再建を目的とする民事再生法制定が行われ，さらに，迅速な企業組織再編を可能とする会社分割制度の導入が日程に上った。

これらの企業組織再編を促す法改正は，企業で働く労働者に，所属事業場や所属企業の変更等，就労条件に重大な変更をもたらしかねない。とりわけ，会社分割制度は，労働者のリストラ策として濫用されることが懸念され，連合をはじめとする労働組合団体が同制度導入に反対するという事態となった。会社分割制度の導入は，労働契約承継法という労働者保護に配慮した承継ルールとセットで導入することで決着を見るが，組織再編の労働関係への影響が大きく問題となった。

また，純粋持株会社の解禁によって持株会社を頂点とする企業グループ単位での経営が目指されるようになってきている。しかし，労働法の規制の名宛人は使用者であり，それは法人格の主体であるので，持株企業グループの場合，持株会社傘下の各子企業を名宛人とするにとどまる。企業経営の実質的単位が法人格を超えて展開しようとしている時に，伝統的な法人格単位の労働法規制で十全に対応できるのかという新たな問題も提起されつつある[10]。

2　コーポレート・ガバナンス改革

次に，コーポレート・ガバナンスのあり方そのものについても重要な法改正が展開している。2002年5月の商法等改正法および2005年の会社法制定により，取締役会に指名委員会・監査委員会・報酬委員会の3委員会を設置し，各委員会の過半数を社外取締役とする「委員会設置会社（2014年会社法改正後は「指名委員会等設置会社」）」というアメリカ型に類似したコーポレート・ガバナンスの採用が可能となった。

このようなコーポレート・ガバナンス法制の展開の背景事情としては次のような点を指摘できよう。1990年代に金融機関が不良債権を抱え機能不全に陥る中，企業は間接金融から直接金融へと転換を余儀なくされる。その結果，株主価値の尊重が至上命題となり，日本型ガバナンスを支えた株式持合いの解消も進行した。また，1997年から98年にかけて相次いだ，大手金融機関の倒産は，内部昇進者が経営陣となって企業統治を行う日本企業の従来型ガバナンスの機能不全を露呈するものと受け取られた。そこで，外部的視点から株主価値の最大化を第一義とするシェアホルダー・モデルのコーポレート・ガバナンスを志向した制度が導入されることとなった。もっとも，この新たな委員会設置会社（指名委員会等設置会社）と従来型の監査役会設置会社，そして，2014年からは両者の中間形態とも言える監査等委員会設置会社[11]が導入されており，このいずれを採用するかは当該企業に委ねられている。

この委員会設置会社（指名委員会等設置会社）導入前から，法制度上は，株式会社の目的は株主の利益の最大化を図ることであるとするシェアホルダー・モデルが採用されていた。しかし，特に大企業のコーポレート・ガバナンスの実態は，短期的利益を追求しない安定株主の存在の下で，内部昇進した経営者が従業員集団の利益を尊重して経営を行うというステークホルダー・モデルであっ

10）　この問題についての本格的比較法研究として土岐将仁『法人格を越えた労働法規制の可能性と限界――個別的労働関係法を対象とした日独米比較法研究』（2020年）。

11）　監査等委員会は，取締役に対する監査を行い，かつ，監査等委員会メンバーは会社の意思決定を行う取締役会にも取締役として参加するという制度である（会社399条の2以下）。

たことについては，経営学者や商法学者からも指摘されている（→33頁）。ステークホルダー・モデルのチャンピオンはドイツであるが，ドイツモデルは，監査役会（Aufsichtsrat）レベルの共同決定，事業所委員会（Betriebsrat）による事業所レベルの共同決定，そして従業員の利益を擁護する発展した労働法規制等，いずれも法制度によって担保されたステークホルダー・モデルである。これに対して，日本モデルを支えてきたのは，企業間の株式の相互持合，安定株主の存在，従業員の内部昇進による経営陣，終身雇用慣行や労使協議慣行等，いずれも法制度によって担保されていない「慣行に依存したステークホルダー・モデル」である（→32頁以下）。そうすると，コーポレート・ガバナンス法制が制度として強力にシェアホルダー・モデルを志向した場合，慣行によって守られてきた従業員利益が大きく損なわれかねない。かかる事態に対して，労働法の側から従業員の利益と株主の利益のバランスを図るための制度的対応が必要なのではないかという課題が提起されよう[12]。

この問題は，労働者が多様化する中で，機能不全が指摘されている過半数代表との労使協定による法定基準の柔軟化（デロゲーション）の制度の再検討や，労働組合組織率の低落傾向が続く中で，多様化した労働者の利害を集団的に代表する機関としての従業員代表制の導入の是非等，個別法・集団法双方にまたがる政策課題の検討を要請している（→866頁以下）。

3　いわゆるブラック企業問題

さらに近時注目を集めているのが，いわゆる「ブラック企業」と指弾されている，コーポレート・ガバナンスの要諦である法令遵守意識が希薄で，過重労働・違法労働で労働者を使い捨てるような企業である。かつて正社員については長期雇用システムにおいて長期的な安定雇用の見返りとして使用者の指揮命令に柔軟に対応する雇用関係が認められてきたところ，そうした雇用安定の保障もなく使い捨てるような働かせ方が批判を集めた。そこで，2015（平成27）年制定の青少年雇用促進法（若者雇用促進法）では，労働関係法令違反について処分等を受けた求人者からの新卒者の求人申込みを受理しないことができることとされ，2017（平成29）年職安法改正では，これが新卒者求人に限定するこ

12）　以上につき荒木尚志「コーポレート・ガバナンスと雇用・労働関係（上）――比較労働法の視点からみた日本型ステークホルダー・モデルの特徴と課題」商事法務1700号18頁（2004年）。

となく一般化されている（→828頁）。

以上のように正社員を標準モデルとした長期雇用システムは，多様な労働者の多様な就業を前提としたシステムへと変容し，他方当事者である使用者もその性格を大きく変えつつある。こうした雇用システムの変化は，必然的に労働法にも変化を迫ることになった。1985（昭和60）年の均等法制定，労働者派遣法制定，1986（昭和61）年の高年齢者雇用安定法制定，1987（昭和62）年の週40時間制を導入する労基法改正等，1985年以降，新法制定や基本法の大改正が相次ぐこととなり，労働法は「立法の時代」に入ったといわれる。その後も労働法は，時代の変化に対応して変容しており，近時はそれがさらに加速している[13]。

第2節　雇用システムの変化と法の役割

伝統的労働法は，労働条件の最低基準を定め，その規範に民事上は強行的効力（それに違反する契約を無効とする効力），さらには直律的効力（無効となった契約部分を法定の規範で直接に規律する効力）を与え，公法上は，行政監督の根拠規範となり，また，その違反に対しては刑事罰を科すというアプローチをとってきた。そして，最低基準を上回る労働条件については，使用者と個別労働者の交渉力格差を是正すべく，労働組合という集団的交渉者を法認し，労働組合に争議権を与えることで労使を対等の立場に立たせ，団体交渉に委ねることとした。

しかしこうしたシステムは，上述したような雇用システムの変化，とりわけ労働者の多様化・個別化が進行した現在の雇用システムにおいては，様々な困難に直面している。こうした課題に取り組むために，今後，労働法は，いかなるルール（規範）を設定すべきで，そのルール（規範）の実効性はいかにして図られるべきであろうか。

Ⅰ　ルール（規範）の多様化

労働者や就業形態の多様化につれて，これを規律するルール（規範）も多様

13）1985年以降の労働法制の規制緩和，再規制，新規制の展開については本書2版715頁以下参照。

化しないと，実態と適合しない規制となって様々な不都合が生ずる。このルール（規範）の多様化は，様々な側面で問題となる。

1　規範自体の多様化：強行規定・逸脱可能な強行規定・任意規定

法が私人の契約関係を規律する際には，強行規定によるか任意規定によるかいずれかの方策があるが，伝統的労働法は，弱者たる労働者を保護するという視点から，労働条件の最低基準を法定することとした（憲法27条2項→23頁参照）。したがって，労働法規は強行規定であって，それを使用者と労働者の合意によって引き下げることはできないと解されてきた（労基13条参照）。

しかし，このような強行規定による規制は，それに反する当事者の合意（契約自由）を認めないため，労働者および就業関係が多様化してくると，法の定めた一律の規制が労働者本人にとっても，あるいは企業ないし社会にとっても，必ずしも妥当とはいえない場合が出てくる。これが社会全体にとって，有用といえない規制となった場合には，当該規制は撤廃すべきことになる[14)]。しかし，なお多くの労働者にとっては有用だが，一部の労働者には不適当な規制である場合には，規制の撤廃ではなく，当該一部の労働者に対して規制の例外を認めるという対応もありうる。

こうした例外を認める典型的手法が，一定の労働者集団に当該規制を適用除外とすることである。適用除外は，労働時間規制や最低賃金規制等，伝統的労働保護法の規制においても古くから普遍的に採用されている。

一般的規制の例外を認めるもう一つの手法が，労働者の集団的同意がある場合に，強行的規制の例外を認めるというものである。これは欧州諸国でも一般的に用いられている手法である。国家法による一律的規制を，労働者・就業形態の多様化に適合させるために，また，産業分野において就業実態が異なるような場合に，当該産業の就業実態に適合させるために，有効な手法といえる。この場合，当該強行規定は，一定条件下で，強行的規範を下回ることを許容するものであるので「逸脱可能な強行規定」と呼ぶことができよう。そしてこのような強行法規からの逸脱は欧州ではデロゲーション（derogation）と呼ばれている。このような制定法の柔軟化のための公正妥当な手法が確立していれば，

14）　例えば，労働基準法は，かつて女性についてのみ深夜業や一定時間以上の時間外労働を禁止していたが，男女雇用平等の規制の展開の中で，そうした規制はかえって雇用平等を阻害するものとして撤廃された。

国家法の制定自体もより円滑に展開しうる。

欧州の場合，この逸脱を認めるためには，産別レベルの労働組合の合意が必要とされるのが一般である。これは国家法の最低基準の変更を公正妥当に判断しうる主体は，使用者（使用者団体）と十分に対抗しうる力を持った当事者であるべきとの考慮によるものと解される。近時，欧州でも企業・事業所レベルの当事者への権限の委譲が拡大される傾向にあるが，デロゲーションは，なお産別組合の一定のコントロールの下に限定的に認めるというスタンスのようである[15]。これに対して，日本においては，事業場の労働者の過半数を組織する労働組合（過半数組合[16]）のみならず，過半数組合が存在しない場合には事業場の労働者の過半数を代表する個人（過半数代表者）との間での協定によって，逸脱を認めている点に特徴と，そして問題もある（下記3参照）。

強行規範からの逸脱を集団的同意のみならず，労働者の個別的同意によっても認めるとすれば，当該規定の任意規定化ということとなる。強行規定に反する合意を例外的に認めうるかどうかは，判例をめぐっても議論のあるところであるが（→166頁以下），労働者の多様化に伴い，制定法規範の例外を認めた方が労働者本人の利益に適う場合があるか，どのような場合にそうした自己決定を尊重すべき状況が存在すると認定できるのか等をめぐって，学界でも注目を集めている論点である[17]。

なお，日本の労働法は任意規定を活用してこなかったが，雇用関係における紛争は，当該事象を規律するルール（規範）が欠如していることによって引き

15）デロゲーションに関する優れた日独仏比較法研究である桑村裕美子『労働者保護法の基礎と構造——法規制の柔軟化を契機とした日独仏比較法研究』（2017年）や，新たな働き方に対応した今後の労働法の方向性と規範設定の分権化について検討した2018年国際労働法社会保障法学会世界会議総括報告であるTakashi Araki & Sylvaine Laulom, “Organization, Productivity and Well-Being at Work” in Giuseppe Casale & Tiziano Treu (ed.), *Transformations of Work: Challenges for the Institutions and Social Actors*, pp. 317-356 (Bulletin of Comparative Labour Relations, No. 105, 2019)等参照。なお，野田進『規範の逆転』83頁以下，278頁以下（2019年）は，2016年エル・コームリ法以後のフランスでは，国家規範の多くが，一定の公序部分を除き，デロゲーションの対象から補充規範に変質したとし，また，こうした規範の逆転は日本も含めて先進諸国に普遍的な現象と指摘している。

16）日本の労働組合の大多数は企業レベルで組織される企業別組合であるという点でも，欧州とは大いに異なっているが，ここでは深入りしない。

17）例えば西谷・自己決定406頁以下，大内伸哉「従属労働者と自営労働者の均衡を求めて」中嶋還暦47頁参照。

起こされる場合もある。例えば，出向関係において，懲戒権を有するのは出向元か出向先か等については，当事者が合意によってルールを定めておかなかった場合に適用される任意ルールがあれば紛争が防止される。雇用関係が多様化してくると，一律のルールを強制するよりも，別段の合意を認めつつ，ルール（規範）の欠如を埋めて紛争を回避する任意規定の活用も有用である[18)]。

2　実体規制と手続規制

伝統的労働法は労働条件の最低基準を実体的に規律する立場をとってきた。例えば，1日の労働時間の上限は8時間，最低賃金の額は1時間1000円といった規制が典型である。これに対して，国家が労働条件の実体規制は控え，当該労働条件（規範）設定の手続が適切妥当なものとなるよう規制するという手続規制もあり得る。例えば，労基法32条は法定労働時間を週40時間，1日8時間と規定しているが，同法36条は，使用者と過半数代表とが時間外労働数について労使協定を締結し，これを労働基準監督署長に届け出た場合，その時間まで時間外労働を許容している。ただし，同法37条によって，時間外労働に対しては割増賃金を支払わねばならない。つまり，この規制は，労働時間の原則的実体規制の例外を，過半数代表との労使協定締結＋労基署長への届出＋割増賃金の支払，という条件下で認めるものといえる。労使協定という手続を規制することによって，時間外労働の上限は当事者に委ねることとして，法定時間の柔軟化・個別事業場の必要への対応を許容するものといえる。従来は，「36協定青天井」といわれたように，時間外労働の上限に関する強行的法規制が存しなかったが，2018年の働き方改革関連法による労基法改正によって，時間外労働の絶対的上限が強行的規範として設定された（労基36条3項～6項→190頁）。したがって，法の定める一定の枠内での柔軟化を当事者に委ねる，欧州型のデロゲーションが採用されたといえる。

なお，実務の運用は必ずしもそうなっていないとの指摘もあるが，企画業務型裁量労働制を導入した労基法38条の4も，規制の発想としては，実体規制から手続規制に比重を移したものと理解することができる。すなわち，労基法38条の3の専門業務型裁量労働制は，当該制度を適用できる業務を厚生労働省令で具体的に限定列挙する立場をとっており，まさに実体規制の発想に立っ

18)　労契法18条が，有期契約を無期契約に転換する際の労働条件は，別段の定めがない限り，有期契約下と同一の労働条件とする旨の規定を置いているのは，この一例といえる。

ている[19]。これに対して，企画業務型裁量労働制では，対象業務は企画，立案，調査および分析という抽象的な業務のくくりで，具体的に企業においていかなる職務がこの企画業務型裁量労働制に該当するかは，委員の半数以上が労働者委員からなる労使委員会を設け，所定の事項を委員の5分の4以上で決議し，行政官庁に届け出ることとされている。すなわち，労使委員会の設置と決議事項・決議手続等の手続を厳格に規制することによって，業務要件の実体規制は概括化し，多様化する労働者・就労実態に適合的な規制を現場に委ねようとする手法といえる。

労働者の多様化に対応して，実体規制を多様化することも考えられるが，そうすると，労働法規は著しく細分化・複雑化してしまう。これでは労使，とりわけ一般の労働者がその内容を認識し得ない労働法となってしまい，法政策としては妥当でない。そうすると，使用者の一方的決定から労働者を保護すべき必要と，労働者の自己選択の尊重の要請に応え，実体規制の複雑化を避けわかりやすいシンプルな内容の規制とする手法として，手続規制の活用が考えられる[20]。

実体規制は，国家レベル，すなわち最も中央集権的レベルで価値判断を行い，統一的規範を設定するものであり，逸脱を許すべきでない価値の実現のための規制としては有効な手法である。例えば人権保障のための差別禁止等については，実体規制が有効であろう。反面，多様な雇用の現場の実情や要求に対しては柔軟・迅速な対応が困難な規制手法といえる。これに対して，手続規制は，規制のレベルを国家レベルから，より現場に近い労使レベルに分権化する。国家全体で統一的に規制すべき事項には適さないが，労使当事者の合意に基づいて規制を行う点では納得性が高く，また，自分たちで設定したルールであるので，その内容についても熟知している。したがって，そのルールが遵守されて

19)　ただし，専門業務型裁量労働制が1987年に導入された際には，対象業務は労使協定に委ね，行政解釈は例示列挙したものに過ぎなかった。しかし，裁量労働の対象範囲を濫用的に拡張する実務が展開されたため，1993年労基法改正で限定列挙の立場に転じた。詳細は荒木尚志「裁量労働制の展開とホワイトカラーの法規制」社会科学研究50巻3号3頁（1999年）参照。

20)　欧州の議論を参考に法の手続化を主張するものとして，水町勇一郎「法の『手続化』——日本労働法の動態分析とその批判的考察」法學65巻1号5頁（2001年），同『労働社会の変容と再生——フランス労働法制の歴史と理論』279頁（2001年），同編『個人か集団か？ 変わる労働と法』286頁以下（2006年）。

いるか否かも自分たちでチェックでき，現場当事者によるルールの履行確保が期待できる。

今後の立法にあたっては，実体規制と手続規制という異なる特色を持った規制アプローチがあることを前提に，規範の性格に照らして，適切な規制を選択すべきであり，実際には，実体規制と手続規制とを組み合わせたハイブリッド型規制が適切な場合が多いであろう。ただし，次の点を踏まえる必要がある。

3　手続規制の担い手：従業員代表制度？

手続規制が適正に機能するためには，その手続の担い手が適切に労働者利益を反映しうる主体であることが不可欠である。そうでなければ，労働者保護規範の安易な潜脱手段となってしまう。この点で，現行法下で多用されている，過半数代表との労使協定によって強行規定からの逸脱を認める制度には，種々問題が指摘されている[21]。

第1に，過半数労働組合が存する場合，当該労働組合が過半数代表として行動し，法定基準の解除について使用者と労使協定を締結すれば，それによって当該事業場の全労働者（非組合員・他組合員も含む）について，効果（法定基準を解除する効果）が発生する。そうすると，そのような労使協定を締結すべきか否かについて，組合員以外の労働者も含め多様な労働者の意見を踏まえるべきところであるが，現在は，非組合員の意見が過半数代表の行動に適切に反映される手続や制度が用意されていない。そのために，過半数労働組合と例えば組合に加入していない非正規労働者等で利害が対立するような場合に，公正妥当に事業場の全労働者を代表し得ているのかについて懸念が生じ得る。

第2に，より重大な問題は，過半数労働組合が存しない場合に法定基準の解除の権限が過半数代表者という個人の労働者に与えられていることである。過半数代表者は，労働組合とは異なり，労働者集団の意見を集約したり，使用者との交渉・協議をサポートする組織的裏付けを持たない。こうした過半数代表者と使用者の労使協定締結によって法定基準の解除（デロゲーション）を認めることの妥当性が問われている[22]。

21）詳細については，労働政策研究・研修機構「様々な雇用形態にある者を含む労働者全体の意見集約のための集団的労使関係法制に関する研究会報告書」（座長：荒木尚志東京大学教授）50頁以下（2013年），竹内（奥野）寿「従業員代表制と労使協定」講座再生1巻159頁参照。

22）桑村・前掲注15・356頁以下，荒木尚志「世界の集団的労働関係から見た日本の労使関係・不当労働行為制度」中労時1235号10頁（2018年）参照。

第3に，日本の現行制度においては，法定基準を解除する労使協定締結時に過半数代表であることしか要求されておらず，締結後に過半数代表たる地位を維持しているかどうかは問題とされない。つまり，過半数代表が労使協定で取り決めた法定基準の解除の内容について，過半数代表としてその適切な履行を監視する機能（モニタリング機能）を担うようには制度設計されていない。このことも法定基準を解除する仕組みの公正な運用の面で課題があると言わざるを得ない。

したがって，労働者の多様化に対応するために手続規制の活用は有効なアプローチであるが，その手続規制の担い手として公正妥当な労働者を代表する機関を用意することが喫緊の課題といえよう。

しかし，この問題は，集団的労使関係システムをどのように設計するか，とりわけ，労働組合組織率の低下，非正規労働者の急激な増加という情勢変化を踏まえて，労働組合とは別の従業員代表制度を導入すべきか否かという課題につながる。企業別組合が主流の日本において，そして，憲法28条が労働組合の団結権を保障している中で，従業員代表制度をどのように導入し，いかなる権限・機能を担わせ得るのか，という難問に直面する。大変困難な課題であるが，まずは喫緊の課題である過半数代表者の問題を解決すべく，過半数代表者を複数化し，常設化する等の方策から取り組むべきであろう[23]。

4　多様化する労働者と差別規制

労働法の任務は，単に，労働条件の最低基準を保障することにはとどまらず，雇用関係における人権保障についても重要な任務を担っている（→30頁）。多様な労働者が労働市場に参入する中で，不当な差別を禁止することは労働市場が

23）　労働政策研究・研修機構・前掲注21は，法定基準解除のみならず，多様化する労働者の労働条件規制までも視野に入れて，①現行の過半数代表制の枠組みを維持しつつ，過半数労働組合や過半数代表者の機能の強化を図る方策，②新たな従業員代表制を整備し，法定基準の解除機能等を担わせる方策，をそれぞれ検討し，結論としては，まずは過半数代表者の複数化・常設化等を図った上で，それが日本の労使関係の中でどのように役割を果たすかを検証しながら，新たな従業員代表制の整備の必要性を検討することが適当であるとする。過半数代表者の機能強化により，全従業員のために苦情処理機能を担うようになれば，非正規労働者等の不満や苦情の受け皿としての役割を果たすこととなる。そして，非正規労働者も含めた形での集団的発言チャネルが整備されることにより，正規労働者と非正規労働者の処遇の格差問題について，現場の労使当事者の納得を踏まえた労働条件設定が行われるようになることも期待される，とする。

公正に機能することを確保するためにも重要である。この差別禁止規制は，世界規模でその適用範囲を拡大し，発展しつつある[24)]。

差別禁止規制については，雇用システムの変化との関係で，次の3つの点で注目される。第1は，従来，禁止されていなかった新たな差別禁止事由が各国で次々と追加されていることである。伝統的な差別禁止規制は，人種，皮膚の色，宗教，性，または出身国（アメリカ公民権法第7編）のように狭義の人権に関わる差別を禁止するものであった。しかし，アメリカでは年齢差別（1967年年齢差別禁止法）や障害者差別（1990年障害者差別禁止法）を禁止する法律が制定された。他方，EUでは，2000年の一般雇用均等指令が，宗教・信条，障害，年齢，性的指向による差別を禁止した。さらに，欧州では，雇用形態差別と総称できるような，合意によって設定されたパートタイム労働，有期労働，派遣労働という雇用形態に基づく労働条件格差問題に，差別禁止法理（と一般に受け取られている規制）によって取り組む施策が展開されている[25)]。

第2に，差別禁止規制は，比較対象者との労働条件格差を問題とし，その格差が法の禁止する事由による場合に，これを違法とし，かかる事態を解消しようとする規制である。そして，違法とされた場合の救済のあり方によっては，労働条件の最低基準規制とは大いに異なった帰結をもたらす。すなわち，最低基準規制は，強行的直律的効果を与えられ，それを下回る労働条件を無効とし，労働条件を法定基準まで引き上げる効果を持つが，あくまで法定の最低基準まで引き上げるにとどまる。これに対して，差別禁止規制は，比較対象者の労働条件が法定基準より遙かに高いものであっても，被差別者の労働条件との格差が法定の差別禁止事由による場合には，これを違法とし，少なくとも過去分についてはその差額の損害賠償が認められる[26)]。その意味では，極めて強力な

---

24)　欧米における新たな差別禁止規制の展開についてはH. Nakakubo and T. Araki (ed.), New Developments in Employment Discrimination Law, Bulletin of Comparative Labour Relations, No. 68 (general editor: R. Blanpain) (2008) 参照。

25)　労働政策研究・研修機構「雇用形態による均等処遇についての研究会報告書」(2011年) は，欧州諸国の雇用形態差別規制は「非差別原則」と称されているものの，その規制内容を精査すると，有利にも不利にも異別取扱いを禁止する両面的な「差別的取扱い禁止原則」とは異なり，有利な取扱いは許容し不利益取扱いのみを禁止する片面的な「不利益取扱い禁止原則」と理解すべきとする。

26)　将来にわたり，労働契約内容を差別のないものに修正するかどうかについては，差別禁止規定の契約補充効の有無として議論のあるところである（→111頁）。

法規制となりうる。

このことも踏まえると，第3に，現在大きな問題となっている正規・非正規労働者の労働条件格差について，この差別禁止規制で対応するか否かが問題となる。アメリカでは雇用形態に基づく格差は禁止される差別にはあたらないとされ，市場調整に委ねている。これに対して日本では，2007年パート労働法が均等規制（差別禁止規制）を採用したが，その後，有期契約労働者そしてパート労働者について，均衡規制（不合理相違禁止規制）という独特の規制が展開され，2018年のパート有期法および改正労働者派遣法でも維持・発展されている（→574頁以下，609頁以下）。均衡規制（不合理相違禁止規制）は，差別禁止規制（同一取扱法理）とも，市場調整に委ねる立場とも異なる。こうした新たな格差是正規制を差別禁止規制との関係でどうとらえるべきかは新たな理論的課題である27)。

5　セーフティネットの再構築

社会のセーフティネットの視点から見ると，これまでは，雇用関係にある限りは労働法がセーフティネットを提供し，失業し，あるいは稼働能力のない者に対しては，社会保障制度がセーフティネットを提供するという棲み分けがみられた。しかし，労働者が多様化し，働いていても，十分な生活保障を得られないいわゆるワーキング・プアやパート労働者の場合，最低賃金が保障されても，その労働時間の短さ故に，その雇用だけでは生活を維持すべき収入が得られない，そして，被用者保険等の適用対象外に陥るといった問題が生じてきている。さらに，失業者像も多様化・変容してきており，長期失業者や就労意欲の欠如した失業者など，既存の失業保険制度では対応できない失業者が増大し，セーフティネットの再構築が迫られている28)。

▩雇用類似の働き方　今日，労働者と非労働者（独立自営業者）の境界が曖昧化し，一定の事業者性を持った役務提供者に対する保護が社会的課題として浮上してきている。これらの役務提供者（雇用類似就業者）を労働者の概念に包摂して労働法の保護を拡張すべ

---

27)　水町勇一郎「非正規雇用と法」荒木編・社会変化と法29頁は，日本でこのようなアプローチが採用された事情について分析を加えるとともに，差別禁止と平等取扱い（不利益取扱い禁止）の峻別論は，規制の整理分類法としては有益だが，法政策を制度設計する上での規範的判断としての峻別論には懐疑的で，より連続的に捉えるべきとする。これに対して富永晃一「雇用社会の変化と新たな平等法理」同書59頁は，かかる規制を，従来の「同一取扱法理（差別禁止）」と対比して「均衡取扱法理（差別抑制）」と位置づけ，その理論的整理を試みている。

28)　菊池馨実「雇用社会の変化とセーフティネット」荒木編・社会変化と法87頁，笠木映里「労働法と社会保障法」論ジュリ28号21頁（2019年）参照。

きか（労働者概念拡張アプローチ），労働者と自営業者の間に中間的な第三の概念（ドイツの労働者類似の者〔arbeitnehmerähnliche Person〕やカナダの dependent contractor，イギリスの employee より広義の概念である worker 等）を用意して対処すべきか（中間概念導入アプローチ），必要な保護の内容を確定し，その保護を提供する特別の制度を用意することで対処するか（特別規制アプローチ），あるいは，独立自営業者として経済法の優越的地位の濫用等の労働法以外の法規制やソフトロー的対処に委ねるべきか（非労働法的対処アプローチ）等，多様なアプローチがあり得る（→61 頁）[29]。この問題を考える際には，役務提供者の多様性とそこで必要とされる保護の多様性に留意するとともに，仮に労働法の保護と労働法以外の施策による保護の双方の適用があり得る場合には，規制の実効性も重要な視点となることに留意すべきであろう。その意味では，労働法とそれ以外の法規制の，それぞれの特質を踏まえた調整や協働を通じた合理的・実効的セーフティネットの再構築が課題となっている[30]。

Ⅱ　法規制の実効性確保

Ⅰでは，ルール（規範）の多様化に焦点を当てて検討したが，労働者・雇用関係が多様化する中で，当該ルール（規範）の実効性をいかに図るかも大きな課題となる[31]。

1　国家による監督と当事者による履行確保

労働基準法をはじめとする伝統的な労働保護法は，その違反に対しては刑事罰を用意し，また，行政監督を発動するというように，公法的手法，国家権力による履行確保手段を用いて，その実効性を図ってきた。

これに対して，2007 年に純然たる民事法規たる労働契約法が制定されたことに象徴されるように，罰則や行政監督といった公法的履行確保装置を持たない労働法規が登場してきている（→23 頁，41 頁）。労働契約当事者は，その契約上の権利を，自ら紛争処理システムを通じて実現することが予定されている。したがって，簡易・迅速・安価にその権利の実現を図りうる紛争解決システムが用意されている必要がある。国の都道府県労働局や地方自治体による労働相

29）　プラットフォーム就業に焦点を当てた比較法研究として石田信平ほか『デジタルプラットフォームと労働法――労働者概念の生成と展開』（2022 年）参照。

30）　Araki & Laulom，前掲注 15，荒木尚志「プラットフォームワーカーの法的保護の総論的考察」ジュリ 1572 号 14 頁参照。

31）　労働法の実効性確保についての基本文献として山川隆一「労働法における法の実現手法」佐伯仁志責任編集『法の実現手法』171 頁（2014 年），鎌田耕一「労働法の実効性確保」講座再生 1 巻 225 頁。

談等の仕組みが徐々に整備されてきていたが，労働契約法制定の前年の2006年からは，3回以内の期日で簡易・迅速・安価に個別紛争を処理する労働審判制度が動き出した。現在，労働関係の通常訴訟とほぼ同数の事件を扱い，その約8割が紛争解決に至るなど大いに活用されている（→628頁以下）。

外部の紛争処理システムが利用可能であることに加えて，権利義務の実効性が当事者によって図られることが望ましい。労働者を代表する労働組合は，そうした役割を果たすべきものであるが，労働者の権利確保について問題が生じやすい中小企業には，労働組合が存在しない場合がほとんどである（従業員100人未満の企業の労働組合組織率〔2021年〕は0.8%）。そこで，労働組合とは異なり職場において多様化した従業員全体を代表する常設の従業員代表制度の構築が課題となっている。産業別組合が主流で事業所レベルの従業員代表との棲み分けが可能である欧州諸国と異なり，企業別組合が主流の日本では，同じ企業（ないし事業所）レベルで従業員代表制度を導入することには困難な問題も生ずるが，ほとんど組合の存在しない中小企業では，上述したように，過半数代表を複数化・常設化することから取り組むことも十分考えられよう。複数化した常設の過半数代表は，自らが結んだ労使協定をめぐる履行確保問題にも対応する機関となり，そうした経験を積み重ねることで，紛争解決の機能をも担いうる従業員代表へと発展し，さらに労働条件交渉権限をも必要となれば，労働組合へと発展する可能性もありえよう。

国家自身の直接的監督と当事者（労働者）自身の民事訴訟等を通じた権利実現という2つの典型的な履行確保手段の中間に，国家が労働者に代わって訴訟を提起するというアプローチも考えられる（例えばアメリカ[32]）。また，消費者契約では団体訴訟の仕組みがある。労働関係には労働組合が存在するとはいえ，現状に鑑み，訴訟を活用した多様な権利実現の方策が検討されてよいであろう。

2　ハードローとソフトロー，裁判規範と行為規範，経済的インセンティブ

法規制の実効性は，最終的には裁判所による裁判によってその権利義務の実現が図られることで確保される。そのような裁判所による履行確保がなされうる法規制をハードローという。これに対して，とりわけEUでは，ソフトローの活用が盛んとなった。これは，多様な価値観，多様な法伝統，多様な文化の

32）　安部愛子「アメリカ合衆国における労働法の権利の実現方法について」労研664号74頁（2015年）参照。

相違から，EUレベルで新たな立法・規範設定を行おうとしても進展しないという事態を打開しようと試みられたものである。

人々の働き方，家族観，価値観等に密接に関わる社会労働立法においては，実効性ある規制を導入しようとすると，その価値観をにわかには受け入れる用意のない立場からは大きな反発が生じてしまう。この点，日本では，障害者雇用，高年齢者雇用，男女雇用機会均等，育児介護休業等の規制において，新たな規範について「努力義務」（その違反について裁判所に出訴して実現することのできない性格のものであることからソフトローの一種とみることができる）を課し，積極的な行政キャンペーンや啓蒙活動を通じてその価値が社会に浸透するのを待ってハードロー化するという漸進的施策が多用されている。

もちろんこのようなアプローチには問題がないわけではない。例えば，人権に関わる男女雇用機会均等のような施策について，ソフトローにとどまる規制を行うということは，本来直ちに禁止されるべき差別が禁止されずに放置されることにもなる。これに対して，狭義の人権問題ではなく，より広く政策的裁量を認めてよい事項については，このような漸進的アプローチは社会の混乱を回避しつつ，規範の社会における実効性を高めるアプローチとして評価できよう[33)]。

なお，労働立法においては，努力義務の他にも，必ずしもそのまま裁判規範とはならない配慮義務規定，訓示規定等が設けられることも少なくない。例えば，労働契約法の総則規定の対等決定原則，均衡考慮の原則，仕事と生活の調和への配慮原則などはそうである（労契3条1項ないし3項）。これらの規定は，権利濫用判断等で考慮されることはあっても，それ自身が裁判規範を設定した規定とはいえない。しかし，当事者が労働条件をめぐって交渉する場合には，重要な行為規範として機能する。

そして，こうした努力義務や配慮義務などのソフトローによって設定された政策目標に誘導するためには，助成金等の経済的インセンティブ付与が活用されてきた。例えばパート労働者の処遇改善については努力義務・配慮義務となっている部分も少なくないが，キャリアアップ助成金で処遇改善を誘導している。また，労契法18条は有期契約の無期転換に関して，別段の定めがない限

33）以上の点については荒木尚志「労働立法における努力義務規定の機能――日本型ソフトロー・アプローチ？」中嶋還暦19頁参照。

り同一の労働条件で転換する旨定めている。無期転換するのであれば正社員並の労働条件改善をハードローで義務づけるべきとの立場も考えられるが，そうした規制は，むしろ5年無期転換ルール発動前の雇止めを誘発しかねない。そこで，労契法18条は，同一条件での転換をデフォルトルール（任意規定）とし，労働条件改善はハードローでは規制せず，賃金を5%以上改善した事業主にはキャリアアップ助成金を支給するという経済的インセンティブを付与することで誘導している（→549頁）。

これらは法規制や政策目的を実効的に達成するには，規制には副作用が伴うことを認識し，多様な手法を重層的に併用することが有用であることを示している。

3　規制の名宛人としての法人格

規制の実効性に関連して，既述のように，持株会社を頂点とする企業グループ単位での経営や，かつて一企業が担っていた業務をアウトソーシングによって他企業に担わせるという経営手法の進展は，伝統的な法人格単位の規制のままで，その実効性があがるのかという深刻な問題を提起している。伝統的法解釈も，法人格否認の法理等で，限定的な対応を行ってきたが，正面から，法人格を超えた法規制[34]の要否も今後の課題となろう。

4　市場メカニズムの利用

法の実効性を確保するには，法的な履行確保手段に頼るだけではなく，法律外の手段を利用することも十分に考慮に値する。とりわけ適切にコントロールされた市場機能の活用は，有望な選択肢である。

(1)　労働市場機能の活用

労働法の問題の一つとして，現在の労働条件に不満がある場合，当該企業にとどまりつつ，労働条件を交渉等によって改善する方策（voiceの活用）と，当該企業を退出してよりよい労働条件の得られる別の企業に移動することで改善する方策（exitの活用）の2つの選択がある。活発な外部労働市場が整備されており，転職によって同等ないしより良好な労働条件機会を得られる場合，転職できるという選択肢が，実は，現在の使用者との間で労働条件の改善を迫る上

34）　現行法でも，数次請負の場合に災害補償については元請負人を使用者とみなす（労基87条）とか，派遣関係において，契約上の使用者ではない派遣先を使用者とみなして，使用者責任を課す（労派遣44条）といった立法例がある。土岐・前掲注10参照。

でも大きな武器となる[35]。例えば，査定の不当性を労働者が争うのは，閉じた内部労働市場の中では非常に困難な作業となる。しかし，他社が自分をより高く評価してくれるので，今の評価のままなら転職する，といえることは，現在の内部市場における評価を，外部労働市場機能を活用することによって是正する途を開くことにもなる。

ただし，すべての労働者に対して雇用保障を取り去り，外部労働市場機能にのみ依拠した制度に移行することは，雇用保障を中核とした制度にも様々なメリットがあることを考慮すると，慎重でなければなるまい。したがって，外部市場機能の活用を積極的に認めうるのは，キャリアを個別労働者自身が主体的に選択し得，自己の専門領域を活かして転職によってもキャリア継続を図りうるようなタイプの労働者ということになろう。今後は，流動的な専門職市場が形成され，市場機能を活かしたキャリア形成・労働条件管理が適切に可能となる労働者が増加することも考えられる[36]。こうした労働者の多様性を受け止めうる法制度を構築していく必要がある。

(2)　評判のメカニズムによる一般市場機能の活用

次に，評判のメカニズムの活用や情報による市場選別機能の活用も検討されてよい。

まず評判のメカニズムの利用にも使用者に関する否定的な情報と肯定的な情報の開示を通じた市場機能の活用がある。伝統的な労働法において，否定的な情報の活用例は豊富にある。例えば，行政指導に従わずになお公法上の規制違反を是正しない企業については，企業名の公表という手段を用いてきた。これは企業の社会的評判の悪化を利用して，法遵守の実効性を確保しようとする方策である。刑事罰等の制裁を科すよりも発動しやすく実効性が高い。

これに対して，優良企業の認定・表彰による肯定的な情報を流通させることによる市場機能の効果も近時盛んに活用されている[37]。これはソフトロー規制において法の目指す方向に向けて積極的取組みを展開している優良企業に良

35)　同旨，大内伸哉「労働法学における『暗黙の前提』――法と経済の協働の模索・可能性・限界」季労219号246頁（2007年）。

36)　現在の日本でも，外資系企業市場においては，そのような外部市場型の流動的市場が生じている可能性がある。

37)　例えば，子育てサポート企業についての「くるみん認定」，女性活躍推進にかかる「えるぼし認定」，若者雇用促進にかかる「ユースエール認定」など。

い評判の効果を享受させようとするものである。

以上のように政府が否定的ないし肯定的評価を下してこれを公表する他に，企業自身に一定の情報を開示させ，市場自身がそれを評価・選別することを通じて一定の政策目的達成を狙うこともある。例えば，企業の社会的責任（CSR）に関する施策の情報を開示させ，社会的責任投資（SRI）を呼び込むといったことがありうる。ここでは情報を市場に流通させ，情報に基づく選択という市場機能によってソフトローたる企業の社会的責任（CSR）の実践を促そうとしているわけである。ハードローによる直接的規制が必ずしも妥当でない領域では，ソフトローと情報開示による市場効果を利用することも有用な手法である。そして，その情報公開についてはハードローで要求するという国も少なくない[38)]。政府が2003年に，指導的地位に占める女性の割合を2020年までに30％とする数値目標[39)]を定め，2013年にもこれを確認し，2015年制定の女性活躍推進法が，事業主に行動計画の策定と女性活躍の実情について公表することを一定規模以上の企業に義務づけているのもこうした手法を活用したものである。

なお，政府の関与しないインターネット等における言論の圧力が，企業の行動に影響を与える例が近時多々見られる。こうした社会的監視のメカニズムを利用することも一考に値するが，しかし，濫用や暴発を防いで適切な社会的監視手段として活用しうるか，なお慎重な検討が必要であろう。

5　労働法教育・周知

労働法の規制が多様化し，公法的手法によって担保されないルールも増えてきた。民事規範からなる広義の労働契約法においては，労働者自らが紛争解決機関を通じてその権利の実現を図ることが予定されている。しかし，労働者自身が自らの権利内容を認識していなければ，こうしたメカニズムは機能しない。そこで労働法教育が法の実効性確保にとっても大きな課題となる。

---

38)　荒木尚志「企業の社会的責任（CSR）・社会的責任投資（SRI）と労働法――労働法政策におけるハードローとソフトローの視点から」山口浩一郎先生古稀記念論集『友愛と法』22頁，31頁（2007年）参照。

39)　この数値目標は実現せず（2020年時点で14.8％にとどまる），2020年12月の第5次男女共同参加基本計画は，2030年代には，指導的地位にある人々の性別に偏りがない社会となることを目指すこととされ，そのための通過点として，2020年代の可能な限り早期に指導的地位に占める女性の割合を30％程度となるよう目指して取組みを進めることとされた。

労働法の内容の認識のためには，座学的労働法教育の他に，職場等における周知がある。伝統的労働法も労働法令，就業規則，労使協定等の周知を義務づけている（例えば労基106条）が，周知のあり方については，更なる工夫の余地があろう[40]。

労働者・就業構造の多様化に伴って，雇用社会を規律する法の役割も多様化せざるを得ない。伝統的労働法が使用者と労働者の利害対立という比較的単純な図式を前提に議論してきたのに対して，今日の労働法の任務は相当に複雑化し，困難化している。コーポレート・ガバナンスの枠組みでみると，使用者と対立する存在たる株主も視野に入ってくる。労働者の内部では，正社員・非正社員，組合員・非組合員，男女，老若，日本人・外国人等様々な利害の対立が想定され，その利害調整を使用者との間のそれに加えて行わねばならない。さらに，フリーランス等の労働者と独立自営業者の中間に位置する雇用類似就業者についても労働法としての対応を検討する必要がある。このように輻輳した利害調整を実施するには，多様な規制規範と規制手法を組み合わせて，適切な調整メカニズムを模索するという困難な作業に取り組まざるを得ない。労働法の任務は，この困難な作業に真摯に取り組み，労働者がどのような雇用モデルを選択しても，ディーセント・ワーク（decent work：働きがいのある人間らしい仕事[41]）を保障すること，そして働く人々が幸せを実感できる社会の実現にあるといえよう。

40)　山川・前掲注31・183頁参照。

41)　ディーセント・ワークとは，1999年にソマビアILO事務総長が就任時に，ILOの理念・活動目標として表明したもので，その後，ILOの活動のスローガンとなっている。厚生労働省はこれを「働きがいのある人間らしい仕事」と翻訳し，日本においては（1)働く機会があり，持続可能な生計に足る収入が得られること，(2)労働三権などの働く上での権利が確保され，職場で発言が行いやすく，それが認められること，(3)家庭生活と職業生活が両立でき，安全な職場環境や雇用保険，医業・年金制度などのセーフティネットが確保され，自己の鍛錬もできること，(4)公正な扱い，男女平等な取扱いを受けること，といった願望が集大成されたもの，と整理している。

判例索引

事項索引

こ

さ

し

す

せ

そ

つ

て

と

み

む

め

も

や

ゆ

よ

ら

り

ろ

わ

労働法〔第5版〕

Labor and Employment Law: 5th edition

2009年7月31日 初　版第1刷発行
2013年5月30日 第2版第1刷発行
2016年11月10日 第3版第1刷発行
2020年6月25日 第4版第1刷発行
2022年12月25日 第5版第1刷発行

著　者　荒木尚志
発行者　江草貞治
発行所　株式会社有斐閣
〒101-0051 東京都千代田区神田神保町 2-17
http://www.yuhikaku.co.jp/
装　丁　神田程史［レフ・デザイン工房］
印　刷　大日本法令印刷株式会社
製　本　牧製本印刷株式会社
装丁印刷　株式会社亨有堂印刷所

落丁・乱丁本はお取替えいたします。定価はカバーに表示してあります。

Printed in Japan ISBN 978-4-641-24357-6